HANES METHODISTIAETH GALFINAIDD CYMRU

CYFROL IV

YR UGEINFED GANRIF (*c.* 1914–2014)

TYSTIOLAETH, CENHADAETH A HER Y FFYDD

HANES
METHODISTIAETH GALFINAIDD CYMRU

CYFROL IV

YR UGEINFED GANRIF
(*c.* 1914–2014)

Tystiolaeth, Cenhadaeth a Her y Ffydd

Golygydd:
JOHN GWYNFOR JONES

Is-Olygydd:
MARIAN BEECH HUGHES

ISBN 978-1-912173-01-3

Mae'r cyhoeddwr yn cydnabod cefnogaeth ariannol
Cyngor Llyfrau Cymru.

Cyhoeddwyd gan Wasg Pantycelyn, Caernarfon
Argraffwyd gan Wasg y Bwthyn, Caernarfon

CYFRANWYR

DAVIES, J. E. WYNNE
Llywydd Cymdeithas Hanes Eglwys Bresbyteraidd Cymru

GRIFFITHS, RHIDIAN
Cyn-Bennaeth Adran Gwasanaethau Cyhoeddus Llyfrgell Genedlaethol Cymru, Aberystwyth

JONES, BILL
Athro Hanes Cymru, Prifysgol Caerdydd

JONES, DAFYDD ANDREW
Cyn-Lywydd Sasiwn y De a chyn-Lywydd y Gymanfa Gyffredinol

JONES, GLYN TUDWAL
Cyn-Lywydd Sasiynau'r Gogledd a'r De a chyn-Lywydd y Gymanfa Gyffredinol

MORRIS, MEIRION
Ysgrifennydd Cyffredinol Eglwys Bresbyteraidd Cymru

OWEN, D. HUW
Cyn-Geidwad Darluniau a Mapiau, Llyfrgell Genedlaethol Cymru, Aberystwyth

REES, D. BEN
Cyn-Weinidog yn Eglwys Bresbyteraidd Cymru, Lerpwl

RICHARDS, ELWYN
Gweinidog Eglwys Berea Newydd. Bangor, a chyn-Ysgrifennydd a Chyfarwyddwr Adran Ymgeiswyr a Hyfforddiant Eglwys Bresbyteraidd Cymru

ROBERTS, BRYNLEY F.
Cyn-Lyfrgellydd Cenedlaethol Cymru, Aberystwyth

ROBERTS, ELFED AP NEFYDD
Cyn-Brifathro y Coleg Diwinyddol Unedig, Aberystwyth

WILLIAMS, JOHN TUDNO
Cyn-Brifathro y Coleg Diwinyddol Unedig, Aberystwyth

BYRFODDAU

CMA	Calvinistic Methodist Archives (LlGC)
Cylchgrawn	*Cylchgrawn Hanes y Methodistiaid Calfinaidd*
EBC	Eglwys Bresbyteraidd Cymru
LlGC	*Llyfrgell Genedlaethol Cymru*
Traf. Cymmr	*Trafodion Anrhydeddus Gymdeithas y Cymmrodorion*
Y Blwyddiadur	*Blwyddiadur a Dyddiadur Eglwys Bresbyteraidd Cymru*

CYNNWYS

Cyfranwyr v

Byrfoddau vi

Cyflwyniad ix
J. E. Wynne Davies, Llywydd y Pwyllgor Hanes

Cydnabyddiaeth a Rhagarweiniad xi

Rhestr y Lluniau xv

1. Methodistiaeth Galfinaidd Cymru a'r Gymdeithas: *c.* 1914–1939 1
D. Ben Rees

2. Methodistiaeth Galfinaidd Cymru a'r Gymdeithas: *c.* 1939 hyd y Presennol 49
D. Ben Rees

3. Gweithred a Deddf: Cyfansoddiad Cyfundeb y Methodistiaid Calfinaidd neu Eglwys Bresbyteraidd Cymru 97
Meirion Morris

4. Addoli a'r Bywyd Ysbrydol 145
Elfed ap Nefydd Roberts

5. Credo a Diwinyddiaeth 181
Elwyn Richards

6. Addysg: Y Colegau 215
John Tudno Williams

7. Llenyddiaeth a Chyhoeddi ar ôl 1914 273
Brynley F. Roberts

8. Y Genhadaeth Gartref a Thramor, 1914–2014 302
Dafydd Andrew Jones

9. Gwaith Plant ac Ieuenctid 1914–2014 357
Dafydd Andrew Jones

10. Mawl a Chân 393
Rhidian Griffiths

11. Diwylliant Gweledol 416
D. Huw Owen

12. 'Ar Wasgar': Y Methodistiaid Calfinaidd
y tu allan i Gymru wedi 1918 446
Bill Jones

Diweddglo: Y Presennol a'r Dyfodol 495
Glyn Tudwal Jones

Llyfryddiaeth 514

Mynegai 534

CYFLWYNIAD

Gwnaed ymgais i grynhoi hanes Methodistiaeth Galfinaidd Cymru yn gynnar iawn cyn, hyd yn oed, yr ymwahanu oddi wrth yr Eglwys Wladol yn 1811. Rhwng 1799 ac 1813 ymddangosodd 'Ymddyddan rhwng Scrutator a Senex' gan John Evans, Y Bala yn *Y Drysorfa.* Yn dilyn hanes John Evans, ac yn ddyledus iddo, cyhoeddwyd *Drych yr Amseroedd* Robert Jones, Rhos-lan yn 1820, ac er i R. T. Jenkins ddisgrifio'r gyfrol fel 'apocryffa'r diwygiad', cyfeiria ati fel 'yn bendifaddau un o glasuron llên Cymru'. Pan ymddangosodd cyfrol John Hughes, *Methodistiaeth Cymru* yn 1851, fe'i disgrifiwyd gan Emrys ap Iwan fel 'nofel dair cyfrol' ond, er gwaethaf ei diffygion, mae'n gyfraniad anhepgor.

Bu'r bedwaredd ganrif ar bymtheg yn nodedig am ei chofiannau ac ni ddylid anwybyddu'r rhain fel ffynhonnell werthfawr. Nid oes rhaid nodi ond tri ohonynt: *Cofiant John Jones, Talysarn,* 1874, gorchestwaith Owen Thomas; *Cofiant William Evans, Tonyrefail,* 1892, gan William Evans, Doc Penfro; a chyfrol D. E. Jenkins,1909, *Life of Thomas Charles of Bala*. Cyhoeddwyd hefyd *Welsh Calvinistic Methodism. A Historical Sketch,* 1872 a 1884, sef hanes cryno a argraffwyd y drydedd waith yn 1998 gan Wasg Bryntirion. Hanes gwerthfawr arall yw *Llawlyfr Hanes Cyfundeb y Methodistiaid Calfinaidd,* 1926 gan D. D. Williams. Yn 1895 ac 1897 cyhoeddwyd *Y Tadau Methodistaidd*, John Morgan Jones a William Morgan, yn ddwy gyfrol gynhwysfawr. Ni ddylid ychwaith anghofio cyfrol amhrisiadwy Edward Jones, *Y Gymdeithasfa,* 1891.

Er cymaint a gyhoeddwyd, teimlid na fu arweinwyr y cyfundeb yn ddigon cyfrifol yn y dasg o ddiogelu defnyddiau hanesyddol. Dyfnhaodd yr ymdeimlad y dylid hyrwyddo ymchwil manwl ac ysgolheigaidd, ffurfiwyd Pwyllgor Llawysgrifau Trefeca yn 1908, ac yn 1914 sefydlwyd y Gymdeithas Hanes. Yn 1916 ymddangosodd rhifyn cyntaf *Y Cylchgawn Hanes* a thros y blynyddoedd cafwyd cyfraniadau gan haneswyr o'r radd flaenaf – M. H. Jones, John Morgan Jones, R. T. Jenkins, Richard Bennett, Tom Beynon, Gomer M Roberts a nifer o wŷr galluog eraill, y rhan fwyaf ohonynt yn cario 'baich gofalon bugail'. Ochr yn ochr â'r gweithgarwch hwn, cyhoeddwyd hanes henaduriaethau ac eglwysi unigol.

Yn nechrau chwedegau'r ganrif ddiwethaf penderfynwyd gosod ar gof a chadw ffrwyth yr holl ymchwil a chyhoeddwyd dwy gyfrol gyntaf *Hanes Methodistiaeth Galfinaidd Cymru,* dan olygyddiaeth y Dr Gomer M Roberts, yn olrhain yr hanes hyd farwolaeth Thomas Charles yn 1814. Sylweddolwyd bod y rhan fwyaf o'r ymchwil yn ymwneud â'r cyfnod cynnar ac nad mor hawdd fyddai croniclo hanes y bedwaredd ganrif ar bymtheg a'r ugeinfed ganrif. Ysgwyddwyd y baich o baratoi'r drydedd gyfrol gan yr Athro John Gwynfor Jones ac yntau fu'n llywio'r bedwaredd gyfrol, a hynny yn ystod y flwyddyn y bu'n Llywydd y Gymanfa Gyffredinol. Diolchwn iddo am ei lafur diarbed ac rydym yn ddyledus i'r cyfranwyr am rannu eu harbenigedd a chyflwyno i ni gyfrol gyfoethog.

Hwyrach, o ystyried cyflwr crefydd yng Nghymru heddiw, y teimla rhai mai hon fydd y gyfrol olaf. Daeth yn gyfnod o drai unwaith eto, ond onid yw'r holl hanes yn ein hatgoffa fod y cyfan yn llaw Duw? Mewn pregeth radio yn coffáu diwygiad 1859, cyfeiriodd Gomer M. Roberts at bregeth drawiadol a draddodwyd cyn y diwygiad hwnnw gan Daniel Davies, Aberporth, ar y testun 'Mi a ymwelaf â chwi drachefn'. Mae'n nodi'r pennau: 'Mi a ymwelaf â chwi, yn gyntaf, fel yr haf ar ôl y gaeaf'; yn ail, 'Fel llanw ar ôl y trai'; yn drydydd, 'Fel y glaw ar ôl sychder'; ac yn olaf, 'Fel y dydd ar ôl y nos'. 'Wel, dyna hi ichi', oedd sylw'r awdurdod pennaf ar ein hanes, 'un o egwyddorion mawr y byd ysbrydol'.

J. E. WYNNE DAVIES,
Llywydd y Pwyllgor Hanes

RHAGARWEINIAD A CHYDNABYDDIAETH

Yn rhifyn Dathlu Canmlwyddiant y Gyffes Ffydd yng Nghylchgrawn Hanes y Cyfundeb yn 1923 dywed y Parch. E. O. Davies, un o'r arweinwyr amlycaf a mwyaf gweithgar yn y blynyddoedd wedi'r Rhyfel Mawr (1914–18) fel a ganlyn:

> Dyna ddechrau cyfnod newydd yn hanes y Cyfundeb wedi blynyddoedd o ryfela erchyll. Gwnaed ymdrech yn y Comisiwn ad-drefnu adran athrawiaeth i osod sylfaen gadarn i ffydd o hynny ymlaen, a Christ yn ganolfyr yn yr athrawiaeth honno. Er cymaint beirniadaeth Feiblaidd a dylanwadau cynyddol honno o gyfnod olaf y Frenhines Fictoria ymlaen, rhoddwyd y pwyslais terfynol ar safle anorchfygol Crist.

Yn y tair cyfrol a gyhoeddwyd ar hanes Methodistiaeth Galfinaidd yng Nghymru o gyfnod yr arweinwyr cynnar ymlaen rhoddwyd y pwyslais ar dwf y ffydd a ddaeth yn sail i gredo'r Cyfundeb yng nghwrs yr ugeinfed ganrif.

Dyma'r gyfrol olaf i'w chyhoeddi ar hanes y Cyfundeb yn dilyn y tair a ymddangosodd, dwy dan olygyddiaeth fanwl y Parch. Ddr Gomer M. Roberts, un o brif haneswyr ein Cyfundeb yn ei ddydd, ar y cyfnod o ddechrau Methodistiaeth hyd at 1814, blwyddyn marwolaeth Thomas Charles o'r Bala, Bu Gomer Roberts yn weithgar gyda'r Gymdeithas Hanes a sefydlwyd yn 1914, dwy flynedd cyn cyhoeddi'r *Cylchgrawn* yn 1916, ac ef fu'n Olygydd iddo yn y blynyddoedd 1948–71.

Lluniwyd y drydedd gyfrol yn bennaf ar gyfnod y Frenhines Fictoria hyd at ddechrau'r Rhyfel Byd Cyntaf. Rhennir y penodau yn y gyfrol olaf hon rhwng gwahanol agweddau ar hanes y Cyfundeb o gyfnod y Rhyfel Byd Cyntaf hyd at y presennol gan bwysleisio'r berthynas rhwng y cyfnod blaenorol a'r newidiadau arwyddocaol a ddaeth i fod yng nghwrs blynyddoedd o newid wedi dau Ryfel Byd, a'r canlyniadau heriol wedi hynny mewn eglwys a chymdeithas.

Mae'r cyfranwyr yn y gyfrol hon yn adnabyddus yn ein Cyfundeb am eu hysgolheictod, ac mae'r Golygydd yn datgan ei ddiolchgarwch twymgalon iddynt am eu parodrwydd i'w gynorthwyo. Mae'r themâu a ddewiswyd yn sail i'r trafodaethau ar bynciau sy'n rhychwantu'r ganrif ac yn canolbwyntio ar y prif ddatblygiadau yn hanes y Cyfundeb o ddechrau'r Rhyfel Byd Cyntaf ymlaen hyd at y presennol.

* * *

Pwyllgor Hanes y Cyfundeb ar ddiwedd mis Mawrth 1962 a luniodd y cynllun i gyhoeddi cyfrolau ar hanes Methodistiaeth Galfinaidd Cymru. Y Parch. Ddr Eifion Evans a gynigiodd y fenter, a ffurfiwyd panel bach i drafod y posibiliadau, ar ôl Cymanfa Gyffredinol Lerpwl yn 1963, a'r Parchedigion William Griffith a Gomer M. Roberts, a Mr Gildas Tibbott yn aelodau ohono. Penderfynwyd llunio cyfrol neu gyfrolau i gwrdd â'r gofynion, a chytunwyd mai pedair cyfrol ddylid eu cyhoeddi. Y bedwaredd, a'r olaf yw'r un bresennol ar y ganrif heriol o ddechrau'r Rhyfel Byd Cyntaf hyd heddiw. Ymddangosodd y gyfrol gyntaf ar ganrif gyntaf Methodistiaeth hyd at yr aduniad yn 1763 rhwng Howel Harris a Daniel Rowland, a'r ail yn fras at y blynyddoedd o'r aduniad hwnnw hyd at 1811, sef blwyddyn ordeinio'r gweinidogion cyntaf a sefydlu'r enwad, ac 1814, blwyddyn marwolaeth Thomas Charles. Ymddangosodd yr ail gyfrol yn 1978, bedair blynedd wedi'r gyntaf, a chyhoeddwyd y drydedd, oherwydd amgylchiadau arbennig, gryn dipyn yn ddiweddarach yn 2011 ar y ganrif 1814–1914.

Yn y gyfrol hon ar yr ugeinfed ganrif a hyd y dyddiau presennol, cynhwysir tair pennod ar ddeg ar wahanol agweddau ar hanes Eglwys Bresbyteraidd Cymru mewn cyfnodau o ddatblygiad a thrai. Ni ddylid casglu bod pob agwedd ar ei gweithgaredd yn colli tir yng nghwrs y ganrif ond, yn ddiau, mae'n amlwg nad oes llewyrch ar fywyd y Cyfundeb yn y degawdau diweddar o'i gymharu â'r blynyddoedd cyn hynny. Y duedd yw cymharu llesgedd y dyddiau presennol â'r asbri a fu gynt.

Gwêl ein haneswyr cyfundebol y sefyllfa sydd ohoni ar gynfas newidiadau aruthrol yn hanes ein cenedl heb sôn am ein Cyfundeb. Nid yw casgliadau'r awduron sy'n cyfrannu i'r gyfrol hon bob tro'n arwydd o dranc ym mhob maes, a pharheir gobaith mewn sawl cyfeiriad yng ngwaith yr eglwysi, yn arbennig, er enghraifft, ym maes plant ac ieuenctid, gweithgarwch y chwiorydd a'r Genhadaeth gartref a thramor. Ni olyga hynny, fodd bynnag, nad oes llecynnau tywyll i'w canfod sy'n achos pryder ac ansicrwydd. Dengys y lleihad amlwg ym maint y weinidogaeth a nifer yr aelodau yn ein heglwysi fod cyflwr y Cyfundeb yn ail hanner yr ugeinfed ganrif wedi dirywio a'r dystiolaeth Gristnogol wedi edwino o ganlyniad i ddiffyg argyhoeddiad ac arweiniad ysbrydol. Fe'n goleuir yn y materion hyn yn niweddglo sylweddol y Parch. Glyn Tudwal Jones i'r gyfrol bresennol lle dadansoddir, ar sail y ffeithiau a ymddengys mewn rhai o benodau'r gyfrol, yr amgylchiadau a wynebir gan ein Cyfundeb y dyddiau hyn.

Cynlluniwyd y gyfrol hon mewn dull thematig a rhoddwyd rhyddid i bob awdur drin a thrafod pynciau ar sail y ffynonellau sydd ar gael ac yn ôl eu dehongliadau personol. Mae'r ddwy bennod gyntaf yn gosod y cefndir i barhad y Cyfundeb o gyfnod y Rhyfel Byd Cyntaf ymlaen, gan ddadansoddi ei gyflwr yng nghyd-destun twf cynyddol mewn seciwlariaeth sy'n esgor ar ddifaterwch. Dilynir hynny gan astudiaethau ar y cyfansoddiad a gwahanol agweddau sy'n ymdrin â'r prif ddatblygiadau gartref a thramor. Cyfrennir penodau ar gredo, addoli a'r bywyd ysbrydol, y wasg, adeiladau'r Cyfundeb, y traddodiad cerddorol a'r gweithgarwch ymhlith plant ac ieuenctid.

* * *

Carwn ddatgan fy niolchgarwch i'r holl gyfranwyr a roddodd o'u gallu a'u hamser i lunio eu penodau ar gyfer y gyfrol hon. Oni bai am eu hysgolheictod a'u llafur diflino ni fyddai wedi ymddangos o gwbl. Rwyf hefyd yn ddyledus i Mrs Marian Beech Hughes, Bow

Street, am ei hymroddiad llwyr i'm cynorthwyo i olygu'r gyfrol. Bu ei llafur o gymorth mawr imi wrth baratoi'r cynnwys ac rwy'n gwerthfawogi ei pharodrwydd i ymgymryd â'r gwaith a hithau ynghanol ei phrysurdeb. Cytunodd y Parch. J. E. Wynne Davies, prif hanesydd ein Cyfundeb, i gyfrannu cyflwyniad byr i'r gyfrol a diolchaf hefyd am ei barodrwydd yntau i cytuno â'm cais i wneud hynny a hefyd i gyflwyno'r gyfrol yng Nghymanfa Gyffredinol y Cyfundeb a gynhelir yn Eglwys y Crwys, Caerdydd, yng Ngorffennaf 2017. Derbyniais gymorth parod hefyd gan fy merch, Mrs Eleri Melhuish, sy'n Rheolydd Swyddfa'r Cyfundeb yng Nghaerdydd, ynglŷn â thrafod dirgelion y cyfrifiadur wrth imi geisio rhoi trefn ar gynnwys y penodau. Rwy'n ddyledus i Mrs Alison Harvey o Lyfrgell Prifysgol Caerdydd am ei pharodrwydd yn darparu nifer o'r lluniau sy'n ymddangos yn y gyfrol hon.

Unwaith eto, mae'r Gymanfa Gyffredinol a'r Cyngor Llyfrau wedi dangos eu haelioni yn cefnogi'r fenter hon yn ariannol. Oni bai am eu cymorth i'r prosiect dros y pedair cyfrol ni fyddai'r astudiaethau wedi dwyn ffrwyth. Carwn ddiolch i'r Parch. Meirion Morris, yr Ysgrifennydd Cyffredinol, am ei gefnogaeth ac i aelodau o Bwyllgor Hanes y Cyfundeb am eu cymorth hwythau. Mae Gwasg y Bwthyn dros y blynyddoedd wedi bod yn gefnogol imi wrth baratoi'r ddwy gyfrol y bum yn gyfrifol am eu golygu yn ystod y blynyddoedd diwethaf, ac unwaith eto mae'n ddyletswydd arnaf i ddiolch yn fawr yn arbennig i Mr Malcolm Lewis a'i gyd-weithwyr am eu cymorth yn gofalu fod y gyfrol yn ymddangos yn brydlon. Bydded i'r astudiaethau hyn nid yn unig ein harwain i ystyried a deall gwahanol agweddau ar weithgaredd 'Yr Hen Gorff' ond hefyd, yn bwysicach na hynny, i'n haddysgu am ei gyfraniad i'n treftadaeth Gristnogol yn ystod y ganrif a aeth heibio a blynyddoedd cynnar y ganrif bresennol.

RHESTR LLUNIAU

A. CYFRANWYR I GYFROL 4

1. Y Parch. J. E. Wynne Davies (hawlfraint: y Parch Iain Hodgins)
2. Y Parch. Ddr D. Ben Rees (EBC)
3. Y Parch. Meirion Morris (EBC)
4. Y Parch. Ddr Elfed ap Nefydd Roberts (EBC)
5. Y Parch. Ddr Elwyn Richards (EBC)
6. Y Parch. Ddr J. Tudno Williams (EBC)
7. Dr Brynley F. Roberts (EBC)
8. Y Parch. Dafydd Andrew Jones (EBC)
9. Dr Rhidian Griffiths (EBC)
10. Dr D. Huw Owen (Gwasg y Lolfa)
11. Yr Athro Bill Jones
12. Y Parch. Glyn Tudwal Jones

B. UNIGOLION

13. Y Parch. John Williams, Brynsiencyn (*Y Drysorfa*, 1922)
14. Y Parch. John Morgan Jones, Caerdydd (*Y Drysorfa*, 1920)
15. Y Parch. Ddr Thomas Charles Williams, Porthaethwy (*Y Drysorfa*, 1928)
16. Y Parch. Ddr E. O. Davies, Llandudno (*Y Drysorfa*, 1928)
17. Y Parch. Brifathro Owen Prys (*Y Drysorfa*, 1935)
18. Y Parch. Ddr John Roberts, Caerdydd (*Y Drysorfa*,1943)
19. Y Parch. Ddr Gomer M. Roberts (Gwasg Pantycelyn, 1982)
20. Y Parch Tom Nefyn Williams (Trwy ganiatâd Mr Robin Griffith, Creigiau)
21. Y Parch. Philip Jones, Porthcawl (*Y Drysorfa, 1925*)
22. Y Parch W. Nantlais Williams (*Y Drysorfa, 1947)*
23. Y Parch. Dafydd H. Owen (EBC)

24. Dr R. Arthur Hughes (EBC)
25. Dr Helen Rowlands (EBC)
26. Miss Carys Humphreys (EBC)

C. DETHOLIAD O ADDOLDAI

27. Eglwys Jerusalem, Bethesda (hawlfraint: Dr D. Huw Owen)
28. Eglwys Seilo, Caernarfon (hawlfraint: Dr D. Huw Owen)
29. Eglwys Berea Newydd, Bangor (hawlfraint: Dr D. Huw Owen)
30. Cynllun o eglwysi Jerusalem (Capel Mawr), Rhosllannerchrugog a Soar y Mynydd (trwy ganiatâd teulu'r diweddar A. F. Mortimer)
31. Y Capel Mawr, Dinbych (hawlfraint: Dr D. Huw Owen)
32. Capel y Morfa, Aberystwyth (hawlfraint: Dr D. Huw Owen)
33. Eglwys Bethany, Rhydaman (hawlfraint: Dr D. Huw Owen)
34. Eglwys Moriah, Casllwchwr (EBC)
35. Eglwys y Crwys, Caerdydd (EBC)
36. Eglwys Jewin, Llundain (EBC)
37. Eglwys Gymraeg, Melbourne, Awstralia (trwy ganiatâd yr Athro Bill Jones)
38. Eglwysi Seion, Corwen a Chalfaria, Porth y Rhondda (trwy ganiatâd Cefyn Burgess)

CH. LLUNIAU CYFFREDINOL

39. Y pedwar a luniodd y Datganiad Byr ym mis Medi 1921: y Parchedigion David Phillips, Howell Harris Hughes, Owen Prys ac R. R. Hughes.
40. Y Parchedig G. Wynne Griffith
41. Darlithwyr ac Efrydwyr Coleg y Bala 1913–15
42. Clawr *Detholiad o Gynnwys Llyfr Emynau a Thonau Newydd Eglwysi y Methodistiaid Calfinaidd a Wesleaidd 1927-28*
43. Y Coleg Diwinyddol Unedig, Aberystwyth (EBC)
44. Coleg Trefeca (EBC)
45. Staff a Myfyrwyr y Coleg Diwinyddol Unedig, Aberystwyth, tua 1973 (Hawlfraint: Y Parch Marcus Robinson)
46. Staff a Myfyrwyr y Coleg Diwinyddol Unedig, Aberystwyth 1995–96 (Hawlfraint: Yr Athro John Tudno Williams)

Pennod 1

METHODISTIAETH GALFINAIDD CYMRU A'R GYMDEITHAS *c.* 1914–1939

D. Ben Rees

Nid oes unrhyw amheuaeth na fu'r Rhyfel Byd Cyntaf yn ergyd ddifrifol i eglwysi a chapeli'r Methodistiaid Calfinaidd Cymraeg a'r holl enwadau Cristnogol eraill. Bu trafod mawr ymhlith haneswyr y Rhyfel Mawr am y rhesymau oedd yn gyfrifol am y gyflafan ond, erbyn hyn, gellir dweud yn ddigon cadarn fod mwyafrif arweinwyr y Llywodraeth Ryddfrydol yn erbyn rhyfela. Nid oedd y Prif Weinidog, H. H. Asquith, na'r Canghellor, David Lloyd George, yn awyddus o gwbl i ryfela. Ar drothwy'r rhyfel ysgrifennodd y Canghellor am ei bryder a dadleuodd yn y Cabinet dros heddwch er iddo ofni'n fawr fod y rhyfel bron yn anorfod.[1]

Cafodd Lloyd George ei ddychryn gan y dwymyn ryfelgar yn nechrau Awst 1914. Ar ei ffordd i Dŷ'r Cyffredin derbyniodd gymeradwyaeth fyddarol nes iddo ddweud: 'This is not my crowd ... I never want to be cheered by a war crowd.'[2] Yr unig un o'r arweinwyr oedd wrth ei fodd â'r sefyllfa oedd Winston Churchill, ac yr oedd ei gyfeillion a'i elynion yn gytûn ynghylch y gosodiad hwnnw.[3]

Dehonglodd Lloyd George y sefyllfa'n glir a gwelodd gyfle i ddod yn Brif Weinidog. Golygai hynny uniaethu ei hun â'r sefyllfa, a chreu crwsâd a magu sêl ryfelgar. Manteisiodd ar ei gyfeillgarwch â'r

Anghydffurfwyr, enwadau'r Eglwysi Rhyddion, i'w rhwydo i drefniadau'r Rhyfel Byd Cyntaf gan lwyr sylweddoli y derbyniai gefnogaeth gref o'r Eglwys Anglicanaidd a oedd, wedi'r cyfan, yn bodoli i gefnogi'r Frenhiniaeth a'r Wladwriaeth.

Teimlai Lloyd George y dylai Cymru chwarae rhan bwysig a chredai y medrai berswadio miloedd ar filoedd o Gymry, yn arbennig Cymry Cymraeg, i wirfoddoli i ymuno yn filwyr. Ei freuddwyd fawr oedd creu adran Gymraeg i'r fyddin.[4] Mynegwyd gwrthwynebiad cryf i hyn gan yr Arglwydd Kitchener, yr Ysgrifennydd Rhyfel. Rhagfarn noeth oedd ei wrthwynebiad.[5] Llwyddodd Lloyd George i ennill y dydd, ac yng Nghymru bu'n ffodus o'i gefnogwyr Methodistaidd: O. M. Edwards; John Morris-Jones; T. A. Levi, Aberystwyth; Syr Henry Lewis, Bangor; a'r Parchedigion Thomas Charles Williams a John Williams, Brynsiencyn. Roedd pob un ohonynt o blaid y 'rhyfel cyfiawn' a mynegwyd hyn, heb flewyn ar dafod, gan yr ysgolhaig John Morris-Jones, aelod o Gapel Rhos y Gad, yn Llanfair-pwllgwyngyll, yn ei swydd yn olygydd cylchgrawn chwarterol *Y Beirniad*.[6] Mewn adolygiad maith ar ddwy gyfrol o waith y Cadfridog Almaenig Freidrich von Bernhardi galwodd John Morris-Jones ar ei ddarllenwyr i gofio bod y rhyfel yn erbyn yr Almaen yn rhyfel sanctaidd:

> Y mae rhyfel yn erbyn y gallu hwn heddyw yn rhyfel santaidd, yn rhyfel i amddiffyn rhyddid, yn rhyfel o blaid heddwch. Nid yw'r Almaen, fel y mae, yn 'addas' i fyw yn y byd. Rhaid diwreiddio'r drwg o'i chalon. Fel y dywedodd un o bapurau Rwsia, 'rhaid serio'r cancr Prwsiaidd hwn o Ewrop â haearn poeth'. Fel arwr ei phrif gerdd, fe werthodd yr Almaen ei henaid i'r Un Drwg. Nid hir y ceidw'r Diawl ei was.[7]

Dangosodd John Morris-Jones ei atgasedd tuag at y dystiolaeth heddychol, un o brif werthoedd y traddodiad ymneilltuol radicalaidd a gysylltid â'r Calfiniaid cymedrol a gweithgarwch anhygoel Henry Richard, yr Apostol Heddwch a mab i'r Parch. Ebenezer Richard o Dregaron, un o benseiri'r enwad.[8] Dyma eiriau'r ysgolhaig: 'Y bobl atgasaf o neb yng ngolwg yr ysgrifennydd hwn ydyw carwyr heddwch; a'r peth sy'n blino'i ysbryd fwyaf ydyw fod rhywrai hyd yn oed yn yr Almaen yn gwrando arnynt.'[9]

Ond y gŵr a fu'n allweddol fel aelod o Bwyllgor Gwaith Cenedlaethol Cymru i gael milwr o enwogrwydd Owen Thomas (1858–1923), Monwysyn ac Annibynnwr amlwg, yn arweinydd y Fyddin Gymreig, oedd y Parch. John Williams.[10] Dyrchafwyd Owen Thomas yn Frigadydd-gadfridog a gwyddai Lloyd George a John Williams fod y penodiad yn un ysbrydoledig.[11] Wedi'r cyfan cyfunai yn ei berson brofiad hir fel milwr profiadol, Annibynnwr a Chymro Cymraeg, ac os oedd rhywrai i argyhoeddi'r Ymneilltuwyr, ef a John Williams a Lloyd George oedd i gyflawni'r dasg honno. Gwnaed John Williams yn Gaplan Mygedol a'i benodi'n Gyrnol, ac aeth ati i gynnal cyfarfodydd recriwtio yn yr ardaloedd lle'r oedd y Methodistiaid Calfinaidd yn gryf.[12] Cadw draw a wnâi llawer o'r ifanc a'r ffermwyr a'u meibion, ac nid oedd hynny'n syndod o gwbl.[13] Fel y dywedodd David A. Pretty: 'O ddyddiau mebyd trwythwyd yr Anghydffurfwyr i ystyried y fyddin yn broffesiwn pechadurus, ac er gwaethaf deisyfiadau taer ambell i weinidog yr efengyl nid oedd disgwyl iddynt gefnu ar egwyddorion crefyddol dros nos a dilyn y drwm.'[14]

Yr oedd hyn yn wir am safbwynt y chwarelwyr yng ngogledd Cymru a'r glowyr yn ne Cymru. Yr oedd chwarelwyr capeli Bethesda yn amharod i ymuno,[15] ac ym mis Tachwedd 1915 apeliodd Cyngor Tref Bethesda ar i bob capel ac eglwys benodi trefnwyr i recriwtio o fewn y cymunedau crefyddol.[16] Ofer fu'r apêl er gwaethaf brwdfrydedd arweinwyr crefyddol fel y Canon R. T. Jones, ficer eglwys Glanogwen, a'r Parch. J. T. Job, gweinidog MC y Carneddi.[17]

Nid oedd brwdfrydedd o blaid recriwtio ychwaith ymhlith chwarelwyr Deiniolen a Llanberis.[18] Bu nifer o ferched yn lluchio cerrig i ganol offerynwyr pan oeddent yn ffarwelio ag aelod o'r seindorf oedd wedi ymateb i'r alwad ar ôl blwyddyn a mwy o berswadio. Nid ymrestrodd un person o Ddeiniolen yn 1914 nac yn 1915 hyd ganol Hydref.[19] Galwodd y Parch. John Williams ar sgwâr Llangefni, ar 'fechgyn gwridgoch Môn' i 'ymladd dros eich rhyddid a'ch iawnderau chwi, a chwithau'n ymdrocheulo mewn cysur a chlydwch'. Ac yna rhoddodd y brawddegau hyn yn y ddadl: 'Byddwch ddynion. Sefwch i fyny yn eofn dros eich gwlad, dros eich rhyddid, a thros eich Duw.'[20] Ni allai Lloyd George ddweud cystal.[21] Pan gynhaliwyd Cymanfa Gyffredinol Eglwys Bresbyteraidd Cymru yn

Llundain yn 1915 arhosodd John Williams a chefnogwyr eraill y rhyfel gyda theulu Lloyd George yn 11 Downing Street.[22] Teithiodd o Frynsiencyn i'r ddinas ac i'r Gymanfa yn ei wisg filwrol fel cyrnol. Cythruddwyd nifer o heddychwyr y Cyfundeb gan ei hyfdra, yn arbennig y Parch. Peter Hughes Griffiths,[23] gweinidog Capel Charing Cross, a chafwyd dadl boeth rhwng y ddau yn gyhoeddus ar lawr y Gymanfa.[24] Roedd y Methodistiaid Calfinaidd wedi eu rhannu'n ddwy garfan ar fater y rhyfel, ond yr oedd mwyafrif llethol yr arweinwyr a'r aelodau o blaid safbwynt y Cyrnol John Williams.[25]

Cafwyd awyrgylch cefnogol i'r rhyfel ymhlith y rhan fwyaf o gapeli Cymraeg a Saesneg yr enwad.[26] Yn y weddi gyhoeddus yn yr oedfaon, naturiol oedd cyfeirio'n gyson at y milwyr a'r morwyr gan fod cyfran dda o'r capeli oddi cartref.[27] Daeth y milwr, am y tro cyntaf ers cenedlaethau, yn bwysicach o lawer nag y bu o fewn y gyfundrefn grefyddol. Ef bellach oedd yr arwr, a gwelir hynny'n amlwg yn hanes y bardd Hedd Wyn, aelod o'r capel Annibynnol yn Nhrawsfynydd.[28]

Sefydlwyd gwersylloedd milwrol ar hyd a lled Cymru, a thrwy haelioni teulu Methodistaidd Llandinam daeth ffoaduriaid o Wlad Belg i Abergele a Môn yn y gogledd a Chaerdydd yn y de, ac fe wnaeth rhai o'r rhain ymuno yng nghynulleidfaoedd capeli'r enwad.[29] Gyda chyhoeddi'r rhyfel yn Awst 1914 teimlodd nifer fechan o weinidogion yr enwad fod rheidrwydd arnynt i wirfoddoli'n gaplaniaid, ac un o'r cyntaf i wirfoddoli mewn cyfarfod ym Mhen-y-groes, Dyffryn Nantlle, ar 12 Medi 1914 oedd gweinidog Capel Saron, y Parch. David Cynddelw Williams.[30] Y Parch. Thomas Charles Williams, Porthaethwy a anogai'r Cymry i ymrestru'r noson honno a chafodd lwyddiant mawr o gael Cynddelw Williams i ymateb.[31] Ymrestrodd yn yr hydref gyda 10fed Bataliwn y Ffiwsilwyr Cymreig, ac am y chwe blynedd nesaf bu'n fawr ei ofal am y bechgyn o Gymru, gan ennill eu teyrngarwch ar gyfrif ei ddidwylledd, ei ddaioni a'i garedigrwydd.[32]

Y mae Cynddelw Williams yn hynod o bwysig am iddo gadw dyddiadur manwl, ac yn ôl yr Athro D. Densil Morgan, dyma un 'o'r darluniau llawnaf a mwyaf trawiadol a feddwn o fywyd Cymro yn y Rhyfel Mawr'.[33] Gwelodd y cyfan o frwydr y Somme, a threuliodd oriau lawer gyda'r milwyr yn y ffosydd, yn y Breslau Trench, y

Montauban Trench ac wedyn y Crucifix Trench.[34] Cynhaliodd oedfaon a chyfarfodydd gweddi a seiadau, a bu ef ei hun yn darllen gyda boddhad y bedwaredd gyfrol o waith y Calfinydd Dr J. Cynddylan Jones.[35] Ond bu hefyd yn cysuro ac yn gofalu bod milwyr a laddwyd yn cael eu cyflwyno i'r pridd mor barchus fyth ag y medrai. Soniodd yn *Y Goleuad* amdanynt: 'Bechgyn a fagwyd yn Ysgolion Sabbothol Cymru, a heb erioed feddwl y gelwid arnynt i ryfela, roddodd eu bywydau i lawr yn blygeiniol y bore hwnnw, yn ebyrth ewyllysgar dros eu gwlad.'[36]

Ar ddiwrnod olaf brwydr y Somme arweiniodd y caplan duwiol nifer o gynheiliaid gofal am y clwyfedigion drwy ddwy filltir o ffosydd a thros filltir o dir agored gyda'r Almaenwyr wrth law. Trannoeth, ar 15 Tachwedd, cyflwynwyd ei enw am Groes Filwrol, ac ar fore'r Nadolig hysbyswyd ef y byddai'n derbyn yr anrhydedd.[37] Ei ymateb gwylaidd oedd: 'Rhoddodd hyn achlysur i mi briodoli unrhyw wroldeb a ddangoswyd i'm ffydd yn y Gofalwr mawr, a theimlwn yn falch o gael rhoddi y dystiolaeth.'[38]

Urddwyd ef, un o weinidogion dewr ei gyfnod gan y Brenin Siôr V mewn arwisgiad ym Mhalas Buckingham ar 17 Chwefror 1917.[39]

Un a ddaeth o dan gyfaredd y caplan yn Ffrainc oedd y Lefftenant Morgan Watcyn-Williams, mab i weinidog gyda'r Symudiad Ymosodol.[40] Enillodd yntau'r Groes Filwrol ar y Somme, ac er nad Calfinydd mohono yn ei ddiwinyddiaeth, ni allai ond rhyfeddu at y modd y cadwodd Calfinydd fel Cynddelw Williams rhag colli ei ffydd na'i uniaethu ei hun gyda'r bydolrwydd a amlygid yn aml ymhlith y milwyr.[41] Gŵr anghyffredin ydoedd a ystyrid gan y milwyr yn gaplan delfrydol.[42] Ond cynhyrchodd yr enwad gaplaniaid eraill tebyg iddo, fel yr efengylydd brwd, y Parch. W. Llewelyn Lloyd, Llangaffo; D. Morris Jones; J. J. Evans, Niwbwrch; a'r ysgolhaig, yr Athro David Williams o'r Coleg Diwinyddol yn Aberystwyth, a ymunodd yn gaplan gyda chatrawd y *Royal Welch Fusiliers*.[43] Bu'r pump a nodwyd ynghanol y brwydro ar gyfandir Ewrop, ac yn achos David Williams yn y Dwyrain Canol.[44]

Aeth gweinidogion eraill o'r Cyfundeb i wasanaethu gyda mudiadau gwirfoddol, fel Mudiad y Cristnogion Ieuainc, ac eraill i Gymdeithas y Groes Goch ac Ysbyty Sant Dunstan.[45] Nid oedd myfyrwyr am y weinidogaeth yn cael pardwn rhag ymrestru yn y fyddin gyda'r canlyniad fod nifer dda o Bresbyteriaid Cymraeg wedi ymateb a'u cael eu hunain mewn canolfannau oedd yn paratoi llongau rhyfel fel Barrow-in-Furness neu ar gyfandir Ewrop.[46] Ymysg y myfyrwyr hyn ceid darpar weinidogion oedd yn llythrennol yn y tir canol rhwng cefnogwyr pybyr y rhyfel a'r heddychwyr. Cynrychiolai'r Parch. John Williams y garfan gyntaf a'r Parch. J. Puleston Jones, Pwllheli, yr ail.[47]

Un o bobl ieuainc y tir canol hwn oedd Currie Hughes (genedigol o Gemais, Môn), a ddaeth yn ddiweddarach yn weinidog gyda'r Cyfundeb yn Lerpwl ac Aberteifi.[48] Yr oedd ef yn Ysgol Ragbaratoawl Clynnog yn 1915, a daeth llwybr ymwared iddo ef ac eraill o'r un safbwynt.[49] Ffurfiwyd y Welsh Students Company yn adran o'r RAMC (Royal Army Medical Corps), a chafodd y rhain gyfle i wasanaethu'n fwyaf arbennig yn Salonica.[50] Canlyniad y profiadau a ddaeth iddynt oedd argyhoeddi'r rhan fwyaf ohonynt i droedio gweddill eu hoes yn lladmeryddion y mudiad heddwch.[51] Rhoddodd un o'r myfyrwyr hyn, sef Albert Evans-Jones (Cynan), Bedyddiwr o Bwllheli a drodd yn Fethodist Calfinaidd oherwydd cyfyngiadau'r Cymun Caeth, fynegiant i'w hargyhoeddiad cynyddol o blaid cymod, yn ei emyn 'Cyfamod Hedd', ac yn arbennig y pennill olaf:

> Ysbryd Duw, er mwyn y beddau
> ar bellennig fryn a phant,
> ac er mwyn calonnau ysig,
> ac er mwyn ein hannwyl blant,
> ac er mwyn yr hwn weddïodd
> dros elynion dan ei glwy,
> tro'n hŵynebau i Galfaria
> fel na ddysgom ryfel mwy.[52]

Ond yr oedd nifer o aelodau'r Cyfundeb yn gwbl argyhoeddedig o'r gwirionedd hwn ar drothwy'r Rhyfel Byd Cyntaf. Cynhaliodd y Crynwyr gynhadledd yn Llandudno ar 22 Medi 1914, ac ymhlith y crefyddwyr a ddaeth ynghyd yr oedd nifer o Gymry Cymraeg, yn cynnwys y Parch. Richard Roberts, gweinidog Eglwys Bresbyteraidd Saesneg, Crouch Hill, Llundain, a brodor o Flaenau Ffestiniog, a'r lleygwr o Lerpwl, George M. Ll. Davies.[53]

Richard Roberts yw'r person allweddol yn hanes cychwyniad Cymdeithas y Cymod. Cymro Cymraeg ydoedd a deimlai'n anghyfforddus fod dwy wlad a arddelai Gristnogaeth yn barod i aberthu eu hieuenctid ar allor casineb.[54] Gwahoddodd aelodau o Fudiad Cristnogol y Myfyrwyr i'w gartref i ystyried beth y gellid ei gyflawni yn ymarferol. Pen draw'r pwyllgorau hyn oedd trefnu cynhadledd yn niwedd 1914 yng Nghaergrawnt, ac o'r cyfarfyddiad hwnnw ganwyd un o'r cymdeithasau pwysicaf yn hanes heddychiaeth ym Mhrydain, sef y Fellowship of Reconciliation, a ddaeth i'w hadnabod wrth y llythrennau FOR ac yn Gymraeg 'Cymdeithas y Cymod'.[55]

Cymdeithas oedd hon wedi ei sylfaenu ar egwyddorion Crist, sef caru gelyn a gofalu am y dieithryn, gydag ymgysegriad llwyr i fywyd di-drais, a theyrngarwch i wlad, i'r ddynoliaeth, i'r eglwys fyd-eang ac i Iesu Grist yn arglwydd ac arweinydd.[56] Ar ei gorau yr oedd heddychiaeth Gristnogol, â'i phwyslais ar fod yn gadarnhaol, yn coleddu 'Shalom', gair mawr yr Iddew.[57]

Rhoddwyd y cyfrifoldeb o fod yn Ysgrifennydd Cyffredinol y gymdeithas ar Richard Roberts. Fe'i ganwyd yn 1874 a chysegrodd ei hun i waith y weinidogaeth ymhlith Methodistiaid Calfinaidd Cymru gan weinidogaethu yn ne Cymru cyn derbyn galwad i eglwys Crouch Hill yn 1910.[58] Gwnaeth ei hun yn amhoblogaidd mewn rhai cylchoedd Presbyteraidd am ei safiad yn erbyn Rhyfel y Boer ac fel cefnogwr i Keir Hardie, yr Aelod Seneddol Llafur dros Ferthyr Tudful.[59] Gadawodd y weinidogaeth pan benodwyd ef yn Ysgrifennydd Cyffredinol ond ni fu'n gwbl gysurus gyda gweinyddiaeth y swyddfa.[60] Pregethwr grymus ydoedd yn anad dim. Erbyn mis Medi 1915, yr oedd wedi cael ysgrifennydd cynorthwyol ym mherson George M. Ll. Davies yn y swyddfa yn Bloomsbury. Gofalai ef am *The Venturer*, cylchgrawn misol y gymdeithas, a hefyd am sefydlu canghennau ledled Cymru a Lloegr. Trefnodd Richard Roberts i ddau weinidog Presbyteraidd arall, Peter Hughes Griffiths ac Ellis Williams, deithio gydag ef i Wrecsam i sefydlu'r gangen gyntaf yng Nghymru, ac yn fuan iawn sefydlwyd cangen ym Mangor gan y tri heddychwr a nodwyd uchod.[61]

Yr oedd Bangor yn lle allweddol, dinas coleg prifysgol, ond dinas lle yr oedd eglwysi Methodistiaid Calfinaidd yn cefnogi safiad David Lloyd George, yr Aelod Seneddol lleol.[62] Er hynny, yn y dref ceid nifer o ddiwinyddion a gweinidogion o'r enwadau ymneilltuol oedd yn gwbl argyhoeddedig na ddylid rhyfela. Ymhlith yr Annibynwyr Cymraeg yr arweinydd oedd y Parch. Thomas Rees, Prifathro Coleg Bala–Bangor, sosialydd a dadleuydd o'r radd flaenaf.[63] Gweinidog capel y Tabernacl (MC) oedd y Parch. Howell Harris Hughes, a bu ef yn ddylanwadol iawn, yn arbennig ar ôl y gynhadledd a gynhaliwyd yn y Bermo (27-9 Mawrth 1916) ar gyfer heddychwyr Cymru.[64] Pasiwyd yn y gynhadledd honno i gyhoeddi cylchgrawn misol i hyrwyddo egwyddorion a thystiolaeth heddychiaeth o fewn yr eglwysi o bob enwad, sef *Y Deyrnas*.[65]

Cyhoeddwyd y rhifyn cyntaf dan olygyddiaeth Thomas Rees a Howell Harris Hughes. Lluniodd George M. Ll. Davies lythyr ar gyfer y rhifyn a'i lofnodi 'ŵyr i John Jones, Talsarn', i geryddu David Lloyd George fel Gweinidog Rhyfel am gyfeirio at hwyl ei daid yn hytrach na chynnwys ei bregethau.[66] Gwnaeth hynny ar nos Sul yr Eisteddfod Genedlaethol yn Aberystwyth ddechrau Awst 1916 pan roddwyd y swm o £430 (holl gasgliad y Gymanfa Ganu) tuag at ddibenion y rhyfel.[67] Ymysg awduron ysgrifau'r *Deyrnas* cafwyd amrywiaeth o leygwyr a gweinidogion, rhai yn llenorion o'r radd flaenaf fel yr Athrawon Cymraeg T. Gwynn Jones a T. H. Parry-Williams o blith y Methodistiaid Calfinaidd, David Thomas, Tal-y-sarn, arloeswr y Blaid Lafur yng Ngwynedd ac aelod o'r Eglwys Fethodistaidd, ynghyd â gweinidogion y pedwar enwad ym-neilltuol.[68] Ymhlith y Methodistiaid Calfinaidd lluniwyd ysgrifau gan y Parchedigion J. Puleston Jones, John Morgan Jones (Merthyr Tudful), D. Francis Roberts, J. H. Howard, Bae Colwyn, a H. Harris Hughes ei hun.[69]

Difyr yw astudio *Y Deyrnas* a darllen y cerddi rhydd a chaeth, y llythyron, y golygyddol a'r ysgrifau sy'n cyffwrdd â gwleidyddiaeth, Cristnogaeth, materion cyfoes a hynt a helynt Cymry ac eraill oedd yn barod i ddioddef dros eu hargyhoeddiadau. Derbyniai gweini-dogion fel y Parch. John Williams, Brynsiencyn, gerydd cyson am ei agwedd anghyson.[70] Diolchwyd i'r Parch. Richard Roberts yn rhifyn Ionawr 1917 am ei gyfraniad amhrisiadwy, ac yntau wedi derbyn galwad i weinidogaethu yn Efrog Newydd.[71]

Yr oedd cyfraniadau aelodau o'r enwad yn frith yn y cylchgrawn. Cafwyd ysgrifau gwerthfawr gan T. R. Jones (Clwydydd), a fu'n fawr ei wasanaeth fel pregethwr yn Sir Feirionnydd, ar y testun 'Câr dy Gymydog', a chan Llew G. Williams, y Barri, ar 'Yr Eglwys a Gwleidyddiaeth'.[72] Mynega ef yn glir y gofid o weld capeli Cymraeg yn methu ymateb i gyfnod newydd, yn parhau'n gefnogwyr eiddgar i'r Blaid Ryddfrydol pan oedd y Blaid Lafur Annibynnol yn ennill tir, ac aelodau o'r ddwy blaid yn ffraeo yn hytrach na chydweithio. Dyma ei eiriau ym Mai 1917: 'Gŵyr llawer gweinidog yn nhrefi poblog Morgannwg a Mynwy am effeithiau partïaeth wleidyddol ar hedd ac undod eglwysi. Try eglwysi yn glybiau dadleu neu (ffraeo). Anghofir cymod Cristnogol yng ngelyniaeth Radicaliaid at Sosialwyr a dirmyg Sosialwyr tuag at Radicaliaid.'[73]

Canmolwyd y llysoedd eglwysig pan ddeuai materion yn ymwneud â heddwch gerbron. Gwelir bod y Methodistiaid Calfinaidd yn derbyn gwrogaeth gyson, yn arbennig pan wnaed penderfyniad unfrydol yn haf 1917 gan un o'r Sasiynau yn cymell Llywodraeth Lloyd George i 'ddefnyddio pob moddion i gael heddwch trwy gytundeb mor fuan ag y bydd bosibl'.[74]

Rhoddodd *Y Deyrnas* sylw arbennig i'r Gynhadledd Heddwch a gynhaliwyd yn Llandrindod 3-5 Medi 1917.[75] Yr oedd heddychwyr y Methodistiaid Calfinaidd yn amlwg iawn ynddi, ac o'r pedwar ar ddeg a nodir ar dudalen flaen *Y Deyrnas* (Awst 1917) yr oedd chwech ohonynt yn Bresbyteriaid, ac yn adroddiad D. Wyre Lewis o'r gynhadledd enwir eraill, fel y newyddiadurwr Dewi Morgan, Aberystwyth.[76] Codwyd pwyllgorau dros y gogledd a'r de i barhau'r gwaith. Anfonwyd cenadwri o'r Gynhadledd at bob Cristion a addolai trwy gyfrwng y Gymraeg ac argraffwyd taflen yn Swyddfa'r *Deyrnas* ym Mangor yn pwysleisio'r angen am gymod. Daw'r genadwri, sy'n ddogfen a baratowyd yn ofalus, i ben gyda'r geiriau hyn:

> Oni chwyd yr Eglwys ei llais yn awr heb oedi yn erbyn yr elyniaeth a'r alanas sy'n bygwth boddi'r byd Cristnogol mewn diluw o lidiowgrwydd a llofruddiaeth, fe symud Duw ganhwyllbren yr Eglwys o'i chanol, ac fe eilw eraill i fod yn dystion iddo. Onid arwyddion o hynny yw bod Sosialwyr a milwyr yn dadleu am heddwch tra'r Eglwys yn fud? Gweddïwn

> am le i edifeirwch; brysiwn i gyflwyno tystiolaeth Crist o flaen brenhinoedd a seneddau, canys felly y gwawria ar blant dynion eto obaith tangnefedd Crist a gogoniant Duw ar y ddaear.[77]

Penderfynwyd peidio â chyhoeddi *Y Deyrnas* ym mis Tachwedd 1919 am ddau reswm: yn gyntaf am fod y rhyfel gwaedlyd wedi dod i ben, ac yn ail oherwydd diffyg adnoddau ariannol i barhau i gyhoeddi'r cylchgrawn misol.[78] Dau o Fethodistiaid Calfinaidd eu dydd oedd yn gyfrifol am erthyglau olaf y cylchgrawn, sef y Parch. D. J. Lewis, Waunfawr, Arfon, a'r myfyriwr galluog William Ambrose Bebb o Dregaron.[79] Dywed ef y cyfan yn ei linell i gloi ei lith: 'Yn gywir, gyda diolch i chwi am eich gwaith da i Gymru a Christnogaeth yn ystod blynyddoedd blin rhyfel.'

Er ei bod hi'n hawdd beirniadu'r Cyfundeb a phob enwad Cristnogol arall, ar wahân i'r eglwysi heddwch, fel y Crynwyr, am fethu cyrraedd safon y delfrydau uchaf a geir yn nysgeidiaeth Crist, y mae'n rhaid cofio fod yna waith cyson wedi ei gyflawni gan y blychau ennaint hyn yn eu gofal am y milwyr ar faes y gad. Yn y Llyfrgell Genedlaethol yn Aberystwyth ceir hanner cant o lythyron gan aelodau o gylch Rhiwbryfdir a anfonwyd at y Parch. Thomas Hughes (1868–1960), gweinidog Capel MC y Rhiw, Blaenau Ffestiniog, a wasanaethodd yn y Lluoedd Arfog yn ystod y Rhyfel Byd Cyntaf.[80] Mae Capel y Rhiw bellach wedi ei ddatgorfforі, ond y mae'r llythyron hyn yn gofadail i ysbryd caredig, gofalus a haelionus y gweinidog a'i briod, y blaenoriaid, yr aelodau ac yn arbennig y chwiorydd a ofalai fod parseli o fwyd a danteithion yn cael eu hanfon iddynt.[81] Gwerthfawrogid hyn yn fawr a chafwyd mewn aml lythyr ddisgrifiadau o'r sefyllfa annynol yn y ffosydd. Dyna lythyr E. Jones ar 2 Mawrth 1916:

> Nos dydd pen-blwydd y creadur yma sydd ar orsedd Almaen, daeth cenadwri ataf fod swyddog yn y llinell (*trench*) fy eisiau, pan gyrhaeddais i fyny, yr oedd yn ferw dychrynllyd pob milwr ar y parapet yn arllwys cawodau o fwledau ar gelyn yr un modd ymateb ar *Machine Guns* a'r *Shells* yn suo, ag yn dywyllwch dudew, dywedwyd wrthyf fod y swyddog wedi mynd i gyfeiriad neillduol i chwilio amdanaf, fod y gelyn yn gwneud *gas attack*

ar ein chwith, gwyddwn fod y cyfeiriad hwnnw y lle mwyaf peryglus unrhyw adeg, pan yn petruso a awn cyn iddi dawelu ychydig, dyma'r hen adnod fel saeth "Nag ofna, canys yr ydwyf fi gyda thi, na lwfrhau canys myfi yw dy Dduw."[82]

O Ysbyty Milwrol Parkhurst ar Ynys Wyth ar 1 Mai 1916 anfonodd W. O. Roberts, a'i llofnododd ei hun fel un o'r plant, lythyr hyfryd at ei weinidog yn diolch am y parsel a gawsai oddi wrth gyfeillion capel y Rhiw. Nid yw W. O. Roberts yn cwyno am y ddarpariaeth grefyddol ond ei fod yn gweld colli'r hyn oedd yn hanfodol i Fethodistiaid Calfinaidd ei gyfnod, y cyfarfod gweddi a'r seiat. Ychwanega:

> ... ond yr hyn yr wyf yn teimlo y golled fwyaf ar ei hol ydyw yr Ysgol Sul ac, er yn absennol o ran corph, mae fy meddwl yn Vestry y Rhiw pob prydnawn Sul, ac yn deheu yn aml am gael dod yn ôl yna i fwynhau yr un breintiau ar gweddill sydd ar ôl gartref.
>
> Yr ydym yn dod i gyffyrddiad ar amrywiol gymeriadau a themtasiynau yn feunyddiol ond y mae'r un Duw yn gwylio ein cerddediad yma ac yn taenu ei aden amddiffynnol drosom i ba le bynnag yr elom, ân gweddi yn aml ydyw
>
> Duw cadw f'enaid bach o hyd,
> Uwchlaw y byd ai ddrygau.
> Gan lwyr ddibrisio'r boen ai wae,
> Ei drallod a'i gystuddiau.[83]

Nid oedd W. O. Roberts yn disgwyl terfyn buan i'r brwydro, ond erbyn 7 Rhagfyr 1916, yr oedd David Lloyd George yn Brif Weinidog, y Cymro Cymraeg cyntaf i ddal y swydd. Cyrhaeddodd y gwleidydd o Ddwyfor y brif swydd gyda chymorth dau Fethodist Calfinaidd amlwg. Y cyntaf oedd David Davies, Aelod Seneddol Maldwyn, ac un a chwaraeodd ran bwysig ym mywyd Cymru ar derfyn y rhyfel. Ef a berswadiodd Ryddfrydwyr y meinciau cefn i gefnogi Lloyd George.[84] Y llall oedd Thomas Jones o Rymni, a ddaeth yn Ddirprwy Ysgrifennydd i'r Cabinet a hybodd fuddiannau Lloyd George ymysg arweinwyr y mudiad Llafur.[85] Creodd Margaret Lloyd George a'i theulu ynys o Gymreictod yn 10 Downing Street, ac yr oedd ganddi hi gysylltiad cryf â chapeli'r enwad yn Llundain.[86]

Nid oedd yn hawdd dwyn perswâd ar wleidyddion o Gymru a goleddai argyhoeddiadau crefyddol i gefnogi Lloyd George. Dadrithiwyd W. Llewelyn Williams, Aelod Seneddol dros Fwrdeistref Caerfyrddin.[87] Credai ef erbyn 1916 fod 'Rhyfel Lloyd George' wedi negyddu holl werthoedd crefydd gyfundrefnol a Rhyddfrydiaeth.[88] Pleidleisiodd yn erbyn y Mesur Consgripsiwn a ddaeth gerbron y Senedd yn Ionawr 1916, fel y gwnaeth E. T. John, Aelod Seneddol a blaenor yng nghapel Cymraeg Middlesbrough (MC) er 1899, a Caradog Rees (oedd newydd ei ethol yn Aelod Seneddol dros Arfon), a fagwyd gyda'r Hen Gorff ym Mhenbedw cyn iddo ymuno ag Eglwys Rydd y Cymry.[89] Ymataliodd dau Fethodist arall, sef yr Aelodau Seneddol H. Haydn Jones ac Ellis W. Davies rhag cefnogi'r Mesur.[90]

Yr oedd y Rhyddfrydwyr a wrthodai gefnogi'r rhyfel oddi mewn i'r eglwysi ac yn arbennig yn *Y Deyrnas* yn gyfrifol am adnewyddu'r gydwybod Ymneilltuol o fewn yr holl enwadau. Gellir maentumio fod yr egni diwylliannol a deallusol a brofwyd yn y cyfnod rhwng y ddau Ryfel Byd yn gynnyrch ymgyrch gwŷr a gwragedd a wnaeth safiad yn ystod y Rhyfel Byd Cyntaf, a bod y cynnydd ym mhleidlais y Blaid Lafur a genedigaeth Plaid Cymru yn rhan o'r etifeddiaeth honno. Hwy oedd y catalyddion, chwedl yr hanesydd Kenneth O. Morgan.[91] Yn eu mysg cafwyd carcharorion cydwybod fel George M. Ll. Davies, Percy Ogwen Jones o Llaneilian a David James Jones o'r Allt-wen a ddaeth yn fwy adnabyddus fyth fel bardd Cristnogol o dan ei enw barddol, Gwenallt.[92]Anfonwyd ef ym mis Mai 1917 am gyfnod o ddwy flynedd yng ngharchardai Wormwood Scrubs a Dartmoor oherwydd iddo wrthod ufuddhau a chyflawni tymor yn filwr. Seiliodd ei amddiffyniad ar dir Beiblaidd, fel y disgwylid gan un a fynychai bum cyfarfod ar y Sul yng Nghapel Soar (MC), Pontardawe.[93] Mynegodd ei brofiadau fel carcharor yn ei ddwy nofel: *Plasau'r Brenin* (1934) a *Ffwrneisiau* (1970), ac ynddynt bu'n ddidrugaredd ei feirniadaeth ar weinidogion ei enwad gan gynnwys ei weinidog ef ei hun, y Parch. David Glanant Jones, a amddiffynnodd yr holl frwydro ac a oedd o blaid y 'duwiau Prydeinig', yn ôl Gwenallt.[94]

Ond ni chafodd Gwenallt, na llawer carcharor cydwybod arall, ei ryddhau pan ddaeth y Cadoediad ar 11 Tachwedd 1918 am 11 o'r gloch y bore, er rhyddhad i'r rhai oedd fwyaf ei sêl dros y rhyfel bedair blynedd yn gynharach. Mynegodd David Davies, AS, ei obaith o sefydlu undeb Cynghrair y Cenhedloedd gyda thystiolaeth gadarn yng Nghymru.[95] O fewn dwy flynedd llwyddodd ef a'i gyd-Fethodist, yr Uwch-gapten W. P. Wheldon, i gael y maen i'r wal.[96] Ymserchodd gweinidog fel John Williams, Brynsiencyn, yn achos Cynghrair y Cenhedloedd, a diolch i'w ddylanwad, roedd gan y Gynghrair fwy o gefnogwyr ym Môn, o ran cyfartaledd poblogaeth, nag yn unman arall yng Nghymru a Lloegr.

Beth fu canlyniad y rhyfel? Gellir ystyried sawl peth, negyddol a chadarnhaol. Yn ddi-os dadrithiwyd llaweroedd o Gymry, dadrithiad a fynegwyd yn ingol gan un o'r beirdd a fu yn y frwydr, sef Cynan:

Methais weled Duw yn Fflandrys
Methais wedyn ar y Somme.[97]

Ond, yn eironig, adweithiodd cenhedlaeth newydd o weinidogion yn y Cyfundeb yn erbyn militariaeth, gwŷr fel Thomas Charles Williams, D. Glanaman Jones, a Dr John Williams, gan gofleidio heddychiaeth. Yr oedd llawer ohonynt, yn wahanol i'r tri a enwyd, wedi bod ynghanol y brwydro. Enghraifft dda o hynny oedd y Parch. Dan Evans, gweinidog Eglwys Seilo, Aberystwyth, yn ddiweddarach. Dywedid amdano: 'Daeth yn ôl o'r Rhyfel o Irac, "yn gadarn ei gred na ellir cysoni amddiffyn" o'r fath ag Efengyl Crist.'[98] Nid ef oedd yr unig un i deimlo felly. Yn fuan iawn daeth Brynsiencyn ei hun i sylweddoli mai troi'r foch arall, nid mynd i ryfel, oedd cyngor Iesu Grist.[99]

Gofalodd y caplaniaid a ddychwelodd o faes y gad a chefnogwyr y rhyfel yn ddieithriad y byddai plac yn cael ei osod ar furiau capeli'r Methodistiaid trwy'r Cyfundeb cyfan i gofnodi enwau'r aelodau a syrthiodd yn y Rhyfel Mawr. Cyfrannwyd £1,450 o fewn Henaduriaeth Lerpwl yn unig tuag at osod cofeb y milwyr a'r morwyr a syrthiodd yn y rhyfel. Ond, yn lle gosod cofgolofn o flaen un o'r capeli ar lannau Mersi, cafodd arweinwyr yr Henaduriaeth eu hysbrydoli i gyflwyno'r swm hwn yn ei grynswth i'r cartref i blant amddifad a agorwyd yn y Bontnewydd, ger Caernarfon, a defnyddiwyd y swm i brynu tŷ sylweddol yn Llanfairfechan i fod yn gartref gwyliau i blant y cartref. Gosodwyd tabled yn y tŷ ac arni enwau'r rhai a syrthiodd o gylch Cyfarfod Misol Lerpwl o Eglwys Bresbyteraidd Cymru.[100]

Canlyniad trychinebus y Rhyfel Byd Cyntaf oedd y ffliw farwol a drawodd wledydd y byd, a bu farw dros 1,000,020 o bobl (mwy nag a fu farw yn y rhyfel ei hun) rhwng Hydref 1918 ac Ionawr 1919. Bu farw 10,000 o Gymry yn ystod y gaeaf hwnnw.[101] Cynhaliwyd hefyd Etholiad 'Khaki' neu etholiad 'y Cwpon', fel y'i gelwid, a hynny 34 diwrnod wedi diwedd y rhyfel. Cynyddodd nifer etholwyr Cymru drwy Ddeddf Cynrychiolaeth y Bobl 1918 o 430,000 i dros 1.7 miliwn. Rhoddwyd y bleidlais am y tro cyntaf i'r dosbarth gweithiol a hefyd i wragedd a merched dros 30 mlwydd oed. Am y tro cyntaf cafodd y prifysgolion eu cynnwys fel etholaethau gan roi cyfle i raddedigion bleidleisio ddwywaith, yn yr etholaeth lle roeddynt yn byw ac yn y prifysgolion lle buont yn astudio am eu cymwysterau.[102] Cafodd Prifysgol Cymru gyfle i ddewis Aelod i'r Senedd. Safodd Mrs Millicent Mackenzie dros y Blaid Lafur, y wraig gyntaf erioed i fod yn ymgeisydd seneddol yn un o etholaethau Cymru, ond ni allai ennill y dydd yn erbyn Syr John Herbert Lewis, ffrind Lloyd George a Methodist Calfinaidd cadarn, fel Ymgeisydd Cwpon.[103] Gwelwyd ysbryd jingoistaidd yn yr etholiad; wedi'r cyfan, yr oedd 40,000 o lowyr de Cymru wedi ymuno â'r lluoedd arfog, a gwŷr fel C. B. Stanton, yn Aberdâr, yn huawdl dros recriwtio.[104] Bu ef a'i gymrodyr crefyddol yn fendith i Lloyd George, a gellid dweud yn weddol ddiogel i 13.82% o boblogaeth Cymru ymuno â'r lluoedd arfog yn 1919, o'i gymharu â 13.3% o boblogaeth Lloegr, ystadegau digon camarweiniol gan fod mwy o fechgyn ifainc ar gyfartaledd yng Nghymru ar y pryd nag oedd yn Lloegr, yn ôl yr hanesydd John Davies.[105]

Y Dauddegau a'r Tridegau

Un o ganlyniadau pennaf y Rhyfel Byd Cyntaf oedd rhoi statws arbennig i'r mudiad Llafur, mudiad a gawsai dystion huawdl ymhlith y Cymry alltud yn y bedwaredd ganrif ar bymtheg. Tad y mudiad oedd Robert Owen o'r Drenewydd, a'i ddisgybl pennaf drwy gyfrwng y Gymraeg oedd R. J. Derfel.[106] Ond yn nechrau'r ugeinfed ganrif bu'r arloeswyr yn pledio'r achos a'r tri mwyaf brwd eu gweithgarwch anhygoel oedd yr Annibynnwr Thomas Evan Nicholas, y Methodist

Calfinaidd R. Silyn Roberts a'r Wesle David Thomas.[107] Bu'r tri ohonynt yn hynod o bwysig fel cenhadon ymysg y chwarelwyr a'r glowyr a'r gweision ffermydd, ac fel aelodau o'r Blaid Lafur Annibynnol a'r Ffabiaid, a lluniodd David Thomas 'Feibl y Sosialwyr Cymraeg', sef *Y Werin a'i Theyrnas*.[108] Magodd y Blaid Lafur Annibynnol nerth ym mhob rhan o Gymru ac fe hudwyd nifer o arweinwyr capeli'r Methodistiaid Calfinaidd yn arbennig i ymddiddori yn symudiadau'r mudiad. Bu hyn oll yn ffactor bwysig yn y newid syfrdanol yn hanes cymdeithasol a gwleidyddol Cymru a ddaeth i fodolaeth yn y dauddegau a'r tridegau.

Ni ddylid gorbwysleisio hyn ond, ar y llaw arall, mae'n anonest peidio â chydnabod y cyfraniad a wnaeth Mabon a Silyn Roberts, John Morgan Jones, J. H. Howard a Tom Nefyn Williams ac eraill dros sosialaeth, ac yn arbennig sosialaeth Gristnogol.[109] Caled fu'r brwydro a'r beirniadu a dyma oedd asgwrn y gynnen, ac a fu'n un o'r rhesymau pennaf dros ddirywiad y Methodistiaid Calfinaidd Cymraeg yn yr ugeinfed ganrif. Wrth gyffredinoli, gellir dweud i'r enwadau Ymneilltuol, fel y Methodistiaid Calfinaidd, fethu derbyn yr 'efengyl newydd' a'i goblygiadau, a thrwy hynny bu cefnu ar y capeli yn yr ardaloedd diwydiannol.[110]

Ar ôl Diwygiad 1904–05, a chyn y Rhyfel Byd Cyntaf, daeth pregethwr carismatig o'r enw R. J. Campbell i dde Cymru, gŵr a argyhoeddwyd gan gyfaredd Keir Hardie o wirionedd sosialaeth.[111] Agorwyd drysau'r mudiad Llafur led y pen iddo. Datblygodd ei Ddiwinyddiaeth Newydd, gydag ymgais i ddychwelyd yn bennaf at wreiddiau'r ffydd Gristnogol ac athrawiaeth Kant a Hegel.[112] Gelwid yr athroniaeth weithiau'n 'grefydd gwyddoniaeth', ond efengyl cymdeithas ydoedd yn y bôn, lle roedd pob dyn yn ddatguddiad o'r Crist tragwyddol.[113] Mewn geiriau eraill sosialaeth ysbrydol oedd y ddiwinyddiaeth newydd.[114] Gwelid Duw ym mhob peth; Ef oedd y greadigaeth a mwy; ac felly yr oedd y dwyfol ym mhob mudiad moesol ac ym mhob chwyldro cymdeithasol. Yn nhyb R. Silyn Roberts, y sosialaeth hon oedd yr adfywiad Cristnogol yn y ffordd a'r ffurf fwyaf addas ar gyfer anghenion y dydd. Erbyn y dauddegau gwelwyd y Blaid Lafur yn herio dylanwad y Blaid Ryddfrydol yng Nghymru yn amlwg. Bu saith is-etholiad mewn seddau yn ardal maes glo'r de rhwng 1920 ac 1922 a daeth yr ymgeisydd Llafur yn fuddugol mewn chwech ohonynt.[115] Sioc fawr oedd gweld etholaeth Pontypridd yn newid dwylo mewn is-etholiad â mwyafrif Rhyddfrydol o 3,175 yn 1918 i fwyafrif Llafur o 4,080 yn 1922.[116]

Yr oedd angerdd, emosiwn a dyhead am fyd gwell ymhlith y dosbarth gweithiol, ac yr oedd hi'n amlwg fod y Chwyldro Comiwnyddol yn Rwsia yn 1917, ac yn ddiweddarach yn Hwngari a Bafaria, yn ysbrydoli pobl y 'gaib a'r rhaw'. Erbyn 1920 gweithiai 271,000 o ddynion yn y diwydiant glo yng Nghymru, a daeth Undeb y Glowyr yn hynod bwysig, ac yn arbennig neuaddau'r glowyr.[117] Rhoddai'r neuaddau hyn gyfle i fechgyn ymroddgar i ddarllen llyfrau a chylchgronau a pharatoi ar gyfer dosbarthiadau nos y WEA a'r 'Plebs' a'u dosbarthiadau a seiliwyd ar Farcsiaeth.[118]

Roedd perthyn i'r Undebau Llafur yn y dauddegau yn gofyn am ymroddiad. Fel y dywedodd un hanesydd wrth gyflwyno Ernest Bevin:

> Born in a revolt; the Trade Unions grew up in opposition ... Throughout the greater part of their history they had to meet not only the opposition of their employers – that they expected – but the settled suspicion and hostility of the state, the propertied classes and every established institution, from the courts, and the police to the Church and Press.[119]

Cyfunai rhai o'r Undebwyr hyn gefnogaeth i'r capel yn ogystal â'r diwylliant Cymraeg. Yr enghraifft sy'n hawlio sylw yn nechrau'r dauddegau oedd Mabon, llywydd cyntaf Ffederasiwn Glowyr De Cymru a'r glöwr cyntaf i'w ethol yn Aelod Seneddol o Gymru.[120] Perthynai'r adeg honno i garfan radicalaidd y Blaid Ryddfrydol ond bu'n rhaid iddo, er yn groes i'r graen, newid teyrngarwch i'r Blaid Lafur.[121] Nid gwleidydd mohono mewn gwirionedd, ond undebwr Llafur yn gyntaf ac yn bennaf. Ond ei ddiddordeb mawr arall oedd y capel a'r diwylliant Cymraeg, a bu'n flaenllaw yng nghapel Nasareth, Pentre, y Rhondda. Roedd ei farw ar 14 Mai 1922 yn ddiwedd cyfnod ac ni chafodd fyw i weld llwyddiant ysgubol y Blaid Lafur yn Etholiad Cyffredinol y flwyddyn honno ar 15 Tachwedd. Cipiodd y Blaid Lafur hanner seddau Cymru, 18 o'r 36 sedd, gan gynnwys pob un o'r 15 sedd yng nghymoedd glo Mynwy, Morgannwg a Sir Gaerfyrddin. Enillwyd hefyd etholaeth Wrecsam, Dwyrain Abertawe, cadarnleoedd Cymraeg capelyddol fel Treforys a Llansamlet, a Sir Gaernarfon.[122] Rhoddodd nifer dda o chwarelwyr capeli'r Methodistiaid Calfinaidd eu cefnogaeth i ysgrifennydd eu hundeb, Robert Thomas Jones, un o Fethodistiaid Calfinaidd Blaenau Ffestiniog. Daliodd y Brigadydd-gadfridog Syr Owen Thomas, Ynys Môn, y sedd y tro hwn fel Llafurwr Annibynnol.[123] Aeth un ar ddeg o seddau i'r Rhyddfrydwyr a chwech i'r Ceidwadwyr. Daliai'r Rhyddfrydwyr eu gafael ar y fro Gymraeg lle y ceid capeli llewyrchus a themlau oedd yn dal cannoedd ar gyfer y Cyfarfodydd Pregethu a Chymanfaoedd Canu.[124] Rhoddwyd cefnogaeth gref i'r Rhyddfrydwyr gan weinidogion yr enwad yn y fro Gymraeg. Gwelwyd hynny yng Ngheredigion, er enghraifft. Un o'r amlycaf oedd y Parch. John Ellis Williams (1880–1959), gweinidog gyda'r Methodistiaid Calfinaidd yn eglwys Bethesda, Llanddewibrefi, o 1919 hyd 1957.[125] Roedd yn Rhyddfrydwr pybyr, ac ef oedd un o brif gynorthwywyr W. Llewelyn Williams yn yr is-etholiad enwog ym mis Chwefror 1921. Safodd Ernest Evans, un o flaenoriaid Capel y Tabernacl, Aberystwyth, gyda chefnogaeth Lloyd George, yn erbyn W. Llewelyn Williams, dewis ddyn Rhyddfrydwyr traddodiadol y sir.[126] Cafodd John Ellis Williams driniaeth arw mewn amryw o gyfarfodydd mewn trefi fel Aberaeron ac Aberystwyth. Daeth yn ŵr blaenllaw ym Mhwyllgor Gwaith y Blaid Ryddfrydol, yn Gadeirydd a Llefarydd, a bu'n aelod o Gyngor Sir Aberteifi, yn gynrychiolydd Llanddewibrefi, am ddeng mlynedd ar hugain cyn ei wneud yn henadur. Un arall tebyg iddo o blith y Methodistiaid o fewn y Blaid Ryddfrydol oedd y Parch. John Green, gweinidog Tŵr-gwyn, Rhydlewis, a adnabyddid ledled y sir am ei argyhoeddiadau ar ddirwest a moes.[127]

Ond bu'r brwydrau yng Ngheredigion yn ddinistriol i hygrededd ac undeb y Blaid Ryddfrydol. Enillodd Ernest Evans yr is-etholiad, ond y flwyddyn ganlynol, yn yr Etholiad Cyffredinol, bu brwydr anghysurus arall – y tro hwn gyda'r bargyfreithiwr Rhys Hopkin Morris dros y Rhyddfrydwyr Annibynnol.[128] Enillodd Ernest Evans gyda mwyafrif bychan o 515 o bleidleisiau, a'r flwyddyn ganlynol collodd y sedd i Rhys Hopkin Morris mewn gornest dair plaid. Rhwygwyd y Rhyddfrydwyr am flynyddoedd, ond adferwyd undod yng nghyfnod D. O. Evans, y Methodist brwd, a fu'n flaenllaw mewn dau gapel, capel ei febyd ym Mhenmorfa, Llangrannog, a chapel lle yr etholwyd ef yn flaenor, sef Clapham Junction yn Henaduriaeth Llundain.[129]

Gwthiwyd y Blaid Geidwadol yn 1922 i'r rhannau mwyaf Seisnig o Gymru, fel Caerdydd, y Barri, Casnewydd a Threfynwy. Yn y rhannau gwledig deuai cefnogaeth i'r Blaid Geidwadol o blith yr eglwyswyr. Rhoddodd yr enwadau Ymneilltuol lawer o egni i'r ymgyrch dros Ddatgysylltu'r Eglwys; yn wir bu'n frwydr hir. Daeth y Mesur Datgysylltu i rym yn 1920 a daeth yr Eglwys Anglicanaidd ar yr un gwastad â phob enwad arall.[130] Ond ni fu hynny'n wir. Parhaodd llawer iawn o'r offeiriaid gwledig yn ddigon annibynnol, ac am ddegawdau i ddod parhaodd Torïaeth a'r teulu brenhinol a chefnogaeth i'r Ymerodraeth Brydeinig i fod yn bwysig i'r eglwyswyr amlwg a chyffredin. Ni leihaodd apêl yr Eglwys Esgobol i laweroedd o fechgyn disglair y Methodistiaid Calfinaidd yn y cyfnod rhwng y ddau Ryfel Byd, nac yn wir yn ddiweddarach. Yr oedd hynny'n ddealladwy gan fod byd bugail ar gapel yr un fath lle bynnag y gwasanaethid, ond o fewn yr Eglwys Esgobol ceid cyfleusterau i ddringo'r ysgol, ac i ddod yn archddiacon, canon, deon, esgob ac archesgob. Ceir enghreifftiau o ddau neu dri brawd yn dewis gwasanaethu'r efengyl: dau'n parhau yn weinidogion y Cyfundeb a'r trydydd yn troi ei olygon at yr Eglwys Esgobol. Daeth rhai o'r cyn-Fethodistiaid hyn, yn arbennig ymhlith y lleygwyr, i ddadlau ac i ddefnyddio'r term 'Yr Hen Fam' am yr Eglwys Esgobol. Mab i weinidog Methodist Calfinaidd oedd Aneirin Talfan Davies, ond trodd ef i gyfeiriad yr Eglwys, a dod yn y tridegau yn un o gynrychiolwyr mwyaf effeithiol y sefydliad.[131] Dadleuai'n gryf, ac yn gywir, nad oedd y Tadau Methodistaidd wedi meddwl gadael yr 'Hen Fam' a chreu enwad newydd.[132] Er na chafwyd yr un pwyslais ar y mater hwn gan T. I. Ellis, gellid dadlau ei fod yntau'n credu mai cartref ysbrydol y Methodistiaid Calfinaidd, enwad ei rieni a'i hynafiaid, oedd y llannau.[133]

Mater arall a fu'n ysbeidiol bwysig ar agenda'r Methodistiaid

Calfinaidd oedd ymreolaeth i Gymru.[134] Rhwng 1918 ac 1922 bu cyfle i ehangu'r ddadl gan i'r Llywodraeth ddatblygu'r hyn y gellid ei alw yn 'fiwrocratiaeth Gymreig'. Yn wir, ym mis Mehefin 1919, cytunodd Tŷ'r Cyffredin, o 137 pleidlais i 34, fod datganoli i'w osod ar raglen y dyfodol os oedd llywodraeth effeithiol i'w phrofi ym mhob rhan o'r Deyrnas Gyfunol, er bod mater annibyniaeth Iwerddon heb ei ddatrys. Sefydlwyd cynhadledd y Llefarydd i ystyried datganoli; ac mewn adroddiad a gyhoeddwyd ym mis Ebrill 1920 lluniwyd dau gynllun i'w hystyried ymhellach, ond ni ddaeth dim ohono.[135] Yr oedd ganddynt ddigon o faterion llosg eraill, yn arbennig cwestiwn poenus y Gwyddelod, a'r gwrthdaro enbyd mewn dinasoedd fel Lerpwl pan aeth yr heddlu ar streic.

Ond yng Nghymru yr oedd y Blaid Lafur yn estyn ei thiriogaeth o'r cymoedd i gefn gwlad, a hynny'n bennaf ymysg gweision ffermydd. Yr oedd gweinidogion yr efengyl ac offeiriaid yn barod i'w hybu, fel y Parch. Richard Morris o Lannerch-y-medd, Annibynnwr a adawodd y weinidogaeth i fod yn ysgrifennydd a sylfaenydd Undeb Gweithwyr Môn. Yn Sir Aberteifi ym mis Tachwedd 1917 sefydlwyd cangen o undeb y *National Agricultural and Rural Workers Union* o dan arweiniad John Davies, a fagwyd yn Llangeitho, ond ei weledigaeth sosialaidd yn perthyn i'w gyfnod yn y Rhondda, ei Fethodistiaeth yn tarddu o seiadau Capel Gwynfil a'i brofiad o'r Diwygiad yng nghapel Willesden Green, Llundain.[136] Penodwyd ef yn 1918 yn drefnydd Undeb y Gweithwyr Amaethyddol yn siroedd Penfro ac Aberteifi ond byr fu ei gyfnod cyn iddo gael ei ddewis, o blith 131 o ymgeiswyr, yn Ysgrifennydd Cymdeithas Addysgol y Gweithwyr, a rhyngddo ef a Silyn bu cyfraniad y Methodistiaid Calfinaidd i addysg oedolion yn un llachar.[137]

Ymysg aelodau cynharaf y ddau fudiad ceir enw Richard Llewelyn Jones, Llanilar, gŵr pwysig yn hanes undebaeth gorllewin Cymru ac un o arweinwyr capel y Methodistiaid Calfinaidd yn Llanilar am 60 mlynedd.[138] Treuliodd ei oriau gwaith am ddeng mlynedd yn was ffarm, ac am y 44 mlynedd canlynol yn weithiwr ar y ffordd fawr. Erbyn 1931 ef oedd Llywydd y Blaid Lafur yng Ngheredigion a gweithiodd yn ddygn ar hyd y blynyddoedd dros ei weledigaeth o wella cyflwr gweision ffermydd ac ennill y sir i Lafur. Llwyddodd cyn diwedd ei oes i wireddu'r ddwy weledigaeth.[139]

Ond yn y cyfnod hwn fe ddaeth mudiad a weddnewidiodd holl hanes Cymru i fodolaeth. Ym marwolaeth Syr O. M. Edwards ym Mai 1920 collodd Cymru ŵr a fu'n anhygoel o fedrus fel cefnogwr aelodau o'r werin i lenydda yn Gymraeg.[140] Os cafodd dyn erioed ei feddiannu gan ysbryd y Methodistiaid Calfinaidd yn ei bwyslais ar Gymru i Grist, O. M. Edwards oedd hwnnw. Etifeddodd ei fab, Ifan ab Owen Edwards, ei weledigaeth Fethodistaidd Gymraeg Gristnogol o'r Gymru ddiwylliedig. Galwodd y mab, yn rhifyn Ionawr 1922 o'r cylchgrawn *Cymru'r Plant*, am gefnogaeth i'w gri am fudiad i achub y diwylliant Cymraeg. Galwodd ar blant a ddarllenai'r cylchgrawn i anfon eu henwau iddo i Lanuwchllyn. Cyn diwedd y flwyddyn ffurfiwyd Adran gyntaf Urdd Gobaith Cymru yn y Treuddyn, ger yr Wyddgrug, ac yna, yn 1924, yn festri'r Tabernacl, Capel y Presbyteriaid, Abercynon, crëwyd yr adran gyntaf yn y de.[141] Ymhlith y tri cyntaf i ymaelodi cafwyd dau o blant y Tabernacl, un a ddaeth yn weinidog yn yr enwad, a'r llall yn wasanaethwr diguro yn hanes yr Urdd, a daeth y trydydd yn weinidog amlycaf y Bedyddwyr Cymraeg.[142] Bu'r bartneriaeth rhwng y capeli a'r Urdd yn un agos a chlòs ar hyd y cenedlaethau, a ffurfiwyd Adrannau ac Aelwydydd yn seiliedig ar gapel a chapeli ledled y wlad a thros Glawdd Offa ymysg Cymry alltud.[143]

Yr oedd ysbryd cenedlaethol i'w brofi ymhlith aelodau'r enwad a'r Methodistiaid a berthynai i'r pleidiau. Rhyddfrydwyr oedd O. M. Edwards a'i fab, Ifan ab Owen Edwards.[144] Rhyddfrydwr wedi troi at y Blaid Lafur oedd E. T. Jones, ymreolwr cadarn sy'n haeddu llawer mwy o gydnabyddiaeth am ei ymroddiad dros Senedd i Gymru. Erbyn hynny, sef cyfnod Etholiadau Cyffredinol 1923 a 1924, yr oedd y Blaid Lafur yn ennill tir, ac er mai am lai na blwyddyn y bu'r heddychwr George M. Ll. Davies yn y Senedd, uniaethu â'r Blaid Lafur yn hytrach na'r Rhyddfrydwyr a wnaeth. Ond sylweddolai rhai o'r sosialwyr ifanc fod y Blaid Lafur, gydag ychydig eithriadau fel aelodau o gefndir y capel, yn tueddu i roi mwy o bwys ar gwestiynau economaidd nag ar ddyfodol cenedl. Mab i un a fu'n weinidog gyda'r Methodistiaid Calfinaidd yn Seacombe a New Brighton ar lannau Mersi am gyfnod hir oedd J. Saunders Lewis, athrylith a dreuliodd flynyddoedd yn filwr yn y Rhyfel Byd Cyntaf ac a addysgwyd ym

Mhrifysgol Lerpwl. Wedi iddo symud i Gymru gwelodd fod un dimensiwn mawr ar goll yng Nghymru, sef yr angen dybryd i ennill mwy o statws a pharch i'r iaith Gymraeg ym mywyd cyhoeddus y wlad. Heb lawer o gyhoeddusrwydd, sefydlodd yr hyn a elwid y 'Mudiad Cymreig', a hynny ym Mhenarth ym mis Ionawr 1924, a llwyddodd i ddenu llond dwrn o ysgolheigion fel ef ei hun i ymddiddori ynddo. Ceid symudiad tebyg o dan y teitl 'Byddin Ymreolwyr Cymru' yn yr ardaloedd o amgylch Caernarfon o dan arweiniad trafaeliwr o fro'r chwareli. Daeth y ddwy ffrwd at ei gilydd ar 5 Awst 1925 i sefydlu Plaid Genedlaethol Cymru yn ystod yr Eisteddfod Genedlaethol a gynhaliwyd ym Mhwllheli.[145] Ymhlith yr aelodau cynnar cafwyd pedwar o ddeallusion ifanc yr Hen Gorff, sef Saunders Lewis, W. Ambrose Bebb a ddaeth yn olygydd ar fisolyn y mudiad, sef *Y Ddraig Goch*, yr athrawes a'r nofelydd Kate Roberts, a D. J. Williams, y sosialydd a fu'n cefnogi'r Blaid Lafur.[146] Deallusion Cymraeg gyda chefndir capel oedd wrth y llyw, a phrif nod y Blaid oedd creu Cymru Gymraeg a hynny'n bennaf drwy gyfrwng llywodraeth leol. Apeliai'r Blaid yn fawr at weinidogion a darpar weinidogion pob enwad Anghydffurfiol, a gwelid hwy bob Awst yn yr Ysgol Haf a gynhelid yn agos at leoliad yr Eisteddfod Genedlaethol.[147]

Ond i'r mwyafrif helaeth o aelodau'r Methodistiaid Calfinaidd nid oedd sefydlu'r Blaid yn golygu llawer ar wahân i'r ffaith fod Saunders Lewis yn parhau'n weddol gyson i lunio erthyglau a llyfrau oedd yn corddi'r dyfroedd.[148] Ond i gapelwyr yr enwad yn y maes glo yr oedd 1925 yn ddechrau gofidiau, gan fod cyfartaledd uchel o'r glowyr yn ddi-waith.

Gellir nodi 1925 fel blwyddyn dechrau'r dirwasgiad hir na chiliodd hyd yr Ail Ryfel Byd yn hanes Cymru. Gwaethygodd y sefyllfa o flwyddyn i flwyddyn ac erbyn mis Awst 1930 yr oedd 42.8% o ddynion yswiriedig Cymru yn ddi-waith. Erbyn canol 1925 yr oedd bron pob un o feysydd glo Prydain yn gweithio ar golled. Newidiodd y cyflogwyr y cytundebau ac arweiniodd hynny at y Streic Fawr yn 1926.[149] Gwrthododd chwarelwyr gogledd Cymru gefnogi'r streic a hynny'n bennaf oherwydd eu hawydd i warchod eu swyddi.[150] Nid oedd R. T. Jones, arweinydd y chwarelwyr, yn yr un gwersyll gwleidyddol ag A. J. Cook o'r Rhondda, Ysgrifennydd Ffederasiwn Glowyr Prydain Fawr er 1924.[151] Datblygodd A. J. Cook ei huodledd yn bregethwr lleyg gyda'r Bedyddwyr a hanner addolid ef gan y glowyr.[152] Erbyn diwedd y streic mewnforiwyd glo o wledydd eraill a disgynnodd cyfanswm y glowyr ym maes glo'r de o 218,000 i 194,000 erbyn 1927. Creodd hyn oll gyffroadau yn ardaloedd y maes glo, a chan fod y capeli'n ganolfannau pwysig i'r gymdeithas honno nid oedd ganddynt lawer o ddewis ond cydymffurfio neu anghytuno a chreu digon o weithgarwch i gadw'r rhan fwyaf o'r aelodau'n ddiddig. Wrth ddarllen y llyfrynnau niferus a gafwyd i groniclo hanes capeli'r Methodistiaid Calfinaidd, nid oes amheuaeth nad oedd egni gwyrthiol yn cael ei amlygu ar hyd a lled Cymru, ac ymhlith capeli Cymraeg yr enwad yn Lloegr yn y cyfnod rhwng 1920 ac 1940.[153] Ynddynt cofnodid yr ysgol Sul a'r dosbarth Beiblaidd, y Gobeithlu (neu'r 'Band of Hope'), cyfarfodydd gweddi a seiat, ac ar gyfer y chwiorydd, cangen o fudiadau fel yr Urdd neu Gyngor y Cenhedloedd, y Cyfarfodydd Pregethu, y Gymanfa Ganu, y cantata a'r corau, yr eisteddfodau, a'r parti i agor blychau cenhadol ac i ddathlu'r Nadolig. Hefyd, ceid darlithiau a nosweithiau niferus pryd y gwahoddid enwogion o fyd yr eisteddfod, ond a oedd hefyd yn weinidogion, i ddarlithio ar gewri'r gorffennol neu ar destunau amwys fel 'Eira Llynedd' neu 'Dyhead'!

Yr oedd y gweinidogion hyn yn barod i deithio pellter ffordd i gyflawni eu cyhoeddiadau. Teithiai'r Parch. Phillip Jones, Porthcawl, i bob rhan o Gymru.[154] Felly hefyd y Dr Thomas Charles Williams, Porthaethwy.[155] Dyna hefyd a wnâi'r bardd-bregethwr, y Parch. Robert Beynon, Aber-craf. Byddai ef yn aml yn pregethu yn y Cyfarfodydd Blynyddol neu Hanner Blynyddol ar nos Sadwrn a'r Sul, ac yna'n darlithio ar nos Lun ar 'Y Bardd a'r Bobl', a thrafod Ann Griffiths, Islwyn a Ceiriog yn ddeheuig.[156] Pregethwr arall a wnâi hynny oedd y Parch. Athro W. D. Davies (W. D. 'Pechadur' Davies yn ddiweddarach!), y diwinydd o Goleg Diwinyddol Aberystwyth.[157] Pregethai ef gyda disgleirdeb a huodledd, a daeth yn atyniad i'r cynulleidfaoedd yn y cyfnod hwn.[158] Ond ni ellir dweud bod ymrafael y cyfnod hwn yn fater tyngedfennol i ran fwyaf yr 'hoelion wyth'. Yn wleidyddol, perthynent gan amlaf i'r Blaid

Ryddfrydol, er bod eithriadau amlwg. Enghraifft dda o bregethwr dawnus a Rhyddfrydwr cadarn yn y de oedd y Parch. M. P. Morgan, Blaenannerch, pregethwr grymus a graenus ac un o genhadon y bu galw mawr amdano yng nghymanfaoedd pregethu'r capeli a'r Sasiynau.[159] Daeth ef yn enw teuluaidd drwy'r enwad, ond yn y dauddegau parhâi i siarad ar lwyfannau'r Blaid Ryddfrydol yng Ngheredigion adeg yr Etholiadau Cyffredinol.

Mewn rhai ardaloedd yn y de gwelid dylanwad pobl y chwith yn wleidyddol, ac ym mhentref y Maerdy ym mhen uchaf y Rhondda Fach llysenwyd y gymuned oherwydd hynny'n 'Moscow Fach' am fod carfan gref o gomiwnyddion yn llywodraethu yno.[160] Hwy oedd yng ngofal cyfrinfa leol yr Undeb. Disodlwyd emynau Cymraeg gan anthemau sosialaidd fel yr 'Internationale'.[161] Yn ystod y Streic gyffredinol Cyfrinfa Undeb y Glowyr oedd yn penderfynu holl weithgarwch y pentref glofaol.[162] Er hynny i gyd parhaodd y ddau gapel Presbyteraidd Cymraeg i gynnal eu gweithgareddau, er i'r gyfrinfa wrthod iddynt gael defnyddio'r bws oedd at wasanaeth y pentrefwyr er mwyn mynychu Cymanfa Ganu Methodistiaid Calfinaidd y Rhondda Fach.[163]

Mewn pentref glofaol yn Sir Gaerfyrddin, sef y Tymbl, cafwyd gwrthdaro poenus rhwng y Dde a'r Chwith, rhwng efengylwyr ceidwadol a modernwyr rhyddfrydol, a hynny ym mherson gweinidog ifanc yn ei eglwys gyntaf, y Parch. Tom Nefyn Williams.[164] Ordeiniwyd ef yn 1925 i gapel Ebenezer, y Tymbl, eglwys ac iddi 230 o aelodau.[165] Ef oedd y 'seren' ymhlith myfyrwyr ei gyfnod yng Ngholeg y Bala, 1921–2 ac 1924–5 ac yng Ngholeg Diwinyddol Aberystwyth o 1922 i 1924, ac o fewn ychydig fisoedd cafodd afael anghyffredin ar Gwm Gwendraeth. Aeth y capel yn y Tymbl yn rhy fach, ac ar aml nos Sul addolid ar Gae Llety, cae'r clwb rygbi lleol yr adeg honno. Roedd gan Tom Nefyn weledigaeth bendant, gweledigaeth oedd yn cwmpasu tri nod. Y nod cyntaf oedd gweithredu fel diwygiwr cymdeithasol. Codai hynny o'i astudiaeth o gyflwr tua chant o dai o boptu'r ffordd fawr, sef yr High Street, a godwyd gan berchenogion y gwaith glo. Yr oedd y tai hyn wedi dirywio'n arw a chwmni *Amalgamated Anthracite* yn amharod i wario 'ar gynnal a chadw'. Wedi ymweld, archwilio, a sgwrsio â'r teuluoedd, ysgrifennodd adroddiad anghysurus i holl reolwyr a chyfranddalwyr y cwmni yn ogystal â chysylltu â'r Bwrdd Iechyd yng Nghaerdydd gan ei wneud ei hun yn arwr i'r glowyr, ond yn 'swmbwl yn y cnawd' i ddau o'r blaenoriaid oedd yn dal swyddi gweinyddol yn y pwll glo ac yn deall a derbyn safbwynt y perchenogion.[166]

Yr ail nod, yng ngeiriau'r gweinidog, oedd 'lincio pobl y Chwith mewn gwleidyddiaeth eilchwyl wrth yr eglwys' a'u denu nhw yn ôl i gymundeb y capel. Fel y dywed ef yn y gyfrol *Yr Ymchwil*, roedd y Parch. John Morgan Jones, Merthyr Tudful, sosialydd Cristnogol amlwg ac un o gefnogwyr pennaf Tom Nefyn, wedi rhybuddio arweinwyr y Sasiwn am 'y perygl o estroni rhai o bartïon y chwith yn yr eglwysi'.[167] Wedi'r cyfan, yr oedd John Morgan Jones yn eilun i chwith gwleidyddol Undeb Glowyr De Cymru, a gelwid arno i annerch ac weithiau i gymodi mewn streic.[168] Trydydd nod Tom Nefyn oedd moderneiddio cred yr enwad a'r athrawiaethau traddodiadol a hefyd rhoi arlliw newydd a gwahanol i gyfarfodydd arferol y capeli.[169] Ond ei gamgymeriad mawr oedd iddo wadu, fesul un ac un gynifer o athrawiaethau pwysig yr Eglwys Gristnogol, fel Duw, person Crist, yr ymgnawdoliad, y Drindod, y Groes a'r Atgyfodiad, gweddi, y gwyrthiau, yr ysgrythurau sanctaidd a'r bywyd tragwyddol. Gosododd y cyfan mewn dogfen o dan y teitl *Y Ffordd yr Edrychaf ar Bethau* a'r canlyniad anorfod oedd iddo, ar 28 Awst 1928 yn Nantgaredig, gael ei ddiarddel gan Gymdeithasfa'r De am heresi.[170] Diarddelwyd holl aelodau Ebenezer, Tymbl, oedd yn cytuno ag ef, a ffurfiwyd capel anenwadol; daeth y mater yn destun siarad a thrafodaeth gan greu anghytuno ym mhobman. Dadleuai'r Dr R. T. Jenkins, hanesydd a fu mor deyrngar i'r enwad, o blaid Tom Nefyn, tra'r oedd yr emynydd a'r efengylydd W. Nantlais Williams, gweinidog Bethany, Rhydaman, yn llawdrwm arno am iddo wadu athrawiaethau a fu'n hanfodol er Cyffes Ffydd 1923.[171] Gwnaed Tysteb Genedlaethol iddo, a chafodd gyfle i ddilyn cwrs mewn seicoleg, ac o fewn dwy flynedd derbyniwyd ef yn ôl i'r enwad am fod y Methodistiaid Calfinaidd ei angen ac yntau angen y Cyfundeb er mwyn cyflawni gwaith Crist.[172] Derbyniodd y Gyffes Ffydd, a sylweddolodd fod rhai o'i syniadau am foderneiddio'r capeli yn amharu ar addoliad, a daeth yn un o wŷr traed mwyaf atyniadol ei enwad.[173] Daliodd i genhadu weddill ei oes a'i uniaethu'i hun â'r dosbarth gweithiol, ac un ohonynt, John Rowlands, un o weithwyr Hufenfa De Arfon yn Rhydygwystl, a luniodd un o'r englynion coffa iddo ar ôl ei farw annisgwyl o sydyn nos Sul, 23 Tachwedd 1958, yn Rhydyclafdy:

O lewyrch Galilea – a Chanaan
Cychwynnodd ei yrfa,
Daliodd i'r funud ola'
Yn dyst o'r 'Newyddion Da'.[174]

Er yr holl gyhoeddusrwydd a ddaeth i'r Methodistiaid Calfinaidd (llawer ohono yn negyddol o achos helynt y Tymbl), ynghanol y cyfan cafwyd araith a fu'n bellgyrhaeddol ei dylanwad gan T. Arthur Jones, gweinidog yr enwad yng Nghorwen, ar 13 Ebrill 1928. Galwodd ef ar yr Urdd i sefydlu gŵyl, sef eisteddfod genedlaethol flynyddol ar gyfer plant Cymru.[175] Gwahoddodd Ifan ab Owen Edwards i gwrdd ag ef yng Nghorwen ar 16 Mehefin i drefnu eisteddfod ar gyfer haf 1928. Yn y cyfarfyddiad hwnnw penodwyd y gweinidog amryddawn T. Arthur Jones yn ysgrifennydd yr eisteddfod a'r nod oedd sefydlu 'meithrinfa diwylliant trwyadl Gymreig.'[176]

Llwyddodd T. Arthur Jones i gael llenorion a beirdd i gynnig testunau a bodloni i fod yn feirniaid di-dâl, a thrwy ei gysylltiadau Presbyteraidd llwyddodd i gael gwasanaeth nifer helaeth o'i enwad ei hun, yn eu plith Ifor Williams, Kate Roberts, Thomas Parry, R. T. Jenkins ac R. Williams Parry, a fu'n aelod yn Jerusalem, ei gapel ym Methesda, ac yn driw iddo yn yr anghydfod a ddigwyddodd yno adeg yr Ail Ryfel Byd.[177] Yng nghyfnod y dauddegau a'r tridegau, er gwaethaf y dirwasgiad economaidd a'r crebachu ar swyddi, profodd pobl Cymru a phobl y capeli gyfnewidiadau aruthrol, llawer ohonynt yn dra bendithiol. Daeth y car modur yn eiddo i lawer o'r offeiriaid a'r gweinidogion.[178] Dywedir mai gan y Dr John Williams, Brynsiencyn, yr oedd un o'r moduron cyntaf ym Môn yn 1903, ond erbyn 1927 yr oedd gan un o bob ugain o deuluoedd Cymru gar.[179] Fodd bynnag, yr oedd y car yn rhy gostus i lawer o weinidogion Methodistaidd am gyfnod hwy.[180] Dibynnent yn bennaf ar drafnidiaeth gyhoeddus, y trên ac yn arbennig y bws. Yn ystod y dauddegau crëwyd rhwydwaith o wasanaethau bysiau ledled Cymru a gallai'r pregethwr deithio'n bell i'w gyhoeddiad ar y Sul, drwy fynd ar brynhawn Sadwrn a dychwelyd fore Llun. Dyna'r patrwm i'r myfyrwyr am y weinidogaeth hyd y chwedegau cynnar.

Daeth cyfathrebu yn fwy effeithiol a sefydlwyd y BBC yn y dauddegau, er y bu'n rhaid aros hyd ganol y tridegau i groesawu rhaglenni beiddgar a diddorol a ddarlledwyd gan Gymry oedd yn weithgar o fewn capel ac eglwys.[181] Gwelai gweinidogion a lleygwyr botensial i'r radio yn gyfrwng i gysuro a goleuo credinwyr. Gan fod yr hinsawdd grefyddol yn newid yn gyflym bu brwydro parhaus i amddiffyn ansawdd ac awyrgylch yr hyn a elwid y Sul Cymreig.[182] Dechreuwyd yn y tridegau ar y broses o wneud y Sul yn llai arbennig ac yn fwy tebyg i bob diwrnod arall.[183] Gwrthdystiodd dwy fil o gapelwyr Caerdydd yng nghapel y Tabernacl ar 29 Ebrill 1931 yn erbyn cynlluniau'r Llywodraeth Ganolog i ganiatáu i sinemâu agor ar y Sul. Ond ofer fu'r protestio. Anwybyddwyd y dadleuon a daeth y Mesur Adloniant ar y Sul yn ddeddf ar 13 Gorffennaf 1932 gan ei gwneud yn gyfreithlon i ddangos ffilmiau, cynnal cyngherddau a darlithoedd cyhoeddus, ac agor orielau, sŵau a gerddi botanegol.[184]

Trafferth llawer un o'r enwad wrth amddiffyn y Sul oedd cymysgu'r syniad o Saboth gyda'r Sul, a choleddu egwyddorion Iddewig fel egwyddorion ar gyfer y Cristion. Ym mis Mehefin 1932 cafwyd erthygl oleuedig gan T. J. Lewis yn y *Treasury*, papur misol adran Seisnig y Cyfundeb. Dywedodd ef yn blwmp ac yn blaen: 'I find that Sabbath observations as a law is dead. We can tell no man he must keep it.'[185] Ond deallai T. J. Lewis a phawb arall fod y Sul yn ddyledus i'r Saboth, a chafwyd dadlau a thrafod ar gadwraeth y Sul am y degawdau nesaf.[186] Ond y ddadl gryfaf oedd honno mai diwrnod i ddathlu Atgyfodiad Crist ydoedd a chyfle i glodfori, dathlu ac addoli.[187] Gŵyl ydoedd a diwrnod ar gyfer y teulu. Ond yr athrawiaeth oedd yn bwysig: 'Dyma'r dydd roed inni gofio Atgyfodiad Iesu gwiw.' Ceid deddfau amrywiol i amddiffyn y Sul fel diwrnod, ond yn 1936 daeth Deddf y Siopau (Cwtogi Masnach ar y Sul) i fodolaeth, a sylweddolodd arweinwyr crefydd nad cwtogi a ddigwyddai ond agor y drysau. Gellid yn awr werthu bara newydd ei grasu, ac yn ardaloedd yr ymwelwyr, fel gogledd a gorllewin Cymru, gellid gwerthu amryw bethau ar ddeunaw Sul.[188]

Ymateb naturiol i'r cyfnewidiadau amlwg hyn oedd y penderfyniad gan Gymdeithas Cadwraeth Dydd yr Arglwydd yn Lloegr i benodi, yn 1938, y Parch. Richard Thomas Gregory, a oedd newydd ymddeol fel gweinidog gyda'r Annibynwyr Cymraeg, yn Ysgrifennydd Cangen Caerdydd o'r Gymdeithas.[189] Llafuriodd ef yn galed iawn gan gasglu o'i amgylch weinidogion a lleygwyr o bob enwad, gan gynnwys yr Anglicaniaid, a dwyn i fodolaeth gymdeithas genedlaethol Gymraeg. Tynnodd hi'n rhydd o Loegr a'i galw yn Gymdeithas Dydd yr Arglwydd yng Nghymru.[190] Gwasanaethwyd y gymdeithas hon ar hyd y blynyddoedd gan weinidogion a lleygwyr o'r enwadau hyd y dydd heddiw. Bu'r enwad yn gefnogol i'r mudiad ar hyd y blynyddoedd, ac yn esiampl i bob enwad arall.

Gellir dweud yr un peth am gefnogaeth arweinwyr yr enwad i symudiadau eraill a ddaeth i fodolaeth yn y cyfnod rhwng y ddau Ryfel Byd. Ystyrier agwedd y Parch. Ddr John Morgan Jones, Caerdydd.[191] Dywedodd ef (a hynny ym mlwyddyn olaf ei oes) pe byddai'n 40 neu 50 mlwydd oed fe'i cysegrai ei hun yn gyfan gwbl i'r gwaith o uno'r Methodistiaid Calfinaidd gydag enwad yr Annibynwyr Cymraeg.[192] Yr oedd ef wedi'r cyfan wedi bod yn ymwybodol o berthynas yr enwad â'r gymdeithas drwy ei waith yn Gyfarwyddwr y Symudiad Ymosodol.

Disgynnodd ei fantell ar ysgwyddau gŵr iau o fewn yr enwad, sef y Parch. E. O. Davies, Llandudno.[193] Pan gynhaliwyd 'Cynhadledd Gristnogol Gyffredinol ar Fywyd a Gwaith y Deyrnas' yn Stockholm, prifddinas Sweden, yn ystod 19–30 Awst 1925 fe'i cynrychiolwyd ganddo, a gwelodd ef a D. Miall Edwards 'ernes o Eglwys unedig, neu o leiaf ernes o Gynghrair yr Eglwysi yn ateg i Gynghrair y Cenhedloedd'.[194] Yr oedd y weledigaeth ecwmenaidd wedi cydio mewn llawer un yn y Cyfundeb, ac ar ôl Cynhadledd Stockholm trosglwyddodd E. O. Davies i sylw Archesgob Cymru y priodoldeb o ystyried cydweithredu rhwng yr enwadau.[195]

Yn 1922 cynhaliwyd cynhadledd flynyddol gyntaf Urdd y Deyrnas, ymgais i drafod y problemau a oedd wedi codi o ganlyniad i'r Rhyfel Byd Cyntaf. Cyhoeddwyd cylchgrawn Cymraeg i hybu'r gwaith o dan yr enw *Yr Efrydydd*. Dadleuai E. O. Davies ar ôl Cynhadledd Stockholm: 'Cyn y gall enwadau ymuno â'i gilydd, rhaid i bob un ohonynt, fod yn rhydd. Rhaid iddynt feddu ar otonomi ... y mae'r Erthyglau ... o dan ystyriaeth dwy Gymdeithasfa'r Wlad ... a ffurfia'r Erthyglau hyn un garreg filltir yn hanes Undeb Eglwysig yng Nghymru.'[196]

Yr oedd E. O. Davies yn arweinydd medrus. Yn yr adroddiad ar 'Ein Cyfundrefn a'n Trefniadaeth' y mae 'Comisiwn ad-drefnu'r Cyfundeb' yn trafod yn helaeth 'Ein Perthynas ag eglwysi eraill'.[197] Dyhead i gyfeiriad undeb eglwysig oedd y cymhelliad pennaf. Dyma'r adeg yr ymunodd y Methodistiaid Calfinaidd â Chynghrair Presbyteraidd y Byd.[198] Teimlai'r Comisiwn, a fu'n weithgar yn y dauddegau, fod rhesymau amlwg dros i'r ddau gorff a ffurfiai'r Trefnyddion Cymraeg, sef y Methodistiaid Calfinaidd a'r Methodistiaid Wesleaidd, ymuno â'i gilydd.[199] Ac i ecwmenydd fel E. O. Davies un cam pwysig a gymerwyd yr adeg honno oedd uno i gael Llyfr Emynau newydd at wasanaeth y ddau enwad. Bu cydbwyllgor o'r ddau enwad wrthi'n ddyfal yn dethol emynau a thonau, a pharatowyd ganddynt Lyfr Emynau a Thonau campus yn 1927.[200] Yn ôl E. O. Davies, prawf arall fod y Comisiwn yn cefnogi undeb yr holl eglwysi Cristnogol yw'r ffaith ei fod o blaid ffurfio'r mesurau angenrheidiol i sicrhau rhyddid llawn y Cyfundeb yng Nghymru.[201]

Symudiad ecwmenaidd pwysig arall oedd cyhoeddi *Y Cyfarwyddwr* ym mis Tachwedd 1921.[202] Dyma gylchgrawn cydenwadol a roddai le canolog i'r plant a'r ieuenctid.[203] Yr oedolion a gafodd fwyaf o sylw yng nghylchgronau ysgolion Sul Cymru cyn cyhoeddi *Trysorfa y Plant*, ond bellach yr oedd y rhod wedi troi.[204] Rhoddwyd croeso mawr i'r *Cyfarwyddwr*. Gwerthwyd tair mil o gopïau o'r rhifyn cyntaf, a diflannodd dwy fil ohonynt yn y pythefnos cyntaf.[205] Pwysleisiodd y pedwar golygydd mai 'llawforwyn yr Eglwys yw'r Ysgol Sul'.[206] Aethpwyd ati i gynnal Ysgol Haf yr Ysgol Sul yn Llanwrtyd. Ac yn yr ysgol gyntaf yn 1920 trefnwyd gweithdai i hyfforddi athrawon cymwys i'r ysgolion Sul.[207] Bu cyfraniad Ysgol Haf yr Ysgol Sul i ecwmeniaeth yn un hynod werthfawr, a hynny am gyfnod o hanner can mlynedd.[208]

Ond nid oedd yr ysgol Sul heb ei thrafferthion. Er bod 977,366 o drigolion Cymru yn 1921, a 922,090 yn 1931, yn siarad yr iaith Gymraeg, eto yr oedd y Gymraeg yn dirywio ac yn drafferthus o fewn y cymunedau diwydiannol a phoblog. Yng Nghwm Rhondda yn 1921, dim ond 27% o'r plant dan bump oed a fedrai'r iaith, a gorfodid athrawon yr ysgolion Sul Cymraeg yn Nhreorci ac Ynys-hir i ganolbwyntio ar ddysgu'r iaith yn hytrach na chyflwyno Gair Duw. Datgelodd D. Arthen Evans, y Barri, y broblem yng nghyfrol gyntaf *Y Cyfarwyddwr*: 'Bron na ddywedwn fod naw o bob deg Ysgol Sul yn rhannau gweithfaol Cymru yn treulio dros hanner amser prin yr Ysgol i ddysgu Abiec, sillebu, a darllen i'r plant.'[209]

Gallai fod wedi ychwanegu mwyafrif eglwysi Cymraeg pob enwad, fel ar lannau Mersi, Manceinion a'r cyffiniau, Canolbarth Lloegr a Llundain, yn ei ddadansoddiad. Bu'n rhaid aros hyd ymddangosiad yr ysgolion Cymraeg yn y cyfnod wedi'r Ail Ryfel Byd i gael sefyllfa wahanol i'r un a ddisgrifiwyd.

Mudiad pwerus yn y cyfnod hwn oedd Mudiad Cristnogol y Myfyrwyr. Sylfaen y mudiad oedd 'undeb Cristnogol', a gwnaeth y mudiad gryn lawer i hybu a hyrwyddo cyd-ddealltwriaeth rhwng y gwahanol enwadau, o leiaf, ymhlith yr arweinwyr. Bu cynhadledd y mudiad yn Aberystwyth ym Medi 1920 o dan gadeiryddiaeth y cyn-gaplan, yr Athro David Williams, yn un hynod o fendithiol a hynny'n bennaf oherwydd cyfraniad ac arweiniad George M. Ll. Davies, a gredai y dylid creu perthynas rhwng crefydd a gwleidyddiaeth, a gweithredu'r Efengyl mewn ffordd ddeniadol, yn arbennig yn ymarferol.[210]

Dyna a gyflawnodd George M. Ll. Davies yng Nghwm Rhondda yn y tridegau gydag arbrawf y Crynwyr yn Nhrealaw. Ymgais ymarferol oedd hon i roi help llaw i'r di-waith a'r rhai oedd yn dioddef yn sgil methiant cyfalafiaeth.[211] Bu'r blynyddoedd hynny'n rhai blin gydag ecsodus o Gymru i Harrow, Rhydychen, Canolbarth Lloegr a Glannau Mersi. Y flwyddyn 1926 oedd yr un dyngedfennol yn hanes y Methodistiaid Calfinaidd pan gynyddodd dyledion yr eglwysi. Yr oedd y ddyled Gyfundebol yn 1935 dros £400,000, ac o'r swm hwnnw yr oedd dyled Henaduriaethau Morgannwg a Mynwy yn £271,489, sef tua 60% o'r holl ddyled.[212] Yr oedd eglwysi cymoedd y de o dan straen difrifol.[213] Yn ffodus i eglwysi'r Methodistiaid Calfinaidd, yr oedd y Parch. Ddr John Roberts, gweinidog eglwys Pembroke Terrace, Caerdydd, yn daer ei amddiffyniad o'r 'blychau' hyn.

Plediodd eu hachos yn y gogledd a'r de a llwyddodd i ddeffro eglwysi cryf a niferus y Cyfundeb i helpu'r eglwysi gwan.[214] Yn wleidyddol, cefnogai'r Blaid Lafur yn frwd, ac ym Morgannwg a Gwent, erbyn etholiad cyffredinol 1929, yr oedd y blaid honno wedi ennill serch trwch y boblogaeth. Sonia'r Parch. J. E. Rhys (ap Nathan), a fu'n gyd-weithiwr â John Roberts yng Nghaerdydd, am ei gred ddi-syfl yng ngwerthoedd y Blaid Lafur ac mewn sosialaeth fel credo wleidyddol. Sylw diddorol ap Nathan ar y mater yw: 'Nid oedd wiw dadlau ag ef.'[215] Yng ngoleuni hyn, mae'n ddealladwy mai ef oedd arweinydd y ddirprwyaeth fu'n dadlau dros hawliau'r di-waith a chyflwr y Rhondda yn nyddiau blin y dirwasgiad gerbron prif weinidogion y wlad.[216] Gwnaeth ei waith gerbron Ramsay MacDonald yn raenus; yr oedd ei apêl yn orchestwaith yn nhyb aelodau eraill y ddirprwyaeth, fel y Parch. T. Alban Davies, Tonpentre. Ar yr ail ymweliad syrthiodd ei eiriau ar dir caregog a chlustfyddar y Prif Weinidog Stanley Baldwin. Ond ni leihaodd diddordeb arweinwyr yr enwad yn Nwyrain Morgannwg a gweddill y Cyfundeb mewn materion moesol a pherthnasol i'w tystiolaeth yn y gymdeithas o'u hamgylch.[217]

Wedi i John Roberts adael eglwys Pembroke Terrace yn 1938 aeth ati i roi trefn ar faterion ariannol Sasiwn y De. Pan unwyd Cronfeydd y De a'r Gogledd penodwyd ef yn Ysgrifennydd y Gronfa Gynnal (Sustentation Fund) yng Nghymru, ac yn ei swyddfa yn Richmond Road, Caerdydd, gydag chymorth medrus Miss Mary Roberts, bu'n gyfrifol am drin cyllid a threfn weinyddol y Cyfundeb. Prif nodwedd ei yrfa o hynny ymlaen hyd ei ymddeoliad oedd gwella amgylchiadau gweinidogion a'u teuluoedd trwy wella cyflogau mewn dyddiau o ddirwasgiad economaidd enbyd. O ganlyniad codwyd lleiafswm cyflog gweinidogion i £250 a mwy na hynny ymhen amser, mewn cyfnod o gyni a'r Ail Ryfel Byd.[218]

Un o'r materion nad oedd modd ei osgoi oedd rhyfel a rhyfela, a'r angen i ddiarfogi mewn byd oedd yn gynyddol dan bwysau bygythiadau rhyfel, yn arbennig o du Benito Mussolini ac Adolf Hitler. Er bod cydymdeimlad mawr o fewn yr Henaduriaethau ynglŷn â charcharu'r tri chenedlaetholwr o gredinwyr a losgodd yr Ysgol Fomio ym Mhenyberth yn Llŷn ar 8 Medi 1936, nid oedd pawb yn cytuno â'u dull o gyflawni'r brotest.[219] Gwelir hyn mewn deiseb a gyflwynwyd i'r Prif Weinidog a'r Ysgrifennydd Cartref ym Mawrth 1937. Ond materion heddwch oedd yn cael y sylw pennaf, a chefnogwyd ymdrechion y Cyngor Heddwch Cenedlaethol (*National Peace Council*) a'r Deml Heddwch yng Nghaerdydd yn benodol gan yr henaduriaethau.[220] Mewn cyfnod o gyni economaidd, colli aelodau drwy ymfudiad ac ansicrwydd am y dyfodol, gwelir yn amlwg fod y Methodistiaid, o gyfnod y Rhyfel Byd Cyntaf hyd at yr Ail Ryfel Byd, wedi ymgodymu heb ofni na chymrodeddu â phrif bynciau llosg a chyfoes y blynyddoedd.[221] Daeth ymgyrchu dros heddwch yr un mor bwysig ag ymdrechu dros gadwraeth y Sul. Rhoddwyd cymaint o bwyslais ar hawliau'r iaith Gymraeg ag ar foesoldeb a'r defnydd o'r ddiod gadarn, a thynnwyd sylw at fethiant y capeli i ennill mwy o ddisgyblion i Grist yn ogystal â galw ar yr aelodau i gofio yn eu gweddïau hawliau cenhedloedd gorthrymedig y byd mawr yr oeddynt yn ddinasyddion ohono. Yr oedd hyn oll a mwy ar raglen waith pob Cwrdd Dosbarth a Henaduriaeth.[222] Ond yr oedd cyflafan fawr wrth ddrysau'r capeli; yn wir llefarwyd geiriau o sobrwydd gan y bardd a'r athronydd, y Parch. L. Haydn Lewis, Tonpentre, 'Yr oedd yr eglwys trwy'r byd ar ei phrawf', ac felly y bu.[223]

1 Gw. Peter Rowland, *David Lloyd George: A Biography* (Efrog Newydd, 1975), tt. 283–4.
2 Gw. G. J. Meyer, *A World Undone: The story of the Great War 1914–1918* (Efrog Newydd, 2006), t. 134.
3 Dyna farn Emrys Hughes, AS Llafur dros Ayrshire a mab y Parch. J. R. Hughes, Tonypandy ac Abercynon, un o weinidogion yr enwad. Gw. Emrys Hughes, *British Bulldog* (Efrog Newydd, 1955) a'r mandarin, Syr Maurice Hankey, cyfaill Churchill. Ei eiriau ef oedd 'He had a real zest for war. If war there must be, he at least could enjoy it'. Gw. William Manchester, *The Last Lion, Winston Churchill, Visions of Glory 1874–1932* (Boston, 1983), t. 471.
4 Cyhoeddwyd hyn mewn araith yn Llundain ar 19 Medi 1914, a phenodwyd pwyllgor i'r perwyl. *Western Mail* 21 Medi 1914.
5 Tri rheswm oedd gan Kitchener: (a) yn erbyn iddynt siarad fel milwyr yn Gymraeg â'i gilydd; (b) gwrthod caniatáu caplaniaid Anghydffurfiol ar y ffrynt; (c) gwasgaru'r Cymry trwy'r catrodau. Ffrwydrodd y ddadl yn y Cabinet ar 28 Hydref ond llwyddodd D. Lloyd George i gael ei ffordd. Gw. Rowland, *David Lloyd George*, tt. 289–90.
6 Gw. 'Syr Owen Morgan Edwards (1858–1920), tt. 179–80; 'Syr John

Morris–Jones (1864–1929)', tt. 1060–1; 'Syr Henry Lewis (1847–1923)', t. 518; 'Thomas Charles Williams (1868–1927)', t. 1010; 'John Williams (1854–1921)', t. 992, a hanes T. A. Levi yn *BC* (1951–1970), tt. 119–20. Gw. yba.llgc.org.uk.

7 J. Morris-Jones, *Y Beirniad*, 4 (1914), 217–224: adolygiad ar gyfrolau Freidrich von Bernhardi, sef *Germany and the Next War*, cyfieithwyd gan A. H. Powler (Llundain, 1914) a *How Germany Makes War* (Llundain, d.d.).

8 Am Henry Richard a'i waith yn heddychwr, gw. Eleazar Roberts, *Bywyd a Gwaith y diweddar Henry Richard AS* (Wrexham, 1902), ac am ei dad, gw. 'Ebenezer Richard', yba.llgc.org.uk, t. 797; E. W. Richard a H. Richard, *Bywyd y Parch Ebenezer Richard* (Llundain, 1839). yba.llgc.org.uk.

9 J. Morris-Jones, *Y Beirniad*, 4 (14), 217.

10 Gw. *Y Tyst*, 4 Ebrill 1923, 4. Am astudiaeth o yrfa John Williams gw. Harri Parri, *Gwn glân a Beible budr: John Williams, Brynsiencyn a'r Rhyfel Mawr* (Caernarfon, 2014).

11 David A. Pretty, *Rhyfelwyr Môn: Y Brigadydd-Gadfridog Syr Owen Thomas, AS. 1858–1923* (Dinbych, 1989).

12 O hyn ymlaen cyfunodd John Williams lifrai'r fyddin â'i goler gron i bwysleisio'r berthynas agos rhwng y pulpud a'r 'rhyfel crefyddol'.

13 Digwyddai hynny mewn trefi lle y disgwylid gwell ymateb, fel Harlech a'i gastell a'i ryfelgân a'i draddodiad Seisnig. Y llenor Robert Graves a'r gŵr a gariai fagiau'r golffwyr oedd yr unig ddau i wirfoddoli ar ddechrau'r Rhyfel. Gw. Robert Graves, *Goodbye to all that* (Llundain, 1929), t. 71.

14 Pretty, *Rhyfelwyr Môn*, t. 70.

15 O gofio presenoldeb y milwyr Prydeinig ar ochr y meistri ar adegau argyfyngus o streic yn ardaloedd y Penrhyn, Bethesda a Dinorwig, nid oedd y claerineb amlwg yn peri syndod ymhlith pobl o gefndir capelyddol.

16 Dafydd Roberts, 'Dros Ryddid a Thros Ymerodraeth, Ymatebion yn Nyffryn Ogwen, 1914–1918', *Trafodion Cymdeithas Hanes Sir Gaernarfon*, 45 (1984), 114–15.

17 Dadrithrwyd J. T. Job gan iddo lunio'i emyn cyfarwydd 'Cofia'n byd, o Feddyg da' (*Caneuon Ffydd*, rhif 846) noswyl Nadolig 1918. Gw. Delyth G. Morgans, *Cydymaith Caneuon Ffydd* (Aberystwyth, 2006), tt. 266–7.

18 Nid oedd brwdfrydedd o gwbl ymhlith bechgyn capel y Methodistiaid Calfinaidd (y Capel Coch), Llanberis, yn ôl adroddiad yn y papur wythnosol *Y Genedl*, 26 Tachwedd (1915), 2.

19 Ibid., 'Ebeneser – Y Recruitio', 12 Hydref (1915), 3.

20 R. R. Hughes, *Y Parchedig John Williams, DD, Brynsiencyn* (Caernarfon, 1929), t. 229.

21 Siaradodd Lloyd George am bron hanner awr yng Nghricieth ar 24 Medi 1914 ac ni wirfoddolodd yr un llanc. Gw. Archifdy Coleg Prifysgol Gogledd Cymru, Belmont MSS 302 (Dyddiadur Syr Henry Lewis, blaenor yng nghapel y Tabernacl, Bangor, 24 Medi 1914).

22 Hughes, *Y Parchedig John Williams*, t. 229.
23 'Peter Hughes Griffiths (1871–1937)', yba.llgc.org.uk
24 Dywed R. R. Hughes: 'Yr oedd y mwyafrif yn yr eglwysi yn bendant o blaid neu yn erbyn y Rhyfel, ac yn sicr yn eu meddwl gyda golwg ar ddyletswydd Cristnogion yn yr argyfwng a godasai', *Y Parchedig John Williams*, t. 230.
25 'Pa hawl sydd gennych chwi', gofynnodd un o wrandawyr ar yr heddychwr, y Parch. J. Puleston Jones, 'i bregethu ar gariad. Gan y bechgyn yn y ffosydd y mae'r hawl i sôn am hynny.' Ac i'r dosbarth hwnnw y perthynai John Williams. Hughes, *Y Parchedig John Williams*, t. 231.
26 Eithriad oedd cael capel heb neb mewn gwasanaeth milwrol.
27 Mewn ambell gapel ar y pryd cenid 'Hen Wlad fy Nhadau' ar derfyn yr oedfa. D. Ben Rees, 'Ci bach Lloyd George: Dr John Williams, Brynsiencyn', *Barn*, 556 (Mai 2009), 20.
28 Ceir ei hanes yn llawn gan Alan Llwyd, *Gwae fi fy myw: Cofiant Hedd Wyn* (Llandybïe, 1991). Gw. Edgar Jones, 'A Welsh war poet', *Welsh Outlook* (1922), a'i frawddeg 'Then like the hero of his own immortal poem he shouldered his Cross and sought his Calvary', 40.
29 Daeth y ffoaduriaid o Wlad Belg am loches i Ben-sarn ac Abergele yn 1914. Ellis Wynn Williams, *Hanes Eglwys Mynydd Seion, Abergele* (Abergele, 1968), tt. 140–1. Yn 1915 bu John Williams, Brynsiencyn, yn y pulpud ym Mynydd Seion yn gwisgo 'siwt lwyd y brenin' gyda'r adeilad yn llawn o filwyr o wersyll Kinmel, ibid., tt. 142–3.
30 Ceir cyflwyniad cyflawn i'w fywyd a'i waith fel caplan yn D. Densil Morgan, 'Ffydd yn y Ffosydd: D. Cynddelw Williams (1870–1942)' yn *Cedyrn Canrif: Crefydd a Chymdeithas yng Nghymru'r Ugeinfed Ganrif* (Caerdydd, 2001) tt. 1–27.
31 Ibid., tt. 5–6.
32 J. Tudno Williams, 'D. Cynddelw Williams', *Y Blwyddiadur*, 1949, t. 139.
33 Morgan, 'Ffydd yn y Ffosydd', t. 5. Disgrifia'r dyddiadur (380 tt.) y cwbl a welodd y Caplan o fis Medi 1914 hyd fis Medi 1919.
34 Ibid., t. 13.
35 'John Cynddylan Jones (1840–1930)', yba.llgc.org.uk. Ceir portread ohono yn William Morris (gol.), *Deg o Enwogion* (Caernarfon, 1959). Cyfeirir at bedwaredd cyfrol y gyfres *Cysondeb y Ffydd*.
36 D. Cynddelw Williams, 'Y Cymry yn y frwydyr fawr', *Y Goleuad*, 30 Mawrth (1917), 10.
37 Morgan, 'Ffydd yn y Ffosydd', t. 17.
38 Ibid.
39 Ibid. Geiriau'r Brenin i'r caplan oedd, 'I am glad to give you the Military Cross.'
40 M. Watcyn-Williams, *From Khaki to Cloth: the Autobiography of Morgan Watcyn-Williams MC, Merthyr Tydfil, 1891–1938* (Caernarfon, 1949).
41 Meddai Watcyn–Williams: 'The padre, Cynddelw Williams, was a thorough-going Calvinist ... His life was portioned out for him and he could face all its situations with equanimity', ibid., t. 78.

42 Cyffelybwyd ef gan amryw i Studdert Kennedy, caplan milwrol mwyaf adnabyddus y Rhyfel Byd Cyntaf. Ibid., tt. 25–6.

43 Gw. Hugh Owen (gol.), *Braslun o Hanes MC Môn (1880–1935)* (Lerpwl, 1937), t. 233. Bu'r Parchedigion D. Morris Jones a David Williams yn Athrawon yn y Coleg Diwinyddol yn Aberystwyth. R. H. Evans, *David Williams* (Caernarfon, 1970). Gellir enwi eraill a fu'n gaplaniaid, fel y Parchedigion Idwal Roberts, gweinidog Benllech, ac R. Jenkyn Owen, gweinidog eglwys Saesneg y Presbyteriaid yng Nghaergybi.

44 Defnyddiai'r Parch. David Williams ei brofiadau yn y Dwyrain Canol yn gyson yn ei bregethau o 1918 hyd ei farw cynamserol yn 1929.

45 D. Ben Rees, *Dr John Williams, Brynsiencyn, a'i Ddoniau (1853–1921)* (Llangoed, 2009), t. 31.

46 Sonia'r cyhoeddwr Emlyn Evans am ei dad, Richard Evans, Bethesda, Arfon, yn ymddangos gerbron y bwrdd meddygol o dan drefn consgripsiwn adeg y Rhyfel Byd Cyntaf. Barnwyd nad oedd yn ddigon cryf i'w anfon i'r rhyfel, gyda'r canlyniad iddo dreulio dwy flynedd yn gweithio yn ffatri arfau Vickers Armstrong yn Barrow-in-Furness, ymhlith nifer dda o Gymry Cymraeg o gefndir y capeli. Emlyn Evans, *O'r Niwl a'r Anialwch: Cynnyrch Chwarter Canrif* (Dinbych, 1991), t. 49.

47 R. W. Jones, *Cofiant John Puleston Jones MA DD* (Caernarfon, 1929); 'John Puleston Jones', yba.llgc.org.uk.

48 Am Currie Hughes gw. D. J. Roberts, 'Y Parchedig C. Currie Hughes, Aberteifi', yn T. J. Davies (gol.), *Namyn Bugail* (Llandysul, 1975), tt. 87–98.

49 Ymhlith y rhai yng Nghlynnog a ymunodd yn y *Welsh Students Company* yr oedd J. Llewellyn Hughes (Rhyd-ddu), a ddaeth yn weinidog i Borthaethwy, a J. H. Griffiths (Rhydymain), a ddaeth i Langoed, Môn, ac yna i'r Capel Mawr, Dinbych. Gw. D. J. Roberts, *Namyn Bugail*, t. 89.

50 Daeth amryw o'r cwmni a fu yn Salonica yn weinidogion fel O. W. Owen, Eliseus Howell, J. H. Griffiths a Robert R. Williams. Syniad y Dr John Williams oedd creu'r cwmni arbennig hwn a fyddai'n estyn cymorth i'r cleifion, syniad ymarferol ar lwybr yr efengyl, fel y tystia S. O. Tudor, Caernarfon, yn *Barn*, Ionawr 39 (1966), t. 184.

51 Ceir yr hanes yn gyflawn yn R. R. Williams, *Breuddwyd Cymro mewn dillad benthyg: Cwmni Cymreig RAMC* (Lerpwl, 1966), tt. 1–84.

52 Cynan (Albert Evans-Jones), yn *Caneuon Ffydd*, rhif 840. Cyhoeddwyd yr emyn yn *Caniadau Cynan* (Llundain, 1927), a'r casgliad enwadol cyntaf i'w ddefnyddio oedd *Atodiad Llyfr Emynau a Thonau y Methodistiaid Calfinaidd a Wesleaidd* (1985).

53 Jill Wallis, *Valiant for Peace: A History of the Fellowship of Reconciliation 1914 to 1989* (Llundain, 1991), t. 4. Ceir hanes y Cymry yn *Dilyn Ffordd Tangnefedd: Canmlwyddiant Cymdeithas y Cymod 1914–2014,* D. Ben Rees (Lerpwl 2015), tt. 313.

54 Ibid., t. 15.

55 Yr oedd Richard Roberts a George M. Ll. Davies yn bresennol yn y Gynhadledd, ibid., t. 5.

56 Ceir sylfeini athronyddol i Gymdeithas y Cymod mewn pum datganiad, ibid., tt. 7–8.
57 Yr adnodau sy'n cyfleu hanfod y Gymdeithas yw 2 Corinthiaid 5:17–19.
58 Wallis, *Valiant for Peace*, t. 15.
59 Ibid. Sefydlodd gangen o'r Blaid Lafur Annibynnol yn Nhreharis yn etholaeth Keir Hardie. Gw. Gwynfor Evans, 'Richard Roberts (1874–1945)' yn D. Ben Rees (gol.), *Oriel o Heddychwyr Mawr y Byd* (Lerpwl a Llanddewi Brefi, 1983).
60 Vera Brittain, *The Rebel Passion*, (Llundain, 1964).
61 E. H. Griffiths, *Heddychwyr Mawr Cymru,* I (Caernarfon, 1967), tt. 51–2; E. Morgan Humphreys, 'George Davies, 1880–1949' yn *Gwŷr Enwog Gynt* (ail gyfres, Aberystwyth, 1953), tt. 21–9.
62 Griffiths, *Heddychwyr Mawr Cymru*, t. 52.
63 Am Thomas Rees (1869–1924), gw, T. Eirug Davies (gol.), *Y Prifathro Thomas Rees: Ei Fywyd a'i Waith* (Llandysul, 1939); Robert Pope, *Seeking God's Kingdom: The Nonconformist Social Gospel in Wales, 1906–1939*, (Caerdydd, 1999), tt. 56–67.
64 R. Arthur Hughes, 'Howell Harris Hughes (1874–1950)', yn D. Ben Rees (gol.), *Dal i Herio'r Byd* (Lerpwl a Llanddewi Brefi, 1983), tt. 111–27. Ef oedd ysgrifennydd a threfnydd y gynhadledd yn y Bermo, ibid., t. 117.
65 Penodwyd tri o Fangor i ofalu am *Y Deyrnas*, sef Thomas Rees (golygydd), yr Athro John Morgan Jones, Coleg Bala–Bangor, a H. Harris Hughes (trysorydd), a chawsant Evan Thomas, Gwalia Printing Works, Sackville Road, Bangor, argraffydd a oedd yn frwdfrydig i'w cynorthwyo. Rees, *Dal i Herio'r Byd*, t. 118.
66 Llythyr, Mr Lloyd George ar 'Hwyl', *Y Deyrnas*, 1 (Hydref 1916), 11.
67 Griffiths, *Heddychwyr Mawr Cymru*, t. 61.
68 John Davies, *Hanes Cymru* (Harmondsworth, 1990), t. 494. Am David Thomas, gw. ei hunangofiant, *Diolch am Gael Byw* (Lerpwl, 1968); D Ben Rees, *Cymry Adnabyddus 1952–72* (Lerpwl a Phontypridd, 1978), 178–80; 'David Thomas (1880–1867)', yba.llgc.org.uk.
69 Gw, Ioan W. Gruffydd, 'John Puleston Jones (1862–1925)', yn D. Ben Rees (gol.), *Herio'r Byd* (Lerpwl a Llanddewi Brefi, 1980), tt. 93–103; M. R. Mainwaring, 'John Morgan Jones (1861–1935)', ibid, tt. 61–9; W. J. Edwards, 'David Francis Roberts (1882–1945)', yn D. Ben Rees (gol.), *Dal Ati i Herio'r Byd* (Lerpwl a Llanddewi Brefi, 1988), tt. 73–82. Am J. H. Howard, gw. Ivor Thomas Rees, 'Aristocrat, Pauper and Preacher', yn *Welsh Journal of Religious History*, 4 (2004), 65–79.
70 Pryder y Parch. John Williams, Brynsiencyn, yng Nghymdeithasfa Cei Conna oedd (i) y byddai'r arfer o roi 'rum' i'r milwyr pan yn ymosod ar faes y gad yn peryglu achos dirwest, a (ii) fod militariaeth yn mynd ar gynnydd cyflym, ac yn peryglu rhyddid y werin. Ac ni chlywodd y gŵr parchedig erioed mai 'beth bynnag a heuo dyn, hynny hefyd a fed efe'! Gw. Thomas Rees, 'Egwyddorion ac Amgylchiadau', *Y Deyrnas*, 3 (Rhagfyr 1916), 3.
71 Yn 1917 derbyniodd Richard Roberts wahoddiad i fod yn weinidog eglwys annibynnol enwog yn Efrog Newydd, sef 'The Church of the

Pilgrims', a daeth yn unionsyth yn un o arweinyddion Cymdeithas y Cymod yn yr Unol Daleithiau, ac yn aelod o fwrdd golygyddol ei gylchgrawn, *World Tomorrow*, y cyfrannodd iddo o'r dechrau. 'Richard Roberts (1874–1945)', yba.llgc.org.uk.

72 T. R. Jones, 'Câr dy gymydog', *Y Deyrnas*, 5 (Chwefror 1917), 9–10; Llew G. Williams, 'Yr eglwys a gwleidyddiaeth', ibid., 8 (Mai 1917), 4–6.

73 Williams, 'Yr eglwys a gwleidyddiaeth', 5. Ofna fod 'y naill fel y llall' yn anghofio brawdoliaeth yn eu hymlyniad wrth radicaliaeth neu sosialaeth. Gw. E. Morgan Humphreys, 'Llew G. Williams, 1883–1926', yn *Gwŷr Enwog Gynt* (ail gyfres, Aberystwyth, 1953), tt. 9–20.

74 Rees, 'Egwyddorion ac amgylchiadau', 3.

75 'Cynhadledd Llandrindod', 3–5 Medi 1917, *Y Deyrnas*, 11 (Awst 1917), 1 a 6.

76 Bu Dewi Morgan ar staff y *Cambrian News* ac roedd yn bregethwr lleyg cymeradwy yn Henaduriaeth Gogledd Aberteifi; ei fab yw'r Arglwydd Elystan Morgan. Gw. Nerys Ann Jones, *Dewi Morgan* (Talybont, 1987).

77 'At bob un sydd yn enwi enw Crist', *Y Deyrnas*, 1 (Hydref 1917), 7.

78 'Hwn yw ein rhifyn olaf', *Y Deyrnas*, 4 (rhif 2) (Tachwedd 1919), 1.

79 Am William Ambrose Bebb, gw. T. Robin Chapman, *Ambrose Bebb* (Caerdydd, 1997). Byrdwn erthygl Bebb ar y 'Streic' yw ei anghytundeb â golygydd *Y Deyrnas*. Gw. W. A. Bebb, 'Y Streic', *Y Deyrnas*, 4. rhif 2 (Tachwedd 1919), 14–15.

80 Am Thomas Hughes, gw. Hugh Owen (gol.), *Braslun o Hanes MC Môn (1880–1935)* (Lerpwl, 1937), tt. 304–5. Yn ystod ei gyfnod yn weinidog yn Llannerch-y-medd aeth tri gŵr ifanc i'r weinidogaeth, sef y Parchn T. Madoc Jones, John Alwyn Parry a Michael Parry, Llundain. Symudodd Thomas Hughes o'r Rhiw i Lannerch-y-medd yn 1921.

81 LlGC Llsgr. 22899E 1915–18 (Llythyron o'r Rhyfel Mawr at y Parchedig Thomas Hughes (1868–1960)).

82 Ibid., rhif 16 (dim cyfeiriad, ond oddi wrth E. Jones at Thomas Hughes).

83 Ibid., rhif 27 (o Military Hospital, Parkhurst, IOW, I Mai 1916, oddi wrth W. O. Roberts at Thomas Hughes).

84 David Davies a gyflwynodd adroddiad i'r Prif Weinidog yn rhag-weld cwymp teyrnasiad y Tsar, fel y tystia Thomas Jones. Gw. Thomas Jones, *Lloyd George* (Llundain, 1951), t. 104.

85 Ibid., tt. 164–88.

86 Ceir ffenestr liw yng nghapel Cymraeg Clapham Junction i gofio ei merch, Mair, a fu farw yn 17 mlwydd oed. Gw, Ffion Hague, *The Pain and the Privilege: The Women in Lloyd George's Life* (Llundain, 2008), tt. 177–88.

87 Perthynai W. Llewelyn Williams i'r genhedlaeth ddisglair o fyfyrwyr yn Rhydychen a sefydlodd Gymdeithas Dafydd ap Gwilym ym Mai 1886. Gw. J. E. Caerwyn Williams, 'Cymdeithas Dafydd ap Gwilym Mai 1886 – Mehefin 1888' yn Thomas Jones (gol.), *Astudiaethau Amrywiol a gyflwynir i Syr Thomas Parry-Williams* (Caerdydd, 1968), tt. 137–81.

88 K. O. Morgan, *Rebirth of a Nation:Wales 1880–1980* (Rhydychen, 1981), t. 165.

89 Ceir ysgrif ar Edward Thomas John (1857–1931) yn yba.llgc.org.uk. Am Griffith Caradog Rees, ac yn arbennig y clod iddo, gw. *Llais Rhyddid* gan ei fod yn un o sylfaenwyr Eglwys Rydd y Cymry yn Lerpwl a'r cyffiniau. 'Gosod carreg sylfaen yn Bootle', *Llais Rhyddid* (1902), 124.

90 Yr oedd y Cyfundeb yn hynod bwysig i H. Haydn Jones, mab y cerddor Joseph David Jones. Bu'n flaenor yng nghapel Tywyn ac yn olygydd cyfrol boblogaidd o emynau a thonau. Gw. Michael Kinnear, *The Fall of Lloyd George: The Political Crisis of 1922* (Llundain, 1973), tt. 193–5.

91 K. O. Morgan, 'Peace Movements in Wales 1899–1945', *Cylchgrawn Hanes Cymru*, 10 (1980–81), 430.

92 Teilynga Percy Ogwen Jones gofnod am ei gyfraniad i werin Cymru, ond rhaid darllen Huw T Edwards, *Tros y Tresi* (Dinbych, 1956), tt. 57–8 am ddarlun teg o ŵr a fu'n olygydd *Y Dinesydd*, papur y gweithwyr yng Nghaernarfon. Am David James (Gwenallt) Jones gw. *Y Traethodydd*, Rhifyn Coffa Gwenallt (Ebrill 1969), 53–126; Dyfnallt Morgan, *D. Gwenallt Jones* (Caerdydd, 1972); E. P. Jones, 'Atgofion am Gwenallt', *Taliesin*, 25 (Rhagfyr 1972), 137–40.

93 J. E. Meredith, *Gwenallt: Bardd Crefyddol* (Llandysul, 1974), t. 55. Cymh. Gwenallt, 'Y bardd a'i fro', atodiad *Y Gwrandawr* yn *Barn*, 68 (Mehefin, 1968), vi.

94 Cofier am ei gyfeillgarwch yn y cyfnod hwnnw â Nun Nicholas a Jack Joseph, dau o flaenwyr yr ILP yng Nghwm Tawe. Carcharwyd cynifer â phump o ddeuddeg aelod cangen Pontardawe o'r Blaid Lafur Annibynnol am iddynt wrthod mynd i'r Rhyfel. Gw. D. Ben Rees, *Cymry Adnabyddus 1952–1972* (Lerpwl a Phontypridd, 1978), t.109.

95 Am ymdriniaeth ar *Plasau'r Brenin* gw. Gerwyn Wiliams, *Tir Neb* (Caerdydd, 1996), t. 69 ymlaen. Sefydlwyd cangen o Gymdeithas y Cymod gan ddau o weinidogion yr Annibynwyr yn yr Allt-wen, a bu Gwenallt yn addoli gyda'r enwad hwnnw am fod y Parch. D. G. Jones, gweinidog gyda'r Methodistiaid Calfinaidd, yn frwd o blaid y rhyfel. Gw. ymhellach D. Eirug Davies, *Byddin y Brenin: Cymru a'i Chrefydd yn y Rhyfel Mawr* (Abertawe, 1988), tt. 151–7. Dengys yr Athro Densil Morgan i Gwenallt ddiosg Marcsiaeth ond iddo fethu derbyn Barthiaeth, er iddo ddychwelyd i gorlan y Calfiniaid. Gw. nodyn 99.

96 Mynegodd David Davies y dyhead hwn yn Eisteddfod Genedlaethol Cymru Castell-nedd yn Awst 1918. Gw. Goronwy J. Jones, *Wales and the Quest for Peace* (Caerdydd, 1969), t. 97; D. Densil Morgan, *The Span of the Cross: Christian Religion and Society in Wales 1914–2000* (Caerdydd, 1999) t. 158.

97 Cynan, *Cerddi Cynan: Y Casgliad Cyflawn* (Lerpwl, 1959), t. 24.

98 D. Myrddin Lloyd, 'Y Parchedig Dan Evans, Aberystwyth', yn T. J. Davies (gol.), *Namyn Bugail*, t. 65.

99 D. Ben Rees, 'Ci bach Lloyd George', 20.

100 *Ystadegau Methodistiaid Calfinaidd Lerpwl* (Lerpwl, 1923), 4.

101 Arnold J. James a John E. Thomas, *Wales at Westminster: A History of the Parliamentary Representation of Wales 1800–1979* (Llandysul, 1981), t. 109.

102 Ibid.

103 'Syr John Herbert Lewis (1858–1933)', yn yba.llgc.org.uk. Yr oedd y gwleidydd yn or–nai i'r Calfinydd gwybodus Thomas Jones o Ddinbych, a bu'n Aelod Seneddol dros fwrdeistrefi Fflint (1892–1906), dros y Sir (1906–1918), a thros Brifysgol Cymru – sedd newydd 'a gafwyd i Gymru trwy ei ymdrechion ef' (1918–22). Gw. James a Thomas, *Wales at Westminster*, t. 130.

104 Davies, *Hanes Cymru*, t. 490.

105 Ibid., t. 493.

106 Y Methodist Calfinaidd cyntaf i draethu ar Robert Owen oedd Richard Roberts, *Bywyd a Gwaith Robert Owen o'r Drenewydd*, I (Llanuwchllyn, 1907) yng Nghyfres y Fil. Cafwyd dwy gyfrol werthfawr ar R. J. Derfel gan D. Gwenallt Jones, *Detholiad o Ryddiaith Gymraeg R. J. Derfel* (Dinbych, 1945) ac erthygl gynhwysfawr Arthur Meirion Roberts, Pwllheli, 'R. J. Derfel, 1824–1905', *Y Traethodydd* (Ionawr 2009), 34–54.

107 Am T. E. Nicholas, gw. D. Ben Rees, 'T. E. Nicholas', yn *Pymtheg o Wŷr Llên yr Ugeinfed Ganrif* (Pontypridd a Lerpwl, 1972), tt. 55–9; J. Roose Williams (gol.), *T. E. Nicholas: Proffwyd Sosialaeth a Bardd Gwrthryfel* (Caerdydd, 1971). Am R. Silyn Roberts, gw. David Thomas, *Silyn (Robert Silyn Roberts: 1871–1930)* (Lerpwl, 1956); Robert Pope, '"Pilgrims through a barren land". 'Nonconformists and Socialists in Wales 1906–1914', yn *Traf. Cymmr* (2001), 149–63; idem, 'Sosialaeth Silyn', yn *Codi Muriau Dinas Duw: Anghydffurfiaeth ac Anghydffurfwyr Cymru'r Ugeinfed Ganrif* (Caerdydd, 2005), tt. 112–25.

108 Cymerodd ran flaenllaw mewn dadl ar Sosialaeth yn yr *Herald Cymraeg*, ac o ganlyniad i hynny cyhoeddwyd y gyfrol gyntaf o nifer fawr yn dwyn y teitl *Y Werin a'i Theyrnas* (Caernarfon, 1910). Bu'n gyfrol hynod o bwysig trwy'r Rhyfel Byd Cyntaf yn ne a gogledd Cymru.

109 Am Silyn Roberts, gw. nodyn 107 ac am J. H. Howard, nodyn 69. Ceir cyflwyniad caredig i Tom Nefyn Williams yn Harri Parri, *Tom Nefyn: Portread* (Caernarfon, 1999), a'i hunangofiant, *Yr Ymchwil* (Dinbych, 1949).

110 Cwynai'r Parch. Joseph Lewis, gweinidog eglwys Libanus, Hendy, ar drothwy'r Rhyfel Byd Cyntaf am ddifaterwch ieuenctid y pentref diwydiannol. 'Ofnaf', meddai, 'nad oes parch gan lawer o'n pobl ieuainc i'r Cysegr.' H. Meurig Evans, *Canmlwyddiant Eglwys Bresbyteraidd Libanus, Hendy, Pontarddulais 1868–1969* (Rhydaman, 1968), t. 19.

111 Gw. K. O. Morgan. 'The Merthyr of Keir Hardie', yn Glanmor Williams (gol.), *Merthyr Politics: The Making of a Working Class Tradition* (Caerdydd, 1966), tt. 76–7; Davies, *Hanes Cymru*, t. 461; D. Ben Rees, *Wales: The Cultural Heritage* (Ormskirk, 1981), tt. 14–15; D. R. Hopkin a G. Kealey (goln), *Class, Community and the Labour Movement: Wales and Canada 1850–1930* (Aberystwyth, 1989), tt. 73–6.

112 Rhydd Robert Pope y diffiniad hwn: 'Ymgais oedd "Diwinyddiaeth Newydd" Campbell i ddangos cryfder deallusol a moesol Cristnogaeth trwy ailddehongli'r ffydd yn nhermau athroniaeth Kant a Hegel a

thrwy gydnabod ysbrydoliaeth yr Athrawiaeth Gristnogol i ddiwygiad cymdeithasol.' Robert Pope, *Sosialaeth Silyn*, t. 86; idem, *Codi Muriau Dinas Duw*, t. 86.

113 Mynegwyd hyn yn gofiadwy gan yr Athro Thomas Rees a ddadrithiwyd yn enbyd gan Ryddfrydwyr y capeli; credai y dylent gofio gweithredu'r 'sosialaeth ysbrydol' bob cynnig a ddeuai iddynt. Gw. Thomas Rees, *Cenadwri'r Eglwys a Phroblemau'r Dydd* (Wrecsam, 1924), t. 104.

114 Am safbwynt James Griffiths, gŵr ifanc yn Rhydaman, gw. llawysgrif o'i eiddo ar ymneilltuaeth a chrefydd. LlGC Papurau James Griffiths. Crwydrai James Griffiths o fewn ugain milltir o Rydaman i Ystalyfera i wrando ar R. J. Campbell. Gw. James Griffiths, *Pages from Memory* (Llundain, 1969), t. 13.

115 Cadwodd y Bedyddiwr Wil John sedd Gorllewin y Rhondda yn lle Mabon yn 1920. Ni fu brwydr yng Nglynebwy yn is–etholiad 1920; enillwyd Abertyleri, Caerffili a Gŵyr. James a Thomas, *Wales at Westminster*, t. 111.

116 Y canlyniad: T. I. Mardy Jones (Llafur 16,630); T. A. Lewis (LCN 12,550). Ibid., t. 129.

117 D. Ben Rees, 'Neuaddau'r Gweithwyr', *Arolwg* (Abercynon, 1966), tt. 54–5.

118 Byddai Silyn Roberts yn defnyddio pregethau yn y dauddegau i sôn am werth y WEA. Un o'i hoff destunau oedd Efengyl Ioan 8 (adn. 38). Gw. David Thomas, *Silyn*, t. 133. Ceir trafodaeth ar Addysg y Gweithwyr ac Addysg yr Undebau Llafur, a hefyd ar National Council of Labour Colleges a'i Ysgrifennydd Cyffredinol, Jim Millar, yn D. Ben Rees, *Preparation for Crisis: Adult Education 1945–80* (Ormskirk, 1981), tt. 71–135.

119 Alan Bullock, *Life and Times of Ernest Bevin*, I (Llundain, 1960), t. 20.

120 Gw. 'William Abraham (Mabon, 1842–1922)', yba.llgc.org.uk; D. Ben Rees 'Arweinydd y Glowyr', *Y Goleuad*, 6 Ebrill (1960), 4–5.

121 Newidiodd ei deyrngarwch yn 1906, a chysylltwyd Ffederasiwn y Glowyr â'r Blaid Lafur yn 1909.

122 Teimlai gwleidydd fel Ellis William Davies, arweinydd Ffederasiwn Gymreig y Rhyddfrydwyr, fod dyddiau ei blaid wedi eu rhifo a bod is–etholiad poenus a gynhaliwyd yn Sir Aberteifi wedi siglo sylfeini'r berthynas rhwng y capeli a'r blaid wleidyddol. Ni ddigwyddodd yr adwaith deallusol ei lle yn erbyn y Rhyddfrydwyr ar unwaith ond yr oedd yn rheswm pendant pam y bu i'r Blaid Lafur yn raddol ennill mwy a mwy o afael yn y siroedd Cymraeg eu hiaith. Bu'n AS Rhyddfrydol dros Ddinbych (1923–9), ond, yn ddiweddarach, ymunodd â'r Blaid Lafur.

123 Gw. Pretty, *Rhyfelwyr Môn*, tt. 114–15.

124 Yr oedd capeli Blaenau Ffestiniog a'r cylch yn dal cannoedd, er enghraifft Peniel, Ffestiniog (937), Y Tabernacl (950) a Bethel, Tanygrisiau (900). Mewn Cymanfa Ganu ar Sul, 25 Medi 1927, yn Llan Ffestiniog, gyda Dr T. Hopkin Evans, Lerpwl, yn arwain, tystiwyd 'fod capel urddasol a chadarn Peniel dan ei sang'. Gw. Hugh Ellis, *Hanes*

Methodistiaeth Gorllewin Meirionydd, III, *1885–1925* (Dolgellau, 1928), t. 100.

125 D. Ben Rees, *Cymry Adnabyddus 1952–1972* (Lerpwl a Phontypridd, 1978), t. 192.

126 Gw. 'Ernest Evans (1885–1965)', yba.llgc.org.uk, a 'Michael Kinnear', ibid., tt. 190–2. Dywed Kinnear fod Syr William Robertson Nicholl, golygydd *British Weekly* (newyddiadur pwysig i ddeiliaid yr Eglwysi Rhyddion), wedi mynegi ei gefnogaeth i Ernest Evans.

127 Cyd–aelod â John Green ar Bwyllgor Gwaith y Blaid Ryddfrydol yn Sir Aberteifi yn y dauddegau oedd yr Athro John Young Evans, Y Coleg Diwinyddol, Aberystwyth. Am Evans gw. yba.llgc.org.uk.

128 J. Emanuel a D. Ben Rees, *Bywyd a Gwaith Syr Rhys Hopkin Morris* (Llandysul, 1980).

129 'David Owen Evans (1876–1945)', yba.llgc.org.uk. Ceir y darlun mwyaf cyflawn ohono yn nhraethawd Lyndon Lloyd a gefais ar fenthyg. Gw. hefyd D. Ben Rees, 'Bywyd a Gwaith D. O. Evans, AS', *Ceredigion*, 14/3 (2003), 61–70.

130 Ceir yr hanes yn gyflawn gan David Walker, 'Disestablishment and Independence' yn David Walker (gol.), *A History of the Church in Wales* (Penarth, 1976), tt. 165–87. Gw. hefyd K. O. Morgan, *Freedom or Sacrilege? A History of the Campaign for Welsh Disestablishment* (Penarth, 1966); R. Tudur Jones, 'Origins of the Nonconformist Disestablishment Campaign', *Journal of the Historical Society of the Church in Wales*, XX (1970), 39–76; David Walker, 'The Welsh Church and Disestablishment', *The Modern Churchman*, XIV (1971), 139–54.

131 Cyfeiria Aneirin Talfan Davies ar dro at ei fagwraeth ym mans un o gapeli'r Methodistiaid Calfinaidd. Aneirin Talfan Davies, 'Ar Ymyl y Ddalen', *Barn*, 151 (Awst 1975), 750–1.

132 'Cofier mai Eglwyswyr oedd y Diwygwyr, a'u bod, hyd y gallwn farnu, yn gynnyrch nodweddiadol y traddodiad Anglicanaidd'. Gw. ysgrif Aneirin Talfan Davies, 'Y Diwygiad Methodistaidd a'r Llyfr Gweddi' yn *Sylwadau* (Aberystwyth, 1951), tt. 24–48. Daw'r dyfyniad o dudalen 25.

133 'Thomas Iorwerth Ellis (1899–1970)', yba.llgc.org.uk. Mab ydoedd i Thomas E. Ellis. AS, ac Annie Ellis (merch R. J. Davies), Cwrt Mawr, Llangeitho, teulu a gyfrannodd yn helaeth i Fethodistiaeth. Ailbriododd ei fam â'r Parch. Peter Hughes Griffiths, a bu'r ddau'n weithgar gyda'r mudiad heddwch. Yn ei ysgrif yn *Credaf* (gol. J. E. Meredith, 1943) mae T. I. Ellis yn egluro sut y troes o fod yn aelod gyda'r Methodistiaid Calfinaidd i fod yn Eglwyswr, a hynny yn 1936 pan oedd ar y pryd yn brifathro Ysgol Sir y Rhyl.

134 Gw. Reginald Coupland, *Welsh and Scottish Nationalism: A Study* (Llundain, 1954).

135 Llugoer oedd y Prif Weinidog David Lloyd George, erbyn hyn. Disgrifiwyd ef yn y gyfrol flynyddol *Dod's Parliamentary Companion*, o 1890 i 1922, fel radical a chenedlaetholwr Cymreig, ond o 1923 ymlaen disgrifiwyd ef yn Rhyddfrydwr. Y mae hyn yn arwyddocaol iawn.

136 'John Davies (1882–1937)', *Y Bywgraffiadur* (1951–1972), yn yr Atodiad, t. 253, yba.llgc.org.uk. Bu ef a Thomas Jones, aelod arall o'i enwad, yn cydweithio'n ddygn i sefydlu Coleg Harlech, coleg yr ailgynnig i blant y werin, yn 1927. O dan ei arweiniad cynyddodd nifer y myfyrwyr a fynychai ddosbarthiadau a chyrsiau Cymdeithas Addysg y Gweithwyr, o 250 yn 1920 dros 8,000 yn 1937.

137 Ibid.

138 David A. Pretty, *The Rural Revolt that Failed: Farm Workers' Trade Unions of Wales 1889–1950* (Caerdydd, 1989); idem, 'Gwrthryfel y gweithwyr gwledig yng Ngheredigion 1889–1950', *Ceredigion*, XI (rhif I), (1988–9), 41–57; T. E. Nicholas, 'Y Gweithiwr Gwlad', *Y Deyrnas*, III/5 (Chwefror, 1919), 37–8, Coffâd R. Ll. Jones, *Cambrian News*, 14 Hydref (1976).

139 Digwyddodd hyn yn Etholiad Cyffredinol Mawrth 1966 pan gipiodd D. Elystan Morgan, bargyfreithiwr ac aelod amlwg o eglwys MC y Garn, Bow Street, y sedd oddi ar Roderic Bowen o'r Blaid Ryddfrydol, aelod arall o'r Cyfundeb, gyda mwyafrif o 523 o bleidleisiau. Gw. James a Thomas, *Wales at Westminster*, t. 173.

140 E. Tegla Davies, 'Syr Owen M Edwards', *Yr Eurgrawn*, 129, (1937), 262–70, 295–300; R. T. Jenkins, 'Owen Edwards', *Y Llenor*, 9, (1930), 6–23 (adargraffwyd yn *Ymyl y Ddalen* (Wrecsam, 1957), tt. 25–42); Gwilym Arthur Jones, *Bywyd a Gwaith Owen Morgan Edwards* (1858–1920) (Aberystwyth, 1958); R. Gerallt Jones, *Owen M. Edwards* (Llandybïe, 1962).

141 Am Syr Ifan ab Owen Edwards, gw. D. Ben Rees, *Cymry Adnabyddus*, tt. 50–2.

142 Tyfodd y tri llencyn i wasanaethu Cymru. Daeth W. O. Barnett yn weinidog gyda'r Methodistiaid Calfinaidd, R. E. Griffith yn drefnydd Urdd Gobaith Cymru, a'r Parch. Walter Phillips John yn weinidog eglwys Castle Street, Llundain. Lluniodd Griffith dair cyfrol o hanes yr Urdd, sef *Urdd Gobaith Cymru 1922–1945*, I (Aberystwyth, 1971); *Urdd Gobaith Cymru 1946–1960,* II (Aberystwyth, 1972), ac *Urdd Gobaith Cymru 1960–1972*, III (Aberystwyth, 1973). Gw. D. Hugh Matthews (gol.), *Rhwydwaith Duw: Casgliad o Homilïau a Phregethau Walter P. John* (ail arg. Llandysul, 1970).

143 Wedi i Ifan ab Owen Edwards briodi un o ferched capel enwog Princes Road, Lerpwl, sef Miss Eirys Mary Lloyd Phillips, yng Ngorffennaf 1923, cymerodd ddiddordeb byw iawn yng ngwaith yr Urdd ar lannau Mersi. Gw. Hugh Williams, 'Cristion a Chymro', *Y Goleuad*, 12 Mai 1976, 3.

144 Bu O. M. Edwards am dymor byr (1899–1900) yn Aelod Seneddol Rhyddfrydol dros Feirion. Gw. J. Graham Jones 'Cardiganshire Politics, 1885–1974', yn Geraint H. Jenkins ac Ieuan Gwynedd Jones (goln), *Cardiganshire County History*, III, *Cardiganshire in Modern Times* (Caerdydd, 1998), t. 407.

145 J. E. Jones, *Tros Gymru* (Abertawe, 1970), t. 30. Bu J. E. Jones yn athro

ar ddosbarth mawr o wragedd ifanc yn ysgol Sul eglwys Heol y Crwys, Caerdydd.

146 Ymhlith arloeswyr y Blaid Genedlaethol, gw. y detholiad canlynol: 'Portread – Saunders Lewis', *Baner ac Amserau Cymru*, 16 Ionawr 1957, 3, a adargraffwyd yn *Portreadau'r Faner* (Dinbych, d.d.); R. Gerallt Jones, 'Ail Ystyried: Ambrose Bebb', *Yn Frawd i'r Eos Druan* (Llandybïe, 1961). Gw. hefyd T. Robin Chapman, *Dawn Dweud: W. Ambrose Bebb* (Caerdydd, 1997); John Emyr, *Enaid Clwyfus: Golwg ar Waith Kate Roberts* (Dinbych, 1976); Derec Llwyd Morgan (gol.), *Bro a Bywyd Kate Roberts* (Caerdydd, 1981); W. I. Cynwil Williams, 'Kate Roberts (1891–1985)', *Y Traethodydd*, 140 (1985), 175–84; D. J. Bowen, 'Cofio D J – y gwarcheidwad diflino', *Y Faner*, 18 Hydref 1985, 14–15; M. Islwyn Lake, 'D. J. Williams', *Y Traethodydd*, 536 (1970), 143–8; J. E. Caerwyn Williams, 'Fy nyled i D J, cyfarwydd Sir Gaerfyrddin', *Taliesin*, 20 (1970), 17–31.

147 Ceir enghreifftiau penodol gan J. E. Jones yn ei gyfrol *Tros Gymru*.

148 Sonia'r Dr J. Gwyn Griffith, Abertawe, am y cyffro yng nghylchoedd capeli Cymraeg o bob enwad yng Nghwm Rhondda pan gyhoeddwyd ei lyfr ar Williams Pantycelyn. Gw. Saunders Lewis, *Williams Pantycelyn*, (Llundain, 1927), tt. 15–242.

149 Er mai naw diwrnod yn unig y bu i'r Streic Gyffredinol barhau ym Mai 1926, cafodd glowyr de Cymru eu cloi allan o'r pyllau glo am naw mis ychwanegol. Mynegodd Henaduriaeth Dwyrain Morgannwg farn gytbwys ar yr argyfwng, a lluniwyd y penderfyniad ym mis Mai 1926. Gw. Jones, *Her y Ffydd: Ddoe, Heddiw ac Yfory: Hanes Henaduriaeth Dwyrain Morgannwg 1876–2005* (Caerdydd, 2006), t. 203.

150 'Dysgwyd nifer o wersi yn sgil y "gwasgariad mawr", ac yn eu plith y wers nad oedd swydd mewn chwarel lechi bellach yn rhywbeth i'w gymryd yn ganiataol'. Gw. Dafydd Roberts, 'Undeb y Chwarelwyr a'r Streic Gyffredinol, 1926', *Llafur*, 33 (rhif 4) (1982–3), 48–58.

151 Awgryma Huw T. Edwards, un o bobl y chwith gwleidyddol, fod R. T. Jones ac arweinwyr eraill yr Undeb o dan 'ddylanwad twymyn Bevin'. Huw T. Edwards, *It was my privilege* (Dinbych, d.d.), t. 6.

152 Ceir darlun byw o A. J. Cook gan Will Paynter, 'How it looked in the Rhondda', *Tribune*, 7 Mai 1976, 12, a hefyd ym maes glo Swydd Nottingham gan Bern and Taylor. Gw. Lord Taylor of Mansfield, *Uphill all the Way: A Miner's Struggle* (Llundain, 1972) t. 36. Galwodd Beatrice Webb ef yn 'an inspired idiot' ond i Arthur Horner A. J. Cook oedd 'the voice of the miners'. Stephen Kelly, 'The man who inspired the miners', *Tribune*, 7 Mai 1976, 11–12.

153 Gw. W. Ambrose Bebb, *Canrif o Hanes y Tŵr Gwyn* (Bangor) (1854–1954) (Caernarfon, 1954); T. J. Edwards, *Canmlwyddiant yr Achos, Bethlehem, Treorci 1866–1966* (Treorci, 1966); E. Meirion Evans, *Camau'r Cysegr. Yr Ail Lyfr, sef Hanes Eglwys y MC Stanley Road, Bootle o 1826 hyd 1961*, (Lerpwl, 1961); Francis Wynn Jones, *Canmlwydd Siloh, Aberystwyth* (Aberystwyth, 1963); D. Ben Rees, *Codi Stêm a Hwyl yn Lerpwl: Hanes y Cymry yng nghapeli Smithdown Lane,*

Webster Road, Ramilies Road, Heathfield Road a Bethel, Lerpwl 1864–2007 (Lerpwl, 2008).

154 W. Nantlais Williams (gol.), *Philip Jones: Pregethau ac Emynau* (Llandybïe, 1948); William Morris (gol.), *Deg o Enwogion*; 'Philip Jones (1855–1945)', yba.llgc.org.uk. Dedfryd Gomer Roberts arno oedd: 'Pregethodd lawer ym mhrif wyliau ein Cyfundeb am gyfnod maith (o 1887 hyd 1945), ac edrychid arno fel yr olaf o farwniaid y pulpud Methodistaidd yn y de.'

155 Huw Llewelyn Williams, *Thomas Charles Williams* (Caernarfon, 1965); 'Thomas Charles Williams (1868–1827)', yba.llgc.org.uk. Cyfrifid ef yn un o'r pregethwyr mwyaf dawnus yn y Cyfundeb yn yr ugeinfed ganrif, ac yn ei arwyl yn nechrau Hydref 1927 rhoddwyd y deyrnged gan y cyn-Brif Weinidog David Lloyd George. Ni chlywodd T. Madoc-Jones ddim byd 'perffeithiach' na'r araith ffarwél honno i'r proffwyd a ofalodd am y Capel Mawr, Porthaethwy, o 1897 hyd 1927. Gw. T. Madoc-Jones, *Ar Gerdded* (Lerpwl, 1969), tt. 9–147, yn arbennig pennod VI 'Arwyl y Proffwyd'.

156 Hywel Teifi Edwards, *Bryn Seion 1877–2007, Eglwys Bresbyteraidd Cymru Llangennech* (Llangennech, 2008), t. 63.

157 Ibid.

158 Am y Parch. W. D. P. Davies gw. *Y Blwyddiadur*, 1970, t. 277. Yn ei gofnod dywed y Dr Gomer M. Roberts galon y gwir: 'Yr oedd W. D. P. Davies yn bersonoliaeth hoffus, yn ysgolhaig o'r radd flaenaf, ac yn bregethwr ar ei ben ei hun'.

159 Cynorthwywyd Rhys Hopkin Morris, ymgeisydd y Blaid Ryddfrydol Annibynnol yn Etholiad Cyffredinol 1923 yng ngodre Sir Aberteifi, gan y Parch. M. P. Morgan, Blaenannerch. Gw. *Welsh Gazette*, 6 Rhagfyr 1923, 6.

160 Gw. Andy Missell, 'Moscow Fach', 1926', yn *Llyfr y Ganrif*, goln Gwyn Jenkins a Tegwyn Jones (Talybont, 1999), t. 113.

161 Ibid.

162 Ibid.

163 Ibid. Gwelir llun o Gochion Maerdy gyda'u baner a llun o Lenin.

164 William Morris (gol.), *Tom Nefyn* (Caernarfon, 1962); Tom Nefyn-Williams. *Yr Ymchwil* (Dinbych, 1949); *The Tom Nefyn Controversy* (Tonmawr, 1929); E. P. Jones, *Llain y Delyn, Cymdeithas Gristnogol y Tymbl*; D. Ben Rees, 'Thomas Nefyn Williams', *Dictionary of National Biography* (www.oxforddnb.com).

165 'Cafodd alwad i eglwys Ebeneser, y Tymbl, Sir Gaerfyrddin; ardal y glo carreg, lle bu llawer o wrthdaro diwydiannol a pholiticaidd yn y 1920au.' Gw. 'Thomas (Tom Nefyn-Williams, 1895–1958)', yba.llgc.org.uk.

166 Harri Parri, *Tom Nefyn: Portread* (Caernarfon, 1999), t. 44.

167 Tom Nefyn-Williams, *Yr Ymchwil,* t. 132.

168 Gw. M. R. Mainwaring, 'John Morgan Jones (1861–1935)', yn D. Ben Rees, *Herio'r Byd*, tt. 66–7. Bu'n gymodwr rhwng perchennog y lofa, yr Arglwydd Buckland, a'r glowyr. Cynhaliwyd cyfarfod mawr o'r glowyr adeg streic 1926 a J. M. Jones oedd yn eu hannerch.

169 Williams, *Yr Ymchwil*, tt. 90–120.

170 'Ibid., tt. 135–6.

171 Harri Parri, ibid, tt 46–8. Y mae ymateb R. T. Jenkins i'w weld yn rhifyn haf 1928 o'r *Llenor*, y 'gwyddai pobl am lawer gweinidog y gellid ei hepgor yn llawer haws na'r gŵr selog a gweithgar hwn'. Yr oedd gwrthwynebwyr llawer mwy ffyrnig yn Sasiwn y De na Nantlais ac enwa Harri Parri yn benodol y Parchedigion Samuel Evans, Cwmdwyfran: W. W. Lewis, Abertawe a T. F. Jones, y Gopa, Pontarddulais, a anfonodd lythyr i'r *South Wales News*, 17 Ebrill 1928, yn gofidio bod y Sasiwn wedi dangos gormod o gydymdeimlad â Tom Nefyn.

172 Ibid., tt. 72–5 lle ceir golwg ar Tom Nefyn yn weinidog eglwys Bethel, Rhosesmor (achos sydd bellach wedi ei ddatgorffori), yn Sir y Fflint.

173 Gw. ei deyrnged i'w gydweithwyr yn Rhosesmor a'r Gerlan, Bethesda: 'Heb os, dyma rai o'r bobl ardderchocaf a gyfarfum i yng nghylchoedd crefyddol Cymru; a rhodded Duw ei nawdd dros atgofion ac anwyldeb 1932–46, oherwydd cefais yn y blynyddoedd hynny gyfle i wybod a ellir ai peidio gymhathu'r elfennau gwiraf o'm harbrofion ynghyd â'r nodweddion anhepgoraf o fysg rhan cynefin ein henwlad'. Tom Nefyn Williams, *Yr Ymchwil*, t. 235.

174 Harri Parri, ibid., t. 5. Gw. 'Bara cyn pregethu', *Yr Herald Cymraeg*, 3 Chwefror (1958), 1, yn disgrifio TNW yn annerch y di–waith o Ddyffryn Nantlle ym Mhafiliwn Caernarfon ar brynhawn Sadwrn, 1 Chwefror 1958. Gw. hefyd, Gwyn Edwards, 'Mudiad y Di–waith Dyffryn Nantlle, 1956–1960', *Llafur*, 5, rhif 1 (1988), 29–36 a chyfeiriad at TNW ar t. 31.

175 Gw. Andy Misell, 'Steddfod yr Urdd 1929', *Llyfr y Ganrif*, t. 126.

176 Ibid.

177 Cyfeiria R. Williams Parry at T. Arthur Jones yn y trydydd pennill o dan y penawd 'Y Cyn Weinidog' yn y gerdd 'Gwrthodedigion'. Aeth hi'n anghytundeb rhwng y Parch. T. Arthur Jones a'i flaenoriaid yn 1940 ar ddechrau'r Ail Ryfel Byd pan wrthodasant fel ymddiriedolwyr yr hawl iddo ddefnyddio Ysgoldy Jerusalem, Bethesda, yn ysgol i ffoaduriaid o Lerpwl a dinasoedd eraill dros Glawdd Offa. Ernest Roberts, 'Cyfaill neu Ddau R. Williams Parry', *Barn*, rhif 183, Ebrill (1978), 132–3. Yn ôl y llenor J. O. Williams o Fethesda bu i'r driniaeth anffodus a gafodd y gweinidog beri i'r bardd bellhau yn ei berthynas â'r capel. Gw. Alan Llwyd (gol.) *Cerddi R. Williams Parry: Y Casgliad Cyflawn* (Dinbych, 1998), tt. 115, 282–3. Symudodd T. Arthur Jones o Fethesda i Amlwch a bu'n gyfreithiwr yn y dref. Gw. H. Rees Ellis, 'Y Cyfnod Diweddar, 1919–77' yn Richard Williams (gol.), *Llyn y Fendith: Hanes y Capel Mawr, Amlwch* (Amlwch, 1977), tt. 103–4. Gw. hefyd Marion Arthur, *Y Parchedig Thomas Arthur Jones, y Diwyd Fugail a Helynt y Faciwîs* (Caernarfon, 2015).

178 Gw. J. Michael Thomson, 'Half Way to a Motorized Society' *Lloyd Bank Review*, 102 (Hydref 1971), 16–34.

179 Gwelir pwysigrwydd y car modur yn astudiaeth Lawrence James, *The Middle Class – A History* (Llundain, 2008), tt. 371–2, 434–6, 478–9.

180 Cyfeiria'r Parch. M. Meirion Roberts, Llandudno, at ei brofiad yn ei eglwys gyntaf, sef Ceunant, Pontrhythallt, Arfon, o 1939 hyd 1944 yn cerdded i bob man ac yn gwlychu at ei grys yn aml, am nad oedd cerbyd modur ganddo. Gw. John G. Morris (gol.), *Eglwys Ceunant: Llawlyfr Dathlu Canmlwyddiant Agor y Capel Presennol 1887–1987* (Caernarfon, 1987), tt. 16, 21.

181 Dyma rai o'r rhaglenni a ddarlledwyd gan weinidogion a lleygwyr yr enwad yn 1937 a 1938 i brofi'r gosodiad: i) ' Ein Hardaloedd Gwledig' gan y Parch. Stephen O. Tudor ar 25/5/1937; ii) 'Idwal Jones' gan Miss Cassie Davies ar 20/5/1937; iii) 'Peter Hughes Griffiths' gan y Parch. John Roberts ar 3/1/1937; iv) 'Rhamant Cwmystwyth' gan J. Barclay Jenkins, Aberystwyth ar 23/7/1937; v) 'Teipiau o Gymry mewn Dinas Estron' gan Mrs Grace Wynne Griffith; vi) 'Bagad Gofalon Bugail' gan y Parch. J. H. Griffiths, Dinbych, ar 2/1/1935; vii) 'Cyfle'r Weinidogaeth Heddiw' gan y Prifathro Gwilym A. Edwards ar 6/2/1939; viii) 'Fy Mlwyddyn arbennig i' gan Bob Owen, Croesor, ar 6/6/1938; ix) 'Llangeitho' gan y Parch. Tom Beynon ar 11/2/1938 a x) 'Ysgol Gwasanaethol Cymdeithasol Cymru' gan Mr Lyn Howell.

182 Gresynodd Henaduriaeth Dwyrain Morgannwg yn 1931 fod Cymru wedi cael ei chynnwys gyda Lloegr yn y Mesur ynglŷn â rheoli cyngherddau ar y Sul. Gw. *Y Goleuad*, 20 Mai 1931 (cofnodion Cyfarfod Misol Trethomas, 23 Ebrill), 14. Ceir y ddeiseb a anfonwyd at J. Ramsay MacDonald, y Prif Weinidog, J. R. Clynes, yr Ysgrifennydd Cartref, ac at Morgan Jones, Aelod Seneddol Llafur dros Gaerffili, yn Jones, *Her y Ffydd*, t. 211.

183 Y mae digon o dystiolaeth yng nghofnodion Henaduriaeth Dwyrain Morgannwg yn y tridegau. Gw. Jones, *Her y Ffydd*, a'r *Goleuad*, 1 Awst 1934 (cofnodion Cyfarfod Misol Libanus, Blaenclydach, 19 Gorffennaf, 14 yn gwrthwynebu Clwb Golff y Rhondda am ganiatáu chwarae ar y Saboth); ibid, 5 Mehefin 1935 (cofnodion Cyfarfod Misol Pisgah, Pen-y-graig, 25 Ebrill, 15; ibid, 15 Mehefin 1938 (cofnodion Cyfarfod Misol Gobaith, Cwmdŵr, 19 Mai), 14.

184 Gw. Andy Misell, 'Agor Sinemâu ar y Sul, 1931', *Llyfr y Ganrif*, t. 135.

185 Ibid.

186 T. J. Lewis, 'The Sanctity of the Lord's Day', *The Treasury*, Mehefin (1932), 89.

187 Dangosodd T. J. Lewis fel y bu i'r Iddew wneud y Sabath yn ddiwrnod amhosibl i'w ddeall, a'i fod wedi camddeall meddyliau caredig Duw: 'You could tie or open a knot on the Sabbath if you did with one hand. You could eat eggs cooked on the Sabbath provided they were not laid by the hen on the Sabbath', ibid, 90.

188 Aeth yr Eglwyswr, y Parch. Gwynfryn Richards, yn llawer pellach na hynny mewn ysgrif dreiddgar a dadlau dros y priodoldeb i'r capeli a'r eglwysi adfer yr arfer apostolaidd o 'dorri bara' ym mhob cysegr ar y Sul. Dadleuai fod yna reidrwydd ar y Cristion i 'dorri'r bara' ar Ddydd yr Arglwydd. Gwynfryn Richards, 'Dydd yr Arglwydd mewn egwyddor ac ymarfer', *Yr Haul* (1944), 195–8, 200–3, 234–6. Daw'r dyfyniad hwn

o t. 236. Gosodir y cefndir yn glir gan yr Uwch-gapten H. Edmunt Davies, 'Y Ddeddf a Masnachu ar y Sul', *Seren Gomer* (1943), 54–5.

189 Am Richard Thomas ('RT') Gregory, gw. D. Ben Rees, *Cymry Adnabyddus 1952–1972,* tt. 79–81.

190 Ibid. Gwasanaethodd y Parch. J. D. Evans, Sgiwen, yn Ysgrifennydd De Cymru o Gymdeithas Dydd yr Arglwydd (1977–1992) a D. Ben Rees yn Ysgrifennydd Gogledd Cymru o'r Gymdeithas hyd 1993, ac yn Ysgrifennydd dros Gymru gyfan o 1993 hyd 2009. Gwasanaethodd Mrs Eira Evans, Llansamlet, o 1970 hyd 2017 yn Drysorydd ac fe'i dilynwyd gan Mrs Margaret Jones, Port Talbot, y ddwy yn flaenoriaid yn yr enwad.

191 *Y Blwyddiadur*, 1992; 'John Morgan Jones (1838–1921)', cofnod hynod o siomedig. Ceir ei hanes yn gryno gan J. Gwynfor Jones, 'The Revd John Morgan Jones, Pembroke Terrace, Cardiff (1838–1921): aspects of his contribution to the Christian ministry', *Cylchgrawn*, 26–7 (2002–3), 90–121; idem, *Her y Ffydd*, tt. 55, 70–3, passim;. Evan Rees, 'Y Dr John Morgan Jones, Caerdydd', *Y Drysorfa*, XXIV, Gorffennaf 1921, 241–6.

192 H. M. Hughes, 'Yr Eglwys – Corff Crist XI – Uniad yr Enwadau', *Yr Efrydydd,* I, rhif 10 (1925), 261.

193 'Edward Owen Davies (1864–1936)', yba.llgc.org.uk. Bu'n Ysgrifennydd Cyffredinol Comisiwn Ad–drefnu Cymdeithasfa'r Gogledd a daeth ei waith i ben yn 1933 pan basiwyd y mesur seneddol i wella cyfansoddiad yr eglwys ac i ledu ei hawliau.

194 Am Gynhadledd Stockholm gw. D. Miall Edwards, *Yr Efrydydd*, 2, rhif 1 (1925), 1–3, idem, 'Cenadwri oddi wrth y Gynhadledd Gristnogol Gyffredinol ar Fywyd a Gwaith yr Eglwys', ibid., 2, rhif 1, 4–6.

195 Ibid., 3. Gw. D. Miall Edwards, 'Nodion y Golygydd', *Yr Efrydydd*, 2, rhif 8 (1926), 197–9.

196 E. O. Davies, 'I Gyfeiriad Undeb Eglwysig', *Yr Efrydydd*, 3, rhif 7 (1927), tt.180–3. Y dyfyniad ar t. 180.

197 Idem, 'Yr Eglwys – Corff Crist vii: Y Methodistiaid Calfinaidd', *Yr Efrydydd*, 1, rhif 7 (1925), 173–9.

198 Ibid., 178.

199 Ibid.

200 Ibid.

201 Ibid.

202 Cylchgrawn cydenwadol oedd *Y Cyfarwyddwr* ar gyfer ffyddloniaid yr ysgolion Sul.

203 Gw. E. Ungoed Thomas, 'Y Bobl Ieuainc a'r Beibl', *Y Cyfarwyddwr*, 1, rhif 1 (1921), 14–17.

204 Cyfnod aur *Trysorfa y Plant* oedd yr hanner can mlynedd y bu Thomas Levi yn olygydd arno, o 1862 hyd 1911. Gw. Dafydd Arthur Jones, *Thomas Levi* (Cyfres Llên y Llenor, Caernarfon, 1996), tt. 39–59.

205 Ond pitw oedd y cylchrediad o'i gymharu â *Trysorfa y Plant* yn ei anterth, sef 44,000 o gopïau y mis. Gw. 'Thomas Levi (1825–1916)', Siwan M. Rosser, 'Thomas Levi a dychymyg y Cymry', *Cylchgrawn*, 40 (2016), 87–102; yba.llgc.org.uk. Bu'r Athro T. A. Levi yn amlwg iawn

yng ngwleidyddiaeth y Blaid Ryddfrydol yng Ngheredigion yn y tridegau.

206 Y golygyddion oedd T. Isfryn Hughes (yr Eglwys Fethodistaidd), E. Ungoed Thomas (y Bedyddwyr), J. Dyfnallt Owen (yr Annibynwyr Cymraeg) a M. H. Jones (y Methodistiaid Calfinaidd). Gŵr dysgedig oedd y Parch. Ddr Morgan Hugh Jones, a bu'n weinidog yn Abercynon, Caerfyrddin (ddwywaith), Jerusalem, Tonpentre a Phen-llwyn a Chapel Bangor. D. Ben Rees, *Haneswyr yr Hen Gorff* (Lerpwl/Llanddewi Brefi, 1981) tt. 16, 19–21; D. D. Williams, 'In Memoriam – Rev M. H. Jones, BA, PhD', *Cylchgrawn,* 15 (2), Mehefin (1930), 41–6.

207 Yr oedd oes aur yr ysgolion Sul yn dod i ben o ganlyniad i'r Rhyfel Byd Cyntaf. Gw. 'Ysgol Sul' yn *Gwyddoniadur Cymru yr Academi Gymreig* (2008), tt. 995–6.

208 Cynhaliwyd Ysgol Haf yr Ysgol Sul mewn canolfannau amrywiol fel Coleg Harlech a'r Coleg Diwinyddol yn Aberystwyth.

209 D. Arthen Evans, 'Yr Ysgol Sul Cymraeg mewn Ardaloedd Saesneg', *Cyfarwyddwr*, 1, rhif 13 (1922), 310.

210 Owen Griffiths 'Cynhadledd Aberystwyth', *Yr Efrydydd*, 1, Hydref 15 (1920), 23.

211 Meddai George M. Ll. Davies ar weledigaeth arbennig, sef gofalu bod Cristnogaeth ymarferol i'w gweld ar waith ym mywyd y di-waith. Gw. George M. Ll. Davies, 'Gwaith gyda'r di–waith', *Yr Efrydydd,* 11, rhif I (1932), 20–2; ibid, 11, rhif 2 (1934), 48–50.

212 D. Ben Rees, 'John Roberts', yn *Pregethu a Phregethwyr* (Dinbych, 1996), t. 175.

213 Ibid.

214 Sonia'r Parch. M. R. Mainwaring am dlodi'r cymoedd yn y cyfnod hwn 'nas gwelwyd mo'u bath' yn yr ugeinfed ganrif: 'Gwelais â'm llygaid fy hun blant bach yng nghwteri strydoedd Merthyr a Dowlais yn ymladd am esgyrn cig a daflwyd i'r ffordd.' Gw. M. R. Mainwaring, 'John Morgan Jones (1861–1935)', yn *Herio'r Byd*, t. 65.

215 Rees, *Pregethu a Phregethwyr*, t. 176.

216 Ceir adroddiad hynod o finiog am y ddirprwyaeth gan y Parch. T. Alban Davies, gweinidog eglwys yr Annibynwyr yn Nhonpentre a'r gŵr a wrthryfelodd am fod yr eglwysi mor ddistaw. Gw. T. Alban Davies, 'Impressions of Life in the Rhondda Valley', yn K. S. Hopkins (gol.), *Rhondda Past and Future* (Ferndale, 1975), tt. 11–21. Ceir ymdriniaeth gyflawn ar T. Alban Davies yn y cyfnod hwn yn Robert Pope, 'Annibynwyr Cymru a'r Broblem Gymdeithasol, 1906–1939', yn *Codi Muriau Duw*, tt. 80–2.

217 Ceir y dystiolaeth gan Jones, *Her y Ffydd*, t. 211 lle y cyfeiria at Henaduriaeth Dwyrain Morgannwg yn y cyfnod hwn yn trafod yn y Cyfarfodydd Misol ddrwgeffeithiau hapchwarae, rasio milgwn, safon isel, pleserdai, gwrthdystiadau, chwaraeon a gweithio ar y Sul, cwpanau pêl-droed, siopau bwyd a dulliau amheus eraill o ymddwyn a drafodwyd rhwng 24 Tachwedd 1932 a 7 Gorffennaf 1938, ibid., 235.

218 Jones *Her y Ffydd*, tt. 248–51; J. Gwynfor Jones, 'Y Parchg Ddr John Roberts, Caerdydd', *Cylchgrawn*, 39 (2015), 5–7.

219 Yr oedd y rhai a fu'n gyfrifol am yr hyn y cyferir ato fel y 'Tân yn Llŷn' yn gredinwyr: Saunders Lewis yn Fethodist Calfinaidd a drodd yn Babydd, D. J. Williams yn flaenor yn yr Hen Gorff, a Lewis Valentine yn weinidog gyda'r Bedyddwyr. Cymhellion crefyddol oedd eu gwir gymhellion, a cheir cyfle i ddarllen hyn yn Saunders Lewis, *Paham y Llosgasom yr Ysgol Fomio* (Caernarfon, 1937). Gw. hefyd, Dafydd Jenkins, *Tân yn Llŷn* (Aberystwyth, 1937) a D. Hywel Davies, *The Welsh Nationalist Party, 1925–1945: A Call to Nationhood* (Caerdydd, 1983).

220 Ysbrydolwyd y Deml Heddwch ym Mharc Cathays, Caerdydd, gan weledigaeth yr Arglwydd David Davies, Llandinam, y Methodist Calfinaidd cadarn, a hefyd gan dystiolaeth heddychol yr enwad a'r enwadau eraill yn ogystal â'r Mudiad Heddwch. Gw. John Davies, *Llunio Cymru* (Stroud, 2009), t. 182.

221 Sylweddolwyd ar ôl y 'Tân yn Llŷn' fod Cymru yn cael ei gweddnewid gan y Swyddfa Ryfel a bod y tirlun yn cael ei feddiannu gan baratoadau ar gyfer ymrafael gwaedlyd. Gw. Davies, *Llunio Cymru*, tt. 184–5. J. H. Griffiths, *Crefydd yng Nghymru* (Lerpwl, 1946), tt. 46–50.

222 Gwelir hyn yn glir iawn yn Henaduriaeth Dwyrain Morgannwg gan fod y cyfan wedi cael ei nodi mor gyflawn yn Jones, *Her y Ffydd*. Nid yw hanes yr un Henaduriaeth arall wedi'i gofnodi mor fanwl, ond ceir tystiolaeth amlwg hefyd yn hanes henaduriaethau eraill, e.e. Huw Llewelyn Williams, *Braslun o Hanes Methodistiaeth Galfinaidd Môn 1935–1970* (Dinbych, 1977). Gw. adroddiad Cyfarfod Dosbarth Caergybi: 'Clybiau seiclo yn cynnal eu rhedegfeydd ar y Suliau a flinai'r dosbarth yn 1936; yr ifanc yn cefnu ar yr Ysgol Sul er mwyn dilyn y ras. Yn yr Ymgyrch Efengylaidd y flwyddyn honno tynnwyd sylw at gadwraeth y Saboth', ibid., t. 35.

223 L. Haydn Lewis, *Jerusalem, Ton Pentre 1867–1967: Llawlyfr Canmlwyddiant* (Pentre, 1967), t. 21.

PENNOD 2

METHODISTIAETH GALFINAIDD CYMRU A'R GYMDEITHAS O 1939 HYD Y PRESENNOL

D. BEN REES

Yr Ail Ryfel Byd (1939–1945)

Ar 3 Medi cyhoeddodd Neville Chamberlain, y Prif Weinidog, fod y Deyrnas Unedig i fynd i ryfel, ond yn hanes y Gymraeg, crefydd a chenedl y Cymry, pwysicach o lawer oedd penderfyniad sydyn Ifan ab Owen Edwards i agor, ar 25 Medi 1939, ddrysau ysgol Gymraeg Urdd Gobaith Cymru yn Aberystwyth.[1] Yr oedd digon o ysgolion yn y bröydd gwledig a oedd, oherwydd natur y gymdeithas, yn gwbl Gymraeg eu hiaith, ond hon oedd yr ysgol gyntaf yng Nghymru lle roedd yn bolisi dysgu trwy'r Gymraeg a'r Gymraeg yn unig. Un o gefnogwyr pennaf Ifan ab Owen Edwards oedd gweinidog y Tabernacl, Aberystwyth, y Parch. J. E. Meredith, a ddaeth yn gadeirydd cyntaf Llywodraethwyr Swyddfa'r Urdd, ac yr oedd ei fab ei hun ymhlith y saith plentyn cyntaf.[2] Cafodd ei eglwys, sef y Tabernacl, ei hamddifadu o 130 o bobl ieuainc yn ystod yr Ail Ryfel Byd,[3] ac o dan arweiniad J. E. Meredith cadwyd cysylltiad agos gyda'r ieuenctid hyn yn y Lluoedd Arfog. Yn yr un dref roedd gweinidog o heddychwr, y Parch. Dan Evans, gweinidog Seilo, er ei fod yntau wedi cefnogi'r Rhyfel Byd Cyntaf. Newidiodd ei feddwl yn gyfan gwbl ar ôl dychwelyd o Irac. Fel y dywedodd un o'i edmygwyr amdano: 'Yr oedd ei eglwys, a gynhwysai ymhlith ei haelodau gynddirprwy ysgrifennydd y Cabinet Prydeinig, ymhell o fod yn unfarn ag ef yn ei heddychiaeth, ond ni chollodd ddim o'i barch.'[4]

Yr oedd traddodiad Cristnogol a heddychlon cryf bellach yn y Cyfundeb, a thrwy gydol yr Ail Ryfel Byd bu aelodau o'r enwad yn brysur a gweithgar oddi mewn i 'Gymdeithas Heddychwyr Cymru'. Wedi'r cyfan, George M. Ll. Davies, Methodist Calfinaidd o dras arbennig, oedd yr ymgorfforiad perffaith i'r Cymry o'r ymgyrchwr dros heddwch.[5] Dyna un o'r rhesymau pam y gwnaeth mwy o Gymry, ar gyfartaledd, nag o Saeson ac o Albanwyr wrthod derbyn eu consgriptio. Defnyddiai'r heddychwyr wahanol ffyrdd i ddylanwadu ar yr ifanc, fel y digwyddodd yn hanes un o Gymry mwyaf dylanwadol ei gyfnod, sef Alun R. Edwards, Llanfarian. Dyma air o brofiad ganddo ar drothwy'r rhyfel ac yntau'n ddeunaw mlwydd oed ar staff y Llyfrgell Genedlaethol yn Aberystwyth:

> Pan oeddwn i'n ddim ond llanc deunaw oed swil a dibrofiad, fe estynnodd [D. Myrddin Lloyd] i mi un diwrnod y gyfrol *We say 'No'* gan Dic Sheppard, Canon yn Eglwys Sant Paul, Llundain a sefydlydd y Gymdeithas Heddwch ... Ni fu fy mywyd byth yr un fath wedi hynny. Fe allwn ddweud yn awr ... "Lle'r oeddwn i gynt yn ddall yr wyf yn awr yn gweled." Gwyddwn o hynny ymlaen mai ffordd yr heddychwr o Gristion oedd y ffordd i mi bellach.[6]

Un yn unig o dyrfa fawr ydoedd ef yng Nghymru, ac i'r Cymry Cymraeg diwylliedig oddi mewn i'r capeli cyhoeddwyd llyfrynnau i'w cefnogi. Golygodd Gwilym R. Jones (aelod teyrngar yn y Capel Mawr, Dinbych) ddwy gyfrol o farddoniaeth ar gyfer cefnogwyr heddwch o dan y teitl *Caniadau'r Dyddiadau Da*. Cyn diwedd 1939 sefydlwyd Pwyllgor Diogelu Diwylliant Cymru a ddaeth yn drwm o dan ddylanwad lleygwyr yr enwad, a phenodwyd T. I. Ellis, cyn-Fethodist o allu mwy na'r cyffredin, yn ysgrifennydd y mudiad a elwid yn 1941 yn Undeb Cymru Fydd. Trysorydd y mudiad oedd D. R. Hughes, un o weithwyr selog y Methodistiaid Calfinaidd a fu ar hyd ei oes yn ddylanwadol yng nghapeli Cymraeg Llundain a'r Eisteddfod cyn ymddeol i Hen Golwyn.[7] Datganodd mai Methodistiaid Calfinaidd Cymry Llundain oedd yn bennaf cyfrifol am lunio Cyfansoddiad

Cyngor yr Eisteddfod Genedlaethol. Ganwyd ef yn Llundain ac ni ellir dadlau ag ef gan iddo enwi yn ei lythyr at yr Athro W. J. Gruffydd y pedwar hyn: yr Athro David Hughes-Parry, D. Owen Evans AS, y Parch. D. S. Owen ac ef ei hun, cymwynaswr di-ail.[8]

Un o'r brwydrau tristaf y bu'n rhaid i'r mudiad a'r enwad mewn partneriaeth ymgodymu ag ef oedd yr ymgais aflwyddiannus i amddiffyn un o gapeli'r Methodistiaid Calfinaidd yng nghefn gwlad Sir Frycheiniog, sef Capel y Babell ar fynydd Epynt. Ysgrifennodd David Lewis, Cefn Bryn Isaf, Pentre-bach, Pontsenni, un o selogion y capel, lythyr dwys a didwyll at Saunders Lewis yn gofidio am ei ddyfodol ef a'i deulu, ei gapel a'r gymdeithas gan fod y Swyddfa Ryfel yn benderfynol o feddiannu ei fferm fynyddig a'i gapel diaddurn. Llythyr sy'n werth ei astudio yw hwn am ei fod yn dadlennu pa mor amhosibl ydyw i wŷr da a chyfiawn mudiad diwylliannol ac enwad crefyddol wrthwynebu, adeg rhyfel ym mhob cyfnod, y Weinyddiaeth Amddiffyn a'r Swyddfa Ryfel ac ennill y ddadl a gwyrdroi'r bwriad.[9] Ni ellid disgwyl i'r Parch. W. Deri Morgan, Ysgrifennydd Henaduriaeth Brycheiniog, wneud mwy na lleisio barn a gobeithio'r gorau.[10] O leiaf gallai anfon y genadwri ymlaen i sylw Cymdeithasfa'r De, a oedd yn cyfarfod yn Abertawe ar 3 Ebrill 1940, ac yno cafwyd gwŷr oedd yn gyfarwydd â llunio cenadwrïau ar faterion y dydd, a neb yn fwy cymwys na'r Parch. Ddr John Roberts, Caerdydd. Ar ei ysgwyddau ef y rhoddwyd y cyfrifoldeb o lunio penderfyniad a fyddai'n cyfleu'r siom o weld canolfan grefyddol yn diflannu a sylweddoli bod gan yr enwad yn Llundain wleidyddion a fyddai'n barod i drafod y mater gyda Gweinidogion y Goron. Ond, ar ôl y cyflwyno a'r trafod, ni ddaeth dim byd ohoni, a gwelir hynny'n glir yng nghofnodion Sasiwn y De.[11] Y gofid pennaf oedd sylweddoli'n fuan nad oedd parch gan y Swyddfa Ryfel at y capel na'r enwad. Defnyddiwyd y Babell yn darged gan fagnelwyr y Fyddin wrth ymarfer eu gynnau mawr.

Daeth rhagor o siom i'r Cyfundeb pan ddinistriwyd rhai o'r capeli harddaf gan wasgar yr aelodau i gylch eang, yn arbennig yn Llundain a Lerpwl. Un o'r capeli a olygai gymaint ac a ddinistriwyd yn llwyr oedd Capel Jewin, Llundain, a hynny ar fore Mawrth, 10 Medi 1940.[12] Llosgwyd y capel gan fomiau tân y gelyn. Nid rhyfedd i'r gweinidog dawnus D. S. Owen lefaru'r geiriau 'O ddiwrnod tywyll a du'. Ond nid gŵr i laesu dwylo ydoedd ef, ac roedd yn ymgyrchwr heb ei ail. Yn enw Pwyllgor Apêl y Jewin Newydd anfonodd lythyr o'i gartref ym Muswell Hill at yr holl aelodau a charedigion yr achos yng Nghymru.[13] Diolchodd am y gefnogaeth mewn llythyr a thros y ffôn, am y brawddegau a fu'n gysur, ac am y gofid a ddangosai *The Times* fod y Cymry fel crefyddwyr wedi colli cartref ysbrydol ysblennydd.[14]

Ym mis Medi'r flwyddyn honno ysgrifennodd Eirian Roberts, athrawes ifanc a fagwyd yng nghapel Stanley Road, Bootle, at Kate Roberts, ei modryb, yn Ninbych, i ddweud bod pawb o Gymry'r cylch mewn ofn a dychryn mawr.[15] Lladdwyd pump ar hugain mewn un cysgodfan. Roeddent fel teulu wedi methu mynychu'r capel bryn-hawn a nos Sul oherwydd bod Stanley Road mewn lleoliad peryglus, heb fod nepell o'r dociau. Mynegodd ei phrofiad yn syml, gan ddweud, nad oedd bywyd yn werth ei fyw dan yr amgylchiadau trist hynny: 'Mae'n gas gan bawb weled y nos yn dod.'[16] Synnai Cymry Lerpwl hefyd fod cyn lleied o sylw'n cael ei roi i lannau Mersi ar y radio, gan ychwanegu 'diolch am y menyn', ond yr ydym yn ei gadw ar gyfer 'brecwast yn unig'.[17]

Roedd hi mor enbyd yn Llundain ag yr oedd hi yn Lerpwl. Nos Iau, 26 Medi, bu difrod mawr i gartref gweinidog Jewin a'i deulu yn 73 Cranley Gardens, Muswell Hill. Er gwaethaf y cyfan, penderfynodd y Parch. D. S. Owen aros yn Llundain gyda'i braidd, gan roi esiampl odidog i bawb a phob un.

Y flwyddyn ganlynol bu dinas Abertawe yn llythrennol ar dân am dair noson, sef 19–21 Chwefror 1941. Llwyr ddinistriwyd canol y ddinas. Cyffyrddwyd ag awen Waldo Williams, un o feirdd anwylaf y Cymry, a lluniodd gerdd sy'n parhau i gael ei hadrodd a'i chanu o fewn capeli, sef 'Y Tangnefeddwyr'.[18]

Tro Lerpwl oedd hi i ddioddef ymosodiad gan yr Almaenwyr ym mis Mai a dinistriwyd capeli'r Cymry, yn arbennig gapel eang y Methodistiaid Calfinaidd yn Fitzclarence Street lle bu dau ddiwinydd o'r enw John Hughes yn gweinidogaethu. Capel arall a gafodd ei ddinistrio oedd Capel Stanley Road, Bootle, lle roedd teulu Gwasg y Brython wedi cyfrannu mor helaeth.[19] Disgynnodd bom o awyren Almaenig, yn un o gadwyn, ar faestref Wavertree a'r parc helaeth, a tharo cartref David Griffiths, y blaenor huawdl o Gapel Heathfield Road, gan ladd ei briod ar 4 Mai 1941.[20] Dioddefodd ardaloedd yn ninas Caerdydd, yn arbennig rannau o dreflan Butetown. Disgynnodd bomiau'r Almaenwyr hefyd ar Gasnewydd, Doc Penfro a Glannau Dyfrdwy, ond Abertawe, Lerpwl a Llundain a ddioddefodd waethaf yn hanes aelodau a chynulleidfaoedd y Cyfundeb.[21]

Teimlid cyfrifoldeb mawr am yr ifanc, a chafwyd gweinidogion oedd yn arbenigo ar anghenion y to oedd yn codi. Roedd hyn i'w ganfod yn hanes nifer o'r gweinidogion. Ac yn hanes 'Gwasanaeth i'r Ifanc' yn y gymdeithas nid oedd neb mwy ymroddedig na'r Parch. James Humphreys, y Capel Mawr, Rhosllannerchrugog.[22] Bu ef yn gyfrwng adeiladu ac arwain Aelwyd yr Urdd lewyrchus yn y pentref hwnnw. Nid rhyfedd iddo fanteisio ar gynhadledd Undeb Cymru Fydd yn 1942 i godi mater Aelwydydd yr Urdd mewn perthynas â chofrestru'r ifanc o dan y Mesur Gwasanaeth Cenedlaethol gan alw ar rieni ac arweinwyr y capeli i fod ar ddi-hun ac ymateb.[23] Mynegodd gweinidog gweithgar arall, y Parch. John Roberts, y Carneddi, Bethesda, deimladau lu o'i gyfoeswyr yn ei bennill syml o dan y teitl 'Gethsamane':[24]

Mae'r byd mewn Gethsamane
Er nos ei ddyfal lef,
Disgwyliwn am y bore
Ond nid oes wawr yn nhôn y gwynt
A chysgwn fel y triwyr gynt.[25]

A chafwyd tystiolaeth fod capeli oedd yn ymyl gwersylloedd milwyr yn barod iawn eu cymwynasau. Un o'r eglwysi a fu'n ddyfal ei gofal oedd eglwys Heol y Crwys yng Nghaerdydd.[26] Gwahoddwyd y milwyr Cymraeg am brydau bwyd i gartrefi'r aelodau, a gwerthfawrogai'r bechgyn y croeso a'r gynhaliaeth yn 'ddidwyll'.[27]

Teimlai llawer o'r gweinidogion gyfrifoldeb i fynegi barn ynghanol yr heldrin. Mentrai rhai o'r arweinwyr hyn ohebu gydag arweinwyr gwleidyddol. Bu'r Parch. John Pritchard, Llanberis (tad yng nghyfraith, yr ysgolhaig Hebreig, y Parch. Elwyn Rowlands, Caerdydd) yn gohebu â Syr Archibald Sinclair o'r Blaid Ryddfrydol ynglŷn â'i agwedd ar ddirwest. Ysgrifennai llawer o'r gweinidogion at aelodau o'u capeli oedd yn y Lluoedd Arfog ac eraill at y wasg Gymraeg. Un o'r ffyddlonaf yn hynny o dasg oedd y cyfrinydd, y Parch. J. Ellis Jones, y Rhyl, a fu'n weinidog cydwybodol iawn ar hyd ei oes. Yn ei lythyr dilynodd eiriau'r athrylith Albert Einstein fod yr eglwys Gristnogol, o bob traddodiad, o leiaf yn sylweddoli ei chyfrifoldeb ac yn barod i 'sefyll dros wirionedd y deall a rhyddid yr Ysbryd'.[28]

Cwynai'r Parch. Thomas Powell, Aberdâr (a Chwmdâr cyn hynny), nad oedd eglwysi'r Cyfundeb yn ddigon ymosodol ynglŷn â'r fasnach feddwol, a mynegodd ei deimladau gydag argyhoeddiad pan ysgrifennodd yn 1942: 'Eglwys y Duw byw, onid yw yn bryd iti agor dy lygaid i weled a deffro i deimlo erchyllterau ofnadwy'r difrod a wna'r diodydd hyn ar dy gyd-ddyn a wnaethpwyd ar ddelw Duw?'[29]Ond poenai mwy o Bresbyteriaid am agwedd un o athrawon yr enwad, y Parch. David Phillips o Goleg y Bala, pan aeth ati i gwestiynu datganiadau Cymdeithasfa'r Gogledd o 1917 hyd Sasiwn Bryn-crug yn Ebrill 1942 yn hytrach na'i hagwedd at ddirwest.[30] 'Agwedd yr enwad oedd bod pob ffurf ar ryfel yn groes i ysbryd a dysgeidiaeth Crist' a 'chredwn fod rhyfel yn hanfodol ddrwg'. I'r Athro David Phillips heresi oedd datganiadau o'r fath. Nid oedd y datganiadau hyn wedi eu seilio ar yr Ysgrythurau ac yn wir:

> os yw pob ffurf ar ryfel yn groes i ysbryd a dysgeidiaeth Crist, yna y mae ein haelodau sydd yn y lluoedd arfog yn gweithredu yn groes i ysbryd a dysgeidiaeth Crist, gan fod rhyfela yn un o ffurfiau rhyfel; a hefyd yn gwneuthur peth sydd, yn ôl y datganiad yn hanfodol ddrwg, neu a defnyddio geiriau cyfystyr, yn ddrwg.[31]

Cododd yr Athro David Phillips nyth cacwn go iawn yn yr enwad. Croeswyd cleddyfau. Dywedodd y Parch. J. W. Jones, Cricieth, ei fod ef yn 'credu yn yr heresi'. Gofynnodd gwestiynau rhethregol:[32] 'A ddylwn barhau yn weinidog ac aelod ynddo? Ac oni ddylai'r Cyfundeb fy niarddel i a phawb o'r un ffydd?'[33] Pwysleisiodd J. W. Jones ei fod wedi dod i'r casgliad hwn ar sail ei brofiad yn y Rhyfel Byd Cyntaf. Ychwanegodd: 'ond ni allaf deimlo'n hapus i fod yn aelod o Gorff sydd yn cyfrif fy ffydd basiffistaidd yn heresi, a gonestrwydd ynof fyddai ymneilltuo.'[34] Ymunodd George M. Ll. Davies[35] yn y ddadl yn ogystal â gweinidog o Fôn, y Parch. J. D. Jones, Llangaffo, a oedd yn bendant am aros yn y Cyfundeb, costied a gostio.[36] Dadleuodd ef mai braint 'ydyw cael aros ynddo fel y lefain yn y blawd, gan gydio'n dynn wrth y gwirioneddau na ellir rhyfela arnynt, sef mai gwell gan Dduw gariad na chasineb, addfwynder na chreulondeb, tosturi na dialedd, a heddwch na rhyfel, "Duw yr Heddwch" ydyw'.[37]Ceid yr un anghytuno y tu allan i rengoedd y gweinidogion, yn arbennig ymhlith lleygwyr yr enwad. Pellhaodd y cenedlaetholwr amlwg W. Ambrose Bebb, Bangor, o rengoedd Plaid Cymru oherwydd ei 'phenderfyniad i'w chyhoeddi ei hun yn Blaid Basiffistaidd' er iddo ddal ei afael ar fywyd y capel. Gwell oedd ganddo ef gwmni ei lyfrau, ei deulu a'i gapel.[38] Roedd ef bellach, a dau arall o wŷr y colegau, wedi cyrraedd Sêt Fawr capel Tŵr-gwyn, Bangor, ac ar ôl peth amheuaeth derbyniodd y cyfrifoldeb er ei fod ar fater dirwest a rhyfel yn dra gwahanol ei farn i lu o weinidogion a blaenoriaid.[39] Ond mae'n hawdd iawn, yn yr ymdriniaeth hon, anghofio'r rhai a wasanaethai fel milwyr yn gydwybodol ar hyd a lled y byd. Gwyddom i lawer ohonynt, gyda'u caplaniaid, gadw'r traddodiad capelyddol ac addoli yn Gymraeg, cynnal eisteddfodau ac yn y Dwyrain Canol drefnu un o bapurau bro cyntaf y Gymraeg, sef *Seren y Dwyrain*, a ddosberthid am ddim ymhlith milwyr Cymraeg oedd yn mynychu cymdeithasau Cymraeg dinasoedd fel Cairo, Baghdad, Jerwsalem a Haiffa.[40] Gwyddom hefyd am y gofal a amlygwyd i gleifion o Gymry a fu yn Assam yng ngogledd-ddwyrain India ac am gyfraniad anhygoel y Dr R. Arthur Hughes a chenhadon eraill yn Shillong.[41] Ond o Cairo y cawn lythyr sy'n crisialu teimladau llawer o'r milwyr hyn. Anfonodd John L. Griffiths, Bontnewydd, lythyr i'r *Goleuad* (6 Mai 1942) yn diolch ac yn gofyn am weddïau ei gyd-aelodau yn yr enwad, ac meddai: 'Diolch o galon i'r Parch J. O. Jones am gael yr hogiau at ei gilydd ac am roddi inni foddion gras yn ein hiaith ein hunain mewn gwlad estron ymhell o gartref. Gweddïwch drosom.'[42]

Gwerthfawrogwyd yn fawr weithgarwch Pwyllgorau Cysuron

Rhyfel, fel y'u gelwid, o fewn y capeli; y pwyllgorau hyn fyddai'n gohebu gyda'r milwyr ac yn dangos cefnogaeth ymarferol. Yn ychwanegol at y gwaith ymarferol hwn cynhaliai'r chwiorydd gyfarfodydd gweddi bob wythnos mewn aml i gapel i eiriol dros y rhai mewn enbydrwydd ar dir, ar y môr ac yn yr awyr. Yr oedd y capeli'n ymwybodol iawn o'u cyfrifoldeb i gymdeithas fel oedd yr arweinwyr, llawer ohonynt yn amlwg ym mywyd cyhoeddus a chymdeithasol eu bröydd.[43] Gorfodwyd llawer un ar sail ei argyhoeddiadau Cristnogol i ymwrthod yn gyfan gwbl ag ymuno â'r lluoedd arfog.[44] Dioddefodd rhai ohonynt garchar am eu safiad. Bu'r mwyafrif yn gweithio ar y tir. Er bod llai yn mynychu'r oedfaon ar y Sul, eto, yr oedd y cynulleidfaoedd at ei gilydd yn ddigon llewyrchus, yn arbennig yng nghefn gwlad lle nad oedd yr un ymwybyddiaeth o ryfel ar wahân i bresenoldeb plant noddedig (yr ifaciwîs).[45] Bu cyfraniad rhai o weinidogion yr ardaloedd Cymraeg yn nodedig iawn. Enghraifft o hynny oedd y Parch. Robert Owen yn Llansannan gyda phlant o ddinas Lerpwl, a 'daeth amryw ohonynt yn Gymry crefyddol'.[46] Un arall amryddawn yn Henaduriaeth Dyffryn Clwyd oedd y Parch. T. R. Jones, Caerwys. Yr oedd ef yn ŵr amryddawn ac fe'i hadnabyddid fel 'Archesgob Henaduriaeth Dyffryn Clwyd' ar sail ei weithgarwch cyson yn hyfforddi'r ifanc ac yn dysgu sgiliau cymdeithasol iddynt.[47] Ond fe welwyd yn amlwg, yn arbennig yn 1944, golledion mwy na'r arfer ymhlith arweinwyr y Cyfundeb, ac yn arbennig ymhlith gweinidogion oedd wedi cysegru eu holl fywydau i grwydro de a gogledd Cymru a thros Glawdd Offa i bregethu'r Efengyl. Ymhlith gweinidogion y 'gydwybod Ymneilltuol' bu farw'r Parch. John Green, Rhydlewis, y dywedwyd amdano: 'Yr oedd yn Biwritan rhonc, a'r gydwybod Ymneilltuol yn etifeddiaeth iddo.'[48] Pregethwyr grymus oedd y Parch. D. Teifi Davies, Hirwaun, bardd a cherddor, eisteddfodwr, gŵr a gadwodd Hirwaun yn werddon Gymraeg ar ben uchaf Cwm Cynon.[49] Un felly hefyd oedd y Parch. T. H. Creunant Davies, Pumsaint, pregethwr hynod ac un a gadwodd dafodiaith Morgannwg ar ei leferydd, fel Philip Jones ac Eliseus Howells.[50] Crwydrodd y Parch. H. M. Pugh, Cyffylliog, dde a gogledd Cymru, a rhoddodd gyfrif da ohono'i hun yn weinidog ym Mhenbedw a Douglas Road, Lerpwl.[51] Pregethu yn yr uchelwyliau oedd cryfder gweinidogaeth y Parch. D. J. Eurfyl Jones, Llanidloes.[52] Yr oedd ei lais cyfoethog, seinber yn argyhoeddi'r gwrandawyr a bu ei farw cynamserol yn golled anfesuradwy.[53] Rhoddodd y Parch. J. Daniel Evans dros ddeugain mlynedd o wasanaeth i Gapel Cymraeg Garston yn Lerpwl.[54] Daeth i gael ei alw gan y trigolion yn 'Esgob Garston'.[55] Yr oedd marwolaeth y Parch. D. Ormond Jones yn Brighton yn 1944 yn ganlyniad i'r clwyfau a dderbyniodd yn y Rhyfel Byd Cyntaf yn ffosydd Ffrainc.[56] Bu'n glaf yn Ysbyty'r Groes Goch, Brighton, am y deng mlynedd olaf o'i oes.[57] A bu aml i deyrnged i'r Parch. Ddr D. M. Phillips, Libanus, Tylorstown.[58] Bu'n ffyddlon i'w braidd a'i gymuned am hanner can mlynedd, yn ddiarhebol o ddiwyd yn cynorthwyo bechgyn a merched gyda'u cwrs addysg, yn esboniwr Calfinaidd ac yn ffrind mynwesol i Evan Roberts y Diwygiwr.[59]

Ond gwelid datod cadwynau a chwalu cymunedau a gostwng safonau ym mhob rhan o Gymru erbyn diwedd y rhyfel. Yr oedd yr enwadau'n ymfalchïo yn y dystiolaeth a roddwyd gan gaplaniaid fel T. Madoc Jones, Emrys Davies a J. Bennett Williams, a fu am flynyddoedd yn y Dwyrain Canol.[60] Deuai llythyron gan y milwyr i'r *Goleuad* o bob rhan o'r byd, ac un ohonynt yn ceisio anghofio'r gyflafan wrth gofio'r tonau mwyaf cyfarwydd ar emynau Seion.[61] Er colli arweinwyr, gwelwyd bod yna rai myfyrwyr addawol iawn yn barod i lenwi'r bwlch, ac un o'r mwyaf galluog ohonynt oedd David Jones Davies, nai'r Parch. Dan Jones, Tregaron, a fu'n frenin ym mro ei febyd.[62]

Lleisiwyd acenion proffwydol o Gadair y Cymdeithasfaoedd ar adegau, a chafwyd y nodyn hwnnw'n helaeth gan y Parch. H. Harris Hughes yn Ebrill 1944.[63] Sylweddololodd ef fod y capeli'n colli gafael ar gymdeithas.[64] Dywedodd eiriau yn y Sasiwn i sobri'r gynulleidfa a gofynnodd gwestiwn, nid yn unig i'w Gyfundeb, ond i'r eglwys fyd-eang: 'Tybed pe bai'r Eglwys wedi bod yn fwy o ddifrif i beri i'w goleuni lewyrchu y buasai'r byd wedi colli ei ffordd mor arswydus.'[65] Yn ôl un o brif arweinwyr y Methodistiaid Calfinaidd, enwad mewn argyfwng ydoedd.[66] Croesawodd yn gywir iawn y newyddion da a ddarlledwyd gan y Prif Weinidog ar 8 Mai 1945, a hynny, fel y cofia llawer ohonom, am dri o'r gloch y prynhawn o 10 Downing Street. Roedd yr Ail Ryfel Byd wedi dod i ben, a hwn oedd diwrnod buddugoliaeth yn Ewrop a chyfle i gapel a chymuned baratoi er mwyn croesawu'r milwyr adref. Trefnodd capeli'r enwad gyfarfodydd croeso.

Ymgasglodd nifer o Fethodistiaid Calfinaidd Caerdydd a'r cyffiniau yn rhan o'r dyrfa o filoedd a ddaeth ynghyd yn Neuadd y Ddinas i wrando'n astud ar y Prif Weinidog, a fu'n symbol o Brydeindod di-syfl a phenderfynol. Ger Neuadd y Ddinas ymunwyd mewn oedfa grefyddol o ddiolchgarwch am yr ymwared. Cafodd David Brynmor Anthony, un o flaenoriaid eglwys Pembroke Terrace, Caerdydd, a fu'n gapten yn y Rhyfel Byd Cyntaf, ei anrhydeddu gan Lywodraeth Ffrainc â'r *La Médaille de la Reconnaissance française* am ei wasanaeth i'r Lluoedd Ffrengig Rhydd.[67]

Bu mwy o ddathlu ar 26 Gorffennaf pan ddaeth y Wladwriaeth Les ac ynysoedd gobaith, ac o ganlyniad i'r Etholiad Cyffredinol etholwyd 393 o aelodau o'r Blaid Lafur ynghyd â chwech o sosialwyr eraill, 213 o Geidwadwyr, a deuddeg o Ryddfrydwyr.[68] Yr oedd yr ymateb i'r Blaid Lafur yng Nghymru yn syfrdanol, a mwyafrif James Griffiths yn Llanelli o 34,000 oedd yr ail fwyaf yn y Deyrnas Unedig i gyd.[69] Er hynny, bu aelodau o'r Cyfundeb yn llwyddiannus ac aflwyddiannus. Collodd Ronw Moelwyn Hughes, Aelod Seneddol Llafur, ei sedd yng Nghaerfyrddin i'r ymgeisydd Rhyddfrydol, Rhys Hopkin Morris, dau o feibion y Mans, y buddugol o blith yr Annibynwyr Cymraeg, a'r un a ddisodlwyd yn fab i'r bardd-bregethwr, y Parch. J. G. Moelwyn Hughes, oedd yn ymfalchïo yn niwedd ei oes o fod yn aelod o'r Blaid Lafur.[70]

Methiant truenus fu ymgyrchu Plaid Cymru.[71] Dr Gwenan Jones, y ferch ddawnus o Lanfihangel Genau'r Glyn, oedd yr unig un o saith ymgeisydd Plaid Cymru na chollodd ei ernes.[72] Wedi goruchafiaeth ysgubol y Blaid Lafur, dwysaodd y tensiwn rhwng y blaid honno a Phlaid Cymru am weddill y ganrif.[73] Dylid nodi dau beth. Yn gyntaf, penderfyniad diysgog y Llywodraeth Lafur i osod seiliau'r Wladwriaeth Les, ac yn gonglfaen iddo, Gwasanaeth Iechyd Gwladol a ddaeth i fodolaeth drwy sêl a gallu anhygoel Aneurin Bevan, yr Aelod Seneddol dros Lynebwy.[74] Credai pob un o weinidogion y Goron fod yn rhaid gwella amodau byw, adeiladu mwy a mwy o dai cyngor, gofalu am yr hen a'r ifanc, a gwarantu diogelwch o'r crud i'r bedd.[75] Yn ail, atgyfnerthu'r elfen Gymreig ym mywyd y Blaid Lafur yng Nghymru. Yn wir, gellir dweud mai'r hyn a ddigwyddodd oedd cryfhau gafael ethos Ymneilltuaeth ar y Blaid Lafur gan fod cyfran dda o'r aelodau wedi'r Ail Ryfel Byd yn etifeddion y traddodiad hwnnw.[76] Ac ymhlith y garfan hon etholwyd Goronwy Owen Roberts dros Sir Gaernarfon, a oedd yn gwbl argyhoeddedig o'r angen am sefydliadau a fyddai'n cryfhau bywyd y genedl. Gwnaeth hynny'n glir yn ei daflen etholiadol o dan y teitl 'Llais Llafur', yn galw am Ysgrifennydd i Gymru ac Awdurdod Cynllunio Cenedlaethol Cymreig ar linellau'r TVA yn yr Unol Daleithiau, Corfforaeth Radio i Gymru, a chynlluniau eraill, fel cysylltu de a gogledd Cymru â phriffordd newydd, sy'n parhau i fod yn freuddwyd ar y gorwel!

Y mae i'r rhaglen hon bwysigrwydd mawr gan i eraill yng ngogledd Cymru, yn weinidogion a gwleidyddion, gefnogi safbwynt Cymreig Goronwy Roberts. Y pwysicaf o'r pedwar arall a gydsyniodd oedd Cledwyn Hughes, ymgeisydd Llafur ym Môn, a mab hynaf y Parch. H. D. Hughes, Disgwylfa, Caergybi.[77] Enillodd y sedd yn 1951 ac o'i ddyddiau cynnar credai fod modd cyplysu Cymreictod a Llafuriaeth.[78] Daeth yn un o'r gwleidyddion pennaf a fagwyd ymhlith y Methodistiaid Calfinaidd, ac fe'i hystyrid, fel Henry Richard, yn 'Aelod dros Gymru'.[79] Bu'n amlwg iawn yn y pumdegau ar lwyfan Senedd Cymru, a mynnai ef a'i gyd-aelodau yn y mudiad siarad o blaid datganoli.[80] Siaradodd Cledwyn Hughes yn rymus yn y Senedd, yn arbennig wrth eilio Mesur Seneddol i Gymru S. O. Davies yn 1955.[81] Ond roedd yn rhyfel cartref oddi mewn i'r blaid erbyn y flwyddyn ganlynol.[82] Methiant fu'r mudiad Senedd i Gymru, ond daliodd Cledwyn Hughes i ymgyrchu dros Ysgrifennydd i Gymru. Erbyn Etholiad Cyffredinol 1959 yr oedd Ysgrifennydd i Gymru yn rhan o faniffesto'r Blaid Lafur.

Erbyn y pumdegau a'r chwedegau cynnar yr oedd yr ymdeimlad sosialaidd cenedlaethol gyda phwyslais ar wasanaethu yn enw'r Efengyl y tu mewn i gymdeithas wedi treiddio'n ddwfn i fywydau gweinidogion yn ardaloedd diwydiannol y de, fel Merthyr Tudful a Chasnewydd, a hefyd i blith y myfyrwyr diwinyddol yn y Bala ac Aberystwyth.[83] Mynegwyd hyn yn gyson gan y Parchedigion Mansel Davies a D. R. Thomas.[84] Sylw treiddgar Mansel Davies oedd y dylai'r enwad wynebu anhwylderau cymdeithas o ddifrif.[85]

Rhwng 1950 a 1970 cafwyd dadlau cyson ynghylch cyfrifoldeb y Cristion i gymdeithas.[86] Mentrodd y Parch. W. R. Williams, Prifathro'r Coleg Diwinyddol yn Aberystwyth, feirniadu, mewn darlith, yr eglwysi, y blaenoriaid a 'llawer o'r gweinidogion am y difaterwch' a gafwyd yn y Cyfundeb.[87] Ond ni allai ddweud hynny am y myfyrwyr o dan ei ofal ef.[88] Ar 4 Mawrth 1960 trefnodd y rhain orymdaith drwy strydoedd Aberystwyth i brotestio yn erbyn polisi apartheid De Affrica.[89] Gwelwyd hwy yn cario baneri ac arnynt sloganau megis 'Cyfiawnder nid Gorthrwm' a 'Brodyr i'w gilydd fo dynion pob oes'. Ymunodd pedwar o'r athrawon yn yr orymdaith a siaradodd un ohonynt yn Neuadd y Dref y noson honno.[90] Pwyswyd ar ddarllenwyr *Y Goleuad* i beidio â phrynu ffrwythau, sigarennau ac ati o Dde Affrica.[91] Anfonodd myfyrwyr diwinyddol Coleg y Bala eu llongyfarchion ar lwyddiant y brotest.[92] Trefnwyd i heddychwyr digymrodedd ddod i annerch y myfyrwyr, ac yn arbennig arweinwyr ifanc y Cyfundeb a wasanaethai Gymdeithas y Cymod.[93] Cymerwyd rhan hefyd yn yr ymgyrch i ddileu crogi fel cosb am ladd ac estynnwyd gwahoddiad i'r capeli wahodd rhai o fyfyrwyr y Gymdeithas Sosialaidd yn y coleg i ddod i'w plith.[94] Siomedig fu'r ymateb ond gwnaed cynnig.

Yr oedd yr ymwybod cymdeithasol yn fwy byw yn y cyfnod hwn nag y bu yn holl hanes yr enwad.[95] Ceid yr ymwybyddiaeth y dylid rhoi cyfle i'r ifanc y tu mewn i'r enwad a gwelwyd hyn yn y ddarpariaeth a wnaed yn y de a'r gogledd ac yn y dwyrain.[96] Bu Gwersyll Llanmadog yn bwysig yn y de, a sefydlwyd Gwersyll Haf gan Gymdeithasfa'r Gogledd ar Ynys Enlli.[97] Gwnaed arolwg o waith ieuenctid yn y de a'r gogledd a sylweddolwyd bod llawer iawn o'r eglwysi yn 'bodloni', yng ngeiriau'r Parch. Gwynfryn Lloyd Davies, 'ar y nesaf peth i ddim'. Yr adeg honno yr oedd 2,703 o bobl ieuainc rhwng un ar bymtheg a deg ar hugain mlwydd oed yng nghapeli'r enwad yn Sasiwn y De, sef 14% o'r aelodaeth. Daeth rhybudd Gwynfryn Lloyd Davies erbyn hyn bron yn wir, sef 'bod perygl i'w colli yn gyfan gwbl'.[98] Ond nid oedd hynny'n gwbl gywir chwaith, oherwydd o'r ymholi, yr holiaduron, y pererindodau, arweiniad y Parch. T. J. Davies, Betws, Rhydaman, a llu o arweinwyr eraill, sefydlwyd canolfannau ar gyfer yr ifanc yn Nhre-saith ac yng Ngholeg y Bala. Bu'r ddarpariaeth hon yn hynod o bwysig, yn ogystal â'r arweinwyr a benodwyd i ofalu am waith ieuenctid a phlant. Gwelwyd yr angen am gaplaniaid mewn diwydiant. Cyfeiriwyd at hyn mewn aml adroddiad i wasg yr enwad.[99] Cynhaliwyd cynadleddau a chafwyd aml erthygl werthfawr ar 'Yr Eglwys a Diwydiant'.[100] Daeth hyn yn ffaith ac arloeswyd yn raenus ym Mhort Talbot a'r Wylfa ym Môn, gan y Parch. Arthur Meirion Roberts, gŵr a ymatebodd i alwad y weinidogaeth o Henaduriaeth Manceinion. Dilynwyd ef yn y gwaith gan eraill o'r Cyfundeb.

Mewn ysgrif gignoeth yn *Y Goleuad*, a hynny ar ddechrau 1961, mynegodd y Parch. John Owen, Llanbedr, Meirionnydd, un o weinidogion anwylaf yr enwad, ei gonsýrn ein bod yn wynebu ar ein difodiant.[101] Gofidiai fod y Cyfundeb yn gwario ar gyfartaledd ddwy ran o dair o'n derbyniadau nid ar y weinidogaeth ond ar ddiogelu ein hadeiladau.[102] Er na fentrodd neb i gytuno nac anghytuno ag ef daeth ei gonsýrn i gael ei fynegi fel *mantra* bob mis a phob blwyddyn, yn wir am yr hanner can mlynedd nesaf. Tystiai Syr Ifor Williams, a fu farw yn 1965, mai un o weithredoedd pennaf y Cyfundeb oedd agor cartref i blant amddifad yn y Bontnewydd, ger Caernarfon.[103] Cychwynnwyd y cyfan drwy garedigrwydd Robert Bevan Ellis, siopwr yng Nghlwt-y-bont, yn rhoi darn o dir i adeiladu a £1,000 i agor trysorfa.[104] Daeth y cartref hwnnw yn symbol gobaith ac yn destun haelioni anghyffredin gan farsiandwyr o'r enwad ac yn arbennig adeiladwyr o Lerpwl a'r cyffiniau. Erbyn 1926 yr oedd dwy ganolfan i'r Cartref, un yn y Bontnewydd a'r llall ym Mhenarth, Llanfairfechan. Yn y cyfnod rhwng y ddau Ryfel Byd deuai'r plant i'r cartref ar ôl colli un rhiant neu weithiau ddau.[105] Gofelid am chwe deg o blant yr adeg honno a disgwylid i'r rhai hynaf gynorthwyo'r plant ieuengaf. Dysgid iddynt y grefft o ofalu ar ôl eu hunain, a gofelid hefyd am yr addysg grefyddol. Disgwylid i bob plentyn fynychu Capel Siloam, y Bontnewydd, ar y Sul: i'r ysgol Sul yn y bore, a'r oedfaon yn y prynhawn a'r hwyr. Gweinidog yr eglwys fyddai Ysgrifennydd y Cartref, ac edrychid arno fel 'tad yr amddifad'. Llanwai'r plant dair rhes o seddau blaen canol llawr capel Siloam, y bechgyn ar y dde a'r merched ar y chwith, a phob un ohonynt yn dweud ei adnod neu bennill o emyn.[106] Nid rhyfedd fod y Cartref wedi bod yn fagwrfa i nifer o fechgyn a fu'n weinidogion yn yr enwad.[107] Disgwylid iddynt fynychu cyfarfodydd ar noson waith, i ddeall sol-ffa ac i fwynhau'r gobeithlu.

Yr oedd gwyliau'r flwyddyn yn bwysig iddynt. Adeg y Pasg rhoddid dillad newydd i'r plant, a chynhelid eisteddfod ar ddydd Iau a dydd Gwener y Groglith. Yn yr haf ceid pythefnos o wyliau yn y Cartref yn Llanfairfechan. Trefnid ambell wibdaith ar y trên bach o Dinas i Borthmadog ac yr oedd y Nadolig yn bwysig hefyd, wrth gwrs.[108]

Derbyniai'r plant yn y Cartref freintiau na dderbyniai llawer o'u cyfoeswyr. Meddai'r Cartref ar ddŵr poeth a thrydan pan oedd pawb arall yn yr ardal yn dibynnu ar lampau paraffîn i gael golau. Derbynient ddigon o fwyd maethlon, a disgwylid iddynt aros o fewn adeiladau'r Cartref. Ychydig o gyfathrach a geid rhwng plant y Cartref a phlant y fro, ac edrychid arnynt gan gymdeithas fel plant oedd wedi cael profiadau chwerw. Gelwid hwy ar lafar gwlad yn 'blant yr hôms'. At ei gilydd, o'r wybodaeth sydd ar gael, bu'r fagwraeth hon yn un hynod o dderbyniol.

Erbyn dechrau'r chwedegau cafwyd gweinidog a'i briod yn wardeniaid, sef y Parch. Emrys Thomas a Mrs Menna Thomas, a hynny o 1962 i 1975. Yr oedd y ddau wrth eu bodd yng nghwmni'r plant a buan iawn y gwelwyd gweithgarwch ychwanegol, yn ogystal â llawer iawn o gyhoeddusrwydd a fu'n gaffaeliad er sicrhau cefnogaeth ariannol.[109]

Y Bwrdd Llywodraethu oedd y prif weinyddwyr a bu'n hynod ffodus o'i swyddogion a'i aelodau, a ddeuai o Henaduriaeth Arfon.[110] Pwyllgor hynod allweddol oedd y Pwyllgor Ymweld, sef Pwyllgor y Chwiorydd, a fyddai'n cyfarfod bob chwe wythnos. Dyma'r Pwyllgor a fyddai'n trafod prynu celfi a dodrefn i'r ddau dŷ a hefyd yn ymweld bob mis, yn unol â chyfarwyddwyd y Swyddfa Gartref, i lunio adroddiad ar les y plant a'r staff, cyflwr yr adeiladau ac anghenion y Cartref, a thrafod gyda'r Metron.[111]

Yr oedd gan y Cartref gefnogwyr selog yn y Cyfundeb, yn arbennig ar lannau Mersi. Oddi yno y cafwyd yr haelioni pennaf fel y nodwyd, a hefyd o werthiant cardiau Nadolig.[112] Bu'r enwad yn ffodus o gael olynwyr mor egnïol yn 1975 ym mhersonau'r Parch. Gareth Maelor Jones a'i briod, Mrs Brenda Jones. Yr oedd gofalu am y Cartref yn gam naturiol ymlaen i Gareth Maelor gan fod iddo ran yn y gweithgarwch ymhell cyn iddo dderbyn y penodiad. Bu'n allweddol hefyd yn Ebrill 1985 pan sefydlwyd uned faethu gan yr Ymddiriedolaeth. Erbyn yr wythdegau yr oedd nifer y plant a ddeuai dan ofal y Cartref yn lleihau oherwydd bod mwy o bwyslais bellach ar rieni a chartrefi maeth. Datblygodd yr Uned a'r cynllun hyfforddi, ac yng ngoleuni Deddfau Plant 1993 daeth Uned Gofal Teulu Cartref Bontnewydd a Chynllun Cwlwm i fodolaeth. Bu Cwlwm yn gyfrwng i gadw cannoedd o blant o fewn gofal eu teuluoedd eu hunain, ac ymledodd ei ddylanwad i wledydd eraill.[113] Datblygwyd cysylltiad cadarn rhwng yr Uned â'r Gymdeithas Maethu Cenedlaethol, ac ar hyd yr ugeinfed ganrif cyflawnodd y Cartref waith yr Efengyl o ran gofal, arweiniad, a datblygiad y rhai bychain hyn.

Achos a roddodd boen a blinder i'r Methodistiaid Calfinaidd a'r pleidiau gwleidyddol oedd achos boddi Cwm Tryweryn.[114] Cynllun dadleuol i godi argae yn y cwm er mwyn darparu dŵr i ddinas Lerpwl oedd hwnnw a gyhoeddwyd yn hydref 1956.[115] Canlyniad hynny fyddai dinistrio pentref Capel Celyn, y capel, yr ysgol, tai, tyddynnod a ffermdai. Cwm Dolanog, ardal yr emynyddes Ann Griffiths, oedd dewis safle gwreiddiol Lerpwl ar gyfer ei chronfa ddŵr newydd. Ond bu'n rhaid ailystyried ar ôl protestiadau a oedd yn atgoffa sylwebyddion o Ddyffryn Ceiriog yn y dauddegau.[116] Trodd Lerpwl ei golygon at Feirionnydd, heb ystyried nad oedd hynny'n dderbyniol chwaith. Rhoddodd arweinwyr Capel Celyn arweiniad i Gymru gyfan a ffurfiwyd Pwyllgor Amddiffyn Capel Celyn yn 1957.[117] Ond, gan ddangos pa mor ddiymadferth oedd y gwleidyddion a'r mudiad eglwysig a dyngarol, ar 31 Gorffennaf 1957 pasiodd y Senedd Ddeddf Corfforaeth Lerpwl yn caniatáu boddi Tryweryn, o 175 o bleidleisiau i 79, ond gwrthwynebwyd y bwriad gan bob un o aelodau Cymru, hyd yn oed y rhai mwyaf gwrth-Gymreig. Rhoddodd Henry Brooke, y Gweinidog Materion Cymreig, le i Aelodau Seneddol pob plaid radical ei ystyried yn warth i ddemocratiaeth ac i bawb arall yn 'fradwr Tryweryn'.[118]

Mater arall a ddaeth i darfu ar y colomennod yn yr enwad oedd ymddiswyddiad sydyn Goronwy Rees fel Prifathro Coleg y Brifysgol, Aberystwyth, ar 25 Chwefror 1957, a chau pennod a ddechreuodd yn 1953. Yr oedd Goronwy Rees yn fab i'r Parch. R. J. Rees, un o wŷr anwylaf y Cyfundeb yr adeg honno.[119] Ni siaradai'r mab yr iaith y bu ei dad yn ei defnyddio ym mhulpud y Tabernacl, ac ni ddaliodd ei afael yn yr enwad y rhoddodd ei dad ei holl oes i'w wasanaethu. Yn wir, yn ystod y tridegau, fel myfyriwr ym Mhrifysgol Rhydychen, daeth i gylch cyfrin Guy Burgess a'i gyfaill Donald MacLean a hefyd Anthony Blunt, a chyfres o erthyglau dienw gan Rees ym mhapur dydd Sul *The People* oedd yn gyfrifol am y sgandal.[120] Gwahanol iawn oedd yr ymateb yn yr enwad i'r newydd fod Hugh Griffith o Fôn wedi ennill gwobr Oscar yn Hollywood fel yr Actor Cynorthwyol gorau am ei ran yn Ben Hur, y ffilm epig dair awr a hanner.[121] A gwahanol iawn oedd y newydd a dreiddiodd i gartrefi'r Cymry ar 3 Awst 1961 am y trais a ddigwyddodd i'r heddwas Arthur Rowlands pan gornelodd ddrwgweithredwr ym Mhontarddyfi, ger yr ysgoldy a drodd y diwinydd a'r cyn-Athro W. D. P. Davies yn gaffi! Collodd Arthur Rowlands ei olwg ond daeth yn eicon cenedl ar sail ei gymeriad llednais a'i rinweddau Cristnogol. Daeth yn ffigwr adnabyddus ac yn flaenor mawr ei barch yng Nghapel Seilo, Caernarfon.[122]

Yng nghyfnod Tryweryn daeth mudiad pwysig arall i fodolaeth, sef yr Ymgyrch dros Ddiarfogi Niwclear (CND), a chydiodd y dystiolaeth ym mhob un o'r enwadau crefyddol a'r pleidiau, yn arbennig y Blaid Lafur a Phlaid Cymru. Daeth dros 2,000 o bobl i Gastell Aberystwyth ddydd Sadwrn y Sulgwyn 1961 ar gyfer y rali genedlaethol gyntaf a drefnwyd yng Nghymru gan yr Ymgyrch Ddiarfogi Niwclear. Ar y llwyfan yn annerch cafwyd neges arbennig gan ddau Gymro Cymraeg, sef y Dr Glyn O. Phillips, un a fagwyd yn y Capel Mawr, Rhosllannerchrugog, a'r Prifathro Gwilym Bowyer, un yn hanu o'r un fro ag ef.[123]

Yn 1960 cafodd holl rwydwaith yr enwad gyfle i baratoi ar gyfer Refferendwm i gadw'r tafarnau ynghau ar y Sul.[124] Cynhaliwyd y Refferendwm ar 8 Tachwedd 1961 a bu gweithio dygn dros yr achos ymhlith aelodau o fudiadau dirwest a chadwraeth y Sul, gan gynnwys gweinidogion yr enwad. Yng nghylch Aberystwyth ymunodd yr Athro Buick Knox yng ngweithgareddau'r myfyrwyr diwinyddol. Un o Athrawon Hanes y Coleg Diwinyddol ydoedd a aned yn Portadown, Gogledd Iwerddon, ac a ddysgodd Gymraeg yn rhyfeddol.[125] Bu'r ymgyrch dros gadw'r Sul Cymreig yn dra llwyddiannus a'r siroedd lle'r oedd y Methodistiaid Calfinaidd gryfaf a'r Gymraeg yn iaith mwyafrif y gymuned yn gefnogol.[126] Ond gan fod y refferendwm yn cael ei gynnal bob saith mlynedd bu'n rhaid trefnu ymgyrchoedd pellach cyn yr olaf un yn y nawdegau. Erbyn hynny yr oedd cynheiliaid y capeli yn methu gweld perthnasedd y frwydr.[127] Yn arwyddocaol, collwyd pob darn o Gymru yn 1996 a gwelwyd diflaniad y mudiadau dirwest; ond arbedwyd y dystiolaeth mewn ffordd wahanol gan fudiad ecwmenaidd â'r enw Cyngor Cymru ar Alcohol a Chyffuriau Eraill, a chafwyd cyfarwyddwyr effeithiol i'r Mudiad yng nghyfnod dirywiad crefydd yng Nghymru.[128]

Blynyddoedd y Dirywiad 1960–2017

Cofnodwyd aml gyfeiriad at argyfwng a dirywiad y Cyfundeb mewn aelodaeth a dylanwad yn y gymdeithas Gymreig. Nid anghofir y gyfrol o dan y teitl *Yr Argyfwng* a gyhoeddwyd wedi marwolaeth W. Ambrose Bebb.[129] Credai ef nad oedd sefydliad tebyg i'r ysgol Sul fel arf cenhadol yn y gymdeithas.[130] Erbyn y chwedegau cynnar gwelwyd arwyddion fod y genhedlaeth iau yn fwy parod i siglo'r sylfeini. Bu darlith enwog Saunders Lewis 'Tynged yr Iaith' ar y BBC yn 1962 yn ysgogiad i greu mudiad milwriaethus i fynnu hawliau'r Gymraeg.[131] Yr oedd mwy o arweinwyr y Methodistiaid Calfinaidd o blaid y mudiad newydd nag a ddychmygwyd, yn eu plith Syr David Hughes Parry a wnaeth waith arloesol dros y dreftadaeth.[132] Gofidiai ef am ddifaterwch y gymdeithas o amgylch y capeli ym Meirionnydd ar fater yr iaith a diffyg asgwrn cefn i siarad yr iaith yn gyhoeddus yn y Cyngor Sir.[133] Ni flinid yr enwad gan y gwaseidd-dra hwnnw a welwyd yng ngweddill y gymdeithas, ac mae'n rhyfeddol nodi hyn gan gofio mai enwad dwyieithog ydyw'r Methodistiaid Calfinaidd. Sut y llwyddwyd i gyflawni'r fath wyrth? Yn bennaf oherwydd goddefgarwch ac, yn ail, arweiniad positif oddi wrth gynifer o arweinwyr Cymdeithasfa'r Dwyrain a bod cymaint ohonynt yn Gymry Cymraeg eu hunain.[134] Hyd yn gymharol ddiweddar bu pob un o Lywyddion y Gymanfa Gyffredinol o Sasiwn y Dwyrain yn Gymry Cymraeg.[135] Ynghanol y cyffroadau ieithyddol a diwylliannol digwyddodd trychineb arswydus ym mhentref Aber-fan ger Merthyr Tudful fore 21 Hydref 1966; ceid dau gapel Cymraeg gan y Methodistiaid Calfinaidd yn y pentref, sef capel Aber-fan a chapel Disgwylfa, Merthyr Vale, y ddau ohonynt bellach wedi eu datgorffori, a hynny'n symbol o'r dirywiad sydd wedi digwydd.[136]

Gwasanaethwyd yn y ddau gapel gan ddau weinidog, sef y Parch. Eiflyn Peris Owen ac awdur y bennod hon, a bu cyfraniad y ddau ohonom i'r gymdeithas honno yn hynod o bwysig o ran estyn cydymdeimlad a gofal, a chynnig arweiniad i gynorthwyo'r gymuned i adfeddiannu hyder mewn dyddiau adfydus.[137] O ran gwrthdrawiad seicolegol crefyddol gellir cymharu'r hyn a ddigwyddodd yn Aber-fan, i raddau llai, â'r Holocost yn yr Ail Ryfel Byd, gan fod y ddau ddigwyddiad yn gyfle i gwestiynu o ddifrif y ffydd a'r gred mewn Duw daionus a rhagluniaethol.[138] Gwelwyd hefyd fod cyfraniad arweinwyr yr enwad yn bwysig yn y dasg o ennill mwy o barch i'r etifeddiaeth grefyddol ac ieithyddol. Yr oedd y mudiadau gwirfoddol a weithiai dros yr iaith a'r diwylliant yn derbyn cefnogaeth unigolion oedd yn arwain yng nghapeli'r enwad.[139] Ond y tristwch pennaf oedd bod y dirywiad yn parhau, ac erbyn Cyfrifiad 1971 yr oedd nifer y Cymry Cymraeg ar dir Cymru yn 20%, wedi gostwng o 26% yn 1961, a hynny er yr holl weithredu torcyfraith, a chyfraniad pwysig yr Athro J. R. Jones, Abertawe, yn arbennig, un o feddylwyr pennaf ei genedl a'i enwad ym myd Cymreictod.[140] Bathodd ef deitlau a ddaeth yn dra chyfarwydd, fel 'Yr Argyfwng Gwacter Ystyr'.[141] Daeth o dan ddylanwad Paul Tillich a Dietrich Bonhoeffer, a chafwyd ym-driniaethau ar y rhain gan eraill yn y Cyfundeb.[142] Argyhoeddiad J. R. Jones oedd bod Duw'r Tragwyddol yn llefaru wrthym mewn acenion newydd a dieithr.[143] Credai eraill hynny, fel Gwilym Roberts, Pontllyfni, a ysgrifennai erthyglau wythnosol, a'r rheini'n gwbl wreiddiol, yn *Y Cymro*.[144]

Teimlai efengylwyr o fewn yr enwad yn gwbl anfodlon ar agwedd Gwilym O. Roberts. Eilun y garfan bwysig hon oedd y Parch. Ddr Martyn Lloyd-Jones, Cymro Cymraeg a fagwyd a'i feithrin yn yr enwad.[145] Dylanwadodd Dr Martyn, fel y'i hadweinid, ar lu o bregethwyr efengylaidd y Cyfundeb, a bu hynny'n andwyol pan benderfynodd rhai ohonynt, fel W. Vernon Higham, adael y Cyfundeb a chyda'i ganlynwyr feddiannu eglwys yr Heath yng Nghaerdydd.[146] Ond gwrthod gadael y Cyfundeb wnaeth y rhelyw ohonynt a thrwy hynny gyfrannu'n helaeth i enwad a gredai mewn efengylu a chyflwyno'r ffydd Gristnogol i'r gymdeithas.[147]

Cefnogodd J. R. Jones ei gyfaill mawr Gwilym O. Roberts yn wyneb beirniadaeth y Parch. Emyr Roberts, y Rhyl, gan ddadlau mai'r dasg bellach oedd cwblhau'r Diwygiad Protestannaidd. Nid oedd athronydd o faintioli Hywel D. Lewis yn cytuno â dadansoddiad J. R. Jones a bu trafodaeth fywiog rhyngddynt ar y cyfryngau torfol.

Gair arall a ddaeth yn ffasiynol trwy J. R. Jones oedd y gair Prydeindod.[148] Gwelai'n glir glwy'r Cymry, 'ffenomenon ryfeddaf a thristaf ein cymdeithas, sef bod cynifer o Gymry mor fileinig wrth-Gymreig'.[149] Gwelodd yr athronydd fod crefydd wedi 'cadw'r Gymraeg yn fyw drwy roi tasg iddi i'w chyflawni, sef y dasg o achub eneidiau'.[150] Ond yr oedd yr enwad yn ei chael hi'n anodd achub eneidiau, ac roedd ambell un yn cydnabod hynny.[151] Ond credai J. R. Jones, fel llu o weinidogion ac arweinwyr ei Gyfundeb, mai'r 'iaith sydd yn rhoddi arbenigrwydd i'r Cymry'.[152] Galwad i 'wneud yr amhosibl' oedd gan J. R. Jones, a derbyniai ei gysur o broffwydi'r Hen Destament, er enghraifft Jeremeia.[153]

Arweiniodd J. R. Jones feddwl yr enwad ar yr arwisgo yng Nghaernarfon yn 1969, gan ysgrifennu'n faith ar y pwnc oherwydd iddo weld yr holl sbloet fel 'brad y deallusion'.[154] Beirniadodd ymweliad Tywysog Cymru ag Eisteddfod Genedlaethol yr Urdd yn Aberystwyth pryd y traddododd anerchiad byr mewn Cymraeg graenus a chroyw. Gresynai R. E. Griffith, aelod teyrngar o'r enwad, am y 'brotest dila honno' pan gerddodd cant o Gymry ifanc allan fel protest cyn i'r Tywysog Siarl ddechrau llefaru.[155] Methodist arall a ofidiai am y brotest oedd D. Elystan Morgan, Aelod Seneddol Llafur Ceredigion.[156] Sylw J. R. Jones oedd hyn: 'Dim ond pobl ag anaf ar eu meddyliau a fethai ag adweithio'n chwyrn ac ar unwaith i daeogrwydd yr orohïan hwn.'[157]

Blwyddyn drist oedd 1970 i enwad y Methodistiaid Calfinaidd. Bu farw'r Athro J. R. Jones yn gynamserol, a chymaint ganddo i'w roi i'w enwad, i Gymdeithas yr Iaith, ac i fudiad Adfer.[158] Ond nid ef oedd yr unig golled i dystiolaeth y Methodistiaid i'r genedl Gymraeg. Collwyd hefyd Syr Ifan ab Owen Edwards, J. E. Jones, Cynan a D. J. Williams, Abergwaun.[159] Yng nghylchgrawn *Barn* (Chwefror 1970) creodd Tegwyn Jones lun pen-ac-inc i goffáu D. J. Williams. Gwelir yn y llun fachgen a merch ieuanc – y ddau'n aelodau o'r Blaid a Chymdeithas yr Iaith – yn taflu'n garedig un rhosyn syml ar ei fedd yn Rhydcymerau. O dan y darlun dywedant â'r un didwylledd: 'Diolch, D J!'[160] Gellid cymhwyso cwpled a luniodd J. Eirian Davies yn ei soned ar ôl colledion tebyg yn 1962:

> Y Beili Angau, a ddaethost yma fel chwalwr
> Am iti glywed bod y genedl wedi mynd yn fethdalwr?[161]

A dyna fu'r drafferth ar hyd y degawdau: colli arweinwyr a'r cymunedau'n methu cynnal y capeli yn y gymdeithas a oedd yn prysur seciwlareiddio, a llawer o gefnu ar yr enwad.[162] Er hynny, cafwyd eithriadau ar hyd a lled y wlad. Sylwyd bod Dyffryn Clwyd yn llwyddo'n rhyfeddol yn y saithdegau a'r wythdegau. Pan symudodd y Parch. Arthur Jones i Lanrhaeadr, Dyffryn Clwyd, yn 1962 rhestrwyd 158 o aelodau ar lyfrau'r capel; erbyn 1985 cynyddodd y nifer i 220, ffrwyth y bugeilio oedd yn un o flaenoriaethau'r cennad.[163] Ac nid eithriad oedd Llanrhaeadr. Ar gyrion tref Dinbych safai Capel y Fron, a phan dderbyniodd y Parch. Eifion G. Jones yr alwad o Ddyffryn Banw yn 1965, rhestrwyd 220 o aelodau yno. Ugain mlynedd yn ddiweddarach rhifai'r capel 241 o aelodau, gyda 127 yn yr Ysgol Sul.[164] Digwyddodd yr un peth yn hanes Capel Salem, Treganna, Caerdydd, o dan arweiniad y Parch. Evan Morgan yn nechrau'r unfed ganrif ar hugain.[165] Yr oedd ffactorau cymdeithasol yn gyfrifol am lwyddiant y capeli hyn i ennill tir fel yr oedd rhesymau eraill am ddirywiad capeli eraill. Gwendid pennaf yr enwad yw iddo anwybyddu gwyddor cymdeithaseg.[166] Ceisiwyd llenwi'r bwlch yn y saithdegau wrth astudio capeli ymneilltuol yng Nghwm Cynon, lle y gwelwyd y berthynas agos rhwng y gweithle yn y pwll glo a'r strwythur capelyddol.[167] Bu'n rhaid aros am ugain mlynedd i gael astudiaeth arall oedd yn berthnasol i'r enwad mewn rhan arall o Gymru a hynny ar gapeli'r enwad yn unig. Gwnaed ymgais ddilys yn 1996 i edrych ar y sefyllfa mewn ymchwil gymdeithasegol.[168] Neilltuwyd yr ymchwil i ofal y Brifysgol Agored yng Nghymru ac edrychwyd ar 25 o gapeli ar arfordir gogledd Cymru. Ymatebodd 22 o'r capeli, sef 88%, i'r holiadur, y mwyafrif yn Sir Conwy (pymtheg), a saith yn Sir Ddinbych. Rhoddwyd pwysigrwydd ar Sul arbennig, sef 3 Tachwedd 1996, i lenwi'r holiadur.[169] Mynychodd 949 o oedolion y capeli hyn ar y Sul hwnnw a 131 o blant mewn ugain o gapeli.[170] Cafodd Diana Gregory, a oedd yng ngofal yr ymchwil, anhawster i ddod o hyd i ddadansoddiad ar fater perthyn i gapel ac ymroddiad llwyr i'r achos. Gwelwyd yn glir fod yna gysylltiad rhwng mynychu'r oedfaon ac aelodaeth, ac y gellid disgwyl i gapel gyda chant o aelodau gael hanner cant yn bresennol yn y gynulleidfa.

Mae'n amlwg hefyd mai gwragedd yw asgwrn cefn y gynulleidfa erbyn canol y nawdegau. Yn wir, mae hyn yn wir yn hanes diwylliant Cymraeg a gweithgareddau yn y gymdeithas Gymraeg yn gyffredinol.[171] Yr oedd mwy o wragedd yn bresennol nag y gellid ei ddisgwyl, a sylweddolwyd hefyd mai'r to hynaf yw cryfder capeli'r enwad. Gwelwyd bod y rhan fwyaf o'r aelodau rhwng 60 a 79 mlwydd oed, a bod hanner aelodau'r capeli o dan y chwyddwydr dros drigain oed, sef 58%.[172] Y grŵp gwannaf yn y capeli Presbyteraidd hyn oedd y dosbarth rhwng deunaw a phedwar ar hugain oed, sef 4.9%. Roedd y nifer hwn yn drychinebus o isel.[173] Yr oedd nifer yr aelodau o dan ddeugain oed yn 17.6 %, ond yn ôl yr ymchwilydd ni ddylem ofidio gormod oherwydd gellid dadlau bod pobl bellach yn gohirio dod yn aelodau dibynnol a gweithgar hyd nes eu bod yn hŷn.[174]

Casgliad arall a wnaed oedd bod y capeli yn y Cyfundeb sy'n dirywio yn dal i ennill aelodau newydd. Ymunodd 208 o aelodau newydd ag 21 o'r eglwysi hyn rhwng 1991 a 1995, bron i 10% o'r aelodaeth gyflawn o 2,132 o aelodau. Daeth 13.9% o'r byd, 18.7% o enwadau eraill a'r mwyafrif, 67.3%, o blith pobl a fagwyd yn y capeli neu o blith rhai oedd yn wrandawyr.[175] Ond, yn anffodus, nid oedd yr holiadur yn y cyswllt hwn yn ddigon manwl.

Wrth drafod gweithgarwch ar y Sul mewn oes o ddirywiad, gwelwyd yn 1996 fod y rhan fwyaf o'r capeli yn dal i gynnal dwy oedfa, a chwech yn cynnal un oedfa ar y Sul.[176] Gwelwn fod traddodiad yn parhau i fod yn bwysig.[177] Roedd y mwyafrif, sef pymtheg (71.4%), yn cynnal oedfaon undebol yn achlysurol, ond pedair eglwys oedd yn trefnu hynny. Yr oedd pob un o'r eglwysi o dan ystyriaeth o fewn pum milltir i gapel Presbyteraidd arall, ac 21 ohonynt o fewn milltir i gapel o enwadau Protestannaidd eraill.[178]

Sylweddolwyd bod Cymdeithas y Chwiorydd yn bwysicach nag unrhyw gymdeithas arall. Cynhelid y cyfarfodydd hyn mewn 16 o'r 22 o eglwysi (72.7%), ac mae hyn yn adlewyrchu'r ffaith mai'r merched sydd yn y mwyafrif.[179] Nid oedd Cyfarfodydd y Brodyr mewn bodolaeth.

Wrth astudio ysgol Sul y plant, 14 o 22 (63.6%) o gapeli a gynhaliai'r sefydliad pwysig hwn, magwrfa ar gyfer y capeli.[180] Dim ond wyth o'r capeli, ar y llaw arall, oedd yn paratoi ar gyfer cyfarfodydd y plant yn yr wythnos.[181] Defnyddid yr adeiladau, fodd bynnag, gan gymdeithasau eraill, yn bennaf Merched y Wawr ac ar gyfer ymarferion corau meibion a chorau cymysg. Sylwer bod y rhan fwyaf o'r capeli yn yr astudiaeth yn cau eu drysau ar hyd yr wythnos i'w haelodau ac i'r gymdeithas o'i hamgylch.[182] Wrth drafod y weinidogaeth yr oedd y rhanbarth a ddewiswyd i'w astudio yn ddigon ffodus o ran gweinidogaeth lawn amser ac yn dra bodlon gyda'r sefyllfa. Dim ond dwy o'r eglwysi oedd yn cwyno nad oeddynt yn cael digon o wasanaeth y bugail.[183] Yn 1996 yr oedd 766 o gapeli (77.6%) yr enwad yn addoli drwy gyfrwng yr iaith Gymraeg a 221 (22.4%) yn addoli drwy gyfrwng y Saesneg.[184] Roedd 73% o'r capeli yn yr arolwg yn addoli'n gyson yn Gymraeg, ond pan oedd yn fater o gyfathrebu, cymdeithasu a sgwrsio mae'r ganran yn gostwng i 64%.[185] Mae'r gymdeithas o'i hamgylch yn Seisnig eu hiaith a'i hagwedd. Dim ond un ardal a gafwyd lle'r oedd y Gymraeg yn iaith y gymuned ac un ardal arall â'r sefyllfa yn hanner a hanner yn ieithyddol. Yn ardal Sir Conwy yn 1991 gwelwyd bod 32.1% o'r boblogaeth dros dair oed yn medru siarad, darllen ac ysgrifennu Cymraeg, ac yn Sir Ddinbych yr oedd y nifer yn 28.3% o'r boblogaeth.[186] Lleolid y capeli Cymraeg hyn mewn amgylchfyd Seisnig. Y rhyfeddod pennaf yw nad oedd un o'r capeli yn cynnig dosbarthiadau Cymraeg i oedolion, er gwaethaf y ffaith fod yr enwad wedi bod yn gyfrwng ardderchog ar gyfer cadw'r iaith yn iaith y ffydd. Rhaid sylwi hefyd fod mwy o aelodau'n mynychu oedfaon y Sul pan y'u cynhelid yn yr iaith Saesneg.[187]

Wrth gyfeirio at yr adeiladau a berthyn i eglwysi'r astudiaeth, sylwir bod hanner y deunaw capel yn parhau i fod â rhwng 200 a 499 o aelodau. Y mae'n amlwg fod y capeli a'r ysgoldai yn eang eu maint a'r angen pennaf oedd ystafelloedd llai. Yr oedd tri o'r capeli hyn heb doiledau o gwbl, a oedd yn wendid affwysol lle ceid plant bychain a henoed, a methwyd addasu'r holl adeiladau ar gyfer yr anabl, er bod bron i 65% o'r adeiladau wedi ystyried a gweithredu'r cynlluniau hynny. Rhan allweddol o'r capeli yw'r ceginau, a nodir bod cegin i'w chael ym mhob un o'r capeli.[188] Yn y capeli a astudiwyd, ni chafwyd ffôn na swyddfa. Dim ond un o'r 36 o adeiladau oedd â swyddfa a ffôn symudol ynddi, ar gyfer y gweinidog a'r swyddogion. Gwelir yr un diffyg gyda chyfleusterau chwaraeon: doedd dim un eglwys yn cynnig cyfleusterau chwarae pêl-droed neu dennis. Un eglwys yn unig a gynigiai gyfleusterau badminton, a dwy eglwys yn meddu ar fwrdd tennis. Nodwyd hefyd mai ychydig o fewn yr eglwysi oedd â gwir ddiddordeb yn y strwythur enwadol.[189] Daethpwyd i'r casgliad, ar ddiwedd yr astudiaeth hon, fod lle mawr i gryfhau'r dystiolaeth Gristnogol o fewn cynifer o gapeli Presbyteraidd ar y Sul a noson waith, a chyfrifoldeb pwysig ar y capeli i gydweithio mwy o dan yr Eglwysi Rhyddion a Chytûn. Gwelir yr angen i gyflawni gwaith y weinidogaeth Feiblaidd, trwy astudiaethau Beiblaidd, ac i ymweld â chartrefi i wahodd ymateb ac i roi gwybodaeth am yr hyn a ddigwyddodd.[190] Gwelir hefyd yr angen i lunio astudiaethau cyson ar hyd a lled yr enwad er mwyn deall y sefyllfa a threfnu cynlluniau a fyddai'n cryfhau tystiolaeth y capeli yn y gymdeithas seciwlar ôl-fodernaidd. Ond ni ddylid anghofio pwyllgorau'r Sasiynau o fewn y Cyfundeb a thu allan iddo ar faterion cyhoeddus a phynciau llosg y dydd.[191] Bu sefydlu'r Bwrdd Eglwys a Chymdeithas yn 1984 yn gwbl allweddol i fagu cydwybod ac arweiniad ar faterion heddwch a chymod, condemnio arfau niwclear a phledio diarfogi, a datgan pryder am argyfyngau newydd ym Mangladesh, Ethiopia, a Rwanda, rhyfeloedd cartref Gogledd Iwerddon a Bosnia a rhyfeloedd imperialaidd Fietnam, Irac ac Afghanistan, heb anghofio anghenion pobl Cymru, yn arbennig yr angen am Senedd neu Gynulliad.[192]

Un o weithgareddau pwysicaf y Bwrdd Eglwys a Chymdeithas am ddegawd o leiaf oedd trefnu cyfarfod â'r Gweinidog dros Gymru yn San Steffan, ac yna cyfarfod mewn ystafell yn Nhŷ'r Cyffredin gyda gwleidyddion o Gymru o bob plaid a oedd yn aelodau o enwad y Methodistiaid Calfinaidd yn Nhŷ'r Arglwyddi a Thŷ'r Cyffredin. Deuai eraill yn eu tro i'r cyfarfod, ond yr adeg honno yr oedd digon o Bresbyteriaid Cymraeg yn San Steffan. Gwerthfawrogai Geraint Howells (Ceredigion), Wyn Roberts (Conwy), Emlyn Hooson (Maldwyn), Dafydd Elis-Thomas (Meirionnydd a Nant Conwy), John Morris (Aberafan) a'r Arglwydd Cledwyn Hughes y consýrn am fuddiannau Cymru a hefyd y gofal bugeiliol amdanynt gan Ann Clwyd (Aberdâr), yr Arglwydd Gwilym Prys Davies, Beti Williams (Conwy), Dafydd Wigley (Arfon), Cynog Dafis (Ceredigion a Gogledd Penfro), Paul Flynn (Gorllewin Casnewydd) ac Alun Michael (De-ddwyrain Caerdydd). Cynhelid y cyfarfodydd hyn o dan gadeir-yddiaeth naill ai Cledwyn Hughes neu John Morris, a braf oedd cael sylweddoli bod y rhai a ddeuai i'n cyfarfod am orig yn cyfrannu'n helaeth i'r agenda a oedd yn bwysig i'w Cyfundeb. Cyfrannodd John Morris, Wyn Roberts a Cledwyn Hughes yn helaeth fel Methodistiaid Calfinaidd. Gwyddom i Cledwyn Hughes gyfrannu yn yr Ail Dŷ yn yr wythdegau i sicrhau bod y Blaid Lafur, wedi siomedigaeth Refferendwm 1979, yn adeiladu'n greadigol tuag at ofynion cenedlaethol Cymru. Deallwn iddo gyfrannu gymaint â neb i sylweddoli'r nod hwnnw.[193]

Bu Cledwyn Hughes hefyd yn allweddol yn yr ymgyrch dros ddeddf iaith newydd, er iddo ymateb yn araf ar y dechrau. Ond fe ddaeth i weld yr angen, a chyda chymorth allweddol Bwrdd yr Iaith, gyda John Walter Jones, Methodist Calfinaidd, yn Brif Weithredwr, a chymorth tra phwysig Wyn Roberts, AS yn y Swyddfa Gymreig, enillwyd y frwydr honno yn 1993 ond nid heb gryn ymgyrchu ar ran mudiadau Cymreig, yr enwadau, ac yn bennaf oll Cymdeithas yr Iaith Gymraeg.[194] Bu'r ddeddf hon yn gyfrwng i gryfhau defnyddio'r iaith ym mywyd cyhoeddus Cymru.

Yng nghyfnod y dirywiad crefyddol gellir cyfrif yr ymgyrchu o du'r enwad am ddeddfwriaeth, o ddyddiau Syr Dafydd Hughes Parry i ddyddiau Syr Wyn Roberts, yn dra chalonogol.[195] Ni wireddwyd holl ddyheadau'r ymgyrchwyr mwyaf brwd yn eu plith, ond ystyriwyd llawer o faterion pwysig o ganlyniad i Ddeddfau Iaith 1967 a 1993 a Deddf Addysg 1988. Geilw'r Cyfundeb bellach am ddeddf i gau'r bylchau yn Neddf 1993 ac i gydnabod hawliau ieithyddol siaradwyr y Gymraeg yn eu gwlad eu hunain.

Arweiniodd y Bwrdd Eglwys a Chymdeithas ymgyrch i alw am ddeddfwriaeth i warchod parhad y gymuned Gymraeg yn yr hyn a elwir y fro Gymraeg, lle mae oddeutu 70% o'r boblogaeth yn defnyddio'r iaith yn eu bywyd beunyddiol.[196] Llwyddwyd i gynnal cynhadledd yng Nghaerdydd yn 2001 pryd y gwahoddwyd enwadau Cytûn a'r mudiadau iaith a diwylliant. Penodwyd dirprwyaeth i gyfarfod â Gweinidog yr Iaith Gymraeg yn y Senedd yng Nghaerdydd.[197] Gan nad oedd y Gweinidog, Jane Davidson, yn medru trafod yn Gymraeg bu'n rhaid cynnal y drafodaeth yn Saesneg. Ni ddaeth dim byd o'r ymgyrch er bod y sefyllfa'n adfydus gydag ysgolion yn cau a chapeli'n diflannu, a llawer o'r mewnfudwyr yn anwybyddu'r sefyllfa ac yn esgeuluso deall a dysgu iaith eu bröydd newydd. Dywed Cyfrifiad 1991 mai dim ond mewn 81 o fröydd y ceid mwy nag 20% yn rhugl yn y Gymraeg.[198] Golygai hynny 155,000 o siaradwyr ac erbyn Cyfrifiad 2001, roedd y nifer wedi gostwng i 54 o fröydd, sef 81,000 o siaradwyr.[199]

Gweinidog a feirniadwyd yn llym am ei filitariaeth, y Parch. Ddr John Williams, Brynsiencyn, oedd Llywydd y Gymanfa Gyffredinol ar ddechau'r Rhyfel Byd Cyntaf.[200] Cynhaliwyd y Gymanfa Gyffredinol yn Eglwys Stanley Road, Bootle, ar 26-8 Mai 1914, ac yn ei anerchiad cynhwysfawr a hynod o bwysig o'r Gadair cyffyrddodd y pregethwr eneiniedig â thri mater, sef rhyfel a heddwch, cymdeithas a chyflwr y dinasyddion, a dyfodol yr iaith Gymraeg a'r enaid. Ni chafwyd gwell anerchiad o Gadair y Gymanfa Gyffredinol yn ei holl hanes. Ni allai mwyafrif aelodau'r Corff gytuno â'r Dr John Williams ar fater 'rhyfel cyfiawn' ond gall cyfartaledd uchel gytuno â'r gosodiad hwn o'i eiddo: 'Nid swydd Senedd yw deffro cydwybod, swydd Eglwys Dduw yw hynny.'[201]

Go brin y byddai pobl gogledd Môn bellach yn cytuno ag ef 'mai ar lethrau Mynydd y Garn yn Llanfairynghornwy, Ynys Môn, y seinir ei hacenion olaf, ac mai i ryw gapel bychan ar lethrau'r mynydd hwnnw yr ymgynullia'r gynulleidfa Gymraeg olaf'.[202] Y mae'n debycach mai yng Nghaerdydd, yn nhrefedigaeth Treganna, y seinir ei hacenion olaf, ac mai yn un o gapeli Caerdydd neu Bangor neu Lanfair PG neu Wrecsam yr 'ymgynulla y gynulleidfa Fethodistaidd Calfinaidd olaf'.[203] Cyfyd y Parch. John Williams y cwestiwn: 'Dros ba hyd y mae yr Hen Gorff yn mynd i fyw?'[204] Y mae wedi byw yn hwy nag y disgwyliai rhai o'i charedigion fel Islwyn Ffowc Elis a John Owen (Llanbedr).[205] Ond i fyw ymhellach na'r flwyddyn 2030 y mae rhaid iddi o leiaf gyflawni tri pheth yn ddiymdroi:

(a) Adfer ei chydwybod cymdeithasol, sydd heb ddiflannu mewn llawer capel a bod yn effro i'r hyn sy'n digwydd o'i hamgylch. Yr unig waddol sydd gennym o'r Diwygiad Methodistaidd yw'r ddiwinyddiaeth Galfinaidd, a gwelwyd grymusterau'r Galfiniaeth ym mywyd Cymru yn y ganrif a hanner a ddilynodd. Digwyddodd y dirywiad pan anwybyddwyd y ddiwinyddiaeth. Er mor wych oedd *diagnosis* J. R. Jones, nid oedd ei wreiddiau'n ddigon Calfinaidd, ac yr oedd yn rhy annelwig. Ganwyd yr enwad i dystio yn 1811 i benarglwyddiaeth Duw a chyfiawnhad trwy ffydd a gweithredoedd grasol. Trefnwyd, yn ôl John Calfin, fframwaith a ddaeth, fel y tystiodd Islwyn Ffowc Elis, yn 'ffurf lywodraeth bresbyteraidd i gymdeithas seciwlar, yn esiampl o lywodraeth ddemocrataidd', ond fe rydd y rhybudd, 'ac aeth ei hun yn fiwrocrataidd'.[206] Dyna a deimla gwerin gwlad yn aml pan sonnir am 'y swyddfa yng Nghaerdydd', sydd wedi cael gweinyddwyr i ofalu fod y rhwydwaith yn gweithredu, ond sydd ddim bob amser yn sylweddoli'r angen i fod yn hyblyg, yn gefnogol, ac yn llawn cydymdeimlad. Rhoddodd Calfiniaeth yn yr ugeinfed ganrif ruddin i filoedd o aelodau'r enwad: dynion cyffredin a ddaeth yn anghyffredin, ac wynebu ing rhyfeloedd a thlodi'r dauddegau a'r tridegau wrth amaethu ar yr ucheldiroedd neu weithio ar y graig yn y chwarel neu ym mhyllau glo a diwydiant alcam a dur Morgannwg, Sir Gaerfyrddin a Gwent.[207]

(b) Cryfhau ei Chymreictod ym mhob agwedd o fywyd. Ni fendithiwyd unrhyw enwad â Chymry mor greadigol ynddo â'r

Methodistiaid Calfinaidd. Yn y cyfnod dan sylw, o ddechrau'r Rhyfel Mawr hyd at y presennol, gellir enwi cenedlaethau o wŷr a gwragedd, ordeiniedig a lleyg, a gyfrannodd yn helaeth i bob agwedd ar fywyd ein cenedl. Wrth ysbrydoli a dylanwadu ar y rhain cyflawnodd yr enwad y rheswm da dros ei fodolaeth.

(c) Dathlu bywyd am ei fod yn rhodd Duw a bod pob bywyd yn unigryw. Cyfrinach mawr y Methodistiaid Calfinaidd oedd iddynt feithrin, dysgu, gofalu a gosod canllawiau ar gyfer eu plant a'u pobl ieuainc a'u haelodau gan bwysleisio gwerth cymeriad a phwysigrwydd gofal am ein gilydd, gwerthoedd teulu a brawdoliaeth, a gwarchod daioni. Gwir y dywedodd R. Ifor Parry: 'Deil Ymneilltuaeth cyhyd ag y gwêl dynion eu bod yn byw mewn argyfwng. Ei braint a'i thasg ydyw egluro bywyd yn nhermau Croes – lle y gwelwyd dyn yn awr fawr ei argyfwng, ac y gwelwyd Duw yn awr fawr ei Iachawdwriaeth.'[208]

Nid rhaid ofni'r gair argyfwng. Fel y dywedodd Paul Tillich a J. R. Jones, grym enwad fel y Methodistiaid Calfinaidd ac enwadau tebyg yw'r argyhoeddiad sylfaenol fod y Cristion yn wynebu ar argyfwng bob awr o'r dydd.[209] Ni allwn ddianc rhagddo. Y mae'n argyfwng arnom fel enwad ond felly y mae i fod. Dyna a rydd inni argyhoeddiad ac anturiaeth, i wynebu'r sialens a chofio nad oes arnom hawl ar ddim byd ond rhyddid i gredu ac i ymddiried. Argyfwng cred yw argyfwng pennaf ein haelodau, ac nid yw hynny'n newydd chwaith. Daw cred â rhuddin cymeriad sy'n goroesi. Os yw am dystio i'r ganrif hon, bydd raid i'r enwad gyfuno cymdeithaseg a diwinyddiaeth, cred a thystiolaeth, ffydd a gweithredoedd grasol, moliant a myfyrdod; rhoi pwyslais ar deyrngarwch a chefnogaeth, ffurfio cwmnïau i gynhyrchu drama a pherfformio, pregethu a darlithio, cyflwyno a chwaraeon fel pêl-droed. Ond yn y pen draw un peth yn unig a saif, sef cymeriad y crediniwr. Pan holodd yr Arglwydd Brian Morris yr Athro D. Simon Evans am ei gefndir fel un a fu'n fyfyriwr yn y Coleg Diwinyddol, yn bregethwr lleyg, yn flaenor yng Nghapel Siloh, Llanbedr Pont Steffan, ac yn arbennig yn Galfinydd, dywedodd yr ysgolhaig a'r credadun wrtho: 'Yr hyn sy'n fy nenu i at Galfiniaeth yw ansawdd y cymeriad a gynhyrchir ganddi.'[210] Fel y dywedodd ei gyd-ysgolhaig a gŵr tebyg iddo, sef yr Athro J. E. Caerwyn Williams: 'Yr oedd ef ei hun yn enghraifft dda o'r math o gymeriad y mae Calfiniaeth Sir Gaerfyrddin yn ei gynhyrchu.'[211] A dyhëwn gyda J. Eirian Davies, un o'n beirdd, am beidio â cholli gafael ar hanfodion ein hetifeddiaeth wedi inni ddathlu dau-canmlwyddiant ein bodolaeth fel Cyfundeb:

Ym melinau'r de a'r gogledd mae'r dur erbyn hyn yn oeri,
Mae'r gweithwyr a'r perchenogion, fu yn nannedd ei gilydd yn
poeri,
Bellach i gyd wedi blino; yn cyndyn sychu eu gweflau
Ac yn gweld fod i'r drefn gyfalafol ei haflwydd a'i weflau.

Edrych arnom, O! Arglwydd, edrych yn awr ac fe'n gweli
Wedi hen ddibrisio'th adnodau, a drysau cau i'r capeli,
Cadw ni rhag ein cael mewn cywilydd o'th flaen yn tragwyddol
wylo
Am ddatod cwlwm Rhaff yr Angor oedd mor saff yn ein
dwylo.[212]

Rhydd yr Athro D. Densil Morgan, hanesydd Cristnogaeth yng Nghymru, rybudd ar ddiwedd ei astudiaeth werthfawr o'r ugeinfed ganrif: 'Yet solidarity with the world cannot be achieved on the world's terms; Christian distinctiveness will only thrive if they conform to the biblical revelation and remain rooted in sound doctrine.'[213]

Geiriau o sobrwydd a geiriau y mae'n rhaid i'r enwad eu hystyried mewn oes sy'n fwy seciwlar na chyfundrefnol grefyddol.

1 Andy Misell, '"Ysgol Ifan ap" 1939', *Llyfr y Ganrif*, t. 167. Rhydd ef reswm am y brys i agor yr ysgol: 'At hyn, yr oedd rhywfaint o argyfwng addysg wedi datblygu yn Aberystwyth, am fod y dref newydd dderbyn nifer mawr o ifaciwïs o Lerpwl. Gydag ysgol y dref yn orlawn a'r plant yn gorfod dysgu mewn dwy sifft, gwelodd Ifan ab Owen Edwards ei gyfle i leihau'r baich ar yr ysgol ac i sefydlu dosbarth Cymraeg. Sicrhaodd athrawes, Norah Isaac, ac addaswyd rhai o ddodrefn Canolfan yr Urdd ar gyfer plant bach.'

2 Cofnod o luniais ar y Parch. John Ellis Meredith, gw. yba.llgc.org.uk.
3 Ibid.
4 Cyn-ddirprwy Ysgrifennydd y Cabinet Prydeinig oedd y Dr Thomas Jones, oedd yn enedigol o Rymni, ac un a fu'n Fethodist Calfinaidd o'i febyd, fel y gwelir yn ei gyfrolau hunangofiannol Cymraeg a Saesneg, e.e. *Rhymney Memories* (1938), *Leeks and Daffodils* (1942), *Cerrig Milltir* (1942), *The Native never Returns* (1946), *Welsh Broth* (1951). Dylanwadwyd yn drwm arno gan y Prifathro Thomas Charles Edwards, un o ddiwinyddion pennaf ei enwad. Ceir cofiant safonol iddo gan E. L. Ellis, *T J: A Life of Dr Thomas Jones* (Caerdydd, 1992). Daw'r dyfyniad o ysgrif D. Myrddin Lloyd ar y Parch. Dan Evans yn y gyfrol *Namyn Bugail*, t. 65.
5 Yr oedd yn ŵyr i'r seraff bregethwr John Jones, Tal-y-sarn. Gw. G. A, Edwards, 'John Jones (1796–1857), yba.llgc.org,uk.
6 Er bod George M. Ll. Davies yn dechrau llesgáu'n gorfforol ar ddechrau'r Ail Ryfel Byd ni fu ei ysgrifbin yn segur fel y gwelir yn ei gyfraniadau i Bamffledi Heddychwyr Cymru, sef y bennod gyntaf yn *Ymwrthodwn â Rhyfel* (Rhif 2), *Gandhi a Chenedlaetholdeb India* (Rhif 9), *Cenhadon Hedd* (John Morgan Jones a John Puleston Jones yn yr ail gyfres, a dau o'i arwyr o blith gweinidogion yr Hen Gorff); a *Triniaeth Troseddwyr* (Rhif 1 yn y drydedd gyfres), a phamffledyn telynegol Saesneg, *Around the Malthouse*. Yn ei gyfrol ar *Joseph Rowntree-Tillett* (1942) ceir hanes yr Hen Fragdy yn y Wig, ger y Bont-faen, lle cynhelid y gwersyll gwyliau o dan ei ofal o 1932 hyd 1939. Bu'r gwersyll hwn yn ddylanwad parhaol ar lawer o drigolion y Cymoedd, yn cynnwys capeli MC, yn arbennig y rhai difugail, y bu ef yn pregethu ynddynt ar hyd y tridegau. Gw. E. H. Griffiths, 'George Maitland Lloyd Davies (1880–1949)', yn *Herio'r Byd*, tt. 35–7. Gw. D. Ben Rees, 'Cefndir a Blynyddoedd Cynnar Alun Roderick Edwards (1919–1939)', yn Rheinallt Llwyd (gol.), *Gwarchod y Gwreiddiau: Cyfrol Goffa Alun R Edwards* (Llandysul, 1996), tt. 41–2. Gw. Alun R. Edwards, *Yr Hedyn Mwstard, Atgofion* (Llandysul, 1980).
7 Gw. D. Ben Rees, 'Cefndir a Blynyddoedd Cynnar Alun Roderick Edwards (1919–1939)', yn Rheinallt Llwyd (gol.), *Gwarchod y Gwreiddiau: Cyfrol Goffa Alun R. Edwards* (Llandysul, 1996), tt. 41–2. Gw. Alun R. Edwards, *Yr Hedyn Mwstard: Atgofion*.
8 Am David Rowland Hughes (Myfyreifion'), gw. E .H. Griffiths, *Bywyd a Gwaith D R Hughes* (Caernarfon, 1965). Ei gymwynas fawr oedd cyhoeddi, er gwaethaf prinder papur, y misolyn *Cofion Cymru* (1941–6) a'r chwe llyfr anrheg (1943–6) a ddosbarthwyd yn rhad i'r Cymry yn y lluoedd arfog.
9 LlGC Papurau W. J. Gruffydd, rhif 348. Llythyr D. R. Hughes, Llundain, at W. J. Gruffydd, dyddiedig 19 Hydref 1936.
10 Gw. Herbert Hughes, *Mae'n ddiwedd byd yma... Mynydd Epynt a'r Troad allan yn 1940*, (Llandysul, 1997), t. 90.
11 Lluniodd y Parch. John Roberts a swyddogion y Gymdeithasfa benderfyniad cryf yn gwrthwynebu a chlywir tinc a gofid blynyddoedd

y locustiaid ar y genedl Gymreig. Nid yw'r penderfyniad yn pwysleisio o gwbl ofid gweinidog ac aelodau capel y Babell o golli eu cysegr, ond yn hytrach y difrod a wnaed yn yr ecsodus o gymoedd y de yn y dirwasgiad a'r effaith a ddaw bellach i gymunedau cefn gwlad. Ceir penderfyniad llawn yng nghyfrol ddadlennol Hughes, *Mae'n ddiwedd byd yma...*, t. 95.

12 Gomer M. Roberts, *Y Ddinas Gadarn: Hanes Eglwys Jewin, Llundain* (Llundain, 1974), t. 214. 'Blwyddyn o ing a blinder a fu 1940 yn ein hanes fel pobl,' meddai'r Parch. D. S. Owen yn llawlyfr y flwyddyn honno: 'Fore Mawrth, Medi 10 (ac yntau ar ddychwelyd adref o'i gyhoeddiad yn Aber-fan ym Morgannwg) ein cysegr hoff a wnaethpwyd yn anrhaith, rhwygwyd mewn cynddaredd ynfyd y muriau a'r rhagfuriau a oedd yn wastad ger ein bron, a'r allor deg a faluriwyd.'

13 Am David Samuel Owen, gw. G. M. Roberts (yba.llgc.org.uk). Ordeiniwyd ef yn 1913, a bu'n weinidog yng nghapel Siloh, Llanelli (1913–15) cyn cael ei alw i ofalu am eglwys Jewin. Llundain, lle bu am 44 mlynedd. Bu dinistr Jewin yn siom enbyd ac ni chafodd fyw i weld agor yr adeilad newydd. 'Yr oedd Jewin yn fwy na chapel i eglwys ac enwad; yr oedd ei hanes wedi ei wneud yn eiddo i'r genedl.' Roberts, *Y Ddinas Gadarn*, t. 215.

14 Roberts, *Y Ddinas Gadarn*, t. 216.

15 LlGC Papurau Kate Roberts, rhif 299. Llythyr Eirian Roberts a'i mam, Maggie Roberts, at Kate Roberts, dyddiedig 24 Medi 1940.

16 Ibid.

17 Ibid.

18 J. E. Caerwyn Williams (gol.), *Cerddi Waldo Williams* (Gregynog, 1992), t. 37.

19 Gw. E. Meirion Evans a Howell Evans, *Eglwys Stanley Road, Bootle, Agor y Capel Newydd a Chipdrem ar Droeon yr Yrfa o 1926 hyd Fedi 1955* (Lerpwl, 1955); Stephen Roberts, *Hanes Eglwys Fitzclarence Street (Liverpool); Rose Place, 1826–1865; Fitzclarence Street 1865–1915* (Lerpwl, 1915).

20 D. Ben Rees, *Codi Hwyl a Stêm yn Lerpwl* (Lerpwl, 2008), t. 68.

21 Davies, *Llunio Cymru*, t. 185.

22 Am y Parch. James Humphreys, gw. *Y Blwyddiadur*, 1981, tt. 136–7.

23 Cynnig y Parch. James Humphreys oedd: 'Gan fod gorfodi pobl ieuainc o 16 i 18 oed i gofrestru dan y Mesur Gwasanaeth Cenedlaethol (1941) ein bod yn galw sylw rhieni ac eglwysi Cymru at yr angen i'r bobl ieuainc hyn ymuno â mudiad ieuenctid gwirfoddol Cristnogol a Chymreig, ac yn galw eu sylw yn arbennig at y ffaith fod Undeb [*sic*] Gobaith Cymru wedi ei chydnabod yn fudiad swyddogol i'r amcan hwn gan y Llywodraeth'. Gw. 'Cynhadledd Undeb Cymry Fydd', *Y Goleuad*, 25 Chwefror 1942, 3.

24 Am John Roberts gw. Derec Llwyd Morgan, *Tyred i'n Gwaredu: Bywyd John Roberts, Llanfwrog* (Caernarfon, 2010); ídem, *John Roberts Llanfwrog: Pregethwr, Bardd, Emynydd* (Llanbedr-goch, 1999).

25 Gw. 'J R, Carneddi, Gethsamane', *Y Goleuad*, 4 Mawrth 1942, 1.

26 Gw. J. Gwynfor Jones (gol.), *Cofio yw Gobeithio: Cyfrol Dathlu Canmlwyddiant Achos Heol-y-Crwys, Caerdydd 1884–1984* (Caerdydd, 1984).

27 'Eglwys Heol-y-Crwys, Caerdydd', *Y Goleuad*, 11 Mawrth 1942, 1.

28 John Ellis Jones, y Rhyl, Llythyr, *Y Goleuad*, 18 Mawrth 1942, 6. Enillodd Albert Einstein Wobr Nobel yn 1921, a lluniodd rai o ddamcaniaethau pwysicaf gwyddoniaeth yr ugeinfed ganrif. Fel Iddew a anwyd yn yr Almaen, er iddo dreulio'r rhan helaethaf o'i oes yn yr Unol Daleithiau, cymerai ddiddordeb mawr mewn Natsïaeth. Weithiau ceid yn y papurau enwadol lythyrau agored at bobl amlwg neu sefydliadau cenedlaethol. Ymddangosodd llythyr agored at Major Gwilym Lloyd George, AS, yn *Y Goleuad*, 11 Mawrth (1942), 7, ar fater alcohol. Gofynnodd H. Lefi Jones am ei gyfyngu gan ei fod yn creu problemau yr adeg honno. Gwilym Lloyd George oedd yr Aelod Seneddol dros y Blaid Ryddfrydol yn Sir Benfro, ond dros y Rhyddfrydwr Annibynnol yn Etholiad 1935. Gwrthwynebai ef a'i dad, David Lloyd George (Bwrdeistrefi Caernarfon), ei chwaer Megan Lloyd George (Môn) a Goronwy Owen (Arfon) Lywodraeth y Glymblaid.

29 *Y Goleuad*, 1 Ebrill 1942, 3. Yr oedd Thomas Powell yn medru bod yn llym ei fynegiant ar dudalennau'r *Goleuad*. Mewn erthygl ar 'Yr Eglwys a'r fasnach feddwol', *Y Goleuad*, 9 Awst 1941, 5, gresynai fod y Llywodraeth yn gosod temtasiynau gerbron yr ieuenctid yn y lluoedd arfog. Gw. *Y Goleuad*, 6 Mai (1942), 3. Ond prinhau yr oedd dirwestwyr o argyhoeddiad Thomas Powell erbyn yr Ail Ryfel Byd.

30 Am David Phillips, gw. *Y Blwyddiadur*, (1952), tt. 220–1; Morris (gol.), *Deg o Enwogion*, tt. 79–87; yba.llgc.org.uk; R. Meirion Roberts, 'David Phillips', *Y Goleuad*, 29 Awst 1951, 4. Dywedir amdano yno: 'Nid oedd David Phillips yn gaeth i neb na dim ond i Grist, ac oherwydd hynny meddiannodd y rhyddid â'r hwn y rhyddhaodd Crist ef.' Ordeiniwyd ef yn 1905 ond galwyd ef gan ei Gyfundeb i Gadair Athroniaeth a Hanes Crefyddau yng Ngholeg y Bala (1908–27), a bu'n brifathro'r coleg o 1927 hyd 1947.

31 Edrychodd y Prifathro David Phillips ar ddatganiadau Cymdeithasfaoedd Bae Colwyn (1917), Rhosllannerchrugog (Ebrill 1933), Pendleton (Tachwedd 1938) a Bryn-crug (1942) ar fater rhyfel a heddwch a gweld pob un ohonynt yn ddiffygiol. Gw. David Phillips, 'Datganiad Bryncrug ar Ryfel', *Y Goleuad*, 29 Ebrill 1942, 4.

32 'Perthynas yr Eglwys a Rhyfel', Sasiwn y Gogledd, Bryn-crug, 24–6 Mawrth 1942; *Y Goleuad*, 1 Ebrill 1942, 4–6.

33 Nid y Parch. J. W. Jones oedd yr unig un oedd yn anghysurus â sylwadau'r Prifathro David Phillips. Poenai'r Parch. R. R. Hughes, Caergybi, am hyn. Yr oedd ef yn ŵr o ddylanwad. Gw. Morris, *Deg o Enwogion*, tt. 41–6, a *Y Blwyddiadur*, 1958, t. 249.

34 J. W. Jones, 'Barn Darllenwyr', *Y Goleuad*, 8 Ebrill 1942. Lluniodd gyfrol o atgofion am ei fywyd yn filwr yn y Rhyfel Byd Cyntaf, ei berthynas a'i adnabyddiaeth o David Lloyd George, a'r darlun ohono yn bregethwr a bugail y praidd yn Llansannan, Cricieth a Chonwy. R. O. G. Williams (gol.), *J. W. Jones: Crefft Cledd Cennad* (Llandysul, 1971).

35 George M. Ll. Davies, 'Barn Darllenwyr', *Y Goleuad*, 29 Ebrill 1942, 6.
36 J. D. Jones, 'Barn Darllenwyr', *Y Goleuad*, 29 Ebrill 1942, 6.
37 Chapman, *Dawn Dweud: W. Ambrose Bebb*, t. 122.
38 Dywed Chapman amdano: 'Nodwedd arall yr ymglywir â hi o ganol 1940 ymlaen yw ymboeni ysbrydol – peth y buasai Bebb, ar waethaf [*sic*] ei fagwraeth Galfinaidd, bron yn gwbl rydd oddi wrtho cyn hynny.' ibid.
39 Dywed W. Ambrose Bebb ar ôl ei ethol yn flaenor ar 28 Ebrill 1941: 'Pa beth a wnaf? Ai derbyn? Ai......? Ni wn yn iawn. Fe'n dewiswyd ni'n tri [W. A. Bebb, Dr Alun Roberts a'r Athro D. James Jones], rwy'n ofni am ein bod yn wŷr y Colegau – nid am ein bod yn wŷr Duw – er nad amheuaf hynny am y ddau arall.', Chapman, t. 123. Brodor o Lanllyfni oedd y Dr Robert Alun Roberts, a gwnaeth lawer iawn i ad-drefnu amaethyddiaeth yn Sir Gaernarfon yn ystod yr Ail Ryfel Byd. Yr oedd yn ecolegydd, naturiaethwr a hanesydd amaethyddiaeth. *Gwyddoniadur Cymru yr Academi Gymreig* (Caerdydd, 2008), t. 785. Am yr Athro David James Jones, gw. *Y Goleuad* 13 Awst 1947, 6.
40 Andy Misell, 'Papur Bro'r Aifft' 1943, *Llyfr y Ganrif*, t. 183.
41 D. Ben Rees, 'Robert Arthur Hughes (1910–1996)' yn *Llestri Gras a Gobaith: Cymry a'r Cenhadon yn India* (Lerpwl, 2001), tt. 85–7. 'Rhwng 1942 a 1945 deliodd [Dr R. A. Hughes] â miloedd o filwyr a'u swyddogion o bob rhan o'r byd, gan gynnwys nifer o'i bobl ei hun, Cymry'r lluoedd arfog.' Ibid., t. 95; *Blwyddiadur* (1997), tt. 166–7; *Y Goleuad*, 5 Gorffennaf 1996, 3; D. Ben Rees, 'Robert Arthur Hughes, OBE, FRCS' yn *75th Anniversary, 1922–1997, Their Vision, Our Legacy. The K J Synod Hospital, Shillong, formerly known as the Khasi Hill Welsh Mission Hospital* (Shillong, 1997), tt. 51–5.
42 John L. Griffiths, 'Oddi wrth rai sy'n gwasanaethu ein gwlad', *Y Goleuad*, 6 Mai 1942, 7. Bu ef a'i briod yn geidwaid Capel Heathfield Road, Lerpwl o 1953 i 1959. Rees, *Codi Stêm a Hwyl yn Lerpwl*, t. 244.
43 Yn y maes gwleidyddol gellir enwi'r Henadur Llewelyn W. Jones, Amlwch, fferyllydd a blaenor yn y Capel Mawr, Amlwch. Bu'n gymwynaswr i dref Amlwch. Gw. *Llyn y Fendith*, t. 106. Un arall, y tro hwn o dde Cymru, yw Llewellyn Heycock, blaenor yng nghapel Presbyteraidd Bethany, Port Talbot. Gw. *Gwyddoniadur Cymru yr Academi Gymreig,* t. 442. Yn y maes cymdeithasol mae Charles Williams, actor a diddanwr o Fodffordd, Môn yn enghraifft dda. Magodd ddau fab i'r weinidogaeth, y Parch. W. R. Williams, y Felinheli, ac Idris Charles Williams, diddanwr fel ei dad ac efengylydd. Gw. Idris Charles, *Heb y Mwgwd* (Talybont, 2008).
44 Yn ystod yr Ail Ryfel Byd cofnodwyd 2,290 o wrthwynebwyr cydwybodol yng Nghymru, y rhan fwyaf ohonynt yn gwrthod ar sail eu Cristnogaeth. Gw. *Llyfr y Ganrif*, 171.
45 Dywed Mary A. Williams, aelod yn Eglwys Bethel, Heathfield Road, Lerpwl, am ei dyddiau ysgol ym Motwnnog adeg yr Ail Ryfel Byd: 'Amser yr Ail Ryfel Byd oedd hi ond nid amharodd hyn lawer ar ein bywyd ni ym Mhen Llŷn, heblaw i'r Almaenwyr ollwng bomiau tân yma

ac acw ar eu ffordd gartref [*sic*], ar ôl dinistrio dinas Lerpwl. 'Bomio'r Gogledd', *Llyfr y Ganrif*, t. 175.

46 Am y Parch. Robert Owen, gw. *Awen Arfon* (Llandybïe, 1962), t. 159; *Y Blwyddiadur*, 1973, tt. 270–1; Delyth G. Morgans, *Cydymaith*, t. 637. Brawd iddo oedd y Parch. John Owen, Llanbedr, Dyffryn Ardudwy, Meirionnydd, a chwaer iddo oedd y genhades, Margaret Owen, metron Ysbyty'r Genhadaeth yn Shillong o 1948 i 1968. D. Ben Rees, *Llestri Gras a Gobaith*, tt. 148–9.

47 Evans, *Hanes Henaduriaeth Dyffryn Clwyd*, t. 194.

48 Myfyr Evans, 'Parchg John Green, Twrgwyn, Rhydlewis', *Y Goleuad*, 29 Mawrth 1944, 4–6: coffâd sy'n rhoi darlun cofiadwy o'r dirwestwr. Galwodd E. Myfyr Evans ef yn 'efengylaidd, danbaid a llym,' ac ychwanegodd, 'Yr oedd yn grac dros ei Grist. Pregethai â'i ddagrau, pregethai yn ei ddagrau', ibid., 4. Gw. J. E. Williams, 'John Green', *Y Goleuad*, 8 Ebrill 1942, 7.

49 Gw. W. R., 'Parchedig D Teify Davies, Hirwaun', *Y Goleuad*, 26 Ionawr 1944, 5–6; Thomas Powell, 'Y Diweddar Barch. D Teifi Davies', ibid., 2 Chwefror 1944, 4–6. Yr oedd D. Teify Davies yn un o dri brawd a fu'n gweinidogaethu, sef y Parch. J. Llewelyn Davies, Tre-fin, a'r Parch. J. H. Davies, ficer Pontfaen, Penfro, a D. Teify Davies ei hun.

50 Stephen Jones, 'Parch. T. H. Creunant Davies, Pumsaint', *Y Goleuad*, 5 Ionawr 1944, 4–5. Bu ei fab, Alun Creunant Davies, yn hynod o weithgar oddi mewn i'r enwad o 1960 i 2000, a'i dystiolaeth gymdeithasol bob amser yn hyglyw yn eisteddiadau'r Gymanfa Gyffredinol.

51 Ffowc Williams, 'Y Parchg H. M. Pugh, Cyffylliog', *Y Goleuad*, 12 Ionawr 1944, 4–5. Am ei gyfnod ym Mhenbedw, gw. D. Ben Rees, *Alpha ac Omega*, tt. 14–19.

52 D Teifigar Davies, 'D J Eurfyl Jones, Llanidloes', *Y Goleuad*, 8 Mawrth (1944), 2–3. 'Teithiodd lawer i bob rhan o Gymru i'r uchel-wyliau', 3.

53 Ibid. Bu farw yn 57 mlwydd oed.

54 Owen Pritchard, 'Y Parch. J. Daniel Evans, Garston (gynt)', *Y Goleuad*, 5 Ebrill 1944, 4. Dywed Owen Pritchard 'mai optimist ydoedd'. Yr oedd J. D. Evans, fel gweinidog, yn yr un traddodiad ag Elfed yr emynydd.

55 Arthur Thomas, *Chapel Road Garston: A short history of the Welsh chapel in Garston* (Lerpwl, 2002), tt. 21–7. Bu John Daniel Evans yno o 1899 i 1941.

56 D. J. Odwyn Jones, 'Y Parch. D. Ormond Jones', *Y Goleuad*, 24 Mai 1944, 4. Aeth i'r weinidogaeth ar ôl y Rhyfel Byd Cyntaf a bu yng ngofal capeli Cymraeg Widnes a Runcorn yn Henaduriaeth Lerpwl ac mewn eglwys Saesneg yn Aberdaugleddau, Penfro.

57 Ibid. Ymddeolodd oherwydd clwyfau'r Rhyfel Byd Cyntaf yn 1931.

58 Jones, *Her y Ffydd*, tt. 77, 97, 109, 127, 137–9, 142, 196, 208, 226, 239, 244, 252–4 Am ddarlun cyflawn o waith llenyddol Dr D. M. Phillips, gw. Menna Davies, *Traddodiad Llenyddol y Rhondda* (Traethawd PhD anghyhoeddedig Prifysgol Cymru, 1981), tt. 225–42.

59 Ef a luniodd y gyfrol orau yn Gymraeg hyd yma am y diwygiwr. D. M. Phillips, *Evan Roberts a'i waith* (Dolgellau, 1912).

60 Sonnir am y Parch. Emrys Davies yn 'Byrnodion', *Y Goleuad*, 19 Ebrill 1944, 1. Yr oedd yn fab i'r Parch. Daniel Davies a fu'n weinidog yn y Pentre, Rhondda; Webster Road, Lerpwl; Capel Tegid, y Bala, a Chasnewydd. Mab arall oedd y Parch. D. Aeron Davies, Wallasey a Threfaldwyn. Am Daniel Davies gw. D. Ben Rees, *Codi Stêm a Hwyl yn Lerpwl*, tt. 39–43. Gw. ysgrif J. Bennett Williams, 'Ymdaith Cymry yn Nhir yr Aifft', *Y Goleuad*, 19 Ebrill 1944. Cyfeiria at ei waith ef a T. Madoc-Jones yn gaplaniaid. Cafwyd nifer dda o gaplaniaid o'r enwad, er enghraifft, y Parchedigion S. O. Tudor, Caernarfon; R. Emrys Evans, Penbedw; Ben Esau, Porthcawl ac R. Meirion Roberts, Penbedw.

61 Thomas R. Owen, 'Llythyr oddi wrth Filwr', *Y Goleuad*, 5 Ionawr 1945, 7. Daeth y llythyr o Ddwyrain Affrica. Aelod yn nghapel y Carneddi, Bethesda, oedd T. R. Owen, fel y gwelir yn ei ail lythyr i'r *Goleuad*, 6 Hydref 1943, 4.

62 'Byr Nodion', *Y Goleuad*, 12 Ebrill 1944, 1. Enillodd D. Jones Davies radd Dosbarth Cyntaf mewn Athroniaeth yng Ngholeg y Brifysgol, Aberystwyth, a Gwobr Burney, Prifysgol Caergrawnt. *Y Blwyddiadur*, 1966, t. 233; Rees, *Cymry Adnabyddus 1952/1972*, t. 33. Safodd fel ymgeisydd y Blaid Lafur yn ei sir enedigol yn 1955, a gwnaeth argraff arbennig ar etholwyr Ceredigion.

63 Am Howel Harris Hughes, gw. *Y Blwyddiadur*, (1958), tt. 247–8; Morris, *Deg o Enwogion*, tt. 47–50; R. H. Evans, *Datganiad Byr ar Ffydd a Buchedd* (Caernarfon, 1971), tt. 40–3. Yr oedd yn brifathro'r Coleg Diwinyddol (1927–1939), ac ef oedd Llywydd Cymdeithasfa'r Gogledd yn 1943–4.

64 H. Harris Hughes, 'Yr Eglwys a'r Argyfwng', *Y Goleuad*, 3 Mai 1944, 4. Meddai Hughes: 'Nid ymosod ar yr eglwys y mae'r lliaws yma ond mynd heibio iddi – "by-pass" yw'r gair a glywir yn aml heddiw.'

65 Idem, 'O Gadair Sasiwn y Gogledd', Seion, Wrecsam, *Y Goleuad*, 18 Ebrill 1944, 4, 6.

66 Bu farw arweinydd o'r un calibr â Howel Harris Hughes ym mis Mai 1945, sef y Parch. R. R. Roberts, Caerdydd. Morris, *Deg o Enwogion*, tt. 46–7. Cafodd bob anrhydedd yn y Cyfundeb ond cyflawnodd waith mawr ei fywyd yn Aberdâr. Meddai gweinidog Heol y Crwys, Caerdydd, amdano: 'Do, cerddodd yn drwm yn Aberdâr, a bydd ôl ei draed yno am dymor hir.' Gw. William Davies, 'Y Parch. R. R. Roberts, Caerdydd', *Y Goleuad*, 2 Mai 1945, 4–6.

67 Andy Missell, 'A oes Heddwch? 1945', *Llyfr y Ganrif*, t. 190. 'David Brynmor Anthony (1886–1966)', yba.llgc.org.uk.

68 James a Thomas, *Wales at Westminster*, tt. 151–4.

69 Ibid., t. 152. Pleidleisiodd 81.1% o etholwyr Llanelli i James Griffiths. Gw. James Griffiths, *Pages from Memory* (Llundain, 1969), t. 77. Gw. hefyd Derwyn Morris Jones, 'Hoff Emynau Gwleidydd Enwog', *Y Goleuad*, 25 Ionawr 2008, 4. Dywedir am James Griffiths yn mynychu Capel Gellimanwydd, Rhydaman: 'Yr oedd yn wrandawr cynorthwyol iawn i bregethwr, gan ei fod yn gwrando â'i lygaid yn ogystal â'i glustiau.'

70 Am Ronw Moelwyn Hughes, gw. Rees, *Cymry Adnabyddus 1952–1972*, t. 94. Am Dr J. G. Moelwyn Hughes, gw. Brynley F. Roberts (gol.) *Moelwyn: Bardd y Ddinas Gadarn* (Caernarfon, 1996). Ymddeolodd o Gapel Parkfield, Penbedw, i Sanclêr yn 1936, y flwyddyn y bu'n Llywydd y Gymanfa Gyffredinol.

71 Safodd ymgeiswyr Plaid Cymru yn etholaethau Dwyrain y Rhondda, Sir Gaernarfon (W. Ambrose Bebb); Castell-nedd; Ogwr, Meirionnydd, Prifysgol Cymru a Bwrdeistref Caernarfon. Gw. James a Thomas, *Wales at Westminster*, tt. 151–4.

72 Ibid., t. 154 (am Dr Gwenan Jones): Yr Athro W. J. Gruffydd (Rhyddfrydwr) 5,239; Dr Gwenan Jones (PC) 1,696, mwyafrif o 3,543.

73 Gw, Gwilym Prys Davies, *Cynhaeaf Hanner Canrif: Gwleidyddiaeth Gymreig 1945–2005* (Llandysul, 2008); W. Ambrose Bebb, *Calendr Coch* (Aberystwyth, 1946), t. 68.

74 Am Aneurin Bevan, gw. Michael Foot, *Aneurin Bevan*. I *1897–1945* (Llundain, 1962); II *1945–1960* (Llundain, 1973); John Campbell, *Nye Bevan and the Mirage of British Socialism* (Llundain, 1987); Huw T. Edwards yn *Aneurin*, I (rhif I) (1961); 'Aneurin Bevan (1897–1960)', yba.llgc.org.uk.

75 'Rhoddodd Deddf Gwasanaeth Iechyd Gwladol 1946 wasanaeth meddygol a deintyddol yn rhad ac am ddim i bob aelod o gynllun yr Yswiriant Gwladol. Cenedlaetholwyd yr ysbytai a dewiswyd byrddau rhanbarthol i'w llywodraethu. Defnyddiwyd trethi cenedlaethol i gynnal y gwasanaeth.

76 Ymhlith y rhai sy'n perthyn i 'elfen Ymneilltuaeth Gymraeg y Blaid Lafur' golygaf y canlynol: W. Elwyn Jones, AS Bwrdeistrefi Caernarfon (mab i weinidog o'r Eglwys Fethodistaidd); Goronwy O. Roberts, AS Caernarfon (a etholwyd yn flaenor yn y Cyfundeb); Cledwyn Hughes, AS Môn (blaenor a phregethwr lleyg); T. W. Jones, AS Meirionnydd (gweinidog yn enwad y Bedyddwyr Albanaidd); Tudor Watkins, AS Brycheiniog a Maesyfed (diacon gyda'r Bedyddwyr); S. O. Davies, AS Merthyr Tudful (a fu yng Ngholeg yr Annibynwyr Cymraeg yn Aberhonddu). Daeth eraill i'r rhengoedd yn y chwedegau.

77 Am H. D. Hughes, gw. D. Lloyd Hughes, *Y Gŵr o Wyneb y Graig: H. D. Hughes a'i Gefndir* (Dinbych, 1993); Emlyn Richards, *Pregethwrs Môn* (Caernarfon, 2003), tt. 99–118.

78 Rhyddfrydwr oedd Cledwyn Hughes yn ei lencyndod, fel aml i wleidydd Llafur (e.e. Ronw Moelwyn Hughes a John Morris, AS Aberafan). Meddai Emyr Price am Cledwyn Hughes: 'Roedd wedi ei drwytho, fel mab y mans, yn radicaliaeth anghydffurfiol ei gefndir. Gwrthryfelai, ar brydiau, yn erbyn y llu o gyfarfodydd eglwysig yr oedd yn rhaid iddo ef eu mynychu, ond roedd y capel yn feithrinfa gwerthoedd a dylanwadau parhaol arno ... Yn ystod ei lencyndod, dengys arolwg a wnaed yn 1931 fod 46.12% o boblogaeth Caergybi yn parhau i fynychu'r capeli yn y dref, y mwyafrif ohonynt, 23%, yn Fethodistiaid Calfinaidd.' Gw. Emyr Price, *Yr Arglwydd Cledwyn o Benrhos* (Bangor a Phen-y-groes, 1990), t. 12.

79 Geilw Emyr Price ef yn aelod dros Gymru, ibid., t. 24. Mae'n ddiddorol nodi mai Henry Jones, blaenor Methodist yng nghapel Armenia, Caergybi, swyddog o Undeb TASS, a chynghorydd sir oedd un o'r dylanwadau ar Cledwyn Hughes.

80 Yr 'elfen Ymneilltuol' oedd lladmeryddion Senedd i Gymru, sef Goronwy Roberts, Tudor Watkins, T. W. Jones a S. O. Davies, yn y Senedd, ac oddi allan pobl o'r un cefndir crefyddol fel Megan Lloyd George a John Richard Jones, Lerpwl. Amdano ef, gw. Rees, *Cymry Adnabyddus 1952–1972*, t. 122, a Thomas Ieuan Jeffreys Jones, Warden Coleg Harlech, ibid., tt. 101–2.

81 Price, *Yr Arglwydd Cledwyn o Benrhos*, t. 24. Pwysodd Cledwyn Hughes yn aflwyddiannus ar S. O. Davies, a oedd yn rebel naturiol, i 'gropian cyn cerdded, a llunio mesur yn galw i ddechrau am Ysgrifennydd i Gymru'.

82 Yr oedd nifer o Aelodau Seneddol gwrth-genedlaethol yn y Blaid Lafur yng Nghymru, a'r pennaf ohonynt oedd George Thomas (Is-iarll Tonypandy), Ness Edwards a Iorwerth Rhys Thomas. Gw. *Gwyddoniadur Cymru* (Yr Academi Gymreig, 2008), t. 893, a hunangofiant George Thomas, *Mr Speaker* (Llundain, 1985).

83 Gellir cyfeirio at y Parch. D. R. Morris, cynnyrch y cyfnod a gŵr a ddaeth yn Aelod Seneddol Ewropeaidd dros y Blaid Lafur. Yng Nghasnewydd y cafwyd gweinidogaeth rymus y Parch. Cyril Summers. Bu'n gynghorydd Llafur ar Gyngor y Ddinas ac yn fawr ei gyfraniad i drafodaethau Cymdeithasfa'r Dwyrain.

84 'Diolch fod gan ein Cyfundeb o hyd broffwydi fel D. R. Thomas. Yr oedd acen proffwyd i Dduw gan y gŵr hwn.' Gw. D. Ben Rees, 'Yr Eglwys a'r Bom H', *Y Goleuad*, 3 Awst 1960, 2. Yn ymyl cofgolofn Henry Richard ar Sgwâr Tregaron cafwyd rali awyr agored yn erbyn polisi Prydain ar arfau niwclear. Anerchwyd y rali gyda 300 yn bresennol gan y Parch. Llywelyn Williams, AS Abertyleri; Tudor Watkins, AS; Dr Gareth Evans a'r Parch. D. R. Thomas.

85 Cyflwynodd y Parch. Mansel Davies y sylwadau hyn yn Sasiwn y Dwyrain. Yr alwad, meddai, oedd i Gristnogion geisio bod yn rhan o'r ateb i'r broblem sydd yn ein cymdeithas 'ac nid yn rhan o'r broblem'. Gw. J. Price Williams, 'Y Gymdeithasfa yn y Dwyrain, Glyn Ebwy, 25, 26 a 27 Ebrill 1950', *Y Goleuad*, 10 Mai 1954, 4.

86 Bu marwolaeth George M. Ll. Davies ar 16 Rhagfyr 1949 yn sbardun i'r ymwybyddiaeth gymdeithasol, a rhoddwyd teyrnged haeddiannol iddo. 'George Maitland Lloyd Davies (1880–1949)', yba.llgc.org.uk. Gwelir hefyd goffâd ei gyfaill Dan Thomas, 'George Davies', *Y Goleuad*, 11 Ionawr 1950, 4–5, sy'n cynnwys y geiriau 'Ymgysegrodd yn llwyr bron i waith dros anffodusion cymdeithas – y di-waith a'r di-gysur', ibid., 4. Yr oedd poen amlwg yn enaid y Parch. Ffestin Williams, Llannerch-y-medd, tyst cadarn i heddwch, dirwest a'r Sul, pan gyfarfu Undeb Eglwysi Cymraeg Gogledd Cymru yn 1950. Gw. 'Y Saboth Heddiw', *Y Goleuad*, 20 Tachwedd 1950, 6.

87 Am y Parch. William Richard Williams, a fu'n Gadeirydd Pwyllgor

Prydeinig y Cynghrair Presbyteraidd ac yn Gyfarwyddwr y Pwyllgor a benodwyd i baratoi cyfieithiad newydd o'r Beibl Cymraeg gw. yba.llgc.org.uk; *Y Drysorfa*, 130 (1960), 114–17, 132 (1962), 64–7, 133 (1963), 64–6. Am ei sylwadau heb flewyn ar dafod gw. D. Ben Rees, 'Nodion o'r Coleg Diwinyddol', *Y Goleuad*, 2 Mawrth 1960, 3.

88 Yn y Coleg Diwinyddol yn 1960 ceid cangen fywiog o Fudiad Cristnogol y Myfyrwyr (SCM) a thîm pêl-droed a gyrhaeddodd rownd derfynol cynghrair canol wythnos y brifysgol. 'Nodion o'r Coleg Diwinyddol', *Y Goleuad*, 18 Mai 1960, 3. Bu'r coleg am rai blynyddoedd yn cipio gwobrau Ymryson Areithiol Brysgell y Cymry ar y teledu, dan arweiniad W. I. Cynwil Williams, Emlyn Richards, D. Ben Rees a Robert Jones. Yn 1960 sefydlwyd y Gymdeithas Sosialaidd. Gw. 'Y Gymdeithas Sosialaidd', *Y Goleuad*, 10 Chwefror 1960, 6.

89 Mynegwyd yr alwad i brotestio mewn erthygl gan un o'r myfyrwyr yn *Y Goleuad*, gw. Gareth Maelor Jones, 'Y Du a'r Gwyn, Dyn Gwyn Hoeliodd yr Iesu – Dyn Du Gariodd ei Groes', *Y Goleuad*, 17 Chwefror 1960, 6.

90 Ymunwyd yn y brotest gan y Parchedigion S. H. Perry, Rheinallt Nantlais Williams, S. I. Enoch a Dr R. Buick Knox. Yn y gynhadledd y noson honno anerchwyd gan yr Athro S. I. Enoch, Jake Okat (o Uganda) a Keith Lye o Lundain.

91 D. Ben Rees, 'Nodion o'r Coleg Diwinyddol', *Y Goleuad*, 6 Mawrth 1960, 3.

92 W. J. Edwards, 'Coleg y Bala', *Y Goleuad*, 23 Mawrth 1960, 3. Meddai'r awdur: 'Y mae bechgyn y Coleg Diwinyddol a drefnodd y brotest yn erbyn agwedd anghristnogol Llywodraeth De Affrig i'w canmol, buasai'n well pe bae mwy o drigolion Aberystwyth wedi ymuno â hwy er hynny.' Yr oedd ganddo ddadl dda gan fod dros 2,000 o aelodau Presbyteraidd yn y pedwar capel a leolid yn y dref.

93 Daeth John Denithorne o Ddowlais, gŵr a garcharwyd am brotestio yn erbyn erchyllterau'r bomiau H, i annerch y myfyrwyr. Mor bell yn ôl â 1950 dangoswyd potensial erchyll y bom hydrogen. Geiriau sobreiddiol G. A. Richards o Amlwch oedd 'fod ffrwydriad un ohonynt yn ddigon i ddifodi Llundain'. Gw. G. A. Richards, 'Y Bom Hydrogen', *Y Goleuad*, 22 Chwefror 1950, 6. Atgyfnerthwyd hyn gan D. R. Thomas a gwraig ddawnus i weinidog, sef Mrs Jennie Eirian Davies, Brynaman. Gw. sylwadau amdani yn J. T. Williams, 'Y Groes a'r Bom', *Y Goleuad*, 8 Mehefin 1960, 6.

94 D. Ben Rees, 'Na ladd', *Y Goleuad*, 4 Ionawr 1961, 3 a Chwefror 1961, 7. 'Nid er mwyn codi "twrw yn y gwersyll" y gwneir hyn, ond oherwydd ein bod am roi Cristnogaeth ar waith ym mywyd ein byd'.

95 Anerchodd J. H. Griffith, Dinbych, yn Ysgol Haf yr Ysgol Sul yn 1960 a phwysleisiodd 'mai rhan o genhadaeth yr Ysgol Sul oedd adeiladu gwareiddiad newydd, a bu'r eglwys yn rhy hir wrth filitariaeth, yn wir ei diffyg pennaf fu ei bod yn un â'r byd ar adeg rhyfel'. Gw. W. J. Edwards, 'Ysgol Haf yr Ysgol Sul', *Y Goleuad* 7 Medi 1960, 3. Yr un flwyddyn, yn Undeb Dirwest Gwynedd, cafwyd anerchiad yn clodfori

cyfraniad y gobeithluoedd gan yr actores Mrs Elen Roger Jones, a chlod teilwng i waith effeithiol y Parch. Tom Griffiths, Bryngwran. Gw. Alun Williams, 'Undeb Dirwest Gwynedd', *Y Goleuad*, 12 Hydref 1960, 4. Teithiodd y Parch. J. P. Davies yn 1969 i Ynys Iona i weld drosto'i hun weledigaeth y sosialydd Cristnogol George MacLeod. Daeth yn ôl i Gymru wedi ei danio. J. R. Roberts, 'Parchedig Joseph Pritchard Davies, MA', *Y Goleuad*, 15 Mawrth 1970, 5.

96 Disgwylid i weinidogion y Cyfundeb roi sylw i'r plant a'r ieuenctid, ond nid oedd hynny'n ddawn a feddai pob un. Er hynny cafwyd enghreifftiau da. Dyna'r Parch. R. R. Jones, gweinidog Llanallgo, Môn, o 1913 hyd ei farw yn 1933 yn 59 mlwydd oed. Gw. y coffâd amdano yn y *Blwyddiadur* (1934), t. 76; Harri Parri, *Elen Roger: Portread* (Caernarfon, 2009), t. 32.

97 Llafuriodd y Parch. O. J. Pritchard, Llanfairfechan, a'r Parch. Glyn Jones, Aberdaron, gyda'r Gwersyll Ieuenctid ar Ynys Enlli, a'r Parch. James Humphreys fel Ysgrifennydd Urdd y Bobl Ieuainc yng ngogledd Cymru am 22 mlynedd. Stanley H. Williams, 'Urdd y Bobl Ieuainc', *Y Goleuad*, 8 Mehefin 1960, 6.

98 Bu pererindodau ieuenctid y de yn y chwedegau i Landdowror, Pantycelyn a Llangeitho yn dra llwyddiannus. Siaradwyd mewn tri chyfarfod yng Nghaerfyrddin nos Sadwrn, 10 Medi 1960, gan y Parchn T. J. Davies, Eric Evans (Hoylake) a Cassie Davies, ac yn yr awyr agored yn Llanddowror gan yr Athro Rheinallt Nantlais Williams gyda Lyn Howell yn llywyddu. Gw. *Y Goleuad*, 7 Medi 1960, 6. Darganfu'r Parch. Gwynfryn Lloyd Davies fod 40% o'r eglwysi yn y de heb grŵp ieuenctid. Gw. Gwynfryn Lloyd Davies, 'Ein Pobl Ieuainc: Arolwg o Waith Ieuenctid yn y Gymdeithasfa yn y Deau', *Y Goleuad*, 1 Mehefin 1960, 6. Yn arolwg y gogledd, darganfu'r Parch. Gwilym H. Jones fod yr eglwysi yn prysur golli gafael ar yr ieuenctid, ac yn colli eu teyrngarwch a'u hymddiriediaeth. Er hynny ceid 12,000 o ieuenctid o dan ddeg ar hugain yn perthyn i'r Cyfundeb oddi mewn i eglwysi Cymdeithasfa'r Gogledd. Gwilym H. Jones, 'Ein Pobl Ieuainc, Arolwg i Waith Ieuenctid Cymdeithasfa'r Gogledd', *Y Goleuad* 8 Medi 1960, 7.

99 Soniwyd am ordeinio bechgyn a merched na chawsent gwrs diwinyddol, i 'fynd i dystio dros yr efengyl mewn ffatrioedd a'r gweithlu'. Gw. D. Ben Rees, 'Cynhadledd Ddiwinyddol, Matlock, Derby 28 Rhagfyr 1959 – 1 Ionawr 1960', *Y Goleuad*, 20 Ionawr 1960, 6, a 27 Ionawr 1960, 6.

100 Cafwyd ymdriniaeth werthfawr gan y Parch. T. J. Edwards, Treorci, yn *Y Traethodydd*. 'Yr Eglwys a Diwydiant', *Y Traethodydd*, 118 (rhif 507), Ebrill 1963, 66–71. Dadleuwyd dros yr angen am gaplaniaid mewn diwydiant.

101 Dyma farn John Owen yn 1961: 'Swm y cyfan wedi ystyried popeth yw ei bod yn rhy hwyr ar y dydd i wneud dim i'n capeli.' Gw. John Owen, 'Cyflwr ein Capelau', *Y Goleuad*, 25 Ionawr 1961, 4. Ceir barn arall yn llythyr y Gwyddel E. Mannon o Lundain SW19 at Kate Roberts ar 12 Rhagfyr 1941. Dywed ei fod yn cytuno ag Emrys Hughes AS, un o blant yr enwad, y 'llwyddid i gyrraedd y nod o ran cenedlaetholdeb pe bai'r

Cymry yn llosgi eu capeli gyntaf'. LLGC Papurau Kate Roberts, rhif 310.

102 Owen, 'Cyflwr ein Capelau', 4.

103 Gŵr adnabyddus yn y cylchoedd academig a chrefyddol oedd Syr Ifor Williams. Gw. Aneirin Talfan Davies (gol.), *Gwŷr Llên* (Llundain, 1948), tt. 241–7; Henry Lewis, 'Syr Ifor Williams', *Y Traethodydd*, 33 (1965), 1–4; J. E. Caerwyn Williams, 'Syr Ifor Williams: cyfnod y paratoi', ibid., 126 (1971), 117–37.

104 Nid 'Y Cartref' oedd yr unig gartref yn y Cyfundeb. Yng Nghaerdydd, trwy haelioni teulu Llandinam, ceid 'Kingswood Treborth Home'. Fe'i hagorwyd yn niwedd 1905, dair blynedd ar ôl Cartref Bontnewydd. Erbyn y Rhyfel Byd Cyntaf amlygid gweithgarwch o dan nawdd y Symudiad Ymosodol i ofalu am y merched oedd yn gweithio yn y ffatrïoedd a gweithleoedd eraill ym Mhontypŵl, Casnewydd, Doc y Barri, Caerdydd a Merthyr. Yn 1916 bu farw 'Cranogwen', un o'r rhai mwyaf gweithgar ymysg y chwiorydd. Hi oedd sylfaenydd Undeb Dirwestol Merched y De, a sefydlodd gartref ar gyfer merched mewn trybini yng Nghwm Rhondda. Am Sarah Jane Rees ('Cranogwen'), gw. D. G. Jones, *Cofiant Cranogwen* (Caernarfon, d.d.).

105 Gw. Gareth Maelor, *Drws Agored: Canmlwyddiant Cartref Bontnewydd* (Y Bontnewydd, 2002), t. 77.

106 Teimlai plant y Cartref yn freiniol mewn cymhariaeth â phlant amddifad eraill yn yr un cyfnod. Dyna brofiad y rhai a gaiff sylw yn y gyfrol *Drws Agored*. Cymerer, er enghraifft, sylwadau E.E. a fu yn y Cartref o 1925 i 1930: 'Arswydai wrth feddwl beth fyddai ei hanes pe baent wedi ei anfon i Bodfan, neu'r wyrcws ar lafar gwlad. Yn wir, tosturiai wrth y plant a oedd yng ngofal y sefydliad hwnnw, ibid., t. 80.

107 Fel enghreifftiau gellir nodi'r Parchedigion J. R. Williams, Llangernyw; Richard Owen Jones, Manceinion, a Robert Jones, Port Talbot.

108 Ibid.

109 Trwy gyfrwng y BBC rhoddwyd cyfle i'r Cartref i wneud ei apêl ar y radio a'r teledu. Rhoddwyd y cyfrifoldeb ar bedwar o wŷr amlwg yr enwad, sef Dr Griffith Evans, Caernarfon: y Parch. William Morris: Lyn Howell a Goronwy O. Roberts, y gwleidydd, ibid., t. 106.

110 Ymysg y swyddogion a fu'n amlwg gyda'r gwaith yr oedd y Parchedigion Richard Thomas, W. D. Jones, Hugh Williams, O. J. Pritchard a John Owen (Bethesda).

111 Un o'r personau canolog yn y gwaith oedd Miss A. Wynn Williams o Dreuddyn, Sir y Fflint, a wasanaethodd fel Metron o 1908 tan 1922. Priododd â Mr Ernest Ellis, symud i fyw i Benbedw, a dychwelyd i'r cartref yn 1944 ar gais yr Ymddiriedolwyr.

112 Y Parch. Gareth Maelor Jones, wedi iddo gael ei symbylu mewn Henaduriaeth gan apêl rymus y Parch. Hartwell Lloyd Morgan, Trefor, oedd yn gyfrifol am drefnu cyhoeddi cardiau Nadolig a chreu cyfalaf i'r Cartref. Erbyn y Nadolig 1964 gwerthwyd 60,000 o'r cardiau hyn a gwneud elw o £284.06, ibid., t.122. Bu'n ddull cyfathrebu effeithiol ac yn fodd o ysbrydoli gweithgarwch. Am y Parch. Gareth Maelor Jones, gw. *Y Blwyddiadur*, 2008, tt. 122–3.

113 Nodir y gwledydd hyn fel Albania, Georgia a Sierra Leone, *Drws Agored*, tt. 136–7 .

114 Erbyn hyn ceir cryn dipyn o lenyddiaeth ar frwydr Tryweryn, ond yn y cyfnod 1955–9 methwyd â chael neb ar wahân i Gwynfor Evans i ddadlau'r achos mewn print. Gwrthododd yr hanesydd Methodistaidd R. T. Jenkins y cais i ysgrifennu pamffledyn yn egluro'r achos deallusol dros gadw Capel Celyn (gw. LlGC Papurau Gwynfor Evans 1973, llythyr R. T .Jenkins at Elizabeth Watkin Jones).

115 Rhannwyd y gymuned Fethodistaidd ar lannau Mersi. Yr oedd rhai, fel y Parch. R. Emrys Evans, golygydd y *Glannau*, misolyn y Cymry alltud, yn dadlau mai campus o beth fyddai boddi Capel Celyn gan nad oedd 'diwylliant i ymffrostio ynddo mewn bref dafad na gogoniant mewn brwyn'. Gw. *Y Glannau*, Mehefin (1956), 3–4.

116 Datgelwyd ym Medi 1955 fod Lerpwl yn barod i greu llyn yn Nolanog a fyddai'n ymestyn bedair milltir i fyny afon Fyrnwy. Byddai'r cynllun wedi golygu boddi pentref Dolanog, Dolwar Fach, cartref yr emynyddes eneiniedig Ann Griffiths, a'i chapel coffa. Cafwyd ymgyrch emosiynol. Roedd 'Bro Ann' yn sacrosanct. Dywed Rhys Evans am y penderfyniad a wnaed: 'Roedd Lerpwl wedi ei chael hi bob ffordd: cawsant ddyffryn llawer mwy, ond, yn yr un gwynt, rhoesant yr argraff eu bod yn parchu dymuniadau'r Cymry. Mae'n amhosibl dweud a oedd hyn i gyd yn fwriadol, ond roedd hi'n fuddugoliaeth ysgubol i ddinas a gredai'n ddiffuant fod angen dŵr arni er mwyn gwella cyflwr ei slymiau a llewyrch ei diwydiannau. Roedd hon yn ddadl foesol gref, ac o fewn dim, crëwyd momentwm sylweddol iawn i Gorfforaeth Lerpwl'. Gw. Evans, *Gwynfor*, tt. 168–9. Syr Alfred Thomas Davies, un o Fethodistiaid amlwg Lerpwl, ac un a fu'n amlwg iawn gyda mudiad dirwestol y ddinas, oedd un o'r prif ymgyrchwyr dros achub Dyffryn Ceiriog rhag cael ei foddi yn 1923 gan Gorfforaeth Warrington.

117 Cymeriad unplyg yn y frwydr oedd Dafydd Roberts, Capel Celyn. Ysgwyddodd ef gyfrifoldeb yn y Mudiad Amddiffyn. Gwelir yn amlwg fod brwydr Tryweryn wedi dangos yn glir iawn yr angen i gydweithio fel Cymry Cymraeg crefyddol. Mewn erthygl ddadlennol, dywedodd golygydd *Y Cymro* y gwir plaen: 'Y mae'r frwydr yn poethi o amgylch Capel Celyn. Ac yn ôl yr arfer, nid rhwng Cymry a rhywun arall y mae'r ddadl, eithr rhwng Cymry a'i gilydd (gw. John Roberts Williams, *Y Cymro*, 17 Ionawr (1957), 4.

118 Am Henry Brooke, gw. Gwyn Jenkins, *Prif Weinidog Answyddogol Cymru: Cofiant Huw T. Edwards* (Talybont, 2007), tt. 130, 149–58, 161–8, 174.

119 Lluniodd Goronwy Rees gyfrol hunangofiannol hynod o ddadlennol wedi iddo adael ei swydd yn Brifathro Coleg Aberystwyth. Goronwy Rees, *A Bundle of Sensations: Sketches in Autobiography* (Llundain, 1960), tt. 19–20. Y mae'r bennod gyntaf 'A Childhood in the Chapel' (tt. 19–32) yn glasur a bu'n golled i ni na chafwyd mwy ar ei gefndir Calfinaidd. Am Richard Jenkins Rees gw. *Y Drysorfa* (1927), 1–4; Morris, *Deg o Enwogion*, tt. 35–40; *Y Blwyddiadur*, 1964, t. 397; Gomer

M. Roberts, *BC* (1951–1970), t.169 (yba.llgc.org.uk). Bu'n Arolygydd y Symudiad Ymosodol wedi iddo adael Capel y Tabernacl, Aberystwyth, yn 1922 a hynny o dan gwmwl am iddo gefnogi ei flaenor Ernest Evans yn yr Etholiad am sedd y Sir, a chythruddo aelodau'r capel oedd yn gefnogol i Rhys Hopkin Morris, yr ymgeisydd Rhyddfrydol arall. Dim ond mwyafrif o 515 oedd gan Ernest Evans ar ddiwedd y dydd. Ymddeolodd R. J. Rees yn 1947.

120 Ceir hanes cyfeillgarwch Goronwy Rees a Burgess ac eraill yn ei gyfrol *A Chapter of Accidents* (Llundain, 1971), tt. 110–31.

121 Am Hugh Emrys Griffith, gw. *Gwyddoniadur Cymru yr Academi Cymreig*, t. 393. Daeth y gŵr hwn o Farian-glas, Môn yn un o actorion pwysicaf yr ugeinfed ganrif. Ymddangosodd mewn mwy na 60 o ffilmiau. Yr oedd yn frawd i Elen Roger Jones a gyflawnodd gymaint gyda Chwmni Theatr Cymru fel actores ac a hyfforddodd genedlaethau o blant oddi mewn i Fethodistiaeth Galfinaidd Môn. Bu ei phriod Gwilym Roger Jones yn arweinydd yng Nghymdeithasfa'r Gogledd a'i merch Meri Rhiannon hefyd yn weithgar ym mywyd y gymuned Fethodistaidd. Am Elen Roger Jones a'i theulu, gw. Parri. *Elen Roger – Portread.*

122 Am Arthur Rowlands, gw. Andy Misell, 'Weli di byth mwy', *Llyfr y Ganrif* (1961), t. 286.

123 Ysgrifennodd Dr Glyn O. Phillips yn helaeth ar faterion niwclear a diarfogi, a bu'n fawr ei deyrngarwch i'r enwad yn flaenor a lleygwr amlwg yn yr Wyddgrug a Chaerdydd. Fe'i canmolwyd am ei olygyddiaeth o'r *Gwyddonydd*. Gw. J. Gwyn Griffiths, 'Coleg Cymraeg i Brifysgol Cymru', *Taliesin*, 9, 27 (d.d.). Am y Parch. Gwilym Bowyer, gw. W. Eifion Powell, *Bywyd a Gwaith Gwilym Bowyer* (Abertawe, 1968), ac R. Tudur Jones, *BC* (1951–1970), tt.12–13 (yba.llgc.org.uk). Cyhoeddodd Gwilym Bowyer *Yr Eglwys wedi'r Rhyfel* (Pamffledi Heddychwyr Cymru, 1944).

124 Hon oedd un o'r brwydrau mwyaf taer y bu'r enwad yn rhan ohoni a chafwyd cyfraniadau gwerthfawr gan rai o'r dirwestwyr mwyaf brwydfrydig oddi mewn i'r Cyfundeb o blaid y Sul. Yng ngogledd Cymru cafwyd arweiniad cadarn gan y Parch. Alwyn Thomas, gweinidog oedd yn gweithio'n llawn amser gyda'r mudiad dirwest, ac yn y de gan ddeallusion yr enwad, fel y Parchedigion J .E. Meredith, Aberystwyth, ac L. Haydn Lewis, Tonpentre. Gw. erthyglau ar y paratoi: 'Dileu Deddf 1881', *Y Goleuad*, 23 Tachwedd (1960), 1; L. Haydn Lewis, 'Her y Mesur Trwyddedu', *Y Goleuad*, 11 Ionawr 1961, 1–2.

125 Cyfrannodd yr Athro R. Buick Knox yn helaeth i lenyddiaeth yr enwad. Gw. R. Buick Knox, *Wales and Y Goleuad, 1869–79*, (Caernarfon, 1969); idem, *Voices from the Past: History of the English Conference of the Presbyterian Church of Wales 1889–1938*, (Llandysul, 1969).

126 Gwerthfawr ac arwyddocaol yw sylwadau'r Parch. R. Ifor Parry, Aberdâr, ar y frwydr yn haf a hydref 1961. R. Ifor Parry, *Ymneilltuaeth* (Llandysul, 1962), t. 196.

127 Y gwron a osododd y mudiad yn ei berspecitf cenedlaethol Cymreig oedd y Parch. T. J. Davies, Caerdydd.

128 Yn y refferendwm a gynhaliwyd ar 8 Tachwedd 1989, Dwyfor a Phenrhyn Llŷn oedd yr unig ran o Gymru a ffafriodd gau'r tafarndai ar y Sul. O 5,951 i 4,563 yr oedd trigolion un o ranbarthau Methodistaidd Calfinaidd cryfaf y wlad am lynu wrth eu treftadaeth ac o blaid hunaniaeth y Sul Cymreig. Ceredigion oedd agosaf, gyda phleidwyr agor ar y Sul yn fuddugoliaethus o 10,961 i 10,133. Ni chynhaliwyd pleidlais mewn 23 o'r 35 ardaloedd 'gwlyb'. Yn y 12 ardal a bleidleisiodd nid oedd y boblogaeth am droi'r cloc yn ôl. Yn Ynys Môn, cadarnle Methodistiaeth Galfinaidd ac a fu'n 'sych' hyd at 1982, dewisodd yr etholwyr o 12,141 i 6,770 i aros yn 'wlyb' gyda'r tafarnai yn cael yr hawl i agor.

129 Cyn ei farw ysgrifennodd W. Ambrose Bebb nifer o ysgrifau i'r *Herald Gymraeg* ar gyflwr crefydd, a chyhoeddwyd y cyfan yn y gyfrol *Yr Argyfwng* (Llandybïe, 1955). Ar y siaced lwch gosododd y cyhoeddwyr, Gwasg y Dryw, y frawddeg 'llyfr i greu poen yn dy feddwl yw hwn', a gwir y dywedwyd. Yn y gyfrol ceir erthyglau gan Bebb yn dwyn teitlau fel 'Brad y Colegau Diwinyddol' a 'Brad y Clerigwyr'. Cafwyd ymateb gan bump o arweinwyr yr eglwysi Cymraeg, sef Esgob Bangor, J. Oliver Stephens, E. Tegla Davies, Lewis Valentine a J. P. Davies, Porthmadog. Ymatebodd y Parch. J. P. Davies o enwad y MC ein bod wedi cael gormod o ddiwinyddiaeth arwynebol a dim digon o ddiwinyddiaeth ac o efengyl gymdeithasol Galfinaidd.

130 Gwelodd propagandwyr yr ysgol Sul, fel W. Ambrose Bebb a J. Melville Jones (Tregaron), ddirywiad aruthrol yn aelodaeth ysgolion Sul yr enwad erbyn diwedd yr Ail Ryfel Byd. Yn 1905, 222,239 oedd cyfanrif Ysgolion Sul y Methodistiaid Calfinaidd, ond erbyn 1940 roedd wedi gostwng i 117,629. O 1917 hyd 1942 collwyd 104,610 o ysgolion Sul y Cyfundeb, yn agos i 2,990 y flwyddyn, ac yn ystod rhai o'r blynyddoedd hyn gwaethygodd y dirywiad. Yn 1929 collwyd 5,919 o aelodau; yn 1936, 7,072; yna yn 1939, 5,767 ac yn 1940, 9,315. Gw. Ernest E. Wynne, 'Yr Ysgol Sul', *Y Goleuad*, 25 Mawrth 1947, 4–5.

131 Y mudiad hwnnw oedd Cymdeithas yr Iaith Gymraeg, a sefydlwyd yn 1962. O dan lywyddiaeth Huw T. Edwards lansiodd y Gymdeithas ei hymgyrch gyntaf ar Bont Trefechan, Aberystwyth, ar 23 Chwefror 1963. Bu nifer o blant gweinidogion a blaenoriaid yr enwad yn hynod o allweddol ym mlynyddoedd cynnar y mudiad, fel Cynog Dafis a Gwilym Tudur. Lluniodd Cynog Dafis lyfrynnau pwysig, fel *Cymdeithaseg Iaith a'r Gymraeg* (1979) a *Mewnlifiad, Iaith a Chymdeithas* (1987), ac ysgrifennodd Gwilym Tudur gynt o 'Siop y Pethe', Aberystwyth, hanes darluniadol o chwarter canrif cyntaf y Gymdeithas, *Wyt ti'n Cofio* (Talybont, 1989).

132 Llawenydd i'r enwad yn 1951 oedd clywed bod yr Athro David Hughes Parry, Cadeirydd Bwrdd y Gronfa Gynnal, wedi'i ddyrchafu'n Farchog, a llongyfarchwyd ef yn *Y Goleuad*. 'Golygyddol', *Y Goleuad*, 3 Ionawr 1951, 3. Ceir erthygl ddadlennol iawn gan Syr David Hughes Parry, 'Statws Cyfreithiol yr Iaith 1963–1971', yn *Barn*, 102 (Ebrill 1971), 172–3. Gw. hefyd R. Gwynedd Parry, 'A Master of Practical Law' yn

Cyfraniad Cymreig, Cymdeithas Hanes Cyfraith Cymru / The Welsh Legal History Society, III (2002), tt. 102–59.

133 *Barn*, 102 (Ebrill 1971), 173.

134 I brofi'r gosodiad gellir enwi, er yr Ail Ryfel Byd, y Parchedigion T. Noel Roberts, J. Price Williams, R. B. Owen, Eric Evans, B. Vivian Morgan, B. Tudor Lloyd, Gwilym Evans (Aberhonddu), Geraint Nantlais Williams, J. E. Wynne Davies, W. H. Whomsley, R. Leslie Jones, Gwynfryn Lloyd Davies, a Roydn Thomas.

135 Y Parch. J. E. Wynne Davies, Aberystwyth, oedd arweinydd dwyieithog olaf Sasiwn y Dwyrain i'w ddyrchafu yn Llywydd y Gymanfa Gyffredinol. Ni fedrai'r Parch. J. Robert Bebb, Caerdydd, gadeirio'r Gymanfa trwy gyfrwng y Gymraeg pan etholwyd ef yn 2005. Bu peth protestio, ond sylweddolwyd nad oedd modd newid y sefyllfa. Gw. *Y Blwyddiadur*, 2007, t. 16.

136 Ni cheir un capel Cymraeg yn perthyn i'r enwad o Gaerdydd i Ferthyr Tudful. Ni cheir unrhyw adeilad yn perthyn i ochr Gymreig yr enwad yn Nosbarthiadau Cwm Cynon a Merthyr. Addola aelodau Bethel, Hirwaun, yn Seion, capel y Bedyddwyr, ac mae ffyddloniaid Ebeneser, Twyncarno, Rhymni, yn cyfarfod yng Nghapel Penuel y Bedyddwyr, ibid., t. 35; (2008), t. 26. Y mae'r sefyllfa ymhlith eglwysi Saesneg y Cyfundeb yn yr un dalgylch ychydig yn fwy calonogol.

137 Lluniwyd llythyr dwys gan y Parchg Eiflyn Peris Owen, gweinidog y Capel Presbyteraidd yn Aber-fan, ar 23 Hydref 1966 at Dr Aled Rhys Wiliam, golygydd y gyfrol flynyddol *Arolwg* (1966), gyda'r brawddegau dirdynnol: 'Trowyd y capeli yn farwdai. Er na cheir oedfaon y mae yma wasanaeth, ond gorchwyl poenus o drist yw ceisio sôn amdano: Mae'r gwasanaeth hwn yn cael ei roi gan lowyr, milwyr, gweinidogion, athrawon, Byddin yr Iachawdwriaeth, Amddiffyn Sifil, ac eraill, sydd wedi bod yn gweithio'n ddibaid, ddydd a nos, ynghanol y baw.' Gw. Eiflyn Peris Owen, 'Aberfan', *Arolwg* 1966, t. 61. Gwerthfawr iawn yw darllen yr ymateb yn Henaduriaeth Dwyrain Morgannwg, gw. Jones, *Her y Ffydd*, tt. 279–80, ac fel yr hysbysodd J. Haydn Phillips, blaenor yng nghapel Aber-fan, y bwriad i brynu organ newydd yn goffadwriaeth am y plant a oedd yn aelodau o'r eglwys a gollwyd yn y drychineb, a hefyd i osod plac i gofio amdanynt. Gw. adroddiad pwysig D. Densil Morgan, 'The Aberfan disaster' yn *The Span of the Cross*, tt. 230–40.

138 Un o lenorion yr enwad a ymgodymodd â phwnc yr Holocost, ddwy flynedd cyn trychineb Aber-fan, oedd Dr Kate Roberts yn ei stori fer, 'Yr Atgyfodiad', a gyhoeddwyd yn ei chyfrol *Hyn o Fyd* yn 1964. Sonia am boen y ddynoliaeth yn Warsaw. Kate Roberts, 'Yr Atgyfodiad', *Hyn o Fyd* (Dinbych, 1964), t. 46. Gw. hefyd yr ymdriniaeth ar y stori gan Jerry Hunter, *Poen y Ddynoliaeth: Golwg ar 'Yr Atgyfodiad' gan Kate Roberts* (Rhosgadfan, 2005), tt. 1–20. Gw. Richard Wyn Jones, 'Gwleidyddiaeth Ryddfreiniol Wleidyddol Theodor Weisengrund Adorno', *Efrydiau Athronyddol*, 59 (1996), 85–90.

139 Dyma'r mudiadau o'r chwedegau sydd gennyf yn fy meddwl: Urdd Gobaith Cymru, yr Eisteddfod Genedlaethol, Undeb Cymru Fydd, yr

ysgolion Cymraeg, Undeb y Gymraeg Fyw, Urdd Siarad Cymraeg, Pwyllgor Cyd-enwadol yr Iaith Gymraeg gyda phwyllgorau ym mhob dalgylch. Gwasanaethais fel Ysgrifennydd Pwyllgor Cyd-enwadol yr Iaith Gymraeg yn Nwyrain Morgannwg o 1962 i 1968 dan gadeiryddiaeth y Parch. T. Alban Davies, a'r man cyfarfod yn ddieithriad oedd Capel Cymraeg, Penuel, Pontypridd.

140 Am John Robert Jones, gw. R. I. Aaron, 'John Robert Jones', *Efrydiau Athronyddol*, 34 (1971), 3–11; Mary Beynon Davies, *BC* (1951–1970), tt. 103–4. Cyhoeddodd gyfrol bwysig o bregethau, *Ac Onide* (Llandybïe, 1970), a hynny o dan ddylanwad Simone Weil. Gw. adolygiad Saunders Lewis ar *Ac Onide* yn Gwynn ap Gwilym (gol.), *Meistri a'u Crefft* (Caerdydd, 1981), tt. 61–71.

141 Traddododd yr anerchiad 'Yr Argyfwng Gwacter Ystyr' ar y teledu. Cymwynas fawr J. R. Jones oedd cyhoeddi *Yr Argyfwng Gwacter Ystyr* yn 1964.

142 Yr Athro Harri Williams oedd ar flaen y gad yn cyfathrebu syniadau a bywydau diwinyddion fel y rhain. Harri Williams, *Y Crist Cyfoes* (Caernarfon, 1967), a cheir hanes Tillich a Bonhoeffer ar tt. 96–118.

143 Hawdd camddeall J. R. Jones, fel y cydnebydd Saunders Lewis. Gw. *Meistri'r Canrifoedd*, t. 70.

144 Bu Gwilym O. Roberts yn weinidog yn y Capel Cymraeg yn Hanley, Stoke-on-Trent, adeg yr Ail Ryfel Byd cyn ymfudo i'r Unol Daleithiau ac arbenigo yno mewn seicoleg. Dychwelodd i Gymru a chartrefu ym Mhontllyfni; bu'n ddarlithydd o dan nawdd Adran Efrydiau Allanol Coleg Prifysgol Cymru, Bangor ac yn pregethu. Un o'i gynhyrchion cynharaf i'r *Goleuad* oedd llythyr o Hanley. Gwilym O. Roberts, 'Efeilliaid Cydradd', *Y Goleuad*, 15 Mawrth 1944, 6.

145 Gŵr o Langeitho ydoedd yn wreiddiol, ond fe'i magwyd yn Llundain, ac wedi iddo ddangos potensial mawr fel meddyg, cysegrodd ei ddoniau amlwg i gyhoeddi'r efengyl ymhlith y Methodistiaid Calfinaidd i ddechrau, mewn achos yn perthyn i'r Symudiad Ymosodol yn Sandfields, Aberafan. Gw. D. Martyn Lloyd-Jones, *Evangelistic Sermons at Aberavon* (Caeredin, 1983).

146 Rees, *Pregethu a Phregethwyr*, t. 56.

147 Ychydig a adawodd yr enwad: gwell oedd gan y Parchedigion J. D. Eurfyl Jones, Aberdulais; Gareth Davies, Rhydaman a W. H. Stead, Aberafan, aros oddi mewn i'r enwad, a dyna wnaeth y to o'u blaen hefyd, fel y Parchedigion Emyr Roberts, y Rhyl; T. Arthur Pritchard, Tŷ Croes; W. Bryn Roberts, Brynrefail; J. H. Walters, Cemaes a J. D. Williams, Rhydaman.

148 Beirniadodd y Parchg Emyr Roberts Gwilym O. Roberts yn *Y Cymro*, 7 Mai 1964. Ceir ateb J. R. Jones ymhlith ei bapurau yn y Llyfrgell Genedlaethol. Ni welai J. R. Jones obaith i wareiddiad y Gorllewin ond trwy adfer Cristnogaeth. Gw. LlGC Papurau J. R. Jones, A1/11.

149 Ibid, A1/15 Ideoleg Prydeindod a'i Chanlyniadau.

150 Ibid A1/19. A Raid i'r Iaith ein Gwahanu?

151 Un o'r ychydig i gofnodi hynny yw Idris Charles, gw. Idris Charles, *Heb*

y Mwgwd, yn arbennig bennod 12, 'Y Newid Rhyfeddol', tt. 95–110. Dywed amdano'n mynd i Gyfarfod Sefydlu ei frawd, y Parch. W. R. Williams, yng nghapel Rhiwbwys, Llanrhystud, ac o dan weinidogaeth y Parch. Emlyn Richards, Cemaes, Môn, y cafodd dröedigaeth, ibid., tt. 96–7.

152 LlGC, Papurau J. R. Jones, A1/19.

153 Ibid., A1/19,17.

154 Gw. J. R. Jones, 'Yr Arwisgo: Mutholeg y Gwaed', *Barn*, 80 (Mehefin 1969), 208. Ceir yr ysgrif yn ei gyfrol olaf, sef *Gwaedd yng Nghymru* (Lerpwl a Phontypridd, 1970), tt. 45–9. Gwrthwynebodd yr arwisgo yn 1969 yn gryf trwy ymddiswyddo o fod yn un o olygyddion *Y Traethodydd*, cylchgrawn deallusol yr enwad a'r genedl Gymraeg. Tybed a fyddai ef wedi ymddiswyddo pe bai Cyngor Celfyddydau Cymru heb roi cefnogaeth i'r cylchgrawn am y tro cyntaf gyda rhifyn Ionawr 1969? Y Methodistiaid Calfinaidd a'i cadwodd yn fyw hyd hynny er 1845, ond o 1969 ymlaen bu'n dibynnu ar gymhorthdal. Am gefndir a phwysigrwydd y cylchgrawn, gw. J. E. Caerwyn Williams, 'Hanes y Traethodydd', *Y Traethodydd*, 136 (Ionawr 1981), 34–49.

155 Gw. Robin Lewis, 'Cymru, Carlo Cyd-ddyn, Crist', adolygiad ar gyfrol R. E. Griffith, *Urdd Gobaith Cymru-Cyfrol III (1960–1970)*, (Aberystwyth, 1973), yn *Barn*, 135, Ionawr (1974), 118–20.

156 Ibid., 119. Beirniadwyd Elystan Morgan a'i gyd-Fethodist Calfinaidd, Gwynoro Jones AS, yn drwm ddechrau'r saithdegau gan wleidyddion eraill o'r enwad a berthynai i bleidiau eraill, fel Owain Glyn Williams. Gw. Owain Glyn Williams, 'Cnoi Cil', *Barn*, 119 (Medi 1972), 284–5.

157 LlGC Papurau J R Jones A1/22, 1.

158 Rees, 'John Robert Jones', *Cymry Adnabyddus*, tt, 123–4.

159 Ibid., 'Syr Ifan ab Owen Edwards', tt. 50–2; 'Cynan', tt. 68–70, 'D. J. Williams', t. 187. Gw. hefyd J. Gwyn Griffith (gol.), *Cyfrol Deyrnged D. J. Williams, Abergwaun* (Llandysul,1965); Gomer M. Roberts, 'Defi John, Aber-nant', *Y Goleuad*, 28 Ionawr 1970, 4. Gwynfor oedd calon Plaid Cymru ym mlynyddoedd yr anialwch, a'i edmygwyr pennaf oedd gweinidogion ei enwad.

160 Lewis, 'Cymro, Carlo, Cyd-ddyn, Crist', 119.

161 Enw'r soned yw '1962', a chyfeiria J. Eirian Davies at farwolaeth Llwyd o'r Bryn, Bob Owen a Dr Tom Richards. Gwasanaethodd y ddau werinwr, Robert Lloyd (Llwyd o'r Bryn) a Robert (Bob) Owen, ddiwylliant Cymru a'r Methodistiaid Calfinaidd yn Sir Feirionnydd. Dau flaenor brwdfrydig oeddynt, a cheir protread cofiadwy ohonynt gan y Parch. Robin Williams a'i hadnabu'n dda. Gw. Robin Williams, *Y Tri Bob* (Llandysul, 1970), tt. 49–89, 54–48. Gwelir soned Eirian Davies yn Gwynn ap Gwilym ac Alan Llwyd (goln), *Blodeugerdd o Farddoniaeth Gymraeg yr Ugeinfed Ganrif* (Llandysul, 1987), t. 303.

162 Gweinidog a ymboenai'n fawr am y sefyllfa yn y saithdegau oedd y Parch. H. Gareth Alban, Penmachno. Teimlai y dylai'r capeli fod yn barod i gael eu holi a'u beirniadu. Bu'n feirniadol o gyfrol Canolfan Ecwmenaidd Blaendulais – gw. Vivian Jones (gol.), *The Church in a*

Mobile Society (Llandybïe, 1970) – am fethu â wynebu ar rialiti'r sefyllfa a rhoi darlun rhy flodeuog o'r sefyllfa enbyd y gwelai ef y capeli ynddynt. H. Gareth Alban, 'Yr Eglwys mewn Cymdeithas Symudol', *Y Goleuad*, 29 Ebrill 1970, 4; idem, 'Syniadau', *Y Goleuad*, 11 Chwefror 1970, 5. Dywed fod Clybiau'r Ffermwyr Ieuainc, a gychwynnwyd yn 1939, wedi rhoi hoelen yn arch y capeli gwledig a ddymunai fod yn ganolfannau cymdeithasol.

163 Evans, *Hanes Henaduriaeth Dyffryn Clwyd*, t. 164.

164 Ibid., t. 142.

165 Capeli llewyrchus eraill Caerdydd yw Eglwys y Crwys ac Eglwys Park End.

166 Gw. E. Cadvan Jones, 'Cymdeithaseg a Diwinyddiaeth', *Y Traethodydd*, CXXIX (rhif 551), (Ebrill 1974), 128–140. Dywed yr awdur, fel Trefnydd y WEA, 'Creu cymdeithas yw pwrpas Cristnogaeth.', ibid., 138.

167 D. Ben Rees, *Chapels in the Valley: The Sociology of Welsh Non-conformity* (Heswall, 1975).

168 Gw. Diana Gregory, *A Social Survey of the Presbyterian Church of Wales: The Churches Report of the Pilot Study to the Mission and Unity Board of the Presbyterian Church of Wales* (Caerdydd, 1997), tt. 1–102. Cynrychiolid Eglwys Bresbyteraidd Cymru ar y Panel gan yr Athro John Gwynfor Jones, y Parchedigion D. Andrew Jones, Huw Whomsley, Cath Williams a David Smith, a'r Brifysgol Agored gan Dr Hugh MacKay, Diana Gregory a Dr W. T. Rees Pryce (Cadeirydd).

169 Ibid., t. 17.

170 Ibid., t. 14.

171 Ibid., t. 20.

172 Ibid.

173 Ibid., t. 21.

174 Ibid.

175 Ibid.

176 Y mae'r sefyllfa er 1996 wedi newid yn ddirfawr a mwyafrif y capeli bellach yn cynnal un oedfa yn unig. Yng nghefn gwlad Ceredigion a Gogledd Penfro, o 83 capel, dim ond dau, sef y Morfa, Aberystwyth a Chapel y Garn, Bow Street, sy'n cynnal dwy oedfa ac yn Henaduriaeth Morgannwg – Llundain, allan o 57 o gapeli ceir dwy oedfa mewn ugain ohonynt.

177 Dyna Gapel Moreia, Casllwchwr, gydag aelodaeth i gyfiawnhau un oedfa yn unig. Yno cychwynnwyd fflam Diwygiad 2004–5, ibid., t. 27.

178 Ibid., t. 26.

179 Ibid.

180 Ibid.

181 Ibid., t. 28.

182 Ibid., t. 29.

183 Ibid., t. 30.

184 Ibid.

185 Ibid., t. 31.

186 Ibid.

187 Ibid.
188 Ibid., t. 37.
189 Ibid., t. 43.
190 Ibid., tt. 44–5.
191 Y mae'r materion a drafodwyd gan y pwyllgorau hyn yn dangos yr hyn oedd yn bwysig ac a dderbyniai gefnogaeth yn y Sasiynau a'r Gymanfa Gyffredinol. Pwyswyd arnom drwy Elystan Morgan i weithio o blaid datganoli yn 1979, a chafwyd aml i sgwrs gyda Jennie Eirian Davies ar yr un pwnc. Ond anodd oedd gweithredu y pryd hwnnw gan nad oedd brwdfrydedd mawr ymhlith rhai nad oeddynt yn ysgwyddo cyfrifoldeb yn y pwyllgorau. A phan ddaeth dyfarniad y cyhoedd ar 2 Mawrth 1970 gwelwyd bod 80% o etholwyr Cymru wedi troi clust fyddar i ymreolaeth, pwnc pwysig ar agenda y Methodistiaid Calfinaidd er yr Ail Ryfel Byd. Gw. John Roberts Williams, *Y Cymro*, 6 Mawrth 1979, 3.
192 Andy Missell, 'Senedd i Gymru – o drwch blewyn', *Llyfr y Ganrif* (1997), t. 429.
193 Ceir pennod gyfan am gyfraniad Cledwyn Hughes o dan y teitl 'Gwasanaeth Etifedd y Mans a *Cymru Fydd*', yn Gwilym Prys Davies, *Cynhaeaf Hanner Canrif*, tt. 66–84.
194 Y mae John Walter Jones yn fab i'r diweddar Barch. Huw Walter Jones, Llanallgo, ac roedd Syr Wyn Roberts yn fab i'r diweddar Barch. E. P. Roberts, Penygarnedd. Brawd i Syr Wyn Roberts yw'r Barnwr Eifion Roberts, QC, a fu'n Llywydd Henaduriaeth y Gogledd Ddwyrain (2010). Ysgrifennai E. P. Roberts golofn reolaidd i'r *Goleuad* am flynyddoedd, gw. 'Lloffion o Fôn', *Y Goleuad*, 25 Chwefror (1942), 7.
195 Enghraifft dda o hyn oedd y Cymry a wrthodai godi trwydded deledu yn y saithdegau nes cael addewid o sianel deledu Gymraeg. Bu ymgyrchu am sianel deledu Gymraeg yn llwyddiannus ymysg aelodau o'r Cyfundeb a arwyddodd lythyr agored. 'Llythyr Agored at y Gwir Anrhydeddus Peter Thomas, y Gwir Anrhydeddus Syr John Eden, Yr Arglwydd Ganghellor, ac Ynadon Cymru', *Barn*, 135, Ionawr (1974), 101.
196 Gw. Harold Carter, *Mewnfudo a'r Iaith Gymraeg* (Llys yr Eisteddfod Genedlaethol, 1988). Rhoddodd sylw i'r argyfwng mewn dadl yn Nhŷ'r Arglwyddi yn 1989. *Hansard,* 506 (19 Ebrill 1989) {col. 835–60}.
197 Rhaid cytuno â'r Arglwydd Gwilym Prys Davies: 'Darfodigaeth y Fro Gymraeg yw'r argyfwng tristaf, mwyaf difrifol ac anoddaf ei ddatrys sy'n wynebu'r Cynulliad. Hyd yn hyn, ni wnaeth y Cynulliad ronyn o wahaniaeth i'r sefyllfa', Davies, *Cynhaeaf Hanner Canrif*, t. 153.
198 Ibid., t. 151.
199 Ibid., t. 152.
200 Fe'i cydnabuwyd yn dywysog y pulpud. Dywedodd Dr R. O. Morris, meddyg yn Lerpwl ac un o wrandawyr y Parch. John Williams yng Nghapel Princes Road, Toxteth, ei fod fel 'a torrential deluge that engulfed the whole congregation'. 'Who is this Prince Jenkin?' gofynnodd bachgen bach yn Lerpwl wedi iddo glywed oedolion yn defnyddio'r gair 'Brynsiencyn'. H. P. Roberts, 'Gweinidogion Lerpwl', *Y Goleuad*, 4 Mawrth 1943, 4.

201 John Williams, Anerchiad o'r Gadair, *Y Blwyddiadur*, 1915, t. 49.
202 Ibid., t. 52.
203 Ibid.
204 Ibid.
205 Ceir ymateb y Parch. Islwyn Ffowc Elis yn y gyfrol *Naddion*. Ailgyhoeddwyd erthyglau heriol y pumdegau ond, erbyn y nawdegau pan gyhoeddwyd hwy mewn cyfrol, yr oeddynt wedi dyddio'n arw. Gw. Islwyn Ffowc Elis, *Naddion: Erthyglau, Ysgrifau a Sgyrsiau* (Dinbych, 1998), tt. 69–89.
206 Ibid., t. 79.
207 Gw. Euros Wyn Jones, 'John Calfin (1509–1564): Agweddau ar ei ddylanwad ar Gymru', *Cylchgrawn Hanes*, 33 (2009), 140–86; Stephen O. Tudor, *A Wyddoch Chi? Beth yw Calfiniaeth* (Caernarfon, 1957); D. Ben Rees, *John Calfin a'i Ddisgyblion Calfinaidd Cymraeg* (Llangoed, 2009).
208 Parry, *Ymneilltuaeth* t. 198.
209 Saunders Lewis, *Ac Onide* (J. R. Jones), yn J. E. Caerwyn Williams (gol.), *Ysgrifau Beirniadol* (Dinbych, 1971), tt. 299–312.
210 Brian Morris, 'Holi'r Athro D. Simon Evans', yn J. E. Caerwyn Williams (gol.), *Ysgrifau Beirniadol*, 16, (1990), t.16.
211 Ibid., t. 3.
212 J. Eirian Davies, *Awen yr Hwyr* (Dinbych, 1991), t. 12.
213 Morgan, *The Span of the Cross*, t. 167.

Pennod 3

GWEITHRED A DEDDF: CYFANSODDIAD CYFUNDEB Y METHODISTIAID CALFINAIDD NEU EGLWYS BRESBYTERAIDD CYMRU

Meirion Morris

Y Cefndir i'r Ugeinfed Ganrif

Cynhwysir rhan gyntaf y bennod hon i lunio'r cefndir i Weithred Gyfansoddiadol 1826 a Deddf Eglwys Bresbyteraidd Cymru 1933. Credir bod hynny'n angenrheidiol i osod astudiaeth o gyfansoddiad Cyfundeb y Methodistiaid Calfinaidd yn yr ugeinfed ganrif yn ei gyd-destun priodol.

Mewn nodyn at John Davies, Fronheulog, Llandderfel, mae John Elias yn pwysleisio, mewn perthynas â drafftio Gweithred i gofrestru'r Cyfundeb fel corff corfforaethol, yr angen i sicrhau bod cyd-destun y symudiad hwn yn cael ei osod allan yn glir.[1] Yn benodol, pwysai am yr angen i gynnwys crynodeb o hanes y Corff, gan sicrhau bod unrhyw gamau i'r dyfodol wedi eu seilio ar yr hanes hwnnw. Cyfeiria'n benodol at y ffaith fod y Cyfundeb wedi ordeinio brodyr i weinyddu'r ordeiniadau yn 1811. Er mai gweithred yw hon sy'n delio â'r angen i sicrhau holl eiddo'r Cyfundeb, eto, wrth wneud hynny yr oedd angen i'r weithred nodi pwy oedd y bobl a adwaenid fel 'Y Methodistiaid Calfinaidd Cymreig', ynghyd ag amlinelliad o'u trefniadaeth.

Yng ngoleuni'r uchod, mae hanes y Cyfundeb o 1735 ymlaen yn greiddiol i ddeall y gwaith o sicrhau Gweithred Gyfansoddiadol yn 1826, gan gydnabod hefyd y newid a ddaeth yn sgil y penderfyniad i ordeinio 21 o leygwyr amlycaf y Cyfundeb yn weinidogion yn 1811. Yn wir, wedi dilyn yr Hysbysiaeth am benodiad 150 o amrywiol bersonau i wneuthur y Weithred ar ran y cyfundeb ... ceir y crynodeb canlynol o ddechreuadau'r eglwys:[2]

> Gan fod yn neu tua blwyddyn ein Harglwydd un mil saith gant a phymtheg a'r hugain mewn canlyniad i bregethau Mr Howell Harris o Drefeca yn Sir Frycheiniog llawer wedi eu troi at yr egwyddorion cristionogol efengylaidd a ddysgwyd ganddo a mabwysiadu ei gred grefyddol sylfaenedig ar yr Ysgrythurau Sanctaidd
>
> A chan yn fuan wedi hynny y sefydlodd y dywededig Howell Harris eglwysi i'r dyben o ledaenu ac ëangu yr egwyddorion efengylaidd hyny ac anog dynion i lynu wrthynt ac wrth grêd ac ymarferiad o'r grefydd Gristnogol fel y'i heglurwyd ac y'i dysgwyd ganddo
>
> A chan y bu yn neu tua y flwyddyn un mil saith gant a dwy ar bymtheg a'r hugain i'r Parchedig Daniel Rowlands o Langeitho yn sir Aberteifi gweinidog ieuangc o'r Eglwys sefydledig fod yn offerynol drwy ei athrawiaeth a'i weinidogaeth i chwanegu at nifer yr eglwysi a ffurfiwyd fel y rhagddywedwyd mewn cydffurfiad ag egwyddorion cristionogol efengylaidd y dywededig Daniel Rowlands a'u bod yr un â rhai a ddysgwyd gan Mr Howell Harris,
>
> A chan yn fuan wedi hyny mewn canlyniad i lafur crefyddol y Parchedigion Meistriaid William Williams Peter Williams Howell Davies a gweinidogion eraill o'r eglwys sefydledig yn Neheudir Cymru i lawer gael eu troi at yr un egwyddorion cristionogol efengylaidd a pha rai a ddysgasant hwythau hefyd – a'r cyfryw rai a ffurfiasant eu hunain yn lluaws o eglwysi crefyddol a llawer o wyr lleyg yn Neheudir a Gogledd Cymru y rhai a bregethasant ac a gynghorasant y bobl eu cydwladwyr

> yr offeiriad dywededig a'r gwyr lleyg yn tramwy a pregethu ym mhob rhan o'r Dywysogaeth a rhai parthau o Loegr llawer a dröwyd at yr egwyddorion crefyddol a gyhoeddwyd gan y rhai a grybwyllwyd uchod a llawer o eglwysi crefyddol yn y canlyniad a sefydlwyd yn amrywiol barthau o Gymru a rhai yn Lloegr mewn cydffurfiad a'r cyfryw egwyddorion.
>
> A chan mewn canlyniaid i'r lluaws dychweledigion a'r cynnydd mawr yn nifer yr eglwysi crefyddol gwelwyd yn anghenrheidiol i'r gweinidogion a'r pregethwyr ymgynnull ynghyd i'r dyben o ymgynghori ynghylch eu hegwyddorion crefyddol a hefyd sefydliad yr eglwysi a gasglwyd trwy eu gweinidogaeth ac i ffurfio "Undeb Cyfunol" neu Gymdeithasfa Gyffredinol.[3]

Er bod y ddogfen yn awgrymu llif naturiol tuag at y cam i gorffori'r Cyfundeb, mae'r hanes yn amlygu bod y llwybr hwnnw wedi bod yn un anodd iawn ei gerdded.

O'r dechrau roedd dealltwriaeth yr arweinwyr cyntaf o'u gwaith fel mudiad i ddiwygio Eglwys Loegr yn un oedd yn adlewyrchu argyhoeddiad personol Howell Harris, Griffith Jones, Daniel Rowland, Howell Davies, ac i raddau llai, William Williams. Yn ei gyfrol ar Harris mae Geraint Tudur yn nodi bod Harris yn ei weld ei hun nid yn unig yn y gwaith o achub eneidiau, ond hefyd yn y gwaith o ddiwygio'r eglwys ei hun; ei nod oedd, nid yn unig gweld unigolion yn troi, ond gweld y sefydliad cyfan yn cael ei drawsffurfio.[4] Yr oedd teyrngarwch yr arweinwyr hyn yn ddiwyro, a hynny er bod y cwestiwn o berthynas â'r sefydliad wedi codi yn gynnar iawn yn eu hanes. Mor fuan â 1737 mae'r Bedyddiwr William Herbert yn ysgrifennu at Harris, ac yn ei wahodd i ystyried a oedd yn ymateb priodol i weld pobl yn cael eu dwyn i mewn i gorlan yr Arglwydd, ac yna ymddiried eu gofal i weision cyflog nad oedd gofal ganddynt am y defaid. Bu raid ystyried y mater ymhellach yn dilyn penderfyniad y seiat yn Nefynnog i gefnu ar y mudiad, a sefydlu achos annibynnol yn 1742. Yn 1743 mynegodd Morgan John Lewis, un o gynghorwyr Mynwy, ei argyhoeddiad fod yr amser wedi dod i ymadael a sefydlu eglwys, ac er 'fod y brodyr i gyd yn gytûn yn erbyn y cynnig hwn', eto, ordeiniwyd Lewis yn weinidog Annibynnol yn New Inn yn 1756.

Yn fuan wedi hyn gwelwyd seiadau'r Groes-wen ac Aberthin yn cefnu ar y mudiad. Er mai achosion lleol a chyfyngedig oedd y rhain yng Nghymru yr oedd y symud yn Lloegr yn llawer iawn mwy pendant, ac erbyn 1783, Iarlles Huntingdon oedd y gyntaf i wahanu oddi wrth Eglwys Loegr gan ordeinio'r gweinidogion cyntaf i'w Chyfundeb. Dilynwyd hyn yn 1784 gan y Methodistiaid Wesleaidd yn Lloegr, gyda chyhoeddi 'Gweithred Ddatganiadol Mr John Wesley' yn Llys y Canghellor.

Yr oedd ymateb yr arweinwyr i'r rhai a goleddai awydd i dorri'r berthynas â'r Eglwys Sefydledig yn amrywio o gwestiynu eu proffes Gristnogol, ar y naill law, i amlygu gofal bugeiliol ar y llaw arall. Nid oedd Harris yn anghyfarwydd â gwrthwynebiad o du Eglwys Loegr, ac yn 1741 collodd Daniel Rowland ei drwydded i weinidogaethu yn Llanddewibrefi cyn iddo golli curadiaeth Llangeitho yn 1763. Cyngor George Whitefield i aelodau'r Gymdeithasfa yng Nghymru oedd:

> Some of you are ministers of the Church of England; but, if you are faithful, I cannot think you will continue in it long. However, do not go out till you are cast out; and, when cast out for Jesus Christ's sake, be not afraid to preach in the fields ... All this may be done without a formal separation from the Established Church, which I cannot think God calls for as yet.'[5]

Yr oedd William Williams hefyd yn gwybod yn dda am ganlyniadau mynychu seiadau a phregethu teithiol ar ei berthynas â'r Eglwys, ond iddo ef yr oedd yn fwy na digon i gael y fraint o lafurio'n ddygn i achub eneidiau o fewn y cyfyngiadau a'r ddisgyblaeth a ddiffiniwyd gan y Gymdeithasfa. Er yn cydnabod bod dealltwriaeth y rhan fwyaf o'r arweinwyr yn glir gyda golwg ar berthynas y mudiad newydd ag Eglwys Loegr, eto mae'r Dr Eifion Evans yn dadlau bod Williams yn llawer iawn mwy amwys ei farn ar beth yn union oedd y mudiad.[6] Er mai prin yw'r cyfeiriadau yn ei weithiau barddol a llenyddol at athrawiaeth eglwysig, eto, mae'n amlwg ei fod yn ystyried y seiadau yn eglwysi, nid yn yr ystyr enwadol, ond mewn ystyr feiblaidd. Diffinnir hunaniaeth Cristnogion ar sail eu perthynas â Christ yn hytrach na'u perthynas ag unrhyw enwad. Cyfeiria Evans at nifer o ddyfyniadau o weithiau Williams gan nodi, o *Drws y Society Profiad*, mai'r seiat yw 'un o'r moddion mwyaf sicr i sicrhau diogelwch eglwys Dduw', a hynny gan fod cyfrifoldeb ar yr arweinwyr i weinyddu 'gweinidogaeth gras mewn cymdeithas o Gristnogion wedi eu neilltuo'. I garfan ymhlith y Methodistiaid, mae'n amlwg nad oedd y ffaith fod y sacramentau yn cael eu gweinyddu yn arwain yn naturiol at y dybiaeth nad oedd y seiadau yn eglwysi. Yn hytrach, yr unig beth a olygai hyn oedd fod rhai o freintiau'r eglwys yn absennol dros dro.

O ystyried safbwynt yr ail genhedlaeth o arweinwyr ceir fod y ddau flaenaf wedi dod i amlygu'r gwahaniaethau oedd yn bodoli o fewn y mudiad. Mae Thomas Charles yn ysgrifennu yn ei ragarweiniad i *Rheolau a Dybenion y Cymdeithasau Neillduol ymhlith y Bobl a elwir y Methodistiaid yn Nghymru* (1801) fel a ganlyn:

> Nid ydym yn fwriadol yn ymneillduo, nac yn golygu ein hunain fel Ymneillduwŷr oddi wrth yr Eglwys sefydledig. O ran ein daliadau athrawiaethol yr ydym yn cyttuno yn hollol âg Erthyglau egwyddorol Eglwys Loegr. Yn unig yr ydym yn chwennych gyd â phob gostyngeiddrwydd, yn yr undeb hwnnw, y cyflawn ryddid y mae gosodiad a ffurf ragorol llywodraeth wladol ein Teyrnas yn ei ganiatâu, i arferyd pob moddion ysgrythyrol tu ag at helaethu gwybodaeth o Dduw, a'r hwn a anfonodd efe, Iesu Grist; a thrwy hynny adeiladu ein gilydd yn y sancteiddiolaf ffydd. Y mae cymmaint ag sydd yn ymddangos yn ein harferiadau crefyddol fel yn tueddu at ymneillduad, wedi cymmeryd lle o angenrheidrwydd nid o ddewisiad. Nid gwneuthur sism na sect, na phlaid sydd yn ein golwg: na atto Duw! Ond llesâd ein gilydd a'n cyd-wladŵyr: Dyma'r nod yr ydym yn dymuno cyrchu atto trwy bob moddion.

Ond, yn dilyn ymgynghori a thrafod hir rhyngddo a Thomas Jones, cyhoeddodd Jones bamffled yn 1810 oedd yn gosod allan yn glir ei argyhoeddiad y dylid sicrhau'r hawl i weinyddu'r ordinhadau ymhlith y Methodistiaid. Mae'r teitl – *The Complaint of the Calvinistic Methodists in Wales On Account of their being Destitute of the Ordinances of Christ in His Churches. Viz. Baptism and the*

Supper of the Lord' – yn grynodeb o ddadl y llyfryn, sef arolwg o gynnydd y Methodistiaid, y rhesymau dros wahanu oddi wrth yr Eglwys Sefydledig, cymwysterau a dull ordeinio, a disgyblaeth yn yr ordinhadau. Erbyn hyn (1810) roedd Thomas Jones o'r farn fod:

> the greatest Number in our Societies are ready to say (yea in their conduct they do already say) that they cannot consider themselves as Members of the Church of England, nor be in communion with her, but that they look upon the Societies to which they belong as so many Churches of Christ.

Nid oedd hyn yn fawr syndod gan iddo ysgrifennu rai misoedd ynghynt at Daniel Jones, Lerpwl (mab Robert Jones, Rhos-lan), yn nodi, er nad oedd unrhyw berson ar wyneb daear y byddai'n fwy amharod i anghytuno ag ef na Mr Charles, eto ni wyddai am unrhyw gorff Cristnogol a gredai mewn Sacramentau a chael ei amddifadu ohonynt, fel y Corff Methodistaidd. Dylai'r Corff ddilyn esiampl Whitefield ac Iarlles Huntingdon, ac ordeinio brodyr i bregethu'r Gair a gweinyddu'r Sacramentau:

> Duw Israel a ŵyr ac Israel a gaiff wybod nad ydym yn ceisio cyfodi Terfysg, na pheri anghydfod na Rhwyg yn Eglwysi Crist, ond yr ydym yn caru Heddwch ac undeb hyd y gallom ei gael ar dir gwirionedd a Sancteiddrwydd, eithr Cwyno yr ydym dros Eglwysi Crist sydd yn llefain am yr hyn a drefnodd ei Phriod iddynt; nis gallwn ninnau lai na bod fel genau iddynt i ddweud eu hachos.[7]

Ar 4 Ionawr 1810 ysgrifennodd at Thomas Charles, neu, fel y nodir yn hanes y corff pan argraffwyd y Gyffes Ffydd, 'at gyfaill ar y mater', yn crynhoi ei feddyliau ar yr angenrheidrwydd i neilltuo rhai i weinyddu'r ordinhadau oherwydd:

> bod cymell neb o'n haelodau i geisio yr un o'r sacramentau oddi allan i gylch ein Corff ein hunain yn beth na ddylem fod yn euog o honno, gan ei fod yn groes i Air Duw, ac i arferiad cyffredinol eglwysi Duw ymhob oes a gwlad.[8]

Ochr yn ochr â'r ddadl ddiwinyddol yr oedd amgylchiadau yn y

Seiadau yn prysuro'r symudiad at ordeinio, a thrwy hynny sefydlu'r mudiad yn Gorff, neu'n enwad ymneilltuol. Mae llyfr bedyddiadau'r Capel Mawr, Dinbych, yn dangos bod Thomas Jones wedi bedyddio deuddeg o weithiau mewn tai neu yn y tŷ cwrdd rhwng 9 Mawrth 1810 a 13 Mai 1811. Yr un pryd yr oedd David Charles, Caerfyrddin, wedi bedyddio plentyn i ddau o aelodau Seiat Heol y Dŵr ar ddiwedd Rhagfyr 1810. Ymhlith y genhedlaeth nesaf o arweinwyr, mae'n debyg nad oedd John Elias, ym marn Frank Price Jones, 'yn barod i fentro'i wddf'.[9] Mewn llythyr at flaenor yn Lerpwl ar 26 Tachwedd 1810 mae'n ei gynghori:

> Ysgrifennwch i'r Bala i geisio gan Mr Charles neu Mr (Simon) Lloyd i ddyfod atoch i weini yr ordinhadau: ac os na ddeuant nid wyf yn meddwl y byddai yn bechod mawr i chwi geisio gan Mr Jones o Ddinbych ddyfod atoch.

Yn ychwanegol, er na ellir bod yn berffaith glir am eu barn, yr oedd yr arweinwyr yn byw mewn cyd-destun gwleidyddol oedd yn gynyddol amheus o Anghydffurfwyr, a hynny'n bennaf oherwydd y peryglon oedd yn dod yn sgil y rhyfel â Ffrainc. Eisoes yr oedd y Methodistiaid yn fwy na chyfarwydd â chyhuddiadau pobl fel Edward Corbet, Ynysmaengwyn, Tywyn, eu bod yn dyrfa oedd ar fin arwain gwrthryfel. Ysgrifennodd un o glerigwyr Môn nad oeddent yn gwneud dim mwy na dyrchafu hawliau dynion, a disgrifiwyd ymweliad John Elias ag Iwerddon i bregethu i'r milwyr yno fel gweithred oedd wedi ei hanelu at gychwyn miwtini. Codwyd amheuon am yr ysgolion Sul, gydag un yn honni nad oeddent yn ddim mwy na meithrinfeydd i egwyddorion gwrthryfel.

Yn wyneb hyn y cam naturiol i'r Methodistiaid fyddai cofrestru eu tai cwrdd o dan ofyniadau Deddf Goddefiad 1689, ond byddai'r drwydded yn cael ei rhoi iddynt fel Anghydffurfwyr Protestannaidd a hwythau'n parhau i'w hystyried eu hunain yn aelodau ffyddlon o Eglwys Loegr. Yn ychwanegol at hyn, yr oedd yna awydd gan amryw i gyfyngu ar nifer y trwyddedau oedd yn cael eu rhoi i bregethwyr, ac yn Chwefror 1810 cyhoeddwyd mesur seneddol oedd yn gofyn i'r rhai oedd yn ceisio trwydded i bregethu nodi gyda'u cais i ba enwad anghydffurfiol yr oeddent yn perthyn. Byddai cam o'r fath wedi bod yn ergyd drom i'r cynghorwyr Methodistaidd gan nad oeddent mewn cyswllt ag unrhyw enwad o'r fath. Er i'r mesur hwn gael ei ollwng yn dilyn ymdrech y llywodraeth i dawelu ofnau'r Anghydffurfwyr yng ngoleuni gwrthdystiadau Ludaidd (Luddite) yn 1811, eto, roedd yr holl bwysau gwleidyddol yn gyrru amryw yn y mudiad i dueddu fwyfwy at ymwahanu a bwrw eu coelbren fel enwad Anghydffurfiol.

Yn y Gymdeithasfa yn y Bala ym mis Mehefin 1810, gofynnodd Ebenezer Morris i'r Llywydd, Thomas Charles, 'Pa un sydd fwyaf, pregethu'r efengyl neu gweinyddu ordinhadau Bedydd a Swper yr Arglwydd?' Ymatebodd Charles: 'Y gwaith mwyaf yw pregethu'r efengyl.' Erbyn diwedd y flwyddyn yr oedd John Elias yn medru ysgrifennu am benderfyniad y Gymdeithasfa yn Abertawe i gytuno'n unfrydol â bwriad Sasiwn y Bala i ordeinio, ac y byddai'r Gymdeithasfa honno, yn ei thro, yn dilyn ei hesiampl.

Yn y Gymdeithasfa yn y Bala ym Mehefin 1811 ordeiniwyd yr wyth oedd wedi eu dewis gan y gwahanol siroedd mewn cyfarfod a arweiniwyd gan 'Y gwr hynaf a pharchedicaf yn y Corff, John Evans, o'r Bala.'[10] Darllenwyd enwau'r brodyr gan Thomas Charles cyn iddo eu holi am eu barn ar brif bynciau'r ffydd Gristnogol, eu hym-rwymiad i sicrhau undod y Corff, i wrthwynebu dadleuon ac i gydsynio â threfn y Cyfundeb. Wedi derbyn atebion boddhaol, gwahoddwyd y Gymdeithasfa i arwyddo'u cytundeb i'r ordeinio drwy godi llaw o blaid hynny. Daeth y gwasanaeth i ben dan arweiniad Robert Jones, Rhos-lan, a rhoddodd ef 'air o gynghor difrifol iddynt hwy ac i'r Corff yn gyffredinol; a diweddodd y cwbl gyda gweddi daer ac addas i'r achos'. Ym mis Awst ordeiniwyd y tri ar ddeg a ddewiswyd gan siroedd y de, gyda Thomas Charles eto yn eu holi, a'r Parch. John Williams, Pantycelyn, yn cloi mewn gweddi. Yn 1813 y cyhoeddwyd y *Golygiad Byrr ar y dull a'r drefn a sefydlwyd gan Gorff y Methodistiaid Calfinaidd i neillduo rhai o'u pregethwyr*, ond mae'n amlwg fod y drefn eisoes yn bodoli. Yr oedd y ddogfen hon, ochr yn ochr â'r *Rheolau Disgyblaethol*, yn parhau'r symudiad i weithredu'n ffurfiol tuag at sicrhau cyffes a chorfforiad fel enwad ymneilltuol i'r rhai a adwaenid bellach yn Methodistiaid Calfinistaidd. Er bod y mudiad wedi argraffu rheolau amrywiol dros y pedwar ugain mlynedd flaenorol, sef *Sail, Dibenion a Rheolau'r Societies, Neu'r*

Cyfarfodydd Neillduol a ddechreuasant ymgynull yn ddiweddar yng Nghymru 1742; Egwyddorion y Methodistiaid 1775; Rheolau Sefydlog i'r Cymdeithasfaoedd 1790, bellach yr oedd yn gwneud hynny fel 'Corff' gan arwyddo'r dealltwriaeth o arwyddocâd ordeinio 1811. Gan ei fod yn gorff neu gyfundeb oedd bellach ar wahân i Eglwys Loegr, roedd angen ei ddiogelu â chyffes gyffredin. Yn y Gymdeithasfa yn Llanrwst yn 1814,

> sylwyd ar y perygl o fyned i lwybrau cyfeiliornus yn yr athrawiaeth, o ran y mater ei hun, neu y dull o ymdrin âg ef, trwy arfer geiriau anysgrythurol. Ac yn wyneb hyn, anogwyd pawb a gai ar ei feddwl i ysgrifennu Cyffes o'i Ffydd, a'i dwyn i Gymdeithasiad y Bala, fel y gellid gwneud un Gyffes gyffredinol i'r holl gorph, a bod honno fel maen-prawf er penderfyniad ar bob matter perthynol i athrawiaeth a disgyblaeth y corph, a thrwy hynny i'w gael i lwybr i fyned ym mlaen yn hwylus rhagllaw.[11]

Credir bod Thomas Charles yn bleidiol i hynny, ac yn sicr yr oedd John Elias yntau o blaid symud i'r cyfeiriad hwnnw. Er hynny, roedd yna wrthwynebiad gan rai megis Thomas Jones, nid i Gyffes Ffydd fel y cyfryw ond 'i ddylanwad y blaid arall lunio y Gyffes yn rhy gyfyng i ehangder y gwirionedd Biblaidd'.[12] Yn ychwanegol, ac yn bwysicach yn ei olwg, yn ôl Andras Iago (sgwrs bersonol, 9 Rhagfyr 2016), yr oedd Thomas Jones yn credu, fel y genhedlaeth gyntaf o arweinwyr, fod Deugain Erthygl Namyn Un Eglwys Loegr, o'u dehongli'n Galfinaidd, yn gyffes gwbl ddigonol i'r Methodistiaid. Flwyddyn wedi marwolaeth Thomas Jones yn 1820 cofnodir bod Sasiwn y Bala wedi awdurdodi argraffiad newydd o Rheolau a Dybenion y Cymdeithasau Neillduol, ac yn Sasiwn Llangeitho yn Awst 1821 cytunwyd bod y Corff yn ei weld yn beth dymunol i gyhoeddi

> 1af math o Gyffes Ffydd sef barn y Corph am holl brif bynciau'r Athrawiaeth a gredir ac a bregethir yn ein mysg. 2. Y rheolau Disgyblaethol sydd yn argraffedig yn barod gydag ychydig chwanegiadau os yw rheidiol. 3. Cyfansoddiad y Corph wedi ei

addasu at gynnal yr Athrawiaeth hon a'r ddysgyblaeth yn ôl y Rheolau.[13]

Ym mis Medi 1821 cytunodd Sasiwn Pwllheli yr un modd yn ogystal ag argraffiad newydd o'r Rheolau, y dylid hefyd gynnwys cyfansoddiad y Corff a Chyffes Ffydd. O ran y cyfansoddiad, teimlwyd mai dyma'r ffordd i sicrhau purdeb athrawiaeth, purdeb disgyblaeth ac undeb eglwysig, tra tybid y dylai'r Gyffes fod yn llai nag un Savoy (1658) ac yn wahanol i fwriad awduron Cyffes Westminster (1658), y dylid rhoi'r cyfeiriadau ysgrythurol ar ymyl y ddalen. Ymgymerodd Cymdeithasfa'r De â gweithredu'r tair blaenoriaeth a nodwyd yn Llangeitho yn y cyfarfod yn Aberhonddu yn Hydref 1821. Gwahoddwyd grŵp o dan ysgrifenyddiaeth Ebenezer Richard i weithredu, ac erbyn Awst 1822 'yr oedd y brodyr hynny wedi paratoi eu Cyffes yr hon a ddarllenwyd yn bwyllog yno ac a gymeradwywyd yn gwbl'. Gwnaed yr un gwaith gan frodyr o'r Gogledd yn y Fronheulog, Llandderfel, ac adroddwyd am ffrwyth eu llafur gan John Elias yn y Gymdeithasfa yn y Bala ym mis Mehefin y flwyddyn honno. I sicrhau unoliaeth barn yn y Cyfundeb, yn Sasiwn Llangeitho, 'Cyttunwyd bod Dehau a Gogledd i gyfarfod yng Nghymdeithasfa Aberystwyth yn y Gwanwyn nesaf i gyd-ystyried Cyffes Fydd, &c., &c.' Treuliwyd dau ddiwrnod yn gwneud y gwaith, a hynny 'yn nhŷ Robert Davies ar Heol y Porth tywyll mawr mewn goruwch-ystafell eang ac addas iawn'. Wedi cwblhau'r gwaith, aethpwyd â'r Gyffes Ffydd i gyfarfod y Gymdeithasfa, 'a chydunwyd gan yr holl Gorph yn unllais, gyda'r gydgordiad mwyaf hyfryd ar y cwbl oll, heb gymaint ag un llais croes nac un gwrthddadl'.[14] Cadarnhawyd hyn ymhellach gan y Gymdeithasfa a gyfarfu yn y Bala ym Mehefin.

Cytunodd y cydbwyllgor hefyd ar ffurf y cyfansoddiad – 'Cyfansoddiad y Corph o Fethodistiaid Calfinaidd, yng Nghymru, a'r Drefn Eglwysig yn eu plith'. Perthyn i'r ddogfen amryw nodweddion diddorol sy'n amlygu deall y Cyfundeb o'r trefniadau a'r rhesymau dros hynny. Mae'n dechrau drwy gyhoeddi:

> Y mae y Methodistiaid Calfinaidd Cymreig, trwy Gymru a Lloegr, &c., yn UN Corph. Mae y Corph hwn yn cynnwys ynddo amryw gymdeithasau, megys,

I. AM Y CYMDEITHASAU NEILLDUOL
II. CYMDEITHASAU MISOL: HENADURIAETH
III. CYMDEITHASAU CHWARTEROL
IV. Y GYMANFA GYFFREDINOL.[15]

Aelodau'r 'cymdeithasau neillduol' neu'r eglwysi oedd y rhai hynny oedd 'o ran gwybodaeth, gras, profiad ac ymarweddiad ... ynghyd a'u plant' yn cael eu trefnu 'dan olygiad dau neu chwaneg o flaenoriaid'. Eu cyfrifoldeb hwy oedd derbyn aelodau, ac roeddent yn meddu 'pob awdurdod a hawl i drefnu eu holl achosion eu hunain', ond petai i 'ryw achos o bwys beri ymryson, neu betruster, fel na allo y Gymdeithas ei benderfynu o'i mewn ei hun', roedd i gyfeirio'r mater at y Gymdeithas Fisol, neu'r Cwrdd Misol. Datganwyd ymhellach, er nad oedd yr eglwysi, 'nac un person o'i mewn, yn cael eu cadw dan iau caethiwed gan y Corph, eto mae pob person i weithredu yn ddarostyngedig, ac yn unol â barn y rhan fwyaf lluosog o'r Gymdeithas lle y byddo efe; a'r holl Gymdeithas Neillduol i fod yn ddarostyngedig i Gymdeithas Fisol y Sir lle y byddo'.

O ran y Cymdeithasau Misol, eu gwaith hwy yn eu tro oedd gofalu am yr holl eglwysi o fewn y sir, sicrhau trefniadau pregethu a gweinyddu'r ordinhadau o'u mewn, delio ag unrhyw 'derfysg ac aflwydd', a rhoi trefn ar y 'brodyr dieithr a fyddo yn dyfod trwy y wlad' i bregethu. Yr henaduriaethau hyn oedd i sicrhau blaenoriaid ac i ddiogelu cywirdeb athrawiaethol a disgyblaeth briodol, a'r un pryd 'i olygu pethau allanol achos Crist yn y Sir; sef adeiladau Capelau; trefnu moddion i atteb y draul berthynol i hynny; dewis a gosod Ymddiriedolwyr (*Trustees*) lle bynnag yr adeiladir hwynt; meddianu a diogelu y Gweithredoedd a fyddo yn perthyn iddynt; a gofalu am gael Gweithredoedd ac Ymddiriedolwyr newydd ar hen gapelau, yn ôl fel byddo yr angenrheidrwydd yn gofyn'.

Gyda golwg ar y Gymdeithas Chwarterol, dywedir bod 'holl Gorph y METHODISTIAID yn cael ei olygu yn bresennol trwy gynrychioliad', ac 'y mae'n weddus i bob un a fyddo yn bresennol yn y cyfryw Gymdeithas ei olygu ei hun yn perthyn i'r holl achos i'r un gradd yn mhob man, gan ddiosg ei deimladau llëawl (*local*) fel na byddo i'r cyfryw deimladau effeithio ar benderfyniadau y Corph, i beri tuedd at achos neilltuol, i bwyso i lawr y lles cyffredinol, a rhwystro achos Crist yn ei lwybr helaethaf'.

Ceir troednodyn yn y cyfansoddiad gwreiddiol yn cyfeirio at 'amryw Gymdeithasau achlysurol, pa rai a gynhelir yn debyg i'r Cymdeithasau Chwarterol; ond nid ydynt yn meddu yr un fath awdurdod a'r Cymdeithasau Chwarterol i osod pethau mewn grym a fyddo yn effeithio ar yr holl Gorph'. Y mae'r cymanfaoedd hyn yn fwy tebyg i'r cymdeithasau misol nag i'r cymdeithasau chwarterol. Ond er hynny, gall pethau a benderfynir ynddynt fod yn awdurdodedig, 'trwy gydsyniad Cymdeithasiad Chwarterol yn ôl neu ymlaen'. Y cyfarfodydd hyn oedd mewn golwg pan yw'r Weithred Gyfansoddiadol yn cyfeirio at 'Gymanfa Gyffredinol'. Perthyn i'r Gymanfa awdurdod i'r graddau y mae'r Gymdeithasfa yn caniatáu hynny, trefn sydd wedi parhau, er bod sawl ymdrech i newid hyn, yn y Llawlyfr Trefn a Rheolau presennol.

O ran y Gyffes Ffydd, yn ei anerchiad o Gadair y Gymdeithasfa ganrif yn ddiweddarach, ac yng nghanol yr holl drafodaeth a ddeilliodd o adroddiadau'r Comisiwn ad-drefnu, credai E. O. Davies mai: 'y peth lleiaf a allwn ei ddweud ydyw ei bod yn gampwaith ym mhob ystyr. Bychan a chul yw'r dyn na all dalu gwrogaeth iddi, ac i'r cewri meddyliol a'i lluniodd'.[16]

Er ei bod ar ffurf cyffesion tebyg, eto, mae yna ambell nodwedd sy'n eithriadol. Mae ynddi, er enghraifft erthygl ar waith yr Ysbryd Glân, ac nid rhyfedd hynny gan fod y Corff o'i ddechreuad wedi bod yn anghyffredin o ymwybodol o ddylanwadau'r Ysbryd mewn tywalltiadau arbennig yn cynnal, yn tanio ac yn tyfu y gwaith yn eu plith. Mae'r erthygl hon yn y Gyffes yn enghreifftiol o arddull a meddwl beiblaidd yr awduron a'i luniodd.[17]

Yn y Gymdeithasfa ym Mhwllheli yn 1821 cododd y cwestiwn, 'Pa beth sy'n ofynnol i ni fod yn Gorph?', ac yn ychwanegol at gyhoeddi Cyfansoddiad, Rheolau Disgyblaethol a Chyffes Ffydd, nodwyd 'gwneud y pethau uchod a'u ffeilio yn Chancery a'n gwna yn Gorph'. Yn dilyn cyhoeddi *Hanes, Cyfansoddiad, Rheolau Disgyblaethol, ynghyd a Chyffess Ffydd y Corph o Fethodistiaid Calfinaidd yng Nghymru* ddechrau 1824, nodir yng nghofnodion y Gymdeithasfa yn Llanfair yn Ebrill 1824 benderfyniad i 'enrolio y capeli yn y

Chancery', ac yr oedd hyn i'w gyfeirio i Gymdeithasfa'r Bala ym Mehefin 1824. Yno, penderfynwyd gwneud y Cyfundeb yn 'incorporated body' yn wyneb y gyfraith er diogelwch y tai addoliad. Yng Nghymdeithasfa Llangeitho yn Awst 1824, 'cyttunwyd wedi ymdrin yn lled helaeth ... ein bod ni fel Cymdeithasfa Deheudir Cymru yn ymroddi gyda ein brodyr yn Ngogledd Cymru i ddwyn y gorchwyl hwn o ddeutu'.[18] Mae John Elias yn manylu ar yr angenrheidrwydd yma drwy ysgrifennu mewn nodyn at John Davies Fronheulog, Llandderfel,[19] yr un a ddewiswyd gan y Gymdeithasfa i gydlynu'r gwaith hwn:

> Am y peth y mae arnom eisiau ei wneuthur trwy Mr Wilks.
>
> 1. Rhwymo y Methodistiaid Calvinaidd yn un Corph, yngolwg y gyfraith wladol.
> 2. Cael sicrhau y Capelydd a'u llywodraethiad oll i'r Corph hon, yn unig, sef y rhai a adeiladwyd gan y Corph, neu a adeiladir o hyn allan.
> 3. Bod i'r Corph gael ei gynrychioli yn y weithred a wneler gan y pregethwyr a'r Henuriaid â'r un nifer o'r naill a'r llall a bod y rhai hynny oll wedi cael eu derbyn yn aelodau o'r Gymdeithasfa, ac yn cydsynio yn hollol mewn perthynas i Athrawiaeth, Llywodraeth Eglwysig, a dysgybliaeth, a'r Llyfr a elwir Cyffes Ffydd ...
>
> Gofyniadau
>
> A raid enwi personau y pregethwyr a'r henuriaid a fydd i gynrychioli y Corph? A raid pennu nifer terfynol? A'i raid enwi y pregethwyr a'r Henuriaid cynnulledig yn eu Cymdeithasfaoedd chwarterol?
>
> Pa fodd y mae cael gweithredoedd y capelydd sydd yn awr, i fod dan nawdd y weithred a wneir?
>
> A raid i *ymddiriedolwyr* yr holl Gapelydd, arwyddo mewn ysgrifen eu bod yn fodlawn i'r weithred hon?
> A fydd angenrheidrwydd dewis *ymddiriedolwyr* i lenwi lle y rhai fydd meirw?

A ydyw yn angenrheidiol i Mr Wilks gael gweled rhai o *Leases* ein Capelydd?

A fydd yn anghenrheidiol i ryw rai Danysgrifenu wrth y weithred a wneler dros y Corph? A phwy sydd i wneud hyny?

A fydd Mr Wilks mor fwyn ag ysgrifenu cynllyn, neu swm, a chynwys y weithred angenrheidiol, fel y gallwn ei Dangos i'r brodyr mewn Gymdeithasfa?

A ddichon y weithred gynnwys pawb sydd yn aelodau o'r *Gymdeithasfa* y Gweinidogion a'r Swyddogion Eglwysig er heb enwi neb; ond bod Llyfr yn perthyn i'r Gymdeithasfa yn cynnwys enwau yr holl aelodau; A bod pob un a derbynier yn aelod gael rhoi ei Enw i lawr yn y Llyfr hwn, pan y derbynier ef?

A all Mr Wilks dywedyd amcan am swm y draul.

Dewiswyd Mr John Wilks o Lundain fel y cyfreithiwr fyddai'n sicrhau'r gwaith, a hynny ar sail ei brofiad a'i ddealltwriaeth clir o anghenion cofrestriad o'r fath. Yr oedd yn fab i Mathew Wilks, un a fu am gyfnod yn weinidog yng nghapel y Tabernacl, Moorfields, yn Llundain (Whitefield's Tabernacle), a chyda'i dad, roedd yn un o sylfaenwyr y Gymdeithas Genhadol yn 1798. Yn 1811 yr oedd hefyd yn un o sefydlwyr y Protestant Society for the Protection of Religious Liberty mudiad i ddiogelu hawliau ymneilltuwyr yn benodol, mewn cyfraith. Yn ddiweddarach, daeth yn Aelod Seneddol ac yn lladmerydd o blaid diwygio'r ddeddfwriaeth mewn perthynas â chaethwasiaeth. Mewn teyrnged iddo yn 1854 dywedir: 'His greatest contribution ... was towards the cause of religious liberty, by teaching, we might almost say compelling, Nonconformists to fight their own battles.'[20]

O ddarllen llawysgrifau Fronheulog daw'n amlwg fod y gwaith hwn wedi ei gyflawni'n benodol gan John Davies a John Elias, David Charles, Ebenezer Richard ac Elias Bassett. Yn ychwanegol at y nodyn uchod gan Elias am yr hyn oedd yn angenrheidiol, ceir drafft o weithred bosibl gyda llu o nodiadau wedi eu hysgrifennu ganddo, at sylw John Davies a John Wilkes. Yn ychwanegol, ceir nodiadau gan Ebenezer Richards a David Charles, a sylwadau cyfreithiol gan Elias Bassett.

Prif fwriad y weithred oedd cofrestru'r Cyfundeb, a hynny'n benodol er sicrhau'r holl eiddo oedd wedi dod i law'r Methodistiaid ar hyd y blynyddoedd. Yr oedd angen ffurf ar eiriad ar gyfer gweithredoedd, ac i sicrhau na fyddai'r duedd i golli hawl i adeiladau, tuedd oedd wedi cynyddu yn dilyn y penderfyniad i ordeinio yn 1811, yn ennill rhagor o dir. Wrth baratoi i gyhoeddi gwaith ar gefndir y Weithred yn 1925 mae W. T. Ellis yn cyfeirio at y colledion a gaed ymhlith offeiriaid Eglwys Loegr oherwydd yr ordeiniad ar y naill law, a'r perygl o golli hawl gyfreithiol i'r eiddo ar y llaw arall. O 22 o eglwysi yn Sir Gaerfyrddin yr oedd pedair heb weithredoedd o gwbl, pedair â gweithredoedd yn enw unigolion oedd wedi marw, dwy heb enwau o gwbl ar y gweithredoedd ac un weithred yn enw offeiriad o Eglwys Loegr. Gyda golwg ar y lleill, nid oedd gan y rhan fwyaf ohonynt unrhyw gyfeiriad yn nodi gan bwy, neu i ba bwrpas, y codwyd y capeli ac nid oedd unrhyw gyfeiriad at y Cyfundeb. Er ei bod yn ormodiaith dweud nad oedd yna ryw fath o unffurfiaeth i'w ganfod, a bod rhyw gynllun yn bodoli, eto yr oedd yr amrywiaeth yn peri consýrn gwirioneddol.

Mewn llythyr pellach at John Davies, mae John Elias yn cyfeirio at anhawster pellach sef, yn benodol, nad oedd y dogfennau yn dweud fawr am y modd yr oedd yr eglwysi y tu allan i Gymru i gael eu llywodraethu. Ar 24 Mehefin 1825 mae'n dweud wrth ei gyfaill:

> I must trouble you again with these few lines concerning the Deed. I have been uneasy in my mind since the Bala Association about the Deeds [of] our chapels in Liverpool. I understand that our Connexion has but very little authority over those chapels. I am afraid by the acknowledgement of Mr Williams that the power is invested in the congregation there, almost according to the Independent plan. And this was done purely to prevent the Association to impose some preachers on them without their consent, or claim some moiety of their fund after they pay the debt of the chapels.

Ymgorfforwyd y gofid hwn yn y weithred fel paragraff penodol (paragraff 13).

Wrth ddrafftio'r Weithred cytunwyd y dylai ymddangos gyda'r rheswm canlynol dros ei diben:

> darlunio y Methodistiaid Calfinaidd, o ran prif byngciau eu credo, a rhoddi braslun o arddull eu cyfansoddiad a llwybr eu gweithrediadau Henaduriaethol; fel na byddo achos dadleu pwy ydyw perchenogion eu Capelydd.

Fel y nodwyd uchod, paratowyd crynodeb o hanes y Cyfundeb gan John Elias, a hynny yn gyd-destun i'r Weithred, ac yn y Gymdeithasfa yn y Bala ym Mehefin 1825 a Chaerfyrddin yng Ngorffennaf yr un flwyddyn 'cytunwyd ar bennau y Weithred am Gorphoriad y Corph'. Wedi drafftio ac ailddrafftio, derbyniwyd y ffurf derfynol yn Llangeitho ym mis Awst ac yng Nghaernarfon yn mis Medi 1826. Arwyddwyd hi ym mhresenoldeb John Wilks gan 150 o weinidogion a blaenoriaid yn cynrychioli'r holl gyfarfodydd misol a chwarterol, a'i chofrestru yn Llys y Chancery, 8 Rhagfyr 1826, gyda dau atodiad, sef cyfieithiad Saesneg o'r Gyffes Ffydd a rhestr o'r holl gapeli a berthynai i'r Cyfundeb. Ymddangosodd y cyfieithiad Cymraeg gan D. Lloyd, Pont y Tŵr, wedi ei olygu gan Lewis Edwards, yn 1843. Ar y cyfan, sylweddolwyd y bwriad triphlyg o rwymo'r enwad yn un corff, sicrhau'r eiddo, a nodi bod y broses wedi ei pherchenogi gan y gweinidogion a'r blaenoriaid.

Wedi nodi braslun o'r hanes, gan gyfeirio'n benodol at y Rheolau a fabwysiadwyd yn 1743, yr ordeiniad yn 1811, a llunio'r Gyffes Ffydd, mae'r weithred yn gosod allan y rheolau mewn perthynas â gweithdrefnau'r eglwysi a'r Llysoedd. (Gw. Atodiad 1 isod)[21]

Y llinyn sy'n rhedeg drwy'r ddogfen gyfan yw unoliaeth y Corff, â'r unoliaeth honno yn cael ei sicrhau mewn perthynas â'r daliadau athrawiaethol oedd yn gynhenid iddi. Yn yr adran benodol ar 'Ein Credo' yn adroddiad Pwyllgor II o'r Comisiwn Ad-drefnu,[22] nodir bod yna wyth cyfeiriad penodol at y Gyffes yn y Weithred:

> ein hamcan yw lledaenu'r efengyl yn ôl 'darnodiad' y Gyffes ... dyma lle y mae ein daliadau crefyddol ... nid oes aelod i ddal

athrawiaeth groes iddi ... ni ddylid gwneud dim yn y Cyfarfodydd Misol sy'n groes i'r gyffes ... rhaid i bob rheol a gweithrediadau i fod yn unol â hi ... does gan y Cyfundeb ddim hawl newid na dadlau am rinwedd newid y gyffes ... rhaid i ymgeiswyr am ordeiniad gytuno ar ymlyniad wrthi ... ni chaiff neb fod yn ymddiriedolwr heb yr un cydsyniad.

O ran cyd-destun, diddorol yw nodi tra bu i'n Tadau 'glymu' y Cyfundeb i Gyffes Ffydd, yr hyn wnaed gan y Methodistiaid Wesleaidd oedd clymu'r Cyfundeb hwnnw i wirionedd yr efengyl fel y caiff ei ddysgu yn y Beibl, ac yn benodol yn nodiadau John Wesley ar y Testament Newydd a'i gyfres o bregethau (44 ohonynt) sydd i'w cael ym mhedair cyfrol gyntaf ei bregethau cyhoeddedig. Yn y cymwysterau ar gyfer Ymddiriedolwyr y Gynhadledd, nodir eu bod i'w dewis ar y ddealltwriaeth nad ydynt i bregethu 'no other doctrines than are contained in Mr Wesley's notes upon the New Testament and his four volumes of sermons by him published'.

Pan luniwyd Deddf Eglwys y Methodistiaid yn 1976 diogelwyd yr egwyddor hon, ac yn y cymalau sy'n gosod allan athrawiaeth y Cyfundeb nodir:

> The doctrines of the evangelical faith which Methodism has held from the beginning and still holds are based upon the divine revelation recorded in the Holy Scriptures. The Methodist Church acknowledges this revelation as the supreme rule of faith and practice. These evangelical doctrines to which the preachers of the Methodist Church are pledged are contained in Wesley's Notes on the New Testament and the first four volumes of his sermons.

Diddorol yw sylwi ar y modd y gwnaeth yr Eglwys Fethodistaidd, a hynny ddeugain mlynedd yn ôl, ailbwysleisio eu safonau athrawiaethol, a hynny mewn byd gwahanol iawn. Yn hanes y Corff, mae bellach bron ganrif wedi mynd heibio er y drafodaeth ar ein safonau athrawiaethol, trafodaeth oedd i arwain at Ddeddf Eglwys Bresbyteraidd Cymru 1933.

Deddf Eglwys Bresbyteraidd Cymru 1933

Cododd amryw o faterion cyfansoddiadol yn dilyn sicrhau'r Weithred Gyfansoddiadol, ac nid y lleiaf ohonynt oedd yr hyn a eilw E. O. Davies 'y ddadl fawr'.[23] Yr oedd hon yn troi o amgylch anghytundeb a ddeilliodd o araith Dr Lewis Edwards ar natur Eglwys yn 1839. I bwrpas y bennod hon mae'n arwyddocaol, gan fod Samuel Roberts, gweinidog yr Annibynwyr yn Llanbryn-mair, wedi anghytuno â dealltwriaeth Edwards o hawl enwad yn benodol i rwymo'i heiddo wrth gyffes ffydd. Er bod y ddau'n cytuno â'r hawl gyfreithiol, yr oedd Samuel Roberts yn ei weld yn gam anfoesol, 'un groes i iawnderau cydwybod'. Er mai dadl rhwng Annibynnwr a Phresbyteriad oedd hi yn ei hanfod, eto, mae E. O. Davies yn rhoi cryn ofod i safbwynt Samuel Roberts, wrth iddo nodi canmlwyddiant y Gyffes Ffydd, a hynny yng nghanol y ddadl oedd bellach wedi gafael yn y Cyfundeb yn 1923. Mae'n datgan fod Samuel Roberts yn:

> rhesymu fod trefn felly yn un o gaethiwed arswydus – yn groes i ddeddfau Cristnogol, ormesol ar gydwybodau credinwyr, ac yn un o dramgwydd ar ffordd cynnydd yn y byd a llwyddiant yr eglwys; a bod y fath drefn wedi bod yn brofedigaeth, ac yn wendid, ac yn warth i eglwysi a chyfundebau yr oesoedd a aethant heibio.

Fel y gwelir yn ddiweddarach, yr oedd y cwestiwn o ryddid rhag y Gyffes yn ganolog i'r trafod a ddatblygodd yn sgil adroddiad y Comisiwn Ad-drefnu a sefydlwyd gan y Cyfundeb wrth i frwydro'r Rhyfel Mawr dynnu tua'r terfyn.

O ran sefydlu'r Comisiwn hwn, mae'n ddiddorol nodi ei fod wedi dod i fodolaeth oherwydd trafodaeth ar brinder nifer ac amgylchiadau gweinidogion o fewn y Cyfundeb. Wrth edrych drwy dudalennau'r *Goleuad* yn ystod haf 1918 ceir bod yna ofid am amryw o faterion yn ymwneud â'r weinidogaeth a bywyd yr eglwysi. Yr oedd nifer o weinidogion wedi ymadael ac wedi ymuno ag Eglwys Loegr, a nifer o'r rhain yn cyfeirio at ddau brif reswm – gorthrwm blaenoriaid a diffyg cynhaliaeth deilwng. Gyda golwg ar ddiffyg cynhaliaeth, yr oedd eu hincwm yn ddibynnol ar drefniadau lleol, a chan nad oeddent ddim ond yn pregethu yn eu pulpudau eu hunain am ddim mwy na tua deuddeg Sul y flwyddyn, yr oeddent yn dibynnu ar gydnabyddiaeth y Sul. Caed amryw awgrymiadau, gan gynnwys sefydlu cronfa gynorthwyol i dalu gweinidogion, trefniant lle y byddai gofyn i weinidogion symud bob pum neu saith mlynedd, a hyd yn oed awgrym gan John Owen, Caer, y dylid penodi 'esgobion' i ddiogelu eu buddiannau. Yng nghyfarfod y Gymdeithasfa ym Mhwllheli ym mis Medi 1918 cafwyd trafodaeth ar 'Drefn a Chynhaliaeth y Weinidogaeth'. Mae'r cofnod yn *Y Goleuad* yn adrodd:

> Ar y mater hwn derbyniwyd y genadwri a ganlyn oddiwrth Gyfarfod Misol Arfon: (1) "Ein bod yn anfon i'r Gymdeithasfa i ddymuno arni brysuro i drefnu, a rhoi mewn gweithrediad gynllun ynglyn a threfn a chynhaliaeth y Weinidogaeth." (2) "Ein bod o'r farn fod yr amser wedi dod, a bod aeddfedrwydd i newid y dull presenol i gynal y Weinidogaeth." (3) "Fod Trysorfa Gynhaliaethol i gael ei sefydlu." Anfonodd Cyfarfod Misol Lerpwl hefyd genadwri yn annog fod ymchwiliad yn cael ei wneud i'r fugeiliaeth, ei heffeithiolrwydd a'i chynhaliaeth, a gofynid am drefniad i hwyluso symudiadau y Weinidogaeth. Daeth cenadwri arall o Ddwyrain Meirionydd yn dweyd yr hysbysid yr eglwysi o fewn y cylch hwnnw am y cynllun oedd mewn grym gyda golwg ar y Weinidogaeth. Y Llywydd a ddywedodd ei fod ef wedi derbyn ugeiniau o lythyrau oddiwrth bregethwyr ieuainc hollol deyrngarol i'r Cyfundeb ac nad oedd yr un ohonynt eisieu gadael y Cyfundeb, ond teimlent lawer o anhawsderau nid anhawsderau meddyliol, ond anfoddhad gyda golwg ar drefn y Weinidogaeth.[24]

Oherwydd meithder y drafodaeth, gohiriwyd penderfyniad ar y mater tan y diwrnod canlynol, ac wedi'r defosiwn:

> hysbysodd Mr. John Owen (Caer) ei fod wedi tynu allan nifer o benderfyniadau ar y mater fu o dan sylw y dydd blaenorol. Dymunai alw sylw at y ffaith fod cyfundebau crefyddol eraill yn chwilio i mewn i drefniadau y weinidogaeth yn eu plith, ac yr oedd o'r farn ei bod yn amser i'r Cyfundeb Methodistaidd wneud yn gyffelyb. Pasiwyd amryw bethau gan y Cyfarfodydd

Misol, ond nid dim oedd yn chwyldroadol nac ychwaith yn debyg o arwain i argyfwng. Y penderfyniad a gynygiai ef oedd (1) Ein bod yn penodi pwyllgor yn cvnrychioli yr holl Gyfarfodydd Misol a'r Henaduriaethau i adolygu ein cyfansoddiad a'n trefniadau fel Cyfundeb gyda golwg ar ein daliadau crefyddol, y fugeiliaeth o ran ei heffeithiolrwydd, ei threfn a'i chynhaliaeth, y swyddogaeth, yr Ysgol Sabbothol, y cyfarfodydd wythnosol, &c. (2) Fod y pwyllgor i gael ei gyfansoddi o aelodau pwyllgor trefn a chynhaliaeth y weinidogaeth, ac fod is-bwyllgor cyfansoddiadol o Lywydd ac ysgrifenydd y Gymdeithasfa, cadeirydd ac ysgrifenydd cyfarfod y blaenoriaid ynghyd a Mr. O. Robyns Owen, i ddewis aelodau ychwanegol ato ac i baratoi amlinelliad o'r materion hynny rhwng yr is-bwyllgorau. (3) Fod cynhadledd o weinidogion, pregethwyr a blaenoriaid i'w chynal i dderbyn adroddiad y pwyllgor cyn ei gyflwyniad i'r Gymdeithasfa. (4) Ein bod yn y cyfamser yn dymuno ar yr eglwysi trwy y Cyfarfodydd Misol yr angen i ddarparu yn deilyngach ar gyfer cynhaliaeth y weinidogaeth, ac i gryfhau ein trysorfeydd, yn unol a phenderfyniadau Cymdeithasfa Croesoswallt. (5) Fod y penderfyniadau hyn i gael eu hail-argraffu yng nghylchlythyr y Gymdeithasfa hon, a bod sylw neillduol i gael ei alw atynt. Gyda golwg ar adolygu y cyfansoddiad, clywodd ef (Mr. Owen) weinidogion, yn arbenig rhai yn perthyn i'r Henaduriaethau, yn credu fod yr adeg wedi dyfod i ail-ystyried y Gyffes Ffydd. Yr hyn a ddywedent oedd mai nid yng ngeiriau presenol y Gyffes Ffydd y buasai y Cyfundeb yn datgan ei ddaliadau crefyddol. Nis gwyddai ef a oedd hyn yn wir, ond cytunai y dylid cymeryd y mater i ystyriaeth; o'r hyn lleiaf credai y dylid paratoi crynhodeb o'r Gyffes Ffydd ar gyfer yr aelodau, oblegid prin y gwyddai eu hanner pa beth oedd daliadau y Cyfundeb.[25]

Erbyn cyfarfod y Gymdeithasfa yn Nhywyn ym mis Tachwedd 1918, roedd y gwaith o roi ffrâm ar y drafodaeth hon wedi ei lunio yn y Gogledd. Yn ôl yr adroddiad o'r Gymdeithasfa honno:

ADOLYGU TREFNIADAU Y CYFUNDEB. Cyflwynodd yr ysgrifenydd yr adroddiad canlynol o eiddo'r Pwyllgor Parotoawl ynglyn ag adolygu trefniadau y Cyfundeb, a is-bwyllgorau i adolygu ein trefniadau fel Cyfundeb. Amlinelliad o'r materion i'w hystyried. 1. Ein hanes cyfundebol a'n hathrawiaethau. 2. Cyfundrefn a threfniadaeth (a) corffoCREATE y Gymanfa Gyffredinol; (b) cyfansoddiad y Cyfarfodydd Misol a'r Henaduriaethau; (c) y swyddogaeth; (d) ein perthynas ag enwadau eraill. 3. Y Weinidogaeth; (a) ymgeiswyr am y weinidogaeth; (b) addysg yr efrydwyr; (c) y fugeiliaeth (yn cynwys symudiad gweinidogion; (d) uniad gofalaethau; (ch) y weinidogaeth Sabothol. 4. Addoliad a chenhadaeth (a) y gwasanaeth Sabothol; (b) y cyfarfodydd wythnosol; (c) yr Ysgol Sul. 5. Yr eglwys a chwestiynau cymdeithasol. 6. Cynhaliaeth y Weinidogaeth. Yng ngwaith y Comisiwn sydd i ystyried y materion hyn, barna y pwyllgor mai angenrheidiol ydyw sicrhau dyddordeb y Cyfarfodydd Misol a chael eu cydweithrediad calonog, ac er enyn hynny mai dymunol fyddai i'r Cyfarfodydd Misol benodi aelodau ar y Comisiwn yn ychwanegol at nifer o benodiad y Gymdeithasfa ... Y Parch. Broffeswr J. O. Thomas a ddymunai fod ychwaneg o bwys yn cael ei roddi ar fod Cymdeithasfa y De yn ymuno yn y mudiad hwn. Dywedodd y Llywydd ddarfod iddo ef ar ei gyfrifoldeb ei hun, anfon at nifer o gyfeillion amlwg yn y De, yn egluro yr hyn fwriedid ei wneud yn y Gogledd ac yn gobeithio y rhoddent ddatganiad o'u cydymdeimlad a'r mudiad. Buasent wedi gwneud hyny yn ddiddadl pe buasai Cymdeithasfa Aberystwyth wedi ei chynal.[26]

Pan gynhaliwyd y Gymdeithasfa yn Aberystwyth ym Mawrth 1919 cafwyd trafodaeth lawn, a hynny ar sail cenadwri o Ogledd Aberteifi:

Cyflwynwyd cenadwri bwysig o Ogledd Aberteifi ynglyn a'r ad-drefnu angenrheidiol yn y cyfnod presenol. Cyflwynwyd y mater gan y Proff D. Williams, M.A., fod angen am rywbeth i'r cyfeiriad, fod argyfwng yn hanes byd, gwlad, ac eglwys, fod y cyfnod i'r eglwys yn ddydd o brawf ac o gyfle, yn adeg datguddio ein hanghenion a'n gwendidau, ond hefyd wedi rhoddi i'r eglwys ei chyfleustra. A ydym i barhau yn ein polisi o "drift" ai ynte myned ymlaen am oruchafiaeth yn enw'r Ceidwad? Mae'r Gogledd eisoes wedi symud, ond mae angen cyd-symud rhwng De a Gogledd; mae eisieu pob "ounce" o nerth a doethineb posibl. Ymgyfyd amryw gwestiynau, fel enghraifft: (1) Y Weinidogaeth, ei chynhaliaeth, dyna'r "strategic point"; ond hefyd, cyn bwysiced a hynny effeithiolrwydd y weinidogaeth, ac o gael hwn fe ddaw y blaenaf. O ble y daw ein gweinidogion, a'r rheiny y rhai goreu? Beth am addysg? A'r fugeiliaeth. Mae angen gweinidogaeth i gydio yn ysbryd a chydwybod gwlad. (2) Hyfforddiant crefyddol dynion; bu ymchwiliad eisoes i sefyllfa pethau ymhlith y milwyr; ceir yn bodoli yn y wlad anwybodaeth ddybryd o'r Beibl ac o bethau crefydd; paham y collir cynifer i'r eglwys o rai a fu yn yr Ysgol Sul pan yn ieuainc? Rhaid wynebu problemau yr Ysgol Sul, cyfarfodydd crefyddol, a llenyddiaeth gyfaddas i'r oes (3) Yr eglwys a chwestiynau cymdeithasol, dyna fater mawr. Awgrymai Mr. Williams mai buddiol fyddai cael rhyw fath o Commission o ddau neu dri i edrych yn wyneb pethau, a chynhygiai fod Pwyllgor bychan yn cael ei ddewis i ddwyn adroddiad i mewn y dydd dilynol.[27]

Roedd yn amlwg fod y penderfyniadau hyn wedi cydio yn nychymyg y ddwy Gymdeithasfa, ac fe aed ati'n ddi-oed i ddewis swyddogion ar gyfer y Comisiwn a'i bwyllgorau, yn ogystal â chyhoeddi dyddiadau'r cyfarfodydd cyntaf. Erbyn y flwyddyn ganlynol roedd adroddiad y Gogledd wedi ei gyflwyno i Gymdeithasfa'r Bala ym mis Mehefin, a'r un modd adroddiad y De wedi ei gyflwyno i Gymdeithasfa Aberhonddu ym mis Awst. Rhannwyd y gweithgarwch ymysg nifer o isbwyllgorau, ac fe gyflwynwyd adroddiadau yn eu tro ar y canlynol:

Pwyllgor I: Ein Hanes Cyfundebol a'n Hathrawiaeth, a hyfforddiant ein pobl ynddynt.
Pwyllgor II: Ein cyfundrefn a'n trefniadaeth.
Pwyllgor III: Ymgeiswyr am y Weinidogaeth, Addysg yr Efrydwyr, etc.

Pwyllgor IV: Addoliad a Chenhadaeth.
Pwyllgor V: Yr Eglwys a chwestiynau cymdeithasol.
Pwyllgor III a Phwyllgor VI (y Gogledd): Trefn a Chynhaliaeth y Weinidogaeth.
Pwyllgor VI (y De): Trefn a Chynhaliaeth y Weinidogaeth.

Cyhoeddwyd fersiwn lawn o'r holl adroddiadau gan y wasg yn 1925, er na chyfeirir at Adroddiad o Bwyllgor I (y De) yn y fersiwn terfynol. Mae R. H. Evans yn dadlau na theimlwyd yr angen i gynnwys yr adroddiad hwnnw yn rhan o'r adroddiad a drafodwyd gan y Gymdeithasfa yn y ddwy dalaith.[28] Cyhoeddwyd pamffledyn ychwanegol yn cynnwys yr Adroddiad gan Dalaith y De.

Fel sy'n digwydd yn fynych, yr oedd union gonsýrn y Gymdeithasfa, yn benodol amgylchiadau'r gweinidogion, wedi symud yn awr at ystyriaeth eang o sefyllfa a bywyd y Cyfundeb. Yn wir, ni roddwyd sylw priodol i fater 'Cynhaliaeth y Weinidogaeth' nes y llwyddwyd, drwy ymdrech amryw gan gynnwys y Parch. John Roberts, i berswadio'r eglwysi, a'r blaenoriaid yn benodol, i sefydlu'r Gronfa Gynnal.[29] Cyflwynwyd cynllun gan yr ail Gomisiwn Addrefnu, cynllun i sefydlu 'Cronfa Gynhaliaethol' yn y Gymdeithasfa Unedig yn Aberystwyth yn 1945. Yn y Gymanfa Gyffredinol yn Lerpwl yn 1947 cytunwyd ar y manylion, a sylweddolwyd y bwriad o Orffennaf 1948 ymlaen o dan arweiniad John Roberts, a chadeiryddiaeth Syr David Hughes Parry. Gweinyddid y Gronfa o'r swyddfa yn Richmond Road.[30]

Mae Adroddiad Pwyllgor I yn y Gogledd yn rhoi sylw manwl i gyfraniad John Owen, Caer, wrth egluro ei ddealltwriaeth o'r sefyllfa bresennol. Nid ei sylwadau eang ar yr angen i ddiwygio gweithdrefnau i'r Cyfundeb mewn perthynas â'r weinidogaeth a drafodir ond, yn hytrach, ei sylw am ddealltwriaeth pobl o'n hathrawiaethau. O ganlyniad, buan y gwelwyd bod dealltwriaeth yr arweinwyr, fel nifer o aelodau o'r gwaith, sut yr oedd y Cyfundeb bellach yn deall ei hathrawiaethau, a'i hawl i geisio mynegiant newydd ohonynt.

Beth bynnag oedd y bwriad gwreiddiol, a'r ffordd y dehonglwyd hynny gan aelodau'r pwyllgorau, yr oedd y gwaith yn perthyn i gyd-destun arbennig. Yr oedd Methodistiaid Calfinaidd diwedd y Rhyfel Byd Cyntaf yn wahanol iawn i Fethodistiaid 1823 a 1826. Yr oedd y gwahaniaeth i'w weld yng nghefndir ac addysg yr arweinwyr, a'r un pryd yn eu dealltwriaeth o awdurdod ac athrawiaeth o fewn Eglwys. Os oedd arweinwyr cyfnod y twf ddiwedd y ddeunawfed ganrif a dechrau'r bedwaredd ganrif ar bymtheg yn rhai oedd wedi eu hyfforddi a'u paratoi gan mwyaf drwy'r seiadau a'u pregethau, gyda dim ond ychydig yn unig o hyfforddiant ffurfiol, roedd arweinwyr ar ddechrau'r ugeinfed ganrif yn ffrwyth ein colegau ein hunain, yn ogystal â hyfforddiant pellach mewn colegau eraill yng Nghymru a Lloegr, Ewrop a'r Amerig. Yn ei lythyr olaf at Thomas Charles yr oedd William Williams yn awyddus i ddiogelu undod y Methodistiaid a phurdeb eu hathrawiaethau drwy bwyso ar Charles i gynghori:

> y llefarwyr ieuainc, yn nesaf at y Beibl, i sylwi'n fanwl ar athrawiaethau'r hen Ddiwygwyr enwog, megis y gosodir hwy allan yn Erthyglau Eglwys Loegr, a'r tair Credo, sef credo'r Apostolion, Nicea ac Athanasius. Gwelant yno wirioneddau mawrion yr efengyl a dirgeledigaethau Duw, yn cael eu gosod allan mewn modd hynod ardderchog ac addas. Ffurfiau o ymadroddion iachus ydynt am bethau mawrion Duw. Y mae Cyffes Ffydd a Chatecism y Gymanfa hefyd yn haeddianol o barch mawr a derbyniad. Myfyrient yn astud, a chwilient yn fanwl y cyfryw orchestwaith a'r rhain; fel y dygont ddeall yn olau, a llefaru yn addas wrth eraill am athrawiaethau sylfaenol ein cred.[31]

Pan ofynnodd Dr Lewis Edwards am gael ei ryddhau i gael mynd am gwrs pellach o hyfforddiant academaidd, fe welir bod yna amwysedd ym meddwl ail a thrydedd genhedlaeth y Methodistiaid ynghylch y priodoldeb o roi'r fath bwys ar addysg o'r fath, ac yn eu plith, John Elias. Yn ddigwestiwn, yr oedd y Methodistiaid wedi eu meithrin fel Corff ar ddealltwriaeth o'u gwaith oedd yn canoli ar efengylu. Mae'n arwyddocaol yr ystyrid George Whitefield yn fwy o arweinydd ymhlith y Methodistiaid yng Nghymru na Griffith Jones, er eu parch at y gŵr hwnnw. Mae'n debyg fod hynny'n adlewyrchu'r pwyslais ar ymestyn allan ar ddechrau gwaith newydd yn hytrach na gweithio'n lleol. Gyda golwg ar hyfforddiant, yr oedd y Corff wedi ei faethu drwy gyhoeddiadau megis yr *Hyfforddwr* a'r *Geiriadur Beiblaidd* (Geiriadur Charles), cyfrol a oedd yn wahanol iawn ei hagwedd at y Beibl i'r *Geiriadur Beiblaidd* a gyhoeddwyd yn 1926.[32] Yr oedd y newid yn drawiadol, ac erbyn cychwyn yr ugeinfed ganrif nid oedd dim dadl am y priodoldeb o sicrhau'r addysg orau i'r ymgeiswyr, gyda chytundeb cyffredinol fod angen i'r addysg honno fod mor eang â phosibl. Ni olygai hynny fod yr aelodau yn yr eglwysi yn gwybod fawr ddim am y symudiadau hynny, gan eu bod yn dal i fyw yng ngwres diwygiad dechrau'r ganrif, diwygiad yr oedd nifer o'r arweinwyr yn llai na brwdfrydig amdano. Gellir dadlau bod hyn yn un o'r arwyddion amlycaf fod y Cyfundeb wedi symud tuag at weinidogaeth 'broffesiynol' a'r math o glerigiaeth oedd yn rhoi bri ar yr arweinwyr 'dysgedig'. Yn anorfod, golygodd hyn fod un o hanfodion Methodistiaeth Galfinaidd Gymreig, yr ymwybyddiaeth ei bod yn byw ac yn ffynnu ar brofiadau, egni ac arweiniad cynulleidfaoedd lleol, yn mynd yn eilbeth yn nealltwriaeth y Cyfundeb o'r hyn oedd yn greiddiol i fywyd ac angen eglwys.

Mae Robert Pope yn credu bod 'rhyddfrydiaeth diwinyddol wedi dod i'r brig' erbyn 1920.[33] Yr un modd, cyfeiria Densil Morgan at enghraifft benodol o hyn wrth ymdrin â hanes esboniad D. Francis Roberts ar y Pumllyfr. Wrth ystyried y digwyddiad hwnnw, daw Morgan i'r casgliad fod 'yn rhaid i Fethodistiaid Calfinaidd, fel bron pob Cristion yn y prif ffrwd yng Nghymru, fodloni ar Feibl ffaeledig, a hyd y gallant, ddarganfod ffordd drwy'r corsydd diwinyddol newydd. Mae'n ymddangos nad oedd modd gwarantu safon ddibynadwy o wirionedd crefyddol y gellid cael pawb i gytuno arno.'[34]

Yn ei araith o gadair Cymdeithasfa'r Gogledd yn 1923, cyfeiria E. O. Davies at y newid diwinyddol hwn, newid oedd yn ganlyniad sefydlu'r colegau, darllen ehangach, ac i waith beirniadaeth feiblaidd ac 'athrawiaeth ddatblygiad'. O ganlyniad, yr oedd cymaint o wahaniaeth rhwng Methodistiaid yr 1820au a rhai'r 1920au ag a oedd rhwng 'Byd Copernicus a Byd Ptolemy'.[35] Rhyfedd felly yw darganfod ei amharodrwydd ef, ac yn wir amharodrwydd Pwyllgor I yn y De a'r Gogledd i newid y Gyffes Ffydd, neu i greu cyffes newydd. Mae R. H. Evans yn dadlau bod hyn yn un o gryfderau mawr E. O.

Davies, gan y gwyddai, os oedd unrhyw newid i lwyddo, yna byddai'n rhaid i'r Cyfundeb cyfan ei fabwysiadu yn unfrydol, bron.[36] Yr oedd hyn yn ofynnol o ran Gweithred Gyfansoddiadol 1826, ac ni fyddai gobaith cyflawni'r bwriad i gael yr hawl i adolygu heb y parodrwydd hwnnw. Yn hynny, mae gweddill hanes y daith o'r Comisiwn i'r Ddeddf Seneddol yn 1933 yn ymdrech i sicrhau'r hyn oedd yn bosibl, yn hytrach nag adlewyrchiad o syniadau a barn y rhan fwyaf o arweinwyr y Cyfundeb.

O edrych ar yr adroddiadau, fe welir bod yr aelodau yn dirnad amryw byd o heriau i sefyllfa'r Cyfundeb wrth edrych ymlaen. Mae Adroddiad Pwyllgor I yn y Gogledd yn nodi, o dan y pennawd 'Y Sefyllfa Bresennol', eu barn fod tri phrif reswm dros gyflwr y Corff ar y pryd: tueddiadau'r oes, diffyg y Cyfundeb a'r sefyllfa foesol a chrefyddol yn gyffredinol. [37] Gyda golwg ar y cyntaf mae yna alar am y dyddiau pan oedd y capel yn ganolog i fywyd, ond bellach mae pethau eraill yn cystadlu yn erbyn y capeli, a gwelir awydd pobl am ddifyrrwch yn fwy na'u hawydd am 'bethau mwy sylweddol'. Ymhellach, yr oedd addysg yn awr yn fodd i sicrhau 'llwyddiant bydol' gan beri esgeuluso addysg grefyddol: 'Try lawer o'n pobl ifanc eu sylw at gwestiynau cymdeithasol, a rhoddant eu hamser mewn gwasanaeth cymdeithasol a dyngarol'.

Ar sail yr ail reswm mae ymateb y Cyfundeb yn cael ei feirniadu, ac yn arbennig felly anallu'r Cyfundeb i gydsymud mewn ymateb i fyd newydd a chyd-destun newydd: 'Tueddwn i lynnu'n ormodol wrth draddodiadau'r gorffennol mewn llawer o bethau.' Mae'r aelodau'n mynd ymlaen i'w gwrth-ddweud eu hunain braidd drwy dderbyn, ar y naill law, fod ansicrwydd gyda golwg ar 'yr athrawiaethau' ond, ar y llaw arall, yn mynnu y dylid gwreiddio addysg yr Eglwys a meddwl ei phlant yn yr athrawiaethau hyn. Ceir esboniad ar y paradocs hwn yn y frawddeg olaf, lle nodir bod y diffygion mewnol yn 'codi o'n harafwch i gyfaddasu ein haddysg athrawiaethol, o ran ei ffurf ei chynnwys a'r dull o'i chyfrannu, at ofynion yr oes newydd.'

Mae'r gofod pennaf yn cael ei neilltuo i drin y trydydd rheswm, ac wrth gyfeirio at y sefyllfa foesol a chrefyddol yn gyffredinol mae'r awduron yn nodi anwybodaeth o brif ffeithiau a chymeriadau'r Beibl. Yna ceir isadran sy'n ceisio pwysleisio'r anwybodaeth am oblygiadau moesol ein credo, neu 'y math o fywyd y dylai ei gynhyrchu'. Rheswm arall dros y sefyllfa yw 'difaterwch', a hynny'n bennaf gan fod maes crefydd yn ymddangos yn amherthnasol. Os oedd angerdd yr 'hen athrawon' yn dod o'u hargyhoeddiad fod gwynfyd i'w ennill neu wae i'w osgoi, rhaid i'r newid yr ydym ni bellach yn ei weld, yn benodol, yr hyn a elwir yn 'buro ac ysbrydoli' y syniad am nefoedd ac uffern, gael ei gyfleu â'r un argyhoeddiad, hyd yn oed os oes raid newid yr apêl o fod yn un ysbrydol i fod yn un moesol. Mae'r pwyllgor yn mynd rhagddo i gyfeirio at yr ysgaru sydd rhwng diwinyddiaeth a bywyd. Yr oedd y Pwyllgor yn ddiamwys mai'r moddion i ateb hyn oedd croesawu ffrwyth beirniadaeth feiblaidd a gwyddoniaeth:

> Credwn mai ffrwyth bendithiol y prawf a ddwg beirniadaeth a gwyddoniaeth ar ffydd llawer o'n pobl, yn y pen draw, fydd dwyn eu syniadau am y Beibl a chrefydd i berthynas nes a reality, a gwneuthur eu diwinyddiaeth yn rym gwirioneddol a llywodraethol yn eu bywyd ymarferol.[38]

Mae'r adran yn cloi gyda chri am olwg ehangach ar grefydd, a hynny drwy 'wybodaeth ehangach o hanes yr Eglwys Gyffredinol, drwy ymgais i ddeall nodweddion a safbwyntiau Cyfundebau eraill, a thrwy ddilyn y gwaith a wneir gan wahanol genadaethau Cristnogol drwy'r byd'. Mae adroddiad Pwyllgor y De[39] yn tueddu at yr un casgliadau, ond mae'n ddiddorol fod y rhagarweiniad yn llawn cyfeiriadau Beiblaidd. Mae esgeulustod pobl o hanes y Cyfundeb yn rhywbeth na ellir ei fforddio. '"Os anghofiaf di, Jeruwsalem, anghofied fy neheulaw ganu. Glyned fy nhafod wrth daflod fy ngenau oni chofiaf di. Yng ngrym yr hyn a fu o hyd y meddiennir y dyfodol". "Y llinynnau i ni a syrthiasant mewn lleoedd hyfryd, y mae i ni etifeddiaeth deg."' Wrth ystyried yr angen am deyrngarwch at yr athrawiaethau, sonnir am y rhagflaenwyr a oedd:

> wedi grymuso a chyfoethogi llawer ar fywyd ein cenedl ... Yn ddi-ddadl, bu eu hefengyl a'u pregethu hwy, nid mewn gair yn unig, ond hefyd mewn nerth, ac yn yr Ysbryd Glân, a chyda sicrwydd mawr.

Cyn cyflwyno eu hargymhellion maent yn nodi:

> mai angen mawr ein gwlad heddiw ydyw edifeirwch – dychwelyd at Dduw. Waeth inni gyfaddef na pheidio, yr ydym wedi gadael ffynnon y dyfroedd byw, ac wedi cloddio i ni ein hunain bydewau di-ddwfr. Mae materoldeb a daearoldeb ein bywyd yn rhwystro tarddiad y ffynhonnau tragwyddol sydd yn porthi bywyd y byd, ac y mae cymdeithas yn edwino o'n cwmpas, ac y mae gwinllan Duw mewn perygl i fynd yn anialwch.

O ran awgrymiadau'r pwyllgor, mae yna awydd i weld cyhoeddi cyfrol newydd o hanes y Cyfundeb, a llyfrau eraill ar ein cychwyniadau, ein datblygiad, ein pulpud, ein neges, ein perthynas â bywyd y genedl ac un ar y Genhadaeth Dramor. O ran y sefyllfa athrawiaethol, ceir galwad i fod yn 'fwy effro, a cheisio gweld fod y genadwri nefol yn cael ei chyflwyno yn y fath fodd ag y byddo yn cyfarfod ag anghenion yr oes yr ydym yn byw ynddi'. Nid oedd awydd i weld cyhoeddi llyfrau athrawiaethol ar hyn o bryd; eto penderfynwyd nad oeddent

> am ymyrryd dim â'r Gyffes Ffydd. Ac awgrymwn ein bod yn paratoi "Datganiad byr o'r hyn a gredir gennym," fel un sydd yn cyfarfod a'n anghenion ni ar hyn o bryd, a'n bod yn gofyn i Bwyllgor I De a Gogledd i gydymgynghori am y mater uchod.[40]

Mae Pwyllgor I yn y Gogledd yn mynd i lawer iawn mwy o fanylion gyda golwg ar ei awgrymiadau ar y ffordd ymlaen. Ceir adran faith o dan y teitl 'Cynigion i ad-drefnu a diwygio' ac yna atodiad ar ein hanes gan D. D. Williams, un arall ar yr Athrawiaeth gan R. R. Hughes ac atodiad pellach wedi ei rannu yn wyth isadran ar Ddysgu'r Beibl gan G. Wynne Griffith. O ran hanes, y maent hwythau o blaid llyfr safonol ar y Cyfundeb gan ychwanegu y dylai gyfeirio at hanes yr Eglwys yn gyffredinol. Pan droir at yr athrawiaeth ceir cynigion pendant. Datgenir:

> ein cred ddibetrus yn hawl yr Eglwys i adolygu ei chredo pan deimla fod angen gwneud hynny ... Eithr er cydnabod hyn, ystyriwn yr un pryd na ddaeth yr amser eto i'r Eglwys ymgymeryd â rhoddi ail-fynegiad llawn i'r athrawiaeth. Cyfnod o newid yw, ac nid yw meddwl yr oes eto wedi cyrraedd angorfa

> sicr ac arhosol ar ôl ei symud o'r hen safbwyntiau drwy gynnydd gwybodaeth ddiweddar ... Am y rhesymau hyn barnwn nad doeth fuasai ynom ar hyn o bryd geisio newid ein Cyffes Ffydd. Yn wir, ni hoffem weled ymyrryd â'r Gyffes Ffydd presennol unrhyw adeg. Cadwer fel y mae, oblegid historical document yw na ddylid ei gyffwrdd.[41]

A symud ymlaen, awgrymir 'Datganiad byr ar y pethau a ystyrir gennym yn hanfodol'. Ond, yr oedd angen cam pellach:

> Try anhawster y rhan fwyaf o'n pobl o amgylch y cwestiynau hynny sy'n dal perthynas â'r Beibl ac â'r hyn sy'n cyfansoddi awdurdod mewn crefydd, hynny yw, y cwestiwn o Ddatguddiad.[42]

Mae'r adroddiad yn mynd rhagddo i fynnu bod diwinyddion yn gyffredinol bellach yn cytuno â chasgliadau beirniadaeth Feiblaidd a gwyddoniaeth. Yr anhawster yw:

> yn ein Hysgolion Sul, parheir i fesur mawr, i ddysgu'r Beibl ar linellau'r hen olygiad traddodiadol a pheiriannol ... a syniad amherffaith am y Beibl ei hun. Nid oes eisiau, er adfer eu ffydd ynddo, ond eu cynorthwyo i olygiad cywirach ohono, a hynny o'r safbwynt iawn.' [43]

Ceir adran helaeth yn pwysleisio mai Iesu Grist yw'r gwir Ddatguddiad, a bod datguddiad yn rhywbeth graddol mewn hanes a bywyd, a hwnnw'n ddatguddiad cynyddol. Er bod yr honiadau hyn wedi eu derbyn bron yn ddigwestiwn, eto y maent yn gadael yr awduron gyda nifer o anawsterau. Mae Densil Morgan yn holi, os rhoir rhwydd hynt i feirniadaeth, pa sicrwydd ellir ei roi na fyddai ei chanfyddiadau'n milwrio yn erbyn honiadau Iesu? Ymhellach, os yw datguddiad yn rhywbeth cynyddol, i ba raddau y gellir cyfeirio at Iesu fel uchafbwynt a chyflawniad datguddiad? Wrth ymateb i feirniadaeth o'i lyfr ar y Pumllyfr, mae D. Francis Roberts yn apelio at Iesu fel barnwr a safon athrawiaeth a datguddiad, ond pan yw'n esbonio pa Grist sy'n awdurdod, cyfeiria at y ffaith mai 'y Crist sydd ynom yw'r datguddiad uchaf, ac mae'r datguddiad hwnnw yn datblygu ac ehangu am byth'.[44]

Yn y cyd-destun diwinyddol hwn, yr oedd Pwyllgor II yn cytuno gyda Phwyllgor I fod gan yr Eglwys hawl 'i adolygu ei chredo pan deimla fod angen am hynny', ac mae'n cyflwyno pump o ystyriaethau i'r Comisiwn ar y mater hwn:

1. Bod dirnadaeth o'r Gwirionedd yn tyfu.
2. Yn y mater hwn, nad ydym ni fel Eglwys yn rhydd.
3. Y medd yr Eglwysi Presbyteraidd eraill, ac Eglwys Esgobyddol Cymru, eu rhyddid.
4. Y rhwymir ein dwylo mewn trafodaethau ar Aduniad Eglwysig.
5. Ein bod yn dal ein holl eiddo ar lythyren ein Cyffes fel y saif yn awr.

Cyflwynwyd eu hadroddiad hwy i ddwy Dalaith y Gymdeithasfa, ddwywaith yn y Gogledd (ym Manceinion yn Nhachwedd 1923 a Llanrwst ym Mehefin 1924), ac yn y De yn Nhŷ-croes, Rhydaman, yn Ebrill 1924. Mae'n ddiddorol nodi bod E. O. Davies, yn ei araith ymadawol ym Machynlleth (Mawrth 1923), wedi awgrymu bod cynnig o'r fath ar y ffordd. Yn yr araith honno mae'n nodi:

> Nid wyf yn meddwl fy mod yn bradychu unrhyw gyfrinach wrth ddweud fod y Comisiwn â'i fryd ar awgrymu rhai pethau mawr eto cyn cadw noswyl ... y tebyg yw y cynigir yn fuan gorffori'r Corff fel y cyfryw. A dichon y bydd unfrydedd mawr tros hyn pan gyflwynir y peth i sylw. Nid yw Deddf Seneddol yn anhepgorol angenrheidiol er gwneud hyn. Gellir ei sicrhau mewn ffyrdd eraill. Ond pe penderfynid o blaid y ddau beth, – corffori'r Cyfundeb ac adfeddiannu'n Rhyddid ynglŷn â'n Athrawiaeth, – gellid eu sicrhau gyda'i gilydd trwy'r un Ddeddf Seneddol.[45]

Tybia Davies mai'r cam ymarferol i sicrhau hynny fyddai 'gosod y mater yn deg a chlir gerbron y Cyfarfodydd Misol', gan wahodd ateb i ddau gwestiwn:

> (1) A ydych yn cymeradwyo'r datganiad a ganlyn a geir yn Adroddiad Pwyllgor I. y Comisiwn Ad-drefnu, "Fel Protestaniaid ac yn arbennig fel Rhydd-Eglwyswyr, datganwn ein cred

ddi-betrus yn hawl yr Eglwys i adolygu ei chredo pan deimla fod angen am hynny"? (2) A ydych o blaid cymryd y mesurau angenrheidiol er sicrhau'r hawl hon inni fel Cyfundeb.[46]

Yn naturiol, fel Ysgrifennydd y Comisiwn, roedd Davies yn gwybod yn dda beth oedd ar ddod, ac mae ei eiriau yn Sasiwn Machynlleth i bob pwrpas yn ailadrodd air am air yr hyn oedd i ymddangos yn ddiweddarach yn yr adroddiad. Wedi nodi hyn, mae'r adroddiad yn mynd rhagddo i ychwanegu cyd-destun arall yr holl ddiddordeb, sef yr angen i ddiogelu cofrestriad a pherchenogaeth ffurfiol yr holl eiddo. Mae hyn yn adlewyrchu'r ddau anhawster oedd yng nghefn meddwl y Comisiwn. Yr oedd yna berygl y byddai rhywun yn dwyn achos llys yn erbyn ymddiriedolwyr nad oeddent yn addef ffyddlondeb i'r Gyffes Ffydd, ac o ganlyniad yn anghymwys i fod yn ymddiriedolwyr. Yn ail, fel yn achos y rhai oedd yn llunio'r Weithred wreiddiol yn 1826, yr oedd gofid fod llawer o'r gweithredoedd yn amwys gyda golwg ar berthynas yr eiddo i'r Cyfundeb. Yr oedd angen ffurf ar weithredoedd, ac roedd angen Corfforaeth i ddal yr eiddo, yr hyn a ddaeth yn ddiweddarach, o dan Ddeddf 1933, yn Fwrdd Eiddo. Mae R. H. Evans yn honni bod yr ystyriaeth hon yn bwysicach i E. O. Davies na chwestiynau am berthnasedd a chynnwys y Gyffes Ffydd. Wrth drafod y diwygiadau a dderbyniwyd i'r Erthyglau Datganiadol yn hwyr yn y dydd er mwyn sicrhau unfrydedd o fewn y Corff, mae Evans yn nodi:

> Ni phryderai'r Comisiwn yn agos gymaint am athrawiaethau ag a wnâi am eiddo'r Cyfundeb ... yr angen pwysicaf un ar y pryd oedd sicrhau rhyddid oddi wrth hualau'r gorffennol a'r clymu fu ar yr eiddo wrth y Gyffes Ffydd wreiddiol.[47]

Cyn troi at y cwestiynau oedd i'w trafod gan y Cyfarfodydd Misol, mae'n bwysig nodi bod Adroddiad Pwyllgor II hefyd yn cynnwys manylion trefniadau mewnol y Cyfundeb. Yr oedd y Weithred yn 1826 wedi gosod y rhain allan yn fanwl mewn 14 o benawdau (gw. uchod). Mabwysiadwyd y rhan fwyaf o awgrymiadau'r Pwyllgor, ac eithrio'r awydd i sefydlu swydd diacon a materion eraill yn ymwneud ag 'awdurdod' y Gymanfa Gyffredinol. Er hynny, fe ehangwyd cynrychiolaeth i'r Gymanfa, nodwyd yn glir ei lle o fewn Cyfansoddiad y Cyfundeb, ac fe restrwyd ei swyddogion fel y Llywydd, yr Ysgrifennydd, y Trysorydd a'r Ystadegwyr. Erbyn Cymanfa Corwen 1927 cyhoeddodd y Parch R. J. Rees, y Llywydd, o'r gadair:

i. "Bod y Gymanfa Gyffredinol o hyn allan yn Gyfarfod Unedig o'r ddwy Gymdeithasfa, i'w gynnal o leiaf unwaith bob blwyddyn."

ii. "Bod y Gymanfa Gyffredinol i fod yn Gymdeithasfa ychwanegol, neu ynteu, os barna'r Cyfundeb rywbryd yn y dyfodol, drwy'r Cymdeithasfaoedd Chwarterol, hynny yn well, yn un o'r Cymdeithasfaoedd Chwarterol."

iii. "Bod y Gymanfa i gynnwys Gweinidogion a Blaenoriaid y Cyfundeb."

Er bod hyn yn cyflawni'r bwriad deublyg o sicrhau undod y Corff a chorffori'r Gymanfa yn rheolaidd i mewn i gyfansoddiad y Cyfundeb, eto yr oedd yn parhau i fod yn ddarostyngedig i ddau lys cyfartal eu hawdurdod, Cymdeithasfa'r De a Chymdeithasfa'r Gogledd.[48] Cyhoeddwyd yr holl gyfnewidiadau hyn yn Llawlyfr Rheolau 1928.

Er i'r cyfnewidiadau i'r trefniadau mewnol gael eu derbyn gyda'i gilydd, penderfynwyd, fel y nodwyd uchod, fod angen trafodaeth fanylach ar 'bedwar pwnc', oedd i'w cyflwyno i'r Cyfarfodydd Misol ar ffurf pedwar cwestiwn:

> (1) A ydych o blaid y Datganiad a ganlyn – "Fel Protestaniaid ac yn arbennig fel Rhydd-Eglwyswyr, datganwn ein cred ddibetrus yn hawl yr Eglwys i adolygu ei chredo pan deimla fod angen am hynny"? (2) A ydych o blaid cymryd y mesurau angenrheidiol er sicrhau'r hawl hon inni fel Eglwys? (3) A ydych o blaid i aelodaeth o'r Gymanfa Gyffredinol fod ar yr un tir â'r ddwy Gymdeithasfa? (4) A ydych o blaid corffori'r Cyfundeb?[49]

Wrth gyflwyno'r cwestiynau yn y Gymdeithasfa ym Manceinion ym mis Tachwedd 1923, mae E. O. Davies yn nodi:

> Dylai Eglwys Crist fod yn rhydd – y mae hyn yn gynwysiedig yn ei hanfod: rhyddid i newid yn ôl yr angen a'r golau a fydd gan yr Eglwys ar y pryd a olygid: hawl i fod yn rhydd hefyd ar bob corff y tu allan iddi hi ei hun. Yr ydym fel Cyfundeb yn rhydd yn ein Cyfansoddiad; sicrhaodd y Tadau hynny. Ond nid mewn perthynas â'r gredo ... Ond aeth y Cyfundeb gam ymhellach – aeth i rwymo'i eiddo wrth y penderfyniad. Nid y Weithred ynddi'i hun ond gwaith y Cyfundeb yn rhwymo'i eiddo wrth y penderfyniad oedd yn ei gaethiwo.[50]

Mae'n debyg mai'r hyn a oedd ym meddwl Davies, fel nifer o arweinwyr eraill o ystyried yr ohebiaeth ar y mater yn y cylchgronau ar y pryd, oedd y perygl a nodwyd uchod o weld cwestiynau am berchnogaeth yr eiddo yn cael eu codi, ac yn cael eu datrys gan y Senedd yn Llundain. Iddynt hwy, yr oedd bod yn Eglwys rydd yn golygu fod pob mater am gredo a threfniadaeth yr Eglwys i aros yn nwylo aelodau'r Eglwys honno. Ceir aml gyfeiriad at y ffaith fod y rhyddid hwn wedi ei sicrhau gan eglwysi Presbyteraidd eraill, ond mae'n debyg mai cyfeiriad sydd yma at Ddeddf Eglwys yr Alban 1921. Wedi nodi hyn, dylid cadw mewn cof fod yr angen am y ddeddf hon wedi codi o sefyllfa Eglwys yr Alban yn Eglwys Wladol, ac yn ei chyfansoddiad hi roedd ymrwymiadau a ddeilliai o'r statws arbennig a berthynai iddi. Awydd yr Eglwys honno oedd sicrhau na fyddai amwysedd am annibyniaeth yr Eglwys 'mewn materion ysbrydol' yn codi, er ei bod yn parhau i gael ei chydnabod yn Eglwys Wladol. Nid yw'r gymhariaeth â'r Cyfundeb felly yn un y gellir ei chynnal yn union gan na thybiodd y Cyfundeb erioed ei fod yn eglwys wladol, ac oherwydd hynny, nid oedd angen gwarchod unrhyw freintiau nac ofni unrhyw ymyrraeth. Ond, er mwyn 'sicrhau rhyddid' ac annibyniaeth llwyr y Cyfundeb yn y materion hyn, roedd y Comisiwn yn gytûn fod angen 'erthyglau datganiadol' mewn deddf seneddol, fel yn achos yr Alban, i ddelio ag unrhyw amwysedd posibl.

Ochr yn ochr â'r cwestiynau hyn, cyhoeddodd y Comisiwn adroddiad terfynol ar y Datganiad Byr, a hynny yn y Gymdeithasfa yn y Tabernacl, Môn a Thŷ-croes, Rhydaman yn 1924. Awduron y Datganiad hwn oedd Dr Owen Prys, David Phillips, R. R. Hughes a Howell Harris Hughes, er bod y Dr Thomas Charles Williams a'r

Athro David Williams yn rhan o ail gyfarfod y pwyllgor bach a gytunodd ar y ffurf derfynol oedd i'w hanfon i'r Gymdeithasfa. Dro ar ôl tro yn y trafodaethau dilynol pwysleisiwyd mai datganiad i'w ddarllen yng ngwasanaeth ordeinio gweinidogion a blaenoriaid oedd hwn; nid oedd mewn unrhyw ffordd yn cymryd lle'r Gyffes Ffydd. Yn wir, ni fyddai'n gyfansoddiadol ei ystyried felly gan nad oedd rhyddid gan y Cyfundeb cyn 1933 i newid dim ar y Gyffes honno. Ymhellach, yn ei anerchiad wrth gyflwyno'r Datganiad i Gymdeithasfa'r De, mynnodd y Dr Owen Prys mai:

> datganiad o ffydd a gweithred o addoliad ydoedd y gellid ei ddarllen neu ei ganu (!) mewn gwasanaeth arbennig. Nid ydyw yn ei ffurf yn technical athrawiaethol. Datganiad ydyw o safle a phrofiad y Cristion yn hytrach na gwedd ddiwinyddol.[51]

Pan holodd y Parch. Nantlais Williams a oedd hi'n bosibl gosod i mewn fod y Datganiad i'w ddehongli yng ngoleuni'r Gyffes Ffydd, 'atebodd Dr Owen Prys, "Y mae hynny'n ddianghenraid. Nid ydym yn cyffwrdd dim â'r Gyffes Ffydd."'[52]

Os cafwyd pleidlais gadarnhaol o blaid y Datganiad yn y Gymdeithasfa, yr oedd y drafodaeth ar y 'pedwar pwnc' oedd bellach ar eu ffordd i'r Cyfarfodydd Misol yn llawer mwy helbulus. Mae R. H. Evans yn manylu ar y dadleuon a'r gwrth-ddadleuon yn ei gyfrol, *Y Datganiad Byr ar Ffydd a Buchedd*. Digon nodi yma fod adwaith wedi codi i'r holl gwestiwn o 'geisio rhyddid', a hynny'n bennaf gan weinidogion a blaenoriaid ceidwadol y Cyfundeb. I'r rhain, nid oedd yr ymgais hon am ryddid yn ddim llai nag ymdrech i newid safbwynt athrawiaethol y Corff, ac nid rhyddid oedd hwn mewn gwirionedd, ond penrhyddid. Mae'r prif ddadleuon yn cael eu datgan gan W. Nantlais Williams mewn dwy erthygl yn *Y Goleuad* (7/1/25 a 14/1/25). O dan y teitl 'Torri'r Rhaffau', mae'n dechrau ei ysgrif drwy ddyfynnu'r llythyr y cyfeiriwyd ato uchod oddi wrth William Williams at Thomas Charles yn 1791. Nid oedd gan Nantlais wrthwynebiad fel y cyfryw i edrych eto ar y Gyffes Ffydd, ac yn wir newid ambell gymal i'w gwneud 'yn fwy eang efengylaidd', ond nid oedd yn deall o gwbl yr anhawster a welodd y Comisiwn â'r ffaith fod yr eiddo wedi ei glymu i'r Gyffes honno. Yn dilyn mabwysiadu'r Gyffes yn 1823:

teimlem angen gwneud ein capelau a'n meddiannau yn eiddo cyfreithiol inni; yn enwedig gan fod cymaint o gyfeiliornadau bygythiol yn y wlad ... Ond pwy oedd i fod a'r hawl i'r capelau hyn? Pwy hefyd, ond y rhai a gredent yr athrawiaeth a bregethwyd ynddynt o'r dechreu, ac oedd newydd ei chyfleu bellach yn ein Cyffes Ffydd? Dyna benderfynwyd. Nid oedd dim yn fwy naturiol. Gwnaethpwyd Gweithred gyfreithiol, a dodwyd yn honno fod yr hawl i holl feddiannau'r Cyfundeb i fod yn nwylo'r rhai a gredent y Gyffes Ffydd o'r pryd hwnnw ymlaen i holl oesau'r ddaear.[53]

Mewn pum adran mae'n dweud nad oedd y Cyfundeb, yn yr ymgais bresennol, yn 'llwyddo i ddangos gwyliadwriaeth Gristnogol dros yr athrawiaethau'; nid yw 'yn rhoddi'r pwyslais ar wir ryddid'; nid yw'n 'gwbl Gristnogol ddi-ariangar'; nid yw'n 'gwbl Gristnogol ddidwyll a gonest'; ac yn olaf, nid yw'n 'Gristnogol ffyddlon i'w ymddiriedaeth fel Enwad'.

Mae tudalennau'r *Goleuad* am y misoedd nesaf yn frith o gyfraniadau amrywiol gan bleidwyr y ddwy ochr i'r drafodaeth, yn eu plith Dr Cynddylan Jones. Yr oedd hwnnw bellach dros ei bedwar ugain oed, ond yn parhau i fod bron yr unig ddiwinydd cyfundrefnol yn y Corff. Mewn cyfraniadau sy'n gymysgwch o ffraethineb a sylwedd mae'n mynnu, er ei fod wedi byw

> [o] fewn caitsh Methodistaidd nid wyf wedi cyffwrdd y gwifrau hyd yn hyn – felly Henry Rees, David Charles Davies, John Hughes, David Saunders a Mathews (Ewenni) – ni chlywais yr un ohonynt yn cwyno ar gaethiwed y caitsh. Pan ddaw cwyn – onid dyna a wneid yn awr? – ymdrechwn gael caitsh mwy. Bodlon ydym i bawb gael rhyddid y cae, nid bodlon ydym i neb gael rhyddid y comin.[54]

Mewn cyfraniad Saesneg mae'n dweud ymhellach:

> Our Connexion has been thrown very unnecessarily into turmoil and controversy – A good few friends, preachers and deacons have written me for advice. I have no advice to give. In former days the injunction was, **Be Thinkers;** now, forsooth, the edict is, **Be Tinkers**. Let each of my correspondents ask

himself whether he be a **thinker** or a **tinker** and vote accordingly.[55]

Fel y nodwyd, caed ymatebion i'r gwrthwynebiadau hyn, yn benodol gan E. O. Davies ar ran y Comisiwn, gan John Thickens yn ogystal ag amryw oedd yn bodloni ar ddefnyddio ffugenwau. Yn eu plith methai 'Bugail' ddeall sut yr oedd y diogelwch yn y Weithred wedi caniatáu i 'lif y syniadau dieithr sy'n nythu yn y Cyfundeb' gael eu lle. Iddo ef, nid proses o dorri'r rhaffau oedd hyn ond proses o gydnabod bod y rhaffau wedi 'pydru a chwblhau oes eu gwasanaeth'.[56] Parhaodd y drafodaeth gydol y flwyddyn ar dudalennau'r *Goleuad* cyn ildio'u lle dros dro i drafodaeth ar gynnwys y Llyfr Emynau newydd, ond buan yr ailgododd y cwestiynau yn 1926 yn dilyn drafftio'r 'Erthyglau Datganiadol'. Yr oeddent wedi eu seilio yn fras ar Erthyglau Datganiadol yr Alban gan hepgor yr elfennau oedd yn deillio o sefyllfa arbennig yr eglwys honno. Mae Erthyglau'r Alban yn cyfeirio at y ffaith mai eu cyffes ffydd hwy oedd Cyffes Westminster (Erthygl 2), yn cyfeirio at ei safle fel eglwys genedlaethol (Erthygl 3) a pherthynas yr eglwys â'r wladwriaeth, (Erthygl 6).

Treuliwyd y chwe blynedd nesaf yn trafod cryfderau a gwendidau'r Erthyglau Datganiadol hyn, ac eithrio cyfnod ar ddiwedd y dauddegau pan oedd angen i'r Cyfundeb wynebu her safbwynt a daliadau Tom Nefyn Williams. Trodd y drafodaeth o amgylch dau gwestiwn a anfonwyd i'r Cyfarfodydd Misol: (1) A ydych yn cymeradwyo'r Erthyglau? (2) A ydych o blaid rhoi i'r Erthyglau rym cyfreithiol?' â'r ymatebion i gael eu cyflwyno yn y gwanwyn. Cyhoeddwyd yr Erthyglau'n llawn yn *Y Goleuad* (13/10/26), ac mewn ymateb i ohebiaeth gan D. Winter Lewis yn *Y Goleuad* yn 1928 mae E. O. Davies yn mynnu nad

> erthyglau ffydd ydynt ond erthyglau cyfansoddiad, ac nid ydynt hwy yn newid dim ar na ffydd na Chredo'r Cyfundeb ... Ein safon athrawiaethol ni fel enwad yn nesaf at yr Ysgrythurau, ydyw'r Gyffes Ffydd.[57]

Erbyn cyfarfod y Gymdeithasfa yn Nhreherbert ym mis Ebrill 1928 caed ar ddeall bod naw allan o ddeuddeg o henaduriaethau'r De wedi pleidleisio o blaid y ddau gwestiwn, ac yn y Gymdeithasfa yng Nghaernarfon ym mis Medi 1928 roedd 25 o'r 28 Henaduriaeth wedi pleidleisio o blaid. Gan fod angen i'r Cyfundeb fod bron yn unfrydol y mater, cytunwyd i gyhoeddi fersiwn bellach o'r Erthyglau yng ngwanwyn 1930.

Mae rhawd yr erthyglau yn ystod y cyfnod hwn yn amwys, ond mae'n sicr fod E. O. Davies, a oedd yn wladweinydd rhagorol, yn gweithio hyd y medrai i sicrhau na chollid yr holl waith oherwydd trafodaethau ar yr hyn a ystyriai'n fanylion yng ngeiriad yr Erthyglau, yn arbennig Erthygl 1 a gynhwysai grynodeb o gredo'r Cyfundeb. Mae Nantlais Williams yn nodi ei fod wedi ei alw i gyfarfod ag E. O. Davies yn ystod y Gymanfa Gyffredinol yn yr Wyddgrug (1930):

> Buom wrthi am amser maith yn ystyried y sefyllfa. Dywedais yn eglur wrtho nad oedd gennyf fi yr un gwrthwynebiad i ddod yn rhydd o'n rhwymau i'r Gyffes Ffydd, ond inni sicrhau ein bod yn rhwymo'n hunain a'n meddiannau wrth athrawiaeth sylfaenol y Ffydd Gristnogol. Dangosais nad oedd yr erthygl gyntaf yn erthyglau Datganiadol y Mesur Seneddol a ddanfonid i'r Sasiynnau yn ddigon pendant. Nid oedd Duwdod Crist, na'i enedigaeth o Forwyn, na'i farw Iawnol, na'i atgyfodiad llythrennol y trydydd dydd, na'i ail-ddyfodiad o gwbl yn ddigamsyniol glir yn yr erthygl. Y gwirioneddau yr oedd ein tadau wedi hongian eu bywyd wrthynt, ac wedi codi'n capeli a chyfrannu atynt er mwyn eu cyhoeddi a'u credu ... Ymadawsom yn gyfeillgar ein hysbryd ... Ond pan glywodd (E. O. Davies) fod y Parch. R. R. Roberts i gynnig gwrthwynebu'r Mesur, a'r Parch. Peter Hughes Griffiths i eilio yn y Sasiwn nesaf yn y Deau, danfonodd deligram i mi yn gofyn am i mi ddod i'w gyfarfod ef a dau neu dri o frodyr i'r Amwythig, ac i mi ddewis unrhyw frawd o'r Deau a fynnwn yn gwmni, syrthiais ar R. R. Roberts, ac aethom ein dau i'r pwyllgor brys hwnnw a alwyd gan Dr E. O. Davies. Yno y penderfynwyd bod y cwbl a fynnwn eu cynnwys yn yr erthygl gyntaf yn cael eu derbyn. Newidiodd hyn gwrs yr holl frwydr ... Y mae'n safle athrawiaethol yng ngolwg y gyfraith eto'n ddiogel.[58]

Yr oedd y cyfarfod gyda Nantlais yn un o gyfres o gyfarfodydd anffurfiol a gynhaliwyd gyda'r rhai oedd yn gwrthwynebu'r mesur ar sail eu tybiaeth o amwysedd diwinyddol. Yr oedd E. O. Davies eisoes wedi cynnal cyfarfod personol gyda D. Winter Lewis yn ystod cynhadledd yr Achosion Saesneg ym Mhontypridd ym Medi 1928. Yn y cyfarfod hwnnw cytunwyd i wneud cyfnewidiadau i amryw o'r Erthyglau Datganiadol. Yn dilyn y cyfarfod gyda Nantlais yn yr Wyddgrug, cafwyd cyfarfod pellach yn yr Amwythig gyda Nantlais, R. R. Roberts, Dr Owen Prys ac R. J. Rees, ac o ganlyniad i'r ohebiaeth yn dilyn y cyfarfod hwnnw gwnaed cyfnewidiadau pellach i Erthygl 4 ac i Erthygl 6.[59]

Erbyn cyfarfodydd y Gymdeithasfa yng Nghaernarfon a Chaerdydd ym Medi 1932 cyhoeddwyd bod newidiadau wedi eu cytuno, a bwriwyd ymlaen i sicrhau'r Ddeddf Seneddol, gyda'r Erthyglau Datganiadol, a chymalau'n esbonio sut y bwriedid ffurfio'r Bwrdd Eiddo. Cyhoeddodd E. O. Davies yn y Gymdeithasfa yn Nyffryn Ardudwy ym Mehefin 1933 y byddai'r Mesur Seneddol yn ddeddf ymhen pythefnos, a sylweddolwyd pen draw'r daith ar 18 Gorffennaf.

O ran cynnwys y Ddeddf ei hun dywedir yn y rhagair ei bod yn Ddeddf:

> [i] ddiwygio Cyfansoddiad Eglwys Methodistiaid Calfinaidd Cymru neu Eglwys Bresbyteraidd Cymru ac i ehangu grym yr Eglwys a gwrthrychau yr ymddiriedolaeth sy'n dal yr eiddo er budd yr Eglwys.[60]

Mae'r adran gyntaf yn cyfeirio at ein hanes, gan gynnwys Rheolau Disgyblaethol 1801, ffurf ordeinio 1813, Cyffes Ffydd 1823, Gweithred Gyfansoddiadol 1826 a'r Datganiad o Ymddiriedaeth (Declaration of Trust) 1827, a restrai'r holl eiddo ym meddiant y Cyfundeb. Yn dilyn hyn cyfeiriwyd at waith y Comisiwn Ad-drefnu cyn rhestru'r saith Erthygl Ddatganiadol. (Gw. Atodiad 2 isod).[61] Yn adran 3 ceir y cyfnewidiad oedd yn ateb y dyhead i ganiatáu trafodaeth ar ein credo, a datgenir bod paragraff 9 o Erthygl 8 yn y Weithred Gyfansoddiadol, sy'n mynnu, 'na byddo cyfnewidiad yng nghyffes y ffydd neu'r egwyddorion a'r athrawiaeth i'w dysgu a'u hamddiffyn gan y cyfundeb dywededig, gael un amser ei ganiatáu nac hyd yn oed ei ddadlau', i gael ei eithrio o'r Erthygl. Mae gweddill y Ddeddf yn gosod allan weithdrefnau'r Bwrdd Eiddo, ac yn cynnwys adran faith sy'n rhestru holl eiddo'r Cyfundeb. Teg nodi hefyd fod y Cyfundeb wedi llwyddo i sicrhau diwygiad pellach i'r Ddeddf yn 1959, a hynny yn unig gyda golwg ar yr hawl i ehangu'r ffordd yr ydym yn buddsoddi unrhyw arian sy'n cael ei ddal yn enw'r Cyfundeb.

Pan gyflwynodd E. O. Davies yr Erthyglau yn y Gymdeithasfa yn Wrecsam ym mis Mawrth 1930, dywedodd:

> nad mudiad ynddo'i hun oedd hwn i newid y Gyffes Ffydd, ond cynllun i ad-feddiannu'n rhyddid fel Cyfundeb. Peth arall hollol wahanol, ydyw gwneuthur defnydd o'r rhyddid a sicrheir. Dichon na wneir defnydd o'n rhyddid am faith flynyddoedd.[62]

Aeth dros 80 mlynedd heibio ers sicrhau'r Ddeddf, a'r 'rhyddid' yr ymdrechai cynifer o blaid ei ennill, ac y gwrthwynebai nifer ei geisio. Eto, nid oes yr un ymgais wedi ei gwneud yn ystod y cyfnod hwnnw i newid dim ar y Gyffes yn gyfansoddiadol, a thrwy hynny, i ymarfer y rhyddid a sicrhawyd. Wedi nodi hynny, mae E. O. Davies yn cydnabod, fel yr awgrymodd 'Bugail' yn ei ohebiaeth i'r *Goleuad* yn 1925, na fedd yr un Weithred na Deddf y grym i ddiogelu Cyffes nac Erthyglau. Erbyn 1945 cred y Parch. Gomer Roberts nad oedd gan fawr neb yn y Cyfundeb ddiddordeb mewn materion athrawiaethol,[63] ac nid yw cyfranwyr y papur enwadol heddiw yn brin o fynegi eu barn nad oes a wnelo hen reolau, cyfansoddiad ac erthyglau ddim â phenderfyniadau aelodau presennol y Cyfundeb.[64] Yn ychwanegol, ni welwyd gwireddu'r dyhead ddechrau'r ganrif ddiwethaf i sicrhau undeb gweledig yn tyfu ymhlith yr eglwysi gwahanol yng Nghymru, undeb a hwyluswyd o dan Erthygl 5.

Yn dilyn newid cyfreithiol ar ddiwedd yr ugeinfed ganrif ystyriodd y Cyfundeb eilwaith gwestiwn y Cyfansoddiad gan y tybiwyd bod angen drafftio un newydd i ateb y diben o ddiogelu ein cofrestriad yn elusen. Derbyniwyd y Cyfansoddiad hwnnw mewn Cymdeithasfa Unedig yn Aberystwyth, a chytunwyd ar ei eiriad terfynol gan y Taleithiau yn 2016, yn unol â gofynion ein Rheol Gyfansoddiadol.

Wrth ystyried cydberthynas y cyfansoddiad, mae Eglwys Bresbyteraidd Cymru yn enwad sydd wedi ei gorffori drwy Weithred Gyfansoddiadol 1826. Mae'r 'Rheolau' sydd yn y Weithred gyda golwg ar y gweithdrefnau o ddydd i ddydd wedi eu diweddaru'n gyson, ac yn bennaf yn y 1920au, ac i'w gweld yn Llawlyfr Trefn 1928. Mae fersiwn diweddaraf *Llawlyfr Trefn a Rheolau* wedi ei ddyddio Tachwedd 2015. Mae Deddf y Methodistiaid Calfinaidd neu Eglwys Bresbyteraidd Cymru 1933 yn 'ddiwygiad' (*amendment*) i Weithred Gyfansoddiadol 1826, gyda diwygiad pellach yn 1959. Gyda golwg ar ein perthynas â'r Comisiwn Elusennau, y Cyfansoddiad a fabwysiadwyd gan y Taleithiau yn 2016 sy'n rheoli'r agweddau hynny o'r gwaith rhaid adrodd iddynt yn eu cylch.

O ran canlyniadau ymarferol y trafodaethau, yn arbennig y rhai sy'n ymwneud â'r hyn a gredir fel Cyfundeb, yr oedd y dirywiad ystadegol yn hanes y Cyfundeb wedi hen ennill ei blwyf erbyn 1933. Y mae hanes yr enwad ers hynny yn debyg iawn i hanes enwadau hanesyddol eraill Cymru. Nid yw'n bosibl mesur dylanwad y trafodaethau hyn ar y patrwm hwnnw, ond mae yna nifer o astudiaethau wedi eu gwneud, ac yn parhau i gael eu gwneud i geisio deall y rhesymau dros y dirywiad. Mewn cyfrol ar waith yr Esgob Lesslie Newbigin, fe fynegir ei argyhoeddiad fod twf y 'ddiwinydd-iaeth newydd' hon wedi dibynnu ar bresenoldeb Cristnogol oedd wedi ei gynhyrchu gan genedlaethau o Gristnogion traddodiadol eu hagwedd, ond nad oedd gan y plant y moddion na'r ynni i ddiogelu twf eu hunain, na'r adnoddau ysbrydol i'w gynnal.[65] Yr un modd, mae Alan Hirsch yn cyfeirio at y symudiad fel un sy'n bod oherwydd cenedlaethau o weithgarwch mwy ceidwadol, ac anaml y mae'n esgor ar ffurfiau newydd o eglwys, neu'n cyfrannu at dwf Cristnogaeth mewn unrhyw ffordd arwyddocaol.[66] Ar achlysur dathlu daucanmlwyddiant hanes y Cyfundeb yn 1935, mae R. W. Jones yn nodi:

> Fflam Trefeca, ffagl Llangeitho, a gwres Pantycelyn a roddodd gychwyn newydd i'n heglwysi ac a barodd i Gymru drwyddynt dderbyn y Bedydd Tân. Nerthoedd y byd a ddaw yn gweithio yn ein Tadau a thrwyddynt a roddodd fod i ni fel Cyfundeb, a'r nerthoedd hyn yn unig a'n ceidw yn rym yn y tir.[67]

ATODIAD 1

Gweithred Gyfreithiol Hysbysol o Amcanion a Threfniadau y Methodistiaid Calfinaidd Cymreig (Awst 1826)

HYSBYSIADAU

YN AWR Y MAE Y WEITHRED HON YN TYSTIOLAETHU mai er cyflawni y dybenion rhag-ddywededig NYNI y dywededig gant a deg a deugain personau aelodau o'r cyfundeb dywededig ac wedi eu penodi fel y rhagddywedwyd i'r dybenion a ragddywedwyd – Ydym yn unol a gwahanol yn hysbysu

Yn gyntaf, fod yr eglwysi cymdeithasol yn Neheudir a Gogledd Cymru a (rhai) parthau o Loegr wedi cael, ac i gael yn barhaus o hyn allan byth eu hystyried fel aelodau o un cyfundeb cyffredinol unrhyw wahaniaeth mewn un modd yn gyfan gwbl yn ffurfio un corff cyfan – ac mai enw ... o hyn allan fydd Cyfundeb y Methodistiaid Calfinaidd Cymreig.

Yn ail mai amcan y cyfundeb dywededig a fu ac a fydd cyhoeddi Efengyl ein Harglwydd a'n Hiachawdwr Iesu Grist fel y'i gosodir allan yn erthyglau athrawiaethol eglwys Loegr ac yn y llyfr a elwir Catecism Byrraf Cymanfa y Duwinyddion y rhai a ymgyfarfuant yn Westmenstr ... ac y'i gosodir allan yn fwy neilltuol yn y llyfr ... a elwir Cyffes Ffydd ...

Yn drydydd fod y daliadau crefyddol neu athrawiaethau ac egwyddorion y cyfundeb megis y'u gosodir allan yn yr hysbysiaeth neu y gyffes ffydd.

Yn bedwerydd fod y siroedd yn Neheudir Cymru a Gogledd Cymru a rhai dinasoedd a trefydd yn Lloegr a grybwyllir ... yn cael eu cymeryd i mewn yn y cyfundeb ... yn awr yn perthyn ac yn unedig â ac yn gwneud i fyny ran o'r Cyfundeb dywededig ...

Yn bumed fod y rheolau canlynol bob amser o hyn allan byth i fod y cymwysterau gofynnol yn y rhai a ymgeisiasant am dderbyniad ... i'r cyfundeb dywededig..

Yn chweched, fod y Cyfarfodydd Eglwysig (Private socieities) i'w llywodraethu yn ôl y trefniadau canlynol ...

Yn seithfed fod Cyfarfodydd Misol y sir o'r amrywiol eglwysi yn y cyfundeb dywededig i'w cynnal ym mhob sir i gael eu rheoli a'u llywodraethu drwy y rheolau canlynol ...

Yn wythfed y bydd CYMANFAOEDD CYFFREDINOL neu GYMDEITHASFAOEDD CHWARTEROL DYWEDEDIG y METHODISTIAID CALFINAIDD CYMREIG yn ôl y rheolau a'r trefniadau canlynol ...

Yn nawfed fod Henuriaid neu Flaenoriaid yr amrywiol eglwysi ... i gael eu penodi gan y cyfryw eglwysi (dirprwywyr o gyfarfodydd misol y sir y perthyna y cyfryw eglwysi iddynt yn bresennol pan yn dewis y cyfryw flaenoriaid) a'r personau a ddewisir felly ydynt i'w cymeradwyo gan y cyfryw gyfarfodydd misol ...

Yn ddegfed, fod Pregethwyr y cyfundeb dywededig i gael eu dewis o'r cyfryw ag ydynt aelodau mewn cymundeb gyda rhai o'r eglwysi ...

Yn unfedarddeg fod Gweinidogion y cyfundeb dywededig i gael eu dewis o blith y pregethwyr a fyddo yn pregethu ers pum mlynedd ...

Yn ddeuddegfed na chaffo capel neu le o addoliad crefyddol ar ôl hyn ei bwrcasu, ei gymeryd na'i adeiladu heb gydsyniad a chymeradwyaeth cyfarfod misol y sir ac a fydd yn ddarostyngedig i gymeradwyaeth y Gymdeithasfa Chwarterol ...

Yn drydyddarddeg fod i eglwysi y Methodistiaid Calfinaidd Cymreig nad ynt yn breswyliedig yn Ngogledd Cymru neu Ddeheudir Cymru fod a pharhau yn ddarostyngedig i'r holl reolau a'r trefniadau a ragddywedwyd yma ...

Yn bedweryddarddeg fod gweithrediadau penderfyniadau trefniadau a chyfarwyddiadau ... i gael eu cofnodi mewn llyfr o gofnodau o weithrediadau.

ATODIAD 2

ERTHYGLAU YN DATGAN CYFANSODDIAD EGLWYS METHODISTIAID CALFINAIDD CYMRU neu EGLWYS BRESBYTERAIDD CYMRU, MEWN MATERION YSBRYDOL (Gorffennaf 1933)

(i) Y mae Eglwys Methodistiaid Cymru, neu, Eglwys Bresbyteraidd Cymru, a elwid o'r blaen yn Gyfundeb y Methodistiaid Calfinaidd Cymreig, yn rhan o'r Eglwys Gyffredinol; addola un Duw, Hollalluog, holl-ddoeth, a holl-gariadlawn, yn Nhrindod y Tad, y Mab, a'r Ysbryd Glân, yr un mewn sylwedd, cydradd mewn gallu a gogoniant; molianna'r Tad anfeidrol mewn Mawrhydi, o'r Hwn y mae pob peth; cyffesa ein Harglwydd Iesu Grist, y Tragwyddol Fab, a anwyd o Fair Forwyn, a wnaethpwyd yn wir ddyn er ein hiechydwriaeth; gorfoledda yn ei Groes, ei Farwolaeth iawnol, a'i Atgyfodiad y trydydd dydd, a phroffesa ufudd-dod iddo Ef fel Pen uwch law pob peth i'w Eglwys; ymddirieda yn adnewyddiad addawedig yr Ysbryd Glân a'i arweiniad; cyhoedda faddeuant pechodau a derbyniad gyda Duw trwy ffydd yng Nghrist, a dawn bywyd tragwyddol; a llafuria tros lwyddiant Teyrnas Dduw trwy'r byd, hyd oni ddelo'r Arglwydd. Derbyn Ysgrythurau Sanctaidd yr Hen Destament a'r Newydd fel ei rheol uchaf ar ffydd a bywyd, ac arddel wirioneddau sylfaenol Cristnogaeth a gynhwysir ynddynt.

(ii) Y mae Daliadau neu Athrawiaethau Eglwys Methodistiaid Calfinaidd Cymru, neu Eglwys Bresbyteraidd Cymru, megis y gosodir hwy allan yn y Datganiad neu Gyffes Ffydd a gymeradwywyd gan y Cymdeithasfaoedd yn 1823, ac a ffurfia'r atodlen gyntaf i'r "Weithred Gyfreithiol hysbysol o Amcanion a Threfniadau Cyfundeb y Methodistiaid Calfinaidd Cymreig", a gofrestrwyd yn Uchel Lys y Canghellor ar yr wythfed dydd o Ragfyr, 1826. Rheolir hi trwy Eglwysi Lleol, Cyfarfodydd Dosbarth, Henaduriaethau, Cymdeithasfaoedd neu Synodau, a Chymanfaoedd Cyffredinol. Y mae ei threfn ac egwyddorion ei haddoliad, ei hurddau a'i disgyblaeth, yn unol â'r "Weithred Gyfreithiol" a nodir uchod, fel y dehonglwyd neu y newidiwyd ei rheolau a'i threfniadau, gan yr Eglwys, neu fel y dehonglir neu y newidir hwy ganddi yn y dyfodol.

(iii) Derbyn yr Eglwys hon, fel rhan o'r Eglwys Gyffredinol, oddi wrth yr Arglwydd Iesu Grist, ei Brenin Dwyfol a'i Phen, ac oddi wrth Ef yn unig, yr hawl a'r gallu, heb fod yn ddarostyngedig i unrhyw awdurdod gwladol, i ddeddfu, ac i ddyfarnu'n derfynol, ynglŷn â phob achos o athrawiaeth, addoliad, llywodraeth, a disgyblaeth yn yr Eglwys, gan gynnwys yr hawl i benderfynu pob pwnc a berthyn i aelodaeth a swydd yn yr Eglwys, cyfansoddiad ac aelodaeth ei llysoedd, a'r dull o ethol ei swyddogion.

(iv) Medd yr Eglwys hon, yn rhydd oddi wrth ymyriad gan awdurdod gwladol, ond gan ddilyn y rheolau a ddarparodd hi ei hun i warchod rhag gweithredu a deddfu'n fyrbwyll, yr hawl gynhenid i ddatgan yr ystyr y dehongla ei Chyffes Ffydd, i newid ffurf yr ymadroddion ynddi, neu i ffurfio a mabwysiadu Datganiadau athrawiaethol eraill, ac i ddiffinio perthynas ei swyddogion a'i haelodau â hwy, ond bob amser yn gyson â gwirioneddau sylfaenol Cristnogaeth a gynhwysir yn yr Ysgrythurau Sanctaidd ac yn y Gyffes a nodir uchod ... fel y penderfynir hwy gan yr Eglwys uchod, yr Eglwys i fod yn unig Farnwr ar y cysondeb, a chan gadw golwg briodol ar ryddid barn ynglŷn â phwyntiau nad ydynt yn rhan o sylwedd y Ffydd Gristnogol. Nid ydyw cynigiad a wneir o dan yr Erthygl hon i ddyfod i rym oni chymeradwyir ef gan ddau gyfarfod o leiaf o bob un o'r Cymdeithasfaoedd, ac yna, wedi ei gyflwyno yn y cyfamser i'r holl Henaduriaethau, rhaid ei gymeradwyo drachefn ymhob un o'r Cymdeithasfaoedd gan o leiaf dair rhan o bedair o'r aelodau a fo'n bresennol.

(v) A hi'n credu mai Ewyllys Crist ydyw i'w ddisgyblion fod oll yn un yn y Tad ac ynddo Yntau, fel y credo'r byd mai'r Tad a'i hanfonodd Ef, cydnebydd Eglwys Methodistiaid Cymru, neu Eglwys Bresbyteraidd Cymru, y rhwymedigaeth o geisio hyrwyddo undeb ag Eglwysi eraill y gwêl y pregethir y Gair ynddynt, y gweinyddir y Sacramentau yn briodol ynddynt, ac yr iawn-ddefnyddir disgyblaeth ynddynt; ac y mae ganddi'r hawl i ymuno ag unrhyw Eglwys felly ar delerau y barna'r Eglwys hon eu bod yn gyson â'r Erthyglau hyn.

(vi) Medd yr Eglwys hon hawl i ddehongli'r Erthyglau Datganiadol hyn, a hefyd, gan ddilyn y rheolau a ddarparodd hi ei hun warchod rhag gweithredu a deddfu'n fyrbwyll, yr hawl i'w newid neu chwanegu atynt; ond rhaid gweithredu bob amser yn gyson â gwirioneddau sylfaenol Cristnogaeth a gynhwysir yn yr Ysgrythurau Sanctaidd ac yn y Gyffes Ffydd a nodir uchod ... gan fod eu dilyn hwy, fel y penderfynir ac y dehonglir hwy gan yr Eglwys, yn hanfodol i'w pharhad a'i bywyd corfforedig. Nid ydyw cynigiad i newid neu i chwanegu at yr Erthyglau hyn i ddyfod i rym oni chymeradwyir ef gan ddau gyfarfod o bob un o'r Cymdeithasfaoedd, gydag ysbaid o ddeuddeng mis o leiaf rhyngddynt, ac yna, wedi ysbaid pellach o ddwy flynedd o leiaf, a'r cynigiad wedi'i gyflwyno yn y cyfamser i'r holl Henaduriaethau, rhaid ei gymeradwyo drachefn ym mhob un o'r Cymdeithasfaoedd gan o leiaf dair rhan o bedair o'r aelodau a fo'n bresennol. Oni dderbyn y cynigiad y cydsyniad angenrheidiol, ni ellir ei ddwyn ymlaen drachefn, nac unrhyw gynigiad tebyg iddo, am bum mlynedd.

(vii) Yn ddarostyngedig i ddarpariadau'r Erthyglau blaenorol a'r hawl i newid a gynhwysir ynddynt, cymeradwyir a chadarnheir trwy hyn o'r newydd gan yr Eglwys Gyfansoddiad Eglwys Methodistiaid Calfinaidd Cymru, neu Eglwys Bresbyteraidd Cymru, mewn materion ysbrydol.

1 LlGC, CMA Bala (1934), 1/ 108–200 (Papurau Fronheulog).
2 Argraffwyd cyfieithiad Cymraeg o'r Weithred Gyfansoddiadol, sef 'Gweithred Gyfreithiol Hysbysol o Amcanion a Threfniadau y Methodistiaid Calfinaidd Cymreig,' gan Hugh Jones, Llangollen, yn 1843.
3 Mae fersiwn wreiddiol yr hanes i'w gweld yn llawysgrifen John Elias yn LlGC, CMA Bala (1934), 1/108–200.
4 Geraint Tudur, *Howell Harris: From Conversion to Separation 1735–1750* (Cardiff, 2000), t. 117. Dyfynnir yn Eifion Evans, 'The Pursuit of an Ideal: The Ordination of 1811', *Cylchgrawn*, 35 (2011), 10.
5 L. Tyerman, *The Life of the Rev. George Whitefield, B.A. of Pembroke*

College, Oxford, I (London, 1890), t. 542. Dyfynnir yn Eifion Evans, *The Pursuit of an Ideal*, 13.

6 Evans, *The Pursuit of an Ideal*, 15–20.

7 D. E. Jenkins, *Life of T. Charles*, 3 (Dinbych, 1908), tt. 245–9. Dyfynnir yn Gomer M. Roberts, 'Cofio Ordeinio 1811', *Y Traethodydd*, 29 (Hydref 1961), 146.

8 Gw. *Cyffes Ffydd y Methodistiaid Calfinaidd* (Caernarfon, 1910), t. 16.

9 Frank Price Jones, *Thomas Jones o Ddinbych* (Dinbych, 1956), t. 60.

10 Gw. *Cyffes Ffydd*, t. 20.

11 *Trysorfa*, *Llyfr* IV, t. 36. Dyfynnir yn E. O. Davies, *Ffydd, Trefn a Bywyd* (Caernarfon, 1930), t 19.

12 *Y Drysorfa,* 1875, 212. Dyfynnir yn E. O. Davies, *Ffydd, Trefn a Bywyd*, t. 19.

13 *Llyfr Cofnodion Ebeneser Richard,* 1813–1835. Dyfynnir yn E. O. Davies, *Ffydd, Trefn a Bywyd*, t. 20.

14 Ibid., 21–2.

15 Gw. *Cyffes Ffydd y Methodistiaid Calfinaidd*, tt. 31–6.

16 E. O. Davies, *Ffydd, Trefn a Bywyd*, t. 24.

17 'Y mae yr Ysbryd Glân yn wir Dduw; ac yn Berson gwirioneddol, a gwahaniaethol yn y Duwdod; gogyfuwch mewn gallu a gogoniant a'r Tad, a'r Mab; oblegid y mae enwau Dwyfol arno, a phriodoliaethau Dwyfol ynddo, telir addoliad Dwyfol iddo, a gweithredoedd Dwyfol a wnaed, ac a wneir ganddo; na's gallasai, ac na's gall neb ond Duw eu gwneuthur. Er mai Duwdod y Tri Pherson sydd yn gweithredu pob peth; etto, priodolir gweithredoedd neillduol i bob un o honynt; megis Crëedigaeth ac Etholedigaeth i'r Tad, Prynedigaeth i'r Mab, Sancteiddio a Selio i'r Ysbryd Glân. Ac iddo ef y priodolir ffurfiad dynoliaeth Crist yn sanctaidd ym mru'r wyryf; a'i llanw â phob gras a dawn yn ddifesur. Efe fu yn cynhyrfu y rhai a lefarasant yr Ysgrythurau. Ac efe sydd yn galw, yn donio ac yn danfon rhai i waith y weinidogaeth ac yn eu llwyddo. Efe sydd yn argyhoeddi pechaduriaid; yn ail-eni dynion; ac yn arwain plant Duw, a'u diddanu; ac hefyd eu hatgyfodi yn y dydd diwethaf. Y mae gwaith yr Ysbryd Glân ar y rhai a gedwir i fywyd tragwyddol, yn waith grasol, sanctaidd, effeithiol, a pharhaus; yn ôl y cyfamod tragwyddol, yn effaith cariad tragwyddol, ac yn ffrwyth prynedigaeth rhinweddol.' *Cyffes Ffydd y Methodistiaid Calfinaidd*, tt. 78–81.

18 *Llyfr Cofnodion Ebeneser Richard, 1813–1835*, Dyfynnir yn E. O. Davies, *Ffydd, Trefn a Bywyd*, t. 29.

19 LlGC, CMA Bala (1934), 1/108–200.

20 *Evangelical Magazine,* 590–1. Dyfynnwyd yn www.historyofparliamentonline.org/volume/1820-1832/member/wilks-john-1776-1854.

21 Hugh Jones, *Gweithred Gyfreithiol Hysbysol o Amcanion a Threfniadau y Methodistiaid Calfinaidd Cymreig*, (Llangollen, 1843), tt. 20–41.

22 Comisiwn Ad-drefnu y Methodistiaid Calfinaidd: *Adroddiadau'r Pwyllgorau, Adroddiad Pwyllgor 2* (Hugh Evans, Lerpwl, 1925), t. 12.

23 E. O. Davies, *Ffydd, Trefn a Bywyd*, tt. 34–8.

24 *Y Goleuad,* 20 Medi 1918, 3.

25 Ibid., 4.
26 *Y Goleuad*, 29 Tachwedd 1918, 5.
27 *Y Goleuad,* 21 Mawrth 1919, 1–2.
28 R. H. Evans, *Y Datganiad Byr ar Ffydd a Buchedd*, Bwrdd y Ddarlith Davies (Caernarfon, 1971), 16
29 J. Gwynfor Jones, 'Y Parchg Ddr John Roberts, Caerdydd', *Cylchgrawn*, 39 (2015), 5–7; *Y Drysorfa*, 130, Rhifyn Coffa, Ionawr 1960, 21 tud.
30 Gomer M. Roberts, *Y Can Mlynedd Hyn (1864–1964): Hanes Dechreuad a Datblygiad Cymanfa Gyffredinol Eglwys Methodistiaid Calfinaidd Cymru* (Caernarfon, 1964), tt. 45–6.
31 Dyfynnir yn Thomas Charles a Thomas Jones, *Trysorfa Ysbrydol*, Llyfr I, rhif 2, Mehefin 1799 (W. C. Jones, Mynwent St Petr), t. 93.
32 D. Francis Roberts (gol.), *Geiriadur Beiblaidd*, 1 a 2 (Hughes a'i Fab, Wrecsam, 1926).
33 Robert Pope, 'Cysondeb y Ffydd: Arolwg ar Ddiwinyddiaeth yn y Cyfundeb Methodistaidd, 1905–1950', *Cylchgrawn*, 33 (2009), t. 107.
34 D. Densil Morgan, *The Span of the Cross*, t. 112.
35 E. O. Davies, *Ffydd, Trefn a Bywyd,* tt. 44–5.
36 R. H. Evans, *Y Datganiad Byr*, t. 114.
37 Comisiwn Ad-drefnu y Methodistiaid Calfinaidd: *Adroddiadau'r Pwyllgorau, Adroddiad Pwyllgor 1,* tt. 8–13.
38 Ibid., t. 12.
39 Y Comisiwn Ad-drefnu: *Adroddiad o Weithrediadau Pwyllgor 1* (Caerdydd: c1920), 4–5.
40 Ibid., 10
41 Comisiwn Ad-drefnu y Methodistiaid Calfinaidd: *Adroddiadau'r Pwyllgorau, Adroddiad Pwyllgor 1,* Hugh Evans (Liverpool, 1925), t. 19.
42 Ibid., t. 19.
43 Ibid., *t.* 20.
44 Morgan, *The Span of the Cross*, tt. 113–14.
45 E. O. Davies, *Ffydd, Trefn a Bywyd,* t. 57.
46 Ibid., t. 57.
47 R. H. Evans, *Y Datganiad Byr,* t. 114.
48 Roberts, *Y Can Mlynedd Hyn*, tt. 33–4.
49 Ibid., t. 52.
50 Ibid.
51 Ibid., t. 54.
52 Ibid., t. 55.
53 *Y Goleuad*, 7 Ionawr 1925, 2.
54 R. H. Evans, *Y Datganiad Byr,* tt. 83–4.
55 *Y Goleuad*, 11 Chwefror 1925.
56 R. H. Evans, *Y Datganiad Byr,* tt. 82–3.
57 Ibid., t. 91.
58 W. Nantlais Williams, *O Gopa Bryn Nebo (Atgofion)* (Llandysul, 1967), tt. 96–7.
59 Schedule of CM Archives, vol. 1, LlGC, 1941, tt. 121–2, 131, 145.
60 *Calvinistic Methodist or Presbyterian Church of Wales Act, 1933* (H. M. Stationery Office).

61 Daw'r cyfieithiad o'r gwreiddiol gan yr awdur yn R. H. Evans, *Y Datganiad Byr*, tt. 124, 126, 128.
62 ibid., t. 99.
63 Methodistiaeth Galfinaidd yn *Ffyrdd a Ffydd*, gol. A. Ff. Williams (Dinbych, 1945). Dyfynnir yn Morgan, *The Span of the Cross*, t. 130.
64 *Y Goleuad*, 6 Mai 2016, 7.
65 P. Weston, ed., *Lesslie Newbigin, Missionary Theologian: A Reader* (Grand Rapids: Eerdmans, 2006), t. 175.
66 A. Hirsch, *The Forgotten Ways* (Grand Rapids: Brazos, 2006), t. 262.
67 R. W. Jones, *Y Ddwy Ganrif Hyn: Trem ar Hanes y Methodistiaid Calfinaidd o 1735 i 1935* (Caernarfon 1935), t. 95.

PENNOD 4

ADDOLI A'R BYWYD YSBRYDOL

ELFED AP NEFYDD ROBERTS

Pwnc cymharol newydd o fewn diwinyddiaeth yw'r astudiaeth o addoli. Ond o ganlyniad i ddylanwad yr hyn a elwid y Mudiad Litwrgaidd, daeth hanes, datblygiad ac egwyddorion addoli yn bynciau o bwys o fewn eglwysi a cholegau a phrifysgolion.[1] Mudiad oedd hwn a'i wreiddiau yn Urdd y Benedictiaid yn Ffrainc. Ym mlynyddoedd cynnar yr ugeinfed ganrif gwelwyd yr angen i ddiwygio addoliad cyhoeddus, i adfer y pwyslais ar y sacramentaidd a'r cynulleidfaol, ac i fywhau bywyd a thystiolaeth yr eglwysi lleol. Ymledodd y mudiad i Wlad Belg, yr Almaen a Phrydain, gan ddylanwadu'n bennaf ar yr Eglwys Anglicanaidd. Ond yn raddol dechreuodd y mudiad effeithio ar yr Eglwysi Rhyddion, oedd hefyd yn dod i weld bod angen diwygio addoliad cyhoeddus,[2] O dridegau'r ganrif ymlaen gwelwyd cyhoeddi nifer o gyfrolau yn trafod diwinyddiaeth addoli. Ymhlith y pwysicaf a'r mwyaf dylanwadol yr oedd *Worship*, Evelyn Underhill,[3] a *Christian Worship*, Nathaniel Micklem.[4]

Diffiniad Underhill o addoli oedd 'yr ymateb dynol i ddatguddiad Duw'.[5] Mewn addoliad cyhoeddir y datguddiad dwyfol drwy ddarllen o'r Ysgrythur, pregethu, adrodd credo a gweinyddu'r sacramentau. Mynegir yr ymateb dynol drwy foliant, gweddi ac offrwm. Y mae gwir addoli yn canoli ar Dduw, nid ar ddyn. 'Diben pennaf dyn yw gogoneddu Duw, a'i fwynhau byth ac yn dragywydd,' meddai Cyffes

Westminster – geiriau a ddyfynnir yn glo i Gyffes Fer y Cyfundeb. Amcan pob gweithred o addoli yw offrymu i Dduw glod, mawl, parch a bri. A'r un oedd egwyddor lywodraethol gweinidogaeth John Calvin: *Soli Deo Gloria*.

Araf fu'r Cyfundeb, ac enwadau Ymneilltuol eraill Cymru, i deimlo effeithiau'r mudiad litwrgaidd, er i sawl un godi llais i alw am adfer ysbryd gwir addoli yn ein plith. Un ohonynt oedd y Parch. D. G. Moelwyn Hughes (Moelwyn). Chwe blynedd cyn cyhoeddi cyfrol bwysig Evelyn Underhill traddododd Moelwyn ei Ddarlith Davies yn 1935 ar y testun *Addoli* a'i chyhoeddi'n gyfrol yn 1937.[6] Meddai yn ei ragair, mewn ateb i'w gwestiwn ei hun: pam dewis y testun hwn yn hytrach nag un o bynciau mawr y dydd? 'Gorfu i Eglwys Crist, os myn gyflawni unrhyw orchwyl, fod yn fyw ac ar ddihun; a dibynna'i bywyd yn llwyr ar ei bod mewn cyswllt agos a chyson â Duw. Onis adfeddiennir yr ysbryd addoli sydd yngholl yn ei bywyd personol a chymdeithasol, ofer fydd ein hymdrechion ymhlaid unrhyw ddiwygiad ynglŷn â'r cysegr neu'r digysegr.'[7]

Eto, yn ei ragair, dywed 'mai'r safbwynt Cyfriniol yw'r un a ddewisir gennyf'. Dro ar ôl tro, trewir yr un nodyn ganddo, sef yr anghenraid i gael perthynas bersonol â Duw: 'Drwy brofiad personol ohono yn unig y dygir dyn i'w adnabod, a thrwy'r addoli y dyfnheir yr adnabod.'[8] Yn ei gyfnod yn olygydd *Y Drysorfa* (1934–8) roedd yr elfen gyfriniol yn amlwg yn ei sylwadau golygyddol. Meddai yn rhifyn Medi 1937, 'Bod yn agos at Dduw yw addoli.'[9]

I Moelwyn yr oedd i addoli ddwy ffrwd: rhoddi a derbyn. Y mae addoli yn weithred o ddyrchafu moliant, gweddi a chlod. Ond wrth ddyrchafu enw Duw y mae'r addolwr ei hun yn cael ei ddyrchafu. Y mae gwrthrych ein haddoliad yn ein codi ato'i hun, yn ein puro â'i sancteiddrwydd, a thrwy hynny yn ein gwneud yn debyg iddo'i hun. 'Mynd allan, rhagom ac i fyny y byddwn; o'r hyn ydym at y gwell a'r gorau – at Dduw. Mae'r addolwr yn dalach ar ei liniau na phan safo'n syth, ac yn tyfu wrth ymostwng ... y mae'r Duw mawr yn ein gwneuthur ninnau'n fawr, a pho agosaf ato y bom mwyaf oll fyddwn.'[10]

Er pwysiced yw cyfrol Moelwyn, y mae'n anwastad ei chynnwys. Rhydd i gyfriniaeth y lle amlycaf yn ei ymdriniaeth ag addoli.

Rhestra saith o nodweddion cyfriniaeth, sef yr hiraeth am Dduw, deffroad yr enaid, puredigaeth neu edifeirwch, myfyrdod, yn cynnwys distawrwydd gweddi a chanolbwyntio, ymwybod â phresenoldeb Duw, nos yr enaid, sef anobaith ac amheuaeth, ac undeb perffaith â Duw.[11] Ond nid yw'n ymdrin â'r elfennau hynny mewn addoliad sy'n ganolog i draddodiad y Cyfundeb, megis pregethu, gweddi, caniadaeth a'r sacramentau. Mae ganddo bennod ar 'Y Cymun Bendigaid, ac ynddi dywed, 'Yr act berffeithiaf o addoli ydyw'r Cymun Bendigaid'. Nid ydym ni, Ymneilltuwyr, wedi sylweddoli hyn ac felly ni roesom y lle dyladwy i'r Sacrament. Tuedda'r pulpud i guddio'r Bwrdd, ac athrawiaeth y Gair i gelu yn hytrach nag egluro ystyr y symbolau.'[12]

Y Comisiwn Ad-drefnu

Yn dilyn y Rhyfel Byd Cyntaf sefydlwyd y Comisiwn Ad-drefnu i osod trefn ar fywyd a ffydd y Cyfundeb. Roedd a wnelo Adroddiad Pwyllgor IV o'r Comisiwn, a gyflwynwyd i'r Sasiynau yn Nhachwedd 1921, ag 'Addoliad a Chenhadaeth'.[13] Meddai geiriau agoriadol yr Adroddiad, 'Nid oes agwedd ar fywyd crefyddol ein gwlad a bair fwy o bryder na chyflwr yr Addoli Cyhoeddus ar Ddydd yr Arglwydd yn ein plith.'[14] Yn nechrau'r dauddegau yr oedd aelodaeth y Cyfundeb ar ei huchaf. Er hynny, roedd tystiolaeth o bob rhan o'r wlad fod pobl yn cilio o'r addoliad cyhoeddus, ac roedd cwyno am 'ystad isel crefydd yn gyffredinol trwy'r wlad'. Dylanwad yr ysbryd materol a'r chwant am gyfoeth a ystyrid yn brif achosion y cilio a'r cefnu. Oherwydd prysurdeb yr ymchwil am gyfoeth roedd pobl yn trethu corff ac ysbryd i'r graddau fel nad oedd ganddynt yr ynni i droi at 'wleddoedd y Cysegr ar Ddydd yr Arglwydd'.[15]

Er mai dylanwadau o'r tu allan i'r eglwys oedd yn bennaf cyfrifol am yr esgeuluso ar addoliad ar y Sul, nid oedd yr eglwys ei hun yn ddi-fai ac nid oedd y Cyfundeb ychwaith wedi rhoi'r sylw a ddylasai i'r mater. Ym mlynyddoedd cynnar y Cyfundeb cyfarfyddai'r saint mewn ffermdai ac ysguboriau moel. Yng nghyfnod eu brwdfrydedd cynnar a'u cariad angerddol at Dduw, nid oedd angen iddynt feddwl am adeiladau cysegredig na ffurfiau arbennig o addoli. Ond erbyn blynyddoedd cynnar yr ugeinfed ganrif dylasai'r Cyfundeb fod wedi rhoi llawer mwy o sylw i ffurfiau a threfn addoliad cyhoeddus: 'Ni fu yn ein plith fawr o feddwl am ein dull o ddwyn ymlaen y Gwasanaeth Crefyddol nac o ymgais i'w berffeithio.'[16] Gwnaed y sylw dadlennol fod y naill oes wedi dilyn y llall, er bod amgylchiadau cymdeithasol wedi newid. Fe aeth yr hyn oedd yn naturiol ac yn ystwyth i un oes yn ffurfiau caeth i oes arall. Y canlyniad oedd fod gwasanaethau wedi mynd yn llawer rhy ffurfiol ac undonog, yn aneffeithiol a dieneiniad.

Rhybuddiwyd rhag i wasanaethau gystadlu â chyngherddau a cheisio difyrru pobl yn unig. Ar yr un pryd, nid trwy ddynwared gwasanaethau rhwysgfawr yr Eglwys Anglicanaidd yr oedd darganfod amcan mawr addoli. Yr oedd angen edrych o'r newydd ar yr elfennau presennol yn y gwasanaeth cyhoeddus, eu had-drefnu, anadlu bywyd newydd iddynt a meithrin mwy o ysbryd defosiwn ac awyrgylch a'i gwnâi'n haws i gynulleidfa addoli Duw.

Ni roddwyd unrhyw gyfarwyddiadau ymarferol i'r eglwysi gan yr Adroddiad. Ni luniwyd patrymau newydd o fathau o wasanaethau a allai fod o gymorth i weinidogion a chynulleidfaoedd. Yr hyn a gaed oedd nifer o egwyddorion y dylid eu dilyn.[17] Yn gyntaf, *dylid cofio amcan pennaf addoli*, sef ei fod yn wasanaeth o foliant a diolch i Dduw. Yn rhy aml prisir oedfa yn ôl mesur y mwynhad a gâi'r gwrandawyr o'r bregeth. Dylai cynulleidfa ddod i'r cysegr i'w cyflwyno'u hunain a'u haddoliad i Dduw drwy'r canu, y darllen a'r weddi, ac i wrando cenadwri'r Arglwydd iddynt drwy'r bregeth. Yn ail, *y pwysigrwydd o feithrin ysbryd defosiwn yn y gwasanaethau.* Dylid dysgu pobl i ddod yn brydlon rhag eu bod yn tarfu ar yr oedfa trwy gyrraedd yn hwyr. Dylid talu mwy o barch i adeilad y cysegr, ei wella oddi mewn ymhob rhyw fodd a pheidio'i ddefnyddio'n ormodol i gynnal pob math o gyfarfodydd. Yn drydydd, *dylid cadw rhyddid ac ystwythder yn nhrefn gwasanaeth o addoliad.* Y mae rhyddid gennym fel Cyfundeb i newid neu ddiwygio ffurf ein gwasanaethau ac i addasu ein hoedfaon yn ôl yr angen a'n hadnoddau er mwyn eu gwneud yn fwy effeithiol fel cyfryngau addoli. Wedi dweud hynny y mae'r Adroddiad, yn rhyfedd iawn, yn ymwrthod â'r syniad o lunio trefn gwasanaeth, a llai fyth o ddefnyddio unrhyw 'Lyfr Gwasanaeth'.[18]

Ymhen ychydig flynyddoedd cafwyd un cyhoeddiad hynod

ddiddorol, sef llyfryn yn cynnwys trefn dau wasanaeth i ddathlu daucanmlwyddiant y Cyfundeb, 1735–1935, ar Sul, 5 Mai 1935.[19] Yr oedd y naill yn wasanaeth bore Sul a'r llall yn Wasanaeth Cymun i'w gynnal yn yr hwyr – y ddau yn wasanaethau litwrgaidd eu naws, yn hollol wahanol i oedfaon arferol yr eglwysi, yn cynnwys gweddïau ymatebol o gyffes, diolch ac eiriolaeth, a'r gwasanaeth cymun yn cynnwys nifer o elfennau o'r Llyfr Gweddi Gyffredin. Faint o ddefnydd a wnaed o'r ddarpariaeth hon, mae'n anodd dweud, ond gellid dychmygu na fyddai at ddant pawb.

Er i Adroddiad y Comisiwn Ad-drefnu awgrymu newid a diwygio gwasanaethau'r Sul, rhybuddiai rhag colli'r elfennau hynny fu'n ganolog i addoliad Methodistiaeth Galfinaidd o'r dechrau cyntaf, yn enwedig felly *y bregeth*.

Lle Canolog Pregethu

Dyma a ddywed yr Adroddiad am le canolog pregethu: 'Credwn na ddylid darostwng y bregeth o'i safle bresennol. Pan dderfydd pregethu grymus o'n plith bydd yn bryd inni gau drysau ein haddoldai ... Nid rhoi llai o le i'r bregeth a ddylai Ymneilltuwyr Cymru. Gellid, weithiau, roi llai o hyd ynddi heb roi llai o le i'w chenadwri. Parhau i berffeithio'r pregethwr a'r bregeth a ddylem.'[20] Yr un pryd, roedd yr Adroddiad yn feirniadol o'r ffaith mai fel 'pregeth' y disgrifid gwasanaeth cyhoeddus gan lawer. Yn aml cyhoeddir 'y bregeth', a 'dod i'r bregeth' a wna'r rhan fwyaf o bobl. Dod i wrando'r pregethwr yn hytrach na dod i addoli Duw a wnaent.

Yn hanner cyntaf yr ugeinfed ganrif caed nifer fawr o bregethwyr a ystyrid yn 'hoelion wyth' y Cyfundeb. Hwy oedd pregethwyr y sasiynau, y cyrddau mawr a'r gwyliau pregethu. Yn eu plith yr oedd mawrion fel John Williams, Brynsiencyn; Thomas Charles Williams, Porthaethwy; Yr Athro David Williams, y Bala; W. Llewelyn Lloyd, G. H. Havard, Philip Jones, Tom Nefyn Williams, a llawer mwy.

Er iddo gael ei hudo gan Lloyd George i recriwtio bechgyn ifanc i'r fyddin yn y Rhyfel Byd Cyntaf ac i hynny fwrw cysgod dros ei enw da yng ngolwg rhai, cadwodd John Williams, Brynsiencyn, ei le yn dywysog y pulpud yng Nghymru hyd ei farw yn Nhachwedd 1921. Dywedodd ei olynydd ym Mrynsiencyn, y Parch. J. E. Hughes, amdano: 'Meddai ar bersonoliaeth hardd, llais a pharabl cryf a chroyw, iaith gyfoethog, dychymyg byw, crebwyll treiddgar, a huodledd digymar. Cydnabyddir ef fel y meistr mwyaf ar areithyddiaeth glasurol yn y pulpud Cymraeg.'[21] Mae'r disgrifiadau o'i 'oedfaon mawr' yn peri syndod i'n hoes ni sy'n gwybod dim am y cynyrfiadau ysbrydol ac emosiynol oedd yn ysgwyd cynulleidfaoedd y cyfnod, ac yn effeithio hefyd ar y pregethwr ei hun. Disgrifir oedfa yng Nghapel Laird Street, Penbedw, yn 1921, blwyddyn ei farw.[22] Ar ganol ei bregeth rhoes sŵn rhwng tagfa a bloedd, yna ymdaflu i'w bregeth â'r fath angerdd fel iddo godi dychryn ar rai o'r gwrandawyr. Pan ofynnwyd iddo ar ôl yr oedfa beth oedd wedi digwydd iddo, atebodd, 'Mi welais y fath ogoniant yn yr Efengyl, haen ar ôl haen, yn yr eiliad hwnnw, fel y teimlwn ei fod yn fy llethu. Meddyliwn y buasai yn fy lladd.'

Yn oedfa'r bore, yn yr un capel, pregethodd ar 'wisgo amdanom yr Arglwydd Iesu Grist'. Meddai Dr Thomas Williams oedd yn bresennol ac wedi clywed John Williams yn pregethu ugeiniau o weithiau, 'Ni welais y pregethwr erioed dan fwy o eneiniad. Ni waeddai, ac ni allai weiddi, ond ni welais bron erioed gymaint o wylo mewn unrhyw wasanaeth.' Anodd yw disgrifio'r peth cyfrin hwnnw sy'n gwneud oedfa yn brofiad ysbrydol dwys. Y mae a wnelo ag ysbryd disgwylgar cynulleidfa, â pharatoad ysbrydol y pregethwr ei hun, yn ogystal â gwirionedd tragwyddol sydd eisoes wedi tanio meddwl ac enaid y gennad.

Yn Henaduriaeth Môn, yn Ionawr 1927, penderfynwyd gwneud cofeb i John Williams, a gwahoddwyd Henaduriaeth Lerpwl i gynorthwyo a Chyfarfod Misol Môn i wneud y trefniadau.[23] Agorwyd cronfa i sefydlu Darlith Goffa ar Bregethu, yr achos oedd nesaf at galon John Williams, yn bennaf er budd ymgeiswyr am y Weinidogaeth yn ystod eu cwrs addysg. Traddodwyd y ddarlith yn gyson bob dwy neu dair blynedd, fel arfer, ym Mangor ac yn Aberystwyth drwy gydol gweddill y ganrif. Ymhlith y darlithwyr gwelir enwau Philip Jones, Elizeus Howells, R. R. Hughes, William Morris, John Roberts (Llanfwrog), Cwyfan Hughes, J. W. Jones, H. R. Davies a Herbert Evans ac eraill – pregethwyr o fri bob un. Y diweddaraf o'r Darlithiau Coffa oedd un gan y Parch. Gerallt Lloyd

Evans, a draddodwyd ym Mangor ar 30 Hydref 2008 ac a gyhoeddwyd o dan y teitl, *Mewn Llestri Pridd*.[24]

Amcan, ansawdd ac arddull pregethu oedd y themâu a drafodwyd amlaf. Y pregethwr yn hytrach na'r bregeth a'i chynnwys a gâi'r sylw pennaf. Meddai R. R. Hughes am yr *urge* i bregethu: 'Arferir y gair estron hwn am nad oes yn y Gymraeg air o gyffelyb rym. Gweithrediad nerth y gwirionedd yn ysbryd y pregethwr, ysfa'r holl berson yn yr *act* o bregethu ac awyddfryd *am* bregethu, ysgatfydd ydyw.'[25] Ond beth am *gynnwys* y bregeth?

Meddai Cwyfan Hughes yn Narlith 1959: 'Dyn yn pregethu yw dyn yn cyhoeddi ... nid ei syniadau ei hun ond newyddion da'r Efengyl. Fel y dywedodd rhywun, *news* ydyw'r Efengyl, nid *views*. Nid syniadau dynion, ond y newyddion am fawrion weithredoedd achubol yr Arglwydd.' Un pwnc sydd i'r bregeth, sef Crist: 'Y mae'n bwysig pregethu Crist, pregethu ffeithiau ei fywyd, ei farw trosom a'i gyfodi'r trydydd dydd. A phan bregethir ei atgyfodiad, y mae'r Crist byw yn cael ei bregethu.'

John Roberts, Llanfwrog, a draddododd y Ddarlith yn 1977. Gofynnodd beth y gellid ei wneud i ddiwygio pethau mewn cyfnod mor dreng yn dilyn chwalfa yr Ail Ryfel Byd, 'a dim byd yr un fath wedyn?' Ei ateb oedd, 'Pregethu nerthol o hyd: pregethu, pregethu, pregethu: dweud am Dduw.' Ond pa fodd oedd 'dweud am Dduw' mewn oes seciwlar oedd yn prysur gefnu arno? Yn ystod y ganrif y bu cryn anghytundeb ynglŷn â pha wedd ar y gwirionedd oedd fwyaf perthnasol i anghenion yr oes, neu oedd agosaf at hanfod yr Efengyl. Un a geisiodd olrhain datblygiad pregethu Cymru yn ystod y ganrif oedd cyfaill mynwesol i John Roberts, sef J. R. Roberts, Pen-y-cae, yn ei Ddarlith Davies yn Aberystwyth yn 1978. Tynnodd sylw'n bennaf at yr amrywiaeth pwyslais mewn pregethu: pregethu poblogaidd, pregethu Beiblaidd, pregethu diwinyddol, pregethu defosiynol, pregethu cymdeithasol, pregethu efengylaidd.

Cysylltwyd ambell bregethwr ag ysgol athrawiaethol arbennig. Er enghraifft, Ivor Oswy Davies, gweinidog Eglwys Princes Road, Lerpwl, a fu'n fyfyriwr wrth draed neb llai na'r diwinydd mawr Karl Barth.[26] Gydag Ymneilltuaeth Cymru yn gwegian, credai Ivor Oswy mai ym mhwyslais Barth ar rymuster Gair Duw yr oedd yr unig obaith i'r dyfodol. Ond er bod Barth yn cael ei barchu fel un o broffwydi mwyaf Protestaniaeth yr ugeinfed ganrif, erbyn ail hanner y ganrif roedd ei syniadaeth yn cael ei gwrthod fwyfwy gan ddiwinyddion iau.

Cyfaddefai J. P. Davies, Porthmadog, nad pregethwyr diwinyddol mawr, uniongred, a fu'r dylanwad mwyaf arno, ond dynion tebyg i'r Athro David Williams, sef pregethwyr ar dân ond un digon gonest i wrthod uniongrededd os nad oedd yn cyd-fynd â Iesu'r Testament Newydd. I J. P. Davies roedd angen priodi gwres y profiad personol â dysg a beirniadaeth feiblaidd. Yr un mor bwysig oedd yr hyn a elwid 'yr efengyl gymdeithasol'. 'Os gwir ddychwelir dynion at Grist ac os llwyr waredir hwy ganddo, rhaid bod yn ddigon onest i beidio ag anghofio'r byd y daeth yr Iesu i'w achub ym mhob rhan ohono.'[27] I'r pegwn arall i safbwynt J. P. Davies, caed pregethwyr efengylaidd ceidwadol, gan gynnwys Frank a Seth Joshua, Castell-nedd, Nantlais Williams a'r Dr Martyn Lloyd-Jones.

The Preaching Service – The Glory of the Methodists yw teitl cyfrol gan Adrian Burdon sy'n olrhain twf a dylanwad yr oedfa bregethu o fewn Methodistiaeth Lloegr. Dyfynna eiriau John Wesley: 'The morning preaching is the glory of the Methodists; whenever that ceases, the glory is departed from them' (Ebrill 1784).[28] Yn sicr y mae i'r oedfa bregethu ei gogoniant. Ond rhaid gofyn y cwestiwn, tybed a fu gormod o bregethu yn ein hoedfaon a'n llysoedd Cyfundebol yn y gorffennol?

Byddai'r rhan fwyaf o eglwysi yn cynnal Cyfarfodydd Pregethu, yn ychwanegol at oedfaon y Sul – Cyrddau Mawr i bobl y de – a'r rheini'n ymestyn dros benwythnos ac yn cael eu cynnal ddwywaith y flwyddyn. Yn wreiddiol, y gobaith oedd y byddai'r Cyfarfod Pregethu yn achlysur i ennill rhai eneidiau o'r byd. Yn wir, bu'n arferiad yn y rhan fwyaf o eglwysi i gynnal 'seiat' cyn terfynu oedfa'r nos. Yn y seiat gofynnid yn ffurfiol gan Lywydd y Mis, 'A oes rhywun o'r newydd wedi aros ar ôl?' Yna, yn dilyn saib dwys, caed yr ateb, 'Mae'n ymddangos nad oes.' Oherwydd embaras y diffyg ymateb o Sul i Sul, diflannodd yr arfer. Ond dechreuodd mewn cyfnod pan oedd hi'n gyffredin i rai ddod o dan argyhoeddiad a mynegi dymuniad i ymuno â'r eglwys.

Yr un oedd amcan oedfaon pregethu mewn sasiynau. Ond ai syched am eneidiau, ynteu cystadleuaeth rhwng eglwysi oedd am ddenu'r sasiwn oedd gwahodd nifer fawr o bregethwyr? A rhoi dwy enghraifft yn unig, ymddangosodd yr hysbysiad canlynol yn *Y Goleuad* ym Mawrth 1922: 'Disgwylir y gweinidogion canlynol i bregethu yn Sasiwn Penrhyndeudraeth, Ebrill 5–6: Y Parchedigion Daniel Davies, Lerpwl; J. T. Davies, Llanidloes; Morgan W. Griffith, B.A., Pwllheli; G. H. Havard, M.A., B.D., Wrexham; D. Hoskins, M.A., Caernarfon; John Jones, M.A., B.D., Llangoed; Philip Jones, Pontypridd; W. Llewelyn Lloyd, Caergeiliog; John Owen, M.A., Caernarfon; D. D. Williams, M.A., Lerpwl; R. R. Williams, M.A., Caer, a T. Charles Williams, M.A., Menai Bridge.'[29] Cyfanswm o ddeuddeg o bregethwyr!

Un mlynedd ar ddeg yn ddiweddarach, pan gyfarfu Cymdeithasfa'r Gogledd yn Llundain, 23–6 Hydref 1933, cynhaliwyd cyfarfodydd pregethu ym mhob un o eglwysi'r henaduriaeth ar ddiwrnod olaf y Gymdeithasfa, 26 Hydref, gyda phregethwr gwahanol ym mhob un o eglwysi'r henaduriaeth, sef 17 o bregethwyr mewn 17 o eglwysi – pump yn fwy nag yn Sasiwn Penrhyndeudraeth yn 1922![30] Faint, tybed, o fudd ysbrydol a gaed o'r fath ormodedd o bregethu?

A beth am bregethu o Sul i Sul, nid o flaen y tyrfaoedd mewn sasiwn, ond yng nghynulleidfa'r ffyddloniaid? Y patrwm mewn llawer man oedd i'r Gweinidog fod yn ei bulpud ei hun unwaith y mis yn unig, fel arfer ar y Sul cyntaf o'r mis. Roedd hynny'n rhoi cyfle i gynulleidfaoedd wrando ar ddoniau eraill, ar wahân i'w gweinidog eu hunain. Ond credai rhai gweinidogion fod pregethu adref mor anaml yn milwrio yn erbyn pregethu bugeiliol ac addysgol, ac yn eu rhwystro hefyd rhag meithrin ysbryd addolgar a defosiynol yn eu heglwysi. Ar y llaw arall, roedd eraill yn dadlau mai'r rheswm fod pregethu'r Cyfundeb o safon uwch na'r hyn a geid yn yr enwadau eraill oedd mai deuddeg pregeth yn unig yr oedd disgwyl i weinidogion eu llunio mewn blwyddyn! Rhoddai hynny gyfle iddynt ddiwygio, ailddiwygio a pherffeithio pregeth fel y byddai'n addas i'w phregethu ar draws gwlad.[31]

Erbyn ail hanner y ganrif bu gostyngiad enfawr yn nifer y

gweinidogion ac arweiniodd hynny at ffurfio gofalaethau o chwech, saith, a mwy o eglwysi, fel na allai gweinidogion fod yn eu heglwysi eu hunain fwy nag unwaith y mis, os hynny. Bellach, y mae eglwysi'n dibynnu i raddau helaeth ar bregethwyr lleyg i lenwi'r bylchau, a darperir cyrsiau hyfforddi iddynt yn Nhrefeca a'r Bala.

Ond er yr holl sôn am bregethu, erys y cwestiwn sut mae cyflwyno'r efengyl mewn cyfnod o drai crefyddol ac yn wyneb yr agwedd seciwlar galed sydd wedi gwanychu ein cynulleidfaoedd a pheri i bregethu ymddangos yn gwbl aneffeithiol? Y mae ysbryd a gogwydd meddwl yr oes, yn ogystal â bychander a disgwyliadau cynulleidfaoedd ein cyfnod, wedi gwneud rhai mathau o bregethu traddodiadol yn amherthnasol. Dedfryd y Parch. T. Glyn Thomas ar y math yna o bregethu oedd, 'Nid wedi cael ei ladd y mae pregethu yng Nghymru; wedi ei ladd ei hun y mae.'[32] Cynulleidfa wedi ei chyflyru gan y teledu a thechnoleg cyfathrebu, sy'n cyflwyno ei neges gyda'r gair croyw a'r darlun byw, yw'r gynulleidfa fodern. Sut bynnag, y mae hyn yn effeithio ar bregethu cyfoes; y mae'n her i bob pregethwr ganfod dull o gyflwyno'r efengyl drwy'r gair sy'n ddeniadol i'r glust a'r darlun sy'n fyw i'r dychymyg.

Sacrament Swper yr Arglwydd

Yn ôl John Calfin, nodau'r eglwys yw gwir bregethu'r efengyl, iawn weinyddu'r Sacramentau a disgyblaeth. Y mae'r bregeth a'r Cymun mor bwysig â'i gilydd ac ni cheir gwir eglwys heb fod y ddau beth gyda'i gilydd. Camgymeriad o'r mwyaf yw peidio â rhoi lle anrhydeddus i bregethu. Ond llawn cymaint o gamgymeriad yw bychanu'r Cymun a'i wthio i'r cefndir. Yn ein hedmygedd o bregethu yr ydym fel Cyfundeb wedi esgeuluso'r Sacrament a'i wneud yn aml yn atodiad brysiog i oedfa bregethu. Clywir am gynulleidfaoedd lle na weinyddir y Sacrament yn amlach na dwywaith neu dair mewn blwyddyn ac ambell un yn llai aml na hynny. Nid peth newydd yw hyn. Meddai Adroddiad y Comisiwn Ad-drefnu: 'Ofnwn y ceir rhai o'n heglwysi na weinyddir y Sacrament o Swper yr Arglwydd ond yn anfynych iawn ynddynt.'[33] Ar wahân i annog eglwysi i gynnal gwasanaeth llawn o'r Gair a'r Sacrament, yn hytrach na chynnal y Cymun ar derfyn oedfa'r hwyr, nid oes gan y Comisiwn ddim mwy i'w ddweud ar y mater.

Meddai Golygydd y *Goleuad* yn 1994, 'Yn sgîl gwthio'r sacrament i'r cefndir, yn fynych mae'r gweinyddiad yn flêr a ffwrdd â hi ... Ar brydiau, hyd yn oed yn ein huchel wyliau, ni fu'r gweinyddiad o'r Cymun yn deilwng o'r achlysur.'[34] Â ymlaen i feirniadu'r 'arfer rhyfedd ac ofnadwy sydd ar gynnydd yn ein plith o gydfwyta a chydyfed yr elfennau. Y mae hyn yn dangos anwybodaeth erchyll o ddiwinyddiaeth sacramentaidd'. O ble y tarddodd yr arfer anffodus? Daeth y gwydrau bychain i gymryd lle yr hen gwpanau cymun mawr tua dechrau'r ugeinfed ganrif a hynny am resymau glanweithdra, yn enwedig ofn y dicáu. Ond yn ddiweddarach y mabwysiadwyd gan rai eglwysi blatiau metel bychain a osodid ar bob gwydryn i ddal darn o fara. Ai o bwyslais rhyddfrydol ar gymdeithasu a brawdoliaeth dyn y cododd yr arfer o gydfwyta a chydyfed, a thrwy hynny golli golwg ar y berthynas gyfriniol rhwng dyn a Duw yn y cymun? Meddai'r *Goleuad* eto: 'Y canlyniad yw gwagio'r sacrament o'i dirgelwch a'i gwneud yn namyn llwnc destun tila.' Neu, yng ngeiriau'r Annibynnwr Gwilym Bowyer, ei gwneud yn 'de-parti-dolis Iesu Grist'!

Roedd dibrisio'r Cymun fel hyn yn deillio'n rhannol o ddiffyg trefn addas i gyfarwyddo gweinidogion wrth Fwrdd yr Arglwydd. Ond yr oedd rheswm dyfnach na hynny hefyd, sef diffyg hyfforddiant yn y colegau diwinyddol mewn diwinyddiaeth ewcharistaidd, hyd yn oed yn egwyddorion y traddodiad Diwygiedig. Esgorodd hynny yn ei dro ar ddiffyg diddordeb, os nad dihidrwydd o'r sacramentau, ac o Sacrament Swper yr Arglwydd yn arbennig. Anaml y ceid erthyglau yn y *Drysorfa* na'r *Traethodydd* yn ymdrin â'r pwnc, ond yn ddiddorol ymddangosodd tair erthygl yn y *Drysorfa* yn 1924: 'Gwasanaeth y Cymun Sanctaidd' gan y Parch. John Hughes; 'Lle'r Cymun yng Ngwasanaeth yr Eglwys' gan y Parch. J. P. Davies a 'Swper yr Arglwydd a Gwasanaeth yr Eglwys' gan y Parch. Pierce Owen. Cafwyd Darlith Davies gan y Parch. William James, Manceinion, ar *Yr Eglwys: Ei Sacramentau a'i Gweinidogaeth* yn 1897,[35] ond ni chlywyd sôn am y pwnc wedyn tan y flwyddyn 1990 pan gafwyd Darlith Davies ar *Dehongli'r Sacramentau Heddiw.*

Cofiwn mai anghytundeb ar fater Sacrament Swper yr Arglwydd a achosodd raniadau ac ymgecru ffyrnig rhwng y diwygwyr

Protestannaidd. Credai Luther fod corff a gwaed Crist yn cydsylweddu â'r bara a'r gwin ar yr allor. Gwadai Huldrych Zwingli, diwygiwr Zurich, y syniad y gallai'r materol gyfryngu'r ysbrydol. Iddo ef, defod seml o goffáu Crist oedd y Swper, a'r bara a'r gwin yn ddim ond symbolau o gorff a gwaed Crist. Ceisiodd John Calfin dorri llwybr canol rhwng y ddau gan osgoi ceidwadaeth Luther, ar y naill law, a moelni coffadwriaethol Zwingli ar y llall. Rhoddai Calfin y pwyslais ar bresenoldeb y Crist byw drwy'r Ysbryd Glân, nid *yn* yr elfennau, ond *oddi tanynt.* Arwyddion o'i bresenoldeb oedd y bara a'r gwin. Wrth gyfranogi ohonynt yr oedd addolwyr yn ymborthi ar Grist trwy ffydd, nid yn yr ystyr o fwyta ac yfed ei gorff a'i waed, ond trwy dderbyn ei anian ef i'w heneidiau hwy.

Rhoddwyd mynegiant clir i athrawiaeth sacramentaidd Calfin yng Nghyffes Ffydd 1823 ac yn *Hyfforddwr* Thomas Charles. Ond gellid dadlau bod y Cyfundeb, dros y blynyddoedd, wedi llithro i gyfeiriad Zwinglïaeth gan ystyried y Cymun yn ddim mwy na gweithred seml o goffáu Iesu ac o ddyfnhau cymdeithas yr eglwys. Tuedd diwinyddiaeth ewcharistaidd Brotestannaidd yw bod yn negyddol gan bwysleisio'r hyn *nad* yw'r Cymun, tra bo'r pwyslais Catholig ar yr hyn *yw'r* Cymun. Ceisiwyd cywiro rhywfaint ar bwyslais coffadwriaethol yr oedfaon Cymun drwy gyhoeddi patrymau o wasanaethau Cymun at ddefnydd gweinidogion a chynulleidfaoedd.

Yn *Llyfr Gwasanaethau* 1958 ceir un ffurf o wasanaeth Cymun i ddilyn gwasanaeth gyda phregeth, a ffurf fyrrach o wasanaeth heb bregeth – y naill fel y llall yn creu camargraff, sef mai atodiad i Wasanaeth y Gair yw'r Cymun, a bod cynnal gwasanaeth heb bregeth yn dderbyniol.[36] Ond yn y traddodiad Diwygiedig, dylid cynnal un gwasanaeth Gair a Sacrament.

Wedi dweud hynny, y mae trefn a chynnwys gwasanaeth y Cymun yn *Llyfr Gwasanaethau* 1958 yn rhoi lle i'r elfennau pwysicaf – cofio, diolch, cymuno – ond ni chynhwysir Geiriau'r Sefydlu. Awgrymir defnyddio'r *Sursum Corda* ('Dyrchafwn ein calonnau') ond heb fod copïau o'r gwasanaeth ar gael i'r gynulleidfa, nid yw'n ymarferol bosibl i ddefnyddio gweddi ymatebol o'r fath.[37]

Yn 1991 cyhoeddwyd *Llyfr Gwasanaethau* dwyieithog newydd.[38]

Ynddo ceir dau wasanaeth cymun, y cyntaf yn dilyn y drefn Ddiwygiedig gydnabyddedig o Weinidogaeth y Gair a Gweinidogaeth y Sacrament, a'r ail wasanaeth yn llai ffurfiol, ond eto'n cynnwys prif elfennau Gwasanaeth Cymun y traddodiad Diwygiedig. Roedd yr ail wasanaeth yn dilyn yn agos batrwm o wasanaeth a luniwyd gan William Barclay yn ei lyfr *The Lord's Supper.*[39] Gan fod y ddau wasanaeth yn cynnwys rhannau cynulleidfaol a gweddïau ymatebol argraffwyd hwy hefyd mewn llyfryn hwylus at iws cynulleidfaoedd. Manteisiodd nifer o eglwysi ar y ddarpariaeth hon, ond y mae lle i ofni i'r rhan fwyaf o weinidogion anwybyddu'r ddwy drefn a chynnal eu gwasanaethau Cymun yn eu dulliau arferol eu hunain.

Deunaw mlynedd yn ddiweddarach bu galw eto am Lyfr Gwasanaeth newydd ac ymddangosodd *Llyfr Gwasanaethau* 2009.[40] Yn y llyfr hwn ceir pedwar Gwasanaeth Cymun – y cyntaf yn ffurfiol ac yn dilyn y patrwm Diwygiedig clasurol, yr ail yn ddiweddariad o'r ail wasanaeth yn llyfr 1991 (trefn William Barclay), y trydydd yn wasanaeth byrrach, addas i'w ddefnyddio gyda chleifion yn eu cartrefi neu mewn ysbyty, a'r pedwerydd yn drefn i'w defnyddio pan fydd plant yn cymuno. Lluniwyd y pedwar gwasanaeth gan roi ystyriaeth i awgrymiadau a wnaed gan weinidogion oedd wedi dod i arfer â Llyfr 1991. Unwaith eto, penderfynwyd argraffu llyfryn yn cynnwys y ddau wasanaeth cyntaf i'w ddefnyddio gan gynulleidfaoedd. Yn anffodus, ychydig iawn o eglwysi a fanteisiodd ar y ddarpariaeth hon. Mae hynny'n codi'r cwestiwn i ba raddau y mae addoliad ein heglwysi yn dilyn y patrymau swyddogol a gyhoeddir gan y Gymanfa Gyffredinol. Mae lle i ofni nad yw addoliad y trwch o'n heglwysi fymryn cyfoethocach o ganlyniad i'r canllawiau a'r deunydd a geir yn y Llyfrau Gwasanaeth hyn.

Yn y cyflwyniad i Wasanaethau'r Cymun Bendigaid yn Llyfr 2009, ceir y cyfarwyddiadau canlynol: 'Er nad yw pob un sy'n arwain addoliad yn awyddus i ddilyn trefn brintiedig mewn llyfr gwasanaeth ... y mae'n bwysig rhoi sylw i'r elfennau hynny sy'n hanfodol i Wasanaeth Cymun llawn.'[41] Yna rhestrir pump ohonynt:

1. Rhaid pwysleisio mai *un* gwasanaeth yw'r Cymun Bendigaid, nid oedfa bregethu gyda'r Cymun yn dilyn fel

math o atodiad. Ymhob traddodiad Cristnogol bellach cydnabyddir mai un gwasanaeth ac iddo ddwy ran, sef Gweinidogaeth y Gair a Gweinidogaeth y Sacrament, yw Gwasanaeth Sacrament Swper yr Arglwydd.

2. Dylid cynnwys o fewn Gweinidogaeth y Gair ddarlleniadau o'r ysgrythur, pregeth (neu anerchiad/myfyrdod byr), y Gyffes Fer o'n Ffydd a gweddïau eiriolaeth.
3. O fewn Gweinidogaeth y Sacrament dylid dilyn y drefn ganlynol: y Gwahoddiad, Geiriau Sefydlu Swper yr Arglwydd, y Weddi Ewcharistaidd, Toriad y Bara, Rhannu'r Elfennau, y Weddi Derfyn a'r Gollwng.
4. Dylid cynnwys yr elfennau canlynol o fewn y Weddi Ewcharistaidd:
   - diolchgarwch i Dduw am ein creu, ein cynnal a'n cadw (*ewcharist*), yn dod i uchafbwynt yn y *Sanctus*;
   - cofio a dathlu gweithredoedd achubol Duw ym mywyd, marwolaeth ac atgyfodiad Iesu Grist (*anamnesis*);
   - deisyfiad ar i'r Ysbryd Glân fendithio'r elfennau o fara a gwin a'u gwneud yn gyfryngau gras a nerth (*epiclesis*);
   - ymateb i gariad ac aberth yr Arglwydd Iesu trwy i'r ffyddloniaid eu rhoi eu hunain i fod 'yn aberth byw, sanctaidd a derbyniol gan Dduw' (Rhuf. 12:1).
5. Er mwyn i gynulleidfaoedd fedru cymryd rhan yn llawn yn y gwasanaethau dylid gwneud defnydd o'r llyfryn yn cynnwys trefn y Gwasanaethau Cymun.

Y mae'r gweinidogion a'r cynulleidfaoedd sy'n gwneud defnydd cyson o'r gwasanaethau hyn yn cael budd a chymorth ohonynt. Ond y mae lle i ofni mai lleiafrif ydynt.

Ar hyd y degawdau, gweinidogion ordeiniedig yn unig oedd â'r hawl i weinyddu'r sacramentau. Câi blaenoriaid a phregethwyr lleyg cydnabyddedig bregethu, ond gweinidogion oedd i arwain wrth Fwrdd yr Arglwydd a bedyddio. Oherwydd prinder clerigwyr oedd yn barod i weinyddu'r Cymun yn y seiadau cynnar y cymerodd y Methodistiaid y cam o ordeinio'u gweinidogion eu hunain yn y lle cyntaf yn 1811 a chedwid at y drefn honno ar hyd y blynyddoedd.

Fodd bynnag, erbyn wythdegau a nawdegau'r ugeinfed ganrif roedd prinder gweinidogion ordeiniedig yn golygu bod eglwysi yn cael anhawster i drefnu gwasanaethau Cymun a bu galw am drwyddedu lleygwyr i weinyddu'r sacramentau. Trafodwyd y mater yn yr henaduriaethau a'r cymdeithasfaoedd, a chan fod y mwyafrif o blaid, trosglwyddwyd y mater i ystyriaeth y Panel Athrawiaeth ac Addoli. Wedi derbyn barn yr henaduriaethau, a chanfod bod y mwyafrif o blaid, argymhelliad y Panel oedd y dylai'r henaduriaethau enwebu rhai blaenoriaid i wasanaethu eglwysi difugail oddi mewn i'w Henaduriaethau eu hunain. Dylai'r rhai a enwebwyd ddilyn cwrs hyfforddi o dan gyfarwyddyd Cyfarwyddwr Hyfforddiant y Cyfundeb, ac yna gael eu comisiynu'n swyddogol gan eu henaduriaethau. Pwysleisiwyd mai oddi mewn i'w henaduriaethau eu hunain yn unig, ac ar wahoddiad eglwysi difugail, y câi'r rhai a gomisiynwyd wasanaethu. Yr oedd blaenoriaid i'w trwyddedu am gyfnod o dair blynedd, a'r drwydded i'w hadnewyddu gyda chydsyniad yr henaduriaeth a'r blaenor; yr henaduriaeth i gyhoeddi rhestr o'r rhai a drwyddedwyd. Erbyn hyn y mae nifer wedi dilyn y cwrs ac wedi eu trwyddedu gan eu henaduriaethau. Pe digwydd i flaenor a drwyddedwyd symud i henaduriaeth arall, ni chaniateir iddo weinyddu'r sacramentau yn yr henaduriaeth honno heb iddo gael ei drwyddedu gan yr Henaduriaeth honno. Cyflwynwyd yr adroddiad i'r Gymanfa Gyffredinol yn 2005 ac fe'i derbyniwyd.

Yng Nghymanfa Gyffredinol 2011 cadarnhawyd argymhelliad pellach, sef y 'dylid caniatáu i flaenor a drwyddedwyd weinyddu'r cymun i aelodau o eglwysi eu henaduriaeth eu hunain mewn cartrefi henoed neu ysbyty lle nad oedd gweinidog ar gael i weinyddu, neu lle na bo gweinidog yn gallu gweinyddu yn Gymraeg'. Dichon y gellid caniatáu iddynt weinyddu Cymun yn y cartref i unigolion o'u heglwysi sy'n gaeth i'w cartrefi hefyd. Mewn achos o'r fath argymhellir eu bod yn mynd ag aelod o'r eglwys gyda hwy i gartref yr unigolyn yn symbol o 'fynd â'r eglwys i'r cartref.'[42]

Yn y flwyddyn ganlynol, 2012, holwyd beth oedd barn yr Eglwysi Cyfamodol eraill am benderfyniad y Cyfundeb. Codwyd y mater gyda'r Comisiwn a chafwyd yr ymateb canlynol: 'Nodwyd nad oedd unrhyw wrthwynebiad gan unrhyw un o'r Eglwysi Cyfamodol i'w haelodau, sy'n breswylwyr mewn Cartrefi i'r Henoed, dderbyn y Cymun gan henadur trwyddedig o EBC – mae termau'r Cyfamod yn caniatáu hyn.'

Nid yw'n beth anarferol o fewn yr Eglwysi Diwygiedig i ganiatáu i leygwyr weinyddu'r sacramentau – ond o dan amodau arbennig. Yn wahânol i gred yr eglwysi Catholig fod awdurdod neilltuol gan offeiriad wedi ei ordeinio i ddathlu'r offeren, o fewn y traddodiad Diwygiedig nid oes unrhyw reswm athrawiaethol dros gyfyngu gweinyddiad y sacramentau i weinidogion ordeiniedig a gellir estyn yr awdurdod i leygwyr weinyddu. Yn y gorffennol mater o drefn, nid o athrawiaeth, fu cyfyngu'r hawl i weinidogion yn unig.

Cafodd datblygiadau ecwmenaidd hefyd ddylanwad ar agwedd y Cyfundeb tuag at y Cymun. Er bod o fewn rhengoedd y Corff nifer sy'n wrthecwmenaidd, rhai yn ffyrnig felly, y mae ethos ecwmenaidd yr oes a chydweithio agos ag eglwysi eraill wedi ehangu gorwelion ac wedi arwain at ddehongliad llawnach o ordinhadau bedydd a Swper yr Arglwydd. Un arwydd o hynny yw'r ffaith i Gomisiwn yr Eglwysi Cyfamodol gyhoeddi Gwasanaeth Cymun i'w ddefnyddio pan fo Eglwysi Cyfamodol yn cynnal oedfa gymun ar y cyd. Cyhoeddwyd y llyfryn yn gyntaf yn 1981. Meddir yn y rhagair: 'I bawb ohonom fe olyga defnyddio'r drefn hon newid, neu hepgor, rhai elfennau o'n ffurfiau a'n gwasanaethau traddodiadol; gellir drwgdybio'r rhesymau dros bob newid. Ond yn ystod ein gwaith fe ddaethom ni i weld dro ar ôl tro y gellir defnyddio gwahaniaethau athrawiaethol i gyfoethogi'n gilydd yn hytrach nag i'n gwahanu.'[43] Nid y panel yn unig a brofodd fod yr amrywiaeth a'r gwahaniaethau yn cyfoethogi, ond aelodau ein heglwys a ddaeth i arfer â'r drefn ac i'w defnyddio'n gyson.

Nodwyd uchod fod y pedwerydd gwasanaeth Cymun yn *Llyfr Gwasanaethau 2009* i'w ddefnyddio pan fydd plant yn cymuno. Datblygiad o bwys yn ystod yr wythdegau a'r nawdegau oedd penderfyniad y Gymanfa Gyffredinol i ganiatáu i eglwysi a gweinidogion weinyddu'r cymun i blant.

Plant a Gwasanaethau Teuluaidd

Pan gyhoeddwyd Adroddiadau'r Comisiwn Ad-drefnu yn nau-ddegau'r ugeinfed ganrif roedd bri ar yr ysgol Sul yng Nghymru ac y mae'r Adroddiad ar Addoliad a Chenhadaeth yn uchel ei ganmoliaeth o'i llwyddiant a'i dylanwad: 'Y mae'n anodd mesur dyled ein cenedl iddi yn dymhorol, moesol ac ysbrydol ... Hi, am ugeiniau ac ugeiniau o flynyddoedd, a fu'r unig ysgol lle y gallai Cymro ddysgu sillafu iaith ei fam. Dysgodd hefyd i'n cenedl feddwl. Bu'n goleg i'n gwlad. Enynnodd ddiddordeb cenedl gyfan mewn diwinyddiaeth, esboniadaeth a llenyddiaeth.'[44] Â'r Adroddiad ymlaen i restru ei rhagoriaethau: (1) Y mae'n ysgol i bob oed: ceir ynddi ddosbarthiadau i blant, pobl ifanc, y canol oed a'r hen. (2) Y mae'n ysgol ddemocrataidd gyda'r disgyblion yn perthyn i bob cylch mewn cymdeithas. (3) Y mae'n ysgol gywir ei dull o addysgu. Rhennir y disgyblion yn ddosbarthiadau bychain a chyflwynir yr addysg trwy rydd-ymddiddan rhwng athro a'r disgyblion.

Wrth drafod cyfraniad yr ysgol Sul i fywyd yr eglwys dywed yr Adroddiad fod effeithiolrwydd y bregeth i gyrraedd ei hamcan, sef dysgu'r gwirionedd am Dduw a dwyn pobl i adnabyddiaeth ohono, yn dibynnu i raddau helaeth ar waith yr ysgol Sul: 'Pan astudid pynciau diwinyddol yn ei dosbarthiadau hi yr oedd bri a grym ym mhregethu'r athrawiaethau o'r pulpud.' Ond cyfaddefir yr un pryd fod perygl i waith yr ysgol Sul fynd yn rhywbeth ar wahân i addoliad yr eglwys ac y dylai fod perthynas fwy byw ac agos rhwng eu trefniadau: 'Credwn mai un achos o aneffeithiolrwydd yr Eglwys a'r Ysgol yw'r ysgar gormodol a fu arnynt.'[45] Cwynir bod rhai athrawon ac arolygwyr yn selog dros yr ysgol Sul ond yn ddidaro am addoliad a gweithgareddau'r eglwys. Pwysleisir bod yr ysgol Sul, fel y cartref, yn fagwrfa'r eglwys. Ond ffaith alarus yw fod miloedd o blant yn mynd drwy'r ysgolion Sul heb ddod i gredu yng Nghrist a heb ddod yn aelodau o'r eglwys. Hyd yn oed yn nauddegau'r ganrif clywir y gŵyn – cŵyn a glywir hyd heddiw – fod pobl ifanc oddeutu pymtheg oed yn cefnu ar yr ysgol Sul ac ar addoliad yr eglwys. Gofynnir, 'Pa beth sy'n cyfrif am y ffaith ddifrifol hon? Pa faint o'r bai sydd ar athrawon? Pa faint ohono ar y cartrefi? Pa faint ar ein trefniadau?'

Nid oedd y lleihad yn niferoedd y plant a fynychai'r ysgol Sul wedi dechrau amlygu'i hun pan gyhoeddwyd Adroddiad y Comisiwn Ad-drefnu, ond erbyn i'r Parch. G. Wynne Griffith gyhoeddi ei gyfrol *Yr Ysgol Sul* yn 1936 roedd yr ystadegau yn dangos gostyngiad sylweddol.[46] Yn y flwyddyn 1905 cyrhaeddodd aelodaeth ysgolion Sul Cymru uchafbwynt o 222,339 (yn cynnwys 80,365 o blant). Cyfanrif yr ysgol Sul yn 1933 oedd 158,268, lleihad o dros 64,000 mewn 28 mlynedd – cyfartaledd o 2,200 bob blwyddyn. Rhif y plant yn 1933 oedd 57,208 – lleihad o dros 26,000 mewn 23 mlynedd. Adwaith G. Wynne Griffith i'r gostyngiad argyfyngus oedd y sylw cwta, 'Casglwn fod y lleihad yn rhif yr Ysgol i'w briodoli i ddau achos, lleihad yn nifer y plant ac anffyddlondeb ymhlith y rhai mewn oed.'

Yn dilyn yr Ail Ryfel Byd cyflymodd y dirywiad, ac erbyn y pumdegau gwelwyd bod angen newidiadau sylfaenol yng ngwaith yr eglwysi ymhlith plant. O gyfeiriad Lloegr y daeth gweledigaeth a hynny yn dilyn cynllun a lansiwyd gan y Parch. H. A. Hamilton, gweinidog gyda'r Annibynwyr Saesneg. Cyhoeddodd Hamilton gyfrol o dan y teitl *The Family Church: In Principle and Practice,* yn seiliedig ar ei brofiad yn weinidog ar eglwys ac wedyn yn Ysgrifennydd Ieuenctid ac Addysg Undeb yr Annibynwyr Saesneg.[47]

Roedd dau beth yn poeni Hamilton, ac yn poeni arweinwyr yr ysgol Sul yn y Cyfundeb, sef y gostyngiad brawychus yn nifer y plant oedd yn mynychu'r ysgol Sul, a'r ffaith mai ychydig iawn o'r plant, o ddod i oed cael eu derbyn, oedd yn mynychu addoliad yr eglwys. Meddai Hamilton, 'I discovered that, most startling of all, we were holding into membership of the Church only a distressingly small proportion of the children who came within our reach.'[48] Yn dilyn rhai blynyddoedd o drafod ac arbrofi, mabwysiadwyd patrwm newydd i gymryd lle yr ysgol Sul draddodiadol. Ymledodd y patrwm drwy Eglwysi Rhyddion Lloegr ac o dipyn i beth drwy eglwysi'r Cyfundeb hefyd.

Rhan o'r broblem oedd yr un a nodwyd flynyddoedd ynghynt yn Adroddiad y Comisiwn Ad-drefnu, sef bod addoliad yr eglwys a gweithgareddau'r ysgol Sul ar wahân i'w gilydd. Y cam cyntaf oedd symud yr ysgol Sul o'r prynhawn a'i chynnal yr un adeg â'r gwasanaeth boreol gyda'r plant yn dod i'r gwasanaeth am y deng munud/chwarter awr cyntaf, ac yna yn mynd allan i'r ysgoldy ar gyfer eu gwersi ysgol Sul. Er mai am amser byr yn unig y byddai'r plant yn y gwasanaeth, o leiaf byddent yn cael profiad o addoli ac o fod yn rhan o'r gynulleidfa.

Roedd y patrwm hwn yn gofyn am gynllunio gofalus o ran trefn a chynnwys y gwasanaeth. Y drefn a fabwysiadwyd oedd rhywbeth tebyg i'r canlynol: Intrada neu weddi agoriadol, emyn, darlleniadau o'r Hen Destament a'r Newydd (gyda rhieni neu aelodau eraill o'r gynulleidfa yn darllen), anerchiad byr i'r plant, emyn plant (yn cael ei ledio gan un o'r plant), y plant yn ymadael i'w dosbarthiadau, cyd-ddarllen salm, gweddïau, Gweddi'r Arglwydd, cyhoeddiadau ac offrwm, emyn, pregeth, emyn, y Fendith. Mewn nifer o eglwysi byddai rhai yn dweud adnodau cyn y gair i'r plant, ond yn raddol gwywo a darfod fu hanes yr arferiad hwnnw, er ei fod yn parhau mewn nifer fach o eglwysi.

Gan fod y patrwm uchod yn golygu na fyddai plant byth yn eistedd trwy bregeth, y drefn mewn llawer man oedd cynnal gwasanaeth plant yn achlysurol, yn enwedig adeg y gwyliau Cristnogol a Suliau arbennig, megis Cymorth Cristnogol, Diolchgarwch ac ati. Datblygodd y Gwasanaeth Plant i fod yn Wasanaeth Teuluaidd, gydag ieuenctid yr eglwys, rhieni ac aelodau eraill yn cymryd rhan. Y disgrifiad diweddaraf o'r math hwn o wasanaeth yw 'Addoliad Bob Oed' (*All-age Worship*).

Bu dilyn y drefn hon yn llwyddiant mewn llawer iawn o eglwysi, gyda phresenoldeb plant yn newid awyrgylch oedfa, yn creu ymdeimlad o gynhesrwydd a bywiogrwydd ac yn rhoi i hen ac ifanc y profiad o gymdeithasu ac addoli gyda'i gilydd. Penderfynodd rhai eglwysi symud yr ysgol Sul o brynhawn Sul i'r bore, nid i gydredeg â'r gwasanaeth, ond i'w chynnal o'i flaen neu ar ei ôl.

Nid yn y bennod hon y mae trafod gwaith a datblygiad yr ysgol Sul fel y cyfryw, ond yn hytrach effeithiau'r newidiadau ar addoliad yr eglwys. Mewn llawer man bu'r drefn o gynnal addoliad teuluaidd yn llwyddiant a phrofodd rhai eglwysi adfywiad o fabwysiadu'r patrwm newydd. Cyhoeddwyd nifer o gasgliadau o wasanaethau gan Wasg Pantycelyn, y Cyngor Ysgolion Sul a Chyhoeddiadau'r Gair. Y mae eglwysi yn drwm yn eu dyled am y toreth o ddeunydd rhagorol a ddarparwyd ganddynt.

Allan o'r profiad o gynnal addoliad teuluaidd cododd y teimlad ymysg rhai y dylai plant gael cyfranogi o Sacrament Swper yr Arglwydd. Roedd tystiolaeth fod eglwysi eraill hefyd yn rhoi sylw manwl i'r cwestiwn, a rhai wedi cymryd y cam o roi'r cymun i blant. Yr oedd y syniad yn annerbyniol gan rai o fewn y Cyfundeb a bu cryn ddadlau mewn Henaduriaethau a Chymdeithasfaoedd cyn i'r mater gael sylw'r Gymanfa Gyffredinol. Rhoddwyd ystyriaeth ofalus i'r pwnc gan y Panel Athrawiaeth ac Addoli a'r Gwasanaeth Plant ac Ieuenctid. Mewn ateb i'r feirniadaeth nad yw plant yn 'deall' ystyr ac arwyddocâd y sacrament, nid ydynt chwaith yn 'deall' Gweddi'r Arglwydd, na geiriau'r emynau, ond disgwyliwn iddynt ddod i'w deall o'u defnyddio. Pwy yn wir o blith yr oedolion sy'n llawn ddeall ystyr Swper yr Arglwydd gan fod sacramentau'n 'llefaru' ar lefel wahanol i'r rheswm a'r meddwl? Rhaid oedd cydnabod hefyd fod gan blant bychain sensitifrwydd i'r dwyfol ac i awyrgylch defosiwn.[49]

Argymhelliad y Panel Athrawiaeth ac Addoli oedd y dylid caniatáu i'r eglwysi a'r gweinidogion hynny oedd am ganiatáu i blant gymuno gael gwneud hynny, ond ar yr un pryd bod yn rhaid parchu safbwynt y rhai oedd yn erbyn. Y rhesymau a roddwyd o blaid derbyn plant wrth fwrdd y Cymun oedd: (1) eu bod eisoes yn aelodau o'r eglwys yn rhinwedd eu bedydd; (2) nid 'had yr eglwys' mohonynt, ond rhan hollbwysig o'r gymdeithas; (3) o gael eu magu i dderbyn y Cymun byddai mwy o obaith y byddent, ar ôl cael eu derbyn i gyflawn aelodaeth, yn parhau i gymuno'n gyson.

Derbyniwyd argymhelliad y Panel gan y Gymanfa Gyffredinol yn 1996.[50] Darparwyd pecyn 'Plant a'r Gwasanaeth Cymun' gan y Gwasanaeth Plant ac Ieuenctid, yn cynnwys taflen wybodaeth ddwyieithog i deuluoedd ac i athrawon ysgol Sul. Pwysleisiwyd y pwysigrwydd o gael caniatâd a chydweithrediad rhieni. Amlinellwyd y camau y dylid eu cymryd i baratoi plant i dderbyn y Cymun, a chyhoeddwyd llyfryn syml i'r plant eu hunain, *Croeso i'r Gwasanaeth Cymun 1998*, yn rhoi cyfarwyddiadau ymarferol ynglŷn â beth i'w wneud yn ystod y gwasanaeth.[51] Amcan y pecyn oedd cynnwys y teulu cyfan yn y broses o hyfforddi ac addoli.

Nifer fach o eglwysi sydd wedi manteisio ar y ddarpariaeth hon, ond y mae'r rhai sydd wedi mabwysiadu'r arfer o roi Cymun i blant yn tystio iddo esgor ar drafodaeth ymhlith aelodau yn gyffredinol am ystyr a threfn y Cymun Bendigaid, ac iddo hefyd ddyfnhau'r ymdeimlad o fod yn eglwys deuluaidd.

Llyfrau Gwasanaethau

Nodwyd eisoes nad oedd Pwyllgor Addoliad a Chenhadaeth y Comisiwn Ad-drefnu yn cymeradwyo darparu Llyfr Gwasanaethau, ond yr oedd nifer o fewn y Cyfundeb, yn enwedig ym mysg yr eglwysi Saesneg, yn pryderu am drefn a chynnwys gwasanaethau. Yn ei araith o gadair y Gynhadledd Saesneg yn Ala Road, Pwllheli, yn 1905, beirniadodd Mr Augustus Lewis, Manceinion, aflerwch a diffyg urddas llawer o wasanaethau. Un a'i cefnogodd oedd Dr J. Cynddylan Jones, Caerdydd, a anogodd weinidogion i baratoi gwasanaethau yn fwy gofalus. Gan nad oedd Llyfr Gwasanaeth gan y Cyfundeb awgrymodd y dylai gweinidogion ddefnyddio *The Book of Order*, Eglwys Bresbyteraidd Lloegr, yn seiliedig ar drefn Eglwys yr Alban.[52] Roedd ef ei hun wedi arbrofi â ffurfiau gwasanaeth mwy litwrgaidd eu naws pan oedd yn weinidog Eglwys Frederick Street, Caerdydd, a bu cymaint o wrthwynebiad i'w batrymau newydd o du ei gynulleidfa fel y bu'n rhaid iddo ymddiswyddo o'r eglwys. Yn 1921 ymosodwyd eto ar ansawdd addoliad gan y Parch. D. M. Rees, Tredegar, a hawliodd fod gwasanaethau'r eglwysi yn 'destitute of awe, rapture and passion' ac yn annhebygol o ddenu neb o'r byd oddi allan.[53]

Yn 1930 gwelodd y Gymanfa Gyffredinol yn dda i gyhoeddi *Llawlyfr Gwasanaeth Priodas, Bedydd a Chladdedigaeth y Meirw.*[54] Canllaw i weinidogion oedd y gyfrol fach hon, yn cynnwys nifer o ddarlleniadau addas o'r ysgrythur i briodasau, bedyddiadau ac angladdau. Dros y blynyddoedd gwnaed defnydd helaeth o'r gyfrol gan weinidogion a phan aeth allan o brint fe'i hailgyhoeddwyd gan Lyfrfa'r Cyfundeb yn 1975, gyda rhai newidiadau. Awgrymwyd patrymau o weddïau i wasanaethau. Ceir trefn Gwasanaeth Bedydd, eto gydag awgrymiadau o weddïau, cyn bedyddio ac ar ôl y bedydd, ond ni cheir datganiad o ystyr bedydd, na geiriau sefydlu'r Sacrament (Math. 28: 16–20), na mwy nag un cwestiwn i'r rhieni, sef: 'A ydych chwi yn addunedu meithrin y plentyn hwn yn addysg ac athrawiaeth yr Arglwydd a'i ddwyn i fyny yn ddisgybl i'r Arglwydd Iesu Grist?' Ond pam darparu ar gyfer priodi, bedyddio a chladdu yn unig? Pam na chynhwyswyd gwasanaeth derbyn i gyflawn aelodaeth? Yn fwy na dim, pam hepgor Sacrament Swper yr Arglwydd? Arwydd clir, os bu un erioed, o'r esgeulustod o'r Cymun Bendigaid oedd yn gyffredin mewn rhai cylchoedd o'r Cyfundeb.

Erbyn dechrau'r pedwardegau yr oedd galw unwaith eto am lyfr o wasanaethau, ac yn y Gymanfa Gyffredinol a gyfarfu yn Nhreforys yn 1942 penodwyd panel i gynhyrchu cyfrol a fyddai'n cynnwys nid yn unig ffurfiau gwasanaeth ar gyfer bedydd, priodas a chladdu, ond hefyd y ffurfiau gwasanaeth swyddogol a gymeradwywyd gan y Gymanfa Gyffredinol ar gyfer ordeinio gweinidogion a blaenoriaid, sefydlu a gollwng gweinidogion o ofalaethau, yn ogystal â gwasanaethau eraill, fel y sacramentau, gwasanaethau arferol y Sul, a gwasanaethau plant ac ieuenctid. Pan ymddangosodd y *Llyfr Gwasanaethau* yn 1958 cafwyd ynddo gasgliad o weddïau ar gyfer achlysuron arbennig, adrannau addas o'r Ysgrythur i'w cyd-ddarllen gan y gynulleidfa, ac awgrym o drefn gwasanaeth cyfoethocach na'r 'frechdan emynau' draddodiadol: 'yn foddion i amrywio'r gwasanaeth a'i gyfoethogi.'[55]

Roedd y drefn a awgrymwyd fel a ganlyn: intrada neu alwad i addoli, gweddi agoriadol, emyn, darllen o'r Ysgrythur (gan gynnwys cyd-ddarllen yn ogystal â darlleniad gan y gweinidog), emyn (neu ganu salm neu anthem), cydadrodd y Gyffes Fer, gweddi, canu neu gydweddïo Gweddi'r Arglwydd, derbyn a chyflwyno'r offrwm, emyn, y bregeth, emyn, y Fendith Apostolaidd. Meddir yn y rhagair i'r gyfrol: 'Gobeithid y byddai ein heglwysi yn gwneuthur defnydd cyson ohono fel moddion i gyfoethogi'r addoliad ... Awgrymir defnyddio'r rhannau ohono, sydd yn bwrpasol i'r amcan hwnnw, i wneuthur arbrofion trwy gael pobl ieuainc ac eraill i weddïo a chyd-ddarllen, a thrwy ddilyn rhai o'r patrymau o Wasanaethau a gynhwysir yn y llyfr.'

Ceir yn y gyfrol ddau batrwm o wasanaeth boreol, dau o wasanaeth hwyrol, dau wasanaeth i bobl ieuainc a gwasanaeth plant. Ynddynt ceir gwahanol batrymau o weddïau, gan gynnwys nifer o weddïau ymatebol hyfryd a chasgliad o weddïau cyffredinol, sef gweddïau i'w cydadrodd gan y gweinidog a'r gynulleidfa, gweddïau ymatebol a gweddïau clasurol wedi eu cyfieithu, gan gynnwys y Gyffes Gyffredinol a'r Diolch Cyffredinol. Yr unig fai gyda'r gyfrol yw na ellid defnyddio'r gweddïau hyn heb fod copi yn nwylo pob aelod o'r gynulleidfa. Go brin y gallai unrhyw eglwys fforddio prynu nifer fawr o gopïau i sicrhau un i bob un yn y gynulleidfa. Y canlyniad oedd mai ychydig o ddefnydd a wnaed o'r gyfrol. Byddai'n amgenach fod wedi cyhoeddi dwy gyfrol – un ar gyfer gweinidogion, yn cynnwys ffurfiau gwasanaethau swyddogol y Cyfundeb ynghyd â threfn y sacramentau, ac un arall, llai o faint, yn cynnwys patrymau o weddïau a detholiad o ddarlleniadau cynulleidfaol y gellid darparu copïau ohoni i bob aelod o'r gynulleidfa. Collwyd cyfle o beidio â dilyn y llwybr hwn.

Gan nad oedd llyfr gwasanaeth ar gael i'r eglwysi Saesneg, daeth galw o'u cyfeiriad hwy am ddarpariaeth o'r fath. Cafwyd ar ddeall fod Cymanfa Gyffredinol Eglwys Bresbyteraidd Lloegr wedi penderfynu yn 1944 y dylid paratoi llyfr newydd i gymryd lle *The Directory of Public Worship* a gyhoeddwyd yn 1921. Yn dilyn argymhelliad oddi wrth Gymanfa Gyffredinol Eglwys Bresbyteraidd Cymru mai buddiol fyddai i'r ddwy eglwys gyhoeddi llyfr ar y cyd, cafwyd ymateb cadarnhaol gan y Gymanfa Saesneg a phenodwyd Cyd-bwyllgor o gynrychiolwyr o'r ddwy Gymanfa i ymgymryd â'r dasg. Wedi pedair blynedd o drafod a phwyllgora cyhoeddwyd *The Presbyterian Service Book* yn 1948 a chafwyd ailargraffiad yn 1949.[56] Meddid yn y rhagair: 'The Committee ... humbly but confidently believes that the services herein published have a dignity, reverence and devotion which are indispensable qualities in the corporate worship of God.'

Yr oedd i'r gwasanaethau yn y gyfrol newydd drefn, urddas a naws ysbrydol. Cafwyd tri phatrwm o wasanaethau'r Sul yn amrywio o'r litwrgaidd-ffurfiol, i'r llai ffurfiol, i'r trydydd oedd yn adlewyrchu'r traddodiad Cymreig. Yn yr un modd, cafwyd tair trefn ar gyfer gweinyddu Sacrament Swper yr Arglwydd – y gyntaf yn dilyn trefn Eglwys yr Alban, yr ail yn fwy 'ymneilltuol' ei naws, a'r drydedd eto yn nhraddodiad eglwysi Saesneg y Cyfundeb. Yn ychwanegol, cafwyd amrywiaeth eang o wasanaethau swyddogol y ddwy eglwys, yn cynnwys ffurfiau ordeinio gweinidogion a blaenoriaid, sefydlu gweinidogion, trwyddedu pregethwyr lleyg, ynghyd â darlleniadur, a chasgliad o weddïau ar gyfer prif wyliau'r flwyddyn Gristnogol. Bu'r gyfrol hon o werth amhrisiadwy, nid yn unig oherwydd ei bod yn darparu amrywiaeth eang o wasanaethau, ond am ei bod yn estyn gorwelion y ddwy eglwys i gyfoeth addoliad Diwygiedig. Er mai cyfrol Saesneg oedd hon, cafodd ddylanwad ar lawer iawn o eglwysi Cymraeg yn ogystal.

Ugain mlynedd yn ddiweddarach, yn 1968, cyhoeddwyd ail fersiwn o'r *Presbyterian Service Book,* eto dan nawdd Cymanfaoedd Cyffredinol y ddwy eglwys.[57] Rhoddwyd dau reswm dros lunio llyfr newydd. Yn gyntaf, yr oedd angen adlewyrchu'r newidiadau a fu yn niwinyddiaeth addoli. Yn ail, yr oedd galw am foderneiddio iaith addoli, am eirfa symlach a mwy dealladwy i'r genhedlaeth ifanc, a'r duedd gynyddol i hepgor y rhagenw hynafol '*thou*' wrth gyfarch Duw, a defnyddio'r ffurf fwy diweddar, '*you*'. Gwahaniaeth arall yn y broses o baratoi'r gyfrol hon oedd i'r gwasanaethau, yn y lle cyntaf, gael eu hargraffu ar ffurf pamffledi er mwyn i gynulleidfaoedd gael cyfle i'w defnyddio ac anfon sylwadau i'r Cyd-bwyllgor ar eu cynnwys a'u ffurf. O ran trefn a chynnwys roedd y gyfrol hon yn dilyn yr un patrwm â llyfr 1948, gydag ychydig newidiadau yn ffurfiau rhai o'r gwasanaethau a thinc mwy cyfoes yn yr iaith a'r mynegiant.

Yn 1970 ymunodd Eglwys Bresbyteraidd Lloegr ac Eglwys Gynulleidfaol Lloegr a Chymru i ffurfio'r Eglwys Ddiwygiedig Unedig (The United Reformed Church). O fewn ychydig iawn o flynyddoedd cyhoeddodd yr eglwys newydd ei Llyfr Gwasanaeth ei hun, *A Book of Services,*[58] a buan yr aeth *The Presbyterian Service Book* allan o brint. Yr un pryd gwelodd y Gymanfa Gyffredinol fod angen llyfr gwasanaeth newydd i gymryd lle *Llyfr Gwasanaethau* 1958 oherwydd y galw am wasanaethau mwy cyfoes eu trefn a'u hidiom. Ymddiriedwyd y gwaith o baratoi llyfr newydd i Banel Athrawiaeth ac Addoli y Gymanfa. Penderfynwyd cyfyngu cynnwys y gyfrol i'r Sacramentau ac i wasanaeth derbyn i gyflawn aelodaeth o'r eglwys, priodas ac angladd, ynghyd â gwasanaeth iacháu a darlleniadur. Gwelodd y *Llyfr Gwasanaethau* olau dydd yn 1991.[59] Fel y nodwyd uchod, cyhoeddwyd dwy drefn y Gwasanaeth Cymun mewn llyfryn ar wahân fel y gallai cynulleidfaoedd gymryd mwy o ran yn yr addoliad.

Y bwriad o'r dechrau oedd i'r llyfr newydd fod yn ddwyieithog i gyfarfod ag anghenion y Cyfundeb cyfan, ac oherwydd y galw am ddefnyddio'r Gymraeg a'r Saesneg ar achlysuron megis priodasau ac angladdau. Credai'r Panel y dylai'r ddwy iaith ymddangos ochr yn ochr, ond mynnodd y Bwrdd Cyhoeddi y dylai fod dwy ran i'r gyfrol, gyda'r gwasanaethau Cymraeg yn ffurfio'r rhan gyntaf a'r gwasanaethau Saesneg yr ail ran.

Yn ôl y rhagair 'ystyriaeth bwysig yn niwinyddiaeth a threfn addoli yw diogelu cydbwysedd rhwng trefn a rhyddid, urddas a digymhellrwydd', a mynegwyd gobaith y byddai'r gyfrol 'o gymorth i weinidogion a chynulleidfaoedd amcanu at y cydbwysedd creadigol hwn, a thrwy hynny fod yn gyfrwng i gyfoethogi ein haddoliad cyhoeddus'.

Wedi deunaw mlynedd o ddefnyddio llyfr 1991 – 'y Llyfr Glas' fel y daethpwyd i'w alw – gwelwyd yr angen i'w ddiwygio ac i ychwanegu ato, a hynny am ddau reswm. Yn gyntaf, am fod patrymau a strwythurau iaith wedi newid. Daeth yr angen am iaith gynhwysol yn fwy amlwg, yn enwedig yn dilyn cyhoeddi'r argraffiad diwygiedig o *Y Beibl Cymraeg Newydd*. Wrth i iaith newid gwelwyd bod rhai cyffyrddiadau hen ffasiwn yn y llyfr blaenorol a bod angen llacio ac ystwytho'r mynegiant mewn nifer o'r gwasanaethau a llunio patrymau llai ffurfiol eu naws ac mewn idiom fwy cyfoes. Ail reswm oedd oherwydd y gŵyn nad oedd y Gymraeg a'r Saesneg ochr yn ochr â'i gilydd yn y llyfr glas a gwnaed iawn am y diffyg hwnnw yn y llyfr newydd.

Cyhoeddwyd dwy drefn Gwasanaeth Cymun mewn llyfryn fel o'r blaen er mwyn galluogi'r gynulleidfa i gael mwy o ran, oherwydd bod hynny'n cyfoethogi cymaint ar y weithred o addoli. Meddai Cadeirydd y Panel yn ei gyflwyniad, 'Yn unol â'n traddodiad anghydffurfiol, nid rhywbeth i'w ddilyn yn slafaidd mohono, ac eto mae elfen gref o litwrgi ffurfiol yn rhan werthfawr o'n traddodiad Cristnogol.'[60]

Newid arall oedd fod yn y llyfr newydd ystod llawer ehangach o wasanaethau, gan gynnwys gwasanaeth iacháu llawnach, gwasanaeth angladd baban marwanedig; gwasanaeth cyflwyno plentyn, trefn gwasanaeth Cymun ar gyfer plant, a gwasanaeth Cymun byr ar gyfer cleifion. Y canlyniad oedd cyhoeddi cyfrol gyfoethog ei chynnwys a hardd ei diwyg. Cafodd dderbyniad gwerthfawrogol gan nifer o weinidogion ac eglwysi, er i rai mwy 'anghydffurfiol' eu gogwydd ddewis ei hanwybyddu. Er mawr glod i'r Cyfundeb darparwyd copi yn rhad ac am ddim i bob eglwys a phob gweinidog o fewn y Corff.

Cyfarfodydd yr Wythnos

Cyfryngau pwysig i ddyfnhau ysbrydolrwydd ac ysbryd addoli fu'r cyfarfodydd a gynhelid ym mhob eglwys yn ystod yr wythnos. Y pwysicaf oedd y seiat a'r cyfarfod gweddi, ond yn ystod hanner cyntaf yr ugeinfed ganrif gwelwyd sefydlu a datblygu amryw o gyfarfodydd eraill gyda'r bwriad o feithrin cymdeithas yr eglwys, hyfforddi aelodau yn y Beibl a meithrin doniau cyhoeddus a diddordeb mewn llenyddiaeth, cerddoriaeth a darparu adloniant. Dechreuwyd cynnal dosbarthiadau darllen i blant a phobl ieuainc, yn ogystal â dosbarthiadau cymunwyr ieuainc i baratoi'r rhai a ddaethent i oed eu derbyn yn 'Gyflawn Aelodau'. Yr enw a roddid i'r Cyfarfod Plant mewn llawer man oedd y 'Band of Hope', gan mai un pwrpas oedd dysgu dirwest i'r plant. Pwrpas arall oedd dysgu'r *Rhodd Mam*. Mewn oes pan ystyrid adrodd catecism yn ddull effeithiol o ddysgu, hyfforddwyd cenedlaethau o blant yn egwyddorion sylfaenol y *Rhodd Mam* a gwelwyd argraffu miloedd ar filoedd o gopïau gan Bwyllgor Llenyddiaeth y Gymanfa Gyffredinol, gan gynnwys y cyfieithiad Saesneg, *A Mother's Gift*. Yn ystod ail hanner y ganrif diwygiwyd y Cyfarfod Plant i gynnwys amrywiaeth eang o weithgareddau adloniadol ac addysgol. Mabwysiadwyd yr enw 'Hwyl Hwyr' i blant a CIC (Clwb Ieuenctid Cristnogol) i bobl ifanc. Gyda chefnogaeth Gwasanaeth Plant ac Ieuenctid y Cyfundeb darparwyd adnoddau a chynhaliwyd cyrsiau preswyl yng Ngholeg y Bala i roi cyngor a chyfarwyddyd i arweinwyr clybiau plant a phobl ifanc.

Dros yr un cyfnod gwelwyd sefydlu cymdeithasau a chyfarfodydd llenyddol mewn cannoedd o eglwysi ac yn eu sgil ffurfiwyd corau, cwmnïau drama, eisteddfodau lleol a llu o weithgareddau tebyg. Y capeli oedd yn bennaf cyfrifol am gychwyn a chynnal yr holl weithgareddau diwylliannol a chymdeithasol hyn. Erbyn diwedd y ganrif, pan welwyd capeli'n cau, gwelwyd mai canlyniad i hynny mewn llawer ardal fu diwedd eisteddfod leol, côr, cwmni drama a dirywiad yr iaith Gymraeg, gan adael dim ar ôl ond clybiau nos a neuaddau bingo.[61]

Credai'r Comisiwn Ad-drefnu fod perygl mewn lluosogi cyfarfodydd yr wythnos: 'Mynychir hwy oll bron gan y gweinidog, a llawer o'r aelodau, a thrwy hynny esgeulusa rhai eu cartrefi yn ormodol, a chaiff y lleill lawer rhy fach o amser i ddarllen a myfyrio.'[62] Pwysleisiwyd y pwysigrwydd o drefnu cyfarfodydd 'yn ystyriol a doeth', gan wneud pob ymgais i sicrhau eu bod yn fyw ac yn adeiladol i bawb.

Pennaf consýrn y Comisiwn oedd cyflwr y Seiat a'r Cyfarfod Gweddi. Yn y cyfarfod gweddi mynegir dibyniad llwyr yr eglwys ar Dduw am oleuni a nerth i gyflawni ei chenhadaeth yn y byd. Er bod llawer o eglwysi, yn enwedig eglwysi bychain, yn cynnal Cyfarfod Gweddi unwaith neu ddwy ar y Sul, yr oedd lle i ofni bod llawer o eglwysi eraill yn esgeuluso cynnal cyfarfod gweddi yn gyson. A'r rheswm pam nad oedd goleuni a nerth yn y cyfarfodydd yw nad oedd ond ychydig o weddïo gwirioneddol. Awgrymir bod angen tri pheth i adfer y cyfarfod gweddi, sef: 'meithrin y gallu i arwain cynulleidfa mewn gweddi; meithrin ysbryd gweddi a'r arfer o gydweddïo â'r sawl fo'n arwain a diwygio trefn y Cyfarfodydd.'[63] Ofnid bod gweddïau yn rhy aml yn anerchiadau i'r gynulleidfa yn hytrach nag ymbiliau ar Dduw. Dylai gweddïwyr cyhoeddus fod yn ymwybodol o wahanol rannau gweddi, sef mawl, cyffes, erfyniad, diolch ac eiriolaeth: 'Ein perygl ydyw gweddïo am bob peth heb weddïo am ddim.' Dylai gweddïwyr gofio hefyd mai eu dyletswydd oedd arwain eraill gerbron Gorsedd Gras, nid lleisio eu gweddïau personol eu hunain dros ben eu cynulleidfa.

Dadleuir bod angen diwygio trefn y cyfarfod gweddi hefyd. Y diffyg amlycaf oedd unffurfiaeth ac anystwythder, gyda thri neu bedwar yn cymryd rhan mewn gweddi, a hynny bron am yr un cyfnod ac yn offrymu'r un gweddïau y naill dro ar ôl y llall. Dylid sylweddoli na allai pobl ganolbwyntio ar weddïau maith o ddeng munud a chwarter awr ac y dylid trefnu i fwy o bobl, gan gynnwys chwiorydd a phobl ifanc, 'i weddïo'n fyr un ar ôl y llall, heb ddod ymlaen i'r Sêt Fawr ... Buddiol fyddai i weinidogion a blaenoriaid, trwy gyngor ac esiampl, roddi cefnogaeth i weddïau byrion. Nid yw adnod neu linell o bennill yn rhy fyr yn weddi.' Ond er gwaethaf awgrymiadau'r Comisiwn Ad-drefnu ceir cwyno cyson am ddirywiad yn niferoedd y rhai oedd yn mynychu'r Cyfarfod Gweddi a'r Seiat.

Yn ei anerchiad cyntaf ar flaen Adroddiad Blynyddol Eglwys y Tŵr Gwyn, Bangor, yn 1920, canmola'r Gweinidog, y Parch. Gwilym Williams, 'weithgareddau allanol yr eglwys', ond rhybuddia rhag 'ymorffwys ar ein gweithredoedd, heb feithrin defosiwn ac ysbrydolrwydd', ac apelia 'am fwy o ffyddlondeb yn y cyfarfodydd wythnosol'.[64] Yn ystod y blynyddoedd yn dilyn clywir yr un gŵyn: 'trist yw gweled y Cyfarfod Gweddi a'r Seiat mor denau mewn rhif', ac 'mai dyma yw ein man gwan fel eglwys'. Ond ychwanegir: 'Yn wir, mae hon yn gŵyn gyffredinol drwy'r wlad. Nid yw'r Tŵr Gwyn ond drych o'r hyn oedd yn digwydd yn yr eglwysi'n gyffredinol.'[65] Erbyn y flwyddyn 1934 roedd y seiat a'r cyfarfod gweddi wedi peidio â chyfarfod bob wythnos ond bob yn ail. Dwy flynedd yn ddiweddarach cyfaddefodd y Gweinidog unwaith eto mai 'ein man gwan ydyw'r Cyfarfod Gweddi a'r Seiat. Yr ydym yn wan lle'r oedd ein tadau yn gryf'.

Hanfod y broblem yn ôl gweinidog y Tabernacl, Bangor, y Parch G. A. Edwards, yn y gyfrol *Traethodau'r Deyrnas*, oedd 'diffyg profiad personol dwfn o adnoddau gras Duw yng Nghrist'.[66] Rhoddodd G. A. Edwards ei fys ar y broblem a wynebai'r seiat, yn ogystal â'r Cyfarfod Gweddi. Mynegwyd yr un peth yn Adroddiad y Comisiwn Ad-drefnu: 'Yn y Seiat y mae i ni gymdeithas â'n gilydd. Ei nodwedd wahaniaethol ydyw cyfeillach – pobl yn dod ynghyd, fel plant ar yr aelwyd, i siarad yn rhydd am bethau crefydd o safbwynt profiad.' Ond y gŵyn eto oedd fod y seiat wedi mynd yn amhoblogaidd: 'efallai mai dyma'r mwyaf amhoblogaidd o'r cyfarfodydd a gynhelir gennym'. Dywedir mai ychydig iawn o aelodau oedd yn mynychu mewn llawer o eglwysi a'i bod yn amhosibl cynnal Seiat o gwbl mewn rhai eglwysi, yn enwedig eglwysi Saesneg.

Doedd eraill, ar y llaw arall, ddim yn poeni'n ormodol mai bychan oedd cynulliadau'r seiadau. Yn eu plith roedd Dr Thomas Charles Williams, Porthaethwy. Pan oedd amryw yng Nghyfarfod Misol Môn yn cwyno mai dim ond ychydig a ddôi i'r seiat, ateb gweinidog Porthaethwy oedd 'na fwriadwyd i'r Seiat fod yn boblogaidd, ac na roddwyd i bawb y ddoethineb i adnabod gwerth Seiat'.[67] Soniodd amdano'i hun yn ymweld â Downing Street ac yn cael gweld y Cabinet Room. Ni fwriadwyd i'r ystafell honno ddal tyrfa; doedd dim ond lle i ryw ddeg ar hugain ar y gorau. Ond yn yr ystafell honno y gwneid penderfyniadau a oedd yn llywio bywyd teyrnas Prydain Fawr. 'Felly gyda'r Seiat,' meddai'r pregethwr, 'fe ddaw rhyw ddeg ar hugain i'r Borth. Ychydig iawn, ïa, ychydig, ond mi ddyffeia i'r Borth i gyd wneud dim yn groes i ysbryd y Seiat fach. Awn adref frodyr i'n Seiadau bychain gydag ymwybyddiaeth newydd o'u pwysigrwydd, eu nerth a'u gwerth.'

Pwysigrwydd y Seiat i'r rhai oedd yn pryderu am ei chyflwr oedd ei bod yn feithrinfa ffydd a phrofiad ysbrydol. Dyna oedd ei diben o ddyddiau cynnar Methodistiaeth hyd at ganol yr ugeinfed ganrif. Meddai Dr Eryn White yn ei hastudiaeth o'r seiadau cynnar: 'y brif elfen a berthynai i Fethodistiaeth oedd ei phwyslais cyson ar brofiad goddrychol, emosiwn a brwdfrydedd. Wrth gasglu'r aelodau ynghyd yng nghymdeithas y seiat, sicrhawyd na wnâi grym a nwyfiant yr elfen emosiynol bylu.'[68]

Ond ai yr un peth yw 'profiad' ac 'emosiwn?' Gall profiad ysbrydol ddigwydd ar lefel y meddwl a'r rheswm, a gwelai rhai werth Seiat fel cylch trafod ac fel cyfle i addysgu aelodau yng ngwirioneddau'r ffydd a'u perthnasedd i gwestiynau'r dydd. Mewn rhifyn o'r *Goleuad* yn Ionawr 1922 dywed rhyw Edwards Evans, Middlesbrough: 'Yn aml y mae'n bosibl i'r Seiat fod yn flodeuog o ran mynychu, yn enwedig y chwiorydd, ond ryw fodd grym arferiad ydyw ac ni esgorir ar ganlyniadau priod y Seiat! ... Wrth drafod pynciau dyrys y dydd yng ngoleuni Gair Duw, y mae lle cryf i obeithio y profir pethau nad adnabu'r byd.' Â'r gohebydd ymlaen i argymell trafod llyfr P. T. Forsyth, *Socialism, the Church and the Poor.*[69]

Mewn llawer man trodd y seiat yn gylch trafod neu'n ddosbarth beiblaidd, ond nid oedd fymryn llai o 'seiat brofiad' o newid ei ffurf. Gellid dyfnhau cymdeithas a meithrin profiad trwy drafod llyfr neu drwy astudio rhan o'r Beibl.

Mewn ysgrif ar 'Ddyfodol y Seiat' yn y cylchgrawn *Porfeydd* dywed y Parch. John Owen (Llanberis y pryd hwnnw, Rhuthun wedyn), fod angen egwyddorion sylfaenol y Seiat wreiddiol arnom o hyd: 'Fe welir yn amlwg iawn fod angen y dechneg seiadol yn y byd modern, gyda'r bri mawr a roddwyd ar *group therapy,* fel petai'n rhywbeth newydd spon, mewn ysbytai, a sefydliadau cymdeithasol i drafod mathau arbennig ar salwch megis salwch meddwl.'[70] Wrth astudio Williams, Pantycelyn, dywed Saunders Lewis fod y seiat yn glinig enaid ac yn goleg diwinyddol: 'Roedd angen dawn i drin pobl wrth wrando cyffesu pechod, a roedd angen dawn i hyfforddi yn egwyddorion y ffydd wrth wrando cyffes ffydd yr aelodau.'[71]

Cododd ysgrif John Owen o encil a gynhaliwyd i weinidogion ifanc yn Nhrefeca yn nechrau'r saithdegau i drafod yr union bwnc. Meddai: 'credaf mai cri am seiat a seiadu a roddodd fod iddi; yr awydd am gyffesu rhwystrau ac anawsterau; yr awydd am eu goresgyn; yr awydd i ddysgu oddi wrth y naill a'r llall a dychwelyd gartref i fod yn fwy effeithiol yn ein gwaith.' Ond erbyn diwedd y ganrif roedd y Seiat bron â diflannu o'r tir. Llwyddodd rhai gweinidogion i gynnal cylchoedd trafod ar wahanol themâu, gan gynnwys rhai o elfennau'r Seiat draddodiadol. Ond pan ddechreuwyd ffurfio gofalaethau enfawr o wyth i ddeg o eglwysi aeth yn amhosibl i weinidogion gynnal seiadau'n rheolaidd ac y mae lle i ofni mai bach iawn erbyn hyn yw'r nifer o eglwysi sy'n cynnal cyfarfodydd defosiynol o unrhyw fath yn ystod yr wythnos.

Y Weinidogaeth Iachâu

Datblygiad diddorol a dylanwadol ym mywyd ysbrydol y Cyfundeb yn ail hanner yr ugeinfed ganrif oedd cychwyn a thwf y weinidogaeth iachâu.[72] Y gŵr a fu'n bennaf cyfrifol am dynnu sylw at y wedd arbennig hon o waith a chenhadaeth yr eglwys oedd y Parch. J. Glyn Williams, yn wreiddiol o Dreuddyn, sir y Fflint, a fu'n weinidog yng Nghefnfforest; Bethel Arfon; Treforys ac Aberdyfi. Yn ystod dyddiau coleg daeth yn gyfeillgar â thri o gyd-fyfyrwyr am y weinidogaeth a oedd, gydag ef, i chwarae rhan bwysig yn natblygiad y weinidogaeth iachâu, sef M. Meirion Roberts, Bryn Roberts a William Jones. Yn 1947, ac yntau newydd symud i Fethel, Arfon, ymwelodd Glyn Williams â Chanolfan Iachâu Cristnogol, Milton Abbey, yn Swydd Dorset ac yno dod i adnabod pennaeth y Ganolfan, y Parch. John Maillard. Trwy dderbyn arddodiad dwylo ym Milton Abbey cafodd

Glyn brofiad ysbrydol dwfn a'i hargyhoeddodd o bwysigrwydd y Weinidogaeth Iacháu ym mywyd yr eglwys.

Yn 1952 gwahoddodd y Parch. William Wood o'r London Healing Mission i bregethu yn ei eglwys ym Methel ac i annerch cyfarfod cyhoeddus ar Iacháu Cristnogol. Gwahoddodd Dr Griffith Evans, Caernarfon, llawfeddyg adnabyddus a blaenor yn y Cyfundeb, i gadeirio'r cyfarfod. Daeth dros gant i'r cyfarfod ac argyhoeddwyd Dr Griffith Evans fod angen y weinidogaeth hon ar yr eglwys. Cafodd gefnogaeth Henaduriaeth Arfon i gyflwyno mater y Weinidogaeth Iacháu i Gymdeithasfa'r Gogledd a gyfarfu ym Mangor ym Medi 1952. Codwyd pwyllgor i ystyried y mater ac erbyn y Gymdeithasfa ddilynol a gynhaliwyd yn Ninbych ym mis Tachwedd, derbyniwyd y datganiad a ganlyn: 'Ein bod yn cydnabod gweinidogaeth iacháu fel rhan o weinidogaeth yr Eglwys, a'n bod yn cadw mewn cyffyrddiad â'r ymdrech a wneir i ddwyn y weinidogaeth hon i sylw ein heglwysi.' Cafwyd ymateb yr un mor frwd o Gymdeithasfa'r De ac mewn cydbwyllgor o'r ddwy Gymdeithasfa awgrymwyd i'r Gymanfa Gyffredinol godi pwyllgor i ystyried y mater yn fanylach. Derbyniwyd yr awgrym ac mewn cyfarfod o'r Gymanfa Gyffredinol a gyfarfu ym Mhorthmadog ym Mehefin 1955, ffurfiwyd pwyllgor yn cynnwys aelodau o'r Gymdeithasfa yn y tair talaith. Ymhlith cynrychiolwyr Cymdeithasfa'r Gogledd yr oedd Dr Griffith Evans, Caernarfon, a'r Parch. J. Glyn Williams, Bethel.

Cyn i'r Weinidogaeth Iacháu dderbyn sêl bendith swyddogol y Cyfundeb bu Dr Griffith Evans yn uniongyrchol gyfrifol am ddau ddatblygiad oedd i chwarae rhan bwysig yn y gwaith. Yn gyntaf, pwrcasodd dŷ yn Rhes Segontiwm, Caernarfon, a'i gyflwyno'n rhodd i'r Cyfundeb i fod yn Ganolfan Iacháu. Yno, ar brynhawn Gwener bob wythnos, cynhelid Cylch Gweddi ac Eiriol gyda nifer o weinidogion a lleygwyr yn cymryd rhan. Ar ddyddiau eraill roedd y ganolfan ar agor i bwrpas gweddi a chynghori personol. Yn ail, aeth ati i drefnu'r gyntaf o ysgolion haf oedd i'w cynnal yn flynyddol. Cynhaliwyd y gyntaf yn y Coleg Diwinyddol, Aberystwyth, ar 30 Awst–5 Medi 1954 gyda'r Parchedigion J. A. C. Murray, Caeredin, a William Wood, Llundain, ymhlith y darlithwyr. Buan y daeth yr ysgol haf yn ffocws ac yn symbyliad i'r mudiad iacháu o fewn y Cyfundeb.

Cafwyd darlithiau ar seiliau ysgrythurol y Weinidogaeth Iacháu ar ddatblygiadau'r mudiad yn Lloegr, yr Alban a mannau eraill, a lle canolog gweddi yn gyfrwng gras a iachâd.

Ers trigain mlynedd a mwy cynhaliwyd yr ysgol haf bob blwyddyn yn y Coleg Diwinyddol i ddechrau, ond fel y cynyddai nifer y cynrychiolwyr, am rai blynyddoedd yng Ngholeg Dewi Sant, Llambed, ac wedyn yng Nghanolfan Gregynog.[73] Trwy sicrhau bod pob Henaduriaeth yn anfon cynrychiolwyr i bob ysgol haf buan yr ymledodd neges a dylanwad y Weinidogaeth Iacháu. Aeth yn arferiad i gynnal dyddiau encil yn y tair Cymdeithasfa a byddai rhai Henaduriaethau yn trefnu gwasanaethau iacháu. Pwysleisiwyd hefyd y pwysigrwydd o gynnal cylchoedd gweddi dros gleifion mewn eglwysi lleol.

Pwysigrwydd y Weinidogaeth Iacháu i addoliad ac ysbrydolrwydd y Cyfundeb yw ei phwyslais ar iachâd y person cyfan, yn gorff, meddwl ac ysbryd, ar iachâd fel rhan o waith achubol Crist, ac yn bennaf oll ar weddi yn gyfrwng iachâd. Yn y gyfrol *Y Weinidogaeth Iacháu* (1993) a gyhoeddwyd i ddathlu deugain mlynedd ers sefydlu'r mudiad o fewn Eglwys Bresbyteraidd Cymru, dywedir hyn mewn pennod ar 'Ddiwinyddiaeth Iacháu': 'Y ddolen gydiol fyw rhwng nerth iacháol Ysbryd Duw a'n haneffeithiolrwydd truenus ni yw gweddi. Mae'r Ysbryd yn gweithredu trwy weddi. Mae'n gweithio trwom ni mewn ateb i weddi. Mewn grwpiau gweddi, mewn gwasanaethau iacháu, mewn ymweliadau bugeiliol yn ogystal ag yn ein defosiynau personol, deuir â chleifion o flaen Duw mewn gweddi yn y gred y bydd y deisyfiadau a wneir ar eu rhan yn cyfryngu gras iacháol iddynt.' [74]

Dyfnhawyd profiad ysbrydol ugeiniau o bobl trwy eu hymwneud â'r Weinidogaeth Iacháu. Fel y dywed un o'r gweinidogion a fyddai'n mynychu'r Ganolfan Iacháu yng Nghaernarfon: 'Teimlwn fod Duw yn ymsymud yn ein plith yn amlwg iawn ac fe fydd pawb sydd yn bresennol yn cyfrannu i'r gweddïau. Rydym yn cael ein bendithio'n fawr ein hunain yn y cyfarfodydd hyn yn ogystal â'r fendith sydd yn ymestyn allan i'r rhai y gweddïwn ar eu rhan. Gallwn dystio yn ddiamheuol fod y Crist Atgyfodedig ar waith yn ein bywydau ac mai braint yn ogystal â chynhaliaeth yw cael ei wasanaethu Ef.'[75]

Mewn cyfnod digon diffaith yn ysbrydol roedd y weinidogaeth iacháu o'r pumdegau ymlaen yn eithriad, yn ysbrydiaeth i weinidogion yn eu gwaith bugeiliol, ac yn gyfrwng adfywiad bywyd a defosiwn i eglwysi ac unigolion. A deil i wneud hynny.

* * *

Yn gefndir i hanes a datblygiad addoli ac ysbrydolrwydd oddi mewn i Eglwys Bresbyteraidd Cymru dros y ganrif ddiwethaf y mae dau ffactor brawychus, ond hynod bwysig, sef y gostyngiad enfawr yn aelodaeth y Cyfundeb a lleihad, yr un mor enfawr, yn nifer ein gweinidogion ordeiniedig. Gan mai rhywbeth sy'n digwydd o fewn cynulleidfa yw addoli, mae'r gostyngiad ym maint cynulleidfaoedd yn effeithio'n anochel ar natur a chynnwys yr addoliad. Yn Oes Victoria tyfodd Ymneilltuaeth Cymru'n fudiad torfol. Symudwyd o'r capeli bychain syml a godwyd i'r cwmni bychan, clòs, i'r capeli mawr, gyda'u horganau mawr, a'u pregethwyr 'mawr' oedd yn denu cynulleidfaoedd mawr. Unwaith y ciliodd y dyrfa fawr dechreuodd atyniad y 'pregethu mawr' ddiflannu hefyd. Peth anodd i ffyddloniaid a fagwyd yng nghyfnod y dyrfa fawr oedd dygymod ag addoli o fewn cynulleidfa fechan o bymtheg mewn adeilad yn dal mil. Gwnaed y sefyllfa'n waeth gan y prinder affwysol o weinidogion ordeiniedig i arwain addoliad a'r ddibyniaeth ar weinidogion wedi ymddeol a phregethwyr lleyg.

Etifeddwyd patrwm traddodiadol oedd yn effeithiol mewn oes a fu, ac er pob ymdrech a wnaed i'w ddiogelu ac i estyn ei einioes, cracio a dadfeilio'n gyflym a wnaeth. Ychydig iawn o newid a welwyd mewn ffurfiau o addoli, yn natur cyfarfodydd yr wythnos ac yng nghynllun yr adeiladau ers dechrau'r ugeinfed ganrif. Ond erbyn hyn y mae newid yn digwydd ar ein gwaethaf, newid all ein gyrru i un o ddau gyfeiriad: naill ai i dderbyn bod dyddiau'r Cyfundeb yn prysur ddod i ben ac y bydd yn diflannu o'r tir o fewn ychydig flynyddoedd, neu i weld yr argyfwng presennol yn gyfle i ailddarganfod rhin y cymunedau bychain, elfennau gwir addoliad ac ystyr bod yn eglwys mewn gwirionedd.

Ymateb nifer o eglwysi i'r sefyllfa gyfoes yw ffurfio timau o bump neu chwech o aelodau, i arwain addoliad yn eu tro heb orfod dibynnu ar weinidog neu bregethwr i 'lenwi'r Sul'. Trwy rannu syniadau, trafod themâu, llunio gweddïau, dewis darlleniadau (ysgrythurol, barddonol a llenyddol), manteisio ar ddoniau cerddorol a chelfyddydol a chysylltu'r cyfan â myfyrdodau byrion a chyfnodau o dawelwch, gall timau o'r fath lunio gwasanaethau graenus a theilwng. Gallent hefyd greu oedfa sy'n ddigwyddiad cynulleidfaol, amrywiol, ffres a chreu o gynulleidfa fechan gynulliad ysbrydol, gwir addolgar. Wrth ailddarganfod ystyr a gwefr addoli, daw credinwyr yn sianelau yn llaw Duw i ail-greu yr eglwys ac i hyrwyddo'i deyrnas yn y byd gan gofio addewid Iesu: 'Lle y mae dau neu dri wedi dod ynghyd yn fy enw i, yr wyf yno yn eu canol.'[76]

1 Gw. John Fenwick a Brian Spinks, *Worship in Transition: The Liturgical Movement in the Twentieth Century* (T & T Clark, 1995), ac A. R. Shands, *The Liturgical Movement and the Local Church* (SCM Press, 1959).
2 Er enghraifft, R. J. Billington, *The Liturgical Movement and Methodism* (Epworth Press, 1969).
3 Nisbet, London, 1936.
4 Oxford University Press, 1936.
5 E. Underhill, *Worship* (Nisbet, London, 1936), t. 3.
6 J. G. Moelwyn Hughes, *Addoli*, Darlith Davies 1935 (Lerpwl, 1937).
7 Ibid., t. viii.
8 Ibid., t. 7.
9 *Y Drysorfa*, Medi 1937.
10 Moelwyn Hughes, ibid., tt. 39–40, 45.
11 Gol. Brynley F. Roberts, *Moelwyn, Bardd y Ddinas Gadarn* (Caernarfon, 1996), t. 69.
12 Moelwyn, ibid., t. 65.
13 Comisiwn Ad-drefnu y Methodistiaid Calfinaidd: Adroddiadau'r Pwyllgorau, Cyhoeddedig gan y Pwyllgor Cyhoeddi (Lerpwl, 1925).
14 Comisiwn Ad-drefnu, Adroddiad Pwyllgor IV, 'Addoliad a Chenhadaeth', t. 8.
15 Ibid., t. 8.
16 Ibid., t. 9.
17 Ibid., tt. 10–12.
18 Ibid., t. 13.
19 'Dathliadau Dau Ganmlwyddiant 1735–1935', ynghyd ag argraffiad Saesneg, 'Bi-centenary Celebrations 1735–1935, (Caernarfon).
20 Comisiwn Ad-drefnu IV, t. 13.
21 R. R. Hughes, *John Williams, Brynsiencyn* (Caernarfon 1929), penodau VI a VII.

22 Ibid., t. 254.
23 Ibid., t. 272 (troednodyn).
24 Gerallt Lloyd Evans, *Mewn Llestri Pridd*, cyhoeddwyd gan yr awdur, 2008.
25 R. R. Hughes, Darlith Goffa 1951.
26 Gw. 'Y tyst ymhlith y tystion: Ivor Oswy Davies (1906–64)', yn D. Densil Morgan, *Cedyrn Canrif* (Caerdydd, 2001), tt. 132–57.
27 W. Ambrose Bebb, *Yr Argyfwng* (Llandybïe, 1956), tt. 66–71.
28 Adrian Burdon, *The Preaching Service – The Glory of the Methodists* (Grove Books, Nottingham, 1991).
29 *Y Goleuad*, 15 Mawrth 1922.
30 Llawlyfr Cymdeithasfa'r Gogledd, Hydref 23, 24, 25, 26, 1933, yn Llundain (Cambrian News).
31 R. Buick Knox, *Wales and The Goleuad* (Caernarfon, 1969), t. 62.
32 Ysgrif ar 'Ddyfodol Pregethu', yn *Porfeydd* (Mai–Mehefin 1973), 76–9.
33 Comisiwn Ad-drefnu, t. 17.
34 *Y Goleuad*, 9 Rhagfyr 1994.
35 William James, *Yr Eglwys: Ei Sacramentau a'i Gweinidogaeth* (Wrecsam, 1898).
36 *Llyfr Gwasanaethau* (Caernarfon, 1958).
37 Ibid., tt. 41–5.
38 *Llyfr Gwasanaethau. A Book of Services* (Caernarfon, 1991).
39 William Barclay, *The Lord's Supper* (SCM Press, London, 1967), tt. 114–121.
40 *Llyfr Gwasanaethau / A Book of Services* (Caernarfon, 2009).
41 Ibid., t. 76.
42 *Gweithrediadau y Gymanfa Gyffredinol* 2011, t. 41.
43 *Y Cymun Sanctaidd: Comisiwn yr Eglwysi Cyfamodol* (Gwasg Tŷ John Penry, Abertawe, 1981), tt. 4–5.
44 Y Comisiwn Ad-drefnu, t. 31.
45 Ibid., t. 32.
46 G. Wynne Griffith, *Yr Ysgol Sul* (Caernarfon, 1936), pennod 11.
47 H. A. Hamilton, *The Family Church: In Principle and Practice* (Methodist Youth Dept., London, 1941).
48 Ibid., tt. 5–7.
49 Gw. Colin Buchanan, *Children in Communion* (Grove Books, Nottingham, 1990).
50 *Gweithgareddau'r Gymanfa Gyffredinol* 1996.
51 Lluniwyd gan Catrin Roberts ac Alwyn Ward ar ran Gwasanaeth Plant ac Ieuenctid Eglwys Bresbyteraidd Cymru, 1998.
52 R. Buick Knox, *Voices from the Past: History of the English Conference, 1889-1938* (Llandysul, 1969), tt. 30–1.
53 Ibid., t. 32.
54 *Llawlyfr Gwasanaeth Priodas, Bedydd a Chladdedigaeth y Meirw* (Caernarfon, 1930). Ailargraffwyd yn 1975.
55 *Llyfr Gwasanaethau* 1958, Rhagair.
56 *The Presbyterian Service Book, for use in the Presbyterian Churches of*

England and Wales, Publications Committees of the Presbyterian Churches of England and Wales (London and Caernarfon, 1948, 1949).

57 *The Presbyterian Service Book, for use in the Presbyterian Churches of England and Wales, The Publications Committee of the Presbyterian Church of England* (Tavistock Place, London, 1968).

58 *A Book of Services, The United Reformed Church in England and Wales* (Saint Andrew Press, Edinburgh, 1980).

59 *Llyfr Gwasanaethau / A Book of Services* 1991.

60 *Llyfr Gwasanaethau* 2009, t. 6.

61 Gw., fel enghraifft, *Hunangofiant Rhys Jones, Fel Hyn yr Oedd Hi* (Caernarfon, 2012), pennod 5 'Ffynnongroyw', tt. 51–7.

62 Y Comisiwn Ad-drefnu, tt. 28–9.

63 Ibid., tt. 20–4.

64 W. Ambrose Bebb. *Canrif o Hanes y Tŵr Gwyn, 1854–1954* (Cyhoeddwyd gan yr Eglwys, 1954), t. 323.

65 Ibid., t. 327.

66 Dyfynnir gan Ambrose Bebb, ibid., tt. 324–5.

67 Huw Llewelyn Williams, *Thomas Charles Williams* (Caernarfon, 1965), tt. 208–9.

68 Eryn White, *'Praidd Bach y Bugail Mawr': Seiadau Methodistaidd De-Orllewin Cymru 1737-1750* (Gwasg Gomer, 1995), t. 118.

69 *Y Goleuad*, 1 Ionawr 1922.

70 John Owen, *Porfeydd* (Tachwedd–Rhagfyr 1973), 164–6.

71 Saunders Lewis, *Williams Pantycelyn* (Llundain, 1927).

72 Ceir hanes sefydlu a datblygiad y Weinidogaeth Iacháu mewn dwy gyfrol: Mari D. Evans, *Ar ei Adenydd Iacháu* (Pwyllgor Canolfan Iacháu, Caernarfon, 1979); *Y Weinidogaeth Iacháu / The Ministry of Healing* (Pwyllgor Gweinidogaeth Iacháu Eglwys Bresbyteriadd Cymru, 1993).

73 Ceir hanes yr Ysgolion Haf ym mhenodau 6 a 7 o *Y Weinidogaeth Iacháu / The Ministry of Healing* (1993), tt. 58–77.

74 Ibid., tt. 20–2.

75 Ibid., t. 44.

76 Mathew 18:20.

PENNOD 5

CREDO A DIWINYDDIAETH

ELWYN RICHARDS

Nid oes gan Eglwys Bresbyteraidd Cymru gorff o ddiwinyddiaeth neu ddogma y mae ei holl aelodau yn glynu wrtho yn ddiwyro. Yn hytrach, arddelir y Gristnogaeth Drindodaidd draddodiadol gyda phwyslais ar ddiwinyddiaeth Feiblaidd, Cristoleg, yr Eglwys a'i sacramentau, cenhadaeth, ffydd ac argyhoeddiad personol a'r grefydd gymdeithasol. Y mae, er hynny, amrywiol agweddau o fewn y Cyfundeb at y materion hyn, ac anodd o'r herwydd yw trafod cred a diwinyddiaeth y Corff mewn unrhyw ystyr benodol. Rhoddir sylw, felly, yn y bennod hon, i agwedd yr enwad yn ystod yr ugeinfed ganrif tuag at ei dreftadaeth ddiwinyddol a'r amrywiol ymdrechion a wnaed gan arweinwyr y Cyfundeb, ysgolheigion o Bresbyteriaid, gweinidogion ac aelodau eglwysig, i arddel ffydd a dysgeidiaeth yr efengyl yn ystyrlon mewn cyfnod o newid crefyddol a chymdeithasol pryd y gwelwyd dirywiad mawr ym mywyd yr eglwysi a lleihad yn niddordeb yr aelodau mewn materion athrawiaethol.

Calfiniaeth a nodweddai feddwl diwinyddol Cymru drwy gydol y bedwaredd ganrif ar bymtheg. Yn ystod ail hanner y ganrif, fodd bynnag, wrth i ddiddordeb a rhychwant meddwl Cymru ehangu, gwelwyd gafael yr hen Galfiniaeth haearnaidd yn llacio ac yn mynd yn fwyfwy amherthnasol gyda threigl y blynyddoedd. Erbyn chwarter olaf y ganrif, yr oedd diwinyddion Cymru yn ymwybodol iawn bod gwawr cyfnod newydd ar dorri, ac erbyn dechrau'r ugeinfed ganrif yr oedd Calfiniaeth, fel y cyfryw, wedi colli ei nwyf a'i nerth ymhlith disgynyddion ysbrydol y Diwygiad Efengylaidd,[1] ac yn fuan fe ddeuai'r ddiwinyddiaeth newydd i ddylanwadu ar Gymru. Ceisiodd honno ymateb i her idealaeth athronwyr fel Hegel a Kant, a honiadau gwyddonwyr fel Charles Darwin a'i debyg am esblygiad. Disodlwyd dealltwriaeth hanesyddol o'r ffydd a welai farwolaeth Crist yn ddigwyddiad o dragwyddol bwys gan agwedd meddwl a roddai'r lle blaenaf i arwyddocâd y profiad dynol.[2]

Ceir awgrym o ddylanwad y syniadau newydd yn 1915 gan Peter Hughes Griffiths, gweinidog eglwys Charing Cross, Llundain, pan ddywed fod llawer o weinidogion ieuanc wedi eu meddiannu gan 'athrawiaeth naturiolaeth',[3] sef, mae'n debyg, y duedd i bwysleisio y dynol yn hytrach na Duw, a darganfod y dwyfol yn y dynol, tuedd a borthwyd, yn ôl eu beirniaid diweddarach, gan ymchwil i'r Beibl ac i'r meddwl dynol, a'r ffydd y gallai dynoliaeth yn raddol ddiwygio cymdeithas a gwella'r byd.[4] Ond er y ceir tystiolaeth i ryddfrydiaeth ddiwinyddol fod yn hirhoedlog ei dylanwad yng Nghymru yn ystod yr ugeinfed ganrif,[5] mae lle i gredu na fu i'w dylanwad dreiddio hyd fêr esgyrn yr eglwysi. Wrth gyfeirio at honiad J. E. Daniel yn *Sylfeini'r Ffydd*[6] mai moderniaeth ydoedd traddodiad llywodraethol Ymneilltuaeth Cymru ers hanner canrif, mae G. Wynne Griffith yn ei Ddarlith Davies yn cydnabod i golegau diwinyddol yr Annibynwyr yn bennaf roi pwyslais gormodol ar 'ochr dyn yn yr iachawdwriaeth'.[7] Ond cafwyd hefyd, meddai, bregethau a chyfarfodydd gweddi, seiadau ac ysgolion Sul a gadwodd draddodiad Ymneilltuaeth Gymraeg rhag eithafion moderniaeth:

> Oherwydd dylanwad 'diwinyddiaeth datblygiad', ynghyd â dylanwad syniadau eraill a oedd yn gweithio yn yr awyrgylch meddyliol, ni bu ei gweledigaeth o'r gwirionedd, ond odid, mor glir na'i gafael arno mor sicr ag a fuasai'n ddymunol. Eto, trwy gyfrwng y diwygiad yn 1904–6 ... trwy ddylanwadau a weithiai ar do ar ôl to o Ymgeiswyr am y Weinidogaeth yng Ngholegau Diwinyddol y Bala, Aberystwyth a Threfeca, ac yng Ngholegau diwinyddol y Bedyddwyr ym Mangor a Chaerdydd; trwy ddylanwadau a weithiai ar Gymru o gyfoeth bywyd yr Eglwys Fethodistaidd yn Lloegr; trwy ddylanwad meddwl diwinyddol

> yn Lloegr a'r Alban fel y llifai i Gymru yng ngweithiau gŵyr fel Dale, Denney, Forsyth, Gore, Mackintosh, ac yn ddiweddarach rhai fel Temple, Matthews, Quick, Thornton a Farmer, a llu eraill y gellid eu henwi – trwy'r dylanwadau hyn ac eraill cadwyd 'traddodiad llywodraethol Ymneilltuaeth Cymru' rhag yr eithafion y mynnai'r Athro Daniel inni gredu iddo fyned iddynt.[8]

Awgryma G. Wynne Griffith fod ei yrfa addysgol ef ei hun wedi bod yn ddrych o gyflwr diwinyddol Cymru. Magwyd ef yn eglwys fechan y Parc, ger Llandyfrydog, ym Môn, ardal na tharfodd y ddiwinyddiaeth newydd fawr arni. Cedwid yr uwchfeirniaid draw, meddai, gan ddim mwy na cherydd pregethwr ar faes sasiwn, ac yn ystod ei ddwy flynedd yn ysgol ragbaratoawl Evan Cynffig Davies ym Mhorthaethwy dywed na ddaeth amheuaeth i boeni nemor ddim arno yntau ychwaith, er y gwyddom fod Evan Cynffig Davies wedi cyhoeddi *Llawlyfr uwchfeirniadaeth ysgrythyrol* (Llanerch-y-medd, 1897) a *Nodiadau, ynghyd a chwestiynau, &c, ar y rhan gyntaf o'r Efengyl yn ol Marc* (Aberdâr, 1906).

Yng Ngholeg y Brifysgol ym Mangor a'r coleg diwinyddol yn y Bala, meddai G. Wynne Griffith, y daeth i ymgyfarwyddo â syniadau newydd, ieithoedd gwreiddiol yr ysgrythur, llafur ysgolheigion Beiblaidd, hanes yr Eglwys a hanes athroniaeth. 'Ond yn ystod ein holl gwrs,' meddai, 'ni cheisiodd neb ddatguddio inni sylfeini cedyrn a diogel i godi castell ein ffydd arnynt. Yn wir, yr oedd y rhan fwyaf o'r addysg a gawsom yn *feirniadol ac yn nacaol yn ei heffeithiau*.'[9]

Gwelodd fod diwinyddiaeth yn ansicr a dihyder, heb unrhyw weledigaeth eglur o'i chynseiliau na'i hathrawiaethau, yn aneglur ei dysgeidiaeth am Dduw a'i berthynas â'r greadigaeth, am hanes a natur a thynged y ddynoliaeth, am Berson Crist a'i waith, am yr Eglwys a'i phwrpas, am y Beibl a'i le, am y byd y tu hwnt i'r llen a Bywyd Tragwyddol. Ac eto, drwy'r cwbl, daliodd G. Wynne Griffith ei afael, fel amryw eraill, ar yr Eglwys a'r efengyl, a hynny drwy gyfrwng 'teyrngarwch ysbryd a thorïaeth emosiwn'.[10] Yn ddwfn yn ei isymwybod yr oedd ymlyniad diollwng wrth ryw elfen yn y traddodiad a etifeddodd ac a ystyriai'n anhraethol werthfawr. Ac yntau yn y cyflwr hwnnw, dywed i ddiwygiad 1904–06 dorri 'yn don ysgubol o deimladaeth grefyddol i achub ein pobl rhag drifftio i eithafion anobaith a diymadferthedd ysbrydol o dan ddylanwad anffyddiaeth hanfodol y cyfnod'.[11]

Noder, fodd bynnag, fod Robert Pope yn mynnu, ar gorn pwyslais Evan Roberts ar deimlad ac ymwybyddiaeth, nad oedd fawr o wahaniaeth rhwng syniadau Evan Roberts a syniadau'r rhyddfrydwyr, ac iddo 'fod yn rhan o'r llif cyffredinol a aeth trwy ddiwinyddiaeth yng Nghymru, gan ei rhyddfrydoli, ddiwedd y bedwaredd ganrif ar bymtheg, yn hytrach nag yn forglawdd cadarn yn erbyn rhyddfrydiaeth ddiwinyddol'.[12]

Byrhoedlog iawn fu effeithiau'r diwygiad, a beiwyd hynny ar dro ar y pwyslais ar brofiad ysbrydol a arweiniodd at fethiant i iawn ddirnad yr ysgrythur a'r Eglwys, a methiant i ddelio ag emosiwn. Yn 1914 daeth y Rhyfel Mawr i ysgwyd bywyd cenhedloedd Ewrop hyd ei sylfeini a rhoi prawf llym ar ffydd yr Eglwys. Dangosodd y rhyfel pa mor llygredig oedd y natur ddynol er gwaethaf cyraeddiadau'r gwyddonwyr a'u camp yn harneisio grymoedd natur. Defnyddiwyd eu hathrylith o blaid dial, afreswm a chasineb, a bu hynny'n brawf llym iawn ar ffydd yr Eglwys. Ond yn ddiwinyddol, ailgodi a dwysáu hen gwestiynau a wnaeth y rhyfel, nid codi problemau newydd,[13] ac yn y cyfnod wedi'r Rhyfel Mawr ceisio ymateb i newidiadau meddyliol a fu ar droed ers degawdau a wnâi diwinyddion Cymru.

Wrth gynnig yng Nghymdeithasfa Pwllheli yn 1918 y dylid sefydlu comisiwn i fwrw golwg dros gyflwr athrawiaeth yn y Cyfundeb, cyfeiriodd Mr John Owen, Caer, at yr ymdeimlad cynyddol a fodolai ymysg gweinidogion a lleygwyr nad oedd y Gyffes Ffydd bellach yn adlewyrchiad teg o wir ddaliadau'r Corff.[14] Rhaid oedd ailfynegi'r athrawiaeth, meddai, yn unol â meddwl yr oes. Adlewyrchwyd y farn honno hefyd gan aelodau pwyllgor o'r Gymdeithasfa yn y Gogledd a fu'n trafod athrawiaeth a hyfforddiant; sef, nid yn unig mai gwisg ddynol a chyfnewidiol am y gwirionedd dwyfol ydoedd pob athrawiaeth,[15] ond bod y gwirionedd a ddiogelwyd mewn hen wisg yn mynd yn amherthnasol ac annealladwy, wyneb yn wyneb â chynnydd gwybodaeth yr oes.[16]

Manylir ar y modd y sefydlwyd y Comisiwn a sut y gweithredodd gan R. H. Evans yn ei Ddarlith Davies ar gyfer 1969,[17] ac mae'n werth nodi ei fod yn honni, er yn ysgrifennu hanner can mlynedd yn ddiweddarach, nad oedd fawr o wahaniaeth rhwng y dadansoddiad a wnaed o sefyllfa'r Cyfundeb yn union wedi'r Rhyfel Mawr a'r amgylchiadau a welai ef o'i gwmpas.[18]

O fewn y Cyfundeb y pryd hwnnw yr oedd diddordeb mewn athrawiaeth yn cilio, pregethu athrawiaethol yn ffenomen anfynych, ac ansicrwydd mawr ynglŷn â'r athrawiaethau. Rhaid oedd adfer athrawiaeth i'w lle ei hun yn addysg yr Eglwys a meddwl ei haelodau drwy gyfaddasu ei ffurf a'i chynnwys a'r dull o'i chyfrannu i ofynion oes newydd.[19]

Ond beth, tybed, a barodd i'r fath sefyllfa ddatblygu, lle'r oedd athrawiaeth yr Eglwys mor ddieithr i feddwl yr oes? Yr ateb mewn gair oedd 'datblygiad'. Datblygiad gwyddoniaeth a diwydiant, ar y naill law, a thwf y cysyniad o ddatblygiad a gysylltid ag enw Charles Darwin fel syniad llywodraethol yr oes, ar y llaw arall. Erbyn 1924 gallai G. A. Edwards, a ddeuai maes o law yn Athro yng Ngholeg y Bala ac yn Brifathro'r Coleg Diwinyddol Unedig yn Aberystwyth, honni bod 'y syniad o ddatblygiad wedi ennill y dydd yn llwyr mewn diwinyddiaeth fel ym mhob man arall'.[20] Rhoddodd hyn fod i ddull newydd o drin diwinyddiaeth.

Daeth hynny eto'n amlwg yng ngwaith Comisiwn Ad-drefnu y Methodistiaid Calfinaidd gyda'r honiad mai datblygu'n raddol a chynyddol wna pob dirnadaeth o'r gwirionedd, ac er mwyn i hynny ddigwydd fod yn rhaid deall y gorffennol yn briodol. Er i'r tadau gredu fod y gwirionedd yn sefydlog a'i ddiffinio'n fanwl a cheisio'i gostrelu mewn credo gaeth gan orfodi pawb i lynu wrthi ar boen marwolaeth, eto meddai aelodau'r Comisiwn:

> Deallwn ni fod pob oes yn byw ar elusen y gorffennol, a hefyd yn ychwanegu ei chyfran ei hun at ein dirnadaeth o'r gwirionedd. Gwelliant ar yr hen yw'r newydd ym mhob cylch. Ar sail y gorffennol yr adeiladwn ninnau.[21]

Yn unol â'r agwedd hon ceisiodd y Comisiwn gysoni dysgeidiaeth yr Eglwys â meddwl yr oes. Awgrymwyd na ddylid dysgu dim i blentyn yn yr ysgol Sul y byddai'n rhaid iddo ei ddad-ddysgu yn yr ysgol ddyddiol.[22] Er gwaethaf y prawf a roddai beirniadaeth a gwyddoniaeth ar ffydd llawer o aelodau, credent mai'r diwedd fyddai dwyn eu syniadau am y Beibl a chrefydd 'i berthynas nes â *reality*, a gwneuthur diwinyddiaeth yn rym gwirioneddol a llywodraethol yn eu bywyd ymarferol'.[23] Erbyn 1942 gallai John Baker honni mai adwaith naturiol Cristnogaeth i'r ehangu mawr a chyson yn ymwybyddiaeth pobl o'r byd oedd rhyddfrydiaeth ddiwinyddol, a mynegiant o hawl Crist i bob cynnydd a datblygiad o eiddo'r meddwl dynol.[24] Rhyddhawyd meddwl yr oes oddi wrth yr hen safbwyntiau gan gynnydd gwybodaeth ddiweddar ond ni chafwyd gweledigaeth eglur mewn unrhyw gylch o fywyd, yn ôl y Comisiwn Ad-drefnu.[25] O'r herwydd, barnwyd nad doeth fyddai ceisio mabwysiadu unrhyw ddatganiad yn Gyffes Ffydd newydd i'r enwad, nac ymyrryd mewn unrhyw fodd â Chyffes Ffydd 1823, a ystyrid gan y Comisiwn yn ddogfen hanesyddol, fawr ei pharch, a fu'n gyfrwng crisialu gwirioneddau mawr y Ffydd i'r Cyfundeb am bron i gan mlynedd.[26] Wedi pwysleisio ar y dechrau mai angen pennaf yr Eglwys oedd profiad newydd o'r Ysbryd Glân, pwysleisiwyd hefyd y rheidrwydd i ganfod ystyr gyfoes yr athrawiaeth. Er mwyn tanlinellu hynny, dyfynnodd y pwyllgor o fewn y Gymdeithasfa yn y De, a fu'n trafod hanes ac athrawiaeth y Cyfundeb ac a gyfarfu ar y dechrau ar wahân i'r pwyllgor cyfatebol yn y Gogledd, eiriau Dr Thomas Charles Edwards bymtheg mlynedd ar hugain ynghynt, sef mai'r maen prawf ar gyfer gwerth athrawiaeth oedd nid a ellid dadlau drosti, ond a ellid ei phregethu: 'Our truths need vitelising by contact with a larger truth, for living truths alone make the preacher.'[27]

Un o ganlyniadau'r Comisiwn Ad-drefnu oedd llunio'r 'Datganiad Byr ar Ffydd a Buchedd', ac er na ellid ystyried y pedwar ddaeth ynghyd i ddechrau ar y gwaith o'i lunio ym Medi 1921, sef y Parch. Ddr Owen Prys a'r Parchedigion David Phillips, R. R. Hughes a Howell Harris Hughes, yn rhyddfrydol iawn eu hagweddau diwinyddol, y mae blas y cyfnod arno. Wrth drafod ei gynnwys noda R. H. Evans mai datganiadau diwinyddol yn hytrach na chyfeiriadau pendant at athrawiaethau arbennig a geir ynddo, ac na chyfeiria o gwbl at y Geni Gwyrthiol, Pechod Gwreiddiol, yr Iawn, Atgyfodiad Cyffredinol, y Farn, Ysbrydoliaeth y Beibl nac Etholedigaeth, a daw i'r casgliad fod ffurf derfynol y Datganiad yn adlewyrchu cyfnod arbennig yn ddiwinyddol:[28]

> ni ellir amau mai'r hyn yr anelai'r Cyfundeb ato ydoedd gosod i lawr ganonau cred y Cristion a'r Protestant i oes newydd, heb fanylu ar athrawiaethau arbennig, a chan gofio y bwriedid defnyddio'r Datganiad yn rheolaidd ar achlysuron neilltuol.[29]

Nid oedd ym mryd a meddwl y Comisiwn newid y Gyffes Ffydd a luniwyd yn 1823 ac a gorfforwyd yn y Weithred Gyfansoddiadol a gofrestrwyd gyda'r Llysganghellor yn 1826 yn ddatganiad o 'ddaliadau neu athrawiaethau ac egwyddorion y Cyfundeb'. Yn wir, yr oedd y Weithred honno yn gwahardd y Cyfundeb rhag newid, na hyd yn oed ystyried newid, y Gyffes Ffydd, a hynny dros byth. Nid bod y fath benderfyniad, a wnaed gan y tadau, ynddo'i hun yn llestair, ond rhwymwyd holl eiddo'r Corff hefyd wrth y Weithred honno, a byddai newid y Gyffes Ffydd, felly, yn gosod holl eiddo'r Cyfundeb mewn perygl. Ni chredai'r Comisiwn ei bod yn iawn i enwad gael ei rwymo yn y fath fodd wrth benderfyniadau'r gorffennol, a phe byddai'n rhaid torri dadl ynglŷn ag athrawiaeth a pherchnogaeth eiddo dan yr amodau hynny, at awdurdod gwladol llys barn y byddai'n rhaid troi yn y diwedd, a go brin fod honno'n sefyllfa foddhaol. Yn 1923 ac 1924, felly, gofynnwyd barn yr henaduriaethau ar nifer o gwestiynau a oedd wedi codi o weithgarwch y Comisiwn, a'r cyntaf ohonynt oedd:

> A ydych o blaid y Datganiad a ganlyn – 'Fel Protestaniaid ac yn arbennig fel Rhydd-eglwyswyr, datganwn ein cred ddibetrys yn hawl yr Eglwys i adolygu ei chredo pan deimla fod angen am hynny'?

Teimlai'r Comisiwn fod ennill yr hawl hon yn bwysig i'r Cyfundeb ac y byddai, yn hynny o beth, yn dilyn yr un llwybr ag a ddilynwyd gan nifer o enwadau eraill y rhwymwyd eu cred wrth oblygiadau'r gorffennol, megis Eglwys yr Alban, ac yn neddf seneddol 1933 datganwyd bod gan y Cyfundeb yr hawl i adolygu a diwygio'i gred.

Gyda golwg ar y Datganiad Byr ei hun, cafwyd yn 1924 fod pob henaduriaeth ond un o blaid ei dderbyn, ac i'r henaduriaeth a'i gwrthododd wneud hynny oherwydd camargraff y byddai'r Datganiad yn disodli'r Gyffes. Derbyniwyd fersiwn Cymraeg y Datganiad Byr yn y Gymdeithasfa yn Llanrwst ym mis Mehefin 1924 drwy fwyafrif mawr, ac yr oedd i'w gyhoeddi i fod at wasanaeth aelodau'r Gymdeithasfa yn y De a'r Gogledd. Ond nid oedd cymeradwyaeth unfrydol iddo o fewn y Cyfundeb o bell ffordd, ac amheuai ambell un gymhellion cudd y rhai a'i cymeradwyai. Yr amlycaf o'r gwrthwynebwyr oedd W. Nantlais Williams,[30] nad oedd yn gwrthwynebu'r egwyddor y tu ôl i'r ymdrech i ennill yr hawl i newid y Gyffes, ond nad oedd ychwaith yn gwbl fodlon arni fel ag yr oedd. Yn wir, yr oedd eraill o fewn y Cyfundeb yn anfodlon â'r Gyffes Ffydd. Yn y Gymdeithasfa yn y De yn 1924 bu i'r Parch. Ddr J. Cynddylan Jones, er enghraifft, fynegi agwedd ddigon beirniadol tuag ati.[31] Cytunai Nantlais, fodd bynnag, na ddisgwylid i neb fod yn gaeth i lythyren y Gyffes ond ofnai dwf rhyddfrydiaeth ddiwinyddol o fewn y Cyfundeb. Cyhuddodd yr enwad o fethu gwarchod yr athrawiaethau, o arddel rhyddid i newid a fyddai'n arwain at waeth caethiwed, o roi gormod o bwyslais ar ddiogelu meddiannau, o fethu gweld drwy niwl yr 'ysgol newydd', sef rhyddfrydiaeth, ac o wadu'r ymddiriedaeth a gawsai er mwyn hybu undeb eglwysig nad oedd nac efengylaidd nac ysgrythurol.[32]

Wrth ymateb i'r fath gyhuddiadau, pwysleisiodd E. O. Davies nad oedd y bwriad i ryddhau'r Cyfundeb oddi wrth y Gyffes Ffydd yn perthyn i unrhyw garfan ddiwinyddol o'i fewn ac mai'r argyhoeddiad na ddylasid bod wedi rhwymo'r Corff wrth unrhyw gyffes, ynghyd â'r rheidrwydd i ddileu'r fath rwymau er mwyn gallu hybu undeb eglwysig, oedd y tu ôl i'r ymdrech am ryddid.

Gyda'r drafodaeth ar fater rhyddid oddi wrth y Gyffes Ffydd yn cyniwair ar dudalennau'r *Goleuad,* ac yntau i bob golwg yn credu bod ei safbwynt yn ennill tir, ceisiodd W. Nantlais Williams lesteirio rhawd y drafodaeth a sicrhau cyfnod o lonyddwch. Yn y Gymdeithasfa yn Nant-y-moel ym Mehefin 1925 fe gymhellodd fod y sefyllfa ar lawr gwlad wedi newid cymaint fel na allai'r Gymdeithasfa dderbyn dyfarniad y Comisiwn gan nad oedd bellach yn 'cynrychioli barn a theimlad yr holl Gyrddau Misol'.[33] Ond er y cafwyd trafodaeth frwd ni ddaethpwyd i bleidlais. Erbyn hydref 1926 yr oedd y Comisiwn wedi llunio'r Erthyglau Datganiadol oedd yn gosod allan 'gyfansoddiad Eglwys Methodistiaid Calfinaidd Cymru, neu Eglwys Bresbyteraidd Cymru mewn materion ysbrydol'.[34] Unwaith eto, galwodd W. Nantlais Williams ar dudalennau'r *Goleuad* am i'r drafodaeth gael ei rhoi heibio 'ar hyn o bryd' gan nad oedd hinsawdd ddiwinyddol rhannau o'r Cyfundeb yn ffafriol, a chefnogodd gynnig a gyflwynwyd i'r Gymdeithasfa yn y De yn mynnu fod pob trafodaeth yn cael ei gohirio am bum mlynedd.[35] Ond, erbyn 1929, cafwyd bod y rhan fwyaf o'r henaduriaethau wedi derbyn yr Erthyglau a chymeradwyo eu bod yn cael grym cyfreithiol. Er mai cyfieithiad o Erthyglau Eglwys Bresbyteraidd yr Alban oeddynt yn eu hanfod torrwyd nifer yr erthyglau yn Gymraeg o naw i saith a mynnodd y garfan fwy ceidwadol a'i gwrthwynebodd fod brawddegau'n cael eu hychwanegu atynt i adlewyrchu eu safbwyntiau diwinyddol. Nid oedd y daliadau hynny, yn ôl R. H. Evans, yn perthyn i'r Cyfundeb yn gyffredinol, ond mewn cyfarfod o wrthwynebwyr a chefnogwyr y Mesur Seneddol yn Amwythig cytunwyd i aralleirio Erthyglau iv a vi. Ceir blas o arwyddocâd hynny yng ngeiriau W. Nantlais Williams, a eiliodd y cynnig i'w derbyn yn y Gymdeithasfa yn y De, yng Nghaerdydd, ym mis Medi 1932:

> Y mae hwn yn ddydd mawr i mi, ac y mae baich mawr wedi mynd oddi ar f'enaid a'm hysbryd heddiw. Teimlaf ein bod wedi cyrraedd nid at gyfaddawd ond at gyd-ddealltwriaeth. ... Teimlaf bellach nid yn unig bod gyda ni wirioneddau, ond ein bod yn eu nodi. Nid ein bod yn credu ond yn eu haddef. A dyna beth mawr mewn llys gwlad ein bod yn addef rhywbeth. Mi fyddai ofn arnaf fi wynebu'r Ysbryd Glân yn y diwygiad mawr nesaf, a minnau heb addef 'yr enedigaeth o forwyn', ac yntau wedi stampio'r peth ar fy enaid yn 1904. Bellach fe allwn wynebu'r dyfodol gyda mawr hyder a llawenydd difesyr.[36]

Yn ôl R. H. Evans, nid yw yn hollol eglur pam yr oedd angen llunio Erthyglau Datganiadol i'w cynnwys yn y Mesur Seneddol a'r Comisiwn eisoes wedi llunio'r Datganiad Byr ar Ffydd a Buchedd. Awgryma mai oherwydd nad oedd y Datganiad yn ddigon 'athrawiaethol' y bu hynny, ac i arbed rhwyg yn y Cyfundeb drwy gadw'r garfan geidwadol yn ddiddig. Nid oedd y Comisiwn ychwaith, meddai, â'i fryd ar ddiogelu'r athrawiaeth yn y lle cyntaf gan na chredai, fel y ceidwadwyr diwinyddol, fod perygl i'r Cyfundeb fynd i gofleidio heresïau. Sicrhau eiddo'r Cyfundeb oedd eu nod cyntaf a bu'r Comisiwn yn fodlon cyfaddawdu er mwyn cyrraedd y nod hwnnw, gan fynnu mai erthyglau cyfansoddiad, nid erthyglau ffydd, oedd yr Erthyglau Datganiadol.[37]

Cefndir yr holl drafodaeth ynghylch y Gyffes Ffydd a'r Datganiad Byr ar Ffydd a Buchedd oedd pwyslais y cyfnod ar ddatblygiad fel dull y Duw mewnfodol o sylweddoli ei hun drwyddo yn raddol yng nghwrs hanes.[38] Mewn cymhariaeth hyfryd y mae G. Wynne Griffith yn darlunio datblygiad fel trên bach yn mynd i fyny'r Wyddfa dan ei bwysau ei hun. Safai'r peiriant y tu ôl i'r cerbyd a ddygai'r dŵr a'r glo yn ei ofod ei hun:

> Felly, ohoni hi ei hun y daw'r grym a fydd yn gyrru'r tren bach a'i lwyth i ben y mynydd uchaf yng Nghymru. Dyna'r modd y tueddai llawer i synio am Ddatblygiad; meddylient amdano fel cwrsweithrediad mewn llinell ddi-dor tuag i fyny, a bod y grym sy'n ei yrru, fel eiddo tren bach y Wyddfa, yn gwthio ei gerbyd megis o'r tu ôl iddo.[39]

O safbwynt yr athrawiaeth am Dduw, perygl pwysleisio mewnfodaeth oedd colli golwg ar Dduw fel y Creawdwr a safai uwchlaw'r greadigaeth ac fel yr un y dibynnai'r greadigaeth arno.[40] I geisio gwrthweithio'r duedd honno, a olygai yn y pen draw golli golwg ar bob athrawiaeth nodweddiadol Gristnogol megis y rhai am dadolaeth Duw, y Drindod a'r Bywyd Tragwyddol, y pwysleisiwyd bod esgynneb yn y greadigaeth. Yr oedd Duw yn fwy presennol po uchaf yr eid ynddi; ac yr oedd cydnabod y fath wahaniaeth yn rhoi sail dros gredu mewn gwahaniaethau moesol ac yn yr athrawiaeth am werthoedd. Ond hefyd, os oedd yn y greadigaeth esgynneb, yr oedd yr esgynneb ei hun yn brawf o wirionedd datblygiad hanesyddol ac yn ganlyniad iddo.[41]

Ond anodd oedd gan G. Wynne Griffith ddal gafael ar y Duw y gallai dyn ei addoli ac ymhyfrydu ynddo heb bwysleisio'i uwchfodaeth. Gyda diwedd y greadigaeth (ac fe ragfynegai'r gwyddonwyr y dôi'r diwedd hwnnw), ceid nid yn unig ddiwedd ar foesoldeb ac ymwybyddiaeth a bywyd, ond diwedd ar Dduw os oedd yn ddim ond gallu dwyfol mewnfodol. Ac o feddwl amdano yn unig fel grym mewnfodol yn graddol sylweddoli ei hunan yng nghwrsweithrediad datblygiad, go brin y gellid gwneud cyfiawnder â'i allu i reoli cwrs y datblygiad hwnnw.[42]

Y perygl ydoedd gosod deddf yn lle Duw a rhwymo'r ddynoliaeth hithau wrth ddeddfau'r byd naturiol.[43] Tystiolaeth W. D. Davies, a fu'n athro Hanes Crefyddau ac Athroniaeth Crefydd yn y Coleg Diwinyddol Unedig, yn 1936 oedd i dwf y meddylfryd gwyddonol beri lladd pob diddordeb mewn diwinyddiaeth gyfundrefnol ac athrawiaethau cred. Datblygiad yn ei ystyr eang, ebe ef, sef dawn fawr bywyd i newid ac ymgyfaddasu, ydoedd egwyddor lywodraethol y meddwl gwyddonol, ac am hynny gwrthodai bopeth statig. Er y bu'n rhaid cael yr hen ddiwinyddiaeth yn baratoad i'r newydd, daeth yn amlwg bellach na ellid tywallt gwin newydd i hen gostrelau, a rhagdybia y byddai 'symudiad meddwl Eglwys Crist yfory, o dywyllwch pabaeth a defodaeth ac uniongrededd haearnaidd oer, yn ôl at "oleuni'r byd", allan i wres ac iechyd yr Efengyl, "gwirionedd ysbrydol fel y mae yn Iesu"'.[44]

Iesu Grist, yn ôl G. Wynne Griffith yntau, ydoedd pinacl datblygiad a datguddiad, ac ynddo y gwelid ystyr derfynol yr holl gwrsweithrediad.[45] Ceir yr un pwyslais Crist-ganolog gan y Comisiwn Ad-drefnu hefyd.[46] Yn Iesu Grist, meddid, datguddiodd Duw ei hun mewn priodoleddau moesol, ac o'r herwydd yr oedd y datguddiad i'w fynegi'n athrawiaethol mewn termau moesegol. Fe gafwyd ym mywyd Iesu, y mae'n wir, amryw o weithredoedd goruwchnaturiol a dystiai i'w ogoniant; ond o roi gormod o sylw i'r rheini collid golwg ar ei ogoniant mwy, sef ei briodoleddau dynol a moesol.

Mewn ymgais i ymateb yn gadarnhaol i athrawiaeth datblygiad, pwysleisiodd y Comisiwn y gallai'r rhai a ddiystyrai weithredoedd nerthol Iesu fel gwyrthiau goruwchnaturiol ddal gafael, er hynny, ar wyrth y cariad a'r cymwynasgarwch a'r tosturi a dywynnai drwyddynt. Yn wir, cyfeiria adroddiad y Comisiwn at honiad Edward

Matthews hanner canrif ynghynt, sef mai 'mannau isaf' Iesu Grist a ddangosai ogoniant Duw fwyaf. Ond os gofynnodd rhywrai yn y gorffennol a oedd Iesu Grist yn debyg i Dduw, y cwestiwn bellach ydoedd a oedd Duw yn debyg i Iesu Grist? Ac fe atebodd y Mab y cwestiwn hwnnw'n gadarnhaol.

Y perygl, wrth gwrs, o osod Iesu yng nghwrsweithrediad datblygiad, hyd yn oed o'i osod ar frig y cwrsweithrediad hwnnw, oedd dileu pob gwahaniaeth ansawdd rhyngddo ef a'r ddynoliaeth. Ond os oedd arddelwyr datblygiad yn caniatáu y gellid rhag-weld un mwy nag Iesu yn codi, gan danlinellu'r tebygrwydd rhwng natur Duw a natur dyn, roedd pwyslais y Comisiwn Ad-drefnu ar y gwirionedd bod Duw yng Nghrist yn cymodi'r byd ag ef ei hun. Y groes, meddent, sy'n esbonio cariad Duw. Dangosai'r atgyfodiad, nid yn unig fod Crist wedi gorchfygu angau, ond bod cariad Duw yn drech na phopeth. Bellach, nid oedd dichon i ddim wahanu pobl oddi wrtho:

> Fel mai Iesu Grist ydyw coron y datguddiad o Dduw, felly angeu ac atgyfodiad Crist, a dyfodfa mewn gwirionedd at Dduw a chymundeb ag Ef trwy Grist, ydyw coron y datguddiad yng Nghrist. Mynega Crist ei hun y pethau hyn yn nhermau Teyrnas Nefoedd. Teyrnas Nefoedd ydyw'r Iachawdwriaeth yn ei chanlyniadau ymarferol, y deyrnas lle y mae dynion wedi eu dwyn i berthynas iawn â Duw, a thrwy hynny â'i gilydd. 'A chymod y nef, gwna heddwch rhwng dynion.'[47]

Yn anffodus, fodd bynnag, yn niwinyddiaeth Cymru aethpwyd i bwysleisio dyfodiad y Deyrnas ar sail egwyddor datblygiad heb gofio am y cymod. Daeth Crist i amryw yn enghraifft loyw o'r hyn y gallai dyn fod wedi iddo dyfu'n llawn a diosg ei amherffeithrwydd a threfnu ei fywyd.[48]

Un o ganlyniadau'r pwyslais hwn ar Grist oedd colli golwg ar wrthrychedd yr Iawn a'i natur ddirprwyol, a gosod pwys baich yr ymdrech yn erbyn drygioni ar ewyllys pobl, a fyddai o weld y da yn ei ddilyn. Awgrymwyd mai rhan o'r rheswm am hyn oedd na fu i'r Eglwys erioed ddiffinio'r Iawn yn ddigon gofalus, a chlywyd cwyno o sawl cyfeiriad mai niwlog ac annigonol fu ymdriniaeth pregethwyr

Cymru o'r Iawn, ac mai prin ac annigonol hefyd fu ymdriniaeth y diwinyddion o'r pwnc.[49]

Pan draddododd Hugh Williams ei Ddarlith Davies yn 1945, ei obaith oedd adfer y Groes i'w lle canolog ym mywyd crefyddol Cymru, ond yr oedd diffyg diddordeb pobl bellach mewn thema o'r fath, meddai, yn cael ei adlewyrchu yn y gwrthgiliad mawr o'r eglwysi.[50] Ni fu'r athrawiaeth heb ei phroblemau, a da yr atgoffodd Dewi Eurig Davies ei ddarllenwyr y pregethid angau'r groes â grym a nerth cyn i unrhyw athrawiaeth am yr Iawn gael ei llunio. Bu natur amrwd y theorïau yn fodd o droi amryw yn eu herbyn a cheisiodd yr eglwys hefyd ymddihatru oddi wrth bob syniad annheilwng am aberth Crist. Ond os collodd y rhyddfrydwyr olwg ar wrthrychedd yr Iawn oherwydd i'r athrawiaethu a gyfleai hynny fod mor amrwd, bai'r garfan fwy ceidwadol, yn eu tyb hwy, oedd pwysleisio marw Crist i'r fath raddau nes gwneud y bywyd y bu iddo ei fyw yn amherthnasol. Cyfeiria Dewi Eurig Davies at J. Cynddylan Jones, mewn pregeth yn *Y Goleuad* yn 1928, yn pwysleisio mai neges fawr y Groes oedd: nid yn gymaint fod Crist wedi marw, ond iddo farw drosom ni. Gallai'r Parch. S. O. Tudor hefyd honni dros ddeng mlynedd ar hugain yn ddiweddarach fod yn rhaid i bob pregethu ar y Groes, er gwaethaf yr holl anawsterau a godai o sôn am Iawn, gymryd difrifoldeb pechod o ddifrif, a'i erchylltra yn creu rhwyg rhyngom a Duw. Barn y Parch. John Owen, Morfa Nefyn, yntau, oedd fod yn rhaid i'r hyn a ddywedid am y Groes wneud cyfiawnder â pherffaith Iawn Crist, ac mae'n amlwg i'r diwinydda ar sail egwyddor fawr datblygiad brofi'n annigonol wrth i'r ganrif fynd rhagddi. Diau y credai amryw o fewn y Cyfundeb ar ddechrau'r ganrif fod datblygiad a chynnydd yn sicr ac anorfod, ond nid oedd yr amheuaeth a gododd yn sgil ystyriaeth o'r Iawn yn ddim mwy nag adlewyrchiad o'r amheuaeth fwy cyffredinol o bob diwinydda ar sail y fath ragdybiaeth. Yr hyn a ganodd gnul marwolaeth y ddiwinyddiaeth hon yn derfynol oedd erchylltra'r Rhyfel Byd Cyntaf a dyfodiad diwinyddiaeth Karl Barth i Gymru, ac er bod ymdriniaethau manwl o'r ddiwinyddiaeth hon eisoes wedi ymddangos yn Gymraeg,[51] mae'n rhaid nodi yma ei phrif ddylanwad gyda golwg ar y Cyfundeb.

I'r rhai a fagwyd ar hen waddol rhyddfrydiaeth mae'n sicr fod osgo a nwyf Karl Barth yn gwbl newydd, ond gellir tybio oddi wrth y cyffro a greodd yng Nghymru y bu disgwyl hir am rywun tebyg iddo i ddwyn grym ac awdurdod yn ôl i ddiwinyddiaeth. Profodd amryw ymdeimlad o ymwared wrth ddarllen ei waith,[52] ond camgymeriad fyddai tybio i'w syniadau gael croeso digymysg. I amryw, pregethwr ydoedd yn anad dim byd arall; cynnyrch y pulpud yn hytrach na'r fyfyrgell ydoedd ei athrawiaeth a gwendidau athrawiaeth felly oedd yn perthyn iddi.[53] Awgrymwyd bod y fath ddiwinyddiaeth a apeliai at bregethwyr yn brin ei chyswllt â bywyd yn ei grynswth,[54] ond yr oedd lle i ofni na fu i'r pregethu rhyddfrydol ychwaith effeithio'n drwm ar y cynulleidfaoedd.[55] Mewn ysgrif hynod o feirniadol, mynnodd Philip J. Jones yr apeliai'r uniongrededd newydd at rai a ystyriai'r safbwynt ffwndamentalaidd yn rhy amrwd a moderniaeth yn rhy beryglus.[56]

Fel y dangosodd Dewi Eurig Davies, go brin y gellid mynd i'r afael â phynciau mawr y Ffydd – natur dyn a natur Eglwys, person Crist, y Drindod a'r Pethau Diwethaf – yn y cyfnod wedi'r Rhyfel Mawr heb roi sylw i ddysgeidiaeth Barth.[57] Aeth amryw i'w ystyried yn broffwyd am iddo roi cyfeiriad newydd i bregethu, a defnyddiwyd y label hwnnw nid yn unig i esgusodi eithafiaeth ei neges a'i gwneud yn fwy derbyniol,[58] ond hefyd i'w hanwybyddu a'i dibrisio.[59] Yn fuan, fodd bynnag, tyfodd ei ddylanwad gyfryw fel na ellid mwyach ei dderbyn na'i ddiystyru yn unig fel proffwyd, ac yr oedd yn rhaid ymateb iddo fel diwinydd. Arwydd pendant o'r ymdrech i wneud hynny oedd yr ymgais a welwyd yng Nghymru i osod Barth yn ei gyd-destun cywir a'i werthfawrogi.

Yng Nghymru gwelwyd diwinyddiaeth Barth gan mwyaf yn adwaith i'r Rhyfel Mawr. Yn ôl S. O. Tudor, effeithiodd y Rhyfel Mawr yn drwm ar feddwl a chydwybod arweinwyr America a Phrydain, ond erbyn 1926 yr oedd dylanwad y rhyfel bron wedi diflannu fel ager ym Mhrydain, a hynny dan ddylanwad areithiau ar Gynghrair y Cenhedloedd a phregethu brwd am heddwch dros yr holl fyd. Yn wir, dywed na chafwyd ym Mhrydain yr un syniad newydd am Dduw nac am fywyd yn sgil yr holl ddioddefaint, ac 'ni chododd yr un proffwyd dros yr holl dir i gyhoeddi rhywbeth na chlywodd y byd erioed mohono o'r blaen, neu ers canrifoedd, ac ni ymaflodd neb mewn ystyr newydd i'r datguddiad o Dduw yn Iesu Grist'.[60]

Yn sicr, fe fu'r Rhyfel Mawr yn ddaeargryn dinistriol ym mywyd Barth. Sylweddolodd nad oedd rhyddfrydiaeth y cyfnod blaenorol yn abl i adnabod na gwrthsefyll gormes, na chydnabod ychwaith fod y drwg a'r afresymol yn nodweddion parhaol y natur ddynol. Yn ei weinidogaeth fugeiliol bu'n rhaid i'r Barth ifanc geisio cysoni'r ddiwinyddiaeth a etifeddodd, ac a roddai bris uchel ar y gwyddonol a'r naturiol a'r moesol, â'r byd a oedd yn mynd yn chwilfriw o'i gwmpas, ac fe barodd y gwahaniaeth mewn amgylchiadau ddiffyg dealltwriaeth a gwerthfawrogiad o'i waith ym Mhrydain.[61]

Yng Nghymru, fodd bynnag, sylweddolwyd nid yn unig fod y Rhyfel Mawr a'r adwaith a'i dilynodd wedi dangos pa mor bechadurus a syrthiedig ydoedd dynoliaeth ond hefyd mai ymchwil am awdurdod, yn anad dim arall, oedd y tu ôl i ymholiadau diwinyddol Barth. Profodd hen wirioneddau rhyddfrydiaeth, sef bod Duw yn Dad i bawb a bod i'r enaid werth anfeidrol, ynghyd â'r foeseg a bwysleisiai y dylai pob un garu ei gymydog, yn rhy sigledig i'w gynnal. Ei gwestiwn mawr oedd a allai pobl gael gafael ar Dduw, ynteu a oedd pob ymchwil yn ofer a chrefydd wedi ei sylfaenu ar ledrith? Os mai trwy brofiad dynol y datguddid Duw, a oedd unrhyw Dduw i'w gael mewn gwirionedd ar wahân i'r profiad hwnnw?

Parodd y sylw a gafodd dysgeidiaeth Barth yng Nghymru i'r ymateb iddo fod yn gymysg, ond, ar y cyfan, yn eithaf cytbwys. Croesawyd ei bwyslais ar benarglwyddiaeth Duw ond beirniadwyd ei athrawiaeth am natur dyn a chyfrwng datguddiad. Ym marn D. Miall Edwards, amddiffynnydd cadarn yr hen ryddfrydiaeth, yr oedd ei dydd eisoes yn darfod:

> Gor-Galfinaidd hefyd yw ei bwyslais ar Benarglwyddiaeth Duw nes colli golwg bron ar Ei Dadolaeth, a'i waith yn sôn mwy am ei gyfiawnder nag am Ei gariad. Y mae cred ym mhenarglwyddiaeth Duw ac yn ei gyfiawnder yn anhepgor, a diolchwn i Barth am alw ei sylw o'r newydd a chyda'r fath rymuster at yr ochr hon i bethau. Ond rhaid parhau i roi'r lle canol o hyd i'w Dadolaeth a'i gariad os ydym am fod yn ffyddlon i athrylith y grefydd Gristnogol.[62]

O fewn y Cyfundeb gellir tybio i'r pwyslais ar dadolaeth Duw barhau ymhell wedi i'r hen ryddfrydiaeth gael ei hanghofio. Ni ellir gwybod bellach beth yn union fu dylanwad diwinyddiaeth Karl Barth, Emil Brunner ac eraill ar gred a bywyd yr eglwysi, er i D. Densil Morgan ddangos sut y dylanwadodd ar arweinwyr anghydffurfiaeth Cymru gan dreiddio i bulpud a darlithfa.[63] Mewn ysgrif loyw arall amlinellodd yrfa a chyfraniad Ivor Oswy Davies, un a ddenwyd at ddiwinyddiaeth yr Almaen tra oedd yn fyfyriwr diwinyddol ddechrau'r tridegau, ac a dreuliodd gyfnod wrth draed Barth ym Mhrifysgol Bonn.[64] Priododd y ddiwinyddiaeth Feiblaidd newydd â'i draddodiad Calfinaidd ei hun, a gwelai'r ddeupeth yn gwbl gydnaws â'i gilydd. Ond er gwaethaf y gydnabyddiaeth a gafodd fel disgybl i Barth, prin fu cyfraniad Davies i fywyd y Cyfundeb y tu allan i'w ofalaethau a'i bulpud. Traddododd y Ddarlith Davies ar ddysgeidiaeth Barth am y Drindod yn 1962, ond ni chyhoeddwyd mohoni, ac er i Buick Knox gyfeirio at anerchiad ysgubol a chadarnhaol o'i eiddo i gynhadledd Saesneg ei enwad ar drothwy'r Ail Ryfel Byd, prin iawn fu'r sôn diweddarach amdano. Fe obeithiai, fel y pwysleisia D. Densil Morgan, y byddai'r adfywiad mewn diwinyddiaeth Feiblaidd a darddodd o'r Almaen yn arwain at adfywiad ysbrydol yng Nghymru. Ond erbyn y pumdegau yr oedd oerni seciwlariaeth i'w deimlo hyd yn oed yn yr eglwysi, a'r duedd i ddadfythu'r ysgrythur a gysylltwyd ag enw Bultmann fel petai'n bwydo materoliaeth yn hytrach na'i herio.[65] Ond tystiolaeth John Tudno Williams, a fu'n athro yn y Coleg Diwinyddol Unedig, ac yna'n brifathro olaf y sefydliad hwnnw, oedd mai dylanwad C. H. Dodd fu drymaf ym maes astudiaethau'r Testament Newydd ym Mhrydain, ac iddo fod yn llai negyddol nag amryw o'r Almaenwyr wrth dderbyn gwirioneddau a ddaeth i'r amlwg drwy feirniadaeth ffurf.[66] Paratôdd y ffordd ar gyfer y Biblical Theology Movement yn y pedwardegau a'r pumdegau a bwysleisiai ddatguddiad drwy hanes ac a oedd yn ymateb i ddiwinyddiaeth ryddfrydol cyfnod cynharach yn y ganrif. Yn hytrach na phwysleisio'r ffynonellau a darnio'r ysgrythur, tanlinellai'r hyn a roddai undod i'r Gair, ac yn y cyd-destun hwnnw y mae deall ei bwyslais ar y *Kerygma*. Fel ei arwr, bu i John Tudno Williams hefyd gyflwyno'r ysgrythur i'w fyfyrwyr mewn modd goleuedig, ymchwilgar a chrediniol, a sefyll, fel y safodd yntau, yn bont rhwng yr ymchwilydd a'r pregethwr, yr athro a'r addolwr.

Er mai byrhoedlog fu'r adfywiad diwinyddol a darddodd o'r Almaen, ac iddo fod yn ddigon negyddol ei bwyslais ar rai agweddau o athrawiaeth, megis dyfodol y ddynoliaeth a'i natur, eto i gyd, parhaodd rhyw optimistiaeth wydn yn niwinyddiaeth Cymru wedi'r Ail Ryfel Byd. Datgelodd arolwg o'r cylchgronau Cymraeg yn 1941 na fu i helbulon y rhyfel adael fawr o'u hôl arnynt, gan mai erthyglau diwinyddol ac ysgrythurol a'u nodweddai, heb fawr o weledigaeth yn yr argyfwng presennol. Ond yn ysgrifau'r golygyddion a'r sylwebyddion, ac yn y cylchgronau anenwadol, gwelid yn eglur bryder am gyflwr cymdeithas a chrefydd yng Nghymru ar ôl y rhyfel.[67]

Yr oedd dadrithiad am natur dynoliaeth yn gymysg â gobaith y gellid sefydlu gwareiddiad ar egwyddorion Cristnogol, a gwelir hynny'n eglur mewn cyfrol o ysgrifau 'gan nifer o gyfeillion yn Aberystwyth sy'n ymwneud â'i gilydd ac yn cydweithio mewn mwy nag un cylch o wasanaeth' a gyhoeddwyd yn 1943.[68] Yn ôl un adolygydd, gwyrddlas oedd profiad y cyfranwyr a'u diwinyddiaeth yn anaeddfed, ond croesawodd y gyfrol ar gyfrif ei harwyddocâd gan ei bod yn dangos sut yr oedd profiadau'r cyfranwyr yn rhoi ystyr i'w credoau.[69] Ond mudiadau ieuenctid yr Urdd, Undeb Cynghrair y Cenhedloedd a Mudiad Cristnogol y Myfyrwyr fu drymaf eu dylanwad arnynt, a'u profiad cyffredin mewn gwaith cymdeithasol a roddai i'r llyfr unoliaeth. Prin fu dylanwad pregethu ar y cyfranwyr, a gwelwyd yn eu hagwedd fwlch amlwg rhwng cred a gweithred, ar y naill law, ac athrawiaeth ar y llall.[70] Iddynt hwy, rhwng y ddau ryfel, yr angen mawr ydoedd diwygio cymdeithas nid dysgu athrawiaeth, ac ymddangosai Iesu nid yn gymaint fel mab Duw yn amlder grym yr athrawiaeth, ond fel esiampl ac arwr.

Un o'r cyfranwyr hynny oedd J. R. Jones, ac mewn anerchiad a draddodwyd yng Nghymdeithasfa Machynlleth ym mis Hydref 1942, pwysleisiodd mai her fwyaf enbyd y cyfnod yn Ewrop oedd yr her i ddiogelu democratiaeth.[71] Mewn erthygl yn *Y Drysorfa* pwysleisiodd fod yn rhaid gosod rhyddid dan ddisgyblaeth cyfrifoldeb a wynebu'r broblem ymarferol o weithredu ewyllys Duw mewn cymdeithas amhersonol drwy gyfnewid cariad am gyfiawnder.[72] Gwelodd fod gan yr Eglwys, ar gyfrif ei hathrawiaeth am natur dyn a'i bechod, gyfraniad anhepgor i sefydlu gwareiddiad newydd, ond sylweddolodd yr un pryd beryglon parod y gwareiddiad hwnnw – anghofio mai er dedwyddwch pobl y ceisir amlder pethau, dibrisio'r unigolyn a datblygu'n hunangyfiawn ac anfeirniadol o'i arweinwyr, ac anoddefgar a didostur tuag at leiafrifoedd a'i gwrthwyneba.[73]

Y mae'n arwyddocaol cyn lleied o ddylanwad yr Eglwys a ganfu'r adolygwyr ar *Credaf*, ac mai fel athronydd a darlithydd prifysgol y gwnaeth J. R. Jones ei gyfraniad i'r drafodaeth ddiwinyddol ganol yr ugeinfed ganrif. Dichon fod y Cyfundeb, hyd yn oed y pryd hwnnw, yn dechrau ymdeimlo â'r tlodi diwinyddol fyddai'n ei oddiweddyd yn fuan wrth i genhedlaeth ar ôl cenhedlaeth o gredinwyr golli diddordeb mewn diwinyddiaeth ac i rengoedd y weinidogaeth gael eu dihysbyddu o rai a allai, ac a fynnai, wneud cyfraniad deallusol y tu hwnt i gylch eu pulpud a'u gofalaeth.

Wrth i ail hanner y ganrif fynd rhagddi dyfnhau wnaeth argyfwng yr eglwysi, a daeth argyfwng gwacter ystyr i boeni'r diwinyddion. Diflastod oedd nod amgen yr argyfwng hwnnw,[74] ac yn ôl Dafydd Ellis-Thomas, yntau'n fab y mans, aeth bywyd yn wag i bawb, a hynny 'am fod Duw – y Bod mawr a addolir yng nghapeli Cymru – wedi marw! I 'ddyn modern' y mae Cristnogaeth swyddogol yn hollol ddiystyr, yn wir, yn chwerthinllyd o annigonol.'[75]

Gwelodd Hywel D. Lewis, un arall o feibion y Cyfundeb, fod byd y gweinidog ifanc yn 1964 yn wahanol iawn i'r sefyllfa pan ordeiniwyd ei dad, y Parch. David John Lewis, yn weinidog ar ddechrau'r ganrif. Er i genhedlaeth ei dad weld caledi a chyni mawr, roedd y bobl yn yr oedfa ddwywaith y Sul ac yn ystod yr wythnos; rhannent yr un rhagolwg a rhagdybiau, a golygai hynny eu bod wedi eu trwytho ym myd y Beibl a'i gefndir, ei iaith a'i ddiwylliant. Gwaith gweinidog yr oes honno oedd meithrin y ffydd a fodolai eisoes yn ei hanfodion; chwythu'r marwor yn fflam. Ond bellach, aethai'r aelwyd yn oer, a rhaid oedd creu ymwybod lle nad oedd dim ohono'n bod, cael at bobl na ddeuai fyth i gapel nac i awyrgylch addoli, ac nad oedd ganddynt unrhyw ymdeimlad o bethau ysbrydol, na deall o'r hyn y soniai'r pregethwr amdano:

> Nid bod iaith y Beibl yn llythrennol ddieithr – 'phoenwn i fawr am hynny … Y trueni mawr yw bod profiadau'r Beibl, yr hyn y sonnir amdano, y sylweddau, yn gwbl ddi-ystyr i fwyafrif ein pobl – a hynny yn bennaf oll am mai prin iawn yw unrhyw ymwybyddiaeth o Dduw. Yn wir synnwn i ddim nad oedd ein rhieni, pobl ddechrau'r ganrif hon, yn nes at bobl amser y Beibl ac yn fwy cartrefol yno, na chyda'n hoes ni a'r hyn y mae bri a mynd arno heddiw.[76]

Diau i ddatblygiad gwyddoniaeth a'r meddylfryd gwyddonol greu anawsterau dirfawr i'r Ffydd. Parodd y gwagle a adawyd gan ddiflaniad y gred mewn cynnydd i gri godi o enaid y Gorllewin, yn ôl J. Trefor Lloyd, am esboniad ar ystyr bywyd mewn byd direswm a llawn bwganod, ond ni wnâi crefydd fwy nag amddiffyn yr hen uchelfeydd. Ar dudalennau'r *Drysorfa* dyfynnodd soned Gwilym Tilsley i ddarlunio'r sefyllfa:[77]

> Mae mwy o draethu nag erioed yn awr
>   Am gadw'r Sul gan ein cenedl ni,
> A mwy o siarad pwyllog gan wŷr mawr,
>   Mwy o bwyllgorau ac areithio ffri:
> Mae mwy o ddweud mor anodd yw ein tasg,
>   Mwy o ddarparu addysg lawn i'n plant,
> Mwy o brotestio ffyrnig yn y wasg
>   A mwy o chwilio am ryw newydd sant.
> Ond y mae llai o Gymry'n medru'r iaith
>   A llai o blant yn aros yn y tir,
> Mae llai o bregethwyr gwledig wrth eu gwaith,
>   A llai o ddioddef gwawd er mwyn y gwir.
> Gwn y bodlonit, Iesu, gan ein loes,
>   Ar lai o siarad a mwy o ddwyn y groes.

Ar ryw olwg, prin eithriadol fu ymateb diwinyddol y Cyfundeb i'r argyfwng; er hynny, dylid cadw mewn cof rybudd yr Annibynnwr A. J. Grieve mai cyfran o ddiwinyddiaeth yn unig a gedwir mewn print, ac y dichon fod sylwadau ac anogaethau aelodau teulu'r Ffydd i'w gilydd ym mhob cenhedlaeth wedi bod mor effeithiol â dim i gadarnhau'r saint.[78] Ond ni ellid anwybyddu'r argyfwng a ddeilliai, yn ôl R. Tudur Jones, o waith dyneiddiaeth yn torri'r cyswllt â chariad Duw ac yn gosod y creadur megis ar orsedd y Creawdwr. Amcan dyneiddiaeth, meddai, oedd 'sisyrnu trwy wythiennau calon y Ffydd Gristnogol'.[79]

Yng Nghymru esgorodd yr argyfwng ar ddadl gyhoeddus a hirhoedlog rhwng dau o aelodau'r Cyfundeb, a dau o feibion y mans, a dau athronydd wrth eu galwedigaeth, sef J. R. Jones a Hywel D. Lewis, wrth iddynt geisio mynd i'r afael â'r hyn a ystyrid gan amryw yn wraidd yr argyfwng gwacter ystyr, sef twf gwyddoniaeth a thechnoleg. Yr hyn a wnaeth J. R. Jones, yn ôl Pennar Davies, ydoedd crynhoi holl athrawiaeth yr Iachawdwriaeth yn y syniad o dderbyniad, a ddisodlodd yr athrawiaethau traddodiadol am faddeuant, cymod a chyfiawnhad a'r geni drachefn, yr Iawn a mechnïaeth a phrynedigaeth ac eiriolaeth.[80] Ond barn yr athronydd Walford Gealy yw mai dyneiddiwr pur ydoedd J. R. Jones erbyn diwedd ei fywyd, er iddo barhau yn aelod eglwysig ffyddlon, ac iddo 'gefnu ar Gristnogaeth uniongred ers blynyddoedd, a hynny oherwydd iddo fethu cymodi ei ragdybiaethau athronyddol empeiraidd â iaith y ffydd Gristnogol'.[81]

Fel J. R. Jones, ceisiodd Hywel D. Lewis yntau ymateb i angen cymdeithas gyfoes, ac yr oedd yn ymwybodol mai prin iawn oedd dirnadaeth arweinwyr crefyddol ynghylch sut i wella'r sefyllfa, er eu bod yn fyw iawn i'r argyfwng.[82] Pwysleisiodd le profiad crefyddol a moesoldeb, er mwyn adfer ystyr i'r Ffydd, a mynnodd fod athrawiaeth, a oedd yn ddigyswllt â bywyd, yn farw gelain.[83] Ond cytunai hefyd â Paul pan haerodd yr Apostol nad oedd y 'rhai anianol yn derbyn pethau ysbryd Duw'.[84] Rhaid oedd wrth ddirnadaeth ysbrydol i allu gwneud hynny, a mynegodd Lewis ei siom fod diwinyddion wedi tueddu dianc rhag y gwaith deallusol o fywiocáu'r gwirionedd ysbrydol a ddaliwyd yn yr athrawiaeth. Fel y cynyddai gallu dyn a'i feistrolaeth ddeallol ar y byd, mwyaf oll oedd yr angen, yn ei dyb ef, am greu o'r newydd ymwybyddiaeth o bethau sanctaidd, addas i'r cynnydd ym mywyd llawn pob cyfnod. Oherwydd po fwyaf y cynnydd, mwyaf yr angen am y maeth ysbrydol a gadwai fywiogrwydd y meddwl rhag trethu ei adnoddau, a hanfod argyfwng diwylliant canol yr ugeinfed ganrif fu colli'r peth byw a droai'r niwlogrwydd yn ganfyddiad a wnâi wir grefydd yn fwy o fwyd a diod i bobl nag a fu erioed o'r blaen.[85]

Gan nad o'r gwagle ond yng nghyflawnder bywyd y deuai negeseuon Duw, perthynai i ddiwinyddiaeth y gwaith pwysig o ddadlennu ystyr ysbrydol helyntion cyfoes, a hynny drwy ddatgan yng nghysylltiadau llawn y presennol, y gwirioneddau ysbrydol a ganfuwyd ddoe. Ac yn ôl Hywel D. Lewis, ar y llwybr moesol yn anad yr un llwybr arall y deuai pobl i ganfod ac i ddehongli'n gywir arwyddocâd ysbrydol yr hyn a ddigwyddai iddynt a'u cymdeithas. Nid oedd diben fflangellu pobl am beidio â chredu yn wahanol i'r hyn a wnaent; mater o raid ydoedd credu, a rhaid oedd denu pobl at y bywyd o ufuddhau i Grist a myfyrio arno a ddatguddiai iddynt ogoniant ei berson. Hanfod ffydd ydoedd dod dros wrthwynebiad y meddwl beirniadol, nid drwy ei dreisio, ond drwy gydnabod gwirionedd annisgwyl datguddiad sy'n tywynnu drwy'r profiad mwyaf diriaethol, a derbyn ei ddisgyblaeth.[86] A chan fod i foeseg yr un awdurdod allanol ag a berthynai i rifyddeg,[87] a bod iddi awtonomi a barai nad oedd yn ddibynnol ar grefydd,[88] cymeradwyodd Hywel D. Lewis hi yn ffordd i bobl cyfnod y gwacter ystyr ddod i gyswllt â Duw. Mynnodd y gwyddai'r anffyddiwr fod drwg yn ddrwg, ac mai drwy'r gydwybod yn anad yr un ffordd arall y torrai llais Duw ar ymwybyddiaeth pobl.[89]

Afraid dweud y cafwyd digon yng Nghymru i amau'r lle a roddodd Lewis i foesoldeb yn ei amlinelliad o sut i fynd i'r afael â gwacter ystyr. Ond mwy dadlennol, efallai, yw sylw D. Ben Rees, sef bod llyfr Esgob Woolwich, John A.T. Robinson, *Honest to God*, wedi cael mwy o ddylanwad uniongyrchol ar aelodau eglwysi Cymru na'r ddadl fawr a fu rhwng J. R. Jones a Hywel D. Lewis.[90]

Yn 1963 cyhoeddodd yr Esgob ei gyfrol, ac yn ôl ei addefiad ei hun yn ddiweddarach, ceid ynddi ymgais i gymathu syniadau tri diwinydd digon croes i'w gilydd, sef Paul Tillich, Dietrich Bonhoeffer a Rudolph Bultmann. Haerodd na allai pobl gyfoes feddwl yn ystyrlon am Dduw ac eithrio fel sylfaen bod, ac nad y Bod Mawr, yn ôl meddylfryd traddodiadol yr Eglwys, mohono; fod Duw yn parhau i ddatguddio'i hun, a hynny drwy ddiwylliant yn gyffredinol, ac nid drwy grefydd neu'r Eglwys yn unig, a bod moeseg yn gymharol ac yn agored i newid a datblygu.

O safbwynt yr hyn a alwyd yn argyfwng delweddau amaethyddol mewn oes ddiwydiannol, croesawyd ymgais Robinson i gyfathrebu'r efengyl yn effeithiol mewn cyfnod pryd yr aeth iaith draddodiadol crefydd yn ddiystyr. Ond yng Nghymru beirniadwyd Robinson hefyd am danseilio trosgynoldeb Duw a gwneud cam â natur dyn. Er y tybiai'r Parch. W. I. Cynwil Williams, mewn pregeth ddechrau blwyddyn, fod term Paul Tillich am Dduw, sef 'gwaelod bod', yn hollol ddiystyr i fwyafrif ei gynulleidfa, eto fe'i gwrthwynebai'n sylfaenol, nid oherwydd hynny ond am ei fod yn derm amhersonol ac yn analluog i adlewyrchu'r syniad o dderbyniad oedd mor ganolog yn niwinyddiaeth Tillich.[91] I'r Athro Harri Williams yntau, a ofalai am hyfforddi ymgeiswyr yr Hen Gorff yn y Coleg Diwinyddol Unedig yn Aberystwyth, tasg y pregethwr cyfoes, yr un fath ag Iesu, Paul ac Ioan, oedd taro ar symbolau newydd, byw a grymus a wnâi'r gwirionedd oesol unwaith eto'n fyw ym meddyliau pobl, a hynny gan osgoi'r perygl enbyd o ddwyfoli geiriau.[92] Gwrthwynebid yr honiad fod y ddynoliaeth wedi dod i'w hoed a'r goruwchnaturiol wedi mynd yn ddiystyr, ac yn ôl Hywel D. Lewis, yn un o'r ymosodiadau mwyaf chwyrn a welwyd ar Robinson a'i gefnogwyr yn Gymraeg, yr ymadrodd mwyaf ofer yn *Honest to God* oedd y frawddeg: 'We are evidently not the praying type.'[93]Eu bai, meddai, oedd anwybyddu ysbrydolrwydd, ac erbyn diwedd y saithdegau yr oedd yn amlwg fod twf eithriadol wedi bod yn y diddordeb mewn ysbrydolrwydd a gweddi yn ystod y pymtheg mlynedd blaenorol,[94] ac y cafwyd ymhlith ieuenctid Eglwys Bresbyteraidd Cymru ac enwadau eraill ryw gynnwrf a barodd i rai gweinidogion gredu fod y wawr ar dorri.

Adlewyrchir hynny a'r diddordeb mewn gwaith a chenhadaeth ymhlith ieuenctid mewn cyfrol dreiddgar gan y Parch. Harri Parri lle y bu'n ystyried sefyllfa gwaith ieuenctid Cristnogol yn yr eglwysi yng nghyd-destun datblygiadau ehangach yn y maes.[95] Roedd ef yn weinidog ieuanc yn eglwys y Tabernacl, Porthmadog, y pryd hwnnw, a thystiodd yn ddiweddarach i frwdfrydedd amryw o'r ieuenctid ynglŷn â phethau ysbrydol, ac ymroddiad gweinidogion fel y Parch. Gareth Maelor Jones a'r Parch. Gwilym Ceiriog Evans ac eraill i'w harwain yn hynny o beth. Ond er i amryw o'r ieuenctid hynny ddod yn aelodau, ac yn ddiweddarach yn flaenoriaid defnyddiol yn eu heglwysi, ac i un ohonynt, a fu yng nghyfarfodydd ieuenctid y Parch. Harri Parri ym Mhorthmadog, sef Miss Carys Humphreys, dreulio'i gyrfa yn gwasanaethu yng nghanolfan ieuenctid Coleg y Bala, ac yna yn Eglwys Bresbyteraidd Taiwan yn un o weithwyr cenhadol y Cyfundeb, diflannu wnaeth yr addewid am adfywiad. Diflannu hefyd i bob golwg wnaeth y diddordeb Cymreig mewn diwinyddiaeth a chrefydd sefydliadol, a gwelwyd y llif a ffrydiodd mor eofn yn ystod hanner cyntaf y ganrif yn diflannu fel dŵr i wely afon.

Ond ni ddiflannodd yn llwyr, ac erys o hyd yn y Cyfundeb draddodiad efengylaidd, athrawiaethol ac unigolyddol y gellir ei gysylltu yn ei hanfod â'r rhai sy'n ystyried yr ysgrythur yn anffaeledig, ynghyd â thraddodiad mwy rhyddfrydol ei ogwydd sy'n fwy chwannog i ddehongli'r Gair yng ngoleuni profiad a gwybodaeth gyfoes, ac i bwysleisio'r eglwys yn hytrach na'r unigolyn.[96] Peryglus iawn, fodd bynnag, yw bod yn rhy bedantig ynghylch y gwahaniaethau hyn, fel y dangosodd Robert Pope wrth sylwi ar gymhlethdod diwinyddol safbwynt J. Cynddylan Jones, awdur *Cysondeb y Ffydd*, a gyhoeddwyd rhwng 1905 a 1916. Yr oedd, meddai, 'yn cynrychioli'r fath o weinidogaeth ddysgedig a oedd yng nghanol gobeithion a gweledigaeth Lewis Edwards pan agorodd ei athrofa yn y Bala a phan ddechreuodd gyhoeddi'r *Traethodydd*.[97] Er iddo ddod o dan ddylanwad idealaeth gyfoes gan gofleidio dysg ac ysgolheictod ei gyfnod, daliai fod yr efengyl yn rhagflaenu pob gwybodaeth felly ac na allai gael ei thanseilio ganddi. Dilynodd Kant gan roi lle canolog i foesoldeb, ond hanfod y ffydd iddo ef oedd marwolaeth Crist a sicrhaodd brynedigaeth y ddynolryw. Canlyniad clywed yr efengyl oedd y bywyd moesol i ryw raddau, a golygai arddel y ffydd ymlyniad wrth gredoau penodol, ond 'nid oedd hyn yn galw arno i hyrwyddo dealltwriaeth arbennig neu fynegiant athrawiaethol penodol o'r credoau hynny, yn rhannol oherwydd ei gred fod cynnydd mewn gwybodaeth a deall o oes i oes'.[98]

Cynrychiolwyd y traddodiad efengylaidd ar ei orau gan weinidogion goddefgar eu hagwedd a chenhadol eu hysbryd megis y Parch. Emyr Roberts, y Rhyl, a weithiodd yn ddiflino er mwyn cymeradwyo'r safbwynt efengylaidd i'r Corff. Mewn portread ohono dywedodd R. Geraint Gruffydd i'w ffydd grefyddol ddod iddo 'drwy droedigaeth pan oedd yn weinidog yn Nhrefor'. Ychwanega:

> Pennaf nodwedd y ffydd honno oedd rhyfeddod at drugaredd anesboniadwy Duw yn ymostwng i waredu'r pechadur truan Emyr Roberts – a phob pechadur arall – drwy ymgnawdoliad a marwolaeth ei Fab Iesu Grist.[99]

Yr ofn, fodd bynnag, ymhlith arddelwyr y safbwynt efengylaidd o fewn y Cyfundeb oedd fod y Corff yn prysur golli golwg ar y gwirioneddau a gynrychiolai, ac yn sgil penllanw Diwygiad 04–05 sefydlwyd *Yr Efengylydd* gan W. W. Lewis, Keri Evans, W. S. Jones, R. B. Jones a W. Nantlais Williams i roi llais i'r argyhoeddiad efengylaidd.

Gwirioneddau'r Groes, ailenedigaeth a gwaith yr Ysbryd Glân yn sancteiddio ac yn puro oedd yn bwysig gan y garfan hon,[100] ond wedi ystyried nifer o dröedigaethau y cofnodwyd eu hanes ar dudalennau *Yr Efengylydd* daeth Dewi Eurig Davies i'r casgliad mai pobl y capel a'r eglwys, nid pobl y byd a'r comin, a gafodd dröedigaeth fynychaf.[101]

Dywed na chlywodd y rhai a achubwyd y nodyn efengylaidd yn y capeli yr arferent eu mynychu, nad oedd y math o bregethu a glywsent yno wedi cyffwrdd â'u calonnau; ac er iddynt fyw bywyd rhinweddol nid oeddynt wedi eu bodloni oherwydd na fu iddynt adnabod Crist yn Waredwr i'w heneidiau. Ymddangosai'r bywyd newydd y bu iddynt ei brofi, fodd bynnag, yn ôl Dewi Eurig Davies, yn negyddol ei bwyslais gan y golygai ymwrthod â phêl-droed, y theatr a gwleidyddiaeth, fel pe baent yn perthyn i deyrnas Satan! Perthynas bersonol â Christ a nodweddai'r tröedigaethau a gofnodwyd ar dudalennau'r *Efengylydd,* ond y perygl oedd meithrin agwedd feirniadol tuag at yr eglwysi a cholli golwg ar weddau ymarferol a dyngarol y ffydd.

Ni fu'r Cyfundeb yn hwyrfrydig, fodd bynnag, i ddefnyddio ymgyrchoedd efengylu, a cheir awgrym y cafwyd mwy o archwaeth o fewn yr Hen Gorff at hynny, nag ymhlith yr Annibynwyr.[102] Er hynny, mae tinc beirniadaeth i'w glywed, yn ymateb yr efengylwyr i'r Corff, hyd yn oed pan gaiff ei leisio gan weinidogion y Cyfundeb.

Meddai Emyr Roberts:

> Yr ydym i raddau mawr wedi colli'r efengyl o'n mysg. Yr ydym wedi troi ein cefnau ar y gwirionedd sy'n achub. Diorseddwyd y Beibl, a'i orfodi i gowtowio i syniadau dynion … Gwrthodasom air cyntaf y datguddiad – ein bod ni oll yn bechaduriaid ac mewn angen am gael ein hachub, ceisiasom wneud arwyr ohonom ein hunain a mynd allan i'w achub ef a'i achos. O ganlyniad gadawyd ni i bydru mewn anghyfiawnder.[103]

Yn wir, awgryma Emyr Roberts fod y rhai 'deffroëdig' o fewn yr enwad yn cwyno am y Cyfundeb fel y cwynai eu cyndeidiau am yr eglwysi plwyf, 'mai anaml iawn y clywant yr efengyl o'n pulpudau'.[104] Craidd yr anniddigrwydd, fe ellid tybio, oedd yr hyn a ystyrid yn ansicrwydd y Corff ynglŷn ag awdurdod y Beibl. Byth ers dyfodiad yr uwchfeirniaid i faes Astudiaethau Beiblaidd yn y ganrif o'r blaen, bu gwrthdaro rhwng dau ddull gwahanol o ddehongli'r ysgrythur, y naill yn mynnu ei bod yn anffaeledig a'r llall yn cydnabod ei natur feidrol a'i gwendidau dynol. Cafwyd blas o'r gwrthdaro yn dilyn cyhoeddi esboniad y Parch. D. Francis Roberts ar gyfer dosbarthiadau pobl ifanc yn yr ysgolion Sul 1920–1, ac yn y ddadl rhyngddo ef a Saunders Lewis ar dudalennau'r *Llenor* am le dogma mewn crefydd.[105]

Yr amlycaf o ddigon o wehelyth y gangen efengylaidd o fewn y Corff oedd y Parch. Ddr Martyn Lloyd-Jones. Fe'i codwyd o fewn y Cyfundeb, ac fe ddenwyd ei dad, Henry Lloyd-Jones, gan ddysgeidiaeth ryddfrydol R. J. Campbell, a'i gyfrol *The New Theology*, a gyhoeddwyd yn 1907. Campbell, yn ôl Alan P. F. Sell, oedd gan C. J. Cadoux, yr Annibynnwr a Phrifathro Coleg Mansfield, Rhydychen, mewn golwg pan fynnodd y ceid 'liberals who emphasized the self-sufficiency of human beings, ignored sin and evil and denied the Lordship, divinity and saving power of Jesus, and also his incarnation and resurrection'.[106]

Ni fu i'r ddyneiddiaeth Gristnogol a gyfunwyd â rhyddfrydiaeth i beri newid cymdeithasol drwy addysg a gweithredu gwleidyddol ddenu dim ar y mab.[107] Er i'r teulu symud i Langeitho yn 1906 pan oedd Martyn yn saith mlwydd oed, i ardal a gysylltid â diwygiadau crefyddol y ddeunawfed ganrif, nid oedd Diwygiad 1904–05 wedi effeithio fawr ar y fro. Barn Martyn Lloyd-Jones yn ddiweddarach oedd fod Llangeitho erbyn hynny wedi colli tân a llawenydd y Diwygiad Methodistaidd i'r un graddau ag yr oedd Abaty Westminster wedi colli bywiogrwydd yr Eglwys Fore! Hyd nes ei dröedigaeth grefyddol yn ei ugeiniau cynnar nid oedd, yn ôl ei gyfaddefiad ei hun, yn Gristion o gwbl.[108] Gellir cymharu ei agwedd â'r hyn a fynegwyd gan Geraint Gruffydd wrth gyfeirio at dröedigaeth Emyr Roberts, a ddigwyddodd pan oedd yntau eisoes wedi ei ordeinio ac yn y weinidogaeth, ac y mae'n arwyddocaol hefyd mai wedi profiadau ysbrydol 1904 y daeth W. Nantlais Williams i roi heibio pob uchelgais am fod yn fardd ac yn bregethwr poblogaidd, a chofleidio'r ffydd efengylaidd.

Ond ynghlwm wrth yr argyhoeddiad eirias a'r bywyd newydd yr oedd anfodlonrwydd â'r hyn a ystyrid yn rhyddfrydiaeth ddiwinyddol y Cyfundeb, ac yn achos Martyn Lloyd-Jones, fe barodd yr un anfodlonrwydd iddo ddod yn elyn digymrodedd i eciwmeniaeth. Nid y credai fod enwadaeth ynddi ei hun yn anghywir, ond gwrthwynebai ddiwinyddiaeth ryddfrydol a thueddiadau ecwmenaidd gan y credai na ellid cael unoliaeth cymdeithas heb gael unoliaeth athrawiaeth yn gyntaf. Casgliad o saint, nid casgliad o ffrindiau, ydoedd yr eglwys, meddai, a deilliai eu hundeb o brofiad cyffredin pobl a gafodd eu haileni drwy'r Ysbryd Glân.[109] Ond yr oedd ymroad i weithio gydag enwadau eraill i ddiogelu undeb gweladwy yn rhan o etifeddiaeth yr Hen Gorff, ac wedi ei fynegi yn y Datganiad Byr a mesur seneddol 1933.

O ganlyniad i'w argyhoeddiad ac ar sail ei ddirnadaeth am natur y gweddill sanctaidd yn yr ysgrythurau, galwodd Martyn Lloyd-Jones yn 1966 ar i'r gweddill ffyddlon adael yr enwadau cymysg eu hathrawiaeth a sefydlu eglwysi efengylaidd.[110] Ond yn ôl John Stott, a gadeiriodd y cyfarfod yn Ail Gymanfa Genedlaethol yr Evangelical Alliance lle y cyflwynodd Martyn Lloyd-Jones ei alwad, ac a ddatgysylltodd ei hun yn syth oddi wrth apêl y pregethwr, nid oedd Lloyd-Jones wedi dehongli'r ysgrythur yn gywir. Methiant alaethus hefyd fu'r alwad i efengylwyr adael yr enwadau, er y cafwyd o fewn y Cyfundeb rai a ufuddhaodd iddi. Yn 1970 ymddiswyddodd rhai myfyrwyr diwinyddol a gredai nad oedd y Cyfundeb yn driw i wirioneddau sylfaenol y ffydd, ac yn dilyn hynny gwelwyd tair eglwys yn gadael y Cyfundeb, yn bennaf oherwydd ymlyniad y Corff at eciwmeniaeth.[111]

Ond, yn bwysicach efallai, o safbwynt perthynas y garfan efengylaidd â'r Cyfundeb, bu i'r alwad honno i ymadael wneud yn amlwg anniddigrwydd y garfan efengylaidd â'r Cyfundeb fel y cyfryw – anniddigrwydd a darddai o bwyslais ar brofiad ysbrydol o fath neilltuol, cywirdeb athrawiaeth yn ôl y 'ddealltwriaeth Galfinaidd', a phwyslais gwaelodol ar anffaeledigrwydd yr ysgrythur. Byddai tyndra rhwng y pegynau diwinyddol yn nodweddu bywyd y Corff am weddill y ganrif a thu hwnt. Er mai tyndra dan yr wyneb ydoedd gan amlaf, brigai i'r wyneb yn achlysurol yn y cyd-destun athrawiaethol, megis pan gyhoeddodd Panel Athrawiaeth yr enwad ddogfen drafod ar berthynas Cristnogaeth a chrefyddau eraill yn 2005, ac ar Fendithio Partneriaethau Sifil yn 2008 – dau bwnc y bu'n rhaid i'r enwad geisio ymateb iddynt oherwydd y newid mawr a welwyd ym mywyd y gymdeithas y tu allan i'r Eglwys. Yn wir, goddiweddwyd y drafodaeth ar fendithio partneriaethau sifil gan Ddeddf Priodas (cyplau o'r un rhyw) 2013 a roddai'r hawl i gyplau o'r un rhyw briodi. Ymwrolodd y Cyfundeb i ystyried a ddylid caniatáu gweinyddu priodasau o'r fath yn y capeli, a gwnaed hynny fel ag a oedd yn ofynnol, dan reolau'r Erthyglau Datganiadol (Erthygl VII yn benodol) a fynnai mai'r Gymdeithasfa yn y Tair Talaith ddylai ddod i benderfyniad ar y pwnc.[112]

Eto i gyd, rhaid pwysleisio y bu i amryw byd o aelodau a ystyriai eu hunain yn efengylaidd eu bryd aros yn driw i'r Cyfundeb, a theg rhybuddio eto nad yw labeli diwinyddol, bron byth, yn gallu gwneud cyfiawnder â'u harddelwyr. Mewn ysgrif ddadlennol yn bwrw trem yn ôl dros ddeugain mlynedd o ddiwinydda yng Nghymru cafwyd gan D. Densil Morgan yn 2015 gipolwg ar ei bererindod ysbrydol ef ei hun, a ddisgrifia fel symud o afael 'efengyleiddiaeth amrwd' at 'Awstiniaeth glasurol'.[113] Diddorol yn y cyswllt hwn yw ei farn mai cul a chaethiwus fu dylanwad y Mudiad Efengylaidd ar gyfarfodydd nos Sul y myfyrwyr ym Mangor ddiwedd y saithdegau. 'Cymerodd flynyddoedd,' meddai, 'i mi ymddihatru oddi wrth yr agweddau negyddol a hunangyfiawn a dybiais oedd yn arwyddion gwir dduwioldeb a gras.'[114]

Diau y bu profiad D. Densil Morgan yn brofiad i eraill hefyd, na fu ganddynt yr eirfa ddiwinyddol i'w ddisgrifio, ond yr un pryd fe ddylid cofio y ceir o hyd o fewn yr Hen Gorff ambell achos na fyddai'n croesawu merch i'r pulpud, a digon o bobl fyddai'n fodlon dadlau dros ddehongliad llythrennol o'r ysgrythur.

Daeth y safbwynt mwy ceidwadol hefyd i nodweddu gwaith ieuenctid yr enwad drwy Goleg y Bala yn ystod blynyddoedd olaf yr ugeinfed ganrif. Sefydlwyd Coleg y Bala yn ganolfan ieuenctid i'r enwad yn 1969, a bu'n gyfrwng hyfforddi a chadarnhau cenedlaethau o blant yr eglwysi yn y ffydd, ond erbyn degawd cyntaf y ganrif ddilynol yr oedd blas mwy a mwy ceidwadol i'r gwaith a gyflawnid yno, a rhoddwyd sylw i hyn gan y Gymdeithasfa yn y Gogledd yn 2015.[115] Pwysleisiodd y Gwasanaeth Plant ac Ieuenctid, fodd bynnag, mai 'gwneud disgyblion' a chyflwyno storïau Beiblaidd heb unrhyw bwyslais diwinyddol arbennig nac ymgais i orfodi cred nac anelu at dröedigaeth oedd y nod, a dyna a adroddwyd i'r Gymanfa Gyffredinol yn 2015.[116] Gwelwyd y gwaith a gyflawnid ymysg ieuenctid hŷn, dan y pennawd awgrymog 'Souled Out', hefyd yn dwyn ffrwyth, wrth geisio meithrin nifer o ieuenctid a fyddai'n gallu dod yn arweinwyr yn eu heglwysi. Y gri bellach oedd nad oedd enwadaeth yn cyfrif i'r ieuanc ac mai eu dyhead oedd gweld yr Eglwys yn cymryd Gair Duw o ddifrif. Ond, os oedd yr hen ffiniau enwadol yn pylu ac egwyddorion eglwysyddiaeth yn ymddangos yn fwyfwy diystyr i'r to oedd yn codi, nid oedd y pegynu diwinyddol i bob golwg yn cilio, er y dilëwyd y gwahaniaeth a fu mor amlwg ganol y ganrif wrth i ryddfrydwyr bwysleisio'r grefydd gymdeithasol a'r ceidwadwyr ffydd bersonol.

Erbyn canol ail ddegawd yr unfed ganrif ar hugain, felly, nid oedd unrhyw ddatblygiadau syfrdanol yng nghredo a diwinyddiaeth Eglwys Bresbyteraidd Cymru yn amlwg yn ystod y can mlynedd blaenorol. Ymatebodd yr enwad orau y gallai i'w gyd-destun cymdeithasol mewn gwahanol gyfnodau, gan gadw golwg yn gyson ar yr ysgrythurau a dal at brifford athrawiaeth glasurol yr Eglwys Gristnogol. Ymroddodd unigolion o fewn yr Hen Gorff hefyd i ymateb i'r ffydd a roddwyd unwaith i'r saint yn ôl eu cydwybod a'u dealltwriaeth eu hunain, ac mae'r cof am ambell un ohonynt, megis yr enwog Tom Nefyn Williams, a bwysleisiodd ei ffordd ei hun o edrych ar bethau ac a fu mewn anghydfod enbyd â'r Cyfundeb ar sail ei ddaliadau diwinyddol, o hyd yn fyw ymysg to hynaf y ffyddloniaid.[117] Ond ar y cyfan ni chynhyrfodd yr athrawiaethau fawr ar yr aelodau yn ystod y ganrif a aeth heibio, ac ar lawr gwlad fe ellid tybio i'r un pwyslais ar y ffydd Drindodaidd, lle canolog addoli a'r rheidrwydd i ymateb yn gadarnhaol i anghenion y byd, aros yn nodweddion cyson o fywyd a meddwl yr enwad. Ymddengys hefyd i'r pwyslais efengylaidd o fewn y Corff gynyddu erbyn dechrau'r unfed ganrif ar hugain, a hynny wrth i ddylanwadau o'r tu allan ymbriodi â phwyslais o'r tu mewn. Yn 2012 barn Pryderi Llwyd Jones, golygydd *Y Goleuad*, oedd fod y pwyslais ar aberth dirprwyol Crist a'i waith achubol ar y Groes wedi arwain at bartneriaethau newydd a llwyddiannus oedd yn cynnwys aelodau o'r Hen Gorff, a hynny mewn sawl gŵyl a mudiad efengylaidd, ac â rhagddo i restru 'Gŵyl Llanw, Cymru Gyfan, Souled Out, Coleg y Bala a'r Gynghrair Efengylaidd'.[118] Pryder y golygydd, fodd bynnag, oedd nad oedd y fath bwyslais yn ddigonol ar gyfer 'eglwys lydan'. Amser a ddengys a fydd i'r traddodiad rhyddfrydol o fewn yr Hen Gorff ymegino eto; yn sicr, fe fydd ar yr enwad angen ei holl adnoddau ymenyddol a chenhadol i ymateb yn ystod yr unfed ganrif ar hugain i ddyneiddiaeth a ymddengys yn gynyddol ymosodol a gwrthwynebus i grefydd, a radicaliaeth grefyddol a fyn esgor ar derfysg a brawychiaeth.

1 D. Densil Morgan, 'Calfiniaeth yng Nghymru, c.1590–1909', *Cylchgrawn*, 33 (2010), 56. Gw. J. Beverley Smith, 'Dechrau'r Ganrif: y Cyfundeb o dan archwiliad 1900–1925', *Cylchgrawn*, 20 (1996), 48–9.
2 Robert Pope, *Codi Muriau Dinas Duw* (Caernarfon, 2005), tt. 37–46.
3 Peter Hughes Griffiths, 'Y Cyfundeb a meddwl yr oes', *Y Goleuad*, (19 Chwefror 1915), 8.
4 Gw. John Barker, 'Moderniaeth ryddfrydol', *Y Traethodydd*, 97 (1942), 57–9.
5 Glyn Richards, *Datblygiad Rhyddfrydiaeth Ddiwinyddol ymhlith yr Annibynwyr* (Abertawe, 1957), t. 3.

6 J. E. Daniel, 'Pwyslais diwinyddiaeth heddiw', yn John Wyn Roberts (gol.), *Sylfeini'r Ffydd Ddoe a Heddiw* (Llundain, 1942), t. 84.
7 G. Wynne Griffith, *Datblygiad a datguddiad; y Ddarlith Davies am 1942* (Lerpwl, 1946), t. 173.
8 Ibid., tt. 173–4.
9 Ibid., t. 102.
10 Ibid., t. 102
11 Ibid., t. 103.
12 Robert Pope, *Codi Muriau Dinas Duw*, t. 57.
13 D. Miall Edwards, *Crefydd a Bywyd* (Dolgellau, 1915), t. 10.
14 Y Golygydd, 'Diwinyddiaeth yr Oes', *Y Goleuad* (24 Awst 1921), 8.
15 'Adroddiad Pwyllgor 1 ar "Ein hanes cyfundebol a'n hathrawiaethau, a hyfforddiant ein pobl ynddynt", yn *Comisiwn Ad-drefnu y Methodistiaid Calfinaidd: Adroddiadau'r Pwyllgorau* (Lerpwl, 1925).
16 Ibid., t. 18.
17 R. H. Evans, *Datganiad Byr ar Ffydd a Buchedd* (Caernarfon, 1971), tt. 11–17; gw. D. Densil Morgan, *The Span of the Cross*, tt. 107–30.
18 Ibid. t. 18.
19 'Adroddiad Pwyllgor 1 ar "Ein hanes cyfundebol a'n hathrawiaethau, a hyfforddiant ein pobl ynddynt", tt. 9–10. Noder nad oedd y Weithred Gyfansoddiadol yn caniatáu newid y Gyffes Ffydd. Am drafodaeth ar hynny, gw. R. H. Evans, *Datganiad Byr ar Ffydd a Buchedd,* tt. 34–6.
20 G. A. Edwards a John Morgan Jones, *Diwinyddiaeth yng Nghymru. Traethodau'r Deyrnas 4* (Wrecsam, 1924), t. 2.
21 Comisiwn Ad-drefnu y Methodistiaid Calfinaidd, tt. 47–8. Gw. G. A. Edwards, *Yr Athrawiaeth Gristnogol* (Caernarfon, 1953), t. 15; R. H. Evans, *Datganiad Byr ar Ffydd a Buchedd,* tt. 115–16.
22 Ibid., t. 23.
23 Ibid., t. 12.
24 John Baker, 'Moderniaeth Ryddfrydol', *Y Traethodydd*, 97 (1942), 5.
25 *Comisiwn Ad-drefnu y Methodistiaid Calfinaidd*, t. 19.
26 Gw. R. H. Evans, *Datganiad Byr ar Ffydd a Buchedd*, tt. 69–70.
27 Dyfynnwyd yn R. H. Evans, *Datganiad Byr ar Ffydd a Buchedd*, t. 31.
28 Ibid., t. 45.
29 Ibid., t. 47.
30 Am fywgraffiad cryno ohono, gw. J. E. Wynne Davies, 'Murmurs of the Brook: Nantlais 1874–1959', yn *The Treasury* 34, 11 (December 2009), 6.
31 Gw. D. Densil Morgan, *The Span of the Cross*, tt. 108–9.
32 Gw. R. H. Evans, *Datganiad Byr ar Ffydd a Buchedd*, tt. 72–5.
33 Ibid., t. 87.
34 Am grynodeb o'u cynnwys ac amlinelliad o'r modd y cawsant eu newid yn ystod y drafodaeth, gw. ibid., tt. 91–2, 124–9.
35 Gw. ibid., tt. 93–5.
36 Ibid., t. 112. Gw. hefyd tt. 124–8 lle ceir dadansoddiad manwl o'r newidiadau a wnaed i'r Erthyglau Datganiadol rhwng 1926 a'u ffurf derfynol ym Mesur Seneddol 1933.

37 Gw. ibid., tt. 113–14.
38 Gw. D. Miall Edwards, 'Y rhyfel a Hollalluowgrwydd Duw', *Y Beirniad*, 6 (1916), 2; David Adams, *Datblygiad yn ei ddylanwad ar foeseg a diwinyddiaeth* (Wrecsam, d.d.), tt. 24–34.
39 G. Wynne Griffith, *Datblygiad a datguddiad*, t. 171.
40 Ceir blas o'r feirniadaeth ar y cysyniad o fewnfodaeth Duw yn A. P. F. Sell, *Nonconformist Theology in the Twentieth Century* (Milton Keynes, 2006), tt. 13–15.
41 D. Miall Edwards, *Crefydd a Bywyd*, t. 192.
42 G. Wynne Griffith, *Datblygiad a datguddiad*, tt. 167–9.
43 Gw. Dan Davies, 'Gwyddoniaeth a Chrefydd', yn *Efrydiau Athronyddol*, VI (1943), 18–19.
44 W. D. Davies, 'Gwerth yr Hen Ddiwinyddiaeth Heddiw', *Y Traethodydd*, 91 (1936), 179.
45 G. Wynne Griffith, *Datblygiad a datguddiad*, t. 221.
46 *Comisiwn Ad-drefnu y Methodistiaid Calfinaidd*, tt. 52–3. Am feirniadaeth o safbwynt y Comisiwn ac amlinelliad o wendid y berthynas rhwng eu honiadau am Grist a'u sylfeini beiblaidd gw. D. Densil Morgan, *The Span of the Cross*, tt. 113–14.
47 *Comisiwn Ad-drefnu y Methodistiaid Calfinaidd*. t. 53.
48 John Baker, *Ffeithiau Cred* (Bala, 1947), t. 14.
49 Gw. Dewi Eurig Davies, *Diwinyddiaeth yng Nghymru 1927–1977* (Llandysul, 1984), tt. 65–78.
50 Hugh Williams, *Grym y Groes* (Caernarfon, 1948). Cyfeirir at y ddarlith hon yn Dewi Eurig Davies, *Diwinyddiaeth yng Nghymru*, t. 67.
51 Gw. Dewi Eurig Davies, 'Yr Ymagwedd cynnar yng Nghymru i ddiwinyddiaeth Karl Barth, I a II', yn *Diwinyddiaeth*, 34 (1983), 52–76; 37 (1986), 53–81; D. Densil Morgan, *Wales and the Word: historical perspectives on religion and Welsh identity* (Cardiff, 2008), tt. 120–41; *Cedyrn Canrif: Crefydd a Chymdeithas yng Nghymru'r ugeinfed ganrif* (Caerdydd, 2001), tt. 132–57.
52 Gw. J. Ithel Jones, 'Diwinyddiaeth Karl Barth, III', *Seren Gomer*, 43 (1951), 5.
53 J. E. Daniel, 'Gair Duw a gair dyn', *Yr Efrydydd*, 5 (1929), 254. Gw. E. Keri Evans, 'Karl Barth: y proffwyd', *Y Tyst* (16 Awst 1928), 8–9; T. Ivon Jones, 'Pregethu'r Gair yn ôl Karl Barth', *Y Traethodydd*, 5 (1936), 18; R. Ifor Parry, 'Diwinyddiaeth yng Nghymru heddiw', *Yr Ymofynnydd*, 54 (1954), 7.
54 Hywel D. Lewis, *Gwybod am Dduw* (Caerdydd, 1952), t. 188; idem, *Morals and the new theology* (London, 1947), t. 8.
55 Iorwerth Jones, 'Dyddlyfr y Dysgedydd', *Y Dysgedydd*, 135 (1955), 240.
56 Philip J. Jones, 'The new orthodoxy – a criticism', *The Welsh Outlook*, 18 (1931), 180.
57 Dewi Eurig Davies, 'Yr Ymagwedd cynnar yng Nghymru i ddiwinyddiaeth Karl Barth, II', yn *Diwinyddiaeth*, 37 (1986), 80.
58 Gw. J. Oliver Stephens, 'Barth a Ragaz', *Y Tyst* (21 Hydref 1948); 16. J. D. Vernon Lewis, 'Diwinyddiaeth Karl Barth', *Yr Efrydydd*, 3 (1927), 286.

59 J. E. Daniel, 'Karl Barth', *Y Dysgedydd*, 125 (1945), 7.
60 Stephen O. Tudor, 'Crefydd Crisis', *Y Drysorfa*, 92 (1926), 215–16; T. Trefor Parry, 'Tueddiadau Diwinyddol Ewrop ar ôl y Rhyfel Mawr', I a II, *Yr Eurgrawn*, 154 (1962), 128–34, 162–6.
61 Gw. Alan Richardson, 'Book Reviews', *Theology*, 51 (1948), 30. Gw. D. Densil Morgan, *Wales and the Word*, tt. 121–2.
62 D. Miall Edwards, *Bannau'r Ffydd: dehongliad beirniadol o brif athrawiaethau'r Grefydd Gristnogol* (Wrecsam, 1929), t. 389.
63 D. Densil Morgan, *Wales and the Word*, tt. 121–41.
64 Idem, *Cedyrn canrif*, tt. 132–57.
65 Idem, t. 156
66 John Tudno Williams, 'Biblical scholarship in the twentieth century', yn A. P. F. Sell and A. R. Cross, *Protestant Nonconformity in the twentieth century* (Carlisle, 2003), t. 7.
67 Stephen J. Williams, 'Cymru'r Cylchgronau', *Yr Efrydydd*, 7/3 (1942), 8–9.
68 J. E. Meredith (gol.), *Credaf* (Dinbych, 1943), t. 5.
69 E. Tegla Davies, '"Credaf"–II', *Yr Eurgrawn*, 136 (1944), 106.
70 Dafydd Jenkins, 'Adolygiadau: Bywyd a Chredo', *Yr Efrydydd*, 9/1 (1943), 27.
71 J. R. Jones, 'Sefwch gan hynny yn y rhyddid', yn D. James Jones a J. R. Jones, *Anerchiadau Cymdeithasfaol yr Wyddgrug, Pwllheli a Machynlleth 1942* (1943), t. 42.
72 J. R. Jones, 'Eglwys Crist a'r gwareiddiad newydd', *Y Drysorfa*, 112 (1942), 271.
73 Ibid., 276.
74 Gw. G. A. Edwards, 'Addysg a Chrefydd' yn *Yr Efrydydd*, 7/2 (1941), 16.
75 Dafydd Ellis Thomas, 'Yr Argyfwng', *Y Drysorfa*, 134 (1964), 152.
76 Hywel D. Lewis, 'Oes y newid a'r chwalu', *Barn*, 22 (1964), 277.
77 J. Trefor Lloyd, 'Oni wyddoch arwyddion yr amserau?', *Y Drysorfa*, 136 (1966), 52.
78 Dyfynnir yn A. P. F. Sell, 'The theological contribution of Protestant Nonconformists in the twentieth century: some soundings' (Pickwick Publications, Oregon, 2013), t. 35.
79 R. Tudur Jones, 'Diffaethwch heddiw', *Yr Efrydydd*, 1 (1950), 21.
80 Pennar Davies, *Diwinyddiaeth J. R. Jones* (Abertawe, 1978), t. 12. Gw. Harri Williams, 'Y dyn modern yn chwilio am enaid', *Y Drysorfa*, 131 (1961), 157.
81 Walford Gealy, 'Ann Griffiths a'r Athro J. R. Jones', yn Gwynn Matthews (gol.), *Cred, Llên a Diwylliant – Cyfrol Deyrnged Dewi Z. Phillips* (Talybont, 2012), tt. 116–41.
82 Hywel D. Lewis, *Dilyn Crist* (Bangor, 1951), t. 21.
83 Idem, *Gwybod am Dduw* (Caerdydd, 1952), t. 96.
84 Gw. I Corinthiaid 2:14.
85 Hywel D. Lewis, *Gwybod am Dduw*, t. 100.
86 Gw. R. Geraint Gruffydd, '*Moriae Encomium*: Pwt o Bregeth' yn Dewi Z. Phillips (gol.), *Saith Ysgrif ar Grefydd* (Dinbych, 1967), tt. 17–23.

87 Hywel D. Lewis, *Morals and the New Theology* (London, 1947), t. 25.
88 Ibid., t. 26.
89 Hywel D. Lewis, *Teach Yourself Philosophy of Religion* (London, 1965), t. 265.
90 D. Ben Rees, 'Diwinyddiaeth Cymru (1960–1975) yng Ngoleuni Cymdeithaseg Crefydd', *Diwinyddiaeth*, 29 (1978), 32.
91 W. I. Cynwil Williams, 'Ar ddechrau blwyddyn: pregeth', *Y Drysorfa*, 135 (1965), 5.
92 Harri Williams, 'Geiriau', *Y Traethodydd*, 121 (1966), 22–3.
93 Hywel D. Lewis, 'Oes y Newid a'r Chwalu', tt. 277–8.
94 Gw. Saunders Davies, 'Gweddi'r Cristion Heddiw', *Diwinyddiaeth*, 29 (1978), 32–46.
95 Harri Parri, *Achub Lyfli Pegi* (Dinbych, 1974).
96 D. Densil Morgan, *The Span of the Cross*, tt. 213–15; Vivian Jones, *Symud Ymlaen* (Cyhoeddiadau'r Gair, 2015).
97 Robert Pope, 'Cysondeb y Ffydd: arolwg ar ddiwinyddiaeth y Cyfundeb Methodistaidd, 1905–1950', *Cylchgrawn*, 33 (2009), 93.
98 Ibid., 94.
99 Gw. John Emyr (gol.), *Dyddiau Gras* (Pen-y-bont ar Ogwr, 1993), t. 10.
100 Gw. W. Nantlais Williams, 'Llinellau'r Efengylydd', *Yr Efengylydd,* 15 Ionawr 1931, 1–2.
101 Dewi Eurig Davies, *Diwinyddiaeth yng Nghymru 1927–1977*, tt. 86–8.
102 Ibid., t. 88.
103 Emyr Roberts yn John Emyr (gol.), *Dyddiau Gras*, t. 59.
104 Ibid., t. 73.
105 Gw. D. Densil Morgan, *The Span of the Cross,* tt. 111, 113–15.
106 Gw. A. P. F. Sell, *The Theological Contribution of Protestant Nonconformists in the Twentieth Century: Some Soundings*, t. 39.
107 John Brencher, *Martyn Lloyd-Jones (1899–1981) and Twentieth-century Evangelicalism (*Carlisle, 2002), tt. 7–8.
108 'For many years I thought I was a Christian when in fact I was not. It was only later that I came to see that I had never been a Christian and became one.' Martyn Lloyd-Jones, *Preaching and Preachers* (London, 1971), t. 146.
109 John Brencher, *Martyn Lloyd-Jones*, tt. 89–91.
110 Gw. Euros Wyn Jones, 'John Calfin (1509–1564): agweddau ar ei ddylanwad ar Gymru', yn *Cylchgrawn*, 33 (2009), 172.
111 Eifion Evans, *A Presbyterian Album (*Llandysul, 2000), tt. 29–30.
112 Gw. 'Adroddiad Bwrdd y Gymanfa' *yn Gweithrediadau y Gymanfa Gyffredinol 2015*, Atodiad 4.
113 D. Densil Morgan, *Y Deugain Mlynedd Hyn* (Cyhoeddiadau'r Gair, 2015), tt. 130–79.
114 Ibid. t. 14. Gw. Arfon Jones, 'Y Saith Degau ym Mangor – cyfnod o gyffro a newid', *Y Goleuad*, 140, 20 (2012), 4.
115 Adroddiad y Gymdeithasfa yn y Gogledd, Seion, Llanrwst 21–22 Ebrill 2015, tt. 49–50.
116 'Cyd-gyfarfod Swyddogion yr Adran Plant ac Ieuenctid a Swyddogion

Pwyllgor Bywyd a Thystiolaeth y Gymdeithasfa yn y Gogledd ynghyd â Swyddogion y Gymdeithasfa ynglŷn â gogwydd diwinyddol y Gwasanaeth Plant ac Ieuenctid', yn *Gweithrediadau y Gymanfa Gyffredinol* 2015, Adroddiad y Bwrdd Bywyd a Thystiolaeth, Rhif 2.4.

117 Gw. Harri Parri, *Tom Nefyn: Portread* (Caernarfon, 1999); ac am ymateb mwy negyddol, Eifion Evans, *A Presbyterian Album,* t. 28.

118 Golygyddol, *Y Goleuad*, 140, 17 (2012), 2.

Pennod 6

ADDYSG

John Tudno Williams

Y Colegau

Yn ddiau y digwyddiad a effeithiodd fwyaf ar faes ein trafodaeth yn y cyfnod dan sylw, yn union fel yr effeithiodd ar agweddau eraill ar fywyd y Cyfundeb wedi'r Rhyfel Byd Cyntaf, oedd y penderfyniad i benodi Comisiwn Ad-drefnu i archwilio hanes a chyfansoddiad y Cyfundeb yn 1919.[1] Yn *Adroddiad Pwyllgor III (De a Gogledd)* ymdrinnir â materion yn ymwneud ag ymgeiswyr am y Weinidogaeth ac Addysg yr Efrydwyr.[2] Ceir ynddo argymhelliad i ffurfio 'Bwrdd Ymgeiswyr' yn y ddwy Gymdeithasfa i ystyried addasrwydd yr ymgeiswyr ar gyfer y weinidogaeth a ddeuai ger ei fron, a hefyd i drefnu eu cwrs addysg.[3] Yn ogystal, gwnaethpwyd argymhelliad i sefydlu dwy ysgol ragbaratoawl gydenwadol, un yn y gogledd ac un yn y de, ar gyfer yr ymgeiswyr hynny a oedd wedi gadael yr ysgol yn ifanc heb gymwysterau ar gyfer dilyn cwrs coleg ar y pryd.[4] Fodd bynnag, ni wireddwyd dymuniad y Comisiwn i sefydlu ysgolion cydenwadol; daethant yn eiddo'r Cyfundeb ei hun, ond caniateid i efrydwyr o enwadau eraill eu mynychu.[5] Yna, cafwyd argymhelliad i uno'r addysg athrawiaethol yn Aberystwyth gyda phum athro a thri tiwtor.[6] Byddai Coleg y Bala yn cael ei neilltuo ar gyfer hyfforddiant ynglŷn â gwaith ymarferol y weinidogaeth ym mlwyddyn olaf pob efrydydd gyda dau athro'n gyfrifol amdano.[7]

Er bod coleg diwinyddol wedi'i agor yn Aberystwyth yn 1906, penderfynodd Sasiwn y Gogledd wrthod cynnig David Davies,

Llandinam, i gyfuno addysg ddiwinyddol y Cyfundeb yno, ac felly arhoswyd yn y Bala am gyfnod pellach.[8] Nid peth newydd oedd anghydfod rhwng Sasiynau'r Gogledd a'r De ynglŷn â sicrhau lleoliad un coleg diwinyddol mewn un man ac roedd anghytundeb ar y mater cyd-rhwng y Bala a Threfeca wedi rhygnu ymlaen yn ystod ail hanner y ganrif flaenorol.[9] Dywed G. A. Edwards:

> Prin y mae angen dywedyd i'r Rhyfel (1914–1918) ddrysu llawer ar waith yr Athrofa, a chyn ei ddiwedd barnai rhai mai cau'r Coleg a fuasai'n briodol. Eithr ni wnaethpwyd hynny, ond trefnwyd i gyfuno'r ddau sefydliad o Ionawr 1916 i Fehefin 1919: yn y Bala 1916–1917, ac yn Aberystwyth 1917–1919. Yn 1917, yn y Bala, yr oedd pump o athrawon ac ugain o efrydwyr. Yn 1915, gofynnwyd i'r Parch. D. Morris Jones, M.A., B.D., weithredu fel darlithydd cynorthwyol yn y Bala, ond erbyn Ionawr 1916 yr oedd yn y fyddin, a'r Athro J. O. Thomas yn Ffrainc gyda'r Y.M.C.A. Ymunodd 14 o efrydwyr y Bala â'r fyddin, a gwrthodwyd pump arall. Ail-benodwyd Mr. D. Morris Jones yn ddarlithydd am dymor 1919–20 pan ddychwelodd o'r Rhyfel.[10]

Dylid ychwanegu bod Owen Prys a David Williams wedi symud i'r Bala ddechrau 1916,[11] a bod yr adran ragbaratoawl yn y Bala wedi cau yn 1915.[12] Â G. A. Edwards ymlaen i ddweud: 'Erbyn Medi 1919, cychwynasai'r ddau Goleg unwaith eto ar wahân, eithr hyderai'r De na ddylanwadai hynny ar farn derfynol neb ynghylch y priodoldeb o ymuno drachefn neu o beidio ag ymuno yn y dyfodol.'[13]

Cynhaliwyd cydgyfarfyddiad yn Llanrwst ym mis Gorffennaf 1920 rhwng Cyfeisteddfod Coleg y Bala a'r Comisiwn Ad-drefnu lle cyflwynwyd y tri chynllun canlynol i'w hystyried:

i. cyflawni'r gwaith academic ac athrofaol i'r holl Gyfundeb yn Aberystwyth, a'r gwaith ynglŷn â bugeilio ac agweddau ymarferol y weinidogaeth ym mlwyddyn olaf y cwrs yn y Bala;
ii. y gwaith athrofaol ym Mangor, a'r gwaith ymarferol yn y Bala;

iii. y cyfan yn y Bala, gan gyfyngu'r flwyddyn olaf yno i'r gwaith ymarferol a phenodi athro newydd ar gyfer hynny.[14]

Y cyntaf oedd cynllun Cyd-bwyllgor y De a'r Gogledd: cynlluniau'n perthyn i'r Gogledd yn unig oedd y ddau arall.[15]

Yn Sasiwn y Gogledd yng Nghonwy yn Ebrill 1921, awgrymodd Dr John Williams, Brynsiencyn, y dylid sefydlu Coleg Diwinyddol Presbyteraidd ym Mangor, ond pedwar ar ddeg yn unig a'i cefnogai. Yn ddiweddarach yr un flwyddyn pleidleisiodd deuddeg o un ar bymtheg o henaduriaethau'r Gogledd dros y cynllun cyntaf, ac fe'i mabwysiadwyd drwy fwyafrif mawr yng Nghymdeithasfa Pwllheli ar 21 Medi.[16] 'Dyma lwyddo, felly, o'r diwedd,' meddai G. A. Edwards, 'ar ôl pump o geisiadau aflwyddiannus i uno'r De a'r Gogledd yn y gorffennol, i sylweddoli un o hen freuddwydion sylfaenwyr yr Athrofa.'[17] Ond dylid nodi mai am bum mlynedd yn unig yn y lle cyntaf yr oedd yr uno yn Aberystwyth i ddigwydd 'gan deimlo mai hyn ar y pryd oedd arweiniad y golofn'.[18] Yn yr un modd, pum mlynedd o arbrawf oedd i fod gyda'r Cwrs Bugeiliol yn y Bala,[19] ond fe'i hestynnwyd yn 1926–7 am amser amhenodol.[20]

Yn Adroddiad Cyd-bwyllgor y Colegau a gyflwynwyd i Gymdeithasfaoedd y De a'r Gogledd yn Ebrill 1922 dywedir:

> Gwaith mawr a phwysig ac anodd oedd y gwaith a ymddiriedodd y Cymdeithasfaoedd i'r Pwyllgor hwn, gwaith yn galw am lawer o ofal, ac o ysbryd parod ac awyddus ar ran yr aelodau o Dde a Gogledd i beidio glynu yn rhy dŷn wrth eu syniadau personol, ond i roddi lle mawr ac ystyriaeth ddwys i syniadau ei gilydd. Ni fynnai y Pwyllgor gelu iddo gyfarfod ag anawsterau. Ond ceisiwyd ymddiried yn yr Arglwydd, ac yn noethineb a chariad y Cyfundeb. Gyda llawenydd y mynegwn na osododd neb o'r Athrawon, yn y Gogledd na'r De, un math ar rwystr ar ffordd y Pwyllgor ... Ar ol llawer o ystyriaeth penderfynodd y Pwyllgor, gyda'r peth agosaf posibl at fod yn hollol unfrydol, gyflwyno y cynllun a ganlyn i sylw a chymeradwyaeth y ddwy Gymdeithasfa.[21]

Y cynllun oedd rhannu'r athrawon rhwng y ddau sefydliad a phennu pynciau arbenigol i bob un. Yr oedd angen swm ychwanegol o £3,000 i ariannu sefydlu'r Coleg Diwinyddol Unedig; cyfrannwyd £1,000 gan un teulu, ac yr oedd angen £1,000 yr un o Sasiynau'r De a'r Gogledd, ond bu'n rhaid ei gwtogi wedyn i £750 y flwyddyn. Yn anffodus ni chyrhaeddwyd y nod yn y naill Sasiwn na'r llall, ac yn wir yr oedd casgliad yr ail flwyddyn yn llai na'r un y flwyddyn cynt. Cafwyd apêl, felly, am well cefnogaeth i'r casgliad.[22] Meddai G. A. Edwards:

> Aethpwyd ati'n ddiymdroi i ddwyn i'w derfyn waith Coleg y Bala yn yr hen ffurf a threfnu ar gyfer y dyfodol. Rhifai efrydwyr y Bala yn ystod tymor olaf yr hen oruchwyliaeth (1921–22) bump ar hugain; datganwyd gwerthfawrogiad y Gymdeithasfa (Bethesda, 1922) o wasanaeth Pwyllgor neu, â defnyddio'r hen air parchus, Cyfeisteddfod Athrofa'r Bala, a diolchwyd yn gynnes i'r pedwar athro. Trefnwyd i dri ohonynt symud i Aberystwyth.[23]

Y rhain oedd: William Porter, i fod yn gyfrifol am Lenyddiaeth a Diwinyddiaeth yr Hen Destament a'r Testament Newydd;[24] Richard Morris, a fu dros dro (1918–19) yn ystod y Rhyfel Mawr yn weinidog ar eglwysi yn Arfon, yn gyfrifol am Athrawiaeth,[25] a John Owen Thomas, am Roeg y Testament Newydd; ac ef a ddewiswyd yn Brifathro gweithredol,[26] ond bu'n rhaid iddo ymddiswyddo yn 1926 oherwydd afiechyd.[27] Yn Aberystwyth yr oeddent yn ymuno â Dr Owen Prys, a fu'n Athro yn Nhrefeca er 1890 ac yn Brifathro yno er 1892,[28] ac er iddo symud oddi yno i Aberystwyth yn 1906 yn Brifathro parhaodd yn bennaeth y Coleg Unedig hyd ei ymddeoliad yn 1927.[29] Cyflwynodd gapel i'r Coleg Diwinyddol er cof am ei briod, ac fe'i hagorwyd ddiwedd 1934.[30]

Yno hefyd yr oedd yr Athrawon John Young Evans (Hanes yr Eglwys), a fu'n Athro yn Nhrefeca er 1892[31] ac a fu farw ar ôl hanner can mlynedd o wasanaeth i golegau'r Cyfundeb,[32] ac E. Norman Jones (Hebraeg yr Hen Destament), a fu'n Athro Hebraeg yn Nhrefeca o 1902 ymlaen.[33] Bu ef hefyd am gyfnod yn ystod y Rhyfel Byd Cyntaf, 1914–16, yn ddarlithydd mewn Hebraeg yn y Brifysgol yn Aberystwyth.[34] Roedd yn arferiad i'r Prifathro ofalu am ddysgu Athrawiaeth, ond nid oedd neb ar y pryd â gofal am Hanes Crefydd ac Athroniaeth Crefydd.

Gofynnnwyd i David Williams ddod i'r Bala i gychwyn y gwaith yno yn Hydref 1922 gyda David Phillips, a fu'n gweithredu'n Athro Athroniaeth a Hanes Crefydd er 1908 ar ôl bod yn ddarlithydd ym Mhrifysgol St. Andrews yn yr Alban.[35] Bu'n brifathro yn y Bala o 1927 hyd 1947.[36] Dechreuodd David Williams yn Nhrefeca yn 1905–6 yn Athro Hanesiaeth Eglwysig[37] cyn symud i Aberystwyth i ddysgu'r Testament Newydd o 1906 hyd 1922, ac yna i'r Bala o'r flwyddyn honno hyd ei farwolaeth ddisyfyd yn 1927.[38] Bu'n gwasanaethu'n Gaplan yn ystod y Rhyfel Mawr, 1916–18.[39] Meddai G. A. Edwards:

> Crewyd Bwrdd Llywodraethol Newydd i ofalu am yr Athrofa Ddiwinyddol Unedig, fel y gelwid hi bellach, a chyfarfu hwnnw am y tro cyntaf yn y Bala (Hyd. 5 a 6, 1922): dewiswyd y Prifathro Owen Prys yn Llywydd, Arglwydd Clwyd a Mr David Davies, A.S., yn Drysoryddion, a'r Parchn. John Owen, Caernarfon, a Lewis James, Builth Wells, yn Ysgrifenyddion.[40]

Ac ychwanega:

> Dechreuodd y gwaith yn y Bala gyda 23 o efrydwyr, ac yn Aberystwyth gyda 34, ac ar derfyn y flwyddyn gyntaf diolchodd y Gymdeithasfa am y llwyddiant a fu dan yr oruchwyliaeth newydd.[41]

Yn sgil anniddigrwydd pellach ynglŷn â'r trefniadau yn y ddau goleg, yn 1926 penderfynwyd penodi pwyllgor i ystyried holl gwestiwn addysg y weinidogaeth. Yn ôl G. A. Edwards, awgrymodd y pwyllgor hwnnw 'bod yr holl addysg ddiwinyddol i'w rhoddi yn Aberystwyth gan gynnwys gwaith y Bala, ond gwrthododd Sasiwn [y Gogledd] hyn, ac felly aeth Coleg y Bala, unwaith eto, ymlaen fel cynt'.[42] Felly, parheid â'r addysg academaidd yn Aberystwyth a'r hyfforddiant ymarferol yn y Bala.[43]

Ymddiswyddodd Dr Prys yn 1927, a dewiswyd y Parch. Howel Harris Hughes, Lerpwl,[44] yn Brifathro'r Coleg yn Aberystwyth, gyda'r Parch. W. R. Williams, Abertawe,[45] a fu er 1925 yn cynorthwyo yno fel darlithydd, yn dod yn athro sefydlog mewn Athroniaeth Crefydd (1927–8) ac yna mewn Groeg ac Esboniadaeth y Testament

Newydd (1928–49).[46] Hefyd, yn 1927 'ymddiswyddodd David Phillips o'r Bala gan na theimlai fod yr holl Gyfundeb yn selog dros y gwaith yno, eithr yn Nhachwedd penodwyd ef yn Brifathro'r Bala, a threfnwyd i'r Parch. D. Morris Jones roddi help iddo yn nhymor 1927–8, ar ôl marwolaeth David Williams.'[47] Y flwyddyn ganlynol penodwyd Gwilym Arthur Edwards i'r Bala yn olynydd i David Williams.[48] Estynnwyd tymor H. Harris Hughes yn Brifathro yn Aberystwyth am ddwy flynedd yn 1937.[49]

Cafwyd nifer o newidiadau eraill ymhlith staff y colegau yn y dauddegau: ymddiswyddodd Norman Jones yn 1928;[50] ymneilltuodd Richard Morris yn 1929,[51] ac yn yr un flwyddyn bu farw J. T. Alun Jones a fu'n gofrestrydd a Llyfrgellydd Coleg y Bala er 1887.[52] Penodwyd y Parch. William David Davies yn Athro Hanes Crefyddau ac Athroniaeth Crefydd yn Aberystwyth yn 1928,[53] ond ymddiswyddodd yntau yn 1933 wedi helynt yno.[54] Yn ei le penodwyd D. Morris Jones yn Athro Athroniaeth a Hanes Crefyddau,[55] i ddechrau yn Hydref 1934.[56] Yr oedd deg wedi ymgeisio am y swydd.[57]

Yn Adroddiad yr Athrofa Ddiwinyddol Unedig (7 Chwefror 1939) cyhoeddwyd penodiad G. A. Edwards i olynu H. Harris Hughes yn Brifathro'r Coleg Diwinyddol.[58] Fe'i dilynwyd yn 1949 gan W. R. Williams, ac ar ei farwolaeth ddisyfyd ddiwedd 1962 daeth Samuel Ifor Enoch, Athro'r Testament Newydd er 1953, yn Brifathro.[59] Ar ymddiswyddiad S. I. Enoch dechreuodd Rheinallt Nantlais Williams weithredu'n Brifathro ym Mehefin 1978.[60] Ymddeolodd yntau a Harri Williams yn 1980,[61] a phenodwyd Elfed ap Nefydd Roberts yn Brifathro gyda gofal arbennig am y Cwrs Bugeiliol, a sefydlwyd yn Aberystwyth yn 1964 dan gyfarwyddyd Harri Williams.[62] Daeth Stephen Nantlais Williams i ddilyn ei dad yn Athro Diwinyddiaeth ac Athroniaeth Crefydd,[63] ac fe'i dilynwyd yntau yn 1992 gan yr Athro Alan P. F. Sell a ddaethai o Brifysgol Calgary, Canada. Ef hefyd oedd y prif symbylydd i sefydlu yn 1993 Ganolfan i Astudio'r Meddwl Cristnogol Prydeinig yn y ddau goleg diwinyddol yn Aberystwyth, ac yn ystod y degawd nesaf denwyd nifer dda o fyfyrwyr ymchwil i ymbaratoi ar gyfer graddau uwch Prifysgol Cymru mewn meysydd diwinyddol.

Bu farw William Porter erbyn Mawrth 1937,[64] ac fe'i olynwyd i gadair yr Hen Destament gan Bleddyn Jones Roberts.[65] Symudodd yntau i Goleg y Brifysgol, Bangor, yn 1946, a daeth S. H. Hedley Perry i'w olynu. Pan benodwyd yntau i gadair mewn prifysgol newydd yn Nigeria yn 1961, mynegwyd gwerthfawrogiad o'i wasanaeth i'r coleg dros bymtheng mlynedd yn Adroddiad Bwrdd yr Athrofa Unedig yn y Gymanfa yn y Bala yn 1961.[66] Fe'i dilynwyd yn y gadair hon gan Gwilym H. Jones, cyn iddo yntau hefyd symud i Goleg Bangor yn 1966.[67] John Tudno Williams, gweinidog yn y Borth, Ceredigion, ar y pryd, a ymgymerodd â dysgu'r pwnc yn rhan-amser ar y cyd â Peter M. K. Morris o Goleg Llanbedr, ac yna yn 1973 fe'i penodwyd i swydd lawn-amser mewn Astudiaethau Beiblaidd yn y coleg ac yn Athro'r Testament Newydd yn 1978.[68] Manteisiwyd hefyd ar gyfraniadau'r Parch. John Owain Jones, gweinidog gyda'r Annibynwyr yn Nhywyn, Meirionnydd, rhwng 1983 a 1987, a'r Parch. Gwynn ap Gwilym, rheithor Mallwyd, rhwng 1987 a 2002, ar gyfer dysgu Hebraeg a'r Hen Destament.

Wedi i'r Parch. W. R. Williams gael ei benodi'n Brifathro yn 1949, dewiswyd Huw Parri Owen yn Athro'r Testament Newydd nes ei ymadawiad yntau am Goleg Bangor yn 1953. Oddi yno aeth i Goleg y Brenin, Llundain, i ddarlithio ym maes Athroniaeth Crefydd nes ei ddyrchafu yn ddiweddarach yn Athro Diwinyddiaeth Gristnogol yn y coleg hwnnw.[69] Cymerwyd ei le gan S. I. Enoch.

Ym maes Hanes yr Eglwys gweithredodd Albert Kyffin Morris[70] wedi marwolaeth J. Young Evans yn 1942, ac fe'i dilynwyd yntau yn 1949 gan Basil Hall, a aeth ymlaen yn 1958 i lenwi Cadeiriau yng Ngholeg Westminster yng Nghaergrawnt a Phrifysgol Manceinion, ac yna Gymrodoriaeth yng Ngholeg Ieuan Sant, Caergrawnt.[71] Dewiswyd Dr R. Buick Knox, Gwyddel o'r Eglwys Bresbyteraidd yn Iwerddon, i lenwi Cadair Hanes yr Eglwys yn y Coleg yn 1958, ac addawodd ddysgu Cymraeg – addewid a wireddwyd mewn byr o dro. Pan ymadawodd yntau yn 1968 am Gaergrawnt wedi'i benodi'n athro yng Ngholeg Diwinyddol Westminster,[72] dewiswyd James Stuart Alexander, ysgolhaig o'r Alban, i gymryd ei le.[73] Dychwelodd ef i'w wlad enedigol yn 1973 wedi'i benodi'n ddarlithydd ym Mhrifysgol St Andrews. Ymgymerwyd â dysgu Hanes yr Eglwys wedyn gan y Parch. D. G. Selwyn o Goleg Llanbedr ac yna'r Parch. Ddr. Boyd Schlenther o Goleg y Brifysgol, Aberystwyth, hyd nes y penodwyd y Prifathro Elfed ap Newydd Roberts yn 1980 a chyfunodd ef y gwaith â gofal am yr Adran Fugeiliol.

Yn 1896 y dechreuwyd cynnal cwrs B.D. yn y colegau diwinyddol.[74] Gerbron y Comisiwn Brenhinol a benodwyd yn Ebrill 1916 o dan law'r Is-iarll Haldane i archwilio trefniadaeth Prifysgol Cymru, yn ystod y ddadl a ddylid cynnwys Diwinyddiaeth oddi mewn i'r brifysgol, dywedodd Owen Prys, Deon Diwinyddiaeth y Brifysgol ar y pryd, na ddylid cynnwys Athrawiaeth Gristionogol ym meysydd llafur colegau'r Brifysgol.[75] Mae paragraffau 262–8 yr Adroddiad yn trafod Diwinyddiaeth a'r brifysgol.[76] Roedd yr arholwyr mewn Diwinyddiaeth i fod yn hollol allanol yn ôl yr hyn a sefydlwyd yn 1896, a beirniadwyd hyn gan Gomisiwn Haldane: 'in that it leaves Theology as the sole subject in which the University countenances an absolute divorce between teaching and examination'.[77] Yn sgil y feirniadaeth hon galwyd am fwy o gydweithrediad rhwng y brifysgol a'r colegau diwinyddol.[78] Ond o ran trefn yr arholi, parhaodd y sefyllfa hon hyd nes y diwygiwyd y radd B.D. i'w gwneud yn radd gyntaf yn 1969. Ar ôl i Gyfadran Ddiwinyddiaeth y Brifysgol godi pwyllgor yn 1923 i lunio cynllun astudiaeth newydd ar gyfer y radd hon, daeth trefn newydd cwrs y B.D. i rym yn 1927–8.[79] Yna, yn sgil dyfodiad Coleg Dewi Sant, Llanbedr Pont Steffan, i mewn i'r brifysgol, a'r coleg hwnnw eisoes yn dyfarnu gradd gychwynnol mewn Diwinyddiaeth, dechreuwyd cynnig astudio'r B.D. newydd fel gradd gyntaf yn Hydref 1969.[80]

Yn Adroddiad y Pwyllgor Addysg i Gymanfa Gyffredinol Bethlehem, Treorci, 23–5 Mehefin 1919, rhoddwyd croeso i Adroddiad Comisiwn Haldane ar fater y berthynas rhwng addysg ddiwinyddol yn y brifysgol a'r colegau Diwinyddol, a datganwyd: 'We recommend without hesitation that the University and its Constituent Colleges should be relieved forthwith of any restriction upon their powers to provide instruction and to undertake study and research in Theological subjects.'[81] Crybwyllir hefyd yn Adroddiad y Pwyllgor Addysg fod Coleg Bangor yn sgil hyn am sefydlu pedair Cadair newydd mewn meysydd yn ymwneud â chrefydd, ond mae'n amlwg na ddaeth y cyllid angenrheidiol i law i wireddu'r bwriad hwn.[82]

Yn ei dystiolaeth i Bwyllgor Haldane mynegodd Owen Prys ei wrthwynebiad i sefydlu Ysgol Ddiwinyddiaeth genedlaethol ym Mangor.[83] Cafodd swyddogion Coleg y Bala dipyn o fraw oherwydd y bwriad hwn a chawsant gyfarfod â chynrychiolwyr Coleg Bangor ym mis Tachwedd 1919 i gael esboniad ynghylch yr hyn oedd yn digwydd ym Mangor.[84] Sefydlwyd Cyfadran Ddiwinyddol Prifysgol Cymru yn 1921 ac roedd i adrodd i Fwrdd Academaidd y Brifysgol.[85] Sefydlwyd Cyfadran Ddiwinyddiaeth Coleg Bangor yn 1922 yn sgil argymhellion Comisiwn Haldane y dylid llacio'r cyfyngiadau ar ddysgu Diwinyddiaeth yng ngholegau'r brifysgol,[86] a sefydlwyd Ysgol Ddiwinyddiaeth ym Mangor yn 1934.[87] Digwyddodd yr un peth yng Nghaerdydd yn 1931–2.[88] Ac yna yn 1979, gyda symud Coleg Coffa'r Annibynwyr o Abertawe i Aberystwyth, sefydlwyd Ysgol Ddiwinyddol Aberystwyth a Llanbedr Pont Steffan gyda'r ddau goleg prifysgol ynghyd â'r colegau diwinyddol yn ei ffurfio.[89] Yn Adroddiad Bwrdd y Coleg i'r Gymanfa yn Llangeitho yn 1985, hysbyswyd bod peth trafod wedi bod i ystyried y posibilrwydd o gael coleg diwinyddol rhyngenwadol;[90] eithr ni ddaeth dim o hynny yn y cyfnod dan sylw.

Yn niwedd 1927 ffurfiwyd Cyd-bwyllgor o'r Bwrdd Academaidd a Chyfadran Ddiwinyddiaeth y Brifysgol i ystyried y berthynas rhwng y colegau diwinyddol a cholegau'r brifysgol o safbwynt dysgu Diwinyddiaeth. Awgrymai'r Cyd–bwyllgor y dylid diogelu statws y colegau diwinyddol enwadol, yn ogystal â'r cysylltiadau a oedd ganddynt eisoes â Phrifysgol Cymru trwy gynrychiolaeth ar y Llys.[91] Yn 1936 daeth cenadwri oddi wrth Gofrestrydd Prifysgol Cymru fod y Brifysgol yn argymell trefn newydd o ddewis athrawon i'r colegau diwinyddol. Awgrymwyd y dylid cyflwyno enwau unrhyw ymgeiswyr am swydd athro yn y colegau diwinyddol i Gyd-bwyllgor o saith eu hystyried cyn i benodiad swyddogol gael ei wneud.[92]

Yn 1954 bu dirprwyaeth o dan arweiniad yr Athro John Baillie o'r Coleg Newydd, Caeredin, yn 'ymweld â phob un o ganolfannau dysgu diwinyddiaeth ym Mhrifysgol Cymru, gan gynnwys y colegau enwadol'.[93] Pan gyhoeddwyd eu hadroddiad ym mis Chwefror 1956 roedd hi'n amlwg eu bod o'r farn ddiamwys y 'dylai'r Brifysgol ffederal fabwysiadu patrwm Bangor, a chymell y colegau eglwysig i adleoli i adran Prifysgol lle dysgid diwinyddiaeth eisoes, a chanoli'r dysgu yno'.[94] Yng ngeiriau R. Tudur Jones: 'Ffrwydrodd athrawon y colegau [diwinyddol] mewn memorandwm eithriadol lym a roddodd y fath ergyd, gyda llaw, i'r drefn ymweld fel mai'r Ymweliad nesaf ym 1959 oedd yr olaf.'[95] Beirniadodd athrawon y colegau hyn yr ymwelwyr am 'anwybyddu (a) bob gwaith a wnaethpwyd yn Gymraeg a (b) pob cyfraniad gan ysgolheigion hysbys yn y Colegau Cysylltiedig'.[96]

Dros y blynyddoedd ceid niferoedd sylweddol yn y Coleg Diwinyddol Unedig yn dilyn cyrsiau diwinyddol y brifysgol. Yn Adroddiad Bwrdd yr Athrofa Unedig i'r Gymanfa Gyffredinol yn y Bala ym Mehefin 1961, ceir ystadegau diddorol sy'n dangos nifer yr ymgeiswyr llwyddiannus yn yr holl golegau ac adrannau diwinyddol Cymreig o 1935 hyd 1960.[97] Fe'u hatgynhyrchir isod:

Gradd B.D.	**Aber-ystwyth**	**Aber honddu**	**Caer-fyrddin**	**Bangor**	**Caerdydd**
1935–49	75	19	18	42	35
1949–54	15	2	8	8	3
1954–58	6	4	4	11	8
1958–60	5 (o gyfanswm o 22)				
Diploma mewn Diwinyddiaeth					
1935–49	61	6	11	10	20
1949–54	22	7	9	11	19
1954–58	38	12	13	11	22
1959	5	2	–	3	5
1960	9	**Abertawe** 3	–	4	3

Yna, o gyfnod ychydig yn ddiweddarach cawn y ffigyrau a ganlyn:

Gradd B.D.	**Aberystwyth**	**Abertawe**	**Bangor**	**Caerdydd**
1972–78	26	31	36	41
Diploma mewn Diwinyddiaeth				
1972–78	4	13	20	44

Yn ddiweddarach trafodwyd cyflwyno gradd B.Th. a roddai fwy o le i astudiaethau bugeiliol na'r B.D.,[98] ac fe'i cymeradwywyd. Gwnaed hyn yn 1989.

Profwyd llwyddiant addysgol pellach pryd y cafwyd canlyniadau canmoladwy iawn yn yr arholiadau terfynol. Yng nghyfnod deng mlynedd olaf y ddau goleg diwinyddol yn Aberystwyth rhwng 1993 a 2003 enillodd chwe myfyriwr radd B.D. ag anrhydedd yn y dosbarth cyntaf, gyda 25 ychwanegol yn ennill gradd anrhydedd yn yr ail ddosbarth rhan uchaf. Yn 1996 y dyfarnwyd dosbarthiadau anrhydedd gyntaf yn y radd B.Th., ac yng nghyfnod olaf y colegau dyfarnwyd gradd yn y dosbarth cyntaf i ddau fyfyriwr ac enillodd 17 radd yn rhan uchaf yr ail ddosbarth.

Fel y cyfeiriwyd uchod, ar 1 Mehefin 1978 cynhaliwyd cyfarfod yn Aberystwyth i ystyried sefydlu Ysgol Diwinyddiaeth wedi'i chanoli yno ac yn Llanbedr Pont Steffan gyda chynrychiolwyr o bedwar coleg yn bresennol, sef Coleg y Brifysgol a'r Coleg Diwinyddol Unedig, Coleg Dewi Sant Llanbedr ynghyd â'r Coleg Coffa a oedd yn bwriadu symud o Abertawe i Aberystwyth pe sefydlid yr ysgol arfaethedig.[99] Cafwyd cryn wrthwynebiad i'r bwriad hwn o du'r ddwy ysgol Diwinyddiaeth arall, yn arbennig yr un ym Mangor. Roedd ymateb Caerdydd yn llai chwyrn nag un Bangor, a dynnodd sylw at y ffaith fod Llys y Brifysgol wedi cytuno yn 1962 i ddileu'r ymweliadau bob pum mlynedd â'r colegau diwinyddol a'r ysgolion diwinyddol, ac wedi datgan yr un pryd na ddylai hyn arwain at sefydlu ysgolion diwinyddol ar wahân i'r rhai ym Mangor a Chaerdydd.[100] Gosodwyd y dadleuon o blaid ac yn erbyn sefydlu trydedd ysgol yng Nghyfadran Ddiwinyddol y Brifysgol ar 23 Mehefin 1978, ac fel cyfaddawd penderfynwyd dechrau trafodaeth ffurfiol ar holl fater dysgu Diwinyddiaeth yn y Brifysgol.[101] Eithr yn y cyfamser cadarnhawyd sefydlu'r ysgol newydd gan Lys y Brifysgol yng Ngorffennaf 1978,[102] a dechreuodd ar ei gwaith yn yr hydref 1979. Felly, nid oedd y Coleg Diwinyddol Unedig i'w gydnabod mwyach fel 'Associated Theological College' gan fod ei berthynas â'r brifysgol bellach drwy'r ysgol leol.[103] Ond, ysywaeth, penderfynodd Coleg y Brifysgol, Aberystwyth, dynnu allan o'r ysgol yn 1983 pan symudodd aelodau ei Hadran Grefyddol i Goleg Llanbedr.[104]

Cafwyd cyfnewidiadau yn nhrefniadaeth dysgu Diwinyddiaeth yn y Brifysgol yn nes ymlaen pan gytunwyd, ar gynnig Deon Diwinyddiaeth y Brifysgol, i ddatganoli swyddogaethau'r Gyfadran i'r tair Ysgol.[105] Prif effaith y trefniant newydd hwn oedd i'r ddau goleg diwinyddol yn Aberystwyth ddod o dan gronglwyd Adran Ddiwinyddiaeth Coleg Llanbedr, a weinyddai ar eu rhan mewn perthynas â Phrifysgol Cymru.

Wedi trafodaeth hirfaith ar ddyfodol canolfannau'r Cyfundeb penderfynwyd, yn bennaf oherwydd y gostyngiad yn nifer yr ymgeiswyr am y weinidogaeth, beidio â derbyn myfyrwyr heblaw ymgeiswyr i'r coleg o Hydref 2000 ymlaen, a chaewyd y Coleg Diwinyddol yng Ngorffennaf 2003. Penderfynwyd penodi cyfarwyddwr hyfforddiant i arolygu'r gwaith o baratoi ymgeiswyr y dyfodol ar gyfer y weinidogaeth gan leoli ei swyddfa yn y Coleg Gwyn (Coleg y Bedyddwyr) ym Mangor. Dr Elwyn Richards, a oedd eisoes yn Athro yn Aberystwyth er 1997, a ddewiswyd i gyflawni'r gwaith hwn.

Y Defnydd o'r Gymraeg yn gyfrwng dysgu yn y Coleg Diwinyddol Unedig

Bu'r mater hwn dan ystyriaeth am nifer fawr o flynyddoedd.[106] Ceir cofnod ynglŷn â hyn yn Adroddiad Cymdeithasfa'r De yng Ngwanwyn 1930: 'Penderfynwyd gofyn i'r Sasiwn beth a wnaed ynglyn a [*sic*] rhif 7 yn Adroddiad Cymdeithasfa Llundain, sef "Ein bod yn gofyn i'r Gymdeithasfa gyfarwyddo Bwrdd y Coleg Diwinyddol i weithredu yn ol yr anogaethau yn Adrannau 65–69, t. 314 [o'r adroddiad swyddogol *Y Gymraeg mewn Addysg a Bywyd* (1927)]".'[107] Ac yna, ddwy flynedd yn ddiweddarach, adroddir fel hyn: 'Wedi darllen atebiad Senedd y Coleg ... lle y dadleuir mai anodd fyddai trefnu i roddi sylw mwy i'r Gymraeg, penderfynwyd awgrymu i'r Gymdeithasfa y dylid trefnu dosbarth i astudio'r Gymraeg a'i llenyddiaeth ynglyn a gwaith y Coleg'.[108] Yn y Gymdeithasfa yn Aberystwyth ym Mehefin 1932 pasiwyd i ymddiried y mater i Athrawon y Coleg. Dair blynedd yn ddiweddarach nodir yn Adroddiad Bwrdd yr Ymgeiswyr o dan y pennawd 'Welsh in the Colleges': 'Owing to pressure of work the matter was deferred for six months'.[109]

Yna, ceir Henaduriaeth Gorllewin Morgannwg yn cynnig bod 'pob Ymgeisydd am y Weinidogaeth ar ôl dechrau 1934 i ymrwymo i ddysgu Cymraeg cyn myned i'r Coleg Diwinyddol fel y gallo wasanaethu y Cyfundeb yn y ddwy iaith'. Fe'i cyflwynwyd i ystyriaeth Bwrdd yr Ymgeiswyr.[110] Ond flwyddyn yn ddiweddarach ni lwyddodd gwelliant Henaduriaeth y Fflint i'r Rheolau Derbyn newydd i'r Weinidogaeth 'fod pob ymgeisydd i basio'r Matriculation yn yr iaith Gymraeg' i dderbyn unrhyw gefnogaeth yng Nghymdeithasfa'r Gogledd yn y Bala, ym Mehefin,1935.[111] Yn wir, dim ond o 1958 ymlaen y dechreuwyd meddwl o ddifrif am addysgu ac arholi yn y Gymraeg a cyrhaeddwyd safle cyfartal i'r iaith yn 1963.[112] Isaac Thomas oedd y cyntaf i gael ei benodi i staff Adran yr Hebraeg ac Efrydiau Beiblaidd Bangor yn unswydd i ddysgu addysg grefyddol drwy gyfrwng y Gymraeg. Fe'i penodwyd yn Hydref 1958 a dechreuodd ar ei waith yn Ionawr 1959.[113]

Cyffro yn y Coleg Diwinyddol

Ymddengys y sylw canlynol yn Adroddiad Bwrdd yr Ymgeiswyr i'r Gymdeithasfa yn y De a gynhaliwyd yn Aberaeron ym Medi 1933: 'Yn wyneb y sibrwd fod nifer o'n myfyrwyr yn y Colegau yn ymwneud â diod feddwol yr oedd yn angenrheidiol gwneud ymchwil i'w eirwiredd a phenderfynodd y Bwrdd benodi Is–Bwyllgor i wneud hynny.'[114] Penderfyniad y Bwrdd yn dilyn adroddiad gan yr Is-bwyllgor oedd atal wyth o'r pregethwyr ar brawf am flwyddyn hyd Gorffennaf 1934 ac i'r Bwrdd Ymgeiswyr eu cyf-weld yr adeg honno[115] wedi iddynt ymddangos o'u blaen.[116] Adroddwyd bod dau fyfyriwr wedi cyfaddef iddynt fod yn gyfrifol am gynnau tân yn y Coleg Diwinyddol ddwy waith. Gwrthodwyd eu cais am gael eu hadfer i'r coleg.[117] Huw Llewelyn Williams ac Ifan O. Williams oedd y ddau a gyfaddefodd iddynt roi'r coleg yn Aberystwyth ar dân.[118] Yn Adroddiad y Bwrdd a gyflwynwyd yng Nghymdeithasfa'r De ym Mhen-llwyn ym Medi 1934 cyhoeddwyd bod tri o'r rhai a ataliwyd yn ymddiswyddo ac un arall wedi priodi. Dim ond y pedwar a oedd am gael eu hadfer a dderbyniwyd yn ôl.[119]

Mewn cysylltiad â'r un mater derbyniwyd ymddiswyddiad yr Athro W. D. Davies yn Awst 1933 mewn cyfarfod arbennig o Fwrdd yr Athrofa Unedig,[120] a cheir y Gymdeithasfa yn y De yng Nglynebwy ym mis Tachwedd 1933 yn cadarnhau dyfarniad Henaduriaeth Gogledd Aberteifi yn ei achos.[121] Yn sgil hyn i gyd datganwyd mai llwyrymwrthodwyr oddi wrth ddiodydd meddwol yn unig a gâi fod yn y Coleg ac yn ymgeiswyr.[122] Eto, diddorol yw nodi i'r Parch. W. D. Davies, M.A., B.D., Aberystwyth [*sic*], gael ei ddewis i annerch Cyfarfod y Gweinidogion ar 'Neges Karl Barth' yng ngwanwyn 1936.[123]

Hefyd ceir penderfyniad gan Fwrdd yr Ymgeiswyr (27 Gorffennaf 1933) nad oedd ymgeiswyr am y weinidogaeth a oedd yn priodi yn ystod eu cwrs addysg i'w hystyried felly mwyach.[124] Yn nes ymlaen cododd camddealltwriaeth rhwng y ddwy Gymdeithasfa ynglŷn â'r mater hwn; felly, penderfynodd Cymdeithasfa'r De anfon at Gymdeithasfa'r Gogledd i ofyn iddynt ailystyried eu cenadwri, sef na châi myfyrwyr briodi yn ystod eu hymgeisiaeth.[125] Wedi cydgyfarfod rhwng cynrychiolwyr o'r ddwy Gymdeithasfa ym mis Mawrth 1937, cytunwyd y câi myfyriwr briodi 'mewn amgylchiadau eithriadol', ac felly, yng nghyfarfod Cymdeithasfa'r De ym Mhenarth ym mis Ebrill 1937, newidiwyd ychydig ar y penderfyniad gwreiddiol drwy ddatgan y parheid i wahardd unrhyw ymgeisydd a fyddai'n priodi yn ystod ei gwrs addysg heb ganiatâd ei henaduriaeth.[126]

Cafwyd rhybudd o gynigiad yng Nghymdeithasfa Tylorstown, ym mis Tachwedd 1934, gan y Parch. John Green: 'Fod yr amser wedi dod i ni ail-ystyried cynllun addysg pregethwyr ieuainc y cyfundeb, ac y dylasai eu cwrs addysg diwinyddol, yn cynnwys y gwaith a wneir yn awr yn y Bala fel rhan ohono, gael ei gwblhau yn y Coleg Diwinyddol Unedig yn Aberystwyth'.[127] Ond yn y Gymdeithasfa nesaf yn Nhalgarth ym mis Ebrill 1935 datganwyd: 'Gan nad oedd y Parch. John Green yn dymuno codi mater o rybudd yn ystod blwyddyn y Dathlu [sef daucanmlwyddiant dechrau'r Diwygiad Methodistaidd yng Nghymru] symudwyd ymlaen at y mater nesaf'.[128] Ond, ar gynigiad pellach gan y Parch. John Green yng Nghymdeithasfa Caerfyrddin yn 1936, penodwyd Cyd-bwyllgor drachefn gan y ddwy Gymdeithasfa yn 1937 i 'wneuthur ymchwil i holl gwrs addysg ein pregethwyr ieuainc'.[129]

Daeth cynnig oddi wrth y Parch. Eliseus Howells yng Nghymdeithasfa Tylorstown yn hydref 1934: 'Ein bod fel Cymdeithasfa yn y Dehau o'r farn y dylem sefydlu Cadair Efengyleiddio yn ein Coleg Diwinyddol yn Aberystwyth, fel ffurf arhosol ar ddathlu ein Daucanmlwyddiant a'n bod yn gofyn barn y Gymdeithasfa yn y Gogledd ar y peth hwn'. Ond cyn dod i benderfyniad pasiwyd bod Mr Howells yn cyflwyno'r cais yn y Gogledd.[130] Ond mae'n amlwg na ddaeth dim o'r syniad hwn.

Yn gynharach, roedd pwyllgor wedi'i godi i drafod a ddylai ymgeiswyr 'gymryd eu cwrs diwinyddol mewn unrhyw goleg yng Nghymru heblaw ein Coleg ni ein hunain'.[131] Yn sicr, ar ôl y rhyfel (1939–45) canolodd y Corff ei fyfyrwyr yn Aberystwyth, ac roedd yr olaf ohonynt ym Mangor yn 1966.[132] Eto, mynnodd rhai ymgeiswyr ddilyn eu cyrsiau diwinyddol ym Mangor wedi hynny, ond gorfodwyd iddynt ddod i Aberystwyth i gyflawni blwyddyn o baratoad bugeiliol ar derfyn eu cwrs.

Cafodd galwad Dr. Martyn Lloyd-Jones ym mis Hydref 1966 i efengylwyr adael yr enwadau traddodiadol effaith ar y Coleg Diwinyddol yn gymaint ag i saith myfyriwr adael y Coleg a'r Corff yng ngwanwyn 1967.[133] Yng nghyfarfod Bwrdd y Coleg yn Ebrill 1967 crybwyllwyd bod ansicrwydd ynglŷn â bwriadau'r saith, ac yna, erbyn y Gymanfa Gyffredinol, cyhoeddwyd eu bod wedi ymddiswyddo o fod yn ymgeiswyr.[134]

Colegau Diwinyddol Eraill y Corff

(i) Trefeca

Roedd Trefeca yn Athrofa Ddiwinyddol gyflawn o 1897 ymlaen a chafodd ganiatâd i baratoi ar gyfer gradd ddiwinyddol Prifysgol Cymru.[135] Ond fel y gwelwyd uchod, symudodd i Aberystwyth yn 1906.[136] Wedi i'r hyfforddiant diwinyddol symud i'r coleg newydd yn Aberystwyth ac agor yno ar 17 Hydref 1906 gyda deg ar hugain o fyfyrwyr,[137] parhaodd Trefeca yn ysgol ragbaratoawl o 24 Medi 1906 ymlaen,[138] gyda'r Parch. T. Howatt yn brifathro hyd 1918 a'r Parch. M. H. Jones yn gynorthwywr iddo.[139] Ymddiswyddodd M. H. Jones yn 1909 ac fe'i dilynwyd gan y Parch. Ll. B. Williams.[140] Symudodd Ll. B. Williams i America yn 1914 a dewiswyd y Parch. D. Tudor Jones yn ei le.[141] Caeodd y coleg dros gyfnod y Rhyfel Mawr ac ailagorwyd yr ysgol ragbaratoawl yn Nhrefeca yn 1919 dan D. Tudor Jones, gyda'r Parch. J. J. Jones (a fu farw yn 1925) yn is-athro.[142] Yn 1926 penodwyd y Parch. W. P. Jones[143] yn brifathro a'r Parch. T. O. Davies yn is-athro, ac yn niwedd 1932 penodwyd Mr T. Hevin Williams yn drydydd athro.[144] Estynnwyd penodiad T. Hevin Williams yn Nhrefeca i ddiwedd sesiwn 1936,[145] a dychwelodd yntau i gynorthwyo yno yn 1963 wedi iddo adael Coleg y Bala yn 1962.[146]

Yn 1937 penodwyd comisiwn i ymchwilio a oedd sail i achwynion ynglŷn â Choleg Trefeca.[147] Yn ddiweddarach yn yr un flwyddyn datganwyd yn adroddiad dros dro Comisiwn Ymchwil Trefeca: 'Teimla'r Comisiwn, yn wyneb yr hyn a gyhoeddir ar draws gwlad, ei fod wedi ei foddhau yn natur yr addysg a gyfrennir i'r Myfyrwyr yn Nhrefecca'.[148] Y flwyddyn ddilynol derbyniwyd Adroddiad ac Awgrymiadau Comisiwn Trefeca ar wella'r sefyllfa yno,[149] ac erbyn diwedd yr haf hwnnw roedd Pwyllgor Coleg Trefeca wedi derbyn argymhellion adroddiad y Comisiwn.[150]

Daeth T. O. Davies yn brifathro yn 1955; penderfynwyd yn y Gymanfa yn 1962 ei fod i barhau yn ei swydd am dair blynedd arall.[151] Yn Adroddiad Bwrdd y Colegau Unedig ar 30 Mawrth 1962 cyhoeddwyd y byddai Mrs Mabel Bickerstaff yn gorffen fel athro yn Nhrefeca wedi saith mlynedd o wasanaeth gwerthfawr.[152] Daeth y gwaith yn Nhrefeca i ben yn 1964 gydag wyth o fyfyrwyr yn unig yno ar y pryd.[153]

(ii) Ysgol Clynnog – Ysgol Eben Fardd

Ysgol Ragbaratoawl oedd y coleg hwn ac yn olynydd i sefydliad addysgol a oedd wedi'i sefydlu'n wreiddiol gan Ebenezer Thomas (Eben Fardd) yng Nghlynnog yn 1827.[154] Fe'i mabwysiadwyd gan Gyfarfod Misol Arfon yn 1850 i fod yn ysgol ar gyfer paratoi addysg i ddarpar ymgeiswyr am y weinidogaeth a hynny dan gyfarwyddyd Eben Fardd ei hun.[155] Y Parch. J. H. Lloyd Williams oedd yn brifathro o 1896 hyd 1917,[156] ac wedi ei ymadawiad i fod yn weinidog ar Eglwys Moss Side, Manceinion, bu'r ysgol ynghau o fis Mawrth hyd fis Medi 1917 pan benodwyd y Parch. R. Dewi Williams yn brifathro,[157] ac yna gwasanaethodd y Parch. W. Ffowc Evans yn athro cynorthwyol o 1920 hyd 1924.[158] Yn ei le yntau daeth y Parch. Ddr Thomas Jones Parry.[159]

'Ar ôl y Rhyfel Mawr 1914–18 daeth dylifiad o ddisgyblion i'r ysgol nes bod yno 50 ar y llyfrau',[160] ond wyth ar hugain oedd yn yr ysgol pan gaeodd yn 1929.[161]

(iii) Coleg Clwyd

Symudwyd i Goleg Clwyd yn y Rhyl ym Medi 1929.[162] Roedd 'gŵr bonheddig hael yn cynnig adeilad yn rhodd i'r Cyfundeb er mwyn agor ysgol newydd yn y Rhyl'.[163] Parhâi R. Dewi Williams yn brifathro, gyda'r Parch. John Alwyn Parry yn athro cynorthwyol iddo am gyfnod byr.[164] Yna, yn 1930, daeth R. S. Hughes[165] yn athro yn ei le ac yna'n brifathro ar ymddeoliad R. Dewi Williams yn 1939 gydag Arthur Tudno Williams yn ei gynorthwyo hyd nes i'r coleg orfod cau dros dro gan fod myfyrwyr naill ai wedi mynd i wasanaethu yn y lluoedd arfog neu mewn cylchoedd eraill. Ailagorodd y coleg wedi'r rhyfel, gyda'r Parch. T. Hevin Williams bellach yn cynorthwyo R. S. Hughes;[166] ond fe'i caewyd yn 1952 a symudwyd y gwaith rhagbaratoawl i'r Bala.[167]

(iv) Coleg y Bala

Fel y nodwyd eisoes, dechreuwyd ar y cwrs bugeiliol yn y Bala yn 1922.[168] David Phillips a David Williams oedd y cyd-athrawon i ddechrau, a daeth Phillips i'w gydnabod yn brifathro'n fuan.[169] Gwilym Arthur Edwards a ddilynodd David Williams pan fu yntau farw'n hanner cant oed yn 1927.[170] Penodwyd G. A. Edwards yn brifathro'r Coleg Diwinyddol yn Aberystwyth yn 1939,[171] ac arhosodd yno hyd ei ymddeoliad yn 1949.[172] Daeth y Parch. Griffith Rees i'r Bala yn ei le[173] a bu'r Parch. Rheinallt Nantlais Williams yn gyd-athro ag ef yn ystod pedair blynedd olaf y cwrs bugeiliol yn y Bala.[174]

Yn 1953 pasiwyd i fabwysiadu cwrs bugeiliol i gydredeg â'r cwrs diwinyddol yn Aberystwyth, a gwahoddwyd Griffith Rees i fod yn Gyfarwyddwr Astudiaethau Bugeiliol yno, ond ni welai'r ffordd yn glir i dderbyn y gwahoddiad. Gan fod y Parch. D. Morris Jones yn ymddeol o Gadair Athroniaeth Crefydd yn y Coleg Diwinyddol penodwyd yr Athro Rheinallt Nantlais Williams i'r swydd honno.[175] 'Gyda chau Coleg Clwyd agorwyd y drws i droi Athrofa'r Bala yn sefydliad cyn-ddiwinyddol [yn 1953] ar gyfer ymgeiswyr am y Weinidogaeth yn bennaf, ac yn agored i bob enwad, gyda'r Parch. R. H. Evans yn brifathro a'r Parch. T. Hevin Williams, a fuasai'n athro yn Nhrefeca a Choleg Clwyd, yn athro cynorthwyol. Gyda'r gostyngiad brawychus yn nifer yr ymgeiswyr am y Weinidogaeth ni ellid meddwl am y trefniant hwn ychwaith yn parhau'n hir, gan fod sefydliad tebyg yn Nhrefeca ers blynyddoedd. Felly, pasiwyd gyda chryn unfrydedd i gael un ganolfan Gyfundebol yn y Coleg Diwinyddol, Aberystwyth, lle gellid darparu addysg gyn-ddiwinyddol, diwinyddol a bugeiliol dan yr unto.'[176] Felly, symudwyd o'r Bala i Aberystwyth ddechrau 1964.[177]

Gwerthiant Llyfrgell Coleg y Bala

Roedd archifau Coleg y Bala wedi eu symud i'r Llyfrgell Genedlaethol ym Mai 1934, yn ôl penderfyniad y Sasiwn yn y Gogledd.[178] Gyda chau'r hyfforddiant i fyfyrwyr yn y coleg, pasiwyd yng Nghymdeithasfa'r Gogledd ym Mhwllheli ym mis Tachwedd 1963, 'ein bod yn trefnu i'r llyfrau sydd yng Ngholeg y Bala a fyddant o fudd i'r gwaith a wneir yn y Coleg Diwinyddol gael eu symud yno'.[179] Dywed y Memorandwm a baratowyd gan ddau o athrawon y Coleg Diwinyddol, sef Dr R. Buick Knox, y Llyfrgellydd, a'r Parch. R. H. Evans, Prifathro olaf Coleg y Bala, mewn ymateb i'r stŵr a ddilynodd gwasgaru llyfrgell Coleg y Bala: 'Gwelir yn ôl yr uchod [sef penderfyniad y Gymdeithasfa] fod y cyfrifoldeb o benderfynu pa lyfrau a fyddai o fudd i'r Coleg [yn Aberystwyth] o angenrheidrwydd yn gorffwys ar yr athrawon yn y gwahanol adrannau, a chadarnhawyd hyn gan y Gymdeithasfa ym Methesda, Medi,1964.'[180] Â'r Memorandwm ymlaen i ddatgan: 'Yn unol â'r penderfyniad hwn aeth athrawon y Coleg Diwinyddol i'r Bala, a dewiswyd dros 6,000 o'r llyfrau mwyaf gwerthfawr ac o fwyaf budd i'r coleg i'w trosglwyddo yno.'[181] Yna dywedir:

> Dengys hyn oll fod cnewyllyn cyfoethog Llyfrgell y Bala yn parhau ym meddiant y Cyfundeb, ac fe wneir mwy o ddefnydd ohoni yn awr nag a wnaed ers llawer blwyddyn. Ni fu'r un o'r beirniaid, hyd y gwyddom, yn y Coleg Diwinyddol yn gweled y trysorau hyn. Er iddynt honni y bu iddynt dramwyo Cymru

> benbaladr, ni welsant yn dda ymweled â'r union le y caent weld y casgliad mwyaf cynhwysfawr o lyfrau'r Bala.[182]

Eir ymlaen i sôn am y casgliad gwerthfawr o Feiblau a gasglwyd gan Dr Lewis Edwards a Dr Ellis Edwards ac a osodwyd yn gasgliad ar adnau yn Llyfrgell Coleg Bangor.[183] Hefyd, trosglwyddwyd holl archifau'r Cyfundeb yn y Bala i'r Llyfrgell Genedlaethol.[184] Gorffen y memorandwm drwy haeru: 'Ar sail y dystiolaeth uchod y mae'n amlwg fod yr holl ddyfaliadau a ddyfynnwyd yn y Wasg, ar y Radio a'r Teledu yn afresymol hyd at fod yn chwerthynllyd.'[185] Sicrhawyd swm o £1,450 am werthiant llyfrau diangen. Ategir hyn i gyd yn Adroddiad Bwrdd y Coleg am Lyfrgell Coleg y Bala i Gymanfa Gyffredinol 1965.[186] Yr unig wahaniaeth rhwng yr hyn a ddywedir ynddo a'r hyn a geir yn y Memorandwm yw'r swm a gafwyd am werthiant y llyfrau dianghenraid: £1800 yn ôl y memorandwm, ond £1450 yn ôl yr adroddiad i'r Gymanfa.

Casgliadau at y Colegau

Datgelwyd mewn rhifyn o Galendr y Colegau: 'Owing to the additional annual expenditure incurred through the opening, in 1929, of the new Collegiate School at Rhyl, to be known as Coleg Clwyd, the financial position had to be revised.'[187] Fel canlyniad, bu'n rhaid cael trefniadau ariannol newydd: golygai hynny fod yn rhaid casglu o leiaf £850 yn flynyddol yn y Gogledd a £750 yn y De tuag at waith y colegau i gyd. Felly, apeliwyd yn daer am gyfraniadau o'r eglwysi.[188] Mewn adroddiad diweddarach dywedir:

> In 1929, when Coleg Clwyd, Rhyl, was established, the following financial arrangement was confirmed by the Quarterly Association in North and South Wales: 'The sum of £550 to be paid annually to the United College Fund to be paid by North Wales and the sum of £440 to be paid by South Wales, – any amount collected above these quotas to be handed towards the maintenance of Coleg Clwyd in the North and of Trefecca College in the South.'[189]

Yn union wedi i'r symudiad o Glynnog i'r Rhyl ddigwydd, adroddwyd bod Coleg Clwyd mewn dyled i'r banc diwedd Medi 1930 o bron i £300,[190] ac erbyn diwedd Medi 1931 roedd wedi codi i £325.[191] Yn Adran y Gogledd o Fwrdd yr Athrofa Unedig yn Ebrill 1932 dywedwyd bod 'y cyllid ymhell o fod yn ddigon i gyfarfod â'r treuliau' yn achos Coleg Clwyd.[192] Ychwanegwyd: 'Fe gofia'r Gymdeithasfa ddarfod i'r Adran wneuthur yn eglur pan gychwynnwyd Coleg Clwyd yr ychwanegai hynny oddeutu £300 y flwyddyn at y draul'. Penderfynwyd gofyn i'r ddwy Gymdeithasfa gyfrannu £100 y flwyddyn yn ychwanegol at y £50 a gyfrennid a hefyd i Goleg Trefeca.[193] Yn ychwanegol bwriedid codi £10 ar bob myfyriwr, gan gynnwys ymgeiswyr, fel a oedd eisoes yn digwydd yn Nhrefeca. Byddai diffyg yn aros wedi hyn i gyd, ac felly apeliwyd am fwy o gyfraniadau gan yr eglwysi.[194]

Fodd bynnag, yn Adroddiad Blynyddol Bwrdd yr Athrofa Unedig ym Mehefin 1932, ceid neges o Adran y Gogledd: '[Mae] pob lle i hyderu y bydd Coleg Clwyd yn gwbl rydd oddiwrth ddyled erbyn diwedd y flwyddyn ariannol bresennol.'[195] Roedd y Gymanfa Gyffredinol wedi penderfynu talu £100 yr un i golegau Clwyd a Threfeca o arian a ddaeth o'r Assurance Trust.[196] Ac mewn adroddiad o Adran y Gogledd o Fwrdd yr Athrofa ymddengys y neges hon: 'Yr oedd yn llawenydd i'r Adran ddeall bod yr holl ddyled a oedd ar Goleg Clwyd wedi ei thalu. Er hynny, dymuna'r Adran atgoffa'r Gymdeithasfa a'r Henaduriaethau mai i ddyled yr eir eto oni wneir casgliad grymusach yn yr eglwysi.'[197] Yna, dywed Adroddiad Bwrdd yr Athrofa Unedig – Adran y Gogledd ar 27 Mehefin 1934, a gyflwynwyd yn Sasiwn y Gogledd, Bangor, ym mis Medi 1934: 'Dengys cyfrifon Coleg Clwyd fod swm mewn llaw ar ddiwedd y flwyddyn ariannol, 30 Medi 1933, ond oherwydd lleihad mawr sydd yng nghasgliadau'r eglwysi, ac yng nghyfraniadau gwirfoddol yr Henaduriaethau, rhagwelir y byddwn yn ddwfn mewn dyled ar ddiwedd y flwyddyn sydd yn awr yn cerdded.'[198]

Sylw cynharach mewn adroddiad o'r Gymanfa Gyffredinol yn 1932 oedd y canlynol: 'The collection reveals a fearful indifference in the churches. The collection is barely half the amount required.'[199] Yna, yn Adroddiad Bwrdd y Colegau Unedig, 29–30 Mehefin 1933, 'Galwyd sylw'r Bwrdd at y ffaith fod y casgliad at y Coleg Unedig yn lleihau. Dymunai'r Bwrdd alw sylw difrifol yr Henaduriaethau at hyn drwy'r Cymdeithasfaoedd.'[200] Unwaith eto, yn Sasiwn y De ym Mhen-llwyn ym mis Medi 1934, cafwyd adroddiad anfoddhaol am gasgliad y colegau.[201]

Yng Nghyfarfod Blynyddol y Coleg Diwinyddol Unedig yn y Bala ar 30 Mehefin 1932, datganwyd: 'In view of the urgent need for economy' rhoddwyd ystyriaeth i uno'r ddau goleg rhagbaratoawl yn Nhrefeca a Chlwyd ag Aberystwyth, ond nid oedd yr Is-bwyllgor Cyllid am ei argymell.[202] Yna, ychydig yn ddiweddarach: 'Penderfynwyd gofyn i'r Bwrdd benodi pwyllgor i ystyried y dymunoldeb o gyfuno'r ddau Goleg a'r ddwy Ysgol Baratoawl, Trefeca a Choleg Clwyd, yn un sefydliad.'[203] Ymhellach, 'Cyfarfu'r Adran [h.y. Adran y Gogledd] drachefn ar ddiwedd y cyfarfod o Fwrdd y Colegau, a phenderfynwyd, gan na farnai'r Bwrdd yn ddoeth benodi pwyllgor i ystyried y priodoldeb o gyfuno'r pedwar sefydliad, ond iddo'n hytrach roddi'r holl fater yng ngofal Adran y Gogledd, ein bod yn penodi Pwyllgor i ystyried yr holl gwestiwn yng ngoleuni ein hanawsterau ni yn y Gogledd.'[204] Yna, yn Adroddiad Adran y Gogledd o Fwrdd yr Athrofa, dywedir: 'Ni alwyd ynghyd y Pwyllgor a benodasid flwyddyn yn ôl i ystyried [safle ariannol Coleg Clwyd]. Barnwyd nad ymarferol, ar hyn o bryd, a fyddai ceisio gan y Bwrdd gydsynio i ddwyn Coleg Clwyd i fod yn rhan o gyfundrefn yr Athrofa Unedig', ac apeliwyd yn daer am well cyfraniadau at Goleg Clwyd.[205]

Ychydig yn ddiweddarach clywir yr hen gŵyn fod y casgliad at y colegau'n fyr iawn o'r gofyn,[206] a thebyg yw'r apêl am gasgliad teilwng yn 1940.[207] Er hynny, yn y cyfnod dan sylw ymddengys bod sefyllfa ariannol colegau Aberystwyth a'r Bala, e.e. ddiwedd Mawrth 1932, llawer gwell.[208] Darlun cymysg, felly, a geir o sefyllfa ariannol y colegau yn y cyfnod hwn.

Fodd bynnag, mewn cyfnod diweddarach ceir darlun mwy calonogol o ymdrechion i godi arian i wella cyfleusterau adeilad y coleg yn Aberystwyth. Cefnogodd y Gymanfa Gyffredinol yn Jerwsalem, Pen-y-groes, Dyfed, 2–5 Gorffennaf 1979, apêl am £100,000 i'r amcan hwn,[209] a phedair blynedd yn ddiweddarach adroddir bod yr apêl wedi cyrraedd y nod.[210] Eto, clywir yr un pryd y bu'n rhaid gwario £200,000 arno.[211] Ymhen dwy flynedd dywedwyd bod angen £30,000 ar gyfer gwaith ar y gegin yn y coleg,[212] a hynny ar ôl nodi'n gynharach bryder ariannol ynglŷn â sefyllfa'r coleg.[213] Dengys cyfrifon olaf y coleg ar 30 Mehefin 2003, fod ganddo warged o £79,608 yn y banc.

Yn 1932 roedd 110 o fyfyrwyr am y weinidogaeth yn y gwahanol golegau: Coleg Clwyd 18; Prifysgolion: Aberystwyth 7; Bangor 34; Caerdydd 4; Rhydychen 3; Colegau Diwinyddol: Aberystwyth 32; y Bala 10, a dau arall. Roedd y rhain o'r Gogledd yn unig (gan gynnwys y Saeson).[214] Erbyn y flwyddyn ganlynol bu lleihad yn nifer yr ymgeiswyr i 99.[215] Yn 1937 pump a thrigain o fyfyrwyr oedd yn Aberystwyth ac un ar hugain yn y Bala.[216] Yr un flwyddyn mynegwyd pryder ynglŷn â nifer yr ymgeiswyr heb alwadau.[217] Fodd bynnag, erbyn 1959–60 gwahanol iawn oedd y darlun pan adroddwyd mai tri myfyriwr ar ddeg oedd yn Nhrefeca ac un ar bymtheg yn y Bala.[218]

Adroddiad Comisiwn ar Addysg y Weinidogaeth

Penodwyd y Comisiwn hwn yn wreiddiol ym Mehefin 1955,[219] ond bu'n rhaid aros tan y Gymanfa Gyffredinol yn Lerpwl yn 1962 cyn i'w adroddiad terfynol gael ei gyflwyno yno i'w drafod yn y Sasiynau.[220] Un rheswm a roddir am arafwch y Comisiwn oedd cynnig Coleg Prifysgol Cymru i brynu adeiladau'r Coleg Diwinyddol, ond methodd y Llysoedd Cyfundebol â chyrraedd unrhyw benderfyniad terfynol ar y mater.[221] Yn yr adroddiad terfynol cynigiwyd adolygiad o raglen addysg ymgeiswyr am y weinidogaeth mewn tair rhan:

1. Cyn-ddiwinyddol;
2. Diwinyddol;
3. Bugeiliol.[222]

O dan (1), yn ogystal â Groeg ar y lefel gyffredin, mynegir 'y byddai'n dra dymunol i bob ymgeisydd fod yn hyddysg yn yr iaith Gymraeg'.[223] Hefyd, cafwyd argymhelliad i gau'r Bala a Threfeca fel ysgolion rhagbaratoi, ond penderfynwyd cadw'r Coleg Diwinyddol am nad oedd gan Brifysgol Cymru 'Gyfadran Ddiwinyddol yn yr ystyr lawn'.[224] Byddid yn cynnal y Cwrs Bugeiliol yn Aberystwyth a byddai chwe athro yn cael eu lleoli yno. Derbyniwyd yr argymhellion hyn yn yr adroddiad, gyda rhai mân gyfnewidiadau, yn y Gymanfa Gyffredinol yng Nglanaman y flwyddyn ddilynol,[225] a byddai'r trefniadau newydd yn dod i rym ym mis Medi 1964.[226] Yn sgil trafodaethau rhwng Prifathro a Senedd Coleg Prifysgol Cymru a Senedd y Coleg Diwinyddol penderfynwyd cytuno ar fwy o gydweithio a rhannu adnoddau rhwng y ddau sefydliad, ac yn arbennig adnoddau'r llyfrgelloedd.[227] Yn ôl Adroddiad Bwrdd y Colegau Unedig i'r Gymanfa Gyffredinol yng nghapel Triniti, Abertawe, ar 15–19 Mehefin 1964, penodwyd R. H. Evans yn Athro Hyfforddiant Cyn-ddiwinyddol, Harri Williams yn Athro'r Cwrs Bugeiliol, a dewiswyd S. I. Enoch i weithredu fel Prifathro'r Coleg Diwinyddol o 1 Hydref 1963 ymlaen.[228]

Yn y Gymanfa Gyffredinol yn yr Wyddgrug yn 1982 penderfynwyd derbyn ymgeiswyr ar gyfer y weinidogaeth ran-amser; cynllun oedd hwn a fyddai'n cael ei weithredu gan y Coleg Diwinyddol.[229] Bu'n llwyddiant mawr a pharatowyd nifer dda o ymgeiswyr ar gyfer eu hordeinio yn y Corff am ugain mlynedd hyd at yr adeg y caewyd y coleg yn Aberystwyth. Parheir â'r ddarpariaeth hon yn y Coleg Gwyn ym Mangor o dan gyfarwyddyd Dr Elwyn Richards tan 2016 pan dderbyniodd alwad i fod yn weinidog llawn amser ar eglwys Berea Newydd ym Mangor.

Yr Ysgol Sul

Yn Adroddiad Pwyllgor I y Comisiwn Ad–drefnu ar 'Ein Hanes Cyfundebol a'n Henaduriaethau, a Hyfforddiant ein Pobl ynddynt', o dan y pennawd 'Lle Addysg yn yr eglwys' ymfalchiir yn y modd hwn:

> Medd addysg ar le mawr a phwysig ym mywyd yr Eglwys. Nid oes angen pwysleisio ychwaneg ar hyn, yn enwedig wrth gangen o'r Eglwys y mae iddi hanes fel a fedd ein Cyfundeb ni. Sylweddolodd ein tadau o'r cychwyn bwysigrwydd hanfodol addysg a hyfforddiant crefyddol. Y prawf amlycaf o hyn ydyw'r ysgol Sabothol a drosglwyddwyd ganddynt yn gynysgaeth mor amhrisiadwy inni. Ceir profion eraill yn yr ymdrechion teilwng a wnaed ganddynt i ddarparu addysg uwchraddol i weinidogion

> y Gair, a llenyddiaeth bur i werin ein gwlad. Ac ystyried ein rhif a'n hadnoddau, mae'n ddiamau fod i'n Cyfundeb draddodiad anrhydeddus yn y mater hwn, ac y deil i'w gymharu ag unrhyw adran arall o'r Eglwys. Adlewyrchir yr ysbryd cynnydd a nodwedda ein Cyfundeb yn y gefnogaeth a roddwyd ganddo i addysg a diwylliant yn gyffredinol, ac yn y rhan flaenllaw a gymerwyd ganddo ynglŷn â mudiad mawr addysg yng Nghymru yng nghorff hanner olaf y ganrif ddiweddaf. Pwy na ŵyr am ymdrechion difefl Dr. Lewis Edwards, John Phillips, Edward Morgan, Syr Hugh Owen, Dr T. Charles Edwards, ac eraill ymhlaid addysg uwchradd yn ein gwlad.[230]

Yna, yn Adroddiad Pwyllgor IV (De a Gogledd) ar Addoliad a Chenhadaeth, ceir adran ar bwysigrwydd cyfraniad yr ysgol Sul i fywyd eglwys a gwlad fel ei gilydd (30–42). Ystyrir y perygl i'r eglwys a'r ysgol Sul fynd eu ffordd eu hunain gan golli cysylltiad â'i gilydd (31–2). Sonnir am yr angen i hyfforddi athrawon ar gyfer yr ysgol Sul a chymeradwyir awgrym y Pwyllgor Cydenwadol i sefydlu Ysgol Haf flynyddol a fyddai'n cyfrannu at y gwaith hwn (35). Cyfeirir eto'n ddiweddarach at yr angen i'r athrawon eu paratoi eu hunain yn drwyadl.[231]

Roedd dirywiad cyson yn aelodaeth yr ysgol Sul yn peri pryder ers diwedd y bedwaredd ganrif ar bymtheg.[232] Yn y Gymanfa Gyffredinol yn 1921 adroddwyd fel y bu colled flynyddol o tua dwy fil o aelodau yn yr ugain mlynedd blaenorol.[233] Yna, yn Adroddiad Pwyllgor yr Ysgolion Sul am 1923–4, mynegwyd yr angen i adfywio'r gweithgarwch hwn a hyfforddi athrawon.[234]

Yng Nghynhadledd yr Eglwysi Saesneg yn 1925 dywedodd Mr Derry Evans fod dwy ran o dair o ddisgyblion ysgolion Sul Prydain rhwng pedair ar ddeg a deunaw oed wedi colli pob cysylltiad â'r eglwys. Cyhoeddodd mai 27,538 o athrawon a 182,088 o ddisgyblion oedd yn ysgolion Sul y Cyfundeb yn 1914, cyfanswm o 209,626; yn 1924, yr oedd 24,382 o athrawon a 161,836 o ddisgyblion ynddynt, cyfanswm o 186,218 a lleihad o 23,408. Roedd Mr John Owens, wrth ymddeol o'r Gadair yn 1919, wedi cynnig ffigyrau oedd ychydig yn wahanol, ond roedd y ddau'n gytûn ynglŷn â'r dirywiad yn y niferoedd. Honnai Evans mai effeithiau'r Rhyfel Mawr, lleihad mewn genedigaethau ac atyniadau'r bywyd modern oedd yn bennaf cyfrifol am y dirywiad hwn. Yn ei farn ef, llyfr caeedig oedd y Beibl bellach ac roedd wedi'i ddisodli gan lenyddiaeth o chwaeth a moesoldeb isel; daethai'r arfer o gadw dyletswydd ar yr aelwyd i ben.[235]

Yna'n nes ymlaen, adroddir bod y Parch. John Edwards, Wrecsam, wedi cydnabod yn ei araith wrth adael Llywyddiaeth y Gynhadledd Saesneg yn 1931 fod aelodaeth yr ysgol Sul yn lleihau, ond nad oedd dim byd gwell wedi'i dyfeisio yn ei lle.[236] Yn 1921 cyfeiriodd y Parch. R. J. Rees at yr astudiaethau allanol a drefnwyd gan y Brifysgol ac a oedd ar gynnydd. O'i gymharu â hyn, meddai, bychan oedd y cynnydd yn yr ysgolion Sul a hynny'n bennaf yn yr eglwysi Saesneg, ac roedd y cynnydd o bedwar cant yn y flwyddyn flaenorol wedi digwydd wedi ugain mlynedd o ddirywiad. Nid oedd y cynnydd yn ystod cyfnod y Diwygiad ddechrau'r ganrif wedi unioni'r golled gyffredinol a honnid 'we are not having the pick of our youth in our Sunday schools'. Roedd hyn yn sicr o arwain at brinder athrawon addas yn y dyfodol.[237] Yn 1926 dywedodd y Parch. George M. Llewelyn Davies fod addysg fodern yn gosod gormod o lawer o bwyslais ar lwyddiant a disgyblaeth. Talodd deyrnged i waith y Farwnes Montessori a oedd wedi dysgu bod *genius* plentyn yn gofyn am ryddid, cyfeillgarwch a chydweithrediad yn hytrach na disgyblaeth. Hawliodd fod y dulliau addysgol yn tueddu i wneud plant yn eilunaddolwyr safonau'r byd o lwyddiant ac nad oedd fawr o synnwyr mewn cwyno ynglŷn ag 'ysbryd cystadleuol yn y byd pan oedd yn cael ei orfodi ar yr ifanc mewn ysgolion'.[238] Adroddir bod llawer o siaradwyr, megis y Parch. R. J. Rees, wedi ailddatgan yr angen am ddulliau addysgol modern ac am ddarparu llenyddiaeth addas ar gyfer athrawon, ond ychydig o gytundeb a geid ar natur y newidiadau yr oedd eu hangen.[239]

Diddorol yw'r sylw hwn yn adroddiad y Comisiwn Ad-drefnu: 'Er ein holl ddarpariaethau addysgol gresyn yw deall y rhaid mewn llawer man ddefnyddio amser prin yr Ysgol Sul i ddysgu yr iaith Gymraeg. Hyderwn nad yw'r adeg ymhell pryd y gwneir hyn yn effeithiol yn yr Ysgolion Dydd.'[240] Achwynwyd hefyd fod gormod o le'n cael ei roi i arholiadau yng ngwaith yr ysgolion Sul,[241] a gormod o fri ar ennill gwobrau a thystysgrifau.[242]

Mynegwyd pryder hefyd fod perygl i'r eglwysi Saesneg gael eu gadael allan o gynlluniau ar y cyd rhwng yr eglwysi Cymraeg yn gydenwadol.[243] Sefydlwyd Pwyllgor Undeb yr Ysgolion Sabothol yn 1886, ond mae'n amlwg mai teimlad y Comisiwn yw fod y gwaith yn rhy eang i gael ei gyflawni'n effeithiol gan y pwyllgor hwn.[244]

Roedd teimlad na ddylid pwyso ar ddosbarthiadau'r rhai mewn oed i ddilyn yr un Maes Llafur a drefnwyd ar eu cyfer os nad oeddynt yn dymuno hynny.[245]

Argymhellwyd cyhoeddi llawlyfr addas ar gyfer hyfforddi'r cymunwyr ieuainc,[246] ac roedd Pwyllgor I yn argymell cwrs o ddwy neu dair blynedd ar gyfer cymunwyr ieuainc.[247] Yn ogystal, argymhellwyd sefydlu Urdd y Bobl Ieuainc.[248]

Yn Adroddiad Pwyllgor I dywedir: 'Dylai pob gweinidog fod yn fath ar gyfarwyddwr addysg grefyddol yn ei ofalaeth.'[249] Roedd angen i'r gweinidog gydlynu'r gwaith o hyfforddi'r athrawon a'r addysg a gyfrennid.[250] Roedd angen datblygu'r 'sefydliad ardderchog hwn', sef yr ysgol Sul.[251]

Diffygion yn yr ysgol Sul ar y pryd oedd colli golwg ar 'ddysgu crefydd' a diffyg athrawon cymwys.[252] Felly, roedd angen eu hyfforddi yn yr eglwysi, ac awgrymir defnyddio'r colegau diwinyddol, ymhlith mannau eraill, at y pwrpas.[253] Cafwyd awgrym i ryddhau athrawon y colegau diwinyddol o orfod pregethu bob Sul fel rhan o'u cynhaliaeth er mwyn eu galluogi i gael mwy o amser i ysgrifennu a pharatoi i ddarlithio i'r werin bobl mewn canolfannau arbennig.[254] Ni ddylai'r ysgol Sul fod yn sefydliad ar wahân i'r eglwysi, meddid.[255] Roedd bwriad i gynnal cyfarfodydd i ysgolion Sul yn y Dosbarthiadau bedair gwaith y flwyddyn.[256] Hefyd, ceir argymhelliad i gyhoeddi llyfr gwasanaeth yn Gymraeg, a llyfrau emynau newydd yn y ddwy iaith.[257]

Adeg dathlu daucanmlwyddiant sefydlu ysgolion cylchynol Gruffydd Jones a thrydydd jiwbilî cychwyn yr ysgol Sul gan Robert Raikes yn 1930 ceir anogaeth i adfywio'r ysgol Sul 'yn wyneb y lleihad amlwg yn rhif deiliaid yr ysgol Sul'.[258] Yn y cyfnod rhwng y ddau Ryfel Byd parheid i dderbyn cenadwrïau cyson o'r Gymanfa

Gyffredinol yn mynegi pryder am gyflwr yr Ysgol Sul.[259] Roedd Ambrose Bebb, yn ei gyfrol fach *Yr Ysgol Sul* yn 1944, yn gresynu ynghylch ei dirywiad ac yn dadlau'n gryf dros ei hatgyfnerthu. Gweler hefyd ei adroddiad arni i'r Cyfundeb. Roedd mawr angen yr ysgol Sul o hyd, meddai.[260] Wele'r ystadegau canlynol am gyfanrif yr ysgol Sul yn y Cyfundeb:

	Rhif y plant yn yr eglwysi	**Ysgolion**	**Cyfanrif yr Ysgol Sul**
1915	75,912	1756	199,712
1920	72,010	1773	189,207
1925	67,605	1741	183,846
1930	61,057	1681	167,703

Yn 1933 rhif y plant oedd 57,208, lleihad o dros 26,000 mewn 23 mlynedd. Cyfanrif yr ysgol Sul yn 1933 oedd 158,268, lleihad o dros 64,000 mewn 28 mlynedd neu gyfartaledd o dros 2,200 bob blwyddyn.[261] Cyrhaeddodd yr ysgol Sul ei phenllanw o ran niferoedd yn 1905 a gostwng yn gyson wedyn. O ran nifer y cymunwyr, cyrhaeddwyd 189,164 yn 1905 a 189,727 yn 1926, ond roedd y nifer wedi gostwng i 183,044 erbyn 1933. Yn hytrach na bod nifer aelodau'r ysgol Sul yn fwy na nifer y cymunwyr, erbyn 1922 roedd nifer y cymunwyr yn fwy.[262]

'Yn y Gymanfa Gyffredinol yn yr Wyddgrug ym Mehefin 1930 pasiwyd i adolygu Rheolau'r Ysgol Sul unwaith eto ac ymddiriedwyd y gwaith i Bwyllgor yr Ysgol Sul. Oherwydd marwolaeth y Parch. M. H. Jones, i'r hwn yr ymddiriedwyd y gwaith o baratoi copi ohonynt i'w gyflwyno i ystyriaeth y Pwyllgor, nid ymddengys y gwnaed dim pellach ynglŷn â'r mater.'[263] Yn Adroddiad Pwyllgor yr Ysgol Sul i'r Gymanfa Gyffredinol yn 1932 cafwyd awgrym i ddefnyddio pobl ifanc o bymtheg oed i fyny yn athrawon cynorthwyol ar ddosbarthiadau plant.[264]

Yn 1929 gofynnwyd i'r Welsh School of Social Services ystyried, 'That the adolescent problem needs to be put in a Welsh national frame, with full regard to national consciousness ... The opinion was expressed that Sunday schools were lacking in effect, and that Scout and Guide movements were in the hands of leaders not sympathetic with Welsh ideals.'[265] Adlewyrchir y sylwadau hyn (a oedd i'w priodoli, mae'n debygol, i Ifan ab Owen Edwards)[266] yn nhystiolaeth yr eglwysi Cymraeg i'r comisiwn a gynhyrchodd yr adroddiad *Welsh in Education and Life* (1927).[267] 'Urdd Gobaith Cymru was formed in direct response to this challenge,' meddai Löffler.[268] Ymatebwyd i'r galw hwn yn yr eglwysi Saesneg eu hiaith drwy sefydlu The Young People's Fellowship.[269]

Pwyllgor Cydenwadol yr Ysgol Sul

Yn ei lyfr ar yr ysgol Sul dywed y Parch. G. Wynne Griffith: 'Yn ystod blynyddoedd y Rhyfel Mawr ... dechreuwyd gweithio yng nghyfeiriad mwy o gydweithrediad.' Yn adroddiad Pwyllgor yr Ysgol Sul yn y Gymanfa yng Nghaergybi, Mehefin 1917, cawn y cofnod a ganlyn:

> 'Cydweithrediad rhwng yr Enwadau yng ngwaith a threfniadau yr Ysgol Sul'. Gydag unfrydedd cynnes mae yr Enwadau wedi dangos eu parodrwydd i ystyried y cwestiwn o gydweithredu gyda gwaith a threfniadau yr Ysgol Sul. Mor fuan ag y caniata amgylchiadau i'r penodiadau swyddogol gael eu gwneud gan yr holl Enwadau symudir ymlaen i alw pwyllgor o'r cynrychiolwyr ynghyd i ystyried beth sydd bosibl ac ymarferol ar linellau undeb a chydweithrediad yn y dyfodol.[270]

Yna ychwanega: 'Yn dilyn eisteddiadau'r Pwyllgor yn 1918–19 trefnwyd i gael yr un Meysydd Llafur i'r holl Enwadau o 1921 ymlaen, i ddarparu Cylchgrawn cydenwadol ar gyfer yr Ysgol Sul ac i gynnal Ysgol Haf yr Ysgol Sul yn flynyddol,'[271] Ac 'Yng nghynllun cyntaf y Pwyllgor cyfyngid y trefniant i'r Dosbarthiadau dan 21 oed. Ond yn ddiweddarach estynnwyd ef i gynnwys y Dosbarth hynaf.'[272]

Roedd tuedd i'r dosbarthiadau astudio'r Gwerslyfrau yn hytrach na'r Beibl ei hun. Felly, trefnwyd maes arbennig o'r Beibl i gyfarfod â'r gŵyn hon.[273] Pwyllgor cyfundebol yr ysgol Sul oedd yn parhau i drefnu'r Meysydd Llafur i'r oedolion, a hefyd yn penodi awduron i baratoi'r Gwerslyfrau a'r Llawlyfrau, a gofalai Pwyllgor y Llyfrau am eu hargraffu, eu cyhoeddi a'u gwerthu.[274] Mewn cylchgrawn o'r enw *Y Cyfarwyddwr*, a gyhoeddwyd gyntaf ym mis Medi 1921, darparwyd gwersi a nodiadau bob mis ar y gwahanol Feysydd Llafur ac ati.[275] Ym mis Awst 1928 y cynhaliwyd Ysgol Haf yr Ysgol Sul gyntaf, a hynny yng Ngholeg Harlech, â'r Parch. M. H. Jones yn brif bensaer iddi.[276] Parhawyd i'w chynnal yn ddi-dor hyd 1997.[277] Dyfarnwyd medalau Gee, 'ers amryw flynyddoedd bellach',[278] meddai G. Wynne Griffith yn 1936, o dan nawdd Undeb Eglwysi Efengylaidd Gogledd Cymru (er na chyfyngwyd yr enillwyr i eglwysi'r Gogledd). Mewn gwirionedd, dechreuwyd eu cyflwyno i ffyddloniaid hynaf yr ysgol Sul ar ddechrau'r ganrif, yn 1906.[279]

Wrth ystyried cyfnod diweddarach canfyddwn mai cam pwysig oedd sefydlu Cyngor Ysgolion Sul ac Addysg Gristnogol Cymru yn 1966.[280] Roedd dilyniant clir o'r Pwyllgor Cydenwadol i'r Cyngor newydd, 'a sicrhawyd hyn drwy ethol swyddogion y Pwyllgor Cydenwadol yn swyddogion cyntaf y Cyngor yn ei gyfarfod cyntaf ar 1 Gorffennaf 1966'.[281] Bu'r Cyfundeb yn amlwg iawn o'r dechrau yn arweinyddiaeth ac yng ngweithgarwch y Cyngor ynghyd â thri enwad Anghydffurfiol arall a'r Eglwys yng Nghymru. Bu'r Cyngor yn gyfrifol am hybu gwaith yr ysgolion Sul Cymraeg eu hiaith drwy drefnu meysydd llafur ar gyfer dosbarthiadau'r plant, yr ieuenctid a'r oedolion, a thrwy gomisiynu a chyhoeddi gwerslyfrau ar eu cyfer. Dan gynllun a noddwyd gan y Swyddfa Gymreig a'r eglwysi penodwyd dwy yn 1984, y naill yn y gogledd a'r llall yn y de, i hyrwyddo gwaith yr ysgolion Sul, ac er i gefnogaeth y Swyddfa Gymreig ddod i ben yn 2001 parhawyd â'r swyddi hyn tan 2006.[282] Yn ddiau bu cyfraniad y Cyngor yn y maes hwn yn amhrisiadwy, a deil i fod felly heddiw.[283]

Agweddau tuag at Addysg Gyhoeddus

Yn Adroddiad Pwyllgor I y Comisiwn Ad-drefnu fe ddywedir: 'Ni chredwn y gorffwys ar yr Eglwys i ddarparu addysg reolaidd yng ngwahanol ganghennau'r gwyddorau a'r celfau fel y cyfryw.'[284] Swyddogaeth yr eglwys yn hytrach oedd 'cefnogi pob ymdrech gywir a wneir i ddysgu'r pethau hyn'.[285] Ei swyddogaeth hefyd oedd 'cadw llygad' ar yr hyn oedd yn digwydd yn y colegau a'r ysgolion, a chanmolir gwaith Mudiad Cristnogol y Myfyrwyr (SCM) yn y maes hwn, a ddylai dderbyn pob cefnogaeth gan y Cyfundeb.[286] Yr un pryd cynhwysir anogaeth i gynnal safon uchel o ran addysg i weinidogion y Cyfundeb.[287] Ac yn Adroddiad Pwyllgor V ar 'Yr Eglwys a Chwestiynau Cymdeithasol' (Gogledd Cymru) dywedir:

> Yr ydym yn credu mewn addysg gyhoeddus rydd ac eangfrydig o'r bôn i'r brig, o'r ysgolion elfennol hyd at y colegau cenedlaethol. Gesyd hyn gyfrifoldeb arnom i wario'n haelwych i ddwyn y delfryd hwn oddiamgylch. Dylai cenedl ystyried addysg ymhlith y pethau a'r hawl gyntaf ganddynt ar ei hadnoddau. Nac atebed yn barod a hael bob gofyn a ddaw o swyddfeydd y Fyddin a'r Llynges, tra yn ymarhous a chrintach i gyfarfod â galwadau'r Swyddfa Addysg sydd i fod yn nes at galon y deyrnas na'r un arall.[288]

Ac ymhlith awgrymiadau'r Pwyllgor ceir: 'Y dylai yr Eglwys arfer ei dylanwad i sicrhau na bydd yn y llyfrau y dysgir Hanes ohonynt mewn ysgolion cyhoeddus ddim a fydd yn gogoneddu rhyfel a rhwysg milwrol.'[289]

Felly, yn unol ag egwyddorion yr Anghydffurfwyr hynny a ymladdodd yn negawd cyntaf yr ugeinfed ganrif yn erbyn yr egwyddor fod y wladwriaeth yn noddi ysgolion eglwysig, h.y. rhai Anglicanaidd a Phabyddol, parhawyd â'r polisi o gefnogi ysgolion y cynghorau lleol. Yn 1913 roedd 1,218 o ysgolion 'cyngor' yng Nghymru (gyda lle i 421,950 o ddisgyblion), tra roedd 649 o ysgolion gwirfoddol, h.y. eglwysig (gyda lle i 105,167 o ddisgyblion).[290] Roedd y Gymanfa Gyffredinol yn 1919 am dynnu sylw'r llywodraeth at y camwri a ddioddefai Anghydffurfwyr o hyd yn sgil Deddf Addysg 1902.[291] Yn nes ymlaen, yn Adroddiad y Pwyllgor Addysg i'r Gymanfa Gyffredinol yn Belvedere Road, Lerpwl, 1–3 Mehefin 1926, mynegir ofn fod yr ysgolion enwadol yn ceisio cael y pwyllgorau addysg i ariannu eu hadeiladau o'r pwrs cyhoeddus.[292] Clywir yr un gŵyn ychydig yn ddiweddarach hefyd yn y Gymanfa Gyffredinol yn yr Wyddgrug yn 1930.[293]

Meddai Kenneth Morgan: 'At the outbreak of war in 1914 Welsh education remained incomplete, immune from the warfare of sects, but deficient through the dualism of its organization and its relation to the social life of Wales [because the campaign for a national council of education for Wales had failed].'[294] Ni ddaeth dim o'r symudiad i sicrhau cyngor cenedlaethol i Gymru ar addysg er i Bwyllgor Addysg y Cyfundeb gefnogi'r argymhelliad hwn a wnaed gan y Pwyllgor Adrannol ar Addysg Ganolradd yn frwd.[295] Meddai Morgan drachefn ar y mater:

> A Departmental Committee under the Hon. W. H. Bruce, inquring into Welsh secondary education,[296] recommended a council of local authorities to replace the University Court and the Central Welsh Board, to which the Minister should delegate some of his powers ... In reality, progress in Wales towards a national council was halting ... Conferences were held to work out details. But the discussions showed little enthusiasm and there was profound disagreement as to the scope of the council, and whether it should be executive or merely advisory ... With the situation still fluid [and the break-up of the Lloyd George government in Nov. 1922], the national council disappeared for ever.[297]

Ceir ymateb cadarnhaol y Cyfundeb i Ddeddf Addysg Fisher (1918) yn Adroddiad Pwyllgor Addysg y Cyfundeb i'r Gymanfa Gyffredinol yn Nhreorci, Mehefin 1919.[298] Roedd y ddeddf yn gwahodd cyrff i gysylltu â'r awdurdodau lleol i fynegi eu barn.[299] Yn y man ceid dyfarniad y Comisiwn Ad-drefnu ar y mater: 'Croesawn yn galonnog yr adran honno o'r ddeddf addysg sy'n gosod rhaid ar bob plentyn rhwng pump a phedair ar ddeg oed i fod yn yr ysgol, ac ar y sawl a edy'r ysgol elfennol neu ganolradd cyn bod yn un ar bymtheg i roi rhan o'u hamser hyd oni fônt yn ddeunaw mewn Ysgol Barhad.'[300] Ac yng nghynhadledd yr Eglwysi Saesneg yn 1919 roedd y Gwir Anrhydeddus J. Herbert Lewis, A.S., wedi siarad ar yr angen i'r Eglwys, wedi'r Rhyfel Mawr, 'to take a wide interest in all aspects of life. For example, it ought to follow up the raising of the school-leaving age to fourteen by insisting on the provision of further educational opportunities up to at least eighteen'.[301] Rhybuddia'r Comisiwn hefyd rhag y perygl o orfodi plant yn eu harddegau cynnar gan eu teuluoedd i weithio er mwyn ennill arian.[302] Tra cefnogir y syniad o ysgol barhad, rhybuddir rhag y perygl i'w threfniadau dorri ar draws cyfarfodydd crefyddol yr eglwys.[303] Ond meddai K. O. Morgan: 'The Fisher Education Act of 1918 proved a disappointment. While it allowed for further co-operation between central and local authorities and extended the provisions for further education, there was no reference to a Welsh national council; for this it was criticized by David Davies.'[304]

Yn nes ymlaen yn y ganrif cafwyd ymatebion i Adroddiad Haddow (1926) a oedd wedi argymell y dylai pob plentyn fynychu ysgol uwchradd, ond ni wireddwyd hyn yn llawn tan ar ôl yr Ail Ryfel Byd.[305] Anfonwyd cwestiwn o'r Gymanfa Gyffredinol yn Rhydaman yn 1936 i'r Sasiynau a'r Henaduriaethau: 'Beth yw effaith sefydlu Ysgolion Canol (a) ar y plant eu hunain, (b) ar yr ysgolion a'r ardaloedd gwledig?'[306] Cafwyd ymatebion i'r genadwri hon o'r Gymanfa Gyffredinol gan leiafrif o'r Henaduriaethau a phwyswyd ar y gweddill i ateb y cwestiynau'n ddi-oed. Hefyd, gofynnwyd i frawd annerch ar y cwestiynau hyn yn Sasiwn y Gwanwyn 1938.[307] Cafwyd anerchiad gan Mr H. J. Lewis, M.A., Aberystwyth, ar y mater yn y Sasiwn yn Aberhonddu ym mis Mawrth 1938.[308] Ac ymateb Henaduriaeth Glamorgan East i Adroddiad Haddow oedd: 'We are impressed by what Educational Experts say in its favour, and whilst we are fully aware of certain possible disadvantages, we are also deeply conscious of the benefits and advantages which it offers.'[309]

Un arall o argymhellion y Comisiwn Ad-drefnu oedd dweud: 'Ar raglen pob ysgol ddyddiol, dylid trefnu lle i addysg grefyddol.'[310] Dyma ragflaenu o ugain mlynedd yr hyn a gafwyd yn neddf addysg Butler 1944. Cafwyd rhybudd mor bell yn ôl ag Adroddiad y Comisiwn: 'Ofnwn fod dylanwad yr aelwyd yn colli. Y mae tuedd i daflu'r cyfrifoldeb o addysgu ar athrawon yr ysgolion dyddiol ac athrawon crefydd.'[311] Sylwer hefyd ar yr hyn a ddywedodd y Parch. J. H. Davies, Ewloe Green, Llywydd yr Eglwysi Saesneg, yn 1929. Dywedir iddo lefaru am yr angen am wersi crefyddol mewn ysgolion. Teimlai fod mwy o dir cyffredin bellach rhwng yr Eglwysi ar y mater a bod y gwrthwynebiad i ddysgu'r Beibl mewn ysgolion yn llai ystyfnig nag roedd ugain mlynedd ynghynt. Adroddodd fod yr Eglwysi wedi cynnal trafodaethau cyfeillgar ag athrawon ac awdurdodau addysg a oedd yn uno i ddarparu meysydd llafur ar gyfer Addysg Grefyddol. Mynegai'r gobaith y byddai'r cyrsiau hyn yn cael eu cyfuno â gwersi'r ysgolion Sul.[312] Yna, sylwir bod y Parch. John Edwards, yn ei araith ymadawol o'r gadair yn 1931, wedi datgan, tra bu angen protestio yn erbyn nawdd gan y wladwriaeth ar gyfer dysgu credoau sectaraidd, cafwyd colledion mawr oherwydd yr anghydfod sectaraidd. Ymhlith y rhain cyfrifai'r ffaith fod unrhyw ddarpariaeth ar gyfer addysg Feiblaidd wedi'i gadael allan o Ddeddf Addysg 1870; ystyriai hyn 'yn un o gamgymeriadau mwyaf ein cyn–dadau'.[313]

Pasiwyd y canlynol yn y Gymanfa Gyffredinol yn Heathfield Road, Lerpwl, ym mis Mai 1932:

> To the Directors and Secretaries of Education authorities in Wales and Monmouthshire: That this body, convinced of the essential importance of affording to all children the opportunity of religious instruction, urges the local Education Authorities of Wales, which have not already made adequate provision, to introduce the systematic teaching of the Bible into all schools under their control.[314]

A'r flwyddyn ganlynol daeth o'r Gymanfa Gyffredinol 'Inquiry into Effective Religious Education in all our Elementary Schools'. Fe'i cyflwynwyd gan Dr E. O. Davies. Daethai'n wreiddiol o'r Pwyllgor Cyffredinol ar Gydweithrediad a Chyd-ddealltwriaeth rhwng Cyfundebau Crefyddol yng Nghymru. Darganfu'r ymchwil fod y rhan fwyaf o awdurdodau addysg Cymru yn defnyddio maes llafur cytûn. Roedd hynny'n eu boddhau a phenderfynwyd ceisio perswadio'r awdurdodau heb faes llafur cytûn i fabwysiadu un.[315] Nodwyd hefyd yr arwyddion fod addysg grefyddol yn cael ei gwerthfawrogi'n fwy mewn ysgolion uwchradd a chynradd.[316] Eto, ceir neges oddi wrth Bwyllgor yr Ysgol Sul yn y Gymanfa Gyffredinol yn 1937 yn datgan: 'Llawenhawn o weld rhai awdurdodau addysg wedi derbyn i'r ysgolion elfennol ac i'r ysgolion sir raglen o addysg Feiblaidd i weithio wrthi, ac apeliwn yn daer at bawb o'n haelodau sydd mewn cysylltiad ag addysg i ofalu bod y pwnc hwn yn cael ei le dyladwy ymhob ysgol drwy ein gwlad.'[317] Felly, gwireddwyd i raddau helaeth y gobaith a oedd wedi'i fynegi mor bell yn ôl â'r flwyddyn 1921 pan ddatganwyd yn y Gymanfa Gyffredinol y flwyddyn honno mai 'da fyddai cael cynllun unffurf o wersi Ysgrythurol i'r holl ysgolion yng Nghymru, gan lawenhau fod cyd-bwyllgor wedi ei benodi gan Eglwysi Efengylaidd Cymru a'r Eglwys Esgobaethol i ystyried a cheisio cyd-ddealltwriaeth ar y mater pwysig hwn'.[318] Yn wir, roedd y mater hwn wedi'i gyflwyno i Sasiwn y Gogledd yng Nghroesoswallt, Ebrill 1918, a'i gymeradwyo yn y Gymanfa Gyffredinol yn Nhreorci, Mehefin 1919. Pasiwyd y Concordat ym mis Hydref 1921,[319] a cheir copi o'r cytundeb a dynnwyd allan gan y ddau draddodiad yn Adroddiad y Pwyllgor Addysg i'r Gymanfa Gyffredinol yn Clifton Street, Caerdydd, 13–15 Mehefin 1922.[320]

Yn nes ymlaen cymerodd y Prifathro G. A. Edwards ran bwysig yn y gwaith o baratoi maes llafur Addysg Grefyddol ar gyfer ysgolion Cymru yn 1946.[321] Yna, erbyn 1961, mynegwyd teimlad y Pwyllgor Addysg fod y sefyllfa'n gwella o ran dysgu addysg Feiblaidd yn yr ysgolion uwchradd yn y ddwy iaith.[322] Yn Adroddiad y Pwyllgor Addysg i'r Gymanfa Gyffredinol yn Abertawe yn 1964 cymeradwywyd yn gynnes y 'Revised Syllabus of Religious Instruction' a'r ymgais i drefnu bod gwersi'r ysgol Sul yn cydredeg â'r maes llafur hwn.[323]

Yn ei ymateb i'r adran berthnasol o Adroddiad Gittins (*Addysg Gynradd Cymru*, 1967), cyflwynodd y Pwyllgor Addysg dri phenderfyniad i Gymanfa 1968:

(a) Ein bod o'r farn y dylid diogelu addysg grefyddol yn ein hysgolion cynradd;
(b) Ein bod yn bryderus ynghylch yr awgrym o adael y cyfrifoldeb o ddewis cadw ymlaen addysg grefyddol mewn ysgol neu wrthod ei chyfrannu o gwbl ar ddoethineb y prifathro a'r athrawon. Teimlwn bod hyn yn annheg bob ochr;
(c) Awgrymwn yn wir mai cyfrifoldeb Pwyllgor Addysg y Sir ydyw'r mater.[324]

Yn Adroddiad y Pwyllgor Addysg i Gymanfa Gyffredinol 1919 yn

Nhreorci argymhellwyd trefn o wasanaeth crefyddol dyddiol ym mhob ysgol,[325] ac yn yr un modd yn y Gymanfa Gyffredinol yn 1921 rhoddwyd cefnogaeth i drefn o wasanaeth crefyddol ar gyfer dechrau a diwedd gwaith pob dydd yn yr ysgolion canolraddol ac elfennol.[326] Yng Nghymanfa 1924 yng Nghaergybi (17–19 Mehefin) cadarnhawyd y penderfyniad ymhellach, ond roedd y Concordat a luniwyd rhwng y ddau gorff, a enwyd uchod, wedi'i wrthod yn Ebrill 1924 gan Gorff Llywodraethol yr Eglwys Esgobaethol yng Nghymru.[327] Serch hynny, yn Adroddiad y Pwyllgor Addysg yn 1925, sonnir am ymateb mwy gobeithiol ar y mater gan Archesgob Cymru.[328] Erbyn Cymanfa Rhydaman yn 1937 gwelwyd arwyddion fod mwy o ysgolion yn cynnal gwasanaethau crefyddol.[329]

Ffurfiwyd Cyngor Eglwysi Cymru yn 1956 ac fe'i disodlwyd gan Cytûn ar 1 Medi 1990.[330] Arweiniodd hynny at lawer mwy o gydweithredu ym myd addysg fel mewn llawer cylch arall o fywyd, er nad oedd cyfrifoldeb am faterion o fyd addysg ysgolion wedi'i fabwysiadu gan Cytûn fel y cyfryw. Cyflogai Cyngor yr Eglwysi Rhyddion yn Llundain arbenigwyr yn y maes a mynychai cynrychiolwyr o'r Cyfundeb ei bwyllgorau addysg yn rheolaidd yn y cyfnod diweddar.

O dan Ddeddf Diwygio Addysg 1988 ffurfiwyd Cyngor Ymgynghorol Sefydlog ar Addysg Grefyddol ym mhob awdurdod lleol a gwahoddwyd yr enwadau i enwebu cynrychiolwyr i weithredu arnynt. Prif swyddogaethau'r cynghorau statudol hyn yw bwrw golwg dros addysg grefyddol ysgolion eu siroedd, gan gynnwys archwilio meysydd llafur lleol a gofalu bod ysgolion yn cynnal addoliad crefyddol yn ddyddiol. Cyfrannodd cynrychiolwyr o'r Cyfundeb yn genedlaethol ac yn lleol yn y cynghorau hyn o'r dechrau.

Addysg a'r Iaith Gymraeg

Nifer y siaradwyr Cymraeg yn 1911 oedd 977,366, sef 43.5 % o'r boblogaeth, ac yn 1921 y ffigwr oedd 929,183, sef 37.2% o'r boblogaeth.[331] Erbyn 1991 roedd y ganran wedi gostwng i 18.6%, ond yn fwy diweddar mae wedi codi ychydig, yn bennaf oherwydd y twf syfrdanol mewn ysgolion dwyieithog. 'Erbyn dechrau'r Rhyfel Byd

Cyntaf, nid oedd y Gymraeg ond pwnc dewisol o hyd yn yr ysgolion elfennol a pharheid i'w hystyried yn gyfrwng i hybu dysgu Saesneg yn fwy effeithiol yn hytrach nag yn iaith a oedd yn werth ei dysgu er ei mwyn ei hun,' meddai W. Gareth Evans.[332] Ychwanega: 'Serch hynny, erbyn 1914 yr oedd newid pwysig wedi digwydd ym mholisïau addysg y wladwriaeth ynglŷn â'r Gymraeg. Pan sefydlwyd y Bwrdd Addysg (Yr Adran Gymreig) ym 1907 a phenodi O. M. Edwards yn brif arolygydd addysg yng Nghymru [ac yntau'n aelod selog o'r Cyfundeb], daeth yr Arolygiaeth yn fwyfwy cefnogol i'r Gymraeg, a rhoddwyd ar ddeall o'r newydd i'r ysgolion beth oedd eu dyletswyddau ieithyddol.'[333] Bu Edwards yn Brif Arolygwr hyd ei farwolaeth yn 1920.[334] Â W. Gareth Evans ymlaen i ddweud: 'Erbyn 1914 yr oedd yr awdurdod canolog, sef yr Adran Gymreig, wedi ymrwymo i bolisi addysg dwyieithog yn ysgolion Cymru ond, gwaetha'r modd, nid oedd y polisi hwnnw yn apelio at lawer o brifathrawon na chynghorwyr na rhieni.'[335] Mewn ysgrif arall dywed: 'Yn ôl amodau Deddf Addysg 1918, gallai awdurdodau addysg lleol gynnwys darpariaeth ar gyfer dysgu'r Gymraeg yn eu cynlluniau i'w cynnig gerbron y Bwrdd Addysg. Fodd bynnag, oherwydd y cyfyngiadau ariannol a ddaeth yn sgil "Bwyell Geddes"(1921), ni fu modd helaethu'r arfer o ddysgu'r Gymraeg.'[336]

Yn ei Adroddiad i'r Gymanfa Gyffredinol, Anfield Road, Lerpwl, ar 15–17 Mai 1923, roedd y Pwyllgor Addysg wedi cefnogi dysgu'r Gymraeg yn yr ysgolion a'r argymhelliad i gael ymchwiliad i le'r Gymraeg yn ysgolion a chyfundrefn addysg Cymru.[337] Yn ei adroddiad i'r Gymanfa Gyffredinol yng Nghaerfyrddin, 9–11 Mehefin1925, bu'r Pwyllgor Addysg yn ei hannog i anfon cenadwri at y ddwy Gymdeithasfa iddynt gyflwyno tystiolaeth i'r Pwyllgor Adrannol ar safle'r Gymraeg mewn addysg.[338] Yn wir, adroddwyd yn y Gymanfa honno fod y Cyfundeb wedi derbyn gwahoddiad oddi wrth y Bwrdd Addysg i gyflwyno tystiolaeth gerbron y Pwyllgor Adrannol; dewiswyd naw gŵr i'w llunio a thri, sef y Parchedigion John Owen a John Roberts, a Mr Abraham Morris, Llantarnam, i'w chyflwyno.[339] Gofynnwyd i'r enwadau crefyddol ymateb i gwestiynau a anfonwyd gan Bwyllgor y Bwrdd Addysg. Penderfynwyd gofyn i'r Athro Ifor Williams baratoi memorandwm ar werth y Gymraeg, a hefyd i rannu

Cymru yn chwe rhanbarth er mwyn cael darlun o sefyllfa'r iaith yn y gwahanol ardaloedd.[340] Argraffwyd y memorandwm yn y *Blwyddiadur*, a phwysleisia'n arbennig le'r ysgol Sul o ran meithrin yr iaith.[341] Roedd ei argymhellion yn cynnwys yr angen i feithrin yr iaith mewn ysgolion. Honna'r Parch. D. D. Williams y 'ceir crynodeb rhagorol o agweddiad y Cyfundeb at yr iaith Gymraeg yn yr Adroddiad a gyflwynwyd i'r Pwyllgor a benodwyd gan y Llywodraeth i ystyried y cwestiwn o ddysgu'r Gymraeg (Memorandum presented by the Calvinistic Methodist Church or the Presbyterian Church of Wales, to the Departmental Committee on the Teaching of Welsh)'.[342]

Pan ymddangosodd adroddiad y pwyllgor hwn yn y ddogfen bwysig *Y Gymraeg mewn Addysg a Bywyd* (1927) 'cyfeiriwyd y 72 o brif argymhellion at y Bwrdd Addysg, Colegau'r Brifysgol, colegau hyfforddi a cholegau diwinyddol, awdurdodau addysg lleol, y Bwrdd Canol, athrawon a chymdeithasau Cymraeg. Pwysleisiwyd y byddai angen polisïau dysgu dwyieithog mwy egnïol yn yr ysgolion os oeddid i atal dirywiad yr iaith a sicrhau ei pharhad.'[343]

Penderfynwyd hefyd mai'r Gymraeg ddylai fod yn brif iaith yr ysgolion elfennol a oedd wedi'u lleoli mewn ardaloedd Cymraeg.[344] Dywedir yn yr Adroddiad:

> Yr oedd yr holl Eglwysi Cymraeg a gyflwynodd dystiolaethau o'r farn y byddai marw'r iaith yn sicr o gael dylanwad andwyol ar grefydd yng Nghymru.Ymdriniasant yn fanwl â'r anawsterau y gorfydd arnynt eu hwynebu mewn ardaloedd sy'n troi'n Seisnig, ond ychydig iawn o awgrymiadau oedd ganddynt ynglŷn â'r hyn y gallant hwy eu hunain ei wneuthur er sicrhau gwelliant. Eu tuedd gan amlaf ydoedd beio ar y cartrefi a'r ysgolion, ac nid oeddynt fel petaent yn teimlo bod dim allan o le ar eu dulliau hwy eu hunain o wynebu'r anawsterau. Er cydnabod ohonom y gwasanaeth gwerthfawr a gyflawnodd yr Eglwysi i'r Gymraeg yn y gorffennol, credwn fod modd iddynt wneuthur mwy eto.[345]

Fodd bynnag, dywedir yn yr adroddiad am yr ysgol Sul: 'Nid gormod dywedud iddi wneuthur mwy nag un sefydliad arall i ddiogelu'r iaith fel cyfrwng mynegiant i'r llenor.'[346]

Cyflwynwyd ymateb y Corff i Adroddiad Pwyllgor Adrannol yr Iaith Gymraeg gan y Parch. J. E. Rhys ac fe'i derbyniwyd.[347] Yna holwyd pa ystyriaeth a roddwyd gan yr Henaduriaethau i gynnwys yr adroddiad hwn. Dymunai Pwyllgor y Gymdeithasfa hysbysu 'mai siomedig iawn ydyw ar yr hyn a wnaed hyd yn hyn' i weithredu ar y penderfyniad a wnaethpwyd yng Nghymdeithasfa Treherbert i gysylltu â'r holl awdurdodau lleol yng Nghymru.[348] Dim ond Gorllewin a Dwyrain Morgannwg oedd wedi gweithredu: Gorllewin Morgannwg yn anfon dirprwyaethau at Awdurdodau Addysg Abertawe, Castell-nedd, a Phort Talbot, a Dwyrain Morgannwg wedi bod gerbron Pontypridd, Aberdâr, Merthyr a Chwmpennar: 'Bernir felly fod mwyafrif Awdurdodau Addysg Morgannwg yn gwneud ymgais i sylweddoli amcanion Adroddiad y Llywodraeth.'[349]

Yn Sasiwn y Gogledd yng Nghaergybi, 15–17 Mehefin 1932, yn yr adroddiadau o'r Gymanfa Gyffredinol a'r Pwyllgor Addysg, tynnir sylw 'at y ffaith fod y Gymraeg i'w dysgu yn yr Ysgolion dyddiol, a lle bo'r Addysg yn aneffeithiol y gallant [h.y. yr henaduriaethau] ddwyn hynny i sylw yr Awdurdodau Addysg yn eu siroedd a cheisio sicrhau i bob plentyn Cymreig addysg effeithiol yn iaith ei fam'.[350] Mewn adroddiad gan Bwyllgor Unol yr Iaith Gymraeg datgenir:

> Yn wyneb anallu'r Ysgrifennydd i gael atebion oddiwrth yr Henaduriaethau ynglyn a'r penderfyniadau – penderfyniadau a gadarnhawyd gan y Gymdeithasfa, dymuna'r Pwyllgor ddatgan ei ofid oblegid y difaterwch sydd yn ffynnu yn yr Henaduriaethau ynglyn a'r Gymraeg a'i buddiannau, a mynega ei farn yn ddiffuant na ddaw pethau i'w lle hyd oni byddo'r heniaith yn cael sylw dyladwy yn holl faes y Gymdeithasfa.[351] Derbyniwyd hefyd y penderfyniadau hyn: 'Ein bod o'r farn y dylai'r Gymdeithasfa tra yn cydnabod hawl y lleiafrif yn yr ysgolion elfennol bwysleisio y rheidrwydd i'r Gymraeg gael ei lle yn holl Ysgolion y Babanod.' Ychwanegwyd y dylid ystyried ffurfio pwyllgor sefydlog cydenwadol er sicrhau cydweithrediad ar bwnc y Gymraeg.[352]
>
> Mabwysiadwyf adroddiad y Pwyllgor gan ddatgan:
>
> Yr ydym wedi galw sylw droeon yn ddiweddar at bwysigrwydd

yr Iaith Gymraeg i grefydd yn gyffredinol yng Nghymru, ac yn arbennig yn ein heglwysi a'n Hysgolion Sul Cymreig. Arferid dysgu'r Gymraeg yn yr ysgolion Sul yn y gorffennol, ni ddylai fod angen am hynny mwyach yng Nghymru. Dymunwn felly alw sylw'r Henaduriaethau at y ffaith fod y Gymraeg i'w dysgu yn yr Ysgolion Dydd, a lle bo'r addysg yn aneffeithiol, y gallant ddwyn hynny i sylw yr Awdurdodau Addysg yn eu Siroedd a cheisio sicrhau i bob plentyn Cymreig addysg effeithiol yn iaith ei fam.'[353]

Parhaodd yr anniddigrwydd ynglŷn â'r hyn a deimlwyd oedd yn arddangos difaterwch ar ran y Cyfundeb am yr holl fater:

> Dymuna'r Pwyllgor [sef, Cyd-bwyllgor y Gymraeg] ddatgan ei farn nad yw'r Gymdeithasfa wedi sylweddoli'r pwys o gadw'r iaith na'r perygl o esgeuluso buddiannau crefydd ysbrydol yn y wlad. Dymuna'r pwyllgor unwaith eto alw sylw'r Gymdeithasfa at y mater a fu gerbron fisoedd yn ôl (gw. Sasiwn Aberystwyth). Teimla'r Pwyllgor yn siomedig na ddangoswyd mwy o eiddgarwch gan y Sasiwn yn y materion hynny.[354]

Cytunwyd yn y Sasiwn i gyflwyno penderfyniadau Sasiwn Aberystwyth y flwyddyn flaenorol ar ddwyn hawliau'r Gymraeg i sylw Awdurdodau Addysg a sefydlu Pwyllgor Cydenwadol i'w diogelu, i ystyriaeth Pwyllgor Addysg y Gymanfa Gyffredinol.[355]

Yn Adroddiad y Pwyllgor Adrannol, *Y Gymraeg mewn Addysg a Bywyd,* ceid adran ar y colegau diwinyddol a oedd yn perthyn i Eglwysi Rhydd Cymru, a dyma'r hyn a ddywed am Goleg Diwinyddol Aberystwyth:

> Y mae yn y coleg 32 o fyfyrwyr, a thri ohonynt heb fedru Cymraeg. Rhaid i'r myfyriwr Cymraeg basio arholiad yn y Gymraeg cyn ei dderbyn, onid esgusodir ef gan Dystysgrif Ymaelodi Prifysgol Cymru. Cymerth pedwar ar ddeg o'r Graddedigion a oedd yn y Coleg yn ystod y tymor 1924–1925 y Gymraeg fel pwnc yn eu cwrs graddio, ac yr oedd deuddeg o'r rhai hynny wedi ennill anrhydedd. Nid oes un dosbarth lle y defnyddir y Gymraeg yn gyfangwbl, er y gwneir cryn ddefnydd

ohoni yn y darlithoedd. Cymraeg ydyw iaith y cyfarfodydd defosiynol gan amlaf, ac ynddynt ceir anerchiadau gan yr Athrawon a'r Myfyrwyr. Caniateir y ddwy iaith yn y Gweddïau Beunyddiol, er mai'r Gymraeg a ddefnyddir fwyaf. Hi ydyw unig iaith y Gymdeithas Lenyddol. Gellir dywedud bod awyrgylch y Coleg yn Gymreig i raddau helaeth iawn.[356]

Ac am Goleg y Bala fe ddywedir:

> Y mae yn y Coleg naw o fyfyrwyr, a dau ohonynt heb fedru Cymraeg. Ni wneir unrhyw ddarpariaeth i ddysgu Cymraeg yn y Coleg hwn. Gan fod rhai myfyrwyr heb ddeall yr iaith traddodir y darlithoedd yn Saesneg, ond pan fo pawb yn y dosbarth yn deall Cymraeg, defnyddir hi'n fynych. Cymraeg a ddefnyddia'r myfyrwyr yn aml yn y cyfarfodydd lle y ceir ymdrin a beirniadu'.[357]

Dyfarniad y Pwyllgor ar y Colegau Diwinyddol o bob enwad oedd:

> Ni chaiff astudiaeth o'r iaith mo'r lle y gellid ei ddisgwyl yn y cwrs addysg. Ac er mwyn amddiffyn yr hyn sy'n edrych ar yr olwg gyntaf fel gwendid mewn sefydliadau sy'n paratoi myfyrwyr i fod yn weinidogion ar Eglwysi Cymraeg, dywedir mai pwnc yng nghwrs gwaith y Celfyddydau ydyw'r Gymraeg, ac felly mai colegau'r Brifysgol a ddylai ofalu amdano, yn enwedig gan fod llawer iawn o'r myfyrwyr yn derbyn eu haddysg yno cyn myned i'r Colegau hyn lle ni ddysgir dim namyn diwinyddiaeth.[358]

Felly, ar gyfer yr eglwysi a'r colegau diwinyddol argymhellodd y Pwyllgor: 'Dylid gwneuthur mwy o ddefnydd o'r Gymraeg fel cyfrwng hyfforddi yn y Colegau Diwinyddol mewn pynciau cyfaddas amgen na'r Gymraeg',[359] ac 'Y dylai pob myfyriwr sy'n dilyn cwrs yn y Celfyddydau cyn myned i'r Coleg Diwinyddol, gymryd y Gymraeg fel pwnc yn y cwrs hwnnw'.[360] Argymhellir ymhellach: 'Fod pob myfyriwr na chyrhaeddodd safon uwch nag Arholiad Ymaelodi'r Brifysgol o ran ei addysg gyffredinol, ac na ddilyn gwrs yn y Celfyddydau yn derbyn hyfforddiant trwyadl yn y Gymraeg yn y Colegau Diwinyddol',[361] a 'Bod Prifathrawon y Colegau yn cydgyfarfod i ymdrin â'r pynciau hyn a phynciau eraill o nodwedd gyffelyb'.[362] Fodd bynnag, adroddwyd eisoes uchod mai cyndyn iawn oedd athrawon y Coleg Diwinyddol i ddefnyddio'r Gymraeg yn eu darlithoedd a'u dysgu'n gyffredinol yn y cyfnod hwn er i'r sasiynau eu siarsio i wneud hynny.

'Rhesymu ac annog cymedrol yn hytrach na gorfodi oedd sail polisi'r Adran Gymreig mewn perthynas â'r iaith Gymraeg ar ddiwedd y 1920au a'r 1930au,' meddai Gareth Evans.[363] Codwyd Pwyllgor Gweithiol y Gynhadledd er Diogelu Diwylliant Cymru yn ystod yr Ail Ryfel Byd, yn arbennig yn sgil dyfodiad nifer fawr o 'ymogelwyr' (*evacuees*) i ysgolion Cymru, ac effaith hynny ar addysg plant Cymru.[364] Chwaraeodd cynrychiolwyr y Cyfundeb ran yn y trafodaethau hyn. Yn 1942 amlygodd R. A. Butler, Llywydd y Bwrdd Addysg, agwedd gadarnhaol at yr iaith Gymraeg drwy ymwrthod ag agwedd 'dywyllfrydig' comisiynwyr "Brad y Llyfrau Gleision" (1847). Mynegodd ei awydd i wneud iawn am ddiffygion y comisiynwyr ac anogodd awdurdodau addysg lleol i ddatblygu polisïau cadarn ac i gymryd rhan mewn cyrsiau a hyrwyddid gan y Bwrdd Addysg. Cadarnhaodd Papur Gwyn 1943 [*Educational Reconstruction*, sef sail Deddf Addysg (1944)] y daliadau hyn, gan gydnabod nad fel un pwnc ychwanegol yn y cwricwlwm y dylid ystyried safle'r iaith yn yr ysgolion', meddai Gareth Evans drachefn.[365] Eto, dywed: 'Ni cheir yn Neddf Addysg 1944 ... unrhyw gyfeiriad penodol at yr iaith Gymraeg.'[366] Ond ceir argymhelliad o blaid polisi dwyieithog ar gyfer ysgolion Cymru yn adroddiad y Cyngor Canol ar Addysg (Cymru) (Ionawr 1953), *The Place of Welsh and English in the Schools of Wales.*[367]

Yn y 1950au, 'Seisnig yn bendifaddau oedd ethos yr ysgolion gramadeg. Hyd yn oed yng Ngwynedd, dim ond mewn deuddeg ysgol uwchradd y defnyddid y Gymraeg yn gyfrwng hyfforddiant a hynny, yn aml, ar gyfer dysgu Ysgrythur yn unig'.[368] Eithr daeth tro ar fyd, ac yn sicr roedd aelodau'r Cyfundeb, gan gynnwys ei weinidogion, yn flaengar yn yr ymdrechion i sefydlu ysgolion cyfrwng Cymraeg. Cofier am sefydlu'r ysgol gynradd Gymraeg gyntaf yn Aberystwyth yn 1939 gan Syr Ifan ab Owen Edwards, yntau'n aelod ffyddlon o'r Cyfundeb, gyda chefnogaeth egnïol gweinidog lleol, y Parch. J. E.

Meredith.[369] Yna, yn ei adroddiad i Gymanfa'r Bala yn 1961, mynegodd y Pwyllgor Addysg ei lawenydd yn agoriad yr ysgol eilradd Gymraeg gyntaf yn Sir y Fflint.[370] Bu Pwyllgor Cydenwadol yr Iaith Gymraeg yng Ngheredigion, a gweinidogion o'r Corff ymhlith ei swyddogion, yn flaenllaw yn yr ymgyrch i geisio sefydlu ysgol uwchradd Gymraeg yn Aberystwyth, ac fe agorodd Ysgol Penweddig yn 1973.[371] Eto, nid ymddengys i'r Corff ymateb i ddarlith Saunders Lewis, *Tynged yr Iaith* (1962), oherwydd nid oes sôn amdani yn adroddiadau'r Gymanfa Gyffredinol am y cyfnod hwnnw.

Yn ei Adroddiad i'r Gymanfa Gyffredinol yn 1980 roedd y Pwyllgor Addysg yn croesawu'r agwedd gyffredinol yn nogfen Ysgrifennydd Gwladol Cymru, 'Y Gymraeg yng Nghwrs Addysg yr Ysgolion'.[372] 'Yn unol â Deddf Diwygio Addysg 1988 daeth y Gymraeg yn bwnc statudol, gorfodol – yn bwnc craidd neu yn bwnc sylfaen – am y tro cyntaf erioed yn holl ysgolion cynradd ac uwchradd Cymru o ddechrau'r flwyddyn academaidd 1990–1. Pa ryfedd i Syr Wyn Roberts, y Gweinidog Gwladol â chyfrifoldeb dros addysg yng Nghymru [ac aelod o'r Cyfundeb], danlinellu arwyddocâd pwysig y ddeddfwriaeth o safbwynt dyfodol yr iaith Gymraeg.'[373]

Ceir ymateb Pwyllgor Addysg y Cyfundeb i Adroddiad Gittins (1968) yn ei adroddiad i'r Gymanfa Gyffredinol yn Abergwaun y flwyddyn honno: 'Llawenhawn yn yr egwyddor o roddi'r ddwy iaith yn hollol ar yr un tir, a chael pob plentyn yng Nghymru yn ddwyieithog yn ystod ei gyfnod cynradd.'[374] Rhan arall o ymateb y Pwyllgor Addysg i Adroddiad Gittins oedd ei gonsýrn am ysgolion gwledig, a datgenir:

> Apeliwn at y Weinyddiaeth Addysg a'r Pwyllgorau Addysg i wneud pob peth posibl i gadw'r ysgolion gwledig yn fyw, a phan fydd hynny yn or-anodd oherwydd y diboblogi, helpu i uno ag ysgol neu ysgolion gwledig eraill er mwyn parhad y cymeriad Cymreig.[375]

Parhaodd diddordeb byw'r Corff mewn materion addysg weddill y ganrif, ac yn wir, hyd at y presennol, ac yn gyson cyflwynwyd a chymeradwywyd ymatebion Pwyllgor Addysg y Gymanfa, a ddaeth yn ddiweddarach yn rhan o'r Bwrdd Materion Cyhoeddus, i'r cynlluniau a'r dogfennau lluosog oddi wrth y llywodraeth ganolog a'r awdurdodau lleol yn y meysydd hyn.

1 Gw. J. Beverley Smith, 'Dechrau'r Ugeinfed Ganrif: Y Cyfundeb o dan Archwiliad 1900–1925', *Cylchgrawn*, 20 (1996), 41–67.
2 *Comisiwn Ad-drefnu y Methodistiaid Calfinaidd: Adroddiad Pwyllgor III (De a Gogledd) ar Ymgeiswyr am y Weinidogaeth, Addysg yr Efrydwyr, &c.,* Y Pwyllgor Cyhoeddi, Liverpool, 1922.
3 Ibid., tt. 10–12, 20–3.
4 Ibid., tt. 12–13.
5 Gw. yr hysbysiad hwn yn *Y Goleuad*, 22 Awst 1928, t. 11: 'Coleg Trefeca yn agored i fyfyrwyr o bob enwad', ac 'Ysgoloriaethau agored i bob enwad'.
6 *Comisiwn Ad-drefnu III*, tt. 13–14.
7 Ibid., tt. 14, 24–6.
8 Ceir hanes y trafodaethau rhwng y Cymdeithasfaoedd ynglŷn â'r methiant i uno'r holl addysg ddiwinyddol yn Aberystwyth yr adeg hon yn J. Gwynfor Jones, 'From "Monastic Family" to Calvinistic Methodist Academy: Trefeca College (1842–1906)', yn Alan P. F. Sell (gol.), *The Bible in Church, Academy, and Culture* (Eugene, Oregon, 2011), tt. 211–23. Gw. hefyd G. A. Edwards, *Athrofa'r Bala 1837–1937* (Y Bala, 1937), t. 45, a R. H. Evans, *David Williams* (Caernarfon, 1970), t. 93.
9 Gw. ymhellach J. G. Jones, 'From "Monastic Family" ', tt. 191–226.
10 Edwards, *Athrofa'r Bala*, t. 48. Gw. hefyd Evans, *David Williams*, tt. 108–9.
11 Evans, *David Williams*, t. 108.
12 Edwards, *Athrofa'r Bala*, t. 47.
13 Ibid., t. 52.
14 Edwards, *Athrofa'r Bala*, tt. 52–3; Evans, *David Williams*, t. 130.
15 Edwards, *Athrofa'r Bala*, t. 53. Gw. hefyd y drafodaeth ar 'Y Comisiwn a'r Colegau', *Y Goleuad*, 28 Gorffennaf 1920, tt. 2–3, a sylwadau'r Golygydd ar t. 4, ynghyd â'r *Goleuad*, 4 Awst 1920, tt. 2–3. Yn yr un rhifyn ceir ysgrif gan T. Charles Williams ar 'Uniad y Colegau', t. 5, ac yn rhifyn 11 Awst 1920, t. 6, ceir llythyr arno gan 'Welsh Presbyterian'. Ymddengys adroddiad o Gymdeithasfa Caernarfon 24–6 Awst 1920 ar 'Cwestiwn Uniad y Colegau' yn *Y Goleuad*, 1 Medi 1920, tt. 3, 6, ac ysgrif gan y lleygwr amlwg John Owens, Y.H., Caer, ar 'Dyfodol y Colegau Diwinyddol' yn *Y Goleuad*, 22 Medi 1920, t. 4.
16 R. R. Hughes, *Y Parchedig John Williams, D.D., Brynsiencyn* (Caernarfon, 1929), tt. 248–9. Gw. hefyd t. 261, yn ogystal â D. Ben Rees, 'Cloriannu'r Parchedig Ddr John Williams, Brynsiencyn', *Cylchgrawn* 35 (2011), 124.
17 Edwards, *Athrofa'r Bala*, t. 53.
18 Evans, *David Williams*, t.130. Gw. hefyd *Y Blwyddiadur* 1923, tt. 182–4.
19 Evans, *David Williams*, t. 140.

20 Ibid., t. 143.
21 *Y Goleuad*, 5 Ebrill 1922, t. 13. Dyddiad y Pwyllgor oedd 24 Mawrth 1922.
22 Gw. *Calendar of the United Theological Colleges at Aberystwyth and Bala* (Session 1924–1925), tt. 8–9, a chafwyd yr un neges yn *Calendar of the United Theological College* 1928–29, tt. 7–8.
23 Edwards, *Athrofa'r Bala*, t. 53.
24 Ar ei fywyd, gw. *Y Blwyddiadur*, 1938, tt. 207–8.
25 Evans, *David Williams*, t. 109. Ceir ysgrif goffa iddo yn *Y Blwyddiadur*, 1942, tt. 119–20.
26 *Calendar,* 1928–9, t. 23. Ar ei fywyd, gw. *Y Blwyddiadur*, 1929, tt . 221–2. Ceir ysgrifau coffa iddo gan John Owen, Caernarfon, R. R. Williams, a John Price Williams yn *Y Goleuad*, 22 Chwefror 1928, tt. 8–10.
27 Gw. Adroddiad y Gymdeithasfa yn y De, Tyddewi, Mai 1926, yn *Y Blwyddiadur*, 1927, t. 192.
28 W. P. Jones, *Coleg Trefeca 1842–1942* (Trefeca, d.d.), tt. 44–5; W. R.Williams, 'Y Prifathro Owen Prys', yn William Morris (gol.), *Deg o Enwogion* (Caernarfon, 1959), tt. 47–8; J. G. Jones, 'From "Monastic Family"', t. 205.
29 *Deg o Enwogion*, t. 49, a *Calendar* 1928–9, t. 23. Mynegir gwerthfawrogiad o'i alluoedd eithriadol gan J. G. Jones, 'From "Monastic Family"', tt. 209–11. Gw. hefyd *Y Blwyddiadur* 1936, tt. 207–9, a yba.llgc.org.uk, t. 759.
30 *Deg o Enwogion*, t. 52, a *Y Blwyddiadur*, 1936, t. 208. Gw.hefyd Adroddiad Sasiwn y Gogledd, Medi 1933, t. 99, a'r *Goleuad*, 20 Medi 1933, t. 6.
31 W. P. Jones, *Coleg Trefeca*, t. 45, a J. G. Jones, 'From "Monastic Family"',t. 210.
32 W. P. Jones, *Coleg Trefeca*, t. 49; *Y Blwyddiadur*, 1943, tt. 124–5,a *Y Bywgraffiadur Cymreig 1941–1950* (Llundain, 1970), t. 16 (gw. yba.llgc.org.uk).
33 W. P. Jones, *Coleg Trefeca*, t. 46.
34 J. Gwynn Williams, *The University of Wales 1893–1939: A History of the University of Wales*, vol. 2 (Cardiff: University of Wales Press, 1997), t. 413.
35 Edwards, *Athrofa'r Bala,* t. 53, ac Evans, *David Williams*, t. 131. Gw. hefyd *Y Blwyddiadur*, 1952, tt. 220–1, a'r *Bywgraffiadur 1951–1970* (Llundain, 1997), tt. 160–1 (yba.llgc.org.uk).
36 R. Meirion Roberts, 'Y Prifathro David Phillips, M.A., D.D., Y Bala (1875*[sic]*–1951), yn *Deg o Enwogion* (1959), t. 82, a'r *Bywgraffiadur*, t. 160.
37 Jones, *Coleg Trefeca*, t. 46.
38 Evans, *David Williams*, tt. 92–4, a *Calendar*, 1928–9.
39 Evans, *David Williams*, tt. 109–22.
40 Edwards, *Athrofa'r Bala*, tt. 53–4.
41 Ibid., t. 54.
42 Ibid., t. 56.

43 Adroddiad Cymdeithasfa'r Gogledd, Prestatyn, 20–2 Tachwedd 1934, t. 150.

44 *Y Blwyddiadur*, 1958, tt. 247–8, a *Bywgraffiadur 1951–1970*, t. 77 (yba.llgc.org.uk).

45 *Y Blwyddiadur*, 1964, tt. 284–5, a *Bywgraffiadur 1951–1970*, tt. 246–7 (yba.llgc.org.uk)..

46 Adroddiad Cymdeithasfa'r Gogledd, Bangor, 11–13 Medi 1928, yn *Y Goleuad*, 19 Medi 1928, t. 4.

47 Edwards, *Athrofa'r Bala*, t. 56.

48 Ibid., t. 56; *Y Goleuad*, 7 Mawrth 1928, tt. 8–9, ac Adroddiad Cymdeithasfa'r Gogledd, Trinity, Wrecsam, 20–2 Mawrth,1928, yn *Y Goleuad*, 22 Awst,1928, t. 3. Ar Edwards gw. *Bywgraffiadur 1951–1970*, tt. 43–4 (yba.llgc.org.uk), a J. Price Williams, 'Y Parch. Gwilym Arthur Edwards', yn *Deg o Enwogion* (Ail Gyfres, 1965), tt. 77–84.

49 Gw. Adroddiad Cymdeithasfa'r De, Jerusalem Tonpentre, 28–30 Medi 1937, t. 134. Gw. hefyd Huw Roberts, 'Y Prifathro Howel Harris Hughes, B.A., B.D. (1873–1956)', yn William Morris (gol.), *Deg o Enwogion*, t. 49.

50 Adroddiad Cymdeithasfa'r Gogledd, Bangor, 11–12 Medi 1928, yn *Y Goleuad*, 19 Medi 1928, t. 4, a Jones, *Coleg Trefeca*, t. 49.

51 Ar ei fywyd gw. *Y Blwyddiadur*, 1942, tt. 119–20.

52 *Y Blwyddiadur*, 1930, tt. 220–1.

53 Adroddiad Cymdeithasfa'r Gogledd, Bangor, 11–13 Medi 1928, yn *Y Goleuad*, 19 Medi 1928, t.4. Ysgrifennodd J. E. Daniel air o gymeradwyaeth adeg ei benodiad: gw. *Y Goleuad*, 12 Medi 1928, t. 9.

54 *Calendar* 1940–1, t. 25; Jones, *Coleg Trefeca*, t. 49. Ar Davies gw. *Bywgraffiadur 1951–1970*, t. 39 (yba.llgc.org.uk).

55 Jones, *Coleg Trefeca*, t. 49. Am D. Morris Jones gw. *Y Bywgraffiadur 1951–1970*, t. 94 (yba.llgc.org.uk), a'r *Blwyddiadur*, 1959, tt. 266–7.

56 Yn ôl Adroddiad y Bwrdd Ymgeiswyr yng Nghymdeithasfa'r De, Penllwyn, Medi 1934, t. 96. Cymeradwywyd hyn gan Gymdeithasfa'r Gogledd, Bangor, Medi 1934, t. 105.

57 Adroddiad Cymdeithasfa'r Gogledd, Bangor, Medi 1934, t. 98.

58 Gw. Adroddiad Cymdeithasfa'r De, Pen-y-bont ar Ogwr, 21–3 Mawrth 1939, t. 22.

59 Am ei fywyd gw.*Y Bywgraffiadur* ar lein.

60 *Y Blwyddiadur* 1980. Ar R. N. Williams gw. *Y Blwyddiadur*, 1995, tt. 78–9.

61 Cofnodion Ysgol Diwinyddiaeth Aberystwyth–Llambed 11 Mehefin 1980. Ceir teyrngedau i'w gwaith yn y Coleg yn *Y Blwyddiadur*, 1981, tt. 78–9.

62 Ceir ysgrif goffa iddo yn *Y Blwyddiadur*, 1984, tt. 213–14.

63 *Y Blwyddiadur*, 1981 (cyf. lxxxiv), t. 34.

64 Gw. Adroddiad Cymdeithasfa'r De, Plassey Street, Penarth, 13–15 Ebrill, 1937.

65 Gw. Adroddiad Cymdeithasfa'r De, Jerusalem, Ton Pentre, 28–30 Medi 1937, tt. 111, 121, 134. Gw. hefyd Jones, *Coleg Trefeca*, t. 49. Ceir ysgrif goffa i Bleddyn Jones Roberts yn *Y Blwyddiadur*, 1978 (cyf. lxxxi), tt. 287–8.

66 *Y Blwyddiadur*, 1962, t. 59. Gw. hefyd *Y Bywgraffiadur* ar lein.
67 R. Tudur Jones, *Diwinyddiaeth ym Mangor,1922–1972* (Caerdydd, 1972), t. 84.
68 Adroddiad Bwrdd y Coleg 30 Mai 1978.
69 Am H. P. Owen gw. A. P. F. Sell, *Convinced, Concise,and Christian:The Thought of Huw Parri Owen* (Eugene, Oregon, 2012) a'r *Bywgraffiadur* ar lein.
70 Ceir teyrngedau iddo gan Christopher Prew yn *Y Goleuad*, 18 Tachwedd 2005, t. 2, a John Owen yn *Y Goleuad*, 24 Mehefin 2016, t. 7.
71 Gw. Obituary yn *The Independent*, 2 January 1995.
72 Gw.Adroddiad Bwrdd y Colegau Unedig yn *Y Blwyddiadur*, 1969 (cyf. lxxii), tt. 65–6. Gw. ei ddarlith hunangofiannol *From Katesbridge to Cambridge* (Belfast: Presbyterian Historical Society of Ireland, 2006), a'r ysgrif goffa yn *Y Blwyddiadur*, 2005, tt. 129–30.
73 *Y Blwyddiadur*, 1970 (cyf. lxxiii), tt. 61, 223–4.
74 Jones, *Diwinyddiaeth ym Mangor*, t. 17.
75 Ibid., t. 27.
76 Ibid., t. 27. Enw llawn Comisiwn Haldane oedd *Royal Commission on University Education in Wales, Final Report* (London: HMSO, 1918), Cd. 8991.
77 Final Report, 91, a ddyfynnir gan D. Emrys Evans, *The University of Wales* (Cardiff, 1953), t. 49, a J. G. Williams, *The University of Wales*, t. 147.
78 J. G. Williams, *University of Wales*, t. 147.
79 Jones, *Diwinyddiaeth ym Mangor*, t. 67.
80 Ibid., t. 89. Gw. hefyd Adroddiad Bwrdd y Colegau Unedig yn *Y Blwyddiadur*, 1969 (cyf. lxxii), t. 244, ac yn *Y Blwyddiadur*, 1970 (cyf. lxxiii), tt. 61, 222. Yn 1971 y cwblhawyd y trefniadau i Goleg Dewi Sant gael ei gorffori ym Mhrifysgol Cymru. Gw. D. T. W. Price, *A History of Saint David's College Lampeter, vol. 2: 1898–1971* (Cardiff, 1990), t. 229, a D. Densil Morgan,*The Span of the Cross* (Cardiff: 2nd ed., 2011), t. 254.
81 Gw. *Y Blwyddiadur*, 1920, t. 81.
82 Ibid. Gw. hefyd Jones, *Diwinyddiaeth ym Mangor*, t. 28.
83 Jones, *Diwinyddiaeth ym Mangor*, tt. 28–30.
84 Ibid., t. 29.
85 Ibid., t. 28.
86 Ibid., t. 33; Evans, *The University of Wales*, tt. 114–15, a J. G. Williams, *University of Wales*, tt. 147–8.
87 Jones, *Diwinyddiaeth ym Mangor*, t. 52, a J. G. Williams, *University of Wales*, t. 236.
88 Evans, *The University of Wales*, t. 118, a J. G. Williams, *University of Wales*, t. 249.
89 Gw. Adroddiad Bwrdd y Coleg Diwinyddol yn *Y Blwyddiadur*, 1980, t. 134.
90 *Y Blwyddiadur*, 1986 (cyf. lxxxix), t. 25.
91 Jones, *Diwinyddiaeth ym Mangor*, t. 50.

92 Gw. Adroddiad Cymdeithasfa'r De, Sandfields, Aberafan, 15–17 Medi 1936, t.113, ac Adroddiad Cymdeithasfa'r De, Y Garn, 22–4 Mehefin 1937, t. 90.

93 D. Densil Morgan, *Pennar Davies* (Caerdydd, 2003), t. 115. Aelodau eraill y ddirprwyaeth hon oedd L. W. Grensted, Vincent Taylor a'r Athro J. R. Jones, Abertawe. Gw. ibid., t. 97.

94 Ibid., t. 115. Argreffir yr Adroddiad yng Nghofnodion y Cyngor (Council, 11 July 1956, 261–4, a ddyfynnir yn Prys Morgan, *The University of Wales 1939–1993* (History of the University of Wales, vol. 3) (Cardiff: University of Wales Press,1997), t. 72). Gw. hefyd Jones, *Diwinyddiaeth ym Mangor*, t. 96, a Ieuan Davies, *Gwerthfawrogiad o Fywyd a Gwaith Dr. Isaac Thomas* (Abertawe, 2010), t. 136.

95 Jones, *Diwinyddiaeth ym Mangor*, t.97. Gw. hefyd Morgan, *University of Wales*, t. 72.

96 Cofnodion Cyfadran Ddiwinyddiaeth y Brifysgol, 1535, a ddyfynnir gan Jones, *Diwinyddiaeth*, t. 97.

97 *Y Blwyddiadur*, 1962, t. 123.

98 Cofnodion Cyfadran Ddiwinyddol y Brifysgol 13 Chwefror, 1987, t. 946.

99 Coleg Prifysgol Cymru, Aberystwyth, Agendum 17(1) (c). Gw. hefyd Morgan, *Pennar Davies*, tt. 164–5.

100 Cofnodion Cyfadran Ddiwinyddiaeth y Brifysgol, 23 Mehefin 1978, Appendix A, tt. 543–7. Ceir ymateb Aberystwyth–Llambed yn Appendix II, tt. 548–52.

101 Cofnodion y Gyfadran Ddiwinyddiaeth, Actum 9.

102 Ibid., Actum 12(a –b), tt. 560–1.

103 Ibid., Actum 13, t. 561.

104 Cofnodion Cyfarfod yr Ysgol, 22 Mehefin 1983, Agendum 11.

105 Cofnodion yr Ysgol, 15 Mehefin 1992, Agendum 5.

106 Bu hwn yn fater trafod ers sefydlu Colegau Diwinyddol y Bala a Threfeca yn y bedwaredd ganrif ar bymtheg. Gw. Eryn M. White, 'Addysg a'r Iaith Gymraeg', yn *Hanes Methodistiaeth Galfinaidd Cymru: Y Twf a'r Cadarnhau*, 3, tt. 244–5.

107 Adroddiad Cymdeithasfa'r De, Borth, Sir Aberteifi, 29 Ebrill–1 Mai 1930, t. 29. Manylir ar hyn isod yn yr adran ar Addysg a'r Iaith Gymraeg.

108 Adroddiad Cymdeithasfa'r De, Aberystwyth, Mehefin 1932, t. 19.

109 Adroddiad Cymdeithasfa'r De, Llangeitho, 13–15 Awst 1935, t. 82.

110 Adroddiad Cymdeithasfa Bethania, Glanaman, 25–7 Ebrill 1933, tt. 6–7.

111 Adroddiad Cymdeithasfa'r Gogledd, Y Bala, 18–20 Mehefin 1935, t. 87.

112 Jones, *Diwinyddiaeth ym Mangor*, tt. 83–4.

113 Ibid., t. 83 ac I. Davies, *Isaac Thomas*, t. 144.

114 Adroddiad Cymdeithasfa'r De yn Aberaeron, 26–8 Medi 1933, t. 86.

115 Ibid., t. 73.

116 Ibid., t. 87.

117 Ibid., t. 93. Gw. hefyd Adroddiad Cymdeithasfa'r Gogledd, Pwllheli, 13–15 Medi 1933, tt. 92–3. Gw. hefyd *Y Goleuad*, 20 Medi 1933, t. 5, a J. E. Wynne Davies, 'Annus Horribilis', *The Treasury*, 38 (2012), t. 6.

118 Adroddiad Cymdeithasfa'r Gogledd Medi 1933, t. 93.
119 Adroddiad Cymdeithasfa'r De, Pen-llwyn, Gogledd Aberteifi, 11–13 Medi 1934, t. 87.
120 Adroddiad Cymdeithasfa'r De, Aberaeron, Medi 1933, t. 73. Gw. hefyd Adroddiad Cymdeithasfa'r Gogledd, Medi 1933, t. 94. Gw. hefyd *Y Goleuad*, 20 Medi 1933, t. 5.
121 Adroddiad Cymdeithasfa'r De yng Nglynebwy, Tachwedd 1933, t. 122.
122 Adroddiad Cymdeithasfa'r De, Aberaeron, Medi 1933, tt. 93–4. Gw. hefyd Adroddiad Cymdeithasfa'r Gogledd, Medi 1933, t. 94, a'r *Goleuad*, 20 Medi 1933, t. 5.
123 Adroddiad Cymdeithasfa'r De yn Llanymddyfri, 17–19 Medi 1935, t. 116. Ceir ysgrif goffa iddo yn *Y Blwyddiadur*, 1970 (cyf. lxxiii), t. 277.
124 Adroddiad Cymdeithasfa'r De, Aberaeron, Medi 1933, t. 86.
125 Adroddiad Cymdeithasfa'r De, Sandfields, Aberafan, 15–17 Medi 1936, t. 85. Gw. hefyd *Y Goleuad*, 23 Medi 1936, t. 3.
126 Adroddiad Cymdeithasfa'r De, Plassey Street, Penarth, 13–15 Ebrill 1937, t. 28. Gw. *Y Goleuad*, 21 Ebrill 1937, t. 5.
127 Adroddiad Cymdeithasfa'r De, Tylorstown, 30 Hydref – 1 Tachwedd 1934, t. 140.
128 Adroddiad Cymdeithasfa'r De, Talgarth, 2–4 Ebrill 1935, t. 15.
129 Edwards, *Athrofa'r Bala*, t. 57. Gw. hefyd Adroddiad o Gymdeithasfa'r De, Caerfyrddin, 21–3 Ebrill 1936, yn *Y Goleuad*, 29 Ebrill 1936, t. 5.
130 Adroddiad Cymdeithasfa'r De, Tylorstown, 30 Hydref–1 Tachwedd 1934, t. 133.
131 Adroddiad Cymdeithasfa'r Gogledd, Caernarfon, Medi 1932, t. 113.
132 Jones, *Diwinyddiaeth ym Mangor*, t. 81.
133 Morgan, *The Span of the Cross* , tt. 249–50, a David Ceri Jones, 'Lloyd–Jones, D. Martyn (1899–1981)', yn *T. & T. Clark Companion to Nonconformity*, gol. Robert Pope (London, 2013), t. 627.
134 *Y Blwyddiadur*, 1968, tt. 208 a 214.
135 Jones, *Coleg Trefeca*, tt. 45–6, a J. G. Jones, 'From "Monastic Family"', t. 210.
136 Jones, *Coleg Trefeca*, tt. 48–9.
137 J. G. Jones, 'From "Monastic Family"', t. 222. Gw. hefyd Evans, *David Williams*, t. 94.
138 J. G. Jones, 'From "Monastic Family"', t. 222. Gw. hefyd Evans, *David Williams*, t. 93.
139 Jones, *Coleg Trefeca*, tt. 49–50.
140 Ibid., t. 49.
141 Ibid., t. 50.
142 Ibid., t. 50; *Calendar of the United Theological Colleges at Aberystwyth and Bala* (Session 1924–5) a Gomer M. Roberts, 'Atgofion am Drefeca (III)' yn William Morris (gol.), *Ysgolion a Cholegau y Methodistiaid Calfinaidd (Y rhai a gaewyd)* (Caernarfon, 1973), t. 38. Ceir ysgrif goffa iddo yn *Y Blwyddiadur*, 1926, t. 227.
143 Gw. *Y Blwyddiadur*, 1956, t. 257.
144 Jones, *Coleg Trefeca* , t. 50.

145 Adroddiad Cymdeithasfa'r De, Llangeitho, 13–15 Awst 1935, t. 84.
146 *Y Blwyddiadur*, 1964, tt. 201–2. Ceir teyrnged iddo yn *Y Blwyddiadur* 1985, t. 212.
147 Adroddiad Cymdeithasfa'r De, Plassey Street, Penarth, 13–15 Ebrill 1937, t. 20.
148 Adroddiad Cymdeithasfa'r De, Bwlch-gwynt, Tregaron, Tachwedd 1937, t. 193.
149 Adroddiad Cymdeithasfa'r De, Aberhonddu, Mawrth 1938, tt. 34–6.
150 Adroddiad Cymdeithasfa'r De, Ebenezer, Hwlffordd, 30 Awst–1 Medi 1938, tt. 127–8.
151 *Y Blwyddiadur*, 1963, tt. 57 a 124: Adroddiad Bwrdd yr Athrofa Unedig i'r Gymanfa yn Heathfield Road, Lerpwl, 18–22 Mehefin 1962. Ar Davies gw. *Y Blwyddiadur*, 1967, tt. 259–60, a'r *Bywgraffiadur 1951–1970*, t. 37 (yba.llgc.org.uk).
152 *Y Blwyddiadur*, 1963, t. 123, a 1964, t. 201.
153 *Y Blwyddiadur*, 1965, t. 164, a 1966, t. 232.
154 Am hanes y sefydliad hwn gw. Emlyn Richards, *Hen Ysgol Eben Fardd – Ysgol yr Ail Gynnig* (Caernarfon, 2004).
155 Ibid., tt. 12–13.
156 Huw Llewelyn Williams, 'Ysgol Clynnog (II)', yn *Ysgolion a Cholegau*, tt. 58, 61, a Richards, *Hen Ysgol Eben Fardd*, tt. 19–21.
157 Williams, 'Ysgol Clynnog', t. 61, Mathonwy Hughes, *Atgofion Mab y Mynydd* (Dinbych, 1982), tt. 54–8, a Richards, *Hen Ysgol Eben Fardd*, tt. 21–2. Am R. Dewi Williams gw. Y *Blwyddiadur* 1956, t. 265, a *Bywgraffiadur 1951–1970*, tt. 239–40.
158 Williams, 'Ysgol Clynnog', t. 63, a Richards, *Hen Ysgol Eben Fardd*, t. 22. Am W. Ffowc Evans gw. *Y Blwyddiadur* 1962, t. 257.
159 Williams, 'Ysgol Clynnog', t. 64, a Richards, *Hen Ysgol Eben Fardd*, t. 25. Am T. Jones Parry gw. *Y Blwyddiadur* 1956, t. 260.
160 Williams, 'Ysgol Clynnog', t. 63. Gw. hefyd Richards, *Hen Ysgol Eben Fardd*, t. 22.
161 John Roberts, 'O Glynnog i'r Rhyl', yn *Ysgolion a Cholegau*, t. 82.
162 Ibid., t. 83. Yng Nghymdeithasfa'r Gogledd ym Mrynsiencyn, 3–5 Ebrill 1929 y gwnaethpwyd y penderfyniad i symud o Glynnog i'r Rhyl. Gw. yr adroddiad yn *Y Goleuad*, 10 Ebrill 1929. Penderfynwyd hefyd dod ag addysg ragbaratoawl o dan ofal y Gymdeithasfa, *Y Goleuad*, 10 Ebrill 1929, tt. 3–4, a hefyd 5 Mehefin 1929, t. 10. Gw. ymhellach Adroddiad Cymdeithasfa'r Gogledd, Caernarfon, 6–8 Medi 1932, t. 105.
163 J. Roberts, ibid., t. 81. Gw. hefyd Richards, *Hen Ysgol Eben Fardd*, t. 26.
164 J. Roberts, 'O Glynnog i'r Rhyl', t. 83, a *Calendar* 1929–30, t. 51.
165 Am R. S. Hughes gw. *Y Blwyddiadur*, 1953, tt. 228–9.
166 Adroddiad y Gymanfa Gyffredinol yn 1949 yn *Y Blwyddiadur*, 1950, t. 134.
167 Adroddiad y Gymanfa Gyffredinol yn 1952 yn *Y Blwyddiadur*, 1953, t. 149.
168 R. H. Evans, 'Atgofion am Goleg y Bala (II), 1922–1963', yn *Ysgolion a Cholegau*, t. 98. Gw. hefyd John Roberts, 'David Williams', yn *Deg o Enwogion* (1959), t. 90.

169 R. H. Evans, 'Atgofion', t. 99.

170 R. H. Evans, ibid., t. 101, a *Y Goleuad*, 7 Mawrth,1928, tt. 8–9, ac Adroddiad Cymdeithasfa'r Gogledd, Trinity, Wrecsam, 20–1 Mawrth 1928, yn *Y Goleuad*, 28 Mawrth 1928, t. 3. Gw. hefyd J. Price Williams, 'Y Parch. Gwilym Arthur Edwards', yn *Deg o Enwogion* (Ail Gyfres) (1965), t. 79.

171 *Calendar*, 1940–1, t. 42. Mae R. H. Evans,'Atgofion', t. 103, yn anghywir wrth gyfeirio at 1938.

172 *Deg o Enwogion*, t. 80. Ceir ysgrif goffa iddo gan John Price Williams yn *Y Blwyddiadur*, 1964, tt. 276–7. Gw. hefyd *Y Blwyddiadur*, 1965, t. 159.

173 R. H. Evans, 'Atgofion', t. 103.

174 Ibid., t. 104.

175 Ibid., t. 107.

176 Ibid.

177 *Y Blwyddiadur*, 1965, t. 167.

178 *Calendar*, 1940–1, t. 50.

179 *Cylchlythyr y Gymdeithasfa yn y Gogledd*, Tachwedd, 1963, t. 136.

180 Memorandwm, Archifau'r Methodistiaid Calfinaidd, 28712, t. 1. Gw. hefyd *Cylchlythyr y Gymdeithasfa*, Medi 1964, Atodiad IX.

181 Memorandwm, t. 1.

182 Ibid., t. 2.

183 Ibid.

184 Ibid., gw. hefyd *Y Goleuad*, 1 Rhagfyr 1965.

185 Memorandwm, t. 6. Adroddir am y feirniadaeth ar y trefniadau hyn gan Harri Parri yn *Y Casglwr*, 94 (Gaeaf 2008), 7, a Glyn Tegai Hughes yn *Y Casglwr*, 95 (Gwanwyn 2009), t. 7 a 96 (Haf 2009), t. 7.

186 *Y Blwyddiadur*, 1966 (cyf. lxix), t. 239.

187 *Calendar*, 1929–30, t. 5.

188 *Calendar*, 1929–30, tt. 5–6.

189 *Calendar*, 1940–1, t. 21.

190 Adroddiad Sasiwn y Gogledd, Caernarfon, 6–8 Medi 1932, t. 106.

191 Ibid., t. 108.

192 Adroddiad Sasiwn y Gogledd, Corwen, 12–14 Ebrill 1932, t. 21.

193 Gw. hefyd Adroddiad Bwrdd yr Athrofa, Mehefin 1932, t. 113.

194 Adroddiad Sasiwn y Gogledd, Corwen, t. 21.

195 Adroddiad Sasiwn y Gogledd, Medi 1932, t. 111.

196 Adroddiad Sasiwn y Gogledd, Princes Road, Lerpwl, Tachwedd 1932, tt. 140, 152.

197 Adroddiad Sasiwn y Gogledd, Pwllheli, Medi 1933, t. 106.

198 Adroddiad Sasiwn y Gogledd, Bangor, 11–13 Medi 1934, t. 94.

199 Adroddiad Sasiwn y De, Caerdydd, Medi 1932, t. 14.

200 Adroddiad Sasiwn y De, Aberaeron, 26–8 Medi 1933, t. 93. Gw. hefyd Adroddiad Sasiwn y Gogledd, Pwllheli, 13–15 Medi 1933, t. 99. Ceir gohebiaeth ar broblemau ariannol y Coleg yn Aberystwyth yn R. Buick Knox, *Cylchgrawn*, li , 1966, 45–8.

201 Adroddiad Sasiwn y De, Pen-llwyn, Medi 1934, t. 93.

202 Adroddiad Sasiwn y De, Caerdydd, t. 18, ac Adroddiad Sasiwn y Gogledd, Caernarfon, Medi 1932, t. 113.
203 Adroddiad Bwrdd yr Athrofa Unedig a gyflwynwyd yn Sasiwn y Gogledd, Bangor, Medi 1934, t. 94.
204 Adroddiad Sasiwn y Gogledd, Bangor, t .95, a hefyd t. 100.
205 Adroddiad Sasiwn y Gogledd, Caernarfon 10–12 Medi 1935, t. 108.
206 Adroddiad Sasiwn y De, Jerusalem, Tonpentre, Medi 1937, t. 142.
207 *Calendar*, 1940–1, t. 21.
208 Adroddiad Sasiwn y Gogledd, Caernarfon, Medi 1932, t. 118.
209 *Y Blwyddiadur*, 1980, tt. 36, 131.
210 Adroddiad Bwrdd yr Athrofa Unedig i'r Gymanfa Gyffredinol, Y Gopa, Pontarddulais, 4–7 Gorffennaf 1983, yn *Y Blwyddiadur*, 1984, t. 87.
211 Adroddiad am y Gymanfa Gyffredinol, yn Y Gopa, yn *Y Blwyddiadur*, 1984, t. 87.
212 Adroddiad am y Gymanfa Gyffredinol, Llangeitho, 25–9 Mehefin 1985, yn *Y Blwyddiadur*, 1986, tt. 95–6.
213 Yn y Gymanfa Gyffredinol ym Machynlleth, 25–8 Mehefin 1984, *Y Blwyddiadur*, 1985, t. 36.
214 Adroddiad Bwrdd yr Ymgeiswyr, Adroddiad Sasiwn y Gogledd, Corwen, 12–14 Ebrill 1932, t. 15.
215 Adroddiad Bwrdd yr Ymgeiswyr [28 Mawrth 1933], Adroddiad Sasiwn y Gogledd, Jewin, Llundain, 24–6 Hydref 1933, t. 17.
216 Edwards, *Athrofa'r Bala*, t. 57.
217 Adroddiad Sasiwn y De, Y Garn, Gogledd Aberteifi, 22–4 Mehefin 1937, t. 91.
218 *Y Blwyddiadur*, 1962, tt. 120–1, yn Adroddiad Bwrdd yr Athrofa Unedig i'r Gymanfa Gyffredinol yn y Bala, 1961.
219 *Y Blwyddiadur*, 1963 (cyf. lxvi), t. 110.
220 Ibid., t. 57.
221 Ibid., t. 110.
222 Ibid., tt. 111–13. Ceir Adroddiad Terfynol y Comisiwn ar Addysg y Weinidogaeth yn y ddwy iaith yn *Y Blwyddiadur*, 1964 (cyf. lxvii), tt. 165–74.
223 *Y Blwyddiadur*, 1963, t. 111.
224 Ibid, t. 113.
225 *Y Blwyddiadur*, 1964, tt. 63–5.
226 *Y Blwyddiadur*, 1963, t. 114 a'r *Blwyddiadur*, 1965, t. 162.
227 *Y Blwyddiadur*, 1963, t. 128.
228 *Y Blwyddiadur*, 1965, tt. 65, 157–8.
229 *Y Blwyddiadur*, 1984, tt. 88–9.
230 Adroddiad Pwyllgor I ar 'Ein Hanes Cyfundebol a'n Henaduriaethau, a Hyfforddiant ein Pobl ynddynt', tt. 24–5.
231 Adroddiad Sasiwn y De, Sandfields, Aberafan, 15–17 Medi 1936, t. 87 – o'r Gymanfa Gyffredinol, Abergele, 19–21 Mai 1936.
232 Gw. R. B. Knox, *Voices from the Past* (Llandyssul), tt. 123–4.
233 Adroddiad o'r Gymanfa Gyffredinol ym Mhorthmadog 14–16 Mehefin 1921, yn *Y Blwyddiadur*, 1922, t. 51.

234 *Y Blwyddiadur*, 1925, t. 51.
235 English Conference Report, 1925, tt. 49–51, yn Knox, ibid., t. 124.
236 Conference Report, 1931, t. 21, yn Knox, ibid., t. 124.
237 Conference Report, 1921, tt. 45–50, yn Knox, ibid., tt. 124–5.
238 Conference Report, 1926, tt. 68–70, yn Knox, ibid., t. 125.
239 Conference Report, 1921, t. 50, yn Knox, ibid., t. 128.
240 Adroddiad y Comisiwn, IV, t. 37.
241 Adroddiad y Comisiwn, IV, t. 38. Gw.Adroddiad I, t. 32, a hefyd mewn perthynas â'r eglwysi Saesneg, Knox, *Voices from the Past*, tt. 126–7.
242 Adroddiad y Comisiwn I, t. 31.
243 Adroddiad y Comisiwn IV, t. 40.
244 Ibid., t. 41.
245 Ibid., tt. 38–9.
246 Ibid., t. 48.
247 Pwyllgor I, t. 33. Gw. hefyd Pwyllgor IV, t. 48.
248 Pwyllgor IV, t. 52.
249 Pwyllgor I, t. 29.
250 Ibid., t. 31.
251 Ibid., t. 29. Gw. hefyd Pwyllgor IV, tt. 30–42, a hefyd tt. 42ff.
252 Pwyllgor I, t. 30.
253 Ibid., t. 30.
254 Ibid., t. 34.
255 Ibid., t. 31.
256 Pwyllgor II (De a Gogledd) ar 'Ein Cyfundrefn a'n Trefniadaeth', t.45.
257 Pwyllgor I, tt. 35–6.
258 Adroddiad Pwyllgor yr Ysgol Sul, 3 Ebrill 1930, i'r Gymanfa Gyffredinol yn yr Wyddgrug, 3–5 Mehefin 1930, yn *Y Blwyddiadur*, 1931, t. 94. Gw. hefyd Adroddiad Sasiwn y De, Pen-y-graig, Rhondda, 1–3 Gorffennaf 1930, t. 7.
259 Gw. Adroddiad Sasiwn y De, Llangeitho, 13–15 Awst 1935, t. 70.
260 W. Ambrose Bebb, *Canrif o Hanes y Tŵr Gwyn (1854–1954)* (Caernarfon, 1954), tt. 267–8.
261 G. Wynne Griffith, *Yr Ysgol Sul* (Caernarfon, 1936), t. 145.
262 Ibid. Gw. hefyd enghreifftiau o wahanol rannau o Gymru (ibid., t. 146), a hefyd ymhlith yr Annibynwyr: R. Tudur Jones, *Yr Undeb* (Abertawe,1975), t. 287.
263 Griffith, *Yr Ysgol Sul*, t. 156.
264 Adroddiad Sasiwn y Gogledd, Princes Road, Lerpwl, 15–17 Tachwedd 1932, t. 141.
265 *Liverpool Daily Post and Mercury*, 23 August, 1929, a ddyfynnir gan M. Löffler, '"Foundations of a Nation": The Welsh League of Youth and Wales before the Second World War', *Cylchgrawn Hanes Cymru*, 23 (2006), 78.
266 Löffler, '"Foundations of a Nation"', 78.
267 Ibid., 79. Gw. adroddiad, tt. 153–4.
268 Löffler, '"Foundations of a Nation"', 79. Ceir cefndir a delfrydau Urdd Gobaith Cymru yn Löffler, ibid., 93–4.

269 Gw. Knox, *Voices from the Past*, t. 129.
270 Griffith, *Yr Ysgol Sul*, t. 165. Gw. hefyd R. T. Jones, *Yr Undeb*, t. 284, a Huw John Hughes, 'Trem ar hanes yr ysgol sul yng Nghymru hyd at 1966', yn *O'r dechrau hyd heddiw*, gol. Rheinallt A. Thomas (Chwilog, 2016), t.15 a hefyd Rheinallt A. Thomas, 'Y dechrau a'r blynyddoedd cynnar', yn *O'r dechrau hyd heddiw*, t. 20.
271 Griffith, *Yr Ysgol Sul*, tt. 166–7, a Jones, *Yr Undeb*, tt. 254–5, a Hughes, 'Trem ar hanes yr ysgol sul', t.15.
272 Griffith, *Yr Ysgol Sul*, t. 167.
273 Ibid., t. 167.
274 Ibid., t. 197. Gw. ymhellach am fanylion ynglŷn â'r modd y cyhoeddwyd y gwerslyfrau hyn: J. Tudno Williams, 'D. J. Evans, Capel Seion, a Helynt y Llawlyfr a Wrthodwyd', *Cylchgrawn*, 39 (2015), 26–68.
275 Griffith, *Yr Ysgol Sul*, t. 168; R. T. Jones, *Yr Undeb*, t. 286; Hughes, 'Trem ar hanes yr ysgol sul', t.15.
276 Griffith, *Yr Ysgol Sul*, t. 169, a R. T. Jones, *Yr Undeb*, t. 286.
277 *O'r dechrau hyd heddiw*, t.52.
278 Griffith, *Yr Ysgol Sul*, t. 203.
279 Hughes, 'Trem ar hanes yr ysgol sul', t. 15; *O'r dechrau hyd heddiw*, t. 64.
280 Jones, *Yr Undeb*, t. 337. Yn ddiweddar cyhoeddwyd *O'r dechrau hyd heddiw Cyngor Ysgolion Sul Cymru yn 50 oed*, sef *Braslun o Hanes y Cyngor o 1966 hyd 2016*. Fe'i golygwyd gan Rheinallt A. Thomas (Cyhoeddiadau'r Gair, Chwilog, 2016). Ceir y Datganiad o Ymddiriedaeth i sefydlu'r Cyngor newydd ar tt. 82–6, a Memorandwm o Amrywiaeth ar y Weithred wreiddiol, a lofnodwyd yn 2008 ar tt. 87–8.
281 Thomas, 'Y dechrau a'r blynyddoedd cynnar', t.23.
282 Thomas, 'Swyddogion Datblygu a Chyfarwyddwr', *O'r dechrau hyd heddiw*, tt. 32, 76–7.
283 *O'r dechrau hyd heddiw.*
284 Pwyllgor I, t. 25.
285 Ibid.
286 Ibid., t. 26.
287 Ibid.
288 Pwyllgor V, t. 42.
289 Pwyllgor V, t. 71.
290 K. O. Morgan, *Wales in British Politics* (Cardiff, 1963), t. 231.
291 *Y Blwyddiadur*, 1920, t. 85.
292 *Y Blwyddiadur*, 1927, tt. 138–9.
293 *Y Blwyddiadur*, 1931, tt. 139–40.
294 Morgan, *Wales in British Politics*, t. 231.
295 *Y Blwyddiadur*, 1922, t. 83.
296 Report of the Departmental Committee on the Organization of Secondary Education in Wales, 1920 (Cmd. 9670).
297 Morgan, *Wales in British Politics*, t. 294.
298 *Y Blwyddiadur*, 1920 (23fed blwyddyn), tt. 81–6.
299 Ibid., tt. 27–8.

300 *Comisiwn Ad-drefnu: Adroddiad Pwyllgor V*, t. 42.
301 Conference Report, 1919, tt. 25–7.
302 *Comisiwn Ad-drefnu, V*, t. 42.
303 Ibid., t. 43. Gw. hefyd *Y Blwyddiadur*, 1920, t. 83.
304 Morgan, *Wales in British Politics*, t. 280.
305 John Davies, *Hanes Cymru* (London: Allen Lane, 1990), t. 546.
306 Adroddiad Sasiwn y De, Jerusalem, Tonpentre, 28–30 Medi 1937, tt. 113, 115–16. Daeth yn wreiddiol o'r General Committee on Mutual Understanding and Co–operation, 1–2 Chwefror 1937. Gw. hefyd Adroddiad Sasiwn y De, Sandfields, 1936, t. 91.
307 Adroddiad Sasiwn y De, Bwlchgwynt, Tregaron, 23–5 Tachwedd 1937, tt. 179–80.
308 Adroddiad Sasiwn y De, Bethel, Aberhonddu, 22–4 Mawrth 1938, tt.16 a 18.
309 I'w drosglwyddo i Bwyllgor Addysg y Gymanfa Gyffredinol – Adroddiad Sasiwn y De, Bethel, Aberhonddu, Mawrth 1938, t. 13.
310 Pwyllgor V, t. 43.
311 Ibid., t. 44.
312 *English Conference Reports*, 1929, tt. 23–4.
313 Conference Report, 1931, t. 210. Gw. Knox, *Voices From the Past*, t. 76, a hefyd t. 122.
314 Adroddiad Sasiwn y De, Crwys Road, Caerdydd, 27–9 Medi 1932, t. 10. Cynhaliwyd y Gymanfa Gyffredinol yn Lerpwl 10–12 Mai 1932.
315 Adroddiad Sasiwn y De, Penuel, Glynebwy, 14–16 Tachwedd 1933, t. 114; gw. hefyd Adroddiad Sasiwn y Gogledd, Medi 1933, tt. 82–3.
316 Adroddiad Sasiwn y De, Glynebwy, t. 114, ac Adroddiad Sasiwn y Gogledd, Medi 1933, t. 83.
317 Adroddiad Sasiwn y De, Glynebwy, t. 11. Gw. hefyd Adroddiad Sasiwn y De, Tregaron, Tachwedd 1937, t. 188. Cynhaliwyd y Gymanfa Gyffredinol yn Rhydaman, 8–10 Mehefin 1937.
318 *Y Blwyddiadur*, 1922, t. 84.
319 Y *Blwyddiadur*, 1924, t. 92.
320 *Y Blwyddiadur*, 1923, tt. 109–11.
321 *Y Blwyddiadur*, 1964, tt. 276–7 a J. Price Williams, 'Y Parch. Gwilym Arthur Edwards', yn *Deg o Enwogion (Ail Gyfres)*, t. 83.
322 *Y Blwyddiadur*, 1962, t. 150. Adroddiad i'r Gymanfa Gyffredinol yn y Bala 12–16 Mehefin 1961.
323 *Y Blwyddiadur*, 1965 (cyf. lxviii), t. 141. Gw. hefyd *Y Blwyddiadur* 1966, t. 156.
324 *Y Blwyddiadur*, 1969 (cyf. lxxii), t. 261.
325 *Y Blwyddiadur*, 1920, tt. 84–5.
326 *Y Blwyddiadur*, 1922, t. 84.
327 *Y Blwyddiadur*, 1925, tt. 112 a 114. Ceir crynhoad o holl waith y Pwyllgor Addysg a'r Sasiwn yn y Gogledd er 1916 ynglŷn â'r mater hwn yn *Y Blwyddiadur*, 1925, tt. 112–14.
328 *Y Blwyddiadur*, 1926, t. 127. Gw. hefyd ar y Concordat yn *Y Blwyddiadur*, 1927, tt. 138–9.

329 *Y Blwyddiadur*, 1938, t. 118. Adroddiad y Pwyllgor Addysg a gynhaliwyd 23 Ebrill 1937, i'r Gymanfa Gyffredinol, Rhydaman, 8–10 Mehefin 1937.
330 Morgan, *Span of the Cross*, t. 272.
331 Morgan, *Wales in British Politics*, Appendix A.
332 W. Gareth Evans, 'Y Wladwriaeth Brydeinig ac Addysg Gymraeg 1850-1914', yn Geraint H. Jenkins (gol.), *'Gwnewch Bopeth yn Gymraeg': Yr Iaith Gymraeg a'i Pheuoedd 1801–1911* (Caerdydd: Gwasg Prifysgol Cymru, 1999), t. 444.
333 Ibid.
334 Ar ddylanwad O. M. Edwards mewn perthynas â rhoi lle dyladwy i'r Gymraeg mewn addysg gw. W. Gareth Evans, 'Y Wladwriaeth Brydeinig ac Addysg Gymraeg 1914–1991', yn Geraint H. Jenkins a Mari Williams (goln), *'Eu Hiaith a Gadwant?': Y Gymraeg yn yr Ugeinfed Ganrif* (Caerdydd: Gwasg Prifysgol Cymru, 2000), tt. 332–3.
335 Evans, Y Wladwriaeth Brydeinig', yn *'Gwnewch Bopeth yn Gymraeg'*, t. 449.
336 Idem, 'Y Wladwriaeth Brydeinig', yn *'Eu Hiaith a Gadwant?'*, t. 335.
337 *Y Blwyddiadur*, 1924, t. 92. Gw. hefyd benderfyniad Sasiwn y De, Glyn-nedd, 3–5 Ebrill 1923, t. 249.
338 *Y Blwyddiadur*, 1926, t. 126. Gw. hefyd tt. 38–9.
339 Ibid., t. 38. Gw. hefyd *Y Blwyddiadur*, 1927, t. 87.
340 *Y Blwyddiadur*, 1927, tt. 86–7.
341 Ibid., tt. 153–75, ac yn arbennig tt. 168–70.
342 D. D. Williams, *Llawlyfr Hanes Cyfundeb y Methodistiaid Calfinaidd* (Caernarfon, d.d.), t. 283.
343 Evans, 'Y Wladwriaeth Brydeinig', yn *'Eu Hiaith a Gadwant?'*, t. 340.
344 I. Davies, *Isaac Thomas*, t. 146.
345 *Y Gymraeg mewn Addysg a Bywyd* (1927), t. 259.
346 Ibid., t. 143.
347 Gw. Adroddiad y Gymdeithasfa Chwarterol yn y De (Borth, Sir Aberteifi, 29 Ebrill–1 Mai 1930), (CMA, tt. 28–9.
348 Adroddiad o Gymdeithasfa'r De, Treherbert, 10–12 Ebrill 1928, yn *Y Goleuad*, 25 Ebrill 1928, t. 3.
349 Adroddiad Cymdeithasfa'r De yn y Borth, t. 28. Gw. hefyd *Y Goleuad*, 14 Mai 1930, tt. 3–4.
350 Adroddiad Sasiwn y Gogledd, Caergybi, 15–17 Mehefin 1932, t. 60.
351 Adroddiad Sasiwn Aberystwyth, 7–9 Mehefin 1932, t. 19.
352 Ibid., t. 19; gw. hefyd Sasiwn Glynebwy, Tachwedd 1933, t. 117, a Sasiwn y Gogledd, Pwllheli, 13–15 Medi, 1933,t. 86. Gw. hefyd *Y Goleuad*, 26 Medi 1933, tt. 3–4, a 4 Hydref 1933, t. 3.
353 Adroddiad Sasiwn Glynebwy, 1933, t. 117.
354 Adroddiad Sasiwn Glanaman, 25–7 Ebrill, 1933, t. 15. Gw. hefyd *Y Goleuad*, 3 Mai 1933, t. 11.
355 Adroddiad Sasiwn Glanaman, t. 15.Gw. hefyd *Y Goleuad*, 3 Mai 1933, t. 11.
356 *Y Gymraeg mewn Addysg a Bywyd*, tt. 128–9.

357 Ibid., t. 129.
358 Ibid., t. 131.
359 Ibid., t. 284.
360 Ibid.
361 Ibid.
362 Ibid.
363 Evans, 'Y Wladwriaeth Brydeinig', yn *'Eu Hiaith a Gadwant?'*, t. 342.
364 Gw. Correspondence re. National Conference on Welsh Culture, 1939–40 (LLGC, CMA 8986).
365 Evans, 'Y Wladwriaeth Brydeinig', yn *'Eu Hiaith a Gadwant?'*, t. 345.
366 Ibid., t. 346.
367 Ibid., t. 350.
368 Ibid., t. 351, yn dyfynnu o H.M.I. (Wales), *Welsh-medium work in Secondary Schools: Education Survey 9* (London, 1981), t. 6.
369 Gw. *Goleudy Dysg a Dawn: 75 mlynedd ers sefydlu Ysgol Gymraeg Aberystwyth* (Aberystwyth, 2014), t. 17.
370 *Y Blwyddiadur*, 1962, t. 150.
371 Am hanes y frwydr i'w sefydlu gw. Gerald Morgan, 'Cychwyn Ysgol Penweddig', yn *Gorau Arf: Hanes Sefydlu Ysgolion Cymraeg 1939–2000*, gol. Iolo Wyn Williams (Talybont, 2002), tt. 290–8, er nad yw'n cydnabod rhan allweddol yr eglwysi yn yr ymgyrch.
372 Y *Blwyddiadur*, 1981 (cyf. lxxxiv), t. 75.
373 Evans, 'Y Wladwriaeth Brydeinig', yn *'Eu Haith a Gadwant?'*, tt. 354–5.
374 Adroddiad y Gymanfa Gyffredinol, 17–21 Mehefin 1968 yn *Y Blwyddiadur*, 1969 (cyf. lxxii), t. 261.
375 *Y Blwyddiadur*, 1969 (cyf. lxxii), t. 261.

RHESTR O ATHRAWON A FU'N GWASANAETHU'N LLAWNAMSER YN Y GWAHANOL GOLEGAU YN YSTOD Y CYFNOD DAN SYLW

Alexander, James Stuart (1938–): Aberystwyth, 1968–73.

Bickerstaff, Mabel: Trefeca 1955–62.

Davies, Trevor Owen (1895–1966): Trefeca, 1926–55; Prifathro, 1955–64.

Davies, William David (1897–1969): Aberystwyth, 1928–33.

Edwards, Gwilym Arthur (1881–1963): Y Bala, 1928–39; Aberystwyth, Prifathro, 1939–49.

Enoch, Samuel Ifor (1914–2001): Aberystwyth, 1953–63, Prifathro,

1963–78.

Evans, John Young (1865–1941): Trefeca, 1891–1906; Aberystwyth, 1906–41.

Evans, Richard Humphreys (1904–95): Prifathro,Y Bala, 1953–64; Aberystwyth, 1964–76.

Evans, William Ffowc (1887–1961): Clynnog, 1920–4.

Hall, Basil (1915–94): Aberystwyth, 1949–58.

Hughes, Howel Harris (1873–1956): Aberystwyth, Prifathro, 1927–39.

Hughes, Richard Samuel (1888–1952): Coleg Clwyd, 1930–9, Prifathro, 1939–52.

Jones, David Morris (1887–1957): Y Bala, 1915–16,1919–20,1927–8; Aberystwyth, 1934–53.

Jones, D. Tudor: Trefeca, 1919–20, Prifathro, 1921–6.

Jones, E. Norman: Trefeca 1902–6; Aberystwyth, 1906–28.

Jones, Gwilym Henry (1930–): Aberystwyth, 1961–6.

Jones, Joseph John (1874–1925): Trefeca, 1921–5.

Jones, J. T. Alun (1852–1929): Cofrestrydd a Llyfrgellydd, Y Bala, 1887–1929.

Jones, W. Phillips (1878–1955): Trefeca, Prifathro, 1926–1955.

Knox, R. Buick (1918–2004): Aberystwyth, 1958–68.

Morris, Albert Kyffin (1916–2005): Aberystwyth, 1942–9.

Morris, Richard (1869–1940): Y Bala 1911–22; Aberystwyth, 1922–9.

Owen, Huw Parri (1926–96): Aberystwyth, 1949–53.

Parry, John Alwyn (1903–78): Coleg Clwyd, 1929–30.

Parry, Thomas Jones (?–1955) : Clynnog, 1924–9.

Perry, Stanley Howard Hedley (1911–95): Aberystwyth, 1947–61.

Phillips, David (1874–1951): Y Bala, 1908–27, Prifathro, 1927–47.

Porter, William (1876–1937): Y Bala 1907–22; Aberystwyth, 1922–37.

Prys, Owen (1857–1934): Athro, 1890–1, Prifathro, Trefeca, 1892–1906; Prifathro, Aberystwyth 1906–27.

Rees, Griffith (1893–?): Y Bala, 1938–50, Prifathro, 1950–3.

Richards, Elwyn (1962–): Aberystwyth, 1997–2003; Cyfarwyddwr Hyfforddiant, 2003-15.

Roberts, Bleddyn Jones (1906–77): Aberystwyth, 1937–46.

Roberts, Elfed ap Nefydd (1936–): Aberystwyth, Prifathro, 1980–97.

Sell, Alan Philip Frederick (1935–2016): Aberystwyth, 1992–2001.
Thomas, John Owen (1862–1928): Y Bala, 1907–22; Prifathro Gweithredol, Aberystwyth, 1922–6.
Williams, Arthur Tudno (1907–94): Coleg Clwyd, 1939–40.
Williams, David (1877–1927): Trefeca, 1905–06; Aberystwyth, 1906–22; Y Bala, 1922–7.
Williams, Harri (1913–83): Aberystwyth, 1964–80.
Williams, J. H. Lloyd: Prifathro Clynnog, 1896–1917.
Williams, John Tudno (1938–): Aberystwyth, 1967–96, Prifathro, 1997–2003.
Williams, Robert Dewi (1870–1955): Prifathro Clynnog, 1917–29; Prifathro, Coleg Clwyd, 1929–39.
Williams, Rheinallt Nantlais (1911–94): Y Bala, 1949–53; Aberystwyth, 1953–78; Prifathro, 1978–80.
Williams, Stephen Nantlais (1952–): Aberystwyth, 1980–91.
Williams, T. Hevin (1905–84): Trefeca, 1932–40, 1963–4; Coleg Clwyd, 1948–52; Y Bala, 1953–62.
Williams, William Richard (1896–1962): Aberystwyth, 1925–49; Prifathro, 1949–62.

1. Y Parch. J. E. Wynne Davies

2. Y Parch. Ddr D. Ben Rees

3. Y Parch. Meirion Morris

4. Y Parch. Ddr Elfed ap Nefydd Roberts

5. Y Parch. Ddr Elwyn Richards

6. Y Parch. Ddr J. Tudno Williams

7. Dr Brynley F. Roberts

8. Y Parch. Dafydd Andrew Jones

9. Dr Rhidian Griffiths

10. Dr D. Huw Owen

11. Yr Athro Bill Jones

12. Y Parch. Glyn Tudwal Jones

13. Y Parch. John Williams, Brynsiencyn

14. Y Parch. John Morgan Jones, Caerdydd

15. Y Parch. Ddr Thomas Charles Williams, Porthaethwy

16. Y Parch. Ddr E. O. Davies, Llandudno

17. Y Parch. Brifathro Owen Prys

18. Y Parch. Ddr John Roberts, Caerdydd

45. Staff a Myfyrwyr y Coleg Diwinyddol Unedig, Aberystwyth, tua 1973
Staff y coleg o'r chwith yn y rhes flaen: Dr Boyd Schlenther, yr Athro John Tudno Williams, yr Athro R. H. Evans (prifathro olaf Coleg y Bala), y Prifathro S. Ifor Enoch, Miss James (Matron), yr Athro Rheinallt Nantlais Williams a'r Athro Harri Williams

46. Staff a Myfyrwyr y Coleg Diwinyddol Unedig, Aberystwyth 1995-96
Staff y Coleg yn y rhes flaen: Susan Lloyd (Llyfrgellydd), Eileen Sinnett Jones (Byrsar), yr Athro Alan Sell, y Prifathro Elfed ap Nefydd Roberts, yr Athro John Tudno Williams, y Parch. Gwynn ap Gwilym (Hebraeg), Mrs Ann Dietrich (Groeg), Susan Rees (Ysgrifennydd Academaidd) a Delyth Rees (Ysgrifenyddes)

PENNOD 7

LLENYDDIAETH A CHYHOEDDI AR ÔL 1914*

BRYNLEY F. ROBERTS

Ystrydeb yw dweud ei bod yn haws gweld cyfnewidiadau ar ôl iddynt ddigwydd nag wrth fyw trwyddynt mewn cyfnod o drawsnewid. Mynnir yn ddigon coeglyd mai peth gwerthfawr yw synnwyr trannoeth, ond y gwir yw fod tystiolaeth gyfoes yn aml yn arwynebol ac yn gallu cuddio'r caswir. Cynyddu fwy neu lai'n gyson a wnaeth aelodaeth y Cyfundeb (a'r enwadau ymneilltuol eraill) o 1914 ymlaen nes cyrraedd ei huchafbwynt o 189,727 yn 1926. Er nad yw'r ffigurau'n dweud dim am ansawdd bywyd defosiynol yr eglwysi ac nad ydynt yn ddangoseg o nifer mynychwyr oedfaon, yn ôl pob hanes ymddangosai bywyd yr eglwysi'n ffyniannus a'i fod yn cyfarfod ag anghenion amrywiol eu haelodau, yn ddiwylliannol ac adloniannol yn ogystal ag yn grefyddol. Felly hefyd fywyd y Cyfundeb, a oedd yn dal i ddenu dynion ifainc i'r weinidogaeth ac yn parhau i gynnig iddynt addysg ddiwinyddol o safon uchel a gyrfa sefydlog. Nid ymddengys fod Rhyfel Mawr 1914–18 wedi peri newid odid ddim ar wedd gyhoeddus a thraddodiadol anghydffurfiaeth nac, yn benodol,

* Fel yn y bennod gyfatebol i hon yn *Hanes Methodistiaeth Galfinaidd Cymru: Y Twf a'r Cadarnhau (c.1814–1914)*, (*Hanes* o hyn ymlaen), cyfrol 3, olrhain datblygiad cyhoeddi yn y Cyfundeb a wneir yma, nid trafod gwaith awduron unigol nac ychwaith amcanion cyhoeddiadau Byrddau a phwyllgorau penodol.

Fethodistiaeth Cymru. Dichon mai yno yr oedd y gwendid: fod y cryfder niferoedd a pharhad patrwm bywyd wedi rhwystro'r arweinwyr rhag adnabod, na chydnabod, yr awel newydd a oedd i'w theimlo ym mrig y morwydd wrth i'r hinsawdd newid. Cymerai amser i ymateb ei fynegi ei hun i uwchfeirniadaeth feiblaidd a diwinyddiaeth ryddfrydig, i arwyddocâd cynnydd poblogaidd sosialaeth, neu i'r parodrwydd i gwestiynu hen osodiadau. Ni sylweddolwyd fod rhaid cyfiawnhau disgyblaeth eglwysig ac uniongrededd mewn termau newydd i genhedlaeth a oedd am ddeall cyn cydsynio a derbyn, cenhedlaeth a oedd yn ymwybod ag anghyfiawnder, neu o leiaf anghyfartaledd, cymdeithasol ac yn chwilio am ateb mewn gwleidyddiaeth yn niffyg ateb yn ei chrefydd. Fel y dywedodd un cyn-filwr: 'We have left the old order of things behind us for ever.'[1] Er mai'n araf iawn y daeth yr ystadegau aelodaeth i adlewyrchu dirywiad ym mywyd y capeli anghydffurfiol Cymraeg, y mae haneswyr cymdeithas a haneswyr crefydd yn gytûn fod hadau'r newid yn y tir cyn dechrau'r Rhyfel Byd Cyntaf yn 1914.[2]

Llithrodd crefydd o ganol bywyd a dod yn fwyfwy amherthnasol i lawer un, er eu bod yn perthyn i genhedlaeth na allai gilio'n llwyr o'r sefydliad eglwysig – eu plant a fyddai'n gwneud hynny. Pan roddir crefydd geidwadol ei hosgo, ddisymud ei harferion ac annelwig ei chredo yng nghyd-destun oes seciwlar ei meddylfryd ynghanol dirwasgiad, a bygythion Ail Ryfel Byd yn dechrau crynhoi, nid rhyfedd i'r capeli ymddangos yn hen ffasiwn neu'n orddelfrydol eu neges gymdeithasol. Ar ôl 1926 y dechreua'r ystadegau ddangos effeithiau newidiadau syniadol yr oes ar yr eglwysi, a'r rheini'n cael eu dwysáu gan y gostyngiad yn nifer y siaradwyr Cymraeg a chan yr ymfudo i ddinasoedd a threfi Lloegr. Yr oedd canlyniadau'r Ail Ryfel Byd i aelodaeth eglwysig yn fwy trawiadol o lawer na rhai'r Rhyfel Byd Cyntaf, oherwydd parhau a wnaeth y duedd a welwyd cyn y Rhyfel a chyflymu'n ddidrugaredd a wnaeth y gostyngiad o 1947 ymlaen, fel y gwnaeth y ganran o Gymry a fynychai wasanaethau.[3]

Elfen yn y gymdeithas letach yw eglwys a chyfundrefn grefyddol, ac adlewyrchu hinsawdd, meddwl ac amodau byw y gymdeithas Gymraeg yn gyffredinol a wnâi llawer o'r hyn a oedd yn digwydd yn yr eglwysi. Dioddefai'r diwylliant Cymraeg, ac yn arbennig y diwydiant cyhoeddi, oherwydd yr un achosion. Byddai'r gostyngiad yn nifer y siaradwyr Cymraeg yn effeithio'n anorfod ar nifer y darllenwyr, ond y dylanwad pwysig ar ddewis feysydd eu darllen fyddai addysg y cyfnod. Agorai addysg Saesneg y drws i amrywiaeth ehangach o destunau y gellid pori ynddynt mewn llyfrau, cylchgronau a newyddiaduron rhagor y Gymraeg, ac i lawer deuai darllen Saesneg nid yn unig yn fwy deniadol ond hefyd yn haws. At hyn, yr oedd y lleihad yn yr aelodaeth eglwysig yn amddifadu cyhoeddwyr o'r hyn a fuasai'n gynulleidfa greiddiol darllen Cymraeg trwy gydol y bedwaredd ganrif ar bymtheg a dechrau'r ugeinfed.[4] Ni ellid peidio â sylweddoli fod cyhoeddi Cymraeg mewn argyfwng o sylwi ar y gostyngiad yn nifer y llyfrau yn yr iaith a ymddangosodd o 1914 ymlaen, ac er bod ambell flwyddyn yn well na'i gilydd a bod y sefyllfa'n graddol wella, ni chyrhaeddodd y cyfanswm mewn unrhyw flwyddyn yr hyn a fuasai yn 1909.[5]

Darlun panoramig, ond dilys, yw'r un a gyflwynwyd yma. Ond fel y digwydd ymhob argyfwng a dirwasgiad, nid oedd pob sector yn cael ei effeithio yn yr un modd nac i'r un graddau. Yn eu priod feysydd eu hunain yr oedd y gweisg crefyddol, y mwyafrif ohonynt yn rhai enwadol, yn gweithio dan amodau mwy ffafriol na'r rhelyw o'r rhai cyffredinol. Fel y gwelwyd, yr oedd niferoedd yr aelodaeth yn dal yn rhyfeddol o sefydlog hyd tua 1926, a hyd yn oed am nifer o flynyddoedd ar ôl hynny yr oedd y gweddill yn gallu cynnal marchnad arbenigol crefydd a diwinyddiaeth, yn esboniadau a llyfrau ysgolion Sul, cofiannau a phregethau, llyfrau emynau a *Detholiad* blynyddol y Gymanfa Ganu. Cwynid yn y 1920au a'r 1930au mai un o anawsterau sylfaenol y diwydiant cyhoeddi Cymraeg oedd prinder siopau llyfrau Cymraeg a diflaniad yr hen lyfrwerthwyr teithiol, a'i bod yn anodd bellach ddod i gyswllt â phrynwyr posibl a chyflenwi eu hanghenion. Ond yr oedd marchnad gaeth gan yr enwadau – y capeli'n gweithredu fel dosbarthwyr teitlau, cylchgronau a newyddiaduron a'r Llyfrfâu'n ganolfannau darparu a gwerthu, a chymaint oedd eu llwyddiant fel y cawsant eu beirniadu am ystumio'r farchnad. Yr oedd yr adroddiad pwysig *Y Gymraeg mewn Addysg a Bywyd* (1927)[6] yn cael ei dynnu mewn dau gyfeiriad. Ar y naill law (Adran 179) cydnabuwyd lle'r gweisg hyn yn asgwrn cefn y diwydiant cyhoeddi Cymraeg:

> Yn wir, cymaint ydyw cynnyrch llenyddol yr enwadau hyn ag y gellir dywedud mai ffrwyth ymdrechion yr Eglwysi ydyw llawer iawn o'r llenyddiaeth Gymraeg a gyhoeddir heddiw.

Ond y casgliad terfynol (Adran 216) yw fod dylanwad y Llyfrfâu ar y farchnad lyfrau'n ormesol ac yn gystadleuaeth annheg:

> Ond y mae gan yr enwadau yn awr bob un ei Lyfrfa ei hun, sy'n argraffu, yn cyhoeddi ac yn dosbarthu yr holl lyfrau sy'n broffidiol. Y maent hyd yn oed yn gwerthu'r llyfrau hynny o nodwedd fwy 'bydol' a roddir yn wobrau yn yr Ysgolion Sul. Dechreusant hefyd ar fasnach argraffu. Ceir sôn am eglwysi enwad neilltuol yn condemnio gornest baffio yn llym, a'r poster a hysbysai am yr ornest wedi ei argraffu yng ngwasg yr enwad. Credwn fod yr enwadau crefyddol, wrth ymgymryd â'r gwaith hwn, wedi cael effaith andwyol ar fasnach lyfrau Cymraeg, a gobeithiwn nad yw'n rhy hwyr iddynt ymwadu ag ef.

Yr hyn a ddengys y sylwadau hyn yw mai ffyddloniaid y capeli oedd crynswth y darllenwyr Cymraeg a bod cyhoeddwyr 'seciwlar' yn methu creu rhestr a marchnad seciwlar iddynt eu hunain.[7] Mynnai'r Adroddiad mai llyfrau crefyddol oedd bron yr unig rai proffidiol ac felly mai'r farchnad eglwysi oedd yr unig farchnad hyfyw i lyfrau Cymraeg. Yr oedd Llyfrfa'r Cyfundeb, gellid tybio, yn osgoi'r argyfwng yn y byd cyhoeddi, ond mewn gwirionedd, gohirio'r broblem yr oedd gan y byddai'r lleihad yn aelodaeth y capeli yn rhwym o effeithio arni hithau yn hwyr neu'n hwyrach.

Llwyddodd y Llyfrfa i weithredu trwy gydol Rhyfel 1914–18 er gwaethaf y codi mewn cyflogau a'r cynnydd ym mhris papur (pan ellid ei gael). Ychydig oedd nifer y teitlau a gyhoeddwyd ac ni fu newid yn eu natur – *Yr Hyfforddwr* (ond hefyd *Hyfforddwr i Gymunwyr Ieuainc*), *Cyffes Ffydd*, *The Christian Instructor*, *Confession of Faith*, *Llawlyfr Rheolau*, *Book of Order*,[8] esboniadau a gwerslyfrau'r Ysgol Sul, *Rhodd Mam*, cyfres o holwyddoregau ar brif gymeriadau'r Beibl (tua 13 ohonynt) ac ambell holwyddoreg arall, deunydd yn ymwneud â'r maes cenhadol (gan gynnwys *Hanes Assam* gan Elizabeth Mary Jones yn 1916) ac un neu ddau o lyfrau ar hanes y Cyfundeb (*Hanes Methodistiaeth Trefaldwyn Isaf*, Edward Griffiths; *Methodistiaeth Gorllewin Morgannwg*, W. Samlet Williams). Efallai mai'r teitl a oedd yn arwydd o'r amserau ac o ymateb y Cyfundeb yn 1919 oedd *Afiechydon Anfoesoldeb*, R. Thomas Jones. Diau fod cyhoeddi amryw argraffiadau o *Perorydd yr Ysgol Sul*, J. T. Rees, a'r cytundeb a wnaed â'r cyfansoddwr yn 1915 wedi bod yn gymorth masnachol cyfamserol.

Ond ni ellid osgoi'r broblem ariannol. Yr oedd Pwyllgor Brys ('Emergency Committee'), sef cynrychiolaeth o'r Pwyllgor Gweithiol, Pwyllgor Undeb yr Ysgolion Sabothol a'r Pwyllgor Ariannol, wedi'i sefydlu yn 1917, yn fodd i drafod materion brys rhwng cyfarfodydd rheolaidd y pwyllgorau. Y mae cyfansoddiad y pwyllgor hwn yn arwydd go eglur mai materion ariannol y Llyfrfa a'i chwsmer pwysicaf fyddai'r prif bynciau trafod. Er i'r *Goleuad* dalu amdano'i hun yn chwe mis olaf 1918, bu'n rhaid ystyried y colledion cyson ar y cylchgronau. Lleihau'r *Goleuad* a chodi'i bris oedd yr ymateb cyntaf, yna ceisio aildrafod telerau'r Golygydd; ni allai ef eu derbyn ac ymddiswyddodd. Enghraifft o sbin cyfundebol oedd hyn, oherwydd er bod y gosodiad yn berffaith gywir, hanner y gwirionedd ydoedd. Yr oedd E. Morgan Humphreys, newyddiadurwr profiadol ac adnabyddus, wedi'i benodi'n olygydd i ddechrau ar ei waith ym mis Gorffennaf 1914. Daeth i wrthdrawiad yn gynnar â rhai yn y pwyllgor a'r Cyfundeb pan gyhoeddodd (heb sylw golygyddol) ysgrif basiffistaidd ei thuedd a gododd gryn ddadlau, ond yr hyn a droes yn asgwrn y gynnen oedd ymateb Morgan Humphreys i ddeddf gorfodaeth filwrol 1916 mewn cyfarfod cyhoeddus yng Nghonwy. Yr oedd, yn ymhlyg, yn beirniadu Lloyd George, y prif weinidog newydd, ac yn ffafrio'i ragflaenydd, Asquith. Ddechrau 1917 cafodd gynnig golygyddiaeth *Y Genedl Gymreig*, ac wrth ei derbyn, rhoes rybudd o'i ymddiswyddiad. Darbwyllwyd ef gan y Pwyllgor i gadw'r ddwy olygyddiaeth a chydsyniodd ef â gostyngiad yn ei delerau gan na fyddai golygyddiaeth *Y Goleuad* yn swydd lawn amser iddo. Ond pan gyhoeddodd, eto heb sylw golygyddol, lythyr o blaid Asquith yn *Y Goleuad* ym mis Hydref cwynwyd am 'dôn' y newyddiadur, am yr ymosod ar y prif weinidog, am ddiffyg cefnogaeth i'r milwyr (a bod

10 Stryd Downing yn bryderus); ysgrifennodd y Parch. Ddr John Williams at Humphreys i ddweud ei fod am ymddiswyddo o'r Pwyllgor (er na wnaeth mewn gwirionedd). Daeth y rhwyg rhwng y golygydd a'i bwyllgor yn eglur pan na chafodd ef wahoddiad i gyfarfodydd y pwyllgor ar ôl hynny. Fis Hydref 1918 penderfynwyd newid telerau'r golygydd yn wyneb y cyfyngder ariannol ond barnai Morgan Humphreys fod y telerau newydd naill ai'n dangos diffyg deall y pwyllgor o faint y gwaith golygyddol (dyna a obeithiai) neu eu bod i sicrhau na allai eu derbyn ac y byddai'n ymddiswyddo (fel yr oedd yn amau). Ac felly y bu, ond nid oherwydd methu derbyn y telerau ariannol newydd ond yn hytrach oherwydd yr hyn a welai'n gyfyngu ar ryddid y wasg.[9] Y mae'r helynt yn ddrych dadlennol o ble yr oedd grym cyfundebol yn y cyfnod ond ni ellir amau na fu i'r enwad golli cyfle i ailsefydlu'r *Goleuad* yn newyddiadur o bwys yn y gymdeithas Gymraeg.[10]

Erbyn 1920 yr oedd y draul yn ormod i'w chario a'r golled ar yr holl gyhoeddiadau yn £767, rhwng cost storio *flat sheets* gyda'r rhwymwyr, argraffu a rhwymo. Barnwyd 'mai yr unig ffordd tuag at ddyfod allan o'r holl anawsterau fyddai i ni symud ymlaen ar unwaith i argraffu ein cylchgronau a rhwymo ein llyfrau ein hunain'. Cytunwyd yng Nghymanfa 1920 i brynu 'swyddfa gyfleus, yr hon sydd ar werth', sef y Cwmni Cyhoeddi Cymreig (Welsh Publishing Co., Ltd.), Balaclava Road, Caernarfon, yn wasg argraffu gyfundebol, yn hytrach na sefydlu un gwbl newydd.[11] Prynwyd 'stoc papur, a defnyddiau ereill, a llyfrau' y wasg am £673 ac aethpwyd ati i brynu (gyda benthyciad o £2,000 o'r banc) ddwy wasg *linotype* newydd a pheiriant trydan, a chryfhawyd aelodaeth y Pwyllgor Gweithredol yn wyneb y cyfrifoldebau newydd hyn.[12] Penderfynwyd 'fod yr Argraffwasg a'r Llyfrfa i'w dwyn ymlaen fel un concern, ac fod cyfrifon y ddau le i'w cadw ar wahân'. Y polisi fyddai 'argraffu, hyd y gallwn, bob peth perthynol i'r Cyfundeb[13] ac na bydd i ni fynd i gystadleuaeth am unrhyw waith y tu allan i waith y Cyfundeb oddieithr llyfrau ynglŷn â chrefydd a moes at wasanaeth Eglwysi ac ysgolion Cymru y gofynnir i ni yn arbennig i roddi pris arnynt'. Hwn fyddai'r mater a fyddai'n poeni pwyllgor *Y Gymraeg mewn Addysg a Bywyd* ymhen ychydig o flynyddoedd (gw. uchod tt. 275–6), sy'n awgrymu mai delfryd o bolisi ydoedd na chaniatâi ffeithiau celyd busnes ei weithredu.

Erbyn hynny yr oedd goruchwyliwr newydd wedi'i benodi i'r Llyfrfa. Ddiwedd 1919 rhoes y Parch. D. O'Brien Owen, goruchwyliwr cyntaf a dylanwadol y Llyfrfa, rybudd o'i ymddeoliad ar 1 Mehefin 1920.[14] Yr oedd trefniant newydd ar y gweill ac yr oedd wedi cydsynio i barhau'n Gyfarwyddwr Cyffredinol y Llyfrfa (am £80 y flwyddyn a'r tŷ) ar ôl penodi J. W. Edwards (a oedd wedi'i benodi'n drafaeliwr i hyrwyddo gwerthiant y cyhoeddiadau yn 1916) i swydd Goruchwyliwr o Awst 1919. Bu farw Mr Owen ar 28 Ebrill 1920 a chymerodd J. W. Edwards at yr awenau ar gyflog o £200 y flwyddyn a'r tŷ.

Dwyn rhagor o gymhlethdod i swydd y Goruchwyliwr newydd ac i drafodaethau'r Pwyllgor a wnaeth prynu'r argraffwasg. Da oedd gallu rheoli cynnyrch y Llyfrfa a sefydlu rhaglen waith, ond daethpwyd ag elfennau newydd, a lled ddieithr, i mewn i agenda'r cyfarfodydd. Am y tro cyntaf bu'n rhaid ystyried cytundebau cyflogaeth gydag undebau, yr oedd adeilad ychwanegol i'w gynnal ac ar unwaith gwelwyd fod rhaid rhoi cyfalaf yn y busnes a thynnu ar y buddsoddiadau i brynu peiriannau newydd. Blynyddoedd tra argyfyngus fu'r rhai cyntaf hyn, gymaint felly nes i'r Pwyllgor Ariannol argymell rhoi'r gorau i'r *Goleuad* yn 1923 'yn wyneb y golled ariannol' neu ei uno â'r *Cymro*. Ni wnaed y naill beth na'r llall ond daliai'r Pwyllgor Ariannol yn bryderus 'am safle ariannol y Llyfrfa yn wyneb anawsterau yr amserau'.

Trwy gydol y 1920au yr un yw byrdwn yr adroddiadau ariannol – fod y Llyfrfa'n llwyddo yn y gwaith o gyhoeddi a bod yr argraffu hefyd yn talu ffordd, ond nad oedd digon o elw i wneud mwy na lleihau'r golled ar y cylchgronau a'r *Blwyddiadur*. Bu sôn o leiaf er 1907 mai dymunol fyddai cael misolyn i daenu gwybodaeth am y maes cenhadol ac i hybu diddordeb yn y gwaith (yr oedd amryw lyfrynnau a llyfrau eisoes yn cael eu paratoi)[15] ond nid cyn 1922, yn dilyn penderfyniad yng Nghymanfa Gyffredinol Porthmadog y flwyddyn cynt, y llwyddwyd i gael y maen i'r wal. Ymddangosodd rhifyn cyntaf *Y Cenhadwr* yn 1922, y cyntaf mewn rhediad o 53 o gyfrolau hyd 1974, ond y mae'n arwyddocaol fod y cytundeb i argraffu-cyhoeddi *Y Cenhadwr* (a'r *Cylchgrawn Hanes*)[16] yn nodi na fyddai dim traul ar y Llyfrfa ac mai dyna'r trefniant y ceisiwyd ei sefydlu yn 1924 pan ddatganwyd fod:

> y Pwyllgor Llenyddiaeth yn sefyll yn yr un berthynas â'r Pwyllgor Ariannol ag y saif Pwyllgor yr Ysgolion Sul, a bod y Pwyllgor Ariannol yn ymgymryd â'r holl gyfrifoldeb ariannol ynglyn ag argraffu a chyhoeddi'r llyfrau y penderfynir arnynt gan y Pwyllgor Llenyddiaeth gyda chymeradwyaeth y Gymanfa Gyffredinol, fel y gwneir yn awr gyda'r llenyddiaeth a gyhoeddir gan Bwyllgor yr Ysgolion Sul.[17]

Go brin y gallai'r Pwyllgor Ariannol dderbyn ymrwymiad mor benagored â hyn ond yr oedd yn fodd i ddwyn i'r amlwg wedd arall ar broblem ariannol y Llyfrfa. Os nad oedd yn rhesymol iddi fod yn ddim amgen nag asiant i'r Cyfundeb, nid oedd yn rhesymol iddi ychwaith drosglwyddo cyfran sylweddol o'i helw i'r Gymanfa yn hytrach nag adeiladu cronfa wrth gefn a chwyddo ei chyfalaf. Galwyd sylw at y ffaith fod y trefniant a fu o'r dechrau, fod y Llyfrfa i raddau helaeth yn brif ffynhonnell incwm y Gymanfa, yn torri i lawr gan fod llai o lyfrau'n cael eu cyhoeddi a'r costau'n cynyddu. Dyma fyddai byrdwn cyson adroddiadau'r Pwyllgor Llyfrau trwy gydol y 1920au ac ni lwyddwyd i ddatrys y broblem tan 1935, fel y sylwir isod.

Nid ymddengys fod y Comisiwn Ad-drefnu (1920–5), trwy ei bwyllgorau,[18] wedi archwilio sefyllfa'r Llyfrfa fel y cyfryw, ond yn 1922 pwyswyd am sefydlu Pwyllgor Llenyddiaeth (cynrychiolwyr o'r Pwyllgor Gweithiol a Phwyllgor 1 y Comisiwn) 'i gymryd dan ei adain holl lenyddiaeth y Cyfundeb, hen a newydd'. Strwythur ydoedd hyn, mae'n debyg, i sicrhau cyhoeddi'r math o lyfrau yr oedd yn awyddus i'w gweld.[19] Gwnaeth nifer o argymhellion ynghylch natur y cyhoeddiadau y bernid fod eu hangen ar y Cyfundeb ond heb gyfeirio at sut y dylid eu hariannu.

Canmolai'r Comisiwn (tt. 35–6) waith 'ein Cyfundeb i oleuo ein pobl trwy'r Wasg' ond galwai am ddatblygu hyn ymhellach mewn ymgyrch 'drefnedig (*systematic*) trwy'r Wasg i hyfforddi ein pobl o bob oedran yn ein hanes, ein hegwyddorion, ac uwchlaw'r cwbl, yn athrawiaethau'r efengyl', mewn cyfres o lyfrau a llawlyfrau ar gynllun gwahanol i'r hen drefn o esbonio adnod wrth adnod. Manylwyd ar hyn wrth ddisgrifio'r math o lyfrau a oedd mewn golwg (t. 23) a gellir gweld mai ceidwadaeth syniadol yr addysg a'r safbwyntiau a gyfrennid yn yr eglwysi oedd gwraidd eu pryder. 'Teimlwn yn gryf na ddylem ddysgu dim i blentyn y bydd raid iddo ei ddad-ddysgu yn ddiweddarach. ... Credwn ymhellach y dylid darparu llyfrau, ar linellau ac am bris poblogaidd, er cynorthwyo ein pobl i'r safbwynt priodol er deall yr athrawiaeth yn wyneb gofynion meddwl yr oes'.

Addysgu, hyfforddi, meithrin defosiwn, y rhain oedd prif argymhellion y Pwyllgor ar Ein Hanes Cyfundebol a'n Hathrawiaethau, a Hyfforddiant ein Pobl Ynddynt (Pwyllgor 1). Er mor ddadlennol yw'r materion a barai ofid i'r pwyllgor, araf fu ymateb y wasg (neu'r Cyfundeb) ac yn y 1930au y gwelwyd teitlau'n adlewyrchu argymhellion y Comisiwn.[20]

Erbyn 1929 cwynid fod y Llyfrfa'n cwrdd â'i chostau ei hun, yn sefydlu *reserve*, ac yn trosglwyddo'r gweddill i'r Gymanfa i'w rannu at waith y Bala, y Coleg Diwinyddol Unedig, y 'Forward Movement', Trysorfa Gweinidogion, &c., yn ogystal â thalu treuliau'r Gymanfa ei hun. Soniwyd yn 1933 am 'ystyriaeth ddifrifol' o'r sefyllfa ariannol a sut i gynilo a lleihau'r colledion. Gwnaed datganiad eglur yn 1934 wedi trafod sut i gyfarfod â gofynion y Gymanfa Gyffredinol:[21]

> O'r flwyddyn 1864 hyd yn awr bu'r elw ar werthiant ein llenyddiaeth yn ddigon i gyfarfod â phob gofyn; ond bellach y mae'r gefnogaeth a roddir i'n llenyddiaeth yn annigonol i gyfarfod y treuliau sydd ynglŷn â chyhoeddi heb sôn am wneuthur elw tros ben hynny.

Ni ellid osgoi bellach yr hyn a alwai'r Pwyllgor yn 1934 yn 'argyfwng ariannol', a theg sylwi mor sylweddol oedd y symiau a drosglwyddwyd: e.e. £952 yn 1928, £637 yn 1929, £1,314 yn 1933. Cafwyd ymateb cadarnhaol i'r ddadl a gyflwynwyd ac yng Nghymanfa 1935 penderfynwyd y byddai'r ddwy Gymdeithasfa, a'r Calvinistic Methodist Compensation Acts Committee yn ymgymryd â thraul y Gymanfa Gyffredinol ac y cedwid cyfrifon y Gymanfa yn hollol ar wahân i gyfrifon y Llyfrfa o ddechrau 1936. Amcangyfrifwyd y byddai'r drefn newydd yn werth tua £350 y flwyddyn i'r Llyfrfa, ac yn ei adroddiad yn 1936 rhoes y Pwyllgor ddarlun eglur o effeithiau'r hen drefn ac o hynt ariannol y Llyfrfa dros y blynyddoedd.[22] O 1931 hyd 1935 yr oedd colledion blynyddol ar y cylchgronau (ac eithrio *Trysorfa y Plant*, a barhâi i wneud elw sylweddol) o gwmpas £6,000–£7,000; *Y Goleuad*, *Y Drysorfa* ac, i raddau llai, *Y Blwyddiadur*, oedd yn bennaf cyfrifol amdanynt. O 1893 hyd 1910 yr oedd gwerthiant llyfrau o bob math wedi gwneud elw o £28,849 i'r Cyfundeb; o 1911 hyd 1935 cyfanswm yr enillion clir oedd £16,264 (enillion £19,742, llai colled £3,478) a throsglwyddwyd £12,787 o'r swm hwnnw i'r Gymanfa. Er 1919 yr oedd cost prynu a chynnal y wasg yn £7,499 ond yr oedd gwerth y gwaith argraffu tua £6,000–£6,500 y flwyddyn ac yn cynyddu'n gyson: gwaith y Llyfrfa a gwaith cyfundebol oedd hwn a rhwng £100 a £200 yn unig oedd gwerth y gwaith allanol.

Ymddengys fod y drefn newydd yn llwyddo i wella'r sefyllfa ac am nifer o flynyddoedd yr oedd y darlun yn oleuach. Cynyddu a wnaeth y gwaith argraffu (ar gyfartaledd ymddangosai tua 13 o deitlau, gan gynnwys llyfrau'r ysgolion Sul, bob blwyddyn rhwng 1920 a 1939; fel y gwelwyd yn nodyn 5 uchod, bu peth cynnydd yn y byd cyhoeddi Cymraeg yn gyffredinol) ac anghofiwyd am yr hen bolisi o beidio â chystadlu am waith allanol wrth i'r elw hwnnw fynd beth o'r ffordd i gyfarfod â'r golled ar y cylchgronau. Yr un oedd sylfaen rhestr y Llyfrfa – llyfrau cyfundebol (gan gynnwys y *Llyfr Gwasanaeth*), llyfrau'r ysgol Sul (yn Gymraeg a Saesneg) a'r esboniadau, pregethau a nifer o gofiannau, darlithiau ac anerchiadau.[23] Ond yn raddol gellir ymglywed â mwy o amrywiaeth oddi mewn i'r maes crefyddol, cenhadol ac enwadol: *O'r Crud i'r Pulpud* (1921), *Cewri'r Pulpud* (1924) yn Gymraeg a Saesneg, *Chwiorydd Enwog y Cyfundeb* (1925), *Y Beibl Gwreiddiol* (John Pritchard, 1920), cyfres y Traethodau Bywgraffyddol, *Gemau Gurnal* (1924): ac ambell lyfr 'seciwlar' megis llyfrau storïau Anthropos (a oedd yn olygydd *Trysorfa y Plant*), ysgrifau John Owen, ysgrifau Tom Beynon, ambell nofel a chasgliadau o gerddi.

Ond yn y 1930au, er bod yr arlwy greiddiol yn aros, y mae teitlau mwy sylweddol yn ymddangos, ar hanes y Symudiad Ymosodol (1931), hanes yr Ysgol Sul (1936), ac athroniaeth y Cyfundeb (1934),

Diwylliant y Tadau Methodistaidd, Richard Bennett (1926) Yr oedd y Comisiwn Ad-drefnu wedi galw am astudiaethau diwinyddol cyfoes ac am sylw i bynciau'r dydd a dechreuodd y cyfryw deitlau ymddangos: er enghraifft, llyfrau W. D. Davies (*Crist a meddwl yr oes*, 1932; *Cylchlythyr Paul at yr eglwysi yn Asia a adwaenir fel 'Y Llythyr at yr Effesiaid' gyda myfyrdodau ar feddwl y llythyr a nodiadau terfynol ar athroniaeth Paul*, 1933. *Datblygiad Duw*, 1934, 'dros yr awdur'). Yn eu mysg hefyd gellid rhestru J. Morgan Jones, *Y Datguddiad o Dduw yn yr Hen Destament* (1936); G. Wynne Griffith, *Y Groes* (1933), 'dros yr awdur'; R. Hughes, *Dirgelwch y Crist* (1933); Gwilym Owen ac Owen Prys, *God and the Universe in the Light of Modern Science* (1932); R. R. Hughes, *Duw a'i greadigaeth o safbwynt gwyddoniaeth ddiweddar* (1932). Yn 1938 ac 1939 cyhoeddwyd *Essays for Everyman*; rhif 1 oedd *Romanism, Totalitarianism and the Liberty of the Christian Man* gan M. Watcyn Williams, a'r ail (a'r olaf), *Christianity and the State* gan David Phillips.

Yn 1939 galwyd am gydweithio a chydgynrychiolaeth rhwng y Pwyllgor Llyfrau ac Urdd y Bobl Ieuainc rhag gwastraffu adnoddau ac er mwyn rhannu'r 'rhestrau o lyfrau yr hoffent weld eu cyhoeddi'.[24] Yr un flwyddyn paratôdd Urdd y Bobl Ieuainc (Lleyn ac Eifionydd) lawlyfr ar; 1, *Heddwch a Rhyfel*; 2, *Cristnogaeth a Chymdeithas*. At hyn, ond yn fwy traddodiadol (prin ei fod yn gyd-ddigwyddiad), cafwyd nifer o lawlyfrau i blant a phobl ieuainc (trwy Urdd y Bobl Ieuainc) ar hanes y Cyfundeb (er enghraifft, *Ein Heglwys, ei hystyr, ei hanes a'i bywyd* gan Stephen George),[25] llawlyfrau addysg a hyfforddiant, defosiwn a gweddïau; i oedolion ymddangosodd *Bara Beunyddiol*, cynllun Isaac Jones Williams i ddarllen y Beibl cyfan (1933), a *Ffordd y Bywyd* (1937).

Yr oedd, y mae'n amlwg, gryn fywiogrwydd meddwl ymhlith rhai yn y Cyfundeb; er nad oedd y rhwyg a oedd yn tyfu rhwng yr enwadau a gwleidyddiaeth yn amlwg yn y cyhoeddiadau yr oedd ynddynt adlewyrchiad (gwan) o alwad yr efengyl yn y sefyllfa gyfoes. Anodd gwybod beth oedd gwerthiant y llyfrau hyn ond teg yw tybio mai'r teitlau traddodiadol a werthai orau. Byddai ambell gyhoeddiad megis 'gwerthiant eithriadol' esboniad Robert Beynon ar Lyfr y Salmau (1936), y *Detholiad* (60,000–80,000) a'r Llyfr Emynau oll yn gymorth i chwyddo'r cyllid o flwyddyn i flwyddyn. Bu cynnydd cyffredinol mewn darllen yn ystod blynyddoedd y Rhyfel a mwy nag un ymgais i ddarparu deunydd darllen i aelodau'r lluoedd arfog, ond nid adlewyrchid hynny yn y Llyfrfa, a gyhoeddai tua chwech neu ragor o deitlau bob blwyddyn. Er hynny, yr oedd teitlau pwysig yn eu plith, megis *Gweriniaeth*, Hywel D. Lewis (1940, 'dros yr awdur'); *Hanes yr Apocryffa*; J. E. Meredith (1942); *Emynau a'u Hawduriaid* John Thickens (1945); *Protestaniaeth* S. O.Tudur (1940); *Ein Ffydd* (1941); *Mawl a Gweddi: Prayer and Praise for sailors, soldiers and airmen* (1943); *Anerchiadau Cymdeithasfaol* (gan D. James Jones a J. R. Jones, 1943) a *Crist a'r Dyfodol – yr her*, J. R. Jones (1945). Gwnaed cynlluniau sut orau i wynebu anawsterau'r dydd trwy drefnu rhaglen gyhoeddi gymwys a gwarchod y buddiannau ariannol. Hyd yn oed ym mlynyddoedd Rhyfel 1939–45 gellid adrodd am sefyllfa foddhaol y Llyfrfa.

Ni fu'r blynyddoedd wedi'r Ail Ryfel Byd yn rhai hawdd. Yr oedd papur yn brin ac yr oedd yn anodd cael staff, ond trewid nodyn optimistaidd ddiwedd y 1940au. Daliai'r gwaith argraffu yn werth tua £15,000 i £19,000 y flwyddyn ac yr oedd mynd ar y cyhoeddi. At ei gilydd, yr un oedd natur y cyhoeddi. Llyfrau'r ysgol Sul oedd y ffon fara (ailgyhoeddwyd esboniad Robert Beynon ar y salmau yn 1950), ond gwnaed ymdrech i ddarparu ar gyfer plant ac ieuenctid yr eglwysi gyda llyfrau gwasanaeth, defosiwn a gweddïau ac yn arbennig *Emynau'r Plant*, ac ar gyfer cynulleidfa letach gyda chyfres megis *A wyddoch chi?* (1. *Beth yw Comiwnyddiaeth?* 1950; 2. *Beth yw Protestaniaeth?* 1951; 3. *Beth yw Calfiniaeth?* 1957, *Beth yw Dyn?* 1957, *Beth yw eglwys?* 1958, *Beth yw Cristnogaeth?* 1961). Cafwyd cyfrolau hanes a dathlu, atgofion (un o'r rhai mwyaf arwyddocaol oedd *From Khaki to Cloth*, Morgan Watcyn-Williams yn 1946) ac ambell lyfr diwinyddol, ond ni ellir peidio â sylwi ar y teitlau 'diwylliannol' neu lenyddol sy'n ymddangos, rhai megis *Sylwadau Sylwedydd*, John Owen (1946); *I ddifyrru'r amser*, Syr Ifor Williams (tri argraffiad mewn dwy flynedd); *Sgwrs a Phennill*, William Morris (1951) a nofel Griffith Parry, *Wedi Diwrnod o Hela* (1960).

Ymddeolodd J. W. Edwards wedi 28 mlynedd yn oruchwyliwr yn 1948 a phenodwyd John Williams, a fuasai ar y staff 23 mlynedd, yn ei le. Yr oedd y cylchgronau'n dal yn broblem; penderfynwyd llogi pabell ar faes yr Eisteddfod Genedlaethol ym Mhwllheli yn 1956 a chodi stondin yn y Gymanfa Gyffredinol mewn ymgais i hybu'r gwerthiant. Yn raddol, gwelir arwyddion fod rhaid cyfyngu hefyd ar y cyhoeddi trwy benderfynu peidio â chyhoeddi dim ar grefydd a diwylliant na chrefydd a chymdeithas yn Gymraeg 'gan fod llyfrau Cymraeg gan awduron adnabyddus ar y materion hyn wedi eu cyhoeddi yn ystod y ganrif hon',[26] ond canolbwyntio mwy ar anghenion yr eglwysi. Y mae yn hyn fwy nag awgrym o geisio ffoi i ddiogelwch y farchnad fewnol, ond heb ystyried am ba hyd y byddai honno yn dal ar gael. Collwyd cyfle, a'r dyfodol a ddangosai ai llwybr ymwared gwirioneddol fyddai hyn.

Yr oedd gan y Cyfundeb 164,621 o aelodau yn 1948, ond lleihau'n gyflym yr oedd y niferoedd. Pan fu farw John Williams yn 1962, 131,316 oedd rhif yr aelodaeth a rhaid fyddai holi a oedd y farchnad eglwysig, fel yr oedd, yn un hyfyw. Fel y soniwyd yn *Hanes* III, t. 213, sefydlwyd cangen o'r Llyfrfa yn y de yn 1910. Yn Llantrisant, mae'n ymddangos, yr oedd honno ar ddechrau gyrfa B. T. Salmon, y Goruchwyliwr, ond yn 1923, pan brynodd Henaduriaeth Dwyrain Morgannwg adeiladau i'r Cyfundeb yng Nghaerdydd, derbyniwyd y cynnig o gael ystafell i gadw stoc o gyhoeddiadau yn y Church House, Caerdydd. Ystyriwyd ei chau yn 1934 yn wyneb y cyni ariannol ac felly eto yn 1940, ond daliwyd ati gan ei bod yn cael peth llwyddiant o hyd. Symudwyd hi i 53 Richmond Road yn 1943 ond erbyn 1961, a hithau heb gynhyrchu elw (na masnach ond odid), mae'n ymddangos iddi ddod i ddiwedd ei rhawd.

Yr oedd y wasgfa yn y byd cyhoeddi Cymraeg wedi dwysáu ar ôl haf bach Mihangel blynyddoedd y Rhyfel. Sonnir am y 1950au fel 'y cyfnod mwyaf argyfyngus yn hanes cyhoeddi yn y Gymraeg' ac am 'gyflwr gwantan y fasnach lyfrau Gymraeg gydol y pumdegau'.[27] Dyma'r argyfwng a arweiniodd yn 1951 at ymchwiliad gan y Llywodraeth i gyflwr cyhoeddi yng Nghymru a'r penderfyniad yn 1956, wedi hir bwyso, fod grant cyhoeddi i'w estyn i gyhoeddwyr llyfrau Cymraeg, y cyntaf o nifer o ddatblygiadau a fyddai'n gweddnewid cyhoeddi Cymraeg trwy sefydlu cyfundrefn nawdd i'r diwydiant.[28] Y Parch. Griffith Parry a benodwyd i olynu John

Williams. Mae'n amlwg fod y Goruchwyliwr newydd wedi mynd ati ar unwaith i wneud arolwg o'r sefyllfa yn y Llyfrfa a'r wasg, a thros y blynyddoedd nesaf gwelir arwyddion clir o'i benderfyniad i wynebu'r problemau ac i ddatgan barn yn ddifloesgni. Ar yr ochr dechnegol yr oedd angen peiriannau newydd ond y gwir ofid oedd yr elfen o orgynhyrchu. Yr oedd yr esboniad a nifer o'r llyfrau'n peri colled gan fod argraffu gormod ohonynt (penderfynwyd yn 1964 'na ddylid cymeradwyo cyhoeddi unrhyw lyfr heb ystyried rhaglen y gwerthiant, a cheisio sicrhau y bydd yn ddigon i glirio costau'r cyhoeddi').[29]

Dechreuwyd sôn am uno'r cylchgronau enwadol. Yn 1966 yr oedd y golled ar *Y Drysorfa* yn £383 ac aethpwyd ati y flwyddyn honno i ddwyn cylchgronau plant yr enwadau ymneilltuol (*Trysorfa y Plant*, *Tywysydd y Plant*, *Y Seren Fạch*, *Y Winllan*) at ei gilydd dan yr enw *Antur* (a gyhoeddwyd gan y Cyngor Ysgolion Sul hyd 1992). Mentrwyd cyhoeddi cylchgrawn i bobl ieuainc, *Ymlaen*, yn 1968 ond ni lwyddodd a daeth i ben yn 1971. Dyma'r cyfnod hefyd pan ddechreuwyd uno'r cylchgronau oedolion, sef *Y Drysorfa* a *Dysgedydd* yr Annibynwyr, yn *Porfeydd*, 1968. (Yn 1984 y sefydlwyd *Cristion* gan yr holl enwadau.) Deuai'n fwyfwy amlwg mai ar golled flynyddol y rhedai'r Llyfrfa o hyn allan os na ellid datrys problemau ariannol yr amgylchiadau cyfoes a oedd yn awr yn lletach na hen ofid y cylchgronau. Â'r ddyled i'r banc yn sefyll yn £3,000 yn fwy na'r flwyddyn cynt yn 1965, rhaid fyddai mynd ati i unioni'r sefyllfa; onid e, nid oedd yn anodd rhag-weld y llwybr a oedd yn ymagor.

Rhagredegydd i nifer o archwiliadau pur fanwl dros y blynyddoedd nesaf oedd Pwyllgor Syr David Hughes Parry yn 1967 a alwyd gan Sasiwn y Gogledd 'i ymchwilio i wahanol agweddau o waith y Llyfrfa'. Dilynwyd hwn yn 1972 gan adroddiad y Pwyllgor Gwaith ar ei archwiliad ei hun.[30] Yr oedd yn dda cael yr adroddiad ond ni wnaeth fwy na thanlinellu natur y broblem a fu'n ymhlyg yn y gwaith o gyhoeddi cyfundebol erioed, sef ai busnes, ai asiantaeth oedd y Llyfrfa. Bydd ychydig ddyfyniadau'n ddigon i ddangos safbwynt y Pwyllgor Gwaith (a'r Pwyllgor Llyfrau a Llenyddiaeth):

> Priod waith y Llyfrfa yw cyhoeddi llenyddiaeth i'r Cyfundeb.

> Nid yw'r cwestiwn o wneud elw yn berthnasol, ond, er hynny, da fyddai i'r Llyfrfa barhau i dalu ei ffordd.
>
> Y mae'r gost o'i gweinyddu ar yr un raddfa yn union â chost unrhyw argraffty neu wasg seciwlar. Rhaid talu yr un safon cyflog, a gofalu am beiriannau ac offer cymwys i gyfarfod ag anghenion heddiw
>
> Yn ddiweddar fe ddaeth ffactor newydd yn amlwg, sef y cwestiwn ynglŷn â chyhoeddiadau arbennig: a oedd y cyhoeddiadau hynny yn cyfiawnhau eu cyhoeddi (*viable*)? Yn achos *Trysorfa y Plant* a *Y Drysorfa* fe roddwyd ateb nacaol, a gwnaed trefniant arall ynglŷn â hwy. [*sef uno'r cylchgronau enwadol*]
>
> Tybiwn nad dyma'r cwestiwn a ddylid ei ofyn bellach. Y mae'r gwaith o gyhoeddi llenyddiaeth gyfundebol yn haeddu yr un sylw a'r un gefnogaeth ag unrhyw agwedd arall ar waith yr Eglwys.
>
> Am hynny, ni ddylai mater elw, neu golled, ar gyhoeddi fod yr unig linyn mesur. Pe bai colled ariannol credwn y dylasai'r cyfundeb wynebu'r cyfryw ar ôl cloriannu'r holl ystyriaethau.

Galwyd sylw at nawdd Cyngor Celfyddydau Cymru i'r *Traethodydd* ond bod colled ar *Y Goleuad* a *The Treasury*.[31] Yr oedd adeilad y wasg yn Ffordd Balaclava yn anfoddhaol ac yr oedd angen moderneiddio'r peiriannau. Rhaid oedd derbyn gwaith argraffu allanol:

> Ni allwn ar unrhyw gyfrif ein cyfyngu ein hunain i waith cyfundebol; y mae'r golled ar y gwaith cyfundebol yn cael ei chyfarfod o'r ychydig elw a wneir ar y gwaith allanol.
>
> Ar hyd y blynyddoedd, gydag eithriad o ryw un cyfnod, fe wnaed elw gan y Llyfrfa. Yn gam neu gymwys, bu'n bolisi cyfundebol i bennu cyfran helaeth o'r elw at dreuliau'r Llysoedd. Gresyn mai fel hyn y bu, yn hytrach na gwario, fel y gwneir gan lawer awdurdod arall, ar adnewyddu'r peiriannau, a gwella yr adnoddau cyfalafol (*capital resources*).

> Credwn felly y dylasai unrhyw elw gael ei wario ar wella'r cyfalaf ac, yn wir, os digwydd bod diffyg, y dylai'r cyfryw gael ei gyfarfod o adnoddau'r Cyfundeb am y rhesymau a nodwyd yn y paragraff cyntaf.
>
> Dylid atgoffa'r Gymanfa mai cyfrifoldeb cyfundebol ydyw'r Llyfrfa am ei bod yn cyflawni gwaith na ellir ei hepgor.

Nid oes arwydd fod y Gymanfa wedi derbyn yr adroddiad yn ei grynswth. Cytunodd mai un o ganghennau cenhadol y Cyfundeb oedd y Llyfrfa, ond penderfynodd alw arbenigwr i adolygu'r holl beirianwaith 'a'n cyfarwyddo ynglŷn â'r modd i gyfarfod â gofynion y dyfodol'.

Y ddau a wahoddwyd i ymgymryd â'r dasg hon oedd Mr Eric Thomas a Mr Elgan Davies.[32] Cyflwynasant adroddiad i bwyllgor arbennig fis Ebrill 1974 ac argymell prynu peiriannau newydd cymwys ar gyfer dulliau modern o argraffu a gosod gwedd newydd ar adeilad y wasg yn Ffordd Balaclava, Caernarfon. Byddai angen gwario rhwng £45,000 a £50,000 dros gyfnod o dair blynedd i wneud y gwaith hwn. Erbyn 1977 nid costau'n cynyddu a nifer y darllenwyr yn lleihau oedd yr unig anhawster, oherwydd yr oedd cysodi electronig a pharatoi copi camera-barod yn golygu fod lliaws o gwmnïau bychain yn gallu cystadlu ar delerau ffafriol â'r Llyfrfa yn y farchnad agored. Y canlyniad oedd gorfodi'r Pwyllgor i wneud penderfyniadau sylfaenol: a ddylid gosod llawer o'r gwaith argraffu i gwmnïau eraill, a ddylid cau swyddfa Ffordd Balaclava a chynnwys y gwaith argraffu (ynghyd â'r peiriannau angenrheidiol) yn adeilad y Llyfrfa yn Ffordd Ddewi? Penderfynwyd y dylai'r Llyfrfa barhau i argraffu llenyddiaeth gyfundebol a llenyddiaeth Gristnogol gyffredinol, ac felly y dylid symud yr offer priodol i adeilad y Llyfrfa. Atgoffwyd y Gymanfa ei bod wedi datgan fod angen gwario hyd at £50,000 a bod y Llyfrfa wedi derbyn £23,000 yn unig hyd hynny. Penodwyd grŵp bychan yn cynrychioli'r Pwyllgor Gwaith, y Pwyllgor Llyfrau a'r Bwrdd Ariannol ynghyd â Mr Eric Thomas i ystyried sut i weithredu'r polisïau hyn. Cwblhawyd y symud o Ffordd Balaclava erbyn diwedd 1978.

Adroddiad 1979 oedd un olaf y Parch. Griffith Parry. Achubodd ar y cyfle i ddatgan eilwaith egwyddor 1972 nad mater elw neu golled ar gyhoeddi a ddylai fod yn unig linyn mesur ac mai'r Cyfundeb ddylasai wynebu unrhyw golled ar ôl cloriannu'r holl ystyriaethau. O bryd i'w gilydd, meddai, awdurdodai'r Gymanfa y Llyfrfa i gyhoeddi cyfrolau ar ei rhan ond y Llyfrfa, nid y Gymanfa, a ysgwyddai'r golled pan oedd y gwerthiant yn siomedig. Bellach, pan wneid elw ar gyhoeddi, canlyniad y grantiau a dderbyniwyd fyddai hynny.

Yr oedd yr arwyddion, y gwrthodwyd eu hwynebu yn y gorffennol, yn ddiymwad yn awr. Byddai llinell ariannol y Llyfrfa dros gyfnod o flynyddoedd yn dangos mai ar golled yr oedd yn gweithredu, er bod ambell flwyddyn yn fwy calonogol na'i gilydd. At hynny, yr oedd y gwaith argraffu yn foddhaol, yn llwyddo hyd yn oed, ond bu'r cylchgronau'n broblem ers blynyddoedd ac yn awr yr oedd cyhoeddi teitlau traddodiadol y wasg hefyd yn amhroffidiol. Oherwydd ei hamodau anffafriol fel menter fusnes y dioddefai'r wasg. Yn yr un adroddiad yn 1979 ceir argymhellion grŵp a fu'n ystyried dyfodol argraffu a chyhoeddi yn y Cyfundeb. Sonnir am addasu'r adeilad, datblygu'r argraffu'n gyfundebol a masnachol, agor siop lyfrau yn y dref a phenodi Cyfarwyddwr i'r holl waith: yn sail i'r cyfan byddai Bwrdd Gwasg y Llyfrfa i lywio polisi a Phwyllgor Gwaith lleol i arolygu'r gwaith o ddydd i ddydd. Yng Nghymanfa Gyffredinol Pwllheli (1980) derbyniwyd y drefn hon, wedi newid yr enw i'r Bwrdd Cyhoeddi. Penderfynodd y Bwrdd mai dan yr enw Gwasg Pantycelyn y byddent yn cyhoeddi eu cynnyrch.[33] Gwaith y Bwrdd fyddai rheoli gweinyddiaeth a datblygiad yr argraffu, trefnu rhaglen gyhoeddi deunydd cyfundebol a rhaglen gyhoeddi crefyddol a diwylliannol, a bod yn gyfrifol am y staff; swyddogaeth y Pwyllgor lleol fyddai'r rheolaeth o ddydd i ddydd ac ystyriaethau ariannol. Am gyfnod cadeiriai Mr Eric Thomas y pwyllgor allweddol hwn. Penodwyd Mr W. J. Humphreys yn Rheolwr-gyfarwyddwr yn 1981.

Trwy gydol y 1960au a'r 1970au cynyddu a wnaeth cynnyrch y Llyfrfa, yn ganlyniad, mae'n debyg, i'r gwella yn amodau cyhoeddi Cymraeg, fel yr oedd Griffith Parry wedi sylwi yn ei adroddiad olaf. Yn ogystal â threfn y grantiau cyhoeddi trwy'r Cyngor Llyfrau a Chyngor y Celfyddydau yr oedd bellach Ganolfan Ddosbarthu

Llyfrau[34] a nifer o siopau llyfrau Cymraeg a oedd yn cynnig cymorth angenrheidiol i'r marchnata. Parhâi'r cyhoeddi yn gyhoeddi ar gyfer eglwysi'r enwad a'r ysgolion Sul yn bennaf ond ni ddibynnai ffyniant y wasg ar y farchnad honno i'r un graddau â chynt a gwelir ymgais yn y teitlau i gyfarfod â chwaeth darllen mwy cyffredinol y gymdeithas Gymraeg.

Hawliai rhaglen gyhoeddi fywiog adnoddau golygyddol yn ogystal â pheirianwaith cynhyrchu a dosbarthu. Dechreuwyd sôn yn 1897 mai dymunol fyddai cael Golygydd Cyffredinol 'i arolygu y Wasg ac i hyrwyddo dygiad allan yn brydlon Lyfrau y Cyfundeb'. Ymddengys fod hyn wedi digwydd yn lled fuan oherwydd cyfeirir yn 1902 at y Golygydd Cyffredinol yn ceisio trefnu *Rhaglen y Gymanfa* a chael y *Dyddiadur* i ymddangos yn gynt.[35] Mae'n debyg mai Evan Jones oedd hwn, a olynwyd yn y swydd gan y Parch. John Williams, yn 1922, ac ymhen y flwyddyn gan y Parch. John Owen. Diffiniwyd y swydd yn fanylach yn 1925 a gosod ar y Golygydd Cyffredinol y cyfrifoldeb o safoni'r orgraff a'r gramadeg, darllen y proflenni ac arolygu cynnwys llawysgrifau a'u cyflwr. Eraill a fu'n cyflawni'r gorchwylion pwysig hyn oedd y Parch. William Morris a'r Parch. R. Gwilym Hughes. Nid anodd gweld dylanwad rhai o'r golygyddion hyn, William Morris yn arbennig, yn y rhychwant ehangach o deitlau a ddechreuodd ymddangos. Yn 1961 gwahoddwyd grŵp yn Aberystwyth i gyflwyno syniadau i'r Pwyllgor. Yr oedd eu hawgrymiadau'n rhai cyfoes ac yn ymwneud ag anghenion plant ac ieuenctid ac â phroblemau cyfoes, yn eu plith drafodaeth ar gyfrifoldeb personol (Goruchwyliaeth y Cristion), crefydd mewn oes wyddonol, arwyr Cristnogol cyfoes, a'r Testament Newydd mewn iaith lafar gyfoes, a diddorol yw olrhain y modd y dygodd yr awgrymiadau ffrwyth yng nghyhoeddiadau'r Llyfrfa. Ymddangosodd cyfieithiad 'Cymraeg Diweddar' Islwyn Ffowc Elis o Efengyl Mathew yn 1961 a *Goruchwyliaeth Gristnogol* Gwilym H. Jones yn 1963; adlewyrchir llawer o syniadau'r grŵp yn nhestunau gwerslyfrau'r ysgol Sul (cynnig diddorol oedd llawlyfr Harri Williams ac O. E. Roberts ar benodau cyntaf llyfr Genesis, *Y Creu a'r Cadw*, yn 1973), a dechreuodd Harri Williams gyhoeddi ei drafodaethau 'poblogaidd' ar ddiwinyddion cyfoes yn 1967 (*Y Crist Cyfoes*).

Rhwng 1960 a 1980 cafwyd rhai cofiannau da, cyfrolau o atgofion, nifer o gasgliadau o ysgrifau ac o gerddi, rhai nofelau (gan gynnwys un neu ddwy ar thema feiblaidd), a'r llyfr cyntaf yn saga Harri Parri am helyntion gweinidogaethol Pen Llŷn yn 1968, ambell lyfr taith a llyfrau hanes meddygaeth Glyn Penrhyn Jones yn 1964 ac 1967. Nid anghofiwyd am hanes y Cyfundeb gyda chyhoeddi *Yng Nghysgod Trefeca*, R. T. Jenkins, yn 1968, *Wales and Y Goleuad*, R. Buick Knox, yn 1969, amryw ymdriniaethau byrion, a dwy gyfrol gyntaf *Hanes Methodistiaeth Galfinaidd Cymru* yn 1973 a 1978, argraffiad diwygiedig o *Emynau a'u Hawduriaid* yn 1961 a *Tonau a'u Hawduriaid* gan Huw Williams yn 1967. Nid awgrymir yma fod y Llyfrfa'n ymwadu â'i phriod ddyletswydd enwadol a chenhadol ond yn hytrach, fel yr oedd yn rhaid i'r argraffu cyffredinol gynorthwyo i gynnal y gwaith sylfaenol, felly hefyd y cyhoeddi. Ni chyhoeddid dim anghydnaws â'r dystiolaeth Gristnogol, yn wir cyfrannai'r teitlau at y diwylliant Cymraeg, ond yr oedd yn golygu ymwadu â pholisïau 1956 a thyfu'n wasg gyda nawdd enwadol a gystadlai yn y byd masnachol.

Ymddiswyddodd W. J. Humphreys yn 1986 a'i olynu yn eu tro gan ddau aelod o'r staff, sef Mr Emyr Williams (hyd 1993) a Mr Alun Powell Jones (a ymddiswyddodd yn 1995 oherwydd ei iechyd ac a ddychwelodd i fod yn aelod o'r staff argraffu). Penodwyd Mrs June Jones yn Rheolydd/Goruchwylydd y flwyddyn honno. Y sefyllfa ariannol a âi â llawer o amser y Pwyllgor a'r Bwrdd yn ystod y 1980au a'r 1990au. Denai'r wasg waith oddi mewn i'r Cyfundeb ac o'r tu allan, ond yr oedd y costau cynhyrchu yn uwch na'r incwm, yr oedd dyled i'r banc a chafwyd benthyciad gan y Pwyllgor Ariannol. Yr oedd tri dewis yn 1984: 1. parhau'r gwaith ond gyda rhai cyfnewidiadau angenrheidiol, e.e. uwchraddio'r peiriannau; 2. cau'r adran argraffu a chanolbwyntio ar gyhoeddi yn unig; 3. cysodi yn unig, heb argraffu. Yr hyn a oedd yn cael ei awgrymu mewn gwirionedd, er na ddywedwyd hynny, oedd dychwelyd i'r sefyllfa cyn prynu'r argraffwasg yn 1920, gan anghofio mai problemau cyhoeddi a oedd wrth wraidd y penderfyniad hwnnw. Yr oedd goblygiadau staffio dewis 2 neu 3 yn eglur a daethpwyd i'r farn mai 1 oedd yr unig ddewis rhesymol. Er nad ymhelaethwyd ar y rhesymau dros ddod i'r casgliad hwnnw, gellir tybio fod y Bwrdd yn ymdeimlo â'i gyfrifoldeb i'r staff a fuasai'n deyrngar ers llawer blwyddyn. Y mae'n amheus a fyddai cwmni masnachol wedi mabwysiadu'r un dewis o ystyried yr arwyddion y buwyd yn ceisio ymateb iddynt (ac efallai ar adegau'n gohirio ymateb iddynt) ers tro, ond byddai rhaid i'r Bwrdd yntau dderbyn fod diwedd troi at ymgynghoriadau proffesiynol a llunio strategaethau a chynlluniau busnes yn agosáu.

Yn rhan o ailstrwythuro'r Cyfundeb yn 1991 crëwyd Bwrdd Cyfathrebu a gynhwysai Adran Argraffu a Chyhoeddi (a phanel cyhoeddi a ystyriai restr gyhoeddi dan arweiniad swyddog cyhoeddiadau), y Panel Mawl a Phanel Cyhoeddusrwydd. Os newidiodd yr enw, ni fu newid yn y gwaith na natur y trafodaethau.[36] Arhosai'r ystyriaethau ariannol (colled o £20,000 ar y gwaith argraffu a chyhoeddi yn 1991, costau cynhyrchu'n codi'n gynt na'r incwm) – addasrwydd peiriannau, addasrwydd a chyflwr yr adeilad (a ddylid chwilio am adeilad ar stad ddiwydiannol?), cydbwysedd y gwaith cyfundebol a masnachol, cynnyrch yr argraffu'n cynorthwyo'r cyhoeddi, cylchrediad cylchgrawn a newyddiadur, dulliau marchnata, ac yn arbennig le'r Llyfrfa yng ngweithgarwch y Cyfundeb a'i bwyllgorau (neu Fyrddau).

Yn 1992 sefydlwyd Cyhoeddiadau'r Gair 'dan adain Cyngor yr Ysgolion Sul ac Addysg Gristnogol' (a'r Cyfundeb yn aelod o'r Cyngor hwnnw) a datblygodd yn gyhoeddwr bywiog ac effeithiol, llawn dychymyg, i gyfarfod ag anghenion eglwysi ac ysgolion Sul yr oedd mewn cyswllt cyson â hwy.[37] Ni all nad effeithiai ymddangosiad cyhoeddwr arall yn canolbwyntio'n benodol ar ddeunydd crefyddol ar raglen gyhoeddi'r Llyfrfa. Parhâi Gwasg Pantycelyn i gyhoeddi llyfrau buddiol a gwerthfawr (gan gynnwys esboniad cydenwadol ysgol Sul yr oedolion ond llai, os dim, deunydd ar gyfer y plant) ond yr oedd eu nifer yn llai o'r 1980au ymlaen. Un datblygiad y dechreuwyd ei wyntyllu yn 2000 oedd cyhoeddi un wythnosolyn ymneilltuol cydenwadol yn lle'r pedwar a fodolai. Teg pwysleisio nad ystyriaethau ariannol a oedd wrth wraidd y syniad (a gafodd gefnogaeth frwd yn y Gymanfa Gyffredinol) ond argyhoeddiadau ecwmenaidd. Wedi cryn drafod cyfeillgar rhwng yr enwadau cytunwyd ar bolisi a phenderfynwyd cyhoeddi ar y cyd bedwar tudalen (â'i olygydd ei hun) i'w gynnwys mewn tri o'r newyddiaduron enwadol wythnosol, sef *Seren Cymru*, *Y Tyst* a'r *Goleuad*. Gweithredwyd y cynllun yn 2002 dan olygyddiaeth y Parch. D. Ben Rees a fu yn y swydd tan 2010 pan olynwyd ef gan y Parch. John Pritchard.

Yr oedd y Bwrdd Cyhoeddi a'i bwyllgor, a'r Bwrdd Cyfathrebu a'r Adran Gyhoeddi ar ôl hynny, yn dal yn fyw i anghenion yr eglwysi yn yr oes newydd hon. Fel y sylwyd, lleihau a wnaeth y gwaith o gyhoeddi ar gyfer yr ysgolion Sul ond ar y llaw arall ceisiwyd ymateb i anghenion newydd. Ymddangosodd llyfrau gwasanaethau 'parod' (megis *Cynnal Oedfa*, 1975, 1993; *Ffynnon ac Allor*, 1983, 1988; *Cau'r Adwy*, 1992, 1996), a llyfrau gwasanaethau plant, llyfrau gweddïau (megis *Ffenestri Agored*, 1976, 1997, gweddïau mewn arddull 'newydd', rhai yn null Michel Quoist), a llyfrau defosiwn personol (megis *Yn ôl y Dydd*, 1991; *O fewn ei Byrth*, 1994; *Hwn yw y Dydd*, 1997. gan Elfed ap Nefydd Roberts, a llyfrau Gareth Maelor Jones).

Dyma gyfnod pwysleisio gweinidogaeth lleygwyr a blaenoriaid (llawlyfr hyfforddi blaenoriaid, 1989), stiwardiaeth Gristnogol (*Ffordd o Fyw*, 2001), ac ymestyn allan at ieuenctid ac eraill (*Ffordd y Bywyd*, 2007, llyfrynnau gweinidogaethu i rai adeg eu priodas, i rai mewn galar a rhai'n wynebu poen ysgariad, 1998). Nid anghofiwyd am arwyddocâd y flwyddyn 2000–2001 gyda chyhoeddi *Iesu Grist, Ddoe, Heddiw ac am Byth* (yn Gymraeg a Saesneg, 2000) a meddylfryd cyfoes y dydd gyda *Croesi'r Mileniwm* (1998). Ar ran Pwyllgor y Beibl Cymraeg Newydd cyhoeddwyd cyfres o ddeuddeg o esboniadau beiblaidd rhwng 2000 a 2005 i gyd-fynd â maes llafur yr ysgol Sul ond hefyd i apelio at fyfyrwyr ysgrythur yn y colegau a'r ysgolion. Dylanwad y cwricwlwm addysg grefyddol (nid anghenion uniongyrchol yr eglwysi) a welwyd yn nau lyfr J. Glyndwr Harries, *Arweiniad at Islam* (1981), ac *Arweiniad at Iddewiaeth* (1983).

Ar hanes a meddwl y Cyfundeb, cafwyd cyfrol deyrnged i Gomer M. Roberts (*Gwanwyn Duw*, 1982), *Corff ac Ysbryd: ysgrifau ar Fethodistiaeth* (1998), *Drws Agored*, sef hanes Cartref Bontnewydd (2002), ac ar ran Bwrdd y Genhadaeth cyhoeddwyd tair cyfrol bwysig ar hanes y genhadaeth yn India: *Bryniau'r Glaw* (1988), *Y Bannau Pell* (1989), *Y Popty Poeth* (1990), yn ogystal â *Nine Missionary*

Pioneers (1989). Cyhoeddwyd *Llyfr Gwasanaeth* cyfundebol yn 1991 ac yr oedd y wasg yn dal i gyhoeddi ar ran Ymddiriedolaeth y Ddarlith Davies.

Ond o fwrw golwg dros restr gyfan cyhoeddiadau Gwasg Pantycelyn yn y 1980au a'r 1990au efallai mai'r elfen ddiwylliannol Gymraeg, a fwriedid i apelio at rychwant ehangach o ddarllenwyr na ffyddloniaid y capeli, yw'r un amlycaf. Gydag astudiaethau beirniadaeth lenyddol (*Dramâu Gwenlyn Parry*, 1982, 1993, *Beirniadaeth Lenyddol Hugh Bevan*, 1982, a chyfres bwysig *Llên y Llenor*, a sefydlwyd gan J. E. Caerwyn Williams o 1983 ymlaen), cofiannau (gan gynnwys rhai i D. Tecwyn Evans, 2002, a J. Glyn Davies, 2003), cyfres portreadau Harri Parri (*Tom Nefyn*, 1999; Elen Roger (Jones), 2000, '*Yr hen barchedig*', 2004), gweithiau Aled Jones Williams, nofelau, casgliadau o ysgrifau, straeon byrion, cerddi a charolau, a *Porthmyn Môn* (1998).

Dechreuwyd gofyn yn fwy agored gwestiwn a oedd wedi bod yn ymhlyg ers tro: 'Beth yw pwrpas y wasg gan gymaint ein dibyniaeth ar waith argraffu y tu allan i'r cyfundeb?',[38] beth yw diben gwasg gyfundebol yn yr ugeinfed ganrif pan yw amodau byw eglwysi mewn cymdeithas mor wahanol i'r hyn oeddent yn 1891 ac yn 1920?,[39] gyda chynifer o deitlau 'seciwlar' beth oedd nod amgen gwasg enwadol rhagor unrhyw wasg arall? A oedd angen Gwasg Pantycelyn? Erbyn 2002 nid oedd modd gohirio'r drafodaeth ymhellach. Yr oedd y Bwrdd Ariannol a'r archwilwyr yn holi (yr oedd gorddrafft 'parhaol' yn y banc); wrth i restr teitlau Gwasg Pantycelyn ehangu yr oedd perygl y byddai'r Comisiynwyr Elusennau yn holi ai priodol ydoedd i gwmni a dderbyniai nawdd elusennol gystadlu yn y farchnad; pa fath o ddeunydd a oedd yn addas i wasg enwadol? Y dewis y tro hwn oedd naill ai dirwyn y cyfan i ben neu geisio llwybr newydd. Cytunwyd ar ateb ac wedi cyfnod o baratoi, gweithredwyd hwnnw yn 2005. Byddai'r Cyfundeb, trwy'r Bwrdd Cyfathrebu a than yr enw Gwasg Pantycelyn, yn dal i gyhoeddi llyfrau addas â chysylltiadau cyfundebol yn y farchnad agored a chan geisio grantiau lle y gellid eu cael yn ôl trefn y Cyngor Llyfrau neu yn ôl trefn debyg yn y Cyfundeb ei hun. Sefydlwyd gwasg gwbl annibynnol, Gwasg y

Bwthyn, yn Gwmni Cyfyngedig trwy Warant yn adeilad y Llyfrfa yng Nghaernarfon a chyda chefnogaeth y Cyfundeb.[40] Gwasg y Bwthyn sy'n argraffu ac yn gweinyddu'r rhan fwyaf o gyhoeddiadau'r Cyfundeb, ac y mae manteision yn hynny, ond nid oes cyswllt ffurfiol rhwng yr Eglwys a'r wasg. Er 2005 y mae Gwasg Pantycelyn wedi cyhoeddi teitlau ar ran Ymddiriedolaeth y Ddarlith Davies, nifer o astudiaethau yn y gyfres Llên y Llenor, yn ogystal â theitlau eraill megis *Llwybr Gobaith* (Rhiannon Lloyd, 2005), *Yr Archesgob Rowan Williams* (Cynwil Williams, 2006), y *Llyfr Gwasanaeth* newydd (2009) a *Cân y ffydd* (cyfrol goffa Kathryn Jenkins, 2010), y gyfrol *Hanes* rhif 3 *Y Twf a'r Cadarnhau* (2011). Y mae'r *Goleuad*, *The Treasury* a'r *Traethodydd* yn dal eu tir yn llwyddiannus.

Bu rhaid i'r Llyfrfa roi sylw cyson i ystyriaethau ariannol, ond ni fuont erioed yn brif destun trafodaethau'r Pwyllgor. Sefydlwyd y Llyfrfa i fod yn gyfrwng cenhadu, hyfforddi ac addysgu a phriod waith y Pwyllgor fu trefnu rhaglen gyhoeddi a gefnogai waith y Cyfundeb. Yn y blynyddoedd cynnar, cadw'r cof am y Tadau a'u gweithiau yn ir oedd un o'r cymhellion pwysicaf a buwyd wrthi'n ceisio annog rhywrai i gasglu gwaith Howell Harris, Daniel Rowland, Robert Jones a David Jones (er nad yn llwyddiannus iawn). Ond dros y blynyddoedd cafwyd cofiannau lu a mwy nag un ymgais i ysgrifennu hanes y Cyfundeb a'r ysgol Sul, heb anghofio adargraffu'r Gyffes Ffydd a'r *Llawlyfr Rheolau* (yn ei amrywiol argraffiadau). Yr oedd addysg a hyfforddiant oedolion, ieuenctid a phlant yn bwysig, a llenyddiaeth flynyddol yr ysgol Sul ymhlith cynnyrch mwyaf niferus y wasg (ac felly'n ffon fara). Heblaw Esboniad dosbarth yr oedolion, argraffwyd 18,000 o gopïau o'r *Gwerslyfr* yn 1894–5, 10,000 copi o'r *Llawlyfr* a 5,000 o lyfrau tebyg eraill, a gellid disgwyl eu gwerthu o fewn mis. Arhosodd y ffigur yn debyg o flwyddyn i flwyddyn, e.e. yn 1896–7 argraffwyd 15,000 copi o'r *Gwerslyfr*, 8.000 o'r *Llawlyfr*, 21,000 o werslyfr arall, a 3,000 yr un ar gyfer safonau 4 a 5; ond erbyn y 1920au tua 10,000 o gopïau o'r amrywiol werslyfrau (20,000 o rai'r plant) a argreffid. Yn 1923 penderfynwyd argraffu 6,000 o gopïau o'r Esboniad i gyfateb i werthiant y flwyddyn cynt, ac mae'n debyg fod hyn yn ffigur mwy realistig. Erbyn 1927–8, 5,000 copi o'r Esboniad a argreffid, 10,000 o'r *Gwerslyfr*, ac o hynny ymlaen lleihau y mae'r ffigurau'n gyson i tua 3,500, a thua 8,000 yn y 1930au.

Yn y 1950au y gwelir lleihau arwyddocaol wrth i nifer deiliaid yr ysgol Sul (yn enwedig ymhlith yr oedolion) ostwng cyn trosglwyddo'r gwaith i Cyhoeddiadau'r Gair. Bu'r ysgol Sul yn fodd i ddenu cyhoeddiadau eraill oblegid, heb sôn am amryw gyfresi o holwyddoregau, *Rhodd Mam* a'r tebyg, nid esgeulusid anghenion yr athrawon. Paratoid iddynt hwy lyfrau cyfarwyddyd megis *Yr Athro o Ddifrif*, *Llawlyfr Addysg a Hyfforddiant*, tua 2,000 o gopïau yr un. I oedolion ceid digonedd o bregethau ac o ymdriniaethau athrawiaethol a beiblaidd (gan gynnwys y Darlithiau Davies), ond yr oedd addysg y lleygwr a'i blant hefyd yn ystyriaeth bwysig, fel y gwelir mewn cyfresi megis y Gyfres Wen (traethodau ar ddirwest a phurdeb, a fu'n boblogaidd iawn ac a ailgyhoeddwyd yn y 1920au), cyfres o Holwyddoregau ar brif gymeriadau'r Beibl, y Gyfres Genhadol, cyfres *A wyddoch chi...?* Yn ddiweddarach, cafwyd rhai trafodaethau 'poblogaidd' ar ddiwinyddiaeth a daeth darparu canllawiau i ddefosiwn personol a llyfrau gweddïau a gwasanaethau yn fwy amlwg, a hefyd lawlyfr hyfforddi lleygwyr.

Bu'r gwaith hwn yn llwyddiannus tra oedd marchnad gadarn i'r math yma o gyhoeddiadau a bywyd yr eglwysi'n gallu cynnal gweithgarwch gwasg enwadol. Er hynny, diddorol yw sylwi fel y bu sefyllfa ariannol y cylchgronau'n destun pryder erioed. Yr oedd hyn yn wir hyd yn oed pan oedd y cylchrediad yn uchel, ffaith sy'n awgrymu bod y 'broblem' nid yn gymaint yn y cynhyrchu ond yn economeg arbennig cyhoeddi a dosbarthu cyfnodolion. Hyd at y 1920au ni welir yn rhestri'r Llyfrfa odid ddim nad oedd yn ymwneud yn uniongyrchol â bywyd yr Eglwys. Dan bwysau economaidd, ond hefyd awydd awduron yn y Cyfundeb i weld cyhoeddi eu gwaith gan eu Llyfrfa 'eu hunain',[41] gwelir mwy a mwy o deitlau seciwlar, ond buddiol, yn dechrau ymddangos, weithiau'n cael eu cyhoeddi 'dros yr awdur' ond yn fynych dan enw'r Llyfrfa. Ymddangosodd rhai o lyfrau Anthropos yn 1922, 1923, 1924, 1927, a cherddi beirdd lleol yn yr un cyfnod, a chafwyd cnwd o lyfrau tebyg ddechrau'r 1930au. Daeth y nodwedd hon fwyfwy i'r amlwg yn y 1960au gyda chyhoeddi cyfrolau gan William Morris, Griffith Parry, Abel Ffowc Williams, Myfi

Williams, Ernest Roberts, nofelau gan T. Salisbury Jones, R. Emyr Jones, atgofion gan J. R. Morris, W. J. Thomas, a chyfrolau o farddoniaeth, ymgais, efallai, gan y Goruchwyliwr i sicrhau fod y cyhoeddi yn ogystal â'r argraffu'n cynnal priod waith y Llyfrfa nad oedd yn cael ei gynnal bellach gan y grwpiau y bwriedid ef i'w gwasanaethu.[42] Yn hyn yr oedd yn ymwadu â pholisïau 1956 ac yn codi cwestiwn sylfaenol am natur tŷ cyhoeddi enwadol, sef pwy, neu beth, sy'n gyfrifol am y cyllido, sut i gadw cydbwysedd rhwng y gwaith cyhoeddi ac argraffu cyfundebol, crefyddol a'r gwaith seciwlar. Fel y gwelwyd eisoes, yn 2005 y cafwyd ateb o'r diwedd.

Ar un olwg, y mae'r Llyfrfa-Gwasg Pantycelyn wedi dod yn ôl at yr amcanion gwreiddiol – cefnogi gwaith y Cyfundeb a'r dystiolaeth Gristnogol, ond prin fod yn rhaid tanlinellu'r modd y mae'r cyd-destun i'r gweithgarwch hwnnw wedi newid er 1891. Y mae nifer aelodaeth y Cyfundeb wedi newid, fel y mae natur bywyd yr eglwysi; y mae trefniadaeth yr ysgolion Sul wedi datblygu i gyfeiriad newydd; y mae ymlyniad y gymdeithas yn gyffredinol wrth grefydd gyfundrefnol yn wahanol ac nid yr un yw sefyllfa cyhoeddi crefyddol yn y Gymraeg erbyn hyn. Dengys amrywiol fersiynau'r ddogfen *Symud Ymlaen* fel y mae strwythurau'r Cyfundeb yn newid yn gyflym ac yn gyson i adlewyrchu'r cyfnewidiau hyn. O safbwynt y drefniadaeth oddi mewn i'r Cyfundeb pery cyhoeddi'n weithgarwch canolog, yn gyfrifoldeb un o adrannau'r Gymanfa Gyffredinol, fel y bu o'r dechreuad. Cyd-destun cyhoeddi yn y Cyfundeb yw cyfathrebu'r Eglwys gyfan, yn fewnol ac yn genhadol, gyda'r her a esyd hynny i 'gyhoeddi' nid yn unig mewn print ond trwy'r holl gyfryngau electronig, ar-lein, digidol, cymdeithasol a chlywedol sydd yn rhan o fywyd Cymru heddiw.

1 D. Densil Morgan, *The Span of the Cross*, t. 67.
2 Yr astudiaeth fwyaf trylwyr o'r hinsawdd feddyliol a diwinyddol yw R. Tudur Jones, *Ffydd ac argyfwng cenedl: Cristnogaeth a diwylliant yng Nghymru, 1890–1914* (dwy gyfrol, Abertawe, 1981, 1982), ac y mae *The Span of the Cross* yn parhau'r hanes.
3 Gw. astudiaeth Robert Pope, *The Flight from the Chapels* (2000), lle y ceir hefyd gasgliadau hwylus o ystadegau.
4 Olrheinir hynt cyhoeddi Cymraeg gan Gwilym Huws, 'Welsh-language

publishing 1919 to 1995', pennod 29 yn Philip Henry Jones ac Eiluned Rees, goln, *A Nation and its Books: A History of the Book in Wales* (Aberystwyth, 1998), tt. 341–53; Marion Löffler, 'Mudiad yr iaith Gymraeg yn hanner cyntaf yr ugeinfed ganrif: cyfraniad y chwyldroadau tawel', pennod 4 yn Geraint H. Jenkins a Mari A. Williams (goln), *"Eu Hiaith a Gadwant?" Y Gymraeg yn yr Ugeinfed Ganrif* (Caerdydd, 2000), tt. 173–206, tt. 192–4, a G. J. Williams, *Y Wasg Gymraeg ddoe a heddiw* (Y Bala, 1970).

5 Y mae'r ffigurau mewn erthygl ddienw, sef 'Welsh Books', yn *The Welsh Outlook*, 20 (1933), 129–31: dyma ddetholiad, 155 (1909), 83 (1914), 27 (1919), 66 (1920), 127 (1922), 53 (1923), 69 (1926), 117 (1927), 109 (1931), 98 (1932), a gw. Huws, op. cit., tt. 341–2. Cymharer hefyd nifer cyhoeddiadau newydd Hughes a'i Fab hyd 1920 (12 yn 1913, o dan 10 bob blwyddyn wedyn, 2 yn 1919, 0 yn 1920), Thomas Bassett, *Braslun o hanes Hughes a'i Fab, Cyhoeddwyr Wrecsam* (Cymdeithas Lyfryddol Cymru, 1946), t. 46.

6 *Y Gymraeg mewn Addysg a Bywyd: adroddiad y pwyllgor adranol a benodwyd gan Lywydd y Bwrdd Addysg i chwilio i safle yr iaith Gymraeg yng nghyfundrefn addysg Cymru ac i gynghori sut oreu i'w hyrwyddo* (Llundain, His Majesty's Stationery Office, 1927).

7 Gw. sylwadau Gwilym Huws, op. cit., t. 341, a chyfrol 3 *Hanes*, t. 213, fod posibiliadau'r farchnad grefyddol yn crebachu i gyhoeddwyr cyffredinol.

8 Cafwyd amryw argraffiadau o'r llyfrau hyn ar ôl blynyddoedd y Rhyfel hefyd ac afraid ceisio eu nodi yma.

9 Cymerodd E. Morgan Humphreys dudalen cyfan (t. 4) o'r *Goleuad*, 17 Rhagfyr 1918, i osod allan ei ochr ef i'r stori. Byddai pob aelod o'r Gymanfa Gyffredinol, felly, yn gallu rhoi ei wedd ei hun ar adroddiad y Pwyllgor Llyfrau. Gw. trafodaeth D. Densil Morgan, op. cit., tt. 60–1; Aled Gruffydd Jones, *Press, Politics and Society: A History of Journalism in Wales* (Cardiff, 1993), t. 144; Harri Parri, *Gwn glân a Beibl budr: John Williams, Brynsiencyn, a'r Rhyfel Mawr* (Caernarfon, 2014), tt. 167–71 ar hyn oll. Yn annisgwyl braidd, bu Humphreys yn olygydd *Y Goleuad* eilwaith tua 1933 nes iddo ymddiswyddo ar dir iechyd yn 1935. Yn anffodus, er ei bwysiced fel sylwebydd craff, nid oes bywgraffiad o Morgan Humphreys (y mae ysgrif yn *Y Bywgraffiadur Cymreig, 1951–70* (yba.llgc.org.uk), ond nid anodd dychmygu fod blynyddoedd 1914–18 yng nghadair golygydd *Y Goleuad* wedi cyfrannu at ei argyhoeddiad ynghylch pwysigrwydd anhepgor y wasg yn ffyniant bywyd cenedl, gw. Aled Gruffydd Jones, 'Y wasg Gymreig yn y bedwaredd ganrif ar bymtheg', *Cof Cenedl: Ysgrifau ar Hanes Cymru*, 3 (1988), tt. 89–116.

10 Yn y cyd-destun hwn cymharer sylw Aled Gruffydd Jones yn 'Y Wasg Gymreig yn y bedwaredd ganrif ar bymtheg', *Cof Cenedl: Ysgrifau ar Hanes Cymru*, 3 (1988), t. 111, 'Yr oedd cydbwysedd y wasg yng Nghymru wedi gweld newid sylweddol erbyn diwedd y Rhyfel Byd Cyntaf, a phapurau a apeliai at gynulleidfaoedd eang ac amrywiol a enillodd y dydd dros enwadaeth esblyg cyfnodolion y ganrif flaenorol.'

11 Yr oedd y wasg hon eisoes wedi argraffu deunydd dros y Cyfundeb.

12 *Y Blwyddiadur*, 1921, tt. 49–50; *Y Blwyddiadur*, 1922, t. 56.

13 Cynhwysai'r rhain *Y Dyddiadur* (o leiaf hyd 1949), ac yn ddiweddarach *Y Suliadur* a'r *Swyddiadur* (yn y 1950au a hyd tua 1972, yn cynnwys rheolau, enwau swyddogion, pwyllgorau, gofalaethau, ac ati) a'r *Blwyddiadur*, a oedd yn cynnwys adroddiadau pwyllgorau'r Gymanfa Gyffredinol hyd at 1987. Ers hynny cyhoeddir dau lyfryn yn flynyddol, yr *Agenda* a'r *Gweithrediadau*. Ychwanegwyd dyddiadur at *Y Blwyddiadur* yn 1994. Gw. Goronwy Prys Owen, 'Y Blwyddiadur', *Y Goleuad*, 14 Chwefror 1997, 5–6, a *Hanes*, 3, t. 207.

14 Ar gyfraniad D. O'Brien Owen, gw. *Hanes*, 3, tt. 212–15.

15 Ar *Y Gyfres Genhadol* gw. *Hanes*, t. 216. Cyhoeddwyd ambell deitl a gododd beth cynnwrf, megis llawlyfr D. Francis Roberts ar *Dysgeidiaeth y Pumllyfr* yn 1920, a'r dadlau a fu ynghylch y Gyffes Ffydd a'r Datganiad Byr yn y 1920au (gwaith E. O. Davies, J. Cynddylan Jones, W. Nantlais Williams yn bennaf) ond cyfrwng, nid cyfrannwr, oedd y wasg yn hyn oll. Ar hanes gwrthod gwerslyfr yr ysgol Sul, sef *Prif Gymeriadau'r Hen Destament* (D. J. Evans), gw. John Tudno Williams yn *Cylchgrawn*, 39 (2015), 26–68.

16 Yn 1916 y dechreuwyd cyhoeddi *Cylchgrawn Cymdeithas Hanes y Methodistiaid Calfinaidd* a hynny yng Nghaerdydd lle'r oedd y golygydd, y Parch. John Morgan Jones, yn weinidog; Y Llyfrfa sydd wedi'i argraffu er 1926.

17 *Y Blwyddiadur*, 1924, t. 103.

18 *Comisiwn Ad-drefnu y Methodistiaid Calfinaidd. Adroddiadau'r Pwyllgorau* (Liverpool, 1925). Ar waith y Comisiwn, gw. astudiaeth J. Beverley Smith, 'Dechrau'r ganrif: y Cyfundeb o dan archwiliad, 1900–1925', *Cylchgrawn*, 20 (1996), 41–61.

19 Gw. nodyn 25 isod.

20 Gw. nodyn 15.

21 *Y Blwyddiadur*, 1934.

22 *Y Blwyddiadur*, 1937, tt. 126–7.

23 Beth bynnag y farn am ran John Williams, Brynsiencyn, adeg y Rhyfel y mae'n werth nodi fod tri argraffiad o'i bregethau ac anerchiad ganddo ar bregethu (dan olygyddiaeth John Owen) wedi ymddangos yn 1922, ac ail gyfrol yn 1923, a chofiant poblogaidd R. R. Hughes yn 1929. Cofiannau poblogaidd eraill oedd rhai J. Puleston Jones (R. W. Jones, 1929, 1930, ynghyd â *Meddyliau Puleston* yn 1934) a David Williams (R. Thomas, 1929, 1930).

24 *Y Blwyddiadur*, 1939.

25 Y mae diwyg a rhwymiad hyfryd y llyfryn hwn, heb ddyddiad, yn dangos yr ymdrech a wnaed i'w gynhyrchu'n wir yn 'llyfr rhodd'.

26 Y mae rhestr Hughes a'i Fab yn y 1920au a'r 1930au yn dangos beth a oedd ym meddwl y Pwyllgor, sef teitlau megis llyfrau D. Miall Edwards, *Bannau'r Ffydd* (Wrecsam, 1929), *Crefydd a Diwylliant* (1934), neu lyfr Thomas Rees, *Cenadwri'r Eglwys a Phroblemau'r Dydd* (Wrecsam, 1923).

27 Dyfed Elis-Gruffydd, 'Can mlynedd o gyhoeddi: gwasg Gomer 1892–1992' yn Rheinallt Llwyd, gol., *Gwarchod y Gwreiddiau: cyfrol goffa Alun R. Edwards* (Llandysul, 1996), 172–91, t. 182.

28 Adroddiad Ready, *Report of the committee on Welsh language publishing*, Y Swyddfa Gartref, 1952. Ar y datblygiadau pellach hyn, yn 1963, 1978, ac wedyn, a'r effaith a gawsant ar nifer a diwyg y llyfrau a gyhoeddwyd ac yn nhrefniadaeth y marchnata, gw. Rheinallt Llwyd, 'Cyfraniad Mr Ready', yn Rheinallt Llwyd, gol., op. cit., 106–29, 'Cyngor Llyfrau Cymru' yn *Gwyddoniadur Cymru yr Academi Gymreig* (Caerdydd, 2008), t. 219, a Huws, op. cit. Sefydlwyd y Cyngor Llyfrau Cymraeg (Cyngor Llyfrau Cymru yn awr) yn 1961 ac erbyn hyn trosglwyddwyd i'r Cyngor y cyfrifoldeb am ddosrannu a gweinyddu'r cymhorthdal i gyhoeddwyr, gwaith a wnaed gynt gan y Cyngor Llyfrau, Cyngor y Celfyddydau (Cyngor Celfyddydau Cymru) a Gwasg Prifysgol Cymru. Hoffwn ddiolch i Geraint Lewis am lawer o wybodaeth am y gyfundrefn gymhorthdal a'i hanes.

29 *Y Blwyddiadur*, 1964.

30 *Y Blwyddiadur*, 1972, tt. 176–8.

31 Yn 1969 y dechreuodd Cyngor Celfyddydau Cymru ddyfarnu grant i'r *Traethodydd*. Yr oedd amodau i'r dyfarnu, e.e. gweddnewid y diwyg, talu cyfranwyr. Y mae'r grant, neu'r 'drwydded', a ddyfernir yn awr gan Gyngor Llyfrau Cymru, yn parhau a rhoir targedau ynghylch materion megis y cylchrediad.

32 Mab Rowland Thomas, perchennog gwasg Hughes a'i Fab, oedd Eric Thomas, yntau'n gyhoeddwr mentrus a gŵr busnes egnïol; pennaeth adran ddylunio'r Cyngor Llyfrau oedd Elgan Davies.

33 Yr un, yn sylfaenol, fu trefniadaeth y cyhoeddi ers y dechrau. Fel y gwelwyd eisoes (yng nghyfrol 3 yr *Hanes*), erbyn 1898 ceid yn y Gymanfa Bwyllgor y Llyfrau, Isbwyllgor Caernarfon a ofalai am y cyhoeddi, yr argraffu a'r gwerthiant, ac Isbwyllgor y Llyfrau a ofalai am bolisi, awgrymu teitlau a gwahodd awduron. Yn 1924 y drefn oedd cael Pwyllgor Llenyddiaeth, ac yn gysylltiedig ag ef Bwyllgor Cyhoeddi, Pwyllgor y Llyfrau a Phwyllgor yr Ysgolion Sabothol. Newidiwyd ryw gymaint ar hyn ac yn 1926 cafwyd Pwyllgor Llyfrau a Llenyddiaeth. Pwyllgor Gwaith lleol (Caernarfon) a ymwnâi â'r wasg, Isbwyllgor Llenyddiaeth (polisi), a Bwrdd Golygu (i gydweithio â'r Golygydd Cyffredinol). Dros y blynyddoedd defnyddiodd y Llyfrfa sawl arwyddnod ('imprint'), yn eu plith 'Cyhoeddedig gan D. O'Brien Owen', Llyfrfa'r Methodistiaid Calfinaidd, Llyfrfa'r Cyfundeb, CM Book Agency, Connexional Bookroom, CM Printing Works (Argraffty'r MC, Swyddfa'r Goleuad). Cyhoeddai rai teitlau dros y Gymanfa Gyffredinol, dros y Gymdeithas Hanes, a thros Ymddiriedolaeth y Ddarlith Davies, ond arfer Bwrdd y Genhadaeth Dramor oedd cyhoeddi eu gweithiau hwy dan eu harwyddnod eu hunain yn Lerpwl neu yn Wrecsam. Newidiodd y sefyllfa honno pan ffurfiwyd Bwrdd y Genhadaeth yn 1966.

34 Cymharer *Hanes*, t. 209 am awgrym fod lle i ehangu gwaith Llyfrfa.

35 Gw. *Hanes*, t. 213.

36 Un a fu'n gefn i holl drafodaethau'r Pwyllgor tros lawer o flynyddoedd ac yn fuddiol ei gyngor oedd y diweddar Alun Creunant Davies a roes yn hael o'i arbenigedd dihafal a'i brofiad yn Gyfarwyddwr y Cyngor Llyfrau Cymraeg at ei wasanaeth.

37 Disgrifir amcanion Cyhoeddiadau'r Gair ar wefan Cwlwm Cyhoeddwyr Cymru, sef darparu 'llyfrau Cristnogol i blant, ieuenctid ac oedolion, llyfrau i gynorthwyo addoliad ac addysg Cristnogol'.

38 *Y Blwyddiadur*, 1992, sef i bob pwrpas yr hyn a oedd y tu ôl i dri dewis 1984. Y mae'n drawiadol sut y codai'r un materion dro ar ôl tro: beth i'w argraffu, maint rhediad, dulliau prisio, costau cynhyrchu.

39 Erbyn 1993 nifer aelodaeth y Cyfundeb oedd 57,876 (lleihad o 1939 er y flwyddyn flaenorol) – pa faint bynnag o'r rheini a oedd yn ddarllenwyr; yn 2003 nifer yr aelodaeth oedd 36,251 (38,030 y flwyddyn flaenorol).

40 Ar wefan Cwlwm Cyhoeddwyr Cymru dywedir bod Gwasg Pantycelyn yn cyhoeddi 'papur newydd a chylchgronau enwadol, llyfrau crefyddol a deunydd defosiynol ar gyfer addoliad personol ac addoliad cyhoeddus', a Gwasg y Bwthyn yn cyhoeddi 'nofelau, straeon, barddoniaeth a dramâu ar gyfer plant ac oedolion'.

41 Yr awduron a dalai'r Llyfrfa am yr argraffu ac yr oeddent yn rhydd i werthu eu llyfrau eu hunain; y fantais a gaent oedd cyhoeddusrwydd a hysbysebu rhad trwy'r Llyfrfa a dosbarthwr parod.

42 Gobeithir cael cyfle yn y dyfodol i gyhoeddi rhestr gynhwysfawr (byddai rhestr gyflawn yn dasg amhosibl, fe ofnir) o gyhoeddiadau'r Llyfrfa.

PENNOD 8

Y GENHADAETH GARTREF A THRAMOR 1914–2014

DAFYDD ANDREW JONES

Ymgais yw'r bennod hon i olrhain dwy ffrwd y genhadaeth Gristnogol, y cartref a'r tramor, rhwng 1914 a 2014 ac amgylchiadau eu dyfod ynghyd ar ddechrau ail hanner y ganrif wrth i'r Eglwys wynebu heriau materoliaeth a dyneiddiaeth ddwys y cyfnod. Mae'r hanes yn dechrau yn sŵn y gynnau mawr a fwriodd eu cysgod dros Gymru a'r ddau faes cenhadol dramor lle gweithiai Eglwys y Methodistiaid Calfinaidd Cymreig, yn India ac yn Llydaw, a daw i ben yn sŵn gynnau crefydd geidwadol eithafol IS sy'n fygythiad i wareiddiad. Roedd Llydaw 1914 yn agos iawn at faes y gad a'r gwŷr o dan 45 oed yn cael eu galw i'r frwydr gan fylchu bywyd eglwysi'r genhadaeth.[1] Er pelled bryniau a gwastadeddau Gogledd India, holwyd cwestiynau dwys ynglŷn â Christnogion yn rhyfela, a beth ddeuai ohonynt hwy yno pe collai Prydain y rhyfel gyda'r ansicrwydd yn peri i rai ar y gwastadeddau ddychwelyd at eu hen ffyrdd Hindŵaidd. Ymunodd rhai Lusheaid yn y brwydro gyda'r St John's Ambulance Corps neu'r Labour Corp a'u cael eu hunain yn y frwydr a'r cenhadwr D. E. Jones (1897–1927)[2] yn gaplan iddynt. Felly hefyd hyd at fil o Gasiaid yn 1917 gyda'r Parch. D. S. Davies (1914–19), newydd-ddyfodiad i'r maes, yn gaplan iddynt. Roedd cyfathrebu â'r maes a symudiadau cenhadon rhwng eu cartrefi a'r meysydd yn anodd.

Y Genhadaeth Dramor

Yn India ddechrau 1915 yr oedd cyfanswm o 32,871 o gymunwyr a 397 o eglwysi mewn pedwar maes, sef Bryniau Casia, y Gwastadeddau, Bryniau Lushai a Gogledd Cachar. Roedd yno 27 o genhadon, 17 ar y Gwastadeddau, a+ deuddeg o'r rheini yn fenywod – tystiolaeth o natur wahanol y gwaith yno o'i gymharu â'r Bryniau, gyda phwyslais ar anghenion gwragedd a'r dosbarth isaf yn y gymdeithas mewn ymateb i her Mohametaniaeth a Hindŵaeth, y crefyddau strwythuredig hynafol yn y lleoedd hynny.[3] Yn ychwanegol at y cenhadon roedd tua dau ddwsin o weinidogion brodorol gyda chyfrifoldeb dros nifer o eglwysi lleol yr un.

Gwasanaethai dau genhadwr yn Llydaw, sef y Parchedigion W. Jenkyn Jones (1882–1922) a J. Gerlan Williams (India, 1898–1910; Llydaw; 1911–1941),[4] gydag eglwysi mewn mannau fel Quimper, Guilvinec, Lesconil a Pont l'abbé yn gartref ysbrydol i 158 o gymunwyr, 94 o blant a 320 o wrandawyr. Roedd y gweithwyr a'r ymateb yno yn brin.[5] Gwnaed apêl arbennig am arian a gweithwyr, ond prin oedd yr ymateb erbyn Hydref 1923.[6] Ar ddechrau tridegau'r ganrif nid oedd y ffigyrau fawr gwell a theimlwyd yr angen 'i edrych i mewn yn drwyadl i'r achos yn Llydaw yn ei holl agweddau'. Penodwyd naw o 'frodyr', yn cynnwys y Prifathrawon Owen Prys a David Phillips, i wneud y gwaith.[7] O ganlyniad, yn 1933, cadarnhawyd ymlyniad wrth y gwaith a phenderfyniad i benodi cenhadwr a nyrs i weithio gyda Gerlan Williams yno. Ond wedi can mlynedd a mwy o weithgarwch, nid oedd yno ddim ond tair eglwys fechan yn 1946 a'r rhyfel wedi gadael ei ôl arnynt, y sefyllfa wleidyddol heb sôn am Babyddiaeth yn eu herbyn, er bod y disgwyl o du'r Protestaniaid yn fawr.[8] Yn 1958 penderfynwyd trosglwyddo'r gwaith i Eglwys Ddiwygiedig Ffrainc gydag ymrwymiad i gyfrannu £400 y flwyddyn tuag at gynnal gweinidogaeth yr eglwysi, ond methwyd â gwneud hynny oherwydd anghydfod lleol.[9] Nid cyn Cymanfa 1971 y sylweddolwyd y bwriad.

Er garwed y dyddiau parhâi'r brwdfrydedd â'r genhadaeth yn India drwy'r degawdau yn dilyn 1915. Trwy gysylltu cyson â'r eglwysi a'r henaduriaethau, yn arbennig wedi'r Rhyfel Mawr, ceisiwyd buddsoddi mewn cenhadon ifanc wrth i'r hen arweinwyr, megis Robert Evans (1878–1913), W. M. Jenkins (1891–1913), J. Ceredig Evans (1888–1929) a Robert Jones (1892–1927), ymddeol.[10] Bu ymateb da, yn enwedig o blith chwiorydd ifanc, athrawon a nyrsys, a sicrhawyd dwsin i'r Gwastadedd, buddsoddiad cryf yn y maes gwannaf.[11] Ond annigonol oedd yr ymateb: dau genhadwr a aeth i Fryniau Casi yn ystod y rhyfel a byr fu eu arhosiad yno. Er i'r nifer gynyddu wedi'r rhyfel parodd afiechyd i amryw orfod dychwelyd yn gynamserol, a bu farw ambell un, fel Lucy Murray (1930–1), yn ifanc.[12] Cafodd eraill fwynhau iechyd i gyflwyno oes o wasanaeth gan roi sefydlogrwydd ynghyd â dilyniant ac weithiau gyfeiriad newydd i'r gwaith. Yn eu mysg yr oedd cenhadon fel Laura Evans, Llanfrothen (1892–1967), Helen Rowlands, Porthaethwy (1915–55), sefydlydd y cartref i weddwon a phlant, Sydney Evans, Gorseinon, (1920–45) meithrinydd y cyswllt rhwng Coleg Diwinyddol Cherra ag awdurdodau Serampore, yr amryddawn Edwin Adams, Aberdaugleddau (1921–62), Katie Hughes, Llundain (1924–1962) a'i chôr plant a aeth ar daith i Ogledd India, T. E. Pugh, Talgarth (1930–51), Prifathro galluog Ysgol y Bechgyn, Shillong, Gwilym Angell Jones (1930–57) bugail, cyfieithydd a hanesydd, a T. B. Phillips, Maesteg (1934–69), yr addysgwr cadarn.[13]

Nid hawdd oedd llenwi bylchau, fel y dengys y Genhadaeth Feddygol. Ni lwyddwyd i benodi meddyg ar gyfer Jowai yn dilyn ymadawiad y Dr Edward Williams yn 1925, ac ymddiriedwyd y gwaith yno i nyrsys ymroddedig fel Muriel Owen, Caerffili (1924–36) a Margaret Buckley (1919–40). Er yr angen ers degawd am adeilad newydd yno, rhwystrwyd ei adeiladu gan gyfyngiadau'r Ail Ryfel Byd. Er penodi'r Dr John Williams yn 1924 i wasanaethu yn Shillong ymddiswyddodd am resymau personol ymhen y flwyddyn, a bylchog fu'r ddarpariaeth feddygol yn Lushai wedi ymddiswyddiad Dr Frazer yn 1913 hyd nes dyfodiad Dr John Williams, Cwm-y-glo (1928–36), a fu'n gosod sylfeini ysbyty newydd yn Durtlang, gyda nyrs Eirlys Williams, Trefriw (1933–8) yn gyfrifol am yr ysbyty am ddwy flynedd nes dyfodiad Dr Gwyneth Parul Roberts. Arhosodd yno o 1938 hyd 1961 gan godi statws yr ysbyty a'i gwneud yn ysgol hyfforddi nyrsys. Sicrach oedd y ddarpariaeth yn Shillong: wedi bwlch o naw mlynedd yn dilyn ymadawiad Dr Griffith Griffiths

(1878–1904), gwasanaethodd Dr Hugh Gordon Roberts yno o 1913 hyd 1944 gan arolygu adeiladu'r ysbyty newydd a agorwyd yn 1922, a chyda chymorth Nyrs Buckley a Nyrs Amy Bullock sefydlwyd adran hyfforddi hynod lwyddiannus gan sicrhau cyflenwad cryf o nyrsys brodorol.[14] Dychwelodd Roberts drachefn yn 1950 i arolygu adeiladu'r ysbyty newydd yn Jowai. Cyfoethogwyd gwasanaeth Ysbyty Shillong yn fawr yn 1938 gyda dyfodiad y Dr R. Arthur Hughes, mab y mans o Landudno, a ddisgleiriodd fel myfyriwr yn Lerpwl, ynghyd â dwy nyrs, Miss Menna Jones, Ysbyty Ifan, a Miss Nancy Harris, Abertawe; priododd y naill â T. B. Phillips a'r llall ag E. H. Williams. Gwasanaethodd ef yng Nghasia rhwng 1893 a 1947, gan dreulio amser ym mhob gorsaf ar y maes hwnnw. Ni lwyddwyd i benodi meddyg i olynu'r Dr O. O. Williams yn Karimganj wedi ei farwolaeth ef yn 1926, ond rhoes ef wasanaeth clodwiw ar y Gwastadeddau er 1893.

Mae calibr uchel y cenhadon hyn, ynghyd â'r egni a'r ymroddiad, y weledigaeth a'r ffydd oedd ganddynt yn nyfodol y dystiolaeth Gristnogol ar eu meysydd, yn drawiadol. Maent hefyd yn dystiolaeth o ymroddiad Eglwys a'i chenhadon a'u deall o'r alwad arnynt i efengylu, addysgu ac iacháu mewn oes gythryblus a than amgylchiadau heriol pan oedd adnoddau dynol ac ariannol yn brin a'r byd mewn dirwasgiad dwfn rhwng dau Ryfel Byd a Chymru ei hunan, yn arbennig felly ei deheudir, yn ysig. Roedd ariannu'r gwaith yn her a benthyciadau banc gadwodd y llong rhag suddo. Yr oedd y ddyled ar ddiwedd 1914 yn £307 a chydol y degawd roedd yr ariannu yn ansicr. Ar ddechrau'r cyfnod, pan groniclir casgliad o £8,535 yn yr Adroddiad Blynyddol, gwelwyd yr angen i'r aelodaeth gyfan deimlo 'rhwymedigaeth i Grist ac i'r paganiaid', am gylchgrawn cenhadol a chefnogaeth yr henaduriaethau drwy iddynt sicrhau bod eu pwyllgorau cenhadol yn weithredol ac yn effeithiol, a phob eglwys yn rhoi cefnogaeth weddigar ac ariannol.[15] Yn 1915, fel ag yn wythdegau'r ganrif cyn hynny, pwysleisid gwerth sefydlu canghennau'r chwiorydd yn yr eglwysi.[16] Yr un frwydr oedd i'r Genhadaeth gartref a thramor, sef ennyn brwdfrydedd mewn dyddiau argyfyngus, a'r ddwy fel ei gilydd yn ddibynnol ar yr un ffynhonnell cynhaliaeth, sef cyfraniadau'r aelodau i gynnal gwaith pwerus ei fomentwm a chynyddol ei botensial yn y ddau faes.

Rhyw fyw rhwng y llaw a'r genau fu hanes y Genhadaeth erioed, yn anorfod felly yn y cyfnod hwn, er gwneud apeliadau blynyddol am gynnydd yn y casgliadau, ac enghraifft gyda'r amlycaf yw'r cyflwyniad manwl o'r ffeithiau a'r galwadau a ymddangosodd yn *Y Cenhadwr* yn 1924, pryd y gofynnwyd am un geiniog yr aelod yr wythnos a fyddai'n cynhyrchu £40,000 y flwyddyn yn hytrach na'r £16,000 a gafwyd.[17] Erbyn 1925 yr oedd dyled o £8,000, a rhagwelid y codai i £12,000, a gofynnodd y Gymanfa i bwyllgorau'r henaduriaethau ystyried y sefyllfa.[18] Yn ystod y cyfnod 1924–31 arweiniodd dirwasgiad at ostyngiad o dros £4,000 yng nghasgliadau'r eglwysi.[19] Er mwyn lleihau'r ddyled tociwyd y gwariant yn 1927 a golygai cynnydd yn y cyfraniadau fod £905 mewn llaw y flwyddyn honno. Mynegwyd gwerthfawrogiad o'r haelioni, 'yn wyneb amgylchiadau'r wlad, yn enwedig yn Neheubarth Cymru'.[20] Erbyn 1930 roedd diffyg o £2,380 wrth i'r costau godi i £41,252, ond, er hynny, yn y Gymanfa'r flwyddyn honno bu 'ymofyn am genhadon', tasg a ymddiriedwyd i Bwyllgor Ymgeiswyr yn 1933. Datganai Oliver Thomas (1913–27) yr un flwyddyn fod cenadaethau eraill yn cynnal eu gwaith 'yn wyneb y dirwasgiad gyda ninnau'n llesgau yn ein sêl a'n cyfraniadau'.[21] Ond er i'r sefyllfa wella erbyn 1935, gyda £6,377 mewn llaw ar ei therfyn, yn 1938 roedd diffyg o £13,071, gyda £9,916 ar y flwyddyn honno'n unig. Teg nodi i'r eglwys ar y maes o'r dyddiau cynharaf gyfrannu'n ariannol at y weinidogaeth ac anghenion dyngarol. Swm y casgliad hwnnw yn 1933 ydoedd £790 heb gynnwys y Casgliad Dyrnaid Reis.[22]

Yn dilyn yr Ail Ryfel Byd bu codiadau sylweddol ym mhris bwyd ac ati, ac o reidrwydd codwyd y gydnabyddiaeth i genhadon yn ôl 20 y cant yn 1944. Cafwyd codiadau drachefn yn 1945 a 1946.[23] Parhâi'r diffyg ariannol yn flynyddol: roedd yn £7,963 yn 1946 a £17,612 yn 1955, a chafwyd rhybudd yn 1960 na ellid parhau fel hyn.[24] Dygn fu'r ymdrech i godi ymwybyddiaeth a lleihau'r ddyled i'r banc trwy apeliadau taer i'r aelodaeth yn Adroddiadau'r pumdegau,[25] sefydlu'r Sul Cenhadol ar y Sul cyntaf ym mis Tachwedd, lansio ffilm newydd yn 1956, a cheisio trefnu ymweliad cenhadwr bob pum mlynedd â phob eglwys.[26] Er mai prin a siomedig fu'r ymateb ar y cyfan a mawr fu'r syndod o sylweddoli cymaint yr anwybodaeth neu ddiffyg dirnadaeth ysbrydol a fodolai ynglŷn â'r gwaith, nid teg fyddai priodoli'r diffyg ymateb i brinder diddordeb, oherwydd pan lansiwyd apêl ar gyfer Ysbyty Jowai yn 1949 codwyd dros £15,000 mwy na'r disgwyl o £20,000.[27] Dichon fod y penodol a'r dyngarol yn denu, ac o bosibl, fod teimlad gwrth-genhadol, o leiaf yn India, yn rhwystr i gyfrannu cyson.[28] Tociadau ar wariant ar ran yr Eglwys yn India a gwerthu tŷ yn Llydaw a gadwodd ben y Genhadaeth uwch y dyfroedd yn 1955.[29]

Ffynhonnell ariannol arall oedd gwaith y chwiorydd, a fu'n hael a ffyddlon eu hymdrechion o blaid y genhadaeth er 1881 pryd y dechreuwyd rhoi'r pwyslais ar gyfarfodydd chwiorydd ym mhob eglwys mewn henaduriaethau a dosbarthiadau lle y cesglid arian. Drigain mlynedd yn ddiweddarach, yn y pedwardegau a'r pumdegau, canmolid a gwerthfawrogid eu hymdrechion a gweithgarwch Watkin Price yn hybu eu trefniadaeth. Cyfeirir at bedair rali (sasiwn) chwiorydd yn Adroddiad 1940. Cynhaliwyd sasiwn nodedig yn Nhai-bach, Port Talbot, gyda'r anogaeth i'r rhanbarthau eraill ddilyn y patrwm.[30] Gwnaed hynny erbyn 1950 ac roedd y 'gefnogaeth yn eithriadol o dda' gyda chanmoliaeth uchel iawn i lafur a strwythurau effeithiol y chwiorydd; hwy 'yw'r gallu gyrrol yn ein Cyfundeb gyda'r Achos hwn. Y maent yn ddi-ildio, yn ddiffael ac yn ddiguro yn y gwaith Cenhadol.'[31] Erbyn 1955 mae'r patrwm o bedair Sasiwn Genhadol y Chwiorydd wedi hen ffurfio a'r casgliad yn £2,500 tuag at amrywiol 'anghenion y maes'. Cadarnhaodd y Pwyllgor Ad-drefnu yr hyblygrwydd yn strwythurau'r chwiorydd yn 1949, gan sicrhau iddynt y gallu 'to work as God inspires and uses them'.[32]

Yn cyfateb i'r gweithgarwch a'r ymdrech i galonogi ac ysgogi brwdfrydedd gartref bu cynnydd ar y meysydd. Hyfforddi a galluogi'r brodorion oedd arf pennaf y genhadaeth; yn y cyfnod hwn gwelwyd cynnydd yn nifer y bugeiliaid lleol a ordeiniwyd. Yn 1915 roedd cyflenwad cryfach nag a fu erioed o genhadon, gweinidogion, athrawon a staff meddygol ar y maes, a darparodd hynny ofal bugeiliol, addysgol a meddygol i'r Gorsafoedd a'r Dosbarthiadau. Gweinidogaeth tîm oedd y patrwm gyda gweinidogion, pregethwyr ac athrawon yn gweithio gyda'r cenhadon a hwythau'n gyfrifol weithiau am fwy nag un Dosbarth. Paratoid llenyddiaeth ddefnyddiol a phwrpasol a gwneid defnydd effeithiol o'r Beibl a'r Llyfr Emynau.

Yn 1915 roedd yr eglwys ar Fryniau Casia, oherwydd ei gwreiddiau hanesyddol, ychydig ar y blaen i'r tri maes arall yn India. Roedd ganddi naw Dosbarth o eglwysi, 10,872 o gymunwyr mewn 865 o gynulleidfaoedd ac 456 o ysgolion dyddiol.[33] Yn cynnal y gweithgarwch hwn roedd ysgol yn Shillong ar gyfer hyfforddi athrawon, coleg diwinyddol yn Cherra i addysgu efengylwyr a gweinidogion, tri ar ddeg o genhadon, dau ddwsin o weinidogion brodorol a thua deugain o bregethwyr rheolaidd. Ni chafwyd cymaint llwyddiant ar Wastadeddau Bengal er sefydlu'r gwaith yno yn 1850. Nid nad oedd diddordeb mewn Cristnogaeth yn Sylhet, Silchar, Karimganj neu Maulfi Basar, torri cyswllt â gwreiddiau mewn Hindŵaeth a Moslemiaeth ac ymrwymo i Gristnogaeth oedd yn anodd. Yn wir, yn 1923, wrth ymateb i gais o Gymru am i rai o'r Bryniau genhadu yn y Gwastadeddau, crynhodd y Casiaid y problemau: 'Ymysg pethau eraill rhaid inni wynebu anawsterau'r iaith, y gyfundrefn *caste* ac ymlyniad ystyfnig wrth hen olygiadau, ac yn olaf y rhagfarn gref a geir yn erbyn popeth Gorllewinol.'[34] Yn 1915 roedd i Eglwys y Gwastadeddau 273 o gymunwyr, 17 eglwys a 60 ysgol ddyddiol.

Deunaw oed oedd y gwaith yn Lushai ar doriad y rhyfel ond eto dangosai addewid; 1931 oedd rhif y cymunwyr yn 1915 a thrwy gymorth diwygiadau cododd y nifer i 36,627 erbyn 1928.[35] Cwta ddeg oed oedd y gwaith ar Fryniau Cachar yn 1915; er yr ieithoedd amrywiol a'r ddaearyddiaeth heriol ceid yno chwe eglwys, gyda 43 o gymunwyr a 167 yn gysylltiedig â'r eglwysi hyn. Gwelodd y chwarter canrif dilynol gynnydd mawr, yn arbennig yn Lushai. Yn 1937 yr oedd 17,211 o gymunwyr ar Fryniau Casia a Jaintia, 2,326 ar y Gwastadedd, 25,802 yn Lushai a'r cyfanswm yn 45,339, swm sy'n codi i 118,153 wrth ystyried pawb oedd yn gysylltiedig â'r eglwys. I'r maes cyfan anfonwyd 36 o genhadon a'u gwragedd a barnwyd hynny'n annigonol ar gyfrif ehangder tiriogaethau a maint y dasg efengylu.[36] A dyfynnu *Blwyddiadur* 1938: 'Nid yw yn bosibl i'r cenhadon presennol roddi yr ystyriaeth ddyladwy i gwestiynau pwysig, nag i roddi eu hamser i rannau hanfodol o'u gwaith oherwydd prinder amser.'[37] Er bod i'r meysydd yn India eu nodweddion penodol eu hunain, digon tebyg yn y pedwar cylch oedd y dynesiad at y gwaith. Yr oedd sefydlu ysgolion i ddysgu pobl i ddarllen yn agor yr ysgrythurau iddynt, athrawon ac efengylwyr yn rhannu'r neges a'u hyfforddi ynddi, a hynny'n arwain at blannu eglwysi a'r drefn Bresbyteraidd yn cynnal ac yn ehangu'r gwaith. Ar ddechrau'r cyfnod 567 oedd nifer yr ysgolion dyddiol dros yr holl faes ac roedd ynddynt 14,618 o ddisgyblion, 4,691 ohonynt yn fenywod. At hyn roedd y Genhadaeth feddygol yn dod i'w hoed gydag ysbytai yn Jowai, Lailynkot, Habiganj ac Aizawl, ac un newydd wedi'i chynllunio ar gyfer Shillong. Ymdriniai'r ysbytai hyn â rhai miloedd o gleifion yn flynyddol, gyda'r bwriad nid yn unig o leddfu poen ond hefyd o ddenu dioddefwyr at Grist.[38] Datblygwyd ymhellach y wedd ymarferol hon ar y Gwastadeddau drwy'r gwaith gyda'r Namasudras, y bobl ddi-gast a'r isaf mewn cymdeithas, a chyda'r chwiorydd yn y *zenanas* drwy waith cenhadon fel y Dr Helen Rowlands ac eraill.[39]

I gynnal y brwdfrydedd gartref a cheisio sicrhau cenhadon newydd a wynebu'r costau cynyddol, cryfhawyd y tîm gweinyddol yn y swyddfa, 16 Faulkner Street, Lerpwl, drwy benodiadau bwriadus i weithio gyda'r Ysgrifennydd Cyffredinol, y Parch. R. J. Williams (1901–33).[40] Gwnaed y Parch. John Hughes Morris, hanesydd y Genhadaeth, a dreuliodd 58 o flynyddoedd yn ei swyddfa, yn Ysgrifennydd Cynorthwyol i Williams ac o 1928 yn Ysgrifennydd Golygyddol.[41] Ef, â'i ddawn lenyddol, ddaeth yn 1922 yn olygydd cyntaf cylchgrawn newydd misol *Y Cenhadwr*, a fwriedid i 'hyfforddi ein pobl mewn trefn a chryfhau eu cydymdeimlad ... am ein Cenhadaeth'.[42] Ymhen amser disodlodd y *Cronicl Cenhadol*, a fu mor ddylanwadol er sylfaenu'r genhadaeth yn 1840 fel prif arf cyfathrebu'r gwaith a chynhwysai newyddion am y meysydd tramor, Llydaw, India a thu hwnt, hanesion am unigolion nodedig, manylion am genhadon newydd ynghyd â gwybodaeth am ddatblygiadau o bwys cenhadol yng Nghymru, erthyglau cenhadol, storïau'r cenhadon ac eraill, a deunydd addoli ar gyfer yr eglwysi. Gydol y dauddegau a'r tridegau cynyddodd ei gylchrediad hyd at 9,500 y mis yn 1927 a daliodd ei dir hyd ddiwedd y tridegau; gwerthid hefyd 500 copi o'r cylchgrawn *Glad Tidings* ar gyfer y di-Gymraeg.

Dan law Morris, cyhoeddwyd cofiant R. J. Williams i'r Parch. Thomas Jerman Jones (1911), ac i'r Dr John Roberts, Corris (1923) yn ogystal â llu o lyfrynnau cenhadol megis ei anerchiad i'r sasiwn, *Y Byd i Grist*; *Holwyddoreg Cenhadol*, Nantlais Williams; a'r gantawd, *Ymchwil am India*, y gerddoriaeth gan J. T. Rees a'r geiriau gan y Parch. M. H. Jones. Cyhoeddiadau eraill oedd *Trem yn Ôl,* ysgrif ar y genhadaeth, diweddariad J. H. Morris i hanes y genhadaeth; *Ein Cenhadaeth*, a ymddangosodd yn 1931, ac *Ystoriau Cenhadol*, ynghyd â gwersi cenhadol i'r ysgolion Sul yn seiliedig ar waith William Lewis (1842–60) a Thomas Jerman Jones (1870–90), cenhadon Casia.

Yn 1922 penodwyd y Parch. Watcyn M. Price yn Ysgrifennydd Trefnyddol, yn dilyn dychweliad Oliver Thomas i Shillong. Ei gyfrifoldeb ef oedd hyrwyddo'r gwaith cenhadol gartref drwy gysylltu'n uniongyrchol â'r eglwysi, ymweliadau â'r henaduriaethau, trefnu arddangosfeydd (yn 1933 cydnabuwyd i'r rheini godi £40,000 dros y blynyddoedd),[43] hyrwyddo gwaith y chwiorydd, ynghyd â chynadleddau, encilion, ymgyrchoedd a chynhadledd gydenwadol adeg y Pasg o 1925 ymlaen.[44] Estynnwyd ei dymor am bum mlynedd yn 1927 gyda'r 'gwerthfawrogiad mwyaf diffuant' am ei waith, a thrachefn yn 1933 'yn gynnes iawn'.[45] Roedd i'r cyhoeddiadau a'r digwyddiadau hyn bwrpas deublyg o addysgu a chodi arian. Dychwelodd Oliver Thomas i Gymru yn 1927 wedi un mlynedd ar bymtheg yn Shillong yn brifathro ysgol y bechgyn ac am gyfnod yn gyfarwyddwr ysgolion ar Fryniau Casia, a'i wneud yn 1929 yn Ysgrifennydd Cynorthwyol i R. J. Williams, a fu farw yn 1933, ac yna yn 1935 yn olynydd iddo fel Ysgrifennydd Cyffredinol.[46]

Os oedd brwdfrydedd ac ymroddiad yn nodweddu gweithgarwch y Genhadaeth Dramor ar y maes ac yn y gefnogaeth gartref ar ddechrau'r cyfnod, sylweddolwyd hefyd bwysigrwydd dyfnhau'r weledigaeth ar gyfer blynyddoedd i ddod. Yn ddiwinyddol gwelir yn y cyfnod hwn ddealltwriaeth fwy agored o'r genhadaeth Gristnogol. Er enghraifft, mae'r Parch. Howell Harris Hughes, gweinidog Princes Road, Lerpwl, ar y pryd, yn ystyried her gwyddoniaeth ac athroniaeth ynghyd â'r modd y cyfoethogodd beirniadaeth Feiblaidd ein deall o'r Hen Destament. Meddai: 'Nid "barbariaid yn eu tywyllwch" y gelwir arnom i estyn iddynt oleuni'r Efengyl heddyw, ond cenhedloedd mawrion yn agor eu llygaid i oleuni gwybodaeth orau'r oes ymhob cylch ond crefydd; a'u diwylliant a'u gwareiddiad di-Dduw yn argoeli'r perigl mwyaf i fywyd goreu dyfodol y byd.'

A thrachefn,

> Bu dynion gynt yn tybio mai'r ffordd i ddyrchafu crefydd Crist ydoedd trwy ddifrio crefydd arall fel twyll a gwagedd digymysg. Ni wyddom a oes rhywun yn dal syniad fel hyn heddiw. Nid yw na Beiblaidd na rhesymol. Yn hytrach credwn yng Nghristnogaeth am mai ynddi hi y mae'r reality tragwyddol, yr ymbalfala pob crefydd arall amdano. Fel am yr Hen Destament, felly am bob crefydd, y mae pob gwirionedd sydd ynddi wedi ei gael yn llawn yn Iesu Grist. Ef sy'n cyflawni nid yn unig 'cyfraith a phroffwydi Israel' ond mae pob gwir safon o gyfiawnder a phob gwir syniad, pa mor annelwig bynnag, am Dduw a gafwyd ymhlith unrhyw genedl. 'A defaid eraill sydd gennyf, y rhai nid ynt o'r gorlan hon.' Ie, ei ddefaid ef yw'r cwbl wedi eu prynu â'r un dwyfol waed â ninnau a'u cri amdano yn esgyn o goedwigoedd tywyll Affrig a gwastadeddau India fawr a China bell. Amdano Ef y maent oll yn chwilio, er colli'r ffordd mewn anwybodaeth ac ofergoeliaeth ac ynddo Ef y sylweddolir eu dyheadau.[47]

Lle gynt yr oedd y pwyslais ar dröedigaeth a chyffes bersonol, bellach cydir yn nyheadau dyfnaf dynoliaeth – y cânt eu cyfarfod yn gyflawn yng Nghrist. Lle gynt ennill cenhedloedd daear i Grist oedd y pwyslais, bellach ar wareiddiad a dyfodol dynoliaeth yr oedd. Lle gynt y difrïwyd crefyddau eraill, yn awr gwelir cyflawni eu dyheadau yng Nghrist.[48] Cenhadaeth felly yw helpu pobl i ddarganfod y cyflawnder yng Nghrist, nid trwy omedd iddynt eu gorffennol ond eu hannog i ymestyn ymlaen i gofleidio'r llawnder yng Nghrist. Yn gyson â hyn hefyd yr oedd yr angen i ddatblygu'r gwaith ac adolygu strwythurau'r genhadaeth. Yn Chwefror 1924 cyflwynodd pwyllgor bychan a ystyriai, 'Hunanlywodraeth i'r eglwys frodorol ar y maes', ei adroddiad i'r Cyfeisteddfod Gweithiol. Dilyniant naturiol oedd y cyfansoddiad arfaethedig i hwnnw a weithredwyd yn 1895 pan rannwyd yr un henaduriaeth yn bump a chreu Cymanfa Gyffredinol flynyddol.[49] Yn 1924 cytunwyd ar dair cymanfa, sef Cymanfa Casi-Jaintia, Cymanfa'r Gwastadedd a Chymanfa Misoram a Bryniau Cachar. Roedd y tair i gyfarfod yn flynyddol ac i gynnwys cynrychiolwyr o'u henaduriaethau, a'u cyfrifoldeb oedd bod yn gyfrifol am y gwaith o fewn eu terfynau. Deuent at ei gilydd i rannu profiad a thrafod materion cyffredin mewn Cymanfa Gyffredinol neu Synod i'r maes cyfan unwaith bob tair blynedd.[50] Dyma gydnabod amrywiaeth diwylliannol a chrefyddol y tri maes a'r angen am gynllunio a threfnu lleol, ac felly dod â'r cyfrifoldeb am genhadaeth Crist at y bobol eu hunain. Yn hanes Misoram, er enghraifft, ar gais y Cyfeisteddfod ymwelodd pedwar cenhadwr profiadol i ymgynghori ynglŷn â gweithredu'r cyfansoddiad newydd, ac o ganlyniad rhannwyd y wlad yn dair henaduriaeth dan arweiniad cenhadwr yr un – D. E. Jones yn y Dosbarth Dwyreiniol,[51] F. J. Sandy yn y Dosbarth Gogleddol ac E. Lewis Mendus yn y Dosbarth Gorllewinol. Yr oedd bugeiliaid brodorol i'w helpu ynghyd â Miss Kitty Lewis a Miss Katie Hughes yn Ysgol y Genethod a Mrs D. E. Jones yn gofalu am hyfforddi'r Beibl-wragedd.[52]

Mae'n amlwg mai bwriad y cyfansoddiad newydd ydoedd creu rheolaeth ranbarthol o fewn yr eglwys, er mwyn meithrin arweinwyr lleol i gynllunio a gweithredu o fewn cyd-destun amrywiol y tair Cymanfa a sicrhau perchnogaeth leol oddi mewn i India oedd yn newid. Bu peth beirniadu ynglŷn â gosod trefn 'Casi' yn batrwm i Misoram ond, ar y cyfan, bu'r ad-drefnu yn llwyddiant.[53] Yn 1935 anfonodd Pwyllgor y Genhadaeth Dramor gomisiwn ar ymweliad â'r maes cyfan i ymholi â'r Eglwys frodorol, 'as to how closer and fuller co-operation between the Church and the Mission could be secured within their respective areas.'[54] Er mai yn 1933 y penodwyd y Prifathro David Phillips, y Bala, y Parch. William Davies, Bootle, a'r Dr Llewelyn Williams, Caerdydd, yn ddirprwyon, cyraeddasant y Maes ddiwedd 1935 gan aros hyd Ebrill 1936 i ymweld â'r cymanfaoedd a'r synod i flasu eu gwaith, eu natur, eu hanes a'u rhagolygon.[55] Cyn cyrraedd, trwy dderbyn adroddiadau o'r meysydd oddi wrth y cenhadon a chenadaethau eraill, roedd ganddynt syniad eithaf clir o'r cefndir ymlaen llaw. Bu cyd-drafod gyda chynrychiolwyr y cymanfaoedd yn eu tro ar eu tir eu hunain, yn swyddogion, gweinidogion, blaenoriaid ac athrawon ynghyd â swyddogion y llywodraeth. A dyna oedd yn sail i'w hargymhellion ar gyfer pob rhan o'r maes.[56]

Yr argymhelliad llywodraethol oedd trosglwyddo'r cyfrifoldeb am gynllunio, datblygu, ac i raddau, am gynnal yr holl waith i'r cymanfaoedd. Golygai hynny mai yng Nghasia, ar y Gwastadedd ac ym Misoram a Chachar y gwneid y penderfyniadau ynglŷn ag ysgolion ac addysg, addysg yn yr eglwysi, efengylu, gweinidogaeth a pharatoi ar ei chyfer. Mae'r adroddiad yn agored a gonest: er enghraifft, syndod o gofio'r buddsoddiad mewn addysg ers dyddiau'r Dr John Roberts a Ceredig Evans oedd mai 'poor' oedd y ddarpariaeth yng Nghasia yn 1935 o ran adeiladau, cynnwys ac effeithiolrwydd.[57] Hynafol oedd y patrwm gwreiddiol o sefydlu ysgolion a fyddai, trwy lafur athrawon a oedd hefyd yn efengylwyr, yn esgor ar eglwysi. Yn hytrach, teimlid bellach mai'r eglwysi ddylai ragflaenu'r ysgolion, gyda'r rhagdybiaeth y 'byddai'r efengyl yn codi chwant am addysg'. Pwysleisiwyd gwerth addysg elfennol ac addysg yn y ffydd, ac felly ddarpariaeth ar gyfer hyfforddi gweinidogion oherwydd 'the greatest need of the Church on these Hills is more adequate and efficient pastoral oversight.'[58]

Codwyd ambell egwyddor nas ystyriwyd mohoni o'r blaen, megis yr amddifadu fu ar yr eglwys o ran o'i chyfrifoldeb efengylu drwy i atebolrwydd yr athrawon yn yr ysgolion dyddiol fod i'r cenhadon ac nid iddi hi. Nid bob amser 'chwaith y ceid cymhwyster dysgu ac efengylu yn yr un person'. Yn wir, gan mai prin oedd eu dylanwad Cristnogol, er y canmolwyd yn fawr ansawdd yr addysg a gyfrannwyd ynddynt, ac yn arbennig y pwyslais ar addysg merched, argymhellwyd cau, bron, holl ysgolion y Gwastadedd, ac ymddiried yr addysgu i'r llywodraeth. Ni fwriadwyd trosglwyddo'r Genhadaeth Feddygol i'r cymanfaoedd eithr ei chadw dan oruchwyliaeth Pwyllgor Meddygol yng Nghymru gyda Phwyllgor Rheoli yn India, yn cynnwys meddygon a nyrsys fyddai'n ystyried pob cais am wariant cyn eu cyflwyno i ystyriaeth y pwyllgor gartref. Ar wahân i gau ysbyty Habiganj, gan yr ystyrid bod darpariaeth gofal iechyd digonol ar y Gwastadedd, argymhellwyd datblygu gwaith yr ysbytai yn Jowai, Shillong a Lushai.

Yn ddiwinyddol, gosod fframwaith newydd a wneid i hyrwyddo a datblygu'r gwaith drwy ymgynghori â'r brodorion a throsglwyddo iddynt hwy y cyfrifoldeb o fod yn bobl Dduw yn eu cynefin eu hunain. Hybid y pwyslais hwn gan ddeffroad cenedlgarol yn dilyn y rhyfel a phoblogrwydd Mahatma Gandhi yn India.[59] Roedd yr argymhellion, er yn gydnaws â'r ysbryd newydd oedd ar gerdded yn India, yn bellgyrhaeddol gan y disgwylid i'r eglwys frodorol ysgwyddo her y sefyllfa a symud y gwaith ymlaen, yn ei wahanol weddau. Bellach, ni fyddai gan yr Eglwys gartref lais mewn cynllunio na rhaglennu ac ni fyddai'r cenhadon yn atebol iddi hi er mai hi fyddai'n eu hariannu. Yn gyffredinol roedd disgwyl i'r tair Cymanfa o fewn yr Eglwys frodorol gyflwyno'u cynlluniau'n flynyddol i Lerpwl ynghyd ag amcangyfrifon manwl, gan gynnwys swm eu cyfraniad eu hunain ac unrhyw gymhorthdal oddi wrth y llywodraeth gyda chais ariannol i'r eglwys yng Nghymru i ystyried pa swm y gallai hithau gyfrannu.[60] Nid oedd gan yr eglwys gartref hawl i newid cynlluniau ac roedd atebolrwydd yr eglwys am unrhyw arian a dderbyniai i ymddangos drwy anfon i Gymru Adroddiad Blynyddol.

Ond roedd yma her i'r cenhadon hefyd. Ystyrid hwy yn 'rhodd y fam i'r ferch' ac felly'n gyd-weithwyr â'r brodorion o fewn fframwaith yr eglwys frodorol.[61] Diddymwyd y Cyngor Cenhadol a ddeuai â'r cenhadon at ei gilydd i drafod polisi yn lleol a chytuno ar anghenion ariannol blynyddol i'w hanfon adref; nid anfon adref fyddid mwyach ond cydweithio'n lleol, ac o fewn y strwythurau yno y byddai atebolrwydd. Cydnabuwyd hefyd pa mor anodd ac unig oedd y dasg i'r cenhadwr a bod pum mlynedd oddi cartref heb seibiant yn llawn digon, lle gynt yr oedd tymor gwasanaeth yn ddeng mlynedd. Byddai'n ofynnol i'r cenhadon gyfarfod â'i gilydd o fewn eu Cymanfa i ymwneud â materion perthynol iddynt hwy ac unwaith y flwyddyn mewn cyfarfod o genhadon y Maes cyfan i gadw cyswllt a chefnogi ei gilydd. O ran yr Eglwys gartref yng Nghymru roedd unfrydedd dros dorri'r cwlwm 'ymerodrol' a pharhau i fod yn gefn ariannol i'r 'ferch' hyd y gallai wrth iddi hi wynebu heriau enfawr.

Yn ôl ffigyrau a gyhoeddwyd yn 1921, roedd poblogaeth Bryniau Casia yn 243,263 a nifer y Cristnogion yn 41,122, gyda 186,879 yn parhau i addoli demoniaid. Ar Wastadeddau Sylhet roedd poblogaeth o 2,541,341 – 1,756 ohonynt yn Gristnogion, gyda'r Moslemiaid a'r Hindŵiaid yn rhifo 2,522,135. Roedd 27,720 yn arddel Cristnogaeth yng Ngogledd Lushai o blith poblogaeth o 70,238.[62] Lleiafrif, weithiau un bychan iawn, oedd y Cristnogion yn y tiriogaethau hyn, ac at hynny wynebai'r eglwys ifanc gystadleuaeth o du'r Pabyddion ac ar y Gwastadedd ddeffroad ymysg y Mohametaniaid a'r Hindŵiaid.[63] Roedd y trosglwyddo yn gam mawr ac allweddol mewn creu eglwys frodorol, oblegid dyna'r weledigaeth gychwynnol ym mhedwardegau'r ganrif flaenorol. Yn wir, cynyddai'r pwyslais o saithdegau'r ganrif ymlaen drwy ddatblygu addysg ddiwinyddol, ordeinio gweinidogion brodorol a stiwardiaeth Gristnogol.[64]

Ond daeth hunanlywodraeth i fod mewn dyddiau o gyni ariannol ac ansicrwydd yng nghanol berw gwleidyddol yn India ac ar drothwy'r Ail Ryfel Byd.[65] Cytunodd y Gymanfa Gyffredinol â'r argymhellion ar 19–21 Mai 1936 yn Abergele. Aed ati ar unwaith i weithredu'r cynllun a disgwylid i'r trosglwyddiad fod wedi ei gwblhau erbyn diwedd 1937.[66] Derbyniwyd yr her yn India a disgwylid y byddai'r cynlluniau newydd yn barod i'w cadarnhau ar Fryniau Casia-Jaintia erbyn eu Cymanfa yn 1939. Yn Ebrill 1937 dechreuodd y gwaith o drosglwyddo i'r pwyllgor yn Lushai. Yng Nghymanfa'r Gwastadedd yn Chwefror 1938 cadarnhawyd enwau'r pwyllgor o 21 fyddai'n gweinyddu'r trosglwyddiad. Ond arafach oedd y datblygiadau ar y Gwastadeddau gan fod yr eglwys yno yn llai ei maint, y problemau'n fwy a'r arweinyddiaeth leol yn brinnach.[67]

Erbyn diwedd y ddegawd felly roedd y trosglwyddo i raddau helaeth wedi ei gyflawni.[68] Yn wir, rhoddir yr argraff o'r brwdfrydedd lleol yng Nghymanfa Gyffredinol 1937, fod trosglwyddo'r gwaith wedi digwydd yn rhwydd gyda'r eglwys ar Fryniau Casia a Jaintia eisioes wedi paratoi ei chynllun newydd i'w gyflwyno i'r Gymanfa. Roedd ar y Bryniau hynny arweinwyr cyfuwch â'r her, megis Wellburn Manners, mab gweinidog, gŵr o 'gymeriad rhagorol', graddedig yn B.A. (Kolkata) a B.D. (Serampore), ynghyd ag arweinwyr lleyg eraill megis Rai Bahadur Ropmay, Homiwel

Lyngdoh a Wilson Reade, a oedd eisioes wrth y gwaith.[69]

Dyma'r eglwys ifanc felly yn dod i'w hoed gan feddiannu a chyfeirio'r gwaith a wnaed dros gyfnod o ganrif ym myd addysg, efengylu, datblygu bywyd eglwysig ac iacháu. Nid yn unig yr oedd y meddwl cenhadol gartref ar sefydlu eglwys Indiaidd, ond hefyd cyfeiriai pwyslais gwaith y cenhadon a'r ysbryd rhyddid oedd ar gerdded drwy India at briodoldeb ac aeddfedrwydd y trosglwyddiad; dengys yr ystadegau dros y 30 mlynedd dilynol hefyd ddoethineb y penderfyniad.[70]

	1935	**1945**	**1954**	**1964**
Cymunwyr	45,335	57,562	81.508	121,269
Yr Ysgol Sul	66,842	88,167	117,724	175,507
Cysylltiedig â'r eglwysi	123,405	149,869	198,396	294,024

Un arwydd o'r newid yw'r pwyslais gwahanol a geir o fewn Adroddiadau Blynyddol y Genhadaeth. Gydol y 1940au a'r 1950au, er bod ynddynt adroddiadau ar ddatblygiadau'r gwaith, dau brif bwnc a ddaw yn gyson i'r golwg yn y Blwyddiaduron yw'r angen am genhadon ac am arian, gan adlewyrchu'r cyfrifoldebau gartref. Aeth llif eithaf cyson o genhadon i'r maes, er bygythiad yn 1955 i gyfyngu ar y niferoedd. Yn eu plith ceir enwau fel Trebor Mai a Nansi Thomas (1941–60), Ednyfed a Gwladys Thomas, (1945–65) ar Fryniau Casia, Marian Pritchard (1944–68) yn Jaintia, Gwen Rees Roberts (1944–69) a John Meirion a Joan Lloyd (1944–64). Owen ac Eluned Owen (1952–7), Alwyn a Mair Roberts (1960–7 ym Misoram; George Hill Morgan (1941–60) Merfyn a Dilys Jones (1942–60), Brynmor a Beryl Jones (1945–50), Gwen Evans (1950–69) a Henry ac Ann James (1956–60) ar y Gwastadedd a Bryniau Casia. Gwelwyd hefyd enwau cyfarwydd yn diweddu eu tymor gwasanaeth, sef Dr H. Gordon Roberts, (1913–44), T. W. Rees, (1897–1945) ac E. H. Williams (1893-1949), a dreuliodd 56 o flynyddoedd ar y maes, cyfnod ym mhob gorsaf ar Fryniau Casia-Jaintia, ac Annie W. Thomas (1897–1957), a ymddeolodd yn Shillong.[71] Bu farw eraill wedi tymor da o wasanaeth megis J. M. Harries Rees (1908–52), T. E. Pugh (1930–51),[72] a Dr Helen Rowlands (1916–55).[73]

Mae'n eglur i'r eglwys gartref ymdrechu'n galed i gadw'i gair ynglŷn â pharhau i anfon cenhadon i weithio gyda'r eglwys frodorol ifanc, drwy ymweliadau'r Ysgrifennydd Cartref â'r eglwysi a'r henaduriaethau, yr Adroddiad Blynyddol, ffilmiau a sleidiau yn ogystal ag ymweliadau cenhadon pan oeddynt gartref.[74] Bu croesi ffiniau i sicrhau cenhadon o feddygon. O Eglwys Bresbyteraidd Lloegr y daeth Dr Norman Tunnell, brodor o Newcastle-upon-Tyne a dreuliodd 18 mlynedd ar Fryniau Casia o 1951 ymlaen, ac o'r un tras eglwysig y daeth Dr Peter Shave a fu am gyfnodau yn y pumdegau a dechrau'r chwedegau yn Shillong.[75] Gwelwyd hefyd benodi meddygon brodorol, megis Dr Ngakliana, Durtlang. Nyrs o Ddolwyddelan oedd Margaret Owen (1946–68) ac o Gaer deuai May Bounds (1954–68). Ond yr un mor amlwg yw ymroddiad yr eglwys frodorol i ddatblygu'r gwaith yn effeithiol: ymhen y degawd roedd y casgliadau wedi codi i Rs 188,320 (£14,126) a defnydd creadigol yn cael ei wneud o'r cenhadon. Er enghraifft, penododd Cymanfa Casia Jaintia Trebor Mai Thomas i arolygu'r gwaith yn yr ysgolion Sul yn Casia, a'r un modd George Hill Morgan ar y Gwastadeddau ac Ednyfed Thomas i Goleg Cherra, ac felly pwysleisiwyd datblygu addysgu yn y ffydd wrth wynebu heriau'r dyfodol. Gosodwyd Gwen Rees Roberts yn ysgol y merched, Aizawl.

Ond nid dyled ariannol na phrinder cenhadon, er bod hynny'n broblem oherwydd ymddiswyddiadau ar ddiwedd y pumdegau,[76] a barodd y cilio o'r Maes yn 1968–9. Nid rhwydd fu hynt y Genhadaeth wedi ymreolaeth i India yn 1947.[77] Rhannodd y clawdd terfyn rhwng India a Phacistan Gymanfa'r Gwastadedd yn ddwy, gyda Dosbarth Sylhet ym Mhacistan a'r teithio yno yn gynyddol anodd. O ganlyniad, yn 1959 datgorfforwyd Cymanfa'r Gwastadedd gan ffurfio Cymanfa Sylhet i ddelio yn uniongyrchol â Chymru.[78] Bu trafodaethau gydag Eglwys Bresbyteraidd Lloegr a Chenhadaeth Santal, Norwy, yn 1965 a arweiniodd at drosglwyddo'r gwaith i'r genhadaeth honno.[79] Cyn hynny, gwelwyd mor gynnar â 1948 ymdrechion i dynhau ar y caniatâd i genhadon gael mynediad i India. Er bod llywodraeth India yn eithaf cytbwys ynghylch arhosiad cenhadon gorllewinol yn y wlad, nid hawdd oedd cael dychwel i'r wlad heb drwyddedau priodol.[80] Gydol y chwedegau cynyddai'r teimladau croes, ac ar y ffiniau gogleddol rhoddwyd awel o'u plaid gan deimladau llwythol ynghyd â gwrthryfel yn Misoram a feginwyd gan y newyn yn dilyn blodeuo'r pren bambŵ.[81]

Yn raddol, oherwydd iddynt fethu cael caniatâd i ddychwelyd yn dilyn seibiant neu oherwydd anniddigrwydd yn y wlad, gadawodd y cenhadon olaf Shillong yn 1969, sef y Parch. a Mrs T. B. Phillips, Dr a Mrs Arthur Hughes, Dr a Mrs Tunnell a Miss Gwen Evans. Gadawodd Gwen Rees Roberts a Joyce Horner Mizoram yn Chwefror 1969; a'r ddwy chwaer, Winifred Thomas a Lilly Thomas, oedd yr olaf i adael y Gwastadeddau yn 1967.[82]

Ymweliadau arweinwyr yr eglwys â Chymru fu'n cynnal y berthynas dros y ddau ddegawd dilynol,[83] er enghraifft y Parch. Zairema (1960), y Parch. H. M. Rapthap (1961), y Parch. Pazawna (1963), a'r Parch. Wellburn Manners (1965 i ddathliadau 125 mlwyddiant y Genhadaeth). Yn ogystal cafwyd llythyrau cyfarch rhwng y Synod a'r Gymanfa a pharhawyd â chyfraniadau o Gymru. Teg nodi bod cryn werthuso wedi bod ar waith cenhadol y Cyfundeb yn India, fel cenadaethau eraill. Try'r cwestiwn yn fras o amgylch y pwnc i ba raddau y bu'r genhadaeth yn llawforwyn yr Ymerodraeth Brydeinig ac i ba raddau y bu iddi ddinistrio diwylliannau brodorol wrth gyhoeddi 'a certain form of westernized Christianity'.[84] Sut bynnag yr ymatebir i'r honiadau hyn, ni ellir gwadu'r berthynas gadarn rhwng y 'ferch a'r fam' heddiw, a faint bynnag o ddifrod a wnaed i'r diwylliant lleol gan y cenhadon a faint bynnag o hybu hunaniaeth Gymreig a wnaethant.[85] Ond os oedd gwyntoedd croes yn chwythu tuag India yng nghanol y chwedegau, roedd awelon newid yng Nghymru hefyd a esgorai ar newid cyfeiriad ar drothwy'r saithdegau. Cyn trafod y rheini rhaid edrych ar ddatblygiadau gartref dros hanner cyntaf y ganrif.

Y Genhadaeth Gartref

Deuai'r un ysbryd cenhadol i'r golwg mewn cenhadaeth gartref, gyda chymdeithas 'Cenhadaeth Gartrefol' yn y ddwy sasiwn a'r Symudiad Ymosodol oedd yn atebol i'r Gymanfa Gyffredinol.[86] Datganodd y Gymanfa Gyffredinol yr angen am y Symudiad yn 1890 i ymateb i 'gyflwr difrifol llawer o'n trefi Cymreig a'r ffaith fod nifer fawr a chynyddol yn esgeuluso moddion gras', ac yn ystod y cyfnod dan sylw gwelwyd ehangu'r gwaith i gynnwys trefedigaethau newydd oedd yn gysylltiedig â dinasoedd a threfi'r wlad.[87] Mudiad o fewn yr eglwys a ddatblygodd yn naturiol o weinidogaeth rymus y Parch. Ddr John Pugh y tu allan i furiau capel yn Nhredegar a Phontypridd a thrachefn yn Clifton Street ac East Moors, Caerdydd, oedd y Symudiad Ymosodol.[88] Enynnodd y llwyddiant ffresni ymateb pobl wrth y miloedd, a phenododd y Gymanfa Gyffredinol Pugh yn 1892 yn arolygwr cyntaf y mudiad hwn a ymledodd o gylch y de-ddwyrain i fannau yn y canolbarth ac ardaloedd poblog yn y gogledd-ddwyrain. Gwelodd y Symudiad Ymosodol gryn lwyddiant yn chwarter canrif gyntaf ei hanes dan arweiniad Pugh a'r ddau frawd Seth a Frank Joshua ac eraill. Erbyn 1914 yr oedd iddo ei strwythur cenedlaethol o gyfarwyddwr a swyddogion ym mhob henaduriaeth i hyrwyddo'r gwaith, yn arbennig trwy godi arian, cyfarwyddwyr a bennwyd gan y Gymanfa Gyffredinol a swyddogion, yn Llywydd, Ysgrifennydd Cyffredinol, Arolygwr a Thrysorydd. Rhoed statws i'r mudiad wrth ddenu enwau amlwg i lenwi'r swyddi hyn. Bu'r Prifathro Owen Prys, Aberystwyth, yn Llywydd am 42 o flynyddoedd gyda'r Parch. Ddr W. Wynn Davies, Rhosllannerchrugog, yn ei ddilyn yn 1938, ac arolygwyr effeithiol – Dr John Pugh (1891–1907), Dr John Morgan Jones (1907–21) y Parch. R. J. Rees M.A. (1922–47) a'r Parch. Ieuan I. Phillips (1947–69).[89]

Dull y mudiad o weithredu oedd sefydlu canolfannau trwy benodi efengylwr gan mwyaf mewn ymateb i wahoddiadau gan hen-aduriaethau am gymorth i sefydlu eglwysi mewn ardaloedd poblog lle'r oedd y ddarpariaeth addoli yn brin. Yn 1914, a John Morgan Jones ar ganol gweithredu ei Gynllun Datblygu i ddileu dyled o £86,000 a chadarnhau ac ymestyn y gwaith, roedd gan y Symudiad 49 canolfan, gan mwyaf yng nghylchoedd Caerdydd, Abertawe a chymoedd y de-ddwyrain a phedair yng nghylch Wrecsam. [90] Codwyd rhai neuaddau enfawr, megis y Neuadd Genhadol, Castell-nedd, oedd yn dal 2,600 ar gost o £7,100 a'r neuadd yn Nhreganna oedd yn dal 2,000 ar gost o £6,700.[91] Rhoddid grantiau a benthyciadau i'w codi a'u cynnal, a chyfrannodd hynny at y ddyled o £86,000. Ond ar ddechrau'r cyfnod dan sylw cyfyngwyd y datblygiadau gan brinder adnoddau ariannol oblegid, fel yn hanes y Genhadaeth Dramor, y brif ffynhonnell oedd cyfraniadau aelodau'r Corff a hynny mewn cyd-destun economaidd a gwleidyddol anffafriol.

Daw tair thema i'r golwg yn adroddiadau'r Symudiad yn y blynyddoedd rhwng y ddau Ryfel Byd. Yn gyntaf, y mae'r brwdfrydedd ynglŷn â'r gwaith, a hwnnw wedi ei sylfaenu ar yr argyhoeddiad mai o Dduw y deuai, yn drawiadol. Meddai John Thomas, yr Ysgrifennydd Cyffredinol, yn 1915: 'Ymgyfaddasa y Mudiad i gyfarfod ag anghenion yr oes ac arfogir ef gan Bentywysog a Pherffeithydd ein ffydd i ymladd â'r gelyn ym mannau poetha'r frwydr yn ein hannwyl wlad.'[92] Yn 1936, mewn cyfnod o ddirwasgiad, meddai R. J. Rees, wrth gyfeirio at ddyfodiad Crist: 'the glory of the patience and perseverance by which this new front of the Connexion has been maintained throughout the years [will be manifest]. That has been our contribution to the preservation of the Christian morale in the "Special" and "Depressed" areas.'[93] Agwedd arall ar y brwdfrydedd yw'r elfen o ddiolch i'r aelodau am eu ffyddlondeb mewn dyddiau o ddirwasgiad. Meddai'r adroddiad ar gyfer 1929: 'Llawenhawn fod y fath ffyddlondeb wedi ei ddangos gan ein Henaduriaethau eleni eto tuag at y Symudiad ... Y mae'r amlygiad hwn o haelioni ein pobl yn brawf diymwad nad ydym wedi colli ein cariad cyntaf tuag at y Symudiad.'[94] Ac, wrth gwrs, ychwanegwyd y cymal 'diolch i'r Arglwydd fod ein heglwysi mor ffyddlon i'r Genhadaeth Gartrefol hon'.[95] Yn wir, yn ogystal â'r gwerthfawrogi, gwelir y brwdfrydedd hefyd yn yr anogaeth gyson i barhau i ennyn ymateb pellach gan yr aelodau: 'Dyma'r cyfrwng arbennig ... y gallwn drwyddo eangu ein terfynau ... Bydded i ni ymddeffro i'r cyfrifoldeb, tra'n ymlawenhau yn ein braint.'[96]

Yn ail, ac yn amlygiad pellach o'r cyntaf, y mae'r cynllunio eiddgar er mwyn 'ehangu ein terfynau'. Yng nghanol y dirwasgiad a thrwy'r tridegau clywir am ddechrau gwaith newydd yn Nhreläi, Pontycymer, Garden Village, Wrecsam, a Resolfen, gyda phosibliadau 'brys' dan sylw yn Ynys-boeth, Sblot a Mynachdy. Wrth ddathlu deugain mlynedd y Symudiad a daucanmlwyddiant y Cyfundeb rhoddwyd pwys ar efengylu, a'r ysgogiad yn ôl Adroddiad 1932 oedd, 'cyflwr ysbrydol ein hannwyl wlad ... halogiad Dydd yr Arglwydd a'r alwad am ddifyrion ychwanegol ar y dydd a difrawder y mwyafrif o'r boblogaeth i apêl yr Eglwysi i ddilyn esiampl y tadau'.[97] Yn 1937 sonnir am efengyleiddio 'Cymru i Grist'[98] a 'phregethu'r efengyl i bob creadur.'[99] Nodir ymweliadau â phob henaduriaeth yn y Gogledd yn 1937 ac ymgyrchoedd yno trwy 'ddefnyddio'r fan, efengylwyr a chyfarwyddwyr'.[100] Yn 1938 ceir sôn am yr 'Alwad yn Ôl', sef galwad ar bobl Cymru yn ôl at yr efengyl yn wyneb 'cyflwr ansicr a phryderus cymdeithas' ac i 'ddwyn ffrwythau addas i edifeirwch'.[101] Ar yr un pryd parheid i wneud penodiadau lleol fel yn Nyffryn y Rhondda, Mynachdy a Chefn-mawr yn 1938.

Yn drydydd, cwmpasid yr holl waith yn y cyfnod hwn ag argyfwng ariannol. Yn 1914 gohiriwyd penderfynu sefydlu 16 o achosion newydd 'on account of the deficit', ac ymhlith y ceisiadau hynny roedd rhai o gylch Abertawe a Chaerdydd, Casnewydd, Ystalyfera, Dowlais, Cwm Dâr, Bedwas, Pontyberem a Glannau Dyfrdwy.[102] Ymhen deng mlynedd, yn 1925, roedd 57 canolfan a'r casgliadau o £4,704 yn annigonol, ac er mwyn clirio'r ddyled 'ac wynebu'r anghenion' gwnaed apêl daer i'r cymdeithasfaoedd, yr henaduriaethau a'r eglwysi ddyblu eu cyfraniad gan fod angen £10,000 y flwyddyn os oeddynt am 'gario'r gwaith ymlaen a'i ddatblygu yn unol â chynlluniau'r Cyfarwyddwyr'.[103] Erbyn 1935 yr oedd 62 o eglwysi a'r casgliadau o'r de a'r gogledd yn £3,356, gyda rhoddion ac arian ewyllysiau yn pontio'r bwlch rhwng y casgliadau a'r gwariant, a oedd yn £6,331.[104] Yn 1940 parhâi diffyg o £1,372 yn y gyllideb, gyda chyfraniadau'r aelodau yn £3,012 a'r Llywydd, Dr Wynn Davies, yn nodi: 'a steady decline in the amount of the collections had taken place during the last eight years'.[105] Nid ataliai argyfwng ariannol y breuddwydio na'r gweithredu; ar hyd y blynyddoedd roedd ymestyn y gwaith dan sylw: yn 1925 disgrifir taith yr arolygwr drwy Lanharan i'r Gilfach-goch, oddi yno i Drewiliam, ac ymhobman gwelai bosibiliadau newydd gydag ychwanegiadau y flwyddyn ddilynol yn Nhreláí, Beddau, Tonyrefail, Pontycymer a Garden Village, Wrecsam.[106] Wrth sôn am lwyddiant yn Sandfields a Beechwood Park, yn 1933, sonnir am gyfleon newydd ym Mynachdy a Threcennydd a 'Deeside' yn 1937. Yn 1940 ymestynnwyd i Sirhywi ac arfordir Dyffryn Clwyd.[107]

Ychwanegai'r gofal am adeiladau oedd yn heneiddio yn ogystal â'r angen am rai newydd at y baich ariannol, a nodir yn yr adroddiadau gwtogi'r grantiau i'r canolfannau mewn ymdrech i leihau dyledion, ond gofid pellach oedd methiant canolfannau i ad-dalu benthyciadau.[108] Dros y cyfnod ymdrechwyd i wynebu'r her ariannol, nid yn unig trwy docio costau ond dechreuwyd canghennau chwiorydd yn yr henaduriaethau yn 1925, gyda deg henaduriaeth wedi ymateb erbyn 1929. Y rhain, drwy eu casgliadau, a gynhaliai'r cartref i fenywod yn Kingswood-Treborth, Caerdydd, a Chwiorydd y Bobl, urdd a ffurfiwyd yn 1903 i wneud gwaith arloesol ymhlith tlodion mewn ardaloedd diwydiannol.[109] Rhoddwyd lle i fyfyrwyr ac ieuenctid yng ngwaith y canolfannau, gan fagu ysbryd cenhadol ynddynt.[110]

Yn 1931 dathlwyd deugain mlynedd sefydlu'r mudiad drwy lansio apêl arbennig y dathlu gyda'r bwriad o godi £40,000 a rhoddwyd grantiau o'r casgliad hwn at leihau dyledion y canolfannau.[111] At hyn, trefnwyd ymweliadau â henaduriaethau a dosbarthiadau i roi cyhoeddusrwydd i'r gwaith ac annog cyfraniadau. Drwy ewyllysiau cafwyd amrywiol symiau o flwyddyn i flwyddyn: £330 yn 1926, £2,006 yn 1931 a £2,942 yn 1934. Ond er mor eirias y weledigaeth ac egnïol yr ymdrechion roedd deubeth yn cymylu'r cyfan: y naill oedd amgylchiadau dirwasgiad a'r diboblogi dwys a ddigwyddodd mewn cymunedau, yn enwedig symudiad pobl ifanc o ardaloedd y de-ddwyrain.[112] Y llall oedd fod y rhyfel a'r dirwasgiad wedi parhau i newid Cymru a'i gwneud yn Gymru anodd, os nad amhosibl, ei 'galw'n ôl' at yr hen werthoedd. Awgrym o hynny yw'r cyfeiriad at ddifyrrwch ar ddydd yr Arglwydd.[113] Ac eto, clywir am y Symudiad yn helpu i liniaru dioddefaint mewn cymunedau, ac am 'ffrwythau ysbrydol' drwy ddeffroad ymysg ieuenctid a chynnydd mewn rhai eglwysi, hyd yn oed mewn mannau o ddirwasgiad enbyd.[114]

Gellir cwestiynu agwedd y Symudiad at y dasg o efengylu oblegid ceir yr argraff o ddatgysylltu Duw oddi wrth y cyd-destun. Llawenheir bod Duw yn bendithio'r gwaith gan fod yr arian a dderbynnir, er yn annigonol, yn galluogi'r gwaith o godi adeiladau newydd a phregethu'r efengyl i fynd rhagddo, er cymaint y dirwasgiad. Ond mewn un adroddiad dywedir: 'The Lord Jesus allowed us to be dispensers of gifts in money and kind'.[115] Gellid dadlau Ei fod yn eu cyfarch yn y cyd-destun, a thrwyddo, ac mai disgwyliad yr Arglwydd fyddai iddynt fod yn Samariaid Trugarog, ac felly gweld efengylu yn weithred yn ogystal â phregethu. Nid oes awgrym ychwaith o sefyll gyda'r bobl a bod yn llais i'w poen a'u doluriau. Byddai efengylu felly'n dystiolaeth broffwydol wrth holi'r cwestiwn ble roedd Duw yng nghanol y wasgfa fyd-eang. Ond fe fu ymateb i'w hymdrechion, oblegid sonnir am gynnydd mewn aelodaeth yng nghanolfannau'r Symudiad. Yn 1925 yr oedd 7,355 aelod eglwysig, cynnydd o 503, gyda 26,893 o wrandawyr; erbyn 1931 yr oedd yr aelodaeth yn 7,509, lleihad o 254 ar y flwyddyn cynt. Yn 1935 nodir cynnydd yn yr aelodaeth hyd at 8,139[116] ond nifer y gwrandawyr, 25,320, yn llai o 346 na'r flwyddyn o'i blaen,[117] Erbyn 1940 cofnodir 7,829 aelod gyda 21,986 o wrandawyr, lleihad o agos i 5,000 mewn 15 mlynedd.[118] Lleihad pellach a welir erbyn 1942 gyda 7,491 aelod, gostyngiad o 114 ar y flwyddyn cynt gyda nifer y gwrandawyr yn 19,180.[119] Ar i waered y rhedai'r ystadegau ac ni cheir mohonynt yn Adroddiadau diwedd y ddegawd. Parodd yr Ail Ryfel Byd golli dynion a merched ifanc o'r eglwysi a'r cymunedau a cholli llu o adeiladau, ac erbyn dechrau'r 1950au cwynir, 'It is evident that many of our people have drifted from the churches.'

Mae'n drawiadol fod y Symudiad Ymosodol yn cadw ei ystadegau ei hun yn nhermau cymunwyr a gwrandawyr, plant ac ysgolion Sul, ac ar wahân i ystadegau'r Corff cyfan; bron y gwelir hi'n eglwys o fewn eglwys. Roedd y Comisiwn Ad-drefnu yn 1922 wedi argymell 'ei bod yn llawn bryd ystyried yn drwyadl holl waith, trefniadaeth, peirianwaith a safle'r Symudiad', a gwnaed hynny erbyn 1944, a hynny o safbwynt 'y byd newydd sy'n ein hwynebu'.[120]

Rhagwelid symud ym mhoblogaeth Cymru ac felly byddai sefydlu ardaloedd newydd a gweddnewid rhai o'r rhai hŷn yn darparu'n ysbrydol ar gyfer poblogaeth symudol ac ardaloedd newydd. Byddai hynny'n golygu sefydlu achosion newydd, darparu man cyfarfod iddynt a threfnu arolygaeth drostynt. I hybu'r datblygiad, argymhellwyd rhoi cyfrifoldeb ar yr henaduriaethau i arwain y ffordd ymlaen yn eu tiriogaeth eu hunain trwy sefydlu Pwyllgor Achosion Newydd i fonitro natur symudiad pobl a bachu ar gyfleon newydd. Byddai eglwysi'r Symudiad yn cael eu trosglwyddo i gyfrifoldeb henaduriaethau a'r cyfrifoldeb dros arwain y cyfeiriad newydd hwn yn eiddo i Bwyllgor Canolog y Symudiad Ymosodol a gynhwysai gynrychiolydd o bob henaduriaeth a deuddeg arall, tri o bob sasiwn a chwech o benodiad y Gymanfa.[121] Rhoddwyd pwys ar swydd yr Arolygwr, sef yr un oedd i sefydlu achosion newydd a chadw golwg ar drefniadau, adeiladau a gweinidogaeth. Crisialwyd y drafodaeth yn y Rheolau Newydd ar gyfer y Symudiad a gadarnhawyd gan y Gymanfa Gyffredinol yn Salem, Dolgellau, ym Mehefin 1945 gan osod yn eu lle swyddogaeth, pwrpas, dull o weithio a chyfrifoldebau'r Symudiad ynghyd â Bwrdd Ymgynghorol atebol i'r Gymanfa i ddelio ag achosion na ellid eu datrys yn lleol.[122] Yn bwysicach, efallai, dyma osod ffocws a chyfeiriad pendant i'r Symudiad yn codi o brofiad o'r cyd-destun a'i her i'r Cyfundeb yng nghanol yr ugeinfed ganrif, ac felly ei glymu'n nes at galon y Corff mewn dyddiau heriol.

O gofio natur ddiwinyddol ddadleuol Adroddiad yr Ad-drefnu, mae'n syndod na roddir ystyriaeth i'r cwestiwn: beth yw cenhadaeth mewn Cymru sy'n newid? At hynny, roedd gan y Cyfundeb Bwyllgor Undeb Eglwysig ac adroddiadau yn dod i'r Gymanfa drwyddo yn ymwneud â'r materion y byddai'r Symudiad Ymosodol yn eu trin, ac eto nid oes sôn am ddimensiwn cyd-eglwysig i'w waith.[123] Yn wir, dylid cofio nad y Symudiad Ymosodol yn unig a feddai gyfrifoldeb cenhadol oblegid, yn y cyfnod hwn, dywed y Pwyllgor Undeb Cristnogol yn 1930: 'the power of Christianity will never be brought to bear upon the world so long as Christians are not united'.[124] Erbyn canol y ganrif sonnir am ffurfio Cynghorau Eglwysig lleol i hybu cenhadaeth leol a pharatowyd papurau perthnasol megis 'Evangelism in a Technical Society'.[125] Sefydlwyd Urdd y Bobl Ifanc yn 1924, ac erbyn canol y tridegau ac wedi hynny lluniwyd rhaglen gyffrous i gyflwyno'r ffydd i'r ifanc a'u haeddfedu ynddi.[126] Yng nghanol y dauddegau sefydlwyd y Pwyllgor Dirwest a Chwestiynau Seneddol a Chyhoeddus, a ddatblygodd erbyn 2014 yn Adran Eglwys a Chymdeithas. Bu dimensiwn cenhadol i'r holl faterion yn ymwneud ag ansawdd bywyd a chymdeithas dros y cyfnod, o gyfeirio at The League of Nations, The Industrial Condition yn 1925 a'r bom

Nitrogen yn 1955 ynghyd â thrafod materion gwledig, addysg a chyfiawnder cymdeithasol yn 2013.[127]

Y mae'n eglur felly fod y Cyfundeb yn sylweddoli maint anferthol y dasg a wynebai yn y Gymru newydd oedd yn datblygu wedi'r Ail Ryfel a'i fod yn ceisio ymateb ar sawl ffrynt. Fodd bynnag, nid tasg hawdd a roddwyd i'r Symudiad Ymosodol. Fe drosglwyddwyd yn ddigon esmwyth ddeugain o eglwysi i'r henaduriaethau erbyn 1948 ond roedd arian yn brin, dyledion ar adeiladau yn fawr (£21,780 yn 1949), yr ad-daliadau yn feichus ar eglwysi, yr adnoddau ar gyfer codi adeiladau newydd yn fach a rhwystrau ar brynu tir ac adeiladu yn llesteiriol. Ond, â'r awenau yn nwylo'r Parch. Ieuan I. Phillips, sef yr arolygwr newydd, gydol y 1950au agorwyd canolfannau newydd, megis Blaenllechau, Maesgeirchen, Aber-porth, Felin-foel, Dyffryn (Rhondda), y Rhyl a Sudbrook.[128] Yn wir, wrth ddathlu Jiwbili'r Symudiad yn 1951, ceid cymaint â 13 o ganolfannau dan sylw, 'the fore runners of many others'.[129] Penodwyd efengylwyr i'r mannau hyn, adolygwyd dulliau hyfforddi a phenodi Chwiorydd y Bobl, ond ceidwadol oedd y pwyslais, a gosodwyd rhai yn y canolfannau newydd.[130] Ymestynnwyd i feysydd newydd a'r mwyaf nodedig oedd canoldir diwydiannol Lloegr; yno, yn 1957, penodwyd y Parch. Arthur Davies, Wolverhampton, i wneuthur ymchwiliad mewn cydymgynghoriad â gweinidogion y cylch a cheisio dod o hyd i Gymry oedd efallai eisoes wedi eu ffurfio'n gymdeithasau bychain.[131] Dadlennol iawn yw'r adroddiad cyfamserol a gyflwynwyd yn 1958 yn dinoethi difrawder mawr tuag at achos crefydd wedi i unigolion a theuluoedd symud o'u cartrefi. O'r 125,000 o Gymry yng Nghanolbarth Lloegr, dim ond 1–2% oedd yn arddel cyswllt ag achos yn yr ardal honno.[132]

Parhaodd yr argyfwng ariannol i'r pumdegau gan lesteirio penodi gweithwyr, boed yn weinidogion, yn efengylwyr neu'n Chwiorydd y Bobl. At ddiwedd y degawd gwelir rhwystredigaeth y Cyfarwyddwr wrth iddo gydnabod cynnydd yn y galw am blannu eglwysi newydd a chodi adeiladau priodol er cymaint annigonedd llwyr yr adnoddau i gynnal y gwaith. Nid nad oedd ymdrechion i ateb y gofyn ariannol wedi eu gwneud. Yn 1944 lansiwyd y Casgliad Mawr gyda'r nod o godi o leiaf £100,000 ar gyfer cynnal y weinidogaeth, y Gronfa Bensiwn a'r Symudiad Ymosodol, gydag addewid o £15,000 i sefydlu achosion newydd.[133] Wrth i gyfnod y casgliad ddod i ben yn 1947 derbyniwyd ychydig dros bunt yr aelod, ac erbyn 1958 roedd £8,800 yn weddill i'r Symudiad ymgeisio amdano.[134] Ar argymhelliad pwyllgor bach a godwyd i ystyried ariannu'r Symudiad, lansiwyd casgliad penodol ar gyfer achosion newydd yn 1952 gan osod nod o £30,000, ond erbyn 1958 £12,000 yn unig a godwyd, ac er siom i'r Arolygwr caewyd y Gronfa. Cytunwyd ag argymhelliad yr un pwyllgor i werthu hen adeiladau nad oedd eu hangen bellach – mater dwys, yn enwedig pan ddaeth East Moors dan yr ordd yn 1958 ac yn 1960 y neuadd yng Nghasnewydd. Unwaith eto cydnabuwyd mai'r brif ffynhonnell ydoedd cyfraniadau'r aelodaeth a honno'n annigonol i wynebu'r gofyn. Y nodyn calonogol yn y darlun ydoedd cyfraniadau'r chwiorydd, a oedd yn parhau i gynnal Chwiorydd y Bobl, eu hyfforddiant a'u cynhaliaeth. Ar ddechrau'r pumdegau cyfrannwyd £1,281 ganddynt, ac erbyn eu diwedd cododd i £3,704 ac I £7,000 erbyn canol y chwedegau. Telir teyrnged uchel iawn i egni ac ymroddiad Mrs Annie Pugh Williams yn Swyddog Cyswllt â'r chwiorydd.[135]

Cynigiwyd trefn newydd ynglŷn â gwaith y chwiorydd yn 1947, a rhoddid pwyslais ar gynnal cyfarfodydd chwiorydd yn yr eglwysi lleol, y dosbarth a'r henaduriaeth; eu pwrpas fyddai rhannu gwybodaeth am y gwaith cenhadol gartref a thramor, trefnu cyfarfodydd cyhoeddus yn ogystal â chodi arian i'r ddau faes – ond parhau i'w cadw ar wahân.[136] Ar wastad y Gymdeithasfa byddai'r cyfarfod chwiorydd i gydymgynghori a rhannu gwybodaeth gan adrodd i'r Gymdeithasfa fel y gwnâi cyfeisteddfod chwiorydd yr henaduriaeth drwy eu hysgrifennydd i'r ddwy genhadaeth. Roedd cydweithio i gefnogi'r ddwy genhadaeth mewn rhai henaduriaethau er budd y ddwy a chydnabod eu hundod.[137] Mae'n amlwg fod rhai tensiynau rhwng y ddwy adain genhadol, oherwydd yng Nghymanfa 1958 ceir neges o Ddwyrain Meirionnydd yn gofyn am 'well cyd-dealltwriaeth a chydweithrediad rhwng dwy adran i waith chwiorydd (Y Genhadaeth Dramor a'r Genhadaeth Gartrefol) rhag gwrthdaro rhwng y naill a'r llall'.[138] Ni weithredwyd ar y genadwri hon ond roedd dycnwch ac ymroddiad y chwiorydd yn y ddau faes yn nodedig iawn.

Ymddengys fod casgliadau sasiynau'r chwiorydd yn parhau ar wahân yng nghanol y chwedegau; ceir sôn yn 1965 am gasgliad o £6,456 'ar gyfer Chwiorydd y Bobl' a £4,739 at y 'gwaith dros y dŵr', arian a gasglwyd mewn pedair sasiwn.[139] Yn wir, gydol y cyfnod bu'r chwiorydd o'r eglwysi lleol yn deyrngar eu gweithgarwch i'r sasiwn, nid yn unig yn codi arian – swm a gyrhaeddodd tua £50,000 y flwyddyn yng nghanol degawd cyntaf y mileniwm newydd – ond hefyd drwy ddefnyddio'r cyfarfodydd cyhoeddus yn llais i wahanol agweddau ar raglen addysg ar gyfer cenhadaeth a'r berthynas rhyngddynt a CWM erbyn hynny.[140]

Ychydig iawn o sôn sydd yn adroddiadau'r pumdegau a'r chwedegau am yr hyn a ddigwyddai o fewn canolfan y Symudiad, ac felly am ei ddealltwriaeth genhadol. Er honni bod yn fyw i newidiadau crefyddol, cymdeithasol ac economaidd, prin yw'r dystiolaeth i'r 'addasu' ar gyfer cyfnod newydd, nac mewn deall o'r ffydd na phatrwm gwaith y Symudiad. Pery'r pwyslais ar bregethu'r Gair, denu dychweledigion ac adeiladu canolfannau newydd.[141] Disgwylid Diwygiad fel a gafwyd yn 1904–5 yn sgil Ymgyrch y Deffro, a oedd yn alwad ar yr holl aelodau i adnewyddu eu ffyddlondeb i'r Eglwys a'i hordinhadau.[142] Gwelid benodi gweithwyr i lywio'r gwaith, a hynny gyda chydsyniad Bwrdd y Weinidogaeth pan oedd galw gweinidog ordeiniedig, y tu allan i reolau'r Bwrdd.[143] Erbyn canol y chwedegau ymddengys enwau newydd fel Hengwrt, Llansawel, Cwmbrân, Dolgarrog, Gellilydan, Ringland, Hill Top Glynebwy, Garnlydan a Garndiffaith, a phallodd yr arian ar ôl y rhain!

Yn hanner cyntaf y ganrif dan sylw mae'n amlwg fod dwy ffrwd yn ymgiprys â'i gilydd, sef yr awydd i ddiogelu'r ffydd draddodiadol a'r patrwm cyfundebol oedd yn seiliedig arni a'r Gymru oedd yn esblygu o ganlyniad i hollti'r hen sylfeini drwy ddau Ryfel Byd a dirwasgiad gan arwain at gilio a chefnu, agnosticiaeth ac anghrediniaeth. Dichon fod y prinder ymateb i'r apeliadau a'r diffyg ymgeiswyr am y weinidogaeth yn arwyddion o Eglwys yn ei chanfod ei hun yn gynyddol mewn cyfnod pan oedd amgylchiadau'n heriol iddi.[144]

Tuag at Undod

Yr oedd newid yn y gwynt pan gadarnhaodd Cymanfa 1959 sefydlu comisiwn i 'ystyried o'r newydd ein sefyllfa gyfoes, y ffordd fwyaf effeithiol inni fel Cyfundeb gyflawni ein cenhadaeth ynglŷn ag ymestyn ein terfynau'. Cefndir y penderfyniad ydoedd gostyngiad cyffredinol yn ystadegau'r Corff, a pharodd hynny hefyd sefydlu Comisiwn ar y Weinidogaeth,[145] a'r her i fod yn berthnasol, a sefydlu Comisiwn ar addysg y Weinidogaeth[146] a'r angen am weledigaeth ehangach i hybu gweithgarwch y Symudiad Ymosodol.[147] Sefydlwyd Comisiwn o un ar ddeg dan gadeiryddiaeth y Parch. P. F. Payne, ac ymatebodd i Gymanfa 1960 gan osod efengylu yn gyfrifoldeb pob eglwys leol, awgrymu patrwm staffio, hyfforddiant a chyllido.[148] Yn dilyn marwolaeth y Parch. Llewelyn Jones, Ysgrifennydd Cyffredinol y Genhadaeth Dramor, ehangwyd cylch gwaith y comisiwn i gynnwys y Genhadaeth Dramor[149] ac wedi ymgynghoriad â'r cymdeithasfaoedd a'r henaduriaethau cytunodd y Gymanfa Gyffredinol ym Mangor yn 1965 i uno gweithgarwch y ddwy Genhadaeth mewn un Bwrdd newydd, sef Bwrdd y Cenadaethau, a ddaeth i fod yng Ngorffennaf 1966 gyda'r Parch. Morgan Mainwaring yn Gadeirydd iddo a'r Parch. Trebor Mai Thomas yn Ysgrifennydd.[150]

Mae Adroddiad Terfynol y Comisiwn yn gynhwysfawr, os yn ddiffygiol mewn angerdd a dadansoddiad o gymdeithas ac eglwys. Mae'n debyg fod hynny ar gael iddynt yn adroddiad 1960.[151] Yn wir, er eu henwi nid oes fawr o werthuso'r dylanwadau cyfredol ar feddylfryd oes ac amser ac felly'r heriau i ffydd a chred a barodd y cilio a'r cefnu, a'r goblygiadau i natur a chyfeiriad y genhadaeth. Ceir ynddo adleisiau cryf o drafodaeth Comisiwn 1922 o ran dadansoddiad ac argymhellion, yn arbennig y pwyslais ar le'r eglwys leol mewn cenhadaeth.[152] Pwysleisia gyfraniad pob aelod, blaenor a gweinidog – yr Eglwys gyfan – yn y dasg o efengylu gartref a dynoda bedwar cylch o bobl i'w cyrraedd, sef pobl a giliodd, a gollodd gyswllt drwy symud i fyw, rhai na fuont erioed mewn cyswllt â'r efengyl a rhai heb fod mewn cyrraedd addoldy. Er ei fod yn sôn am yr angen am adnoddau ar ffurf llawlyfr, er enghraifft, ni sonnir am gyflwyniad o'r efengyl a allai helpu i ailddarganfod ffydd. Er bod sôn am 'y newyddion da am ras Duw' yn Iesu Grist ac am 'wasanaethu'r byd', prin yw'r ymdrech i drafod diwinyddiaeth cenhadu yng nghyd-destun y chwedegau bywiog i gyffroi dychymyg a thanio ffydd, na sôn am hyfforddi neu alluogi'r aelodau i ymgymryd â thystio i'w ffydd. Nid ystyrir chwaith yr her i gynulleidfa leol o ran addasu ei bywyd a'i haddoliad ar gyfer croesawu'n ôl neu dderbyn o'r newydd. Prin yw'r sôn hefyd am gydweithio â Bwrdd y Weinidogaeth gyda'i ofalaethau amleglwysig a'i gwotâu wrth ymateb i brinder ymgeiswyr am y weinidogaeth. Ac eto, byddai cefnogaeth gweinidogion yn hanfodol ar gyfer adfywio cynulleidfaoedd mewn cenhadaeth.[153] Dogfen Bresbyteraidd ydyw sy'n ymateb i ddirywiad, yn ymgodymu â chwestiynau heriol ac yn gosod y sylfaen i genhadaeth yr eglwys am y deugain mlynedd sy'n dilyn. Er cymaint y sôn am weithredu ecwmenaidd, digon prin yw'r cyfeiriadau at hynny.

Ynglŷn â'r Genhadaeth Dramor, wedi derbyn ymatebion o India i holiadur, nodir anghenion y tair Cymanfa ar y maes a sut y gellid ymateb iddynt mewn arian a phobl gyda'r olaf yn gadael ar ôl 1968, fel y nodwyd eisoes. O ran ysgogiad nodir yr amcan: 'Credwn ped unid ein hymdrechion cenhadol y gellid cynllunio, gweithredu a chynnal y gwaith yn llai costus ac yn fwy effeithiol.'[154] Cam at uno'r gwaith tramor a'r gwaith cartref oedd ffurfio Bwrdd y Cenadaethau ac iddo dri phwyllgor: un yn ymwneud â gwaith tramor, y Symudiad Ymosodol yn parhau i ymwneud ag achosion newydd a phwyllgor Gwaith Cenhadol y Chwiorydd tra oedd y Bwrdd ei hun, trwy rwydwaith o bwyllgorau sasiynol a henaduriaethol, yn ymwneud â'r tri dosbarth cyntaf o bobl a enwyd.[155]Datblygodd y Bwrdd ei waith mewn tri chyfeiriad: cydweithio i ddatblygu bywyd a thystiolaeth yr eglwys leol, sefydlu tystiolaeth newydd mewn mannau priodol, a datblygu perthynas â'r eglwys fyd-eang.[156]

Datblygu cenhadaeth eglwysi lleol

Blynyddoedd cyffrous ac addawol oedd y rhai cyntaf i'r Bwrdd newydd. Gosododd Morgan Mainwaring y ffocws ar genhadaeth yr eglwys leol, ei phwrpas a'i chyfrifoldeb fel Eglwys Dduw:

> Beth a ddisgwylir inni wneud? Ateb yr ysgrythur yw bod yn Eglwys y Gwas Dioddefus yng nghanol y byd a'i ddioddefaint.

> Os nad yw ein hymarferiadau eglwysig yn ein cymhwyso ar gyfer y weinidogaeth hon, os nad yw ein haddoliad yn ein hysbrydoli ni i gymeryd ein lle fel tystion Crist mewn cymdeithas, os nad yw'r uniad o addoli a gwasanaeth er gogoniant i Dduw ac adferiad dyn nid ydym yn eglwys yr Arglwydd Iesu Grist.[157]

Penodwyd y Parch. Dafydd H. Owen yn Gaplan Ieuenctid yn 1967, yn gweithio o'r ganolfan yng Ngholeg y Bala i ddatblygu bywyd yr ifanc o fewn y ffydd ac yn yr eglwysi lleol.[158] Hefyd, penodwyd y Parch. John H. Tudor i ddatblygu hyfforddiant lleyg yn Nhrefeca. Roedd y ddwy ganolfan fel ei gilydd yn agor cwys genhadol newydd drwy bwysleisio hyfforddiant yn y ffydd a gweithio'n agos â Bwrdd y Genhadaeth ac yntau'n cyfrannu at ariannu'r gwaith.[159] Cyffrous hefyd oedd penodi Miss Gwen Rees Roberts yn swyddog cyswllt i'r Bwrdd i 'roddi sylw arbennig i waith y chwiorydd, paratoi llenyddiaeth, ac offer clyweled at waith cenhadol ymhlith plant a ieuenctid',[160]

Cyffro pellach oedd camu y tu allan i fywyd eglwysig i fyd caplaniaethau, ac yn arbennig Gaplaniaethau Diwydiant a Byd Addysg trwy benodi Pwyllgor Caplaniaeth i ystyried yr holl agweddau ar y pynciau hyn, gan gynnwys bwydo'r profiad a'r wybodaeth i fywyd eglwysi lleol.[161] Yng ngeiriau Syr David Hughes Parry, 'yr eglwys leol [yw] man cychwyn ein cenhadaeth fel Eglwys' ac yng Nghymanfa 1971 cyflwynwyd Memorandwm ar Hyfforddi mewn Cenhadaeth; ynddo amlinellid dau gwrs ar gyfer hyfforddi unigolion a grwpiau, cenhadu yn lleol ac yn y canolfannau. Dyma'r memorandwm fu'n sylfaen i ymgynghoriad ar genhadu a gynhaliwyd yn y Bala yn Hydref 1971 ac a esgorodd ar y ddogfen 'Yr Eglwys a'i Chenhadaeth – Y Ffordd Ymlaen', a gyhoeddwyd yn 1971 ac a ragflaenodd gyfraniad y Bwrdd i'r maes hwn dros ddeugain mlynedd ei fodolaeth.[162] Argymhellodd yr ymgynghoriad ddulliau ymarferol iawn o adnewyddu cynulleidfaoedd ar gyfer cenhadu gan bwysleisio addoliad a hyfforddiant, gwasanaeth yn y byd a'r adnoddau ar gael yn y Bala, Trefeca, Tre-saith, trwy waith chwiorydd a phlant a defnyddiau ar gyfer y dasg. Arwyddocaol hefyd oedd ei gefnogaeth i'r memorandwm heriol a phellgyrhaeddol ar y weinidogaeth a dderbyniwyd gan y Gymanfa yn 1971 ac a bwysleisiai gynllunio a gweithredu ar y cyd ag enwadau eraill: 'Daw'r Bwrdd yn fwyfwy argyhoeddedig bod ymdrechu ar wahân i'n gilydd yn milwrio yn erbyn gwaith yr Arglwydd.'[163]

Yn ôl adroddiadau'r Bwrdd yn y blynyddoedd dilynol, siomedig oedd yr ymateb i'r argymhellion a anfonwyd drwy'r llysoedd at yr eglwysi lleol i'w hystyried a gweithredu arnynt. Ond ceisiwyd cryfhau gweithredu'r mudiad ecwmenaidd drwy 'Cymru i Grist', a ddaeth i fod yn 1971 yn dilyn anerchiad y Parch. Glyn Thomas, Wrecsam, yn Undeb yr Annibynwyr Cymraeg. Roedd ei bwyslais ar 'gydweithio mewn cenhadaeth ... Trwy ymgysegriad ac ufudd-dod yn unig y disgyn ysbryd adnewyddiad ar yr eglwysi ... rhaid i ni wynebu'r byd gyda'n gilydd er mwyn bod yn effeithiol heddiw', a'r cwestiwn sylfaenol yw, 'i ba raddau y mae'r enwadau yn barod i dderbyn egwyddor cydweithio mewn cenhadaeth yn hytrach na dilyn y ffordd draddodiadol, pob-un-ar-ei-ben-ei hun.'[164] Canlyniad y drafodaeth oedd dosbarthu 300,000 o gopïau o Efengyl Marc i gartrefi Cymru yn 1975.[165] Parhaodd Cymru i Grist gyda chefnogaeth y Bwrdd hyd ddechrau'r nawdegau a gwnaeth waith da yn cynhyrchu llyfrynnau a threfnu taith efengylu ledled Cymru yn 1988, yn cynnwys ymweliadau o ddrws i ddrws, theatr y stryd, gweithdai a phregethu ac ati. [166] Daeth ei waith yn rhan o Adran Efengylu Cytûn yn 1990.[167]

Gyda phenodi Dafydd Owen yn olynydd i Morgan Mainwaring yn ysgrifennydd y Bwrdd, ymdrechwyd eto i ysgogi cynulleidfaoedd mewn cenhadu drwy sefydlu Uned Hyfforddi Deithiol a olygai benodi a hyfforddi dau berson a fyddai'n ymweld ag eglwysi a henaduriaethau i ysgogi a hybu eu cenhadaeth.[168] Gyda chymorth ariannol Cyngor y Genhadaeth Fyd-eang a phenodi Roland Wyn Roberts at Jenny Garrard, dechreuodd yr Uned ei gwaith yn Ionawr 1987 gyda fen ac adnoddau. Cafodd dderbyniad brwd mewn llawer lle a llwyddiant drwy drefnu arddangosfeydd, gweithdai a hyfforddiant lleygwyr. Cafwyd cefnogaeth i waith yr uned gan raglen 'Addysg mewn Cenhadu' a luniwyd gan CWM a'r cynhyrchiad *Dilyn Cenhadaeth* yn adnodd o fewn Adran Ewrop.[169] Ond prin fu'r ymateb a gwag y dyddiaduron, ac yn dilyn ymddiswyddiad y ddau weithiwr ac ymgynghoriad â'r eglwysi teimlwyd nad oedd aeddfedrwydd mewn na ffydd na phrofiad i fentro'n genhadol. Felly, ail-luniwyd yr uned trwy'r pwyslais ar 'Galwad i Weddi, Myfyrdod a Gweithgarwch' dan arweiniad Menna Green a Lona Roberts, ynghyd â'r ysgrifennydd, yn baratoad ar gyfer y mileniwm newydd, 'gan wybod am afael materoliaeth ac anghrediniaeth ar ein pobl, y tensiynau diwylliannol o fewn y genedl a'r gofidiau cymdeithasol ac economaidd sydd yn ein blino'.[170]

Y bwriad oedd sefydlu grwpiau myfyrdod a gweddi'n ymwneud â'r sefyllfa gyfoes mewn byd ac eglwys. Defnyddiwyd adnoddau CWM a Chyngor Eglwysi'r Byd, a pharatowyd defnyddiau arweiniol gan dri phanel, gan ddisgwyl y byddai hynny'n arwain at weithgarwch perthnasol i adfywio'r dystiolaeth Gristnogol o fewn ein cymunedau.[171] Erbyn 1992 blas rhwystredigaeth nad oedd deilliannau amlwg wedi ymddangos sydd yn nheitl papur trafod yr ysgrifennydd, 'Edrych tua'r Dyfodol', a ddadleuai dros 'strategaeth genhadol' gyfansawdd i'r Corff wedi ymddangos.[172] Ond 'breuddwyd na ddygodd ffrwyth fel y dymunid' oedd yr uned deithiol a'r pwyslais ar hyfforddi ar gyfer cenhadaeth leol er mwyn symud yr Eglwys ymlaen oddi wrth feddylfryd cynhaliaeth at feddylfryd cenhadol. Gwrthodwyd ildio i ddifrawder yr oes a gwelwyd drachefn gynnig newydd gyda dadansoddiad cymdeithasegol a 'Tu Hwnt i'r Mileniwm', gan osod y cyfrifoldeb ar yr henaduriaethau i lunio 'gweledigaeth gyfansawdd' ac awgrymu y gellid dechrau gydag ansawdd addoliad yr eglwys leol, ei chymdeithas neu ei chyd-destun lleol. Anogaeth ydoedd i feithrin gweledigaeth yn codi o'r pridd gydag addewid o gefnogaeth drwy ymweliadau tîm ac ati i'w meithrin.[173] Datganwyd ar ddechrau'r mileniwm newydd mai hybu 'cymod a chyfanrwydd yng Nghrist' yw'n deall o'n cenhadaeth ac y gwelwn bob cynulleidfa yn gymdeithas sy'n addoli Duw, ac yn trosglwyddo Newydd Da Iesu Grist gyda'r gobaith o brocio meddwl a deall wrth 'fynd y tu hwnt i'r mileniwm.'[174]

Gweithwyr lleol

Rhan o'r un pwyslais ar adnewyddu cynulleidfaoedd oedd penodi amrywiaeth o weithwyr lleol. O'r cychwyn cyntaf symudodd y Bwrdd oddi wrth godi a chynnal adeiladau a throsglwyddwyd canolfannau'r Symudiad Ymosodol i'r henaduriaethau gyda'r Bwrdd yn parhau â'i gefnogaeth i'r Efengylwyr a Chwiorydd y Bobl a etifeddwyd ganddo. Gwnaed penodiadau newydd gan ymestyn gryn dipyn ar natur swyddi er mwyn cyrraedd at rai y tu allan i gymdeithas capel a chyhoeddi teyrnasiad Duw yng Nghrist ar bob agwedd ar fywyd.[175] Soniwyd am y Pwyllgor Caplaniaeth a'i ymwneud â byd diwydiant – maes fyddai'n wynebu newidiadau dwys yn y 1970au a'r 1980au gyda diweithdra ar gynnydd a lle meithrinodd yr eglwys ddylanwad dwys yn fugeiliol a phroffwydol[176] – a byd myfyrwyr, lle'r anogwyd gweinidogion mewn trefi colegol i ymddiddori yn eu hamgylchiadau ac yn y fyddin gan fod ceisiadau cyson am gaplaniaid yno.[177] Ymdrech i weithredu'r Cyfamod ydoedd sefydlu'r gaplaniaeth ym Mholitechnig Cymru yn 1983, ac esgorodd hynny ar bartneriaeth unigryw â'i olynydd, Prifysgol De Cymru. Arbrofwyd gyda chyfuniad o gaplaniaeth a gofal eglwysig yn 1999 pan benodwyd y Parch. Duncan Ballantyne, gweinidog o Eglwys yr Alban, yn gaplan i'r maes awyr cenedlaethol, gyda gofal am dair eglwys gyfagos, mewn ymdrech i bwysleisio gweinidogaeth yr eglwys yn y byd. Caplan o natur wahanol a benodwyd i Lannau Mersi yn 1988 gan fod prinder gweinidogion yn galw am ofal bugeiliol i Gymry mewn cartrefi gofal, ysbytai a charchardai, yn ogystal â datblygu cynulleidfaoedd lleol. Datblygodd erbyn 2006 yn rhan o gaplaniaeth Carchar Altcourse ac yn waith arloesol gydag adferiad carcharorion.[178]

Ar donfedd wahanol, ond nid yn annhebyg, yr oedd penodi gweithwyr cymunedol Cristnogol gyda'r dasg o bontio rhwng eglwys a'i chymuned, gan amlaf eglwysi bychain mewn ardaloedd o amddifadedd a thlodi. Ym Mhen-rhys, y Rhondda, y cychwynnwyd y pwyslais hwn yn ecwmenaidd[179] ond yn eglwys Noddfa, Caernarfon, y gwnaed y penodiad Cyfundebol cyntaf o'r fath yn 1979. Wrth i'r gwaith gynyddu yno penodwyd ail weithiwr, y naill i weithio gyda phlant ac ieuenctid a'r llall yn gynghorydd bugeiliol, a'r ddwy yn hybu bywyd yr eglwys.[180] Gwnaed penodiadau cyffelyb mewn mannau eraill megis Cwmrhydyceirw, Salem y Rhyl, Llaneirwg, Rhosllannerchrugog, Maesgeirchen ac Ystrad Mynach. Yn 1993 cefnogwyd 'Trefnu Cymunedol Cymru', symudiad ecwmenaidd i adnewyddu cymunedau yng ngogledd-ddwyrain Cymru trwy ffurfio partneriaethau, eglwysig gan mwyaf, gyda mosg yn ffurfio un grŵp perthynol iddo, i ymateb i faterion o bwys i gymunedau lleol.[181] Roedd cyd-destun ambell sefyllfa yn heriol: eglwys fechan yn gorfod wynebu'r cwestiwn o dystiolaethu mewn cymuned aml-ffydd yw Tŷ'r Gymuned, Casnewydd, a bu'r Bwrdd yn cyd-deithio â hi, yn trefnu cynadleddau ac ymgynghoriadau nes penodi Monica Morgans yn weithiwr yno, gyda Marilyn Priday yn ei dilyn yn 2008.[182] Trwy benodiadau o'r fath dysgwyd pwysigrwydd adnabyddiaeth ddofn o gyd-destun a sefyll wrth ochr pobl i'w cynorthwyo a'u galluogi; am werth yr eglwys sy'n gwasanaethu ac yn tystio i werthoedd teyrnasiad Duw yn ei fyd a'r genhadaeth sy'n dystiolaeth broffwydol. Yn ddiwinyddol, roeddynt yn ymdrechion i ymgnawdoli efengyl cariad a gras ac felly'n barhad o weinidogaeth Iesu Grist yn y byd gan bwysleisio mai dyna yw nod a diben y bywyd Cristnogol trwy addoliad a gwasanaeth.

Manteisiodd henaduriaethau Saesneg Caer, Fflint a Dinbych, Brycheiniog, Maesyfed a Henffordd a Henaduriaeth Trefaldwyn Isaf ar drefniant penodi galluogwr cenhadol i weithio â'u heglwysi i ganfod cyfleon tystio yn y cymunedau. Penodwyd John Wilson, a hyfforddwyd yng Ngholeg Cliff, yn 1996, ac fe'i dilynwyd yntau gan Jane Nyrongo, gweinidog o Zambia, a ddaeth ag ysbrydoledd Affrica i'w chanlyn, ac Enyd Arfon Jones yn Henaduriaeth Brycheiniog, Maesyfed a Henffordd, a weithiodd gyda theuluoedd a'r ifanc a'u problemau. Llinos Morris o Noddfa, Caernarfon, a fu ar gyrsiau CWM, fu'n galluogi eglwysi Maldwyn. Sefydlwyd eglwys ifanc ar ucheldir Bae Colwyn a gwelodd gynnydd buan mewn aelodaeth trwy weinidogaeth Glenys Gough Hughes a'i chynlluniau ymestyn allan. Dyma ymdrech i ddod â galluogi eglwysi mewn cenhadaeth i gwmpas mwy cyfyng na'r cenedlaethol a fu'n rhan o'r Uned Deithiol, a bu mesur mawr o lwyddiant mewn datblygu addoliad a gwaith gyda phlant ac ieuenctid.[183] Arbrawf gweinidogaeth tîm oedd penodi galluogwr i weithio gyda gweinidog mewn gofalaeth – Llansannan oedd y lleoliad a Meirion Morris y gweinidog. Nid gorchwyl hawdd bob amser oedd cynnal y dilyniant a phenodiadau dros dymor yn unig oedd y mwyafrif, gydag estyniad yn bosibl. Fe'u gwnaed fynychaf mewn ymateb i geisiadau henaduriaethau a'r cyfrifoldeb am ariannu, hyfforddiant, gofal bugeiliol ac adolygu yng ngofal y Bwrdd. Pwyllgor hybu a roddai gefnogaeth ac arweiniad lleol. Cafwyd ymateb da mewn rhai mannau a chyflawnwyd cryn dipyn drwy fywiogi eglwysi a dylanwadu ar gymuned, ond mewn mannau eraill prin oedd yr ymateb a charegog y tir.

Ni fu'r pwyslais sylfaenol ar alluogi cynulleidfaoedd mewn cenhadaeth heb ei lwyddiannau, yn arbennig trwy'r penodiadau lleol a wnaed. Gyda'r mwyafrif mawr ohonynt taniwyd brwdfrydedd, ehangwyd gweledigaeth, codwyd pontydd at unigolion a chymdeithas, a gwelwyd yr eglwys yn gwasanaethu 'yn ffordd Crist', yn rhoi heb ddisgwyl dim yn ôl.[184] Er yr ymdrechion a nodwyd i ysgogi cynulleidfaoedd ar y gwastad Cyfundebol fel y brif dystiolaeth i'r efengyl Gristnogol ar lawr daear ar y ffin â'r byd, ni fu'n llwyddiant er cymaint dwyster yr ymdrechion. Gorsymleiddio fyddai beio cyfathrebu aneffeithiol. Er i'r *Cenhadwr* ddod i ben yn 1973 a'i ddilyn gan *Ewch*, papur deufisol ecwmenaidd a hunodd cyn gwawrio'r mileniwm newydd,[185] defnyddiwyd y wasg enwadol yn helaeth a chrëwyd adnoddau amrywiol i bob oedran. Ymwelwyd â phob henaduriaeth yn systematig droeon dros y blynyddoedd yn ogystal â nifer dda o eglwysi.[186] Nid oedd yn anodd i'r cyfryngau hyn greu diddordeb na brwdfrydedd, ond adeiladu arnynt oedd y gamp. Awgryma hynny ddiffyg dyfalbarhad a phrinder ymdeimlad o alwad a phwrpas i eglwys. Diwygiad, ffydd bersonol a 'gwrando'r efengyl' yw traddodiad yr Eglwys, a dichon bod cymryd y cam o fynegi'r ffydd honno mewn rhaglen waith ymarferol a gweladwy yn anghyfarwydd.[187] Y mae hynny'n awgrym o geidwadaeth cred a'r perygl o wneud eglwys yn ddiben ynddi ei hun ac nid yn ymgnawdoliad o'r ffydd ac felly'n gyfrwng mynegi teyrnasiad cariad, tosturi a chyfiawnder Duw yng Nghrist yn ei chyd-destun.

Nid bob amser y cafwyd cefnogaeth arweinwyr ychwaith.[188] Rhaid cofio bod degawdau olaf yr ugeinfed ganrif wedi gweld cyflymu'r dirywiad yn ogystal â phroblemau ariannol ynglŷn â chynnal gweinidogaeth; daeth adeiladau yn faich ar arweinwyr eglwysi wrth i ddeddfau Iechyd a Diogelwch, deddfau cyflogaeth a thrafodaethau tuag at undeb o fewn y Cyfamod a chyda'r eglwysi anghydffurfiol gymryd amser ac egni a chodi gobeithion weithiau.[189] Yn waelodol, dichon mai diffyg hyder yn ein cred yn Nuw sy'n achub yng Nghrist ddynoliaeth a chreadigaeth gyfan, ac felly brwdfrydedd drosti a ddaw i'r golwg yn y methiant hwn, a hynny yn wyneb dylanwadau treiddgar materoliaeth neu ddyneiddiaeth rymus a ffasiynol. Yn 2008 unwyd gwaith tri Bwrdd, sef y Genhadaeth, y Weinidogaeth ac Addysg yn Fwrdd Bywyd a Thystiolaeth, mewn ymdrech 'i roi ffocws mwy cydlynol ac integredig i fywyd y Corff a'r defnydd o'i adnoddau'.[190] Paratôdd y Cyfarwyddwr ddogfen drafod mewn ymgais i grynhoi'r sefyllfa ac amlinellu her yr amserau.[191] Ei brif bwyslais oedd ar i'r henaduriaethau baratoi cynllun datblygu dros dair blynedd a fyddai'n cynnwys gweinidogaeth, cenhadaeth a hyfforddiant gyda'r bwriad o hyfforddi yn y ffydd a symud ymlaen mewn tystiolaeth. Pery'r pwyslais dros flynyddoedd olaf y gyfrol hon ynghyd â'r addewid bod arian strategaeth ar gael i wireddu'r cynlluniau hyn.[192]

O bob man i bob man

Nid cau'r drws ar gyfrannu i'r genhadaeth fyd-eang wnaeth y methiant i gael mynediad i India erbyn 1968 ond, yn hytrach, rhoi cyfle i chwilio am gyfleon newydd, er nad ar draul cefnu ar yr hen faes. Parhawyd i anfon arian i gynnal a datblygu'r gwaith: trwy'r 1970au anfonwyd cymorthdaliadau yno, er enghraifft £25,750 yn 1970 a £24,425 yn 1977.[193] Gydol blynyddoedd y Bwrdd cyfoethogwyd yr arweinyddiaeth gan ymweliad gweinidogion a meddygon o India i ddilyn hyfforddiant neu dderbyn profiad pellach, er enghraifft, C. Pazawna a R. Mawblei yn y Coleg Diwinyddol a'r meddygon Sen Gupta, Ringluaia, Biakmawia a Lamare mewn ysbytai Prydeinig. Dychwelodd rhai, fel y Mri Warbah (Casi) a Lalthanmawia (Miso) i'w gwlad wedi cyfnod yn yr Unol Daleithiau, ac yn ddiweddarach daeth Fortis Jywra, Vanllachhuanawma a Vanlalchhunga i ymchwilio i hanes eu heglwys.[194] Coronwyd yr ymweliadau hyn gan daith dau gôr, y naill o Fryniau Casia yn 1981 a'r llall o Misoram yn 1984, i ddiolch am yr efengyl. Bu rhai ymweliadau â'r maes hefyd.[195]

Ffynhonnell arall profiad o'r Eglwys Fyd-eang oedd aelodaeth o

Gymdeithas Cymdeithasau Cenhadol Prydeinig – a ddaeth yn ei thro yn Conference for World Mission (CFWM) ac wedi ad-drefniant 1990 yn Churches Commission on Mission. Roedd isadrannau i'r comisiwn yn cyfateb i gysylltiadau byd-eang yr eglwysi oedd yn aelodau ohono, a thrwyddynt gallai eglwysi Prydain gyda'i gilydd ymateb i anghenion ac argyfyngau'r teulu Cristnogol byd-eang, a hynny'n cyfoethogi'r eglwysi bychain a mudiadau Cristnogol eraill.[196] Ond, yn gynnar yn y 1970au, mynegodd tair merch ifanc, dwy o Went, sef Rosemary Flower ac Yvonne Errington, a Joyce Graves o Wrecsam, ddiddordeb mewn gwasanaethu dramor gan godi'r cwestiwn ble a sut.[197] Ai agor maes newydd? Amheus, gan y gallai drysau India agor drachefn! Gyda chais pellach oddi wrth y Parch. John a'r Dr Nerys Tudor yn 1975 am wasanaethu yn Taiwan ac Eleri Edwards ym Madagascar, curwyd ar hen ddrws yr LMS gan arwain at aelodaeth o'r Cyngor Cenhadaeth Byd-eang (CWM) newydd yn 1978.[198]

Disodlwyd yr hen fodel cenhadol o eglwysi'r Gorllewin yn anfon cenhadon i'w meysydd traddodiadol gan ddiwinyddiaeth y Bwrdd Crwn a chydnabod lle a hawl yr eglwysi ifanc, ffrwyth yr hen fodel, i ran mewn cenhadaeth fyd-eang. Roedd hyn yn fodd o gadarnhau mai partneriaid ydym oll yng nghenhadaeth Duw yng Nghrist i'r byd, yn wir y greadigaeth gyfan. Wrth y Bwrdd Crwn, rhannu oedd yr allwedd – arian, adnoddau a syniadau, pobol a sgiliau – ar wahoddiad unrhyw un o'r 31 eglwys a ddaeth yn aelodau. Daeth y Cyfundeb, fel Undeb yr Annibynwyr Cymraeg, nid yn unig yn rhoddwr a chyfrannwr ond hefyd yn dderbynnydd. Rhwng 1978 a 2008 yr oedd dau ganlyniad i'r aelodaeth; cyfrannwyd swm o benodiad y Bwrdd i'r coffrau a rannwyd mewn ymateb i geisiadau am grantiau ac yn ôl blaenoriaethau'r eglwys a'r Cyngor. Anfonwyd cenhadon, sef Angharad Roberts i Samoa, Eleri Edwards i Fadagascar (yr ail dro), Roland a Fleur White i Samoa, Norman Pritchard Williams i Papwa a Carys Humphreys i Taiwan yn 1988.[199] Ar y llaw, arall derbyniwyd grantiau o'r coffrau ar gyfer nifer o brosiectau lleol fel yr Uned Deithiol a syniadau newydd megis y galluogwyr cenhadol yn ogystal â phrofiadau cenhadu eglwysi eraill.

Daeth rhai o dramor i weithio yng Nghymru, gan roi blas o amrywiaeth bywyd yr eglwys fyd-eang a thystiolaeth yr efengyl mewn diwylliannau gwahanol – Lal Rosiami o Myanmar i Drefeca, y Gwir Barch. Ddr Victor Premasagar o dde India i'r Coleg Diwinyddol ac Anne Hadfield, galluogwr cenhadol o Seland Newydd, i hybu'r pwyslais ar adnewyddu eglwysi lleol. Agorwyd drysau tymor hir drwy rai penodiadau, fel Hmar Sangkhuma o Misoram yn alluogwr cenhadol i ardal Pen-coed, Reuben Hardy yn weinidog i Lynebwy dan gynlluniau Henaduriaeth Gwent i ddatblygu bywyd a thystiolaeth eglwysi bychain, a John Colney (Misoram) i'w ddilyn.

Ddechrau'r 1990au ehangwyd y cysylltiadau byd-eang i gynnwys China, Myanmar, Ynysoedd y Solomon, Botswana a Jamaica.[200] Ond nid dod â'r pell yn agos yn unig fu mantais yr aelodaeth; deuai eglwysi CWM o Gymru at ei gilydd yn flynyddol am gyfnod, trefnwyd arolwg o'u gwaith drwy ymweliad tîm o benodiad y Cyngor, a chyhoeddwyd llawlyfr gweddi blynyddol at ddefnydd yr eglwysi.[201] Mwy arwyddocaol ydoedd perthyn i CWM Ewrop gyda'i gyfarfod blynyddol yn yr Hydref yn gyfle i rannu profiad a syniadau, creu cynlluniau ac adnoddau newydd, ac ymweld â gweithgareddau cenhadol ym Mhrydain a'r Isalmaen.[202]

Yn 1994 derbyniodd CWM tua £130 o filiynau o bunnau o werthiant tir yn Hong Kong a buddsoddwyd tua dwy ran o dair ohono er budd eglwysi'r Cyngor, gyda'r llogau yn rhoi grantiau cynnal cenhadaeth (Mission Support Fund); fe'i dosrannwyd yn ôl sefyllfa economi gwledydd yr eglwysi oedd yn derbyn arian ac yn ôl blaenoriaethau cenhadol yr eglwysi. Dyma gychwyn pwyslais CWM ar roi cymorthdaliadau yn ôl strategaethau cenhadol yr eglwysi, a alluogai'r Cyfundeb wrth fuddsoddi punt am bunt i sefydlu gweithgarwch newydd yn Ystrad Mynach, y Morlan, Aberystwyth,[203] a gweithgarwch galluogi cenhadol megis gwaith Sangkhuma, cynlluniau Gwent a chynlluniau addysgol ar y cyd â'r Annibynwyr. Anogwyd yr henaduriaethau hefyd i lunio'u cynlluniau strategol eu hunain, fel y nodwyd eisoes. Yn fwy diweddar defnyddiwyd arian yr MSP i roi profiad gwaith a phrofi galwad i ieuenctid.[204]

Casgliadau

Go brin i unrhyw ganrif mewn hanes weld cynifer o ddatblygiadau a darganfyddiadau a arweiniodd at gymaint o newidiadau mewn ffordd o fyw a chodi lliaws o gwestiynau athronyddol, cosmolegol a diwinyddol. Canrif ydoedd hefyd o gefnu graddol ar ein hetifeddiaeth ysbrydol fel Cymry, os nad ymwrthod â hi, yn wyneb cynnydd materoliaeth, seciwlariaeth ac anghrediniaeth. Dengys y cipolwg hwn ar genhadaeth y Cyfundeb amrywiaeth ymateb y Corff yn y cyd-destun hwn. Erbyn canol y ganrif gwelwyd bod efengyliaeth geidwadol y Symudiad Ymosodol yn annigonol, os nad aneffeithiol, wrth i ganolfannau gau a niferoedd bychan fynychu eraill.

Rhoddwyd cynnig ar ddiwinyddiaeth ac eglwysyddiaeth ehangach drwy'r pwyslais ar yr eglwys gyfan yn gymuned efengyleiddiol wrth geisio adnewyddu eglwysi lleol yn unedau cenhadol a'r gwahanol swyddi y penodwyd iddynt – yn gaplaniaid, gweithwyr cymunedol Cristnogol a galluogwyr yn tystio i'r argyhoeddiad bod teyrnasiad Duw yn ehangach na'r eglwys a'i gwaith ac yn cynnwys pob agwedd ar fywyd. Dengys gweithgarwch cymunedol y Genhadaeth mewn mannau fel Sgubor Goch, Caernarfon; Salem, y Rhyl; Tŷ'r Gymuned, Casnewydd; Pen-rhys ac eraill fod cymdeithas yn parhau i ymateb wrth i'r eglwys glosio ati mewn cariad a gwasanaeth. Gofyn hyn am adnabod cymuned a chydsefyll â'r efengyl mewn modd na all materoliaeth a dyneiddiaeth eu cyffwrdd. Â hyn y tu hwnt i label ac enwad a safbwynt diwinyddol i ganfod undod yng ngalwad Duw i fod yn gyfrwng ei gariad a'i fendith mewn cymdeithas ddolurus. Y mae'r ddiwinyddiaeth Crist-ganolog hon o roi heb ddisgwyl dim yn ôl ac o ymostwng mewn gwasanaeth yn wrthbwynt i ddiwylliant cystadleuol materoliaeth a dyneiddiaeth foel, yn gysur i'r ymylol ac yn her i'r cyfforddus.

Ond ni welwyd adfywio eglwysi fel cymunedau addolgar, cynnes a chroesawgar. Dichon fod dirywiad ynddo'i hun yn anochel yn arwain at fewnblygrwydd amddiffynnol a cheidwadaeth barlysol a gwarchodol, yn ddiwinyddol ac yn strwythurol yn y gobaith o ail-greu ddoe neu ddychwel at wreiddiau honedig. Dichon hefyd fod y bwlch rhwng byd ac eglwys yn oes y cyfathrebu digidol a'r posibiliadau o fod yn ddylanwad hydreiddiol mewn cymuned yn gofyn ailfeddwl beth yw eglwys? Gydol y ganrif hefyd bu mynnu labeli megis 'efengylaidd' a 'rhyddfrydol' yn gwahanu a chreu drwgdybiaeth, gan erydu'r ymdeimlad o berthyn i un Corff, arddel yr un Arglwydd a'r un ffydd ac atal mentro.[205] Yn wir, gellid gofyn y cwestiwn: beth yw ystyr perthyn i'r Corff wrth i Fyrddau drwy'r llysoedd roi arweiniad cenhadol a'r eglwysi i bob pwrpas yn ei anwybyddu, naill ai o fwriad neu ddihidrwydd. Un o nodweddion y ganrif yw llacio ar yr ymdeimlad o berthyn i'r un Corff, rhannu'r un amcan a gwasanaethu'r un Arglwydd.

Bu cryn sôn am gydweithio a chroesi ffiniau enwadol, ac eto mae'n syndod cyn lleied yw'r gweithgarwch eciwmenaidd a gafwyd, a hwnnw fynychaf wedi ei gyfyngu i gaplaniaethau. Collwyd y rheini i raddau helaeth erbyn 2014 gan esgus na ellid eu fforddio neu nad oeddent yn bwydo eglwysi â deiliaid newydd. A dyna gwestiwn pellach i'w ystyried: ai bodoli i ennill o'r byd ynteu i wasanaethu'r byd y mae eglwys a beth yw rôl Corff sy'n gostus a dibynnol ar aelodau? Er mai crintachlyd weithiau oedd ymateb y Corff i gynlluniau uno, ni wrthododd unrhyw gynllun a rhoes gefnogaeth hael i fudiadau fel 'Cymru i Grist'. Ond y gwir yw nad oedd cynllunio eciwmenaidd i ddiogelu gweinidogaeth a hyrwyddo cenhadaeth Crist dros y cyfnod yn ganolog i fywyd eglwysi Cymru. Y mae methiant Adran Efengylu Cytûn yn dystiolaeth o hynny. Cadw a gwarchod hunaniaeth, boed ddiwinyddol neu enwadol, oedd yn ganolog, a chyflwyno Crist i'r Gymru wahanol hon oedd bennaf ar ei cholled o'r herwydd. Anodd perswadio neb o hygrededd yr efengyl pan fo ei lladmeryddion mor rhanedig.

Ond y mae datblygu eglwysi cenhadol yn gofyn am ddealltwriaeth o'r Eglwys yn gymuned gobaith, yn bobl Dduw ymhlith holl bobl Dduw. Gofyn hynny am iddi fod yn gymuned agored a chroesawgar, yn derbyn a chofleidio, yn fwy na bod yn fan cyfarfod i'r dethol ac yn lle i warchod dogmâu a ffurfiau ddoe. Mae angen newid meddwl a chyfeiriad oddi wrth gynnal trefn, strwythur a diogelu arferiad neu draddodiad at ymestyn allan a bod yn newyddion da i fro ac ardal. Hynny yw, bod yn efengyl y Bendigedig Dduw sy'n herio'r heddiw drwy flaenoriaethau ac ansawdd bywyd y Deyrnas. Nid pawb sy'n gweld y twf honedig mewn ceidwadaeth neu ffwndamentaliaeth heddiw yn ateb y gofyn, fel y dengys twf Cristnogaeth 21.

Dichon y crisielir hanes y ganrif a'i neges i'r nesaf gan adroddiad Bwrdd y Genhadaeth yn 2005:

y mae'n rhaid agor y ffenestri a'r drysau tuag at y byd, a chlustfeinio ar gri a dyheadau ein pobl, ceisio partneriaeth amlycach gyda Christnogion eraill a gwerthfawrogi'r bychan yn ogystal â'r angen am ehangder a dyfnder i'r weledigaeth cyn y gallwn wneud impact hydreiddiol ac arhosol ar ein dyddiau a'n diwylliannau ni.[206]

1 Gw. e.e. adroddiad y Parch. Jenkyn Jones yn Adroddiad 1918, tt.10–11. Am her y rhyfel i'r Genhadaeth gw. *Adroddiad Blynyddol*, 1915. t. v.
2 Dynoda'r dyddiadau mewn cromfachau flynyddoedd gwasanaeth.
3 *Y Cenhadwr*, 1922, 84–5. Laura Evans fu yno hwyaf; bu yn Silchar am 30 o flynyddoedd.
4 Treuliodd Gerlan Williams flynyddoedd yn Cachar a chyfieithodd yr ysgrythur i Dimasa Cachari.
5 *Adroddiad Blynyddol Cenhadaeth Dramor y M.C.*, 1915, tt. v, l–lii. *Y Blwyddiadur*, 1915, tt, 29, 57.
6 Y *Blwyddiadur*, 1925, t. 44.
7 Y *Blwyddiadur*, 1932, t. 47.
8 Y *Blwyddiadur*, 1947, tt. 61–2.
9 Am y manylion, gw. Y *Blwyddiadur*, 1950, t. 68; 1953, tt. 69–70 a 1959, t. 70. Am yr anghydfod, gw. Y *Blwyddiadur*, 1961, t. 78.
10 Dynoda'r dyddiadau mewn cromfachau flynyddoedd gwasanaeth cenhadon ar y maes.
11 Am broblemau unigryw y gwastadeddau, gw. *Adroddiad Cenhadaeth Dramor*, 1914, tt. xiii–xv.
12 Dychwelodd Miss Aranwen Evans (1909–30), y Parch. H. Pritchard Williams, Nantyr (1928 – 30), y Parch. E. H. Morris (1925–30), y Parch. W. F. Jones (1929–32), y Parch. W. H. Williams (1929–31), Miss Morfudd Davies (1932), Miss Margaret Rowland (1930–5) a Winifred Jones (1928–34). Gwnaethant waith clodwiw wedi ymsefydlu gartref.
13 Ceir crynodeb o fywyd a gwaith y cenhadon hyn, ynghyd ag eraill, yn D. Ben Rees, *Llestri Gras a Gobaith* (Cyhoeddiadau Modern Cymreig, Lerpwl, 2001).
14 Gw. D. Ben Rees, *The Healer of Shillong: Reverend Dr Hugh Gordon Roberts and the Welsh Mission Hospital* (Lerpwl, 2016). Roedd Dr G. P. Roberts yn ferch i'r Parch. a Mrs. J. W. Roberts, Sylhet. Uwchraddiwyd yr ysbyty o dro i dro. Gw. *Y Cenhadwr*, 1938, 59–60.
15 *Y Blwyddiadur*, 1915, t. 57.
16 *Y Blwyddiadur*, 1915, tt. 57–8. Am sefydlu canghennau gw. *Hanes* 3, t. 469.
17 *Y Cenhadwr*, 1824, 117–19.
18 Gw. yr *Adroddiadau Blynyddol* am y manylion.
19 *Adroddiad Blynyddol*, 1931, t. 58. Derbyniwyd ad-daliadau treth incwm, cymynroddion a llogau Cronfa Robert Davies i geisio dal dau pen llinyn ynghyd, ond ni fuont yn llwyddiannus bob tro.

20 *Y Blwyddiadur*, 1929, t. 53. Derbyniwyd casgliad o £180 yn 1930 oddi wrth y Casiaid i leddfu'r wasgfa yn ne Cymru. Arwydd o'r efengyl ar waith, yn ôl Ceredig Evans. Y *Blwyddiadur*, 1930, t. 48.

21 *Y Blwyddiadur*, 1933, t. 50. Dichon bod angen cyfiawnhau gwariant oherwydd dynodir bod 18s 3c o bob £ a wariwyd yn mynd yn uniongyrchol at y gwaith ar y Meysydd Cenhadol (t. 70).

22 Ers dechrau'r ganrif, yn enwedig wedi'r Diwygiad, cynyddodd yr arferiad o roi o'r neilltu ddyrnaid o reis wrth baratoi pryd bwyd a'i roi i'r Genhadaeth. Deuai'n swm sylweddol mewn blwyddyn, e.e. yn Nosbarth Jowai yn unig roedd yn ddigon i gynnal yr ysgolion i gyd. *Adroddiad Blynyddol Cenhadaeth Dramor*, 1925, t. 42; ibid., 1926, t. 33; J. M. Lloyd, *History of the Church in Mizoram* (Aizawl, Mizoram, 1991), tt. 145–6.

23 Gw. *Blwyddiaduron* y blynyddoedd hyn am fanylion.

24 Fel erioed, 'yr unig ffynhonnell y gallwn ddisgwyl ychwanegiad ohoni yw "Casgliadau Cyffredinol".' Rhybuddiwyd hefyd fod cynnydd yn y costau teithio i Bombay wedi dyblu o £20 y pen er 1939. *Y Blwyddiadur*, 1957, tt. 75–6. Gw. hefyd *Y Blwyddiadur*, 1958, tt. 74–5.

25 Ceir enghraifft o'r apeliadau yn *Y Blwyddiadur*, 1947, tt. 64–5 a 1948, t. 65, ond ymhen y flwyddyn ymddengys mai prin oedd yr ymateb gyda'r 2/6 (30c) traddodiadol yn drwm ei afael ar bocedi! Gosododd yr ysgrifennydd, y Parch. Llewelyn Jones, y mater yn blaen iawn ger bron y Gymanfa yn 1952 gan wneud awgrymiadau newydd, *Y Blwyddiadur*, 1953, tt. 71–2, *Y Blwyddiadur*, 1955, tt. 71, 73. Gwelwyd peth gwelliant erbyn *Y Blwyddiadur*, 1956, fel y gellid ad-dalu peth o'r ddyled a safai yn £19K.

26 Am apeliadau pellach gw. *Y Blwyddiadur*, 1957, t. 75, 1958, t. 75, ac am y Sul Cenhadol, *Y Blwyddiadur* 1957, t. 77. Penderfynwyd hefyd cyhoeddi taflen yn lle'r *Adroddiad Blynyddol* yn 1957. Sonnir am ffilm a bri 'visual aids' yn *Y Blwyddiadur*, 1947, t. 65.

27 Ceir enghraifft o'r apeliadau yn *Y Blwyddiadur*, 1948, t. 65, ond ymhen y flwyddyn ymddengys mai prin oedd yr ymateb gyda'r 2/6 (30c) traddodiadol yn drwm ei afael ar bocedi! Am Apêl Ysbyty Jowai gw. *Y Blwyddiadur*, 1950, t. 67 a 1952, t. 64. Am yr angen am ddirnadaeth ysbrydol, gw. *Y Blwyddiadur*, 1948, t. 66. Erbyn 1952 roedd angen £7,000 yn ychwanegol ac roedd symudiad ar droed i'w drosglwyddo i Ymddiriedolaeth Eglwys Bresbyteraidd Assam. Gw. y manylion yn *Y Blwyddiadur*, 1953, tt. 70–1.

28 Y *Blwyddiadur*, 1956, t. 72. Gw. Y *Blwyddiadur*, 1950, t. 70: 'Dengys rhai ardaloedd ddiddordeb dwfn ... eraill yn ddigyffro ac anystyriol ymron hyd at fod yn wrth-genhadol.'

29 Gw. *Y Blwyddiadur*, 1955, t. 72 a 1956 t. 72 am y manylion. Roedd y casgliadau yn llai o £557 na'r flwyddyn gynt! Ac eto roedd sôn am drefnu arddangosfeydd ac am gael *Cenhadwr y Plant* i godi ymwybyddiaeth.

30 *Y Blwyddiadur*, 1939, t. 70; 1940, t. 65 a 1947, t. 65. Gwerthfawrogir strwythurau'r chwiorydd, y Sasiwn, yr Henaduriaeth ac ati.

31 *Y Blwyddiadur*, 1951, t. 69. Erbyn 1955 ailsefydlwyd y patrwm o bedair Sasiwn wedi'r rhyfel, gyda tua saith mil yn dod ynghyd a'r casgliad at wahanol anghenion y maes yn £2,500. *Y Blwyddiadur*, 1956, t. 73. Bu hefyd arbrofi gyda chyfarfodydd ar gyfer y plant a'r ieuenctid ynghyd â blychau casglu pen-blwydd; a holwyd: beth am y brodyr?

32 'Memorandum on Womens' Auxiliary Movement,' *Y Blwyddiadur*, 1950, tt. 66–7, gyda rhyddid iddynt gefnogi'r Genhadaeth Dramor neu Gartref neu Ddirwest, neu'r cyfan ohonynt. Erbyn diwedd y degawd roedd islais yn gofyn am gydweithrediad rhwng y chwiorydd yn eu cefnogaeth i'r Genhadaeth Dramor a Chartref. Y *Blwyddiadur,* 1959, neu neges o Ddwyrain Meirionnydd a adawyd ar y bwrdd. Tybed a oedd y mater dan sylw eisoes? Erbyn diwedd y 1960au sonnir am Sasiynau Unedig y Chwiorydd, *Y Cenhadwr,* 1969, 64.

33 *Y Blwyddiadur*, 1915, t. 57.

34 *Adroddiad Blynyddol*, 1923, t. 5.

35 Yn 1924 sylwodd John Ceredig Evans, y cenhadwr o Aber-porth a fu'n gwasanaethu ar Fryniau Casia er 1888: 'Y mae hon [Lushai] yn wlad Gristnogol.'

36 Y farn yn *Adroddiad*, 1938, tt. 52–3 oedd fod colli tir o ddiffyg arweinyddiaeth effeithiol.

37 *Y Blwyddiadur*, 1938, t. 32.

38 Tystia *Adroddiad Blynyddol*, 1915 i 4,402 o achosion newydd ddefnyddio ysbyty Jowai.

39 Am fanylion y gwaith gyda Namasudras, gw. D. G. Merfyn Jones, *Y Popty Poeth a'i Gyffiniau, Cenhadaeth Sylhet-Cachar* (Caernarfon, 1990), tt. 120–30.

40 Y Parch. R. J. Williams oedd y trydydd Ysgrifennydd Cyffredinol, ar ôl y Parch. John Roberts (Minimus) (1840–66) a'r Parch. Josiah Thomas (1866–1900).

41 *Y Blwyddiadur*, 1929, t 52. Ymddeolodd yn 1949, bu farw yn 1954 a cheir ysgrif goffa iddo yn *Y Blwyddiadur*, 1955, t. 248, ac yn Adroddiad y Genhadaeth Dramor y flwyddyn honno. Rhoddodd y Comisiwn Ad-drefnu sylw i'r angen am addysg genhadol yn yr eglwysi. Gw. Adroddiad Pwyllgor 3, tt. 58–60.

42 Thomas Charles Williams, *Y Cenhadwr*, Ionawr 1922. t. 3. Gesyd ef arwyddocâd y Genhadaeth ar gefndir amgylchiadau gwleidyddol a diwylliannol y byd cyfoes. Diddorol yw nodi mai awgrym O. M. Edwards, a ddigwyddai deithio ar drên gydag R. J. Williams, oedd y teitl *Y Cenhadwr*: 'teitl byr yn dweud ei bwrpas'.

43 Ceir awgrym o gynnwys yr arddangosfeydd yn *Y Cenhadwr*, 1923 t. 155 – dwy babell ar faes ysgol Llangefni ar gyfer addoliad, dramâu, cyngherddau, a'r llall ar gyfer lluniaeth. Oddi mewn i'r ysgol ceid gofod ar gyfer gwahanol rannau o'r byd: Cynghrair y Cenhedloedd, Casia/Jaintia. Lushai, y Gwastadeddau, De America, Ynysoedd Môr y De, y Zenanas, etc. Daeth y gynhadledd yn enwog fel Cynhadledd Genhadol y Barri.

44 Cychwynnwyd y gwaith gyda'r chwiorydd yn wythdegau'r ganrif

flaenorol i chwyddo'r coffrau a lledaenu gwybodaeth. *Hanes*, t. 469. Sonnir yn 1939 am gynnal pedair rali, ym Mangor, Caer, Merthyr a Chaerdydd gan ddenu 2,050 o chwiorydd. (*Y Blwyddiadur*, 1939, t. 70.) Roedd 400 yn rhagor yn raliau 1940 a ffurfiwyd canghennau newydd mewn 21 o ddosbarthiadau drwy'r Cyfundeb. *Y Blwyddiadur*, 1940, t. 65.

45 *Y Blwyddiadur*, 1928, t. 53; 1933, t. 48.

46 *Y Blwyddiadur*, 1935, tt. 48, 50.

47 *Y Cenhadwr*, 1923, t. Gw. hefyd 'Iesu Grist a Chrefyddau'r Byd', Robert Griffith ac Oliver Thomas, *Cenhadwr*, 1923, 103. Gw. hefyd *Y Cenhadwr*, 1939, 121–5; *Y Goleuad*, 25 Mehefin 1924.

48 Ond teg nodi sylw Oliver Thomas wrth weld y cynnydd yn India a'r lleihau cyson gartref: dichon bod yn rhaid edrych i'r Dwyrain i weld adfywiad, *Y Blwyddiadur*, 1947, t. 66. Pwysleisia'r ysbrydol.

49 Am fanylion, gw. John Hughes Morris, *Hanes Cenhadaeth Dramor y Methodistiaid Calfinaidd Cymreig hyd ddiwedd y flwyddyn 1904* (Caernarfon, 1907), t. 266.

50 *Y Blwyddiadur*, 1925, t. 46. Golygai hefyd na fyddid yn ordeinio efengylwyr mwyach, dim ond ymgeiswyr am y weinidogaeth. Cytunwyd ar urdd newydd o bregethwyr.

51 Y pedwar oedd J. Ceredig Evans a Robert Jones, Casia, T. W. Rees o'r Gwastadedd a J. M. Harries Rees, Cachar. *Y Cenhadwr*, 1923, 91. Cododd anawsterau i'r drefn pan fu farw F. J. Sandy yn 1926.

52 Gw. manylion yn *Y Cenhadwr*, Mehefin 1923, t. 91. Cymaint oedd brwdfrydedd yr eglwys ifanc hon yn 1925 fel y mynegodd awydd am bennu maes cenhadol iddi'i hun y tu allan i ffiniau'r wlad. Ibid., t. 95. J. M. Lloyd, *History of the Church in Mizoram*, t. 247. Am y Gymanfa gyntaf yn Durtlang, gw. ibid., 1926, t. 81.

53 Gw. J. Meirion Lloyd, *Y Bannau Pell*, tt. 140–3.

54 Adroddiad y Comisiwn yn *Y Blwyddiadur*, 1937, t.70. Bu sôn am ffurfio eglwys unedig India yn 1920. *Adroddiad y Comisiwn Ad-drefnu*, Pwyllgor 3, tt. 46–7.

55 Gw. *Y Cenhadwr*, 1936, 25–8 am hanes eu croeso. Ymwelsant hefyd â Chymanfa Eglwys Unedig Gogledd India.

56 Yn ôl Ednyfed Thomas, mae'n amlwg fod cryn drosglwyddo grym ac awdurdod i'r maes dros y blynyddoedd, *Bryniau'r Glaw* (Caernarfon, 1988), 183–4.

57 Yn ôl *Adroddiad y Gymdeithas* am 1927, t. 24, cadarnheir yr angen am 'fwy o athrawon, gwell athrawon ac athrawon mwy brwdfrydig … Digalon iawn yw bywyd athro', ond mae'n amlwg fod y Coleg Normal yn dal wrth ei waith.

58 *Y Blwyddiadur*, 1937, tt. 71–2.

59 *Adroddiad Cenhadaeth Dramor y M.C.*, 1931, ac adroddiadau cenhadon yn Adroddiadau'r cyfnod, e.e. Amharwyd ar fywyd y Coleg Diwinyddol, *Adroddiad*, 1931, t. 22. Gw. hefyd t. 35.

60 Gwelir enghraifft o geisiadau yn *Adroddiad Cenhadaeth Dramor y M.C.* am 1945, tt. 16–18.

61 Cadarnhawyd y meddylfryd hwn ymhellach yn achos Casia-Jaintia 1946 trwy fanylu ar berthynas y cenhadon a'r Henaduriaeth a'u statws yn gyd-weithwyr yno dan wahoddiad y Gymanfa. *Y Blwyddiadur*, 1947, tt. 62–3.

62 *Y Cenhadwr*, 1924, 2–3. Erbyn 1941 cododd cyfanrif poblogaeth yr holl faes i 4,198, 753 gyda'r cyfanrif yn yr eglwysi yn 136, 254 a'r gwrandawyr yn 140,106. *Adroddiad y Genhadaeth Dramor*, 1941.

63 Bu i nifer y Pabyddion yn Assam dreblu, bron, rhwng 1921 ac 1931, a thraean ohonynt yng Nghasia. Gw. *Adroddiad Blynyddol*, 1933, tt. 8–9, a 1931, t. 45. Rhifai dychweledigion y Genhadaeth yn 1933 yn 101,766 o eneidiau. Nid oedd yr un prinder adnoddau yn blino Eglwys Rufain gyda'i 12 offeiriad yn Shillong yn 1933.

64 Gw. *Hanes*, tt. 461–2.

65 'Dwyn i ben yr hyn gynigiodd Pwyllgor y Genhadaeth deng mlynedd' ydoedd, yn ôl *Y Goleuad,* 12 Mai 1936. Gw. *Y Blwyddiadur*, 1939, tt. 66–8.

66 *Adroddiad Blynyddol*, 1936 tt. 7–9. Cadarnhawyd cyfansoddiad newydd i'r Pwyllgor yn 1950 gydag amcan cyffredinol o anfon yr efengyl i wahanol rannau o'r byd a'r amcan penodol o 'gefnogi, cyfarwyddo a chynnal (mewn rhan) Genhadaeth y Cyfundeb yn India a Phacistan, arolygu a chynnal (mewn rhan) y Genhadaeth Gyfundebol yn Llydaw'. *Y Blwyddiadur*, 1951, tt.70–1.

67 Gw. *Y Cenhadwr,* 1936, 166–8, 1937, tt. 74–8; *Y Blwyddiadur,* 1938, tt. 53–5. Gw. D. G. Merfyn Jones, *Y Popty Poeth a'i Gyffiniau*, t. 195. Er mwyn cryfhau'r gwaith ar y Gwastadedd, bu peth newid i'r strwythur, yn cynnwys integreiddio gwaith chwiorydd fwyfwy i'r strwythur, lleoliad cenhadon a manylion ariannol, yn 1949. *Y Blwyddiadur*, 1950, tt. 65–6.

68 Yn 1958 y trosglwyddwyd yr eiddo i'r 'Trust Association of the Presbyterian Church of Assam' ac eto pwysleisir y sefyllfa wleidyddol ansicr yn India. *Y Blwyddiadur*, 1959, t. 74.

69 Ednyfed Thomas, ibid, t. 182. *Y Cenhadwr*, 1922, 8–10; T. M. Thomas, *Y Cenhadwr,* 1956, 4.

70 *Y Cenhadwr*, 1937, 25–7. Ceir darlun o'r India newydd a wynebai'r genhadaeth yn *Y Blwyddiadur,* 1948, t. 63. Codwyd y ffigyrau o Adroddiadau Blynyddol y Genhadaeth am y blynyddoedd hyn.

71 Gw. Nansi Thomas, 'Miss Annie W Thomas', yn J. Meirion Lloyd, *Nine Missionary Pioneers: The Story of Nine Pioneering Missionaries in North-east India* (Caernarfon, 1989) tt. 31–7.

72 Gw. 'T Bevan Phillips' a 'Thomas Edwin Pugh' yn J. M. Lloyd, *Nine Missionary Pioneers*, tt. 54–60.

73 Ceir gwerthfawrogiad o lafur y cenhadon hyn yn Adroddiad Blynyddol blwyddyn eu hymddeoliad ac mewn ysgrifau coffa ym mlwyddyn eu marw, a choffâd i bob un yn D. Ben Rees, *Llestri Gras a Gobaith*.

74 E.e. gwneir ymdrech arbennig i gysylltu â phlant ac ieuenctid a ffurfio canghennau newydd o blith y chwiorydd yn 1939. Gw. *Y Blwyddiadur*, 1940, tt. 61, 70; 1947, t. 61; 1958 t. 74, 1959, t. 73. Bu hefyd newid cyson

yn yr arweinyddiaeth gan i Oliver Thomas ymddeol yn 1948 yn wael ei iechyd ac i David Edwards, fu'n gwasanaethu am gyfnod yn Misoram, ei ddilyn. Bu yntau farw yn 1951 ac fe'i dilynwyd gan y Parch. Llewelyn Jones hyd ei farw yntau yn 1960. Ceir coffâd i Thomas yn *Y Blwyddiadur*, 1951, i Edwards yn *Y Blwyddiadur*, 1952 ac i Jones yn *Y Blwyddiadur*, 1961. Ymddeolodd y Parch. J. Hughes Morris fel ysgrifennydd cynorthwyol yn 1949 wedi 57 mlynedd yn swyddfa'r Genhadaeth, ac fe'i dilynwyd gan Parch. D. R. Jones a fu farw yn 1950. Dilynwyd yntau gan Ednyfed W. Thomas cyn iddo ddychwelyd i India yn 1957, pryd y dilynwyd ef gan y Parch. R. Leslie Jones.

75 Am grynodeb o fywyd y ddau feddyg, gw. D. Ben Rees, *Llestri Gras a Gobaith*. Am benodiad Shave, gw. *Y Blwyddiadur*, 1953, t. 68.

76 Ymddiswyddodd Miss A. W. Thomas yn 1958, Miss Katie Hughes yn 1962, y Parch. a Mrs Angell Jones yn 1958, y Parch. a Mrs O. W. Owen yn 1959, ac yn 1960 y Parch. a Mrs George H. Morgan, y Parch. a Mrs Trebor Mai Thomas, y Parch. a Mrs D. G. Merfyn Jones a'r Parch. a Mrs Henry James yn 1964, y Parch. a Mrs J. Meirion Lloyd a'r Parch. a Mrs Ednyfed Thomas yn 1965. Prin fu'r ymgeiswyr – Bruce Nelmes (1959–61) ac Enid Edwards (1960–5), Brian Minty (1963–8) a Blodwen Harries (1963–8), Angharad Roberts (1965–8) a Bethan Williams (1966–8), Norman P. Williams (1965–8) a W. G. Barlow (1966–1968) – er mynych apelio a chynhyrchu defnyddiau megis taflenni a chynadleddau ar gyfer yr ifanc a'r rhai hŷn, e.e. *Y Blwyddiadur*, 1960, t. 80; 1961, t. 79; 1962, tt. 79–80.

77 Synhwyrwyd hynny yn 1947. Gw. *Y Blwyddiadur*, 1948, t. 67; 1950, t. 67.

78 Yr eglwysi dan sylw oedd Sylhet, Maulvi Bazaar, Shaistagnj a Habiganj. *Y Blwyddiadur*, 1949, t. 67. Gw. *Y Blwyddiadur*, 1961, t. 78. am y datgorffori.

79 Gw. *Y Blwyddiadur*, 1966, tt. 74–6.

80 *Y Blwyddiadur*, 1956, t. 77. Am effaith Rhyddid India yn 1948, gw. *Adroddiad Cenhadaeth Dramor y M.C.*, 1948, tt. 5–6; ibid., 1949, tt. 7–8.

81 J . M. Lloyd, *Y Bannau Pell*, tt. 253–60; Alwyn Roberts, 'Cenhadaeth, Cynhaeaf ac Adladd' yn *Y Traethodydd*, Gorffennaf, 1979, tt. 128–36. Gwnaed apêl gartref i leddfu'r newyn yn 1960. Gw. Gwen Rees Roberts yn *Y Goleuad*, 24 Gorffennaf, 1968 a 16 Gorffennaf 1969, Gwen Rees Roberts, *Memories of Mizoram* (2003), tt. 211–34.

82 Am y manylion, gw. Ednyfed Thomas, *Bryniau'r Glaw*, tt. 321–9; Meirion Lloyd, *Y Bannau Pell*, tt. 253–260; Merfyn Jones, *Y Popty Poeth*, t. 232.

83 Bu ymweliadau i dderbyn hyfforddiant neu i ymchwilio yn nodwedd o'r berthynas hyd at nawdegau'r ganrif, e.e. ymweliad Dr Pherlock Lamare, Dr Biakmawia, y Parchn Ddr Fortis Jyrwa, Mawblei, Lalchannawma a Vanlalchhunga.

84 Gw. Yangkahao Vashum, 'Colonials, Missionaries, and Indigenous: A Critical Appraisal', yn D. L. Nongbri, *Theological Education in North East India: Problems and Prospects* (Shillong, 2008), t. 204.

85 Gw. gweithiau Andrew J. May, *Welsh Missionaries and British Imperialism* (Manchester, 2012); Aled Griffith Jones, Nigel Jenkins. *Gwalia in Khasia* (Llandysul, 1995). Am feirniadaeth frodorol o'r Genhadaeth gw. Yanghahao Vashum, 'Colonials, Missionaries and Indigenous: A Critical Appraisal', yn B. L. Nongbri, *Theological Education in North East India: Problems and Prospects* (Shillong, 2008).
86 Dafydd Andrew Jones, 'O Dywyllwch i Oleuni' yn *Hanes,* 3, tt. 446–52.
87 *Gweithrediadau'r Gymanfa Gyffredinol*, 1890.
88 Am hanes gweithgarwch John Pugh gyda Seth a Frank Joshua, gw. Geraint Fielder, *Grace, Grit and Gumption* (Bridgend, 2000) ac A. P. Williams, *Atgofion am John Pugh* (Llandysul, 1908?).
89 Am J. Morgan Jones gw. J. Gwynfor Jones, 'The Revd John Morgan Jones, Pembroke Terrace, Cardiff (1838–1903)', *Cylchgrawn*, 26–7 (2002–2003). Am Ieuan I . Phillips, gw. *Y Blwyddiadur*, 1970, tt. 286–7.
90 Roedd teulu Llandinam wedi cyfrannu £50,000 at y Symudiad erbyn 1913. Howell Williams, *The Romance,* t. 229.
91 Ceir rhestr o'r canolfannau ar ddiwedd cyfnod Pugh yn A. P. Williams, *Atgofion*, tt. 63–4. Mae eu maint a'u cost yn drawiadol e.e. East Moors 1500 (£2,900); Memorial Hall, Canton 2000 (£6,700); Casnewydd 2800 (£9,000); Castell-nedd, 2600 (£7,100).
92 *Y Blwyddiadur,* 1915, t. 60; 1932, t. 50.
93 *Y Blwyddiadur*, 1936, t. 70.
94 *Y Blwyddiadur*, 1929, t. 53.
95 Ibid.
96 *Y Blwyddiadur*, 1926, t. 52. Dichon bod 'ein' yn awgrymu nad o Dduw yn ddigymysg yr oedd yr ysgogiad!
97 *Y Blwyddiadur*, 1932, t. 50. Gwelid dathlu daucanmlwyddiant y Corff a deugain mlynedd y Symudiad yn gyfle priodol i ymgymryd â'r dasg o 'efengyleiddio'r tyrfaoedd.'
98 *Y Blwyddiadur*, 1937, t. 82.
99 Ibid., t. 82.
100 *Y Blwyddiadur*, 1938, tt. 61, 63.
101 Ibid., t. 58.
102 *Y Blwyddiadur,* 1915, t. 66. Er mai ychydig sôn sydd beth oedd y 'gelyn', gwelir o ddarllen yr adroddiadau fod cadwraeth y Sul, alcohol a meddwdod yn uchel ar y rhestr.
103 Y *Blwyddiadur*, 1925, t. 67. Gwnaed apêl debyg yn ôl *Y Blwyddiadur* 1915, t. 64. Fe'i gwnaed yn flynyddol, bron, ac yn aml gyda'r geiriau 'dwyn hawliau'r Symudiad Ymosodol' gerbron yr eglwysi.
104 *Y Blwyddiadur*, 1935, tt. 54–6. Nodwyd mai 4c yr aelod oedd cyfartaledd cyfraniad eglwysi'r De, 4.5c y Gogledd, gyda'r nod a ddisgwylid yn swllt yr aelod. Ar adegau roedd dyled i'r banc, e.e. £274 ym Mawrth 1928.
105 *Y Blwyddiadur,* 1940, t. 66.
106 *Y Blwyddiadur*, 1925, tt. 62–3; 1926, t. 57.
107 Ychwanegwyd at y baich ariannol, t. 57.

108 Gw. *Y Blwyddiadur,* 1925, tt. 61–3 am enghreifftiau.
109 *Y Blwyddiadur*, 1929, t. 58. Nid pob henaduriaeth oedd wedi cydymffurfio erbyn 1940. Anfonai rhai ohonynt 'large sums annually'. *Y Blwyddiadur,* 1926, t. 63. Y Chwaer Heulwen Jones oedd yr olaf ohonynt. Gw. Howell Williams, *The Romance of the Forward Movement of the Presbyterian Church of Wales* (Denbigh, 1949), t. 159.
110 Ibid., t. 61. Gw. hefyd *Y Blwyddiadur*, 1935, t. 49.
111 Am drefniadau'r dathlu gw. *Y Blwyddiadur,* 1931, tt. 64–5; 1933, t. 51. Am leihau, dyledion gw. *Y Blwyddiadur*, 1938, t. 63.
112 *Y Blwyddiadur*, 1926, t. 56; 1931, tt. 61, 66 a 1933, t. 53. Collwyd 80,000 o'r pyllau glo.
113 Am ddarlun treiddgar o fywyd eglwysi'r cymoedd, gw. J. Gwynfor Jones, *'Her y Ffydd: ddoe, heddiw ac yfory': Hanes Henaduriaeth Dwyrain Morgannwg 1876–2005* (Caernarfon, 2006), tt. 186–237.
114 *Y Blwyddiadur*, 1929, t. 59; 1931, t. 61; 1932, t. 59. Am arwyddion o gynnydd ysbrydol gw. *Y Blwyddiadur,* 1933, t. 53.
115 *Y Blwyddiadur*, 1932, t. 59.
116 *Y Blwyddiadur*, 1935, t. 55.
117 Ibid.
118 *Y Blwyddiadur*, 1940, t. 71.
119 *Y Blwyddiadur*, 1942, t. 32; 1945, t. 45. Lleihau felly oedd y ffrwd a fwydai aelodaeth yr eglwysi drwy i unigolion ddod 'i ffydd' drwy brofiad ysbrydol. Yr oedd rhagolygon y dyfodol yn llai sicr.
120 Gw. *Adroddiad y Comisiwn* yn *Y Blwyddiadur*, 1945, tt. 35–7 ac 'Adroddiadau y Comisiwn Ad-drefnu y Methodistiaid Calfinaidd (Liverpool, 1925), t. 75. Am gefndir y Comisiwn, gw. D. Densil Morgan, *The Span of the Cross*, tt. 109–22.
121 Ibid.
122 *Y Blwyddiadur,* 1946, tt. 35–6, 116–18.
123 E.e. gw. *Y Blwyddiadur,* 1939, tt. 109–25; 1946, tt. 99–100, 105–7.
124 *Y Blwyddiadur*, 1931, t. 124.
125 Gwaith y Parch. John Wyn Roberts a'r memorandwm gan James Humphreys, *Y Blwyddiadur*, 1955, t. 138.
126 Gw. adroddiadau o'i waith yn sefydlu clybiau ieuenctid ym Mlwyddiaduron y cyfnod. *Y Blwyddiadur*, 1925, tt. 87–91: 1929, tt. 89–92; 1931, tt. 99–102.
127 Gw. *Y Blwyddiadur,* 1926, t. 115, a *Gweithrediadau'r Gymanfa Gyffredinol*, 2014.
128 *Y Blwyddiadur*, 1950, tt. 74–6 (The Reconstruction Fund).
129 *Y Blwyddiadur*, 1952, tt. 73–4. Dathlwyd yr achlysur gyda chyfarfodydd dan arweiniad Mary Booth o Fyddin yr Iachawdwriaeth, mudiad arall a 'gychwynnwyd ac a fendithiwyd gan Dduw'.
130 Yn y Ridgeland Bible College, Bexley, Kent.
131 *Y Blwyddiadur*, 1958, t. 89.
132 Gw. *Y Blwyddiadur*, 1960, t. 100; 1961, tt. 103–5. Argymhellwyd penodi gweinidog yn oruchwyliwr y pocedi o Gymreictod.
133 Yn ôl *Y Blwyddiadur*, 1946, t. 138, £180,000 fyddai'n wir deilwng. Yn

Y Blwyddiadur, 1948, t. 147, rhagwelwyd y cyfanswm o £150,000. Gwelwyd nod o £100,000 yn wyneb 'ysbryd yr oes a'r difrawder' yn anturiaeth, a dehonglwyd y cyfanswm fel 'ymlyniad cynnes wrth Achos yr Arglwydd a dymuniad cryf am ei lwyddiant'. *Y Blwyddiadur*, 1949, t. 147.

134 *Y Blwyddiadur*, 1959, t. 82.

135 Merch ydoedd i sylfaenydd y Symudiad, Dr John Pugh, ac ysgrifennodd lyfryn ar ei hanes. Annie Pugh Williams, *Atgofion am John Pugh: Sylfaenydd Symudiad Ymosodol y Methodistiaid Calfinaidd* (Llandysul, 1908?). Meddid amdani yn Adroddiad Blynyddol 1964, 'She was the presiding genius of our Women's work'.

136 *Y Blwyddiadur*, 1948, tt. 197–223, 'Rheolau a Threfniadau Diwygiedig'. Gellir tybio mai canlyniad yr ad-drefniad y cytunwyd arno mewn Cymdeithasfa Unedig yn Aberystwyth, 24–6 Medi 1945, yw'r ddogfen hon er na ddywedir hynny.

137 *Y Blwyddiadur*, 1952, tt. 74–5.

138 *Y Blwyddiadur*, 1959, t. 46. Cyfeirir at 'the original scheme whereby the work of the women within the Presbytery should be united in one body.'

139 *Y Blwyddiadur*, 1966, tt. 89–90.

140 Daeth cefnogi prosiectau lleol CWM yn fodd o ddysgu am waith eglwysi eraill yn y byd a'r cyhoeddusrwydd i'r ymdrechion i adfywio'r eglwysi mewn cenhadaeth yn werthfawr. Am amrywiaeth ac ehangder y cysylltiadau, gw. Cyfraniadau'r Chwiorydd yn adroddiadau'r Bwrdd, dyweder o 1990 ymlaen. Ceisiwyd newid 'Sasiynau'r Chwiorydd' a'u gwneud yn Sasiynau Cenhadol yn y 1990au fel ymateb i'r pwyslais ar gymuned gwŷr a gwragedd yn yr eglwys. Bu rhai o swyddogion CWM yn eu tro yn annerch y cyfarfodydd hyn.

141 Gw. *Y Blwyddiadur*, 1955, t. 85.

142 Gw. *Y Traethodydd,* 109 (22), tt. 470–3.

143 Y cyntaf i'w benodi felly oedd y Parch. J. D. Eurfyl Jones. Gw. *Y Blwyddiadur,* 1955, t. 85. Dilynodd eraill, fel y Parch. W. Steed, i Fitzclarence, Port Talbot, a'r Parch. Eifion Evans i Gaerdydd.

144 Roedd cefnu wrth adael cartref yn hen stori. Gw. *Hanes*, t. 447. Am ddadansoddiad o ddylanwadau'r amserau, gw. D. Densil Morgan, *The Span of the Cross*, tt. 107–80. Ymateb cwbl draddodiadol i'r sefyllfa oedd yr alwad am grwsâd efengylaidd wrth lansio'r apêl am £30,000. Gw. *Y Blwyddiadur*, 1953, t. 91.

145 Gw. y manylion yn *Y Blwyddiadur*, 1956, t. 44. Cyflwynodd ei adroddiad terfynol yng Nghymanfa 1959 pan sefydlwyd Bwrdd y Weinidogaeth i sicrhau'r defnydd gorau o'r gweinidogion a diogelu cynhaliaeth y weinidogaeth. *Y Blwyddiadur*, 1960, tt. 60–2. Prin yw'r sôn am natur a chyfeiriad y weinidogaeth mewn oes sy'n newid. Collwyd 23,883 o aelodau rhwng 1950 a 1960.

146 Gw. *Blwyddiaduron* 1955–1960.

147 Yn ôl 'Cylch Gorchwyl y Comisiwn', ei fwriad oedd 'gwneud ymchwil trwyadl i'r adnoddau presennol … mewn arian ac eiddo ar gyfer y

gwaith hwn; ymholi i'r dulliau o gyflwyno'r Efengyl heddiw yn wyneb symud poblogaethau, codi maesdrefi newydd; ystyried problemau cymdeithas dechnegol ac ystyried ein hangen fel Cyfundeb i ddarparu dynion a'u cymhwyso i'r gwaith o efengylu.' *Y Blwyddiadur*, 1960, t. 68; 1961, t. 106. Y mae'n werth nodi hefyd fod cyd-destun ecwmenaidd i rai o'r trafodaethau hyn, e.e. *Y Blwyddiadur*, 1955, t. 138.

148 Gw. manylion gwaith ac aelodaeth y Comisiwn yn *Y Blwyddiadur*, 1960, t. 68.

149 Gw. *Y Blwyddiadur*, 1962, t. 56. Fe'i galwyd o hynny ymlaen yn Bwyllgor y Cenadaethau.

150 Ceir manylion llawnach am ffurfio'r Bwrdd, ei waith a'i ganlyniadau yn *Cylchgrawn*, 32, (2008), 134–73.

151 *Y Blwyddiadur*, 1966, tt. 201–13. Cymh. â'r *Blwyddiadur*, 1961, tt. 106–11.

152 *Adroddiadau Comisiwn Ad-drefnu y Methodistiaid Calfinaidd*, ibid., tt. 74–5.

153 Fe fu cydgyfarfod ar adegau, e.e. *Y Blwyddiadur*, 1968. t. 64; 1969, t. 73; 1972, t. 91.

154 *Y Blwyddiadur*, 1966, t. 208. Ceir hefyd gyfansoddiad a rheolau'r tri phwyllgor a'r Bwrdd ei hunan. Bu ad-drefnu pellach yn 1990 pan unwyd pynciau a dimensiwn cenhadol iddynt – ecwmeniaeth a'i gweithgarwch cyd-eglwysig, Cymorth Cristnogol a'i rhaglen addysg a'i gweithgarwch byd-eang, a'r weinidogaeth iacháu a'i ysgol haf flynyddol a'i hwythnos iacháu – ym Mwrdd Cenhadaeth ac Undeb. Ceir adroddiadau'r adrannau hyn yn Adroddiadau'r Bwrdd newydd o 1991 ymlaen.

155 Diddymwyd y pwyllgor cartref a thramor i ffurfio Bwrdd y Genhadaeth gyda chyfansoddiad newydd yn 1970. Gw. *Y Blwyddiadur*, 1968, t. 70, 1970, tt. 85, 110; 1972, tt. 78–9. Gyda gweithredu'r cyfansoddiad newydd penodwyd Trebor Mai Thomas yn Gadeirydd a Morgan Mainwaring yn Ysgrifennydd. Dilynwyd y ddau yn 1979 gan y Parch. Dafydd Andrew Jones yn Gadeirydd hyd 1984 ac yna'n Ysgrifennydd a'r Parch. Dafydd H. Owen yn Ysgrifennydd hyd 1983, pryd y penodwyd ef yn Ysgrifennydd Cyffredinol cyntaf yr enwad, cam pellach mewn ymateb i her y dyddiau. Unwyd swyddfeydd y ddwy genhadaeth yn 82 Richmond Rd, Caerdydd, yn Ionawr 1970 ac oddi yno i 53 Richmond Road yn 1980. *Y Blwyddiadur*, 1970, t. 68, 1974, t. 73, a throsglwyddwyd cofnodion a llythyrau ac ati i'r Llyfrgell Genedlaethol drwy'r Parch. H. Jones Griffith, Ysgrifennydd Cyffredinol olaf y Genhadaeth Dramor ar ddechrau'r 1970au. Penodwyd ef yn 1962 gyda'r Parch, Alun Williams yn Ysgrifennydd Cartref. Diddorol hefyd yw dadansoddiad y Parch. John Roberts, Caernarfon, o'r Symudiad yn *Y Goleuad*, 9 Chwefror 1966.

156 Am Drefeca, dywed John Tudor: 'Ein hamcan pennaf bob amser yw cyhoeddi Arglwyddiaeth Iesu Grist, gan osod ein holl waith yng nghyd-destun ei addoli a'i wasanaethu Ef.' *Y Blwyddiadur*, 1973, t. 74. Am drafodaeth bellach ar hanes y Bwrdd, gw. *Cylchgrawn,* 32 (2008), 134–73.

157 *Y Cenhadwr*, 1968, 4.

158 Gw. ibid., tt. 138–41 am y manylion; felly hefyd am Drefeca a Thresaith. Am fanylion yr holl weithgarwch ni ellir gwell na darllen rhifynnau *Y Cenhadwr*, 1968–74.

159 Y mae'r ddwy ganolfan yn ymwneud â dau bwyslais allweddol yn yr Adroddiadau ar Ymestyn ein Terfynau – lleygwyr ac ieuenctid – a'r ddwy yn pwysleisio addoliad, astudiaeth Feiblaidd, hyfforddiant a gwasanaeth yn eu rhaglenni, eu bod ar gael i wasanaethu'r eglwysi ac yn adrodd i'r Gymanfa Gyffredinol drwy Fwrdd y Genhadaeth bob blwyddyn. Gw. *Blwyddiaduron* 1970–8 am fanylion cyrsiau a chynnydd y gwaith.

160 *Y Blwyddiadur*, 1970, t. 66. Dechreuodd ei gwaith gydag afiaith, fel y gwelir yn ei hadroddiadau blynyddol, e.e. *Y Blwyddiadur*, 1972, t. 69; 1977, tt. 67–8; 1978, tt.70–1 gyda'r sôn am ymweliadau ag eglwysi a henaduriaethau, rhai cannoedd yn dod i encilion a'r Bala yn ganolfan clyweled, 'Trwro' i blant a gweithdai ar faterion cyfoes megis erthylu, ysgolion undydd a 'llwyddiant eithriadol' Sasiynau'r Chwiorydd. *Y Blwyddiadur*, 1973, t. 74; 1975, t. 72; 1978, tt. 70–1. Datblygwyd y gwaith ymhellach pan ymunodd Eleri Edwards â Gwen Rees Roberts yn 1979 gyda'i phwyslais ar undod teulu'r ffydd mewn cariad.

161 *Y Blwyddiadur*, 1972, tt. 72–3. Yr Athro Harri Williams oedd y Cadeirydd a'r Parch. Arthur Meirion Roberts yn Ysgrifennydd. Mae'n eglur fod hwn yn waith arloesol i gysylltu â rheolwyr a gweithwyr mewn diwydiannau oedd yn cyflogi rhwng 300 a 13,000 ar stadau diwydiannol newydd, â'r amcan yn fugeiliol a phroffwydol. Bu'r caplaniaethau hyn yn ganolog i waith y genhadaeth o'r 1970au ymlaen. Gw. *Gweithrediadau'r Gymanfa Gyffredinol*, 2004, tt. 18, 20-1.

162 *Y Blwyddiadur*, 1972, t. 77. Anerchiadau gan Eric Evans, Haydn Thomas, Elfed ap Nefydd Roberts, Dafydd H. Owen, John Tudor, Arthur Meirion Roberts, Gwen Rees Roberts ac eraill, a thrafodaethau a sylwadau arnynt a baratowyd yn yr adroddiad gan M. R. Mainwaring ac a gyhoeddwyd gan Wasg y M. C., Caernarfon.

163 Adroddiad Bwrdd y Genhadaeth, *Y Blwyddiadur*, 1972, tt. 76–7. Adleisir yn gryf gan yr Ymgynghoriad: 'Dibynna llwyddiant ein cenhadaeth yn y dyfodol i raddau helaeth ar ein parodrwydd i ailbatrymu y weinidogaeth ordeiniedig a lleyg mewn cydweithrediad ag eglwysi eraill.' *Yr Eglwys a'i Chenhadaeth*, t. 13. Cadarnhawyd yr adroddiad yng Nghymanfa 1972 gan bwysleisio pwysigrwydd trafodaeth a gweithrediad ar bob gwastad o fywyd y Corff a chynnal gwasanaeth ymgysegru ym mhob eglwys ynghyd ag ymweliadau cyson â phob cartref gan weinidog a blaenoriaid. *Y Blwyddiadur*, 1973, tt. 77–8.

164 Rhoes y Cyfundeb ei gefnogaeth i'r bwriad hwn a gydweddai â'i ysbryd a'i amcanion. *Y Blwyddiadur*, 1972, t. 75.

165 Gw. *Y Blwyddiadur*, 1975, tt. 73–5; 1977, t. 69.

166 Gw. manylion y daith yn *Gweithrediadau'r Gymanfa Gyffredinol* 1987, tt. 24–5. Paratowyd llyfrynnau a ddosbarthwyd drwy'r eglwysi gyda'r

bwriad o sefydlu grwpiau trafod – Pwy yw Duw?, Beth yw Addoli?, Beth yw Teulu? a Rhannu'r Ffydd Heddiw? Trefnodd arolwg o'r sefyllfa eglwysig yng Nghymru drwy'r Feibl Gymdeithas. O ran y Cyfundeb bu M. R. Mainwaring ac Arthur Meirion Roberts yn gadeiryddion a Dafydd Andrew Jones yn ysgrifennydd iddo, a'r olaf yn Gadeirydd i Adran Efengylu Cyt n gyda'r Babyddes, y Chwaer Sheila o Lantarnam, yn Ysgrifennydd.

167 Am arolwg o waith Cymru i Grist, gw. 'Efengylu ar y Cyd yng Nghymru' yn *Gweithrediadau'r Gymanfa Gyffredinol*, 1990, tt. 21–3.

168 Yn gefndir i'r bwriad yr oedd pwyslais y Bwrdd ar alluogi cynulleidfaoedd mewn cenhadu a hefyd y pwyslais ar dwf eglwysig a ddaeth o du'r Feibl Gymdeithas a'r cyrsiau lleol a gynhaliwyd, Gŵyl Newyddion Da, Caerdydd, dan arweiniad Roy Pointer a phregethu Dr Robert Cunville. *Y Blwyddiadur* 1983, t, , 1984, tt. 74, 77–8. Nid oedd y syniad am adnodd symudol yn hollol newydd gan fod sôn am brynu cerbyd o'r fath ar gyfer Trefeca a'r De yn 1970, a chyn hynny gyda'r Symudiad Ymosodol.

169 Adroddiad y Bwrdd yn *Gweithrediadau'r Gymanfa Gyffredinol*, 1987, tt. 23–6; 1988, t. 32. Y Parch. D. Andrew Jones, olynydd y Parch. D. H. Owen, fu'n llywio'r gwaith o 1984 ymlaen. Gyda phenodiad Christopher Duraising yn Ysgrifennydd CWM yn 1985 daeth y pwyslais ar alluogi cynulleidfaoedd mewn cenhadaeth yn ffocws CWM byd-eang, gyda rhannu adnoddau drwy'r teulu. Rhoddwyd pwyslais ar addysg ar gyfer y weinidogaeth gyda thrafodaethau â'r Coleg Diwinyddol a Bwrdd y Weinidogaeth yn rhan o ymgynghoriad byd-eang yn Nairobi ddechrau 1991. Gw. *Adroddiadau Bwrdd y Genhadaeth*, 1988–91.

170 Adroddiad Bwrdd y Genhadaeth yn *Gweithrediadau'r Gymanfa Gyffredinol*, 1991, t. 18.

171 *Gweithrediadau'r Gymanfa Gyffredinol*, 1989, t. 21. Dyma gyfnod paratoi a dosbarthu taflenni ar themâu byd-eang ac iddynt oblygiadau lleol – cyfiawnder, heddwch a chyfanrwydd y greadigaeth (JPIC), a'r llyfryn *Dweud am Iesu* a defnyddiau *Cenhadaeth yn Ffordd Crist*, Cynhadledd San Antonio y bu Jenny Garrard yn cynrychioli ynddi. Er mwyn hybu'r gwaith ceisiwyd arbrofi gyda phwyllgorau Bwrdd y Genhadaeth, eu gwneud yn fwy cynrychioliadol ac effeithiol. *Gweithrediadau'r Gymanfa Gyffredinol*. Pwysleisiwyd hefyd gynllunio a rhannu ag enwadau eraill yn lleol.

172 *Gweithrediadau'r Gymanfa Gyffredinol*, 1992, t. 20. Parheid i deimlo mai un yw bwydo yn y ffydd a'i gweithredu. Y tri oedd Panel JPIC, Panel Efengylu a Phanel Llenyddiaeth. Ceir y cyfeiriad cyntaf at flaenoriaethau cenhadol yn *Gweithrediadau'r Gymanfa Gyffredinol*, 1993, t. 10.

173 *Gweithrediadau'r Gymanfa Gyffredinol*, 1998, t. 7; 2000, t. 9. Gw. ymdrechion Cymdeithasfa'r De yn *Gweithrediadau'r Gymanfa Gyffredinol*, 2001, tt. 27–8. I'r un diben trefnwyd cynhadledd ym Medi 2002 ar 'Genhadu mewn Blynyddoedd o Ddirywiad' dan arweiniad Des van der Water, Ysgrifennydd Cyffredinol CWM, er mwyn ceisio calonogi

yn y dydd blin – *Gweithrediadau*, 2002, t. 31, 2003, t. 34. Trefnodd Cymdeithasfa'r De ymweliadau tîm â phob Henaduriaeth a datganodd ei siom yn y diffyg ymateb. *Gweithrediadau'r Gymanfa Gyffredinol*, 2004, t. 15.

174 Am fanylion y cynllunio a chyfraniad y genhadaeth at weinidogaeth genhadol, gw. *Gweithrediadau'r Gymanfa Gyffredinol*, 2000, tt. 11–12, 17–19.

175 Am y manylion, gw. *Y Blwyddiadur*, 1970, tt. 51, 67–9. E.e. parhaodd Mair Jones, y Rhyl; Heulwen Jones, Caerdydd; Emily Roberts, Noddfa; Gwen Morrow, Sudbrooke ac Elsie Hole, Caerdydd, yn weithwyr y Bwrdd newydd. *Y Blwyddiadur*, 1971, tt. 69, 71.

176 Crisialodd Arthur Meirion Roberts fwriad y gaplaniaeth hon – deall problemau diwydiant a'i fwydo i fywyd yr eglwys, gwasanaethu, cynnal a chefnogi pobl ynghanol tensiynau byd gwaith, codi cwestiynau am gyfrifoldeb, safonau a phwrpas diwydiant, *Y Blwyddiadur*, 1973, t. 76; 1974, t. 71; 1975, t. 71. Cyflawnodd waith arloesol yn yr Wylfa a chyda diwydiannau gogledd-ddwyrain Cymru, ac fe'i dilynwyd gan Michael Williams, *Y Blwyddiadur*, 1979, t. 52, gyda'r her yn 1980, t. 54 gyda Marcus Robinson a fu hefyd yn gaplan yn y Llynges. Bu i'r Bwrdd ymwneud â Chaplaniaeth Diwydiannol De-ddwyrain Cymru, a gynhwysai ffatrïoedd megis Hoover ym Merthyr, Pwerdy Aberddawan, Gwaith Dur Port Talbot, y *Western Mail*, Maes Awyr Rhyngwladol Cymru, ynghyd â byd masnach a gweinyddiaeth yn Ninas Caerdydd. Gw. *Y Blwyddiadur*, 1972, tt. 72–3. Gweithgaredd ecwmenaidd oedd caplaniaethau bron yn ddi-feth. Am sylfeini diwinyddol caplaniaeth gw. *Gweithrediadau'r Gymanfa Gyffredinol*, 2006, tt. 38–9. Am her profiad caplan gw. Ian Tutton, Caplan Cenhadaeth Ddiwydiannol Morgannwg, yn ibid., 2004, t. 20; 2005, t. 16.

177 Am waith gyda myfyrwyr, gw. *Y Blwyddiadur*, 1979, t. 54; 1980, t. 55. Bu'r Bwrdd yn gyfrwng i sefydlu Caplaniaeth Politechneg Cymru yn 1983, a phery'n dystiolaeth fugeiliol a phroffwydol ymhlith 33,000 o fyfyrwyr a 2,000 o athrawon mewn sefydliad cwbwl seciwlar. Yn fwy diweddar bu ynglŷn â sefydlu caplaniaeth ym Mhrifysgol Caerdydd ac ym Mhrifysgol Glyndŵr. Hanfod caplaniaethau yw mai gydag eraill y gwneir hwy.

178 Noder cynllun Bara y bu Nan Powell-Davies yn ei hybu gyda gweithwyr cymunedol Cristnogol y Gogledd. Gw. Adroddiadau Bwrdd y Genhadaeth yn *Gweithrediadau'r Gymanfa Gyffredinol*, 2006 ymlaen.

179 Fe'i sefydlwyd yn 1971 a cheir darlun clir o'r anawsterau a'r datblygiadau yn John Morgans, *Journey of a Lifetime* (2008), tt. 434–654. Gw. *Y Blwyddiadur*, 1972, t. 67; 1973, t. 73.

180 Awel Irene oedd y gyntaf yno. Gw. *Y Blwyddiadur*, 1982, t. 59 am y gwaith. Cath Williams a'i dilynodd.

181 Gwerthoedd yr efengyl o urddas a gwerth bywyd o fewn cymunedau yw sail y bartneriaeth hon o eglwysi'n bennaf ac un mosg wnaeth argraff mor ddwfn ar fywyd bro ac ardal trwy fywiogrwydd rhai eglwysi. Gw. *Gweithrediadau'r Gymanfa Gyffredinol*, 1993, t. 20.

182 Gwelwyd gwerth y gwaith hwn yn nhystiolaeth lafar gweithiwr cymunedol o Fwslim yn 2015 na fyddai'r gymuned yn un mor heddychlon oni bai am dystiolaeth Eglwys Bresbyteraidd Cymru yno.

183 Nid llwyddiant pob ymdrech. Er ceisio clystyru eglwysi Morgannwg dan arweiniad Lona Roberts, ni bu ymateb. Gw. 'A Consultation with Glamorgan Presbyteries', 25 February 1993. Archifdy'r Genhadaeth yn y Swyddfa Ganolog.

184 Gw. *Gweithrediadau'r Gymanfa Gyffredinol*, 1989, tt. 20–1. Am ganlyniadau, gw, adroddiadau blynyddol y gweithwyr. Ymatebodd cymuned gorllewin y Rhyl yn werthfawrogol iawn i weithgarwch Canolfan Salem, a'r un modd gymuned Maindy, Casnewydd, i dystiolaeth 'efengylaidd,' ymarferol ac ysbrydol Tŷ'r Gymuned, heb sôn am gyfraniad cyfoethog Noddfa i gymuned Sgubor Goch a chyfraniadau eraill i gymunedau cyffelyb. Ni all ffigyrau fesur y dylanwad na dylanwad y caplan yn cerdded y ffatri neu gampws coleg. Am adolygiadau, gw. *Gweithrediadau*, 1995, t. 12.

185 Bu iddo dri golygydd, sef Herbert Hughes (A), D. Andrew Jones (EBC) ac Aled Edwards (E. yng Nghymru), a thynnai ar gylch eang o ffynonellau cenhadol. Cynhwysid ynddo gyfresi o erthyglau yn annog tystiolaeth genhadol ar y cyd o fewn cymunedau.

186 Teg nodi hefyd i Adroddiad Blynyddol y Bwrdd, o tua 1994 ymlaen, gael ei gyflwyno ar ffurf myfyrdod ar wahanol weddau ar genhadu yn ôl themâu'r Gymanfa, fel rhan o raglen Addysg y Bwrdd.

187 Yn dilyn cyflwyniad aeth rhai henaduriaethau ati ar unwaith i godi pwyllgor i weithredu ond ni fu dilyniant. Mynegodd un ei ddiolch am y cyflwyniad ond eu bod yn 'aros am yr Ysbryd Glân', h.y. y diwygiad traddodiadol. Bu trafod dwys ynghylch creu gweinidogaeth tîm o weinidog a gweithiwr plant a gweithiwr cymunedol mewn un ardal eang yn y gogledd ond collwyd y weledigaeth ac ni chafwyd dim yno. I un arall, sawrai mynegiant ymarferol o'r ffydd o iachawdwriaeth trwy weithredoedd.

188 I ambell un, ymyrryd diangen oedd yr holl gynllunio, ac i arall roedd y traddodiad yn rhy fyw ar y pryd.

189 Am fanylion, gw. *Gweithrediadau'r Gymanfa Gyffredinol*, rhwng 1985 a 2005.

190 *Gweithrediadau'r Gymanfa Gyffredinol,* 2008, t. 61.

191 Arian Strategaeth yw'r arian a gedwir gan henaduriaethau o werthiant eiddo, a chytunwyd ar ganllawiau pendant ar ei wario yn ôl Cynlluniau Datblygu. Dyma'r arian a alluogodd Myrddin i ddatblygu gwaith ieuenctid a Morgannwg-Llundain i sefydlu dwy swydd yn y Cymoedd a Phort Talbot.

192 Gw. y ddogfen yn y *Gweithrediadau*, 2008, tt. 61–72. Penodwyd y Parch. D. Andrew Jones yn Gyfarwyddwr y Bwrdd newydd hyd ei ymddeoliad yn 2010 a Mr Glynog Davies yn Gadeirydd.

193 Nid yw'n cynnwys cyfraniadau'r chwiorydd. Dros y blynyddoedd gwnaed casgliadau at achosion penodol, e.e. yn 1968 casglwyd £7,116 tuag at leddfu newyn Misoram. Yr ymdrech ddiweddaraf ydyw codi tua

£100,000 (2014–15) at uwchraddio Ysbyty Shillong a fydd yn dathlu ei ganmlwyddiant yn 2022.

194 Enghreifftiau o ffrwyth yr ymchwil yw Vanlalchhuanawma, *Christianity and Subaltern Culture* (ISBCK, 2006); J. F. Jyrwa, *Reports of the Foreign Mission of the Presbyterian Church of Wales on the Khasi Jaintia Hills* (Shillong, 1998) a chyfrol debyg gan Vanlalchhunga ar genhadaeth Sylhet a Cachar (2003).

195 Ymwelodd T. B. Phillips ac M. R. Mainwaring (1976), â Gwen Rees Roberts (1974) a daethpwyd i'r casgliad fod yr eglwys 'yn tyfu'n flynyddol. Enghreifftiau o ffrwyth llafur yr ymchwiliad hwn oedd y gallu 'i fagu arweinyddion doeth', sef Dr a Mrs R. A. Hughes am dri mis yn 1984.

196 Roedd chwe adran e.e. gw. *Gweithrediadau*, 2002, tt. 33–4. Am gyfnod roedd gan y Cyfundeb gynrychiolydd ar bob un ohonynt, a'r rheini'n adrodd i'r Gymanfa trwy'r Bwrdd. Gweinyddwyd Adran Asia ar ran y comisiwn am gyfnod. Daeth i ben oherwydd gwasgfa ariannol, yn arbennig ar yr eglwysi cryfaf fel Eglwys Loegr, yr Alban a Methodistiaid a chanddynt adrannau tramor cryf.

197 Methwyd â threfnu i Joyce Graves fynd i Kenya ond anfonwyd y ddwy arall. *Y Blwyddiadur*, 1972, tt. 71–2; 1973, t. 73; 1974, t. 67. Cadarnhawyd polisi o weithio gyda CWM yn 1974. *Y Blwyddiadur*, 1974, tt. 68–9.

198 Gw. *Y Blwyddiadur*, 1978, t. 56: 29 Gorffennaf oedd y dyddiad a Bethel, Sgeti, oedd y lleoliad.

199 Gwnaed trefniadau cyfnewid tymor byr ar gyfer ieuenctid, yn ogystal â manteisio ar gyrsiau megis TIM (Training in Mission, CWM) y bu Eirian Roberts, Anna Jane Evans, Robert Parry ac eraill arnynt, a chefnogwyd rhai oedd yn dymuno gweithio y tu allan i CWM. Gw. *Adroddiad Bwrdd y Genhadaeth*, 1992, t. 20 fel enghraifft. Daeth amryw yn ôl i weithio gyda'r eglwys.

200 Sefydlodd Richard Brunt fel cenhadwr o athro Saesneg yn China dros fudiad Amity; aeth Rhys Morgan o Gaerdydd am gyfnod o brofiad gwaith yn y Solomon, a Janice a Huw Jones i Botswana a Simbabwe, a Robert Parry, ymgeisydd am y weinidogaeth a cherddor i Jamaica.

201 Teitl adroddiad yr arolwg ydoedd *Ourselves as others see us*, a'i gasgliad pennaf oedd yr angen am i'r eglwysi wneud llawer mwy gyda'i gilydd fel mynegiant o'u partneriaeth yng nghenhadaeth Crist.

202 Cynrychiolwyd y Cyfundeb gan swyddogion y Bwrdd, Ysgrifenyddion y rhanbarthau ac ieuenctid yn eu tro. Rhoes hefyd wasanaeth i Adran Ewrop a CWM byd-eang drwy i Ysgrifennydd y Bwrdd wasanaethu fel Ysgrifennydd a Chadeirydd yr Adran a Chadeirydd Corfforaeth fyd-eang CWM.

203 Canolfan yr 'Efengyl a Diwylliant': gw. *Gweithrediadau'r Gymanfa Gyffredinol*, 2005, t. 10. Galluogodd llogau blwyddyn ar y swm a fuddsoddwyd gan y Cyngor i roi rhodd o £80,000 i bob eglwys. Dyma'r swm a fuddsoddwyd gan Fwrdd y Genhadaeth a'i alw'n 'Gronfa Hong Kong'.

204 Cam yn y cyfeiriad hwn ydoedd disgwyliad CWM y byddai'r aelodau yn pennu blaenoriaethau cenhadol a fyddai'n sail i geisiadau ar gyfer grantiau. *Gweithrediadau*, 1993, t. 19, patrwm a efelychwyd gan y Corff wrth gysylltu arian strategaeth a strategaethau henaduriaethau yn 2009. Teg nodi i Fwrdd y Genhadaeth dros y degawdau roi profiad gwaith i lu o ieuenctid ar adegau gwyliau neu flwyddyn gap drwy 'Amser i Dduw' ac ati.

205 Ni chafodd y pwyslais ecwmenaidd fawr o gyfle i wneud gwahaniaeth i genhadaeth leol oherwydd teimlad 'imperialaidd' eglwysig, heb sôn am ragfarnau a amlygwyd, e.e. methodd y drafodaeth ar yr arbrawf genhadol o gael 'Esgob Ecwmenaidd' oherwydd rhagfarn ceidwadwyr ynglŷn â'r gair 'esgob', er ei fod yn rhan o'r Testament Newydd.

206 *Gweithrediadau'r Gymanfa Gyffredinol*, 2005, t. 15. Aeth y Bwrdd i'r arfer o ddefnyddio thema i gyflwyno'i adroddiad yn flynyddol yn y gobaith y byddai'n arf hyfforddiannol i'r eglwysi.

PENNOD 9

GWAITH PLANT AC IEUENCTID 1914–2014

DAFYDD ANDREW JONES

Yng Nghymanfa Gyffredinol Caerdydd 1922, bedair blynedd wedi diwedd y Rhyfel Mawr, mewn ymateb i adroddiad y Comisiwn Ad-drefnu y dechreuodd y sôn am ffurfio 'Urdd y Bobl Ifanc i Fethodistiaid Cymru'.[1] Ymddiriedwyd i ddau bwyllgor, un yn Lerpwl a'r llall yng Nghaerdydd, y gwaith o ystyried sut i symud ymlaen. Dadlennol yw crynhoad pwyllgor Caerdydd o'r angen am Fudiad Ieuenctid. Mae'n cydnabod methiant a'r angen am gydgordio ffydd a buchedd:

> They [yr ifanc] call for a re-statement of the Eternal Truth as it is in Jesus Christ. They urge that Christian precept and practice should be more in harmony with the mind and spirit of Christ. That it should be less individualistic – less a matter of Donts – than they charge it with at present, and more concerned about the coming of the Kingdom in all the affairs of men.[2]

Adleisiodd Cymanfa Gyffredinol 1923 deimladau'r Gogledd fod angen sicrhau y 'cyd-ddeall a chyd-symud a fyddai'n angenrheidiol er trefnu bod y mudiad o ran ei amcanion cyffredinol a rhai o brif linellau ei dwf yn fudiad i'r holl Gyfundeb trwy Dde a Gogledd'.[3] Anfonodd genadwri i'r De i'r perwyl hwn ac fe'i trafodwyd yng

Nghymdeithasfa Glyn-nedd yn Ebrill 1923. Er mwyn hyrwyddo'r drafodaeth rhannwyd â'r Gymanfa Gyffredinol yn 1924 gynnwys cylchlythyr a anfonwyd i holl eglwysi'r Gogledd yn eu gwahodd i sefydlu arbrofion lleol.[4] Mae'r cylchlythyr yn nodi'r enw – Urdd y Bobl Ieuanc, yr arwyddair – 'A cyffeso pob tafod fod Iesu Grist yn Arglwydd' – a'r amcan:

> Priod waith yr Urdd yw cynorthwyo ein pobl ieuanc ... i gyflawni rhwymedigaeth eu cyffes, drwy sicrhau gwybodaeth gliriach ynglyn a gofynion Teyrnas Crist arnynt heddyw, a hefyd gyfleusterau helaethach i wasanaethu'r Deyrnas yn eu heglwysi, ac o'r tu allan iddynt. Trwy hyn byddai holl fywyd yr Eglwys ar ei fantais a byddent hwythau wedi eu disgyblu i gyfarfod yn well anghenion dyngarol a chymdeithasol eu hardaloedd hwy eu hunain.[5]

Mae yma ymdrech i gyplysu cyffes â chyd-destun, ffydd â gweithgarwch, defosiwn a ffordd o fyw, a chadarnheir hyn gan y tri 'chylch' fyddai'n nodweddu'r Urdd:

> (a) Cylch Astudiaeth: I fanteisio ar bob cyfle i ddeall y ffydd Gristnogol, a'r modd i'w chymhwyso at holl broblemau bywyd yng nghylch cymdeithas, gwleidyddiaeth, a bywyd rhyng-wladwriaethol y byd.
>
> (b) Cylch Gwasanaeth Arbennig: I fyw egwyddorion y ffydd hon ymhob cylch gan ddwyn tystiolaeth, trwy wasanaeth cyson, o ofynion uchel ein Harglwydd Iesu Grist.
>
> (c) Cylch Defosiwn ac Ymgysegriad: I ymgyflwyno i fyfyrdod a gweddi ar Dduw am oleuni i ddeall Ei fwriadau, ac am gymorth i fod yn gydweithwyr ag Ef.[6]

Dyma'r Eglwys wedi'r Rhyfel Mawr a'i ganlyniadau'n gwasgu fwyfwy ar ei chymunedau, yn ceisio cyffroi dychymyg ei hieuenctid a thaclo cwestiwn perthnasedd y ffydd drwy feithrin dealltwriaeth a magu hyder yn Iesu Grist a'i Deyrnas. Mae'r apêl yn gynnes ac anturus: 'Credwn fod i'r antur Gristnogol, o'i hiawn ddeall, swyn a chyfaredd i'r ieuainc a bod ynddynt barodrwydd, ond rhoddi iddynt y cyfle priodol, i fyned i mewn i gyfoeth a rhamant y bywyd sydd yng Nghrist.'[7] Yr ysgogiad yw addunedu, 'A ni yn cydnabod ein Harglwydd Iesu Grist yn wir Frenin nef a daear, dymunwn trwy gymorth ei Lân Ysbryd Ef, ein cysegru ein hunain fwy-fwy i wybod ei feddwl ac i wasanaethu Ei Deyrnas.' Llac a lleol yw'r strwythur a hyd yn oed os dymunid strwythur o fewn Dosbarth a Henaduriaeth, 'ni bydd iddi trwy ei gofalwyr canolog geisio deddfu'n gaeth ar gyfer ei changhennau lleol'. Os yw'r pwyslais ar ymrwymiad i Grist ac aeddfedu mewn deall o'r Arglwydd a'i amcanion drwy hunan-ddisgyblaeth defosiynol, deallusol ac ymarferol, mae'r ffocws ar bersonau rhwng 18 a 35 oed yn gweithredu'n lleol.

Cyfaddefir mai 'yn araf a gofalus' y symudai Cymdeithasfa'r De gyda'r mater hwn gan betruso rhag 'ychwanegu rhagor o beirianwaith yn yr eglwys a dymuniad deall yn glir bod galw am fudiad o'r fath ymhlith y bobl ieuanc eu hunain.'[8] Yn dilyn proc gan Gymanfa Gyffredinol 1923 penododd y Gymdeithasfa bwyllgor o 14 o gylchoedd Caerdydd ac Aberystwyth, ardaloedd gwledig, trefol a diwydiannol, i ymchwilio i'r holl fater. Yng ngwanwyn 1924 penderfynodd y Sasiwn yng Nghaersalem, Tŷ-croes, yn unfrydol i sefydlu'r Urdd a chydweithio â'r Gogledd yn y gwaith. A'r rhesymau? Bod gan Gyfundebau eraill y fath urdd, bod galw o fewn y rhanbarth amdani a rhai eglwysi eisioes mewn cysylltiad â'r Gogledd ynglŷn â'r datblygiadau yno a bod y Gymanfa Gyffredinol yn annog ei chefnogaeth i'r bwriad. Ar argymhelliad y De, cadarnhaodd y Gymanfa yn 1924 y bwriad o sefydlu'r Urdd gan ofyn i'r pwyllgorau Cymdeithasfaol barhau'r drafodaeth a dwyn argymhellion pellach.[9] O ganlyniad, yng Nghymanfa Gyffredinol 1925 sefydlwyd Urdd y Bobl Ifanc gan ddilyn yn gyffredinol y 'brasgynllun' a weithredwyd eisoes yn y Gogledd.[10] Penodwyd y ddau is-bwyllgor a apwyntid gan y Cymdeithasfaoedd yn gyd-bwyllgor i weithredu dros y Gymanfa. Nid y bwriad ydoedd disodli gweithgarwch ieuenctid yn yr eglwysi ond casglu ynghyd y bobl ieuanc rhwng 18 a 35 oed fyddai'n barod i fabwysiadu amcanion yr Urdd i feithrin a dyfnhau ffydd a chreu ymdeimlad o berthyn i fudiad ieuenctid o fewn y Corff. Roedd enwau cyfarwydd, megis yr Athro Phillips a'r Parchedigion E. O. Davies, John Roberts a H. Harris Hughes ynglŷn â'i sefydlu.

Ceir mesur o iwfforia wrth weld yr Urdd yn cyfarfod â'r diben ac yn lledaenu mewn llawer henaduriaeth, yr ieuenctid yn rhoi 'derbyniad brwdfrydig a chychwyn addawol a'r eglwysi yn gweld trawsnewid mewn cyfarfodydd gweddi ac yn rhoi gobaith newydd am ddyfodol yr eglwys'.[11] Paratowyd llenyddiaeth megis Llawlyfr yr Urdd, llawlyfrau a thaflenni priodol. Ond ddechrau'r tridegau cododd rhwystrau: rhai henaduriaethau heb ymateb a 'gweinidogion yn wrthwynebus', rhai yn ddifraw a difater, galwadau a deniadau eraill ar yr ifanc ym myd addysg, cyfleon mwyniant a difyrrwch a diffyg arweiniad y to hŷn gan gynnwys rhieni.[12] Roedd ardaloedd eang, o'r Gogledd a'r De, heb ddechrau'r gwaith a threfnwyd ymweliadau â henaduriaethau a sefydlu strwythur arolygol ar wahanol haenau'r Corff.[13] Penodwyd ysgrifennydd ym mhob Henaduriaeth ac mewn llu ohonynt bwyllgorau'r Urdd, ac adroddent i'r Pwyllgor Unedig. Yr un pryd deuai anghenion newydd i'r golwg, gyda chonsýrn am yr oedran ychydig iau na deunaw oed nad oeddent na phlant nac ieuenctid ond yn bobl ar eu prifiant, ac felly ystyriwyd sefydlu Urdd y Cymunwyr Ieuanc.[14] Bu dathliadau trydydd Jiwbili yr ysgol Sul a dwy ganrif o Fethodistiaeth yn 1935 yn gyfleon i hybu'r gwaith. Daeth adolygiad a gynhaliwyd gan gydgyfarfyddiad pwyllgorau'r Gogledd a'r De yn 1932 i'r casgliad fod amcan, pwyslais a threfniadau'r Urdd yn briodol ac mai buddiol fyddai cyhoeddi cronicl i rannu gwybodaeth am weithgareddau'r Urdd.[15] Tystiolaeth i lwyddiant y mudiad oedd yr angen am drydydd argraffiad o'r Llawlyfr, ac yn 1935 gwahoddwyd yr Athro David Phillips i lunio argraffiad 'newydd a diwygiedig' gan fod yr un blaenorol wedi ei lwyr werthu, ac felly drachefn yn 1938.

Erbyn yr Ail Ryfel Byd roedd Urdd y Bobl Ifanc wedi ei sefydlu ac anfonwyd llythyr i bob eglwys yn tynnu sylw at ei hamcan a'r dystiolaeth oedd 'i'w gwerth i fywyd ucha'r eglwysi hynny a rydd gyfle iddi.'[16] Eto, ychydig o fanylion a geir yn yr adroddiadau am nifer y grwpiau yn yr eglwysi a'u haelodaeth. O 1937 ymlaen ymestynnodd y gwaith i dri chyfeiriad: cyhoeddi llyfrynnau megis *Yr Alwad Ddeublyg*, *Ffordd y Bywyd*, *Ein Ffydd*, *Llawlyfr ar Genhadaeth Bersonol*, yn ogystal â Llawlyfr yr Urdd neu argymell llyfrynnau o eiddo eraill, megis *Yr hyn a Gredwn* (Tegla Davies) a deunydd hyfforddi arweinwyr, megis *Church Youth Training*.[17] Pwysleisid y gofal am ieuenctid gartref ac ar faes y gad yn ystod y rhyfel.[18] Yn 1949 ceir cyfres o erthyglau yn *Y Goleuad* ac yn 1951 daw rhifyn cyntaf *Y Ffordd*, cylchgrawn ar gyfer yr ifanc ac Ysgol Haf yn y Coleg Diwinyddol, Aberystwyth.[19] Yn ail, pwysleisid wedi'r rhyfel bwysigrwydd ieuenctid yn croesi ffiniau a chreu cysylltiadau rhyngwladol newydd. Golygai hynny i rai deithio a chreu perthynas â Christnogion eraill mewn gwledydd fel yr Almaen ac America neu ymwneud â gweithgarwch ecwmenaidd gyda chefnogaeth i Gyngor Ieuenctid Cristnogol Cymru, Adran Ieuenctid Cyngor Eglwysi Prydain.[20]

Bu hefyd ehangu gorwelion drwy anfon y Parch. James Humphreys, y Rhos, i Gynhadledd Ieuenctid Ryngwladol yn Amsterdam. Dychwelodd yntau gyda chynnwys trafodaethau a phwyslais y gynhadledd, 'ar ddarganfod o'r newydd werth y Beibl, y pwysigrwydd o'i gydastudio a thrafod pynciau heddiw yn ei oleuni a thrwy hynny gydaddoli "Crist y Gorchfygwr" – gweld gallu ffydd ynddo Ef yn eu [sef yr ieuenctid] huno a'i gilydd'.[21] Y Parch. John Wyn Roberts, Wrecsam, aeth i'r gynhadledd yn Oslo gyda nifer o ieuenctid o'r Gogledd a'r De, a buont hwythau yn adrodd eu hanes wedi iddynt ddychwelyd, y Parch. T. J. Davies a Non Evans o'r Dwyrain fu'n cynrychioli yng Nghynhadledd Evanston, a'r olaf yng Nghynhadledd Presbyteriaid y Byd yn Princeton.[22] Yng nghanol y pumdegau penodwyd cynrychiolwyr i Gynhadledd Ffydd a Threfn yng Nghaergrawnt, cwrs i arweinwyr ieuenctid yn Bossey, y Swistir, a chynadleddau ar gyfer ieuenctid Prydain yn Llandudno a Bryste.[23] Cynhaliwyd cynadleddau gartref i gadarnhau'r gwaith, ac un yn arbennig yn 1942 i asesu gwaith yr Urdd. Yn drydydd, ehangwyd y gorwelion gartref gyda thrafodaethau ag Ifan ab Owen Edwards ynglŷn â chydweithio ag Urdd Gobaith Cymru a chynnwys yn y Llawlyfr fanylion mudiadau ieuenctid eraill yng Nghymru.[24]

Yn y taleithiau trefnwyd cynadleddau a gwersylloedd gwyliau i osod gerbron yr ifanc her a galwad Cristnogaeth yng Nghymru a'r byd cyfoes. Yn 1950 edrydd Cymdeithasfa'r Dwyrain am lwyddiant eu 'Youth Holiday Fellowship' [YHA] dros y tair blynedd flaenorol, a hynny'n ysgogi symudiad o'r fath yn y sasiynau Cymraeg. Fe'u cynhaliwyd gyntaf yn haf 1951 dan y thema 'Ffydd a Bywyd y Cristion', eithr ni fuont mor llwyddiannus.[25] Erbyn 1956 sonnir am 'The third all-Wales Youth Rally' ar ddydd Llun y Pasg a ddenodd 250 o ieuenctid i Aberystwyth gyda'r Athro T. O. Davies yn annerch ar 'Individual Responsibility'. Cynhaliwyd yr YHF, eto yn Aberystwyth, yn Awst y flwyddyn honno gyda 'Neges yr Hen Destament ar gyfer heddiw' a 'Crist a Materion Rhyngwladol' yn themâu i'r trafodaethau. Bu mynd da ar y YHF, nid yn unig o ran niferoedd ac ystod oedran ond hefyd o ran trefniadau cynnal a chroesawu, y defnydd o siaradwyr a ffurf. Er enghraifft, yn 1964 cynhaliwyd dwy wythnos o Awst 1af hyd y 15fed i'r oedran 16–18 gan ganolbwyntio yn yr wythnos gyntaf ar 'The Role of the Youth Group within the Church' a'i rhannu'n bedair isadran ymarferol: astudio'r Ffydd Gristnogol, defnyddio drama grefyddol, gwasanaethu'r eglwys leol a'r gymuned leol. Ar gyfer yr ail wythnos, 'Beth a gredwn?' oedd y thema, gyda'r gwyliau Cristnogol yn isadrannau.[26] Cynhyrchodd pwyllgor y Dwyrain hefyd gyfres o lyfrynnau'n cyflwyno'r ffydd.[27]

Pererindota oedd at ddant ieuenctid y De: i Bantycelyn yn 1957, Llangeitho yn 1958 a Threfeca yn 1959, a'r rheini'n denu'r 'miloedd'.[28] Parhânt i'r chwedegau, gan gynnwys mannau fel Ysbyty Ystwyth, Llanddowror, Casllwchwr a Threforys. Dolwar Fach fu'r ffocws yn 1961, lle cafwyd pasiant 'ardderchog ar fywyd Ann Griffiths' a Chefn Brith yn 1962 i ystyried 'Her 1662 i Ymneilltuaeth Heddiw', dan arweiniad y Parchedigion Dr R. Tudur Jones, D. R. Thomas a T. J. Davies. Torrwyd tir newydd ym Mhen-llwyn yn 1964 trwy ganolbwyntio ar neges Llyfr Amos, gyda'r Parch D. R. Thomas yn ymateb i gwestiynau a'r Parch. Athro Bleddyn Jones Roberts yn cyflwyno 'Neges Llyfr Amos i'n hoes ni'.[29] Tre-saith, lle roedd cynlluniau ar droed i addasu'r capel yn fan aros i ieuenctid, oedd y gyrchfan yn 1965 a Llan-gan yn 1966, gydag efengylu ddoe a heddiw yn thema.[30] Trefnodd y De gyfres o gwisiau rhyngeglwysig hynod lwyddiannus ddechrau'r chwedegau.[31]

Nid oedd pererindota yn ddieithr i'r Gogledd ychwaith, oblegid trefnwyd taith i gofio daucanmlwyddiant geni Thomas Charles yn Hydref 1955 gyda gorymdaith o'r Bala i Lanycil ac yn ôl. Cynhaliwyd arbrawf gwahanol wrth drefnu Sasiwn yr Ifanc yn Llanrwst ym Mehefin 1956, a dangoswyd ffilm ar y ffoaduriaid ac un arall yn y Capel Mawr, Dinbych, yn 1957 lle y gwelwyd llu o 'bethau newydd gan gynnwys cystadleuaeth lenyddol a dangos ffilmiau'. Yn 1963 sonnir am Gynhadledd Undydd yn Engedi, Bae Colwyn, 'i drafod problemau cyfoes yn enwedig ym myd yr ifanc', ac yno argymhellwyd ail-lunio'r Llyfr Gwasanaeth, galluogi ieuenctid i adennill cyd-aelodau ac eraill, pwysigrwydd stiwardiaeth Gristnogol a sicrhau cefnogaeth i *Y Ffordd*, adfywio ac atgyfodi pwyllgorau ieuenctid mewn rhai henaduriaethau.[32] Cafwyd cynhadledd gyffelyb yn Llanrwst y flwyddyn ddilynol gyda thrigain yn bresennol i drafod 'Tyfu i fyny yn y Gymdeithas Fodern' dan arweiniad Griffith Owen, Harri Parri ac Arthur Meirion Roberts a chyfarfod cyhoeddus yng Nghymdeithasfa Bethesda ar 'Yr Eglwys yng Nghymru Fydd.'[33] Dechreuwyd addasu'r capel ar Ynys Enlli yn 1957 'yn gyrchfan i ieuenctid yn ystod yr haf' ond pallodd y brwdfrydedd oblegid, yn 1963, dywedir mai 'siomedig iawn fu'r ymateb'.[34] Yn 1966 cofnodir llu o weithgareddau gan Henaduriaethau'r Gogledd: cynhadledd ieuenctid yn Nyffryn Clwyd, seiat holi a thaith gerdded yn Nyffryn Conwy, ralïau yn Nwyrain Meirionnydd, pererindod i Gaernarfon ac Amlwch a chyfarfod â'r Parch. A. Meirion Roberts, Caplan Atomfa'r Wylfa, gan Llŷn ac Eifionydd.

Mae'n bwysig nodi apêl gwersylloedd Cristnogol yn y blynyddoedd hynny. Profiad 'arbennig iawn' oedd hwnnw a gynhaliwyd yn Llanmadog yn Awst 1958 pan ddaeth tua chant o ieuenctid ynghyd o nifer o wledydd gan gynnwys Sweden a'r Almaen gyda T. J. Davies yn arweinydd, ac yntau hefyd a arweiniodd grwpiau i'r Kirchentag yn yr Almaen. Yn y blynyddoedd dilynol sonnir am wersylloedd yn Nhresiwm (Bonvilston), Trebefered (Boverton), yn 1959, 1962 a 1965[35] (gydag ieuenctid o'r Almaen yn bresennol), Enlli, Tre-saith[36] a Biwmares a Gregynog, pryd y disgwylid unwaith eto ieuenctid o'r Almaen.[37] Trefnwyd Gwersyll Gwaith arbennig yn Nhrefeca yng Ngorffennaf/Awst 1966 dan nawdd Cyngor Eglwysi'r Byd. John Tudor oedd yn gyfrifol am y trefniadau lleol a phenodwyd Ruth Harries, y Bont-faen, yn arweinydd.[38] Yn wir, roedd pwyslais ecwmenaidd cryf i'r gwaith. Cefnogwyd trefniadau Adran Ieuenctid y Cyngor Eglwysi i'r Almaen. Trefnwyd hefyd deithiau cyfnewid, fel Pwyllgor Ieuenctid Cymdeithasfa'r De ynghyd â Phresbyteriaid Prydeinig eraill ac Eglwys Bresbyteraidd Unol Daleithiau America yn 1961, gyda threfniant tebyg yn 1965 a 1967, a gwelwyd hwnnw fel 'cwrs o hyfforddiant fydd yn rhoi profiad o fywyd eglwysig a theuluol, amgylchiadau cymdeithasol, a gwersylloedd gwaith, drwy gymdeithasu a phobl ifanc yn yr Unol Daleithiau'.[39] Nid anwybyddwyd yr ymarferol chwaith, oherwydd bu'r ifainc drwy'r eglwysi yn dyfal gasglu i gefnogi ffoaduriaid y byd drwy werthu tocynnau i hyrwyddo gwaith yr Inter-church Aid and Refugee Service (rhagflaenydd Cymorth Cristnogol), a rhwng y blynyddoedd 1958 a 1966 casglwyd £20,000.[40]

Mae'n eglur felly y crëwyd cryn fomentwm gyda gwaith ieuenctid cyn yr Ail Ryfel Byd, ac yn fuan wedi hynny, gyda'r pwyslais ar gyflwyno her y ffydd a'i pherthnasedd i'r bywyd cyfoes trwy ddatblygu addoliad, paratoi llenyddiaeth a threfnu cynadleddau enwadol, cenedlaethol a rhyngwladol i feithrin profiad yr ifanc ynddi. Rhoid i'r mynychwyr amgyffrediad o'u tras Cristnogol Cymreig, gan feithrin perthynas Gristnogol ar draws ffiniau daearyddol, diwylliannol ac enwadol, a phwysleisio'r ymarferol yn ogystal â'r ysbrydol. Roedd y ffocws ar gyfoethogi profiad personol a meithrin arweinwyr. Tasg anodd fyddai mesur ffrwyth y gweithgarwch hwn ond magwyd arweinwyr a gwasanaethodd rhai dramor, a cheisiwyd rhannu'r profiad drwy adroddiadau a ffilm yn 1967.[41]

Er mai gweinidogion yn bennaf oedd aelodau'r cyd-bwyllgor, eithriadau oedd lleygwyr megis Lyn Howell ac Alun Creunant Davies; eto, rhoddai ysgrifenyddiaeth y pwyllgor a'r pwyllgorau cymdeithasfaol gyfle i weinidogion ifanc ddod i'r arweinyddiaeth. Daeth cyfnod James Humphreys i ben yn ysgrifennydd Cymdeithasfa'r Gogledd yn 1960 wedi tair blynedd ar hugain o wasanaeth diwyd; fe'i dilynwyd gan y Parch. Gwilym H. Jones ac yna gan y Parch. Bennett Jones a'r Parch. Harri Owain Jones.[42] Rhoes Herber Alun Evans a T. J. Davies wasanaeth clodwiw yn y De, a gwelir enwau fel Gwynfryn Lloyd Davies, Dafydd H. Owen a D. Ben Rees yn yr olyniaeth erbyn dechrau'r chwedegau. Yn y Dwyrain daw enwau fel Roy Evans, John H. Tudor, Elfed ap Nefydd Roberts a

Peter Williams i'r amlwg; gwerthfawrogwyd eu cyfraniad yn fawr oblegid pan fu farw'r blaenaf yn 1964 soniwyd am 'his vision and enthusiasm in his work with young people'.[43] Pan ymddiswyddodd John Tudor fel Ysgrifennydd y Dwyrain er mwyn cydio yn ei ddyletswyddau newydd yn Nhrefeca, diolchwyd 'for the quality of the imaginative nature of his work'.[44] Mae'n amlwg bod o fewn y Cyfundeb nifer o weinidogion ifanc oedd ar flaen y gad gyda chyflwyno'r efengyl o fewn cyd-destun eu hoes a chyda dulliau cyfoes a'u hegni a'u hymroddiad yn dwyn ffrwyth.[45] Dengys adroddiadau'r cyfnod yr egni a'r brwdfrydedd oedd ynglŷn â'r gwaith. Ond hefyd, ar dro, synhwyrir arafwch ymateb o du'r eglwysi a rhai gweinidogion. Ar drothwy'r chwedegau trefnwyd adolygiad o'r gwaith a'i effeithiolrwydd: 'Bu'r Pwyllgor yn ystyried yn ddifrifol holl waith yr Urdd ac yn gofyn cwestiynau ynglŷn ag effeithiolrwydd ei waith. Ofnai rhai nad oedd ar brydiau namyn "Pwyllgor Sasiwn" ac na chyffyrddai mewn modd byw â'r aelodau ieuainc yn yr eglwysi. Codwyd perthynas yr Urdd a'r Ysgol Sul.'[46]

Y canlyniad oedd gofyn i'r pwyllgorau cymdeithasfaol adolygu holl waith yr Urdd, ynghyd â gwaith ieuenctid o fewn yr eglwysi, yr henaduriaethau a'r sasiwn, a pharatoi memorandwm yn awgrymu'r ffordd ymlaen ar gyfer cyfarfod y cydbwyllgor yn 1959.[47] Er cymaint y bwrlwm a'r amrywiaeth, mae'n amlwg fod peth gofid ynglŷn â'r dyfodol ac adlewyrchir hynny yn adroddiad 1960 pan sonnir am 'argyfwng difrifol' *Y Ffordd* heb iddo dderbyn cefnogaeth gryfach ac na allai oroesi am fwy na blwyddyn, a'r un modd y penderfyniad ym Mae Colwyn fod angen adfywio pwyllgorau'r henaduriaethau.[48] Gweithredodd y Gymanfa Gyffredinol yn Aberystwyth ym Mehefin 1960 ar adroddiad yr adolygiad.[49] Pwysleisiwyd yr angen am hyfforddiant mewn gwaith ieuenctid yn yr henaduriaethau a'r gymdeithasfa, yr olaf i fod yn gyfrifol am hynny a'r Coleg Diwinyddol i drefnu hyfforddiant o'r fath fel rhan o'r cwrs Pastoralia. Gofynnwyd i'r Pwyllgor Llên gyhoeddi llyfryn ar gyfer dosbarthiadau derbyn ac ar stiwardiaeth Gristnogol a'r gymdeithasfa yn y tair talaith i drefnu cynhadledd ar y mater. Nid annisgwyl deall, o gofio'r drafodaeth fu ddegawd a mwy cynt, mai'r prif argymhelliad ydoedd penodi is-bwyllgor i gyfarfod â'r cydbwyllgor i 'ystyried y priodoldeb o benodi lleygwr yn Drefnydd amser llawn i waith ieuenctid yn y Cyfundeb' a hwnnw i adrodd yn ôl i'r Gymanfa ymhen y flwyddyn. Y Parchedigion J. R. Evans, Harri Williams a Mr Benson Evans a benodwyd. Gohirio am dair blynedd oedd eu hargymhelliad, 'gan nad yw'r sefyllfa yn y Cyfundeb yn aeddfed' i'r penodiad ac argymell defnyddio'r amser i roi trefn ar waith ieuenctid y Cyfundeb.[50]

Ond yng Nghymanfa'r canmlwyddiant yn 1964, gyda chefnogaeth Cymdeithasfa'r Gogledd a chydag unfrydedd a brwdfrydedd, dadleuai'r Urdd yn gryf yr angen i symud oddi wrth drafodaeth at ymrwymiad gan ei fod yn 'matter of utmost urgency that the Connexion appoints a full-time Youth Leader-Organiser'.[51] A chytunodd y Gymanfa 'mewn egwyddor' gan benodi pwyllgor i ddwyn argymhellion ymhen y flwyddyn, a hwnnw osododd y sylfaen ar gyfer swydd Caplan Ieuenctid ar gyfer y Corff. Adlewyrcha'r rhesymau drosti ofid y cyfnod am leihad parhaus yn nifer yr ieuenctid rhwng 14 a 20 oed yn yr eglwysi a'r angen am fudiad ieuenctid bywiog, effeithiol i gynnal a chadw'r rhai oedd o fewn yr eglwys rhag iddynt deimlo'n ynysig ac ymestyn allan at gyfoedion o fewn y gymdeithas. Yn wyneb y lleihad mewn gweinidogion a'r ymestyn ar ofalaethau, teimlid ei bod yn rheidrwydd ceisio taclo'r dirywiad trwy benodi arweinydd i hybu'r mudiad ieuenctid, sicrhau hyfforddiant effeithiol i ieuenctid a'u harweinwyr a bachu ar gyfleon i ddiogelu gweithgarwch ieuenctid Cristnogol yn gyfochrog â mudiadau ieuenctid eraill o fewn Cymru y chwedegau a thu hwnt.[52] Roedd y pwyllgor ei hun yn frwd, ac fel arwydd o hynny anogai benodi gweinidog ifanc yn Gaplan Ieuenctid gan weld ei waith yn weinidogaeth ar gyfer Gwasanaeth Ieuenctid, yn arweinwyr ac ieuenctid ac yn rhan o weinidogaeth y Cyfundeb. Fe'i gwelid yn weinidogaeth arbenigol, megis caplaniaethau diwydiannol neu ym myd addysg ond, er ei bod yn benodol, ar gyfer ymateb i ddiwylliant yr ifanc ym mwrlwm y chwedegau.[53] Nid pawb a argyhoeddwyd oblegid trwy fwyafrif y cydsyniwyd i wneud yr apwyntiad yng Nghymanfa Bangor yn 1965.[54] Yn ôl *Y Goleuad*, un rheswm dros wrthwynebu ydoedd teimlo mai cyfrifoldeb eglwys leol ydoedd meithrin yr ifanc yn y ffydd ac felly gwastraff ar adnoddau dynol ac ariannol ydoedd y penodiad.[55]

Y Parch. Dafydd H. Owen, Caergybi, ysgrifennydd y cyd-bwyllgor ar y pryd, a benodwyd i ddechrau yn y swydd ar 1 Ebrill 1967.[56] Roedd ef eisoes yn llif y gwaith ac wedi profi ei fedr a'i addaster i bontio dau gyfnod yn hanes y mudiad drwy barhau'r llwyddiannau wrth agor cwys newydd. Nid oedd sôn am Goleg y Bala fel canolfan i'r gwaith ar y dechrau er mai cartref y Caplan a'i deulu ydoedd Tŷ'r Coleg. Wrth adrodd ar ei flwyddyn gyntaf yn y gwaith ar 26 Mawrth 1968 deuai'r Caplan fwyfwy i'r casgliad fod angen pencadlys i'r gwaith fyddai'n ganolfan breswyl a hyfforddiannol. Wedi trafodaeth gyda'r Gymdeithasfa yn y Gogledd a'r pwyllgorau ieuenctid yn y tair talaith, daethpwyd i gytundeb ar y mater ac ar wariant o £13,750 i adnewyddu hen Goleg Lewis Edwards i ddibenion nid annhebyg i'w rai ef.[57] Dechreuodd y Caplan ei waith gydag afiaith oblegid, yn dilyn ymgynghori eang, gosodwyd y cyfeirnod drwy roi anadl newydd yn y Mudiad Ieuenctid gyda'r enw Presbyteriaid Ieuainc Cymru a'r arwyddnod 'Derbyn Crist, Dilyn Crist' ar gyfer oedrannau 11–13 (y Grŵp Cyn-ifanc), 14–20 (y Grŵp Ifanc) a 21+ yn Arweinyddion.[58] Trefnwyd cystadleuaeth i'r ifanc lunio bathodyn a chyhoeddwyd pamffledyn yn rhoi manylion am fwriad ac ystod gwaith y Gwasanaeth Ieuenctid.[59] Parhawyd i sefydlu clybiau ieuenctid lleol; 16 o rai newydd yn 1968 gydag aelodaeth o tua 1,500, 70 ohonynt yn 1970 gydag aelodaeth o 1,542 a 78 yn 1971 gydag aelodaeth o 1,900.[60] Amrywiai eu gweithgarwch i gynnwys y crefyddol, addysgiadol, cymdeithasol a'r adloniadol, gyda rhai'n ymwneud â threfniadau cyfnewid, yn ogystal â rhoi sylw i faterion megis tlodi byd a chefnogi Cymorth Cristnogol.

Yn ychwanegol at hyn, trefnwyd cyrsiau niferus a ffyniannus ar ganol wythnos a phenwythnosau ar faterion megis Cynnal Grwpiau Trafod, Gwaith Ieuenctid mewn Eglwys Leol, Yr Ifanc yn Addoli, a phynciau cyfoes megis Cristnogaeth a Chomiwnyddiaeth. Bu'n flwyddyn o ymwneud â chynadleddau a sefydlu Gwasanaeth Cynghori ynglŷn â holl agweddau gwaith ieuenctid yn yr eglwysi, paratoi adnoddau a chyhoeddi'r cylchgrawn *Ymlaen / Forward*, gyda chymorth y Parch. John Owen, Llanberis. Materion cyfoes ieuenctid oedd cynnwys y cylchgrawn ond, er cael ieuenctid i'w hybu yn yr eglwys, byr fu ei hoedl.[61] Ar ddiwedd y flwyddyn deuai'r Caplan i'r casgliad: 'Our Youth Work is now firmly established. We are recognised by the Department of Education and Science as a National Voluntary Youth Organisation. The response to every aspect of our work as outlined in this report is most encouraging and we can face the future with every confidence.'[62]

Roedd 1968–9 yn goron ar ddisgwyliadau'r rhai a fu er 1945 yn galw am drefnwyr rhan neu lawn amser i ddatblygu'r gwaith a wnaed hyd eithaf gallu gweinidogion a fu wrthi'n wirfoddol.[63] Ond gwelai'r Caplan faint ei dasg yn her y sefyllfa. Meddai yn ei adroddiad ym 1971:

> But generally speaking our influence as a Church amongst young people continues to decline. The absence of young people from normal Sunday services, particularly in Welsh churches is, to say the least alarming. It is becoming increasingly apparent that our traditional church buildings, Sunday meetings and activities have become meaningless and irrelevant to an ever increasing number of contemporary young people ... the General Assembly should consider setting up an on-going research group with authority and power to initiate new and creative experiments in specific local areas aimed at the renewal of our commitment to young people.[64]

Cafwyd dechrau addawol iawn: gwelwyd cynnydd mewn gweithgarwch a phresenoldeb. Yn ei adroddiad ar gyfer 1972 sonia Dafydd Owen am 886 o ieuenctid a'u harweinwyr yn dod i'r coleg, gydag ychydig yn llai yn 1975, 538 yn dilyn 19 o gyrsiau ond cynnydd sylweddol erbyn 1978, gyda 37 cwrs yn denu 1,148 o ieuenctid a chant o arweinwyr. Dynesai'r Caplan at ei dasg drwy adnabod heriau oedd yn wynebu ieuenctid y cyfnod a'u trafod ar gefndir neges yr efengyl, a lluniwyd cyrsiau'n ymwneud â rhyw, cyffuriau, llygru'r amgylchedd a newyn yn ogystal â'r Gwyliau Cristnogol, Addoli, Adnabod Crist a Chymunwyr Ieuainc. Trefnwyd Sul Ieuenctid ar y Sul cyntaf yng Ngorffennaf gyda'r casgliad yn cefnogi'r gwaith, gan ddod â swm sylweddol i'r coffrau erbyn diwedd y degawd – £3,270 yn 1978.[65] Pwysleisiwyd gwerth technoleg y dydd drwy ddefnyddio sleidiau a ffilmiau ac ati mewn addoli llai ffurfiol, rhai ohonynt yn darlunio peth o weithgarwch yr Urdd, megis ymweliadau tramor neu gyrsiau lleol ac eraill, fel y ffilm *Cathy Come Home* a'i thebyg, yn faes trafod a myfyrdod. Ni chyfyngwyd y gweithgarwch i'r pencadlys. Bu'r Caplan ar ymweliad cyson â henaduriaethau ac eglwysi i sôn am y gwaith er mwyn meithrin perthynas â'r Urdd a chefnogaeth i'r Coleg a'i gyrsiau. Rhoddwyd pwys hefyd ar hyfforddi ar gyfer arwain gwaith ieuenctid lleol drwy arweiniad y Caplan ei hun neu ddefnyddiau cyrsiau allanol.[66] Gwaith cyfochrog oedd llunio defnyddiau a hybu cyhoeddusrwydd drwy daflenni yn cynnwys manylion y cyrsiau, cymorth i sefydlu grwpiau ieuenctid, gweithgareddau lleol a deunydd arddangosfeydd. Yn 1969 penodwyd Miss Gwen Rees Roberts yn Swyddog Cyswllt Bwrdd y Genhadaeth gyda'r pwyslais cychwynnol ar waith chwiorydd, ond a ddaeth maes o law i gynnwys datblygu gwaith gyda phlant. Cyflwynodd weithlyfrau Trwro i'r eglwysi a sefydlodd bartneriaeth agos rhwng y Bwrdd hwnnw a gwaith ieuenctid.[67]

Ond yr oedd y weledigaeth yn ehangach na'r Eglwys Bresbyteraidd gan y cynrychiolai'r Caplan yr enwad ar Adran Ieuenctid Cyngor Eglwysi Prydain, ar banel golygyddol eu cylchgrawn *Youth*, a ddaeth i ben yn 1970, ac ar Adran Ieuenctid Cyngor Eglwysi Cymru yn ogystal â mudiadau seciwlar fel y North Wales Association of Youth Clubs.[68] Bu sôn yn 1969 am gydweithio rhyngeglwysig ar feysydd megis hyfforddiant gweinidogion, cynadleddau rhanbarthol a llenyddiaeth ar gyfer ieuenctid, ac yn 1978 cynhaliwyd trafodaeth ar ffurfio un gwasanaeth ieuenctid i holl eglwysi Cymru.[69] Yn ychwanegol, roedd dimensiwn rhyngwladol i'r gwaith gydag unigolion yn gwasanaethu gyda VSO. Ymwelodd grwpiau o Ogledd Iwerddon, Sweden a'r Unol Daleithiau i gynnal wythnos ryngwladol yn y coleg yn 1974. Trefnwyd teithiau cyfnewid â'r Unol Daleithiau, gyda'r gyntaf yn digwydd mor gynnar â 1967.[70] Er mwyn cofio Peter Williams yn 1971 casglwyd arian i anfon Beiblau i Rwanda a Bwrwndi. Y Gwasanaeth Ieuenctid fu ar flaen y gad yn hybu gwaith Cymorth Cristnogol gyda chasgliadau i Bangladesh a Karjat yng nghanol a diwedd y saithdegau a thrwy werthu tocynnau bwyd.[71] Roedd cyfle i ieuenctid groesawu plant o ardaloedd difreintiedig a rhai dan anfantais feddyliol fel rhan o'u profiad Cristnogol.[72]

Ond wynebai Dafydd Owen a'i bwyllgor caplaniaethol ddwy brif broblem gydol ei amser yn y Bala.[73] Y pennaf ohonynt oedd diffyg cefnogaeth gweinidogion a lleygwyr yn yr eglwysi. Er y cynnydd mewn diddordeb a defnydd o'r ganolfan, canran eithaf bychan o'r eglwysi oedd yn manteisio ar y ddarpariaeth. Er enghraifft, dywed yn 1974 fod angen cryfhau'r rhwydweithiau o bwyllgorau henaduriaethol ac ysgogi'r rhan fwyaf o'r eglwysi i ddechrau gwaith gyda'r ifanc. Llawer cryfach yr apêl y flwyddyn ddilynol: er anfon gwybodaeth allan, 'dim ond lleiafrif sy'n cymeryd unrhyw sylw o'r wybodaeth. Sawl gwaith yn ystod y flwyddyn, ledled Cymru, bum yn cyfarfod ieuenctid, rhieni, athrawon Ysgol Sul ein heglwysi a hwythau heb erioed weld copi o'r Rhaglen Cyrsiau na chlywed sôn am Sul Ieuenctid, Mae'n sefyllfa drist, Beth allaf wneud?'[74] Dywed ymhellach na fu amser â mwy o angen arwain ieuenctid Cymru at Iesu, 'ond mae nifer helaeth o'n heglwysi a'u harweinwyr yn fyddar i'r alwad ac yn anwybyddu bob cymorth sydd ar gael trwy ein Gwasanaeth Ieuenctid'.[75] Ond gwaeth yw'r sylw yn 1976: 'Clywaf o bryd i'w gilydd fod yna wrthwynebiad cryf i'n cyrsiau o du rhai gweinidogion a lleygwyr. Yn anffodus nid ydynt yn barod i sôn am hyn wrthyf mewn llythyr nac ychwaith mewn cyfarfodydd pan fyddaf yn bresennol' a phwysleisia'i barodrwydd i 'dderbyn beirniadaeth deg ac adeiladol'.[76]

Ond, yn rhannol gysylltiedig â'r difaterwch hwn oedd y diffyg ariannol i gynnal y coleg a'i waith. Y bwriad oedd cyrraedd y nod o £6 yr eglwys, ond dywed Adroddiad 1976 eu bod ymhell o'i gyrraedd. Ac eto, derbyniwyd rhoddion hael gan adrannau o'r Corff ac unigolion – dwy rodd o £1,000 a £500 a £150, gan athrawes ifanc, a'r cyfan yn arwydd o ewyllys da a gwerthfawrogiad. Ond yn y flwyddyn honno roedd cynnal y gwaith mewn dyled o £1,500; benthyciadau o'r banc a gadwai'r llong rhag suddo ac roedd y llogau a delid yn sylweddol ar ddiwedd 1975 sef £744.[77] Felly, yn 1978, caniataodd y Gymanfa dreth o 5c yr aelod y flwyddyn i'w chasglu drwy'r henaduriaethau tuag at y gwaith ieuenctid, gan ryddhau'r Caplan i ganolbwyntio ar ei brif waith.[78] Yn y flwyddyn honno fe'i gwelir yn amlinellu eto waith angenrheidiol – sefydlu clybiau a chanolfannau i ieuenctid gyfarfod ynddynt yn rhydd o rai o ddeniadau dinistriol yr oes, paratoi defnyddiau addas ar gyfer cymunwyr ieuainc ynghyd â gwerslyfrau priodol i'r ieuenctid yn yr ysgolion Sul. 'Rhaid i ni fod yn fwy anturus ac ymosodol,' meddai.[79]

Yng ngwanwyn 1979 penodwyd y Parch. Dafydd Owen yn Ysgrifennydd Bwrdd y Genhadaeth wedi deuddeng mlynedd yn y Bala. Gwnaeth waith arloesol yn sefydlu Gwasanaeth Ieuenctid gan adeiladu ar ymroad a gweithgarwch eraill a fu o'i flaen. Sefydlodd Goleg y Bala a'i holl weithgarwch ar sylfaen gadarn ac eang. Tystiolaeth sicr o hynny yw mai adeiladu ac ehangu'r tri chyfeiriad a osododd Dafydd Owen – y Coleg, y gwaith maes a'r gwaith ecwmenaidd – fu cyfraniad ei ddilynwyr. Gwelir Mr Dafydd G. L. Owen, a benodwyd yn 1979, yn sôn am gynnydd o 20 y cant yn nifer yr ieuenctid ddaeth i'r Coleg yn 1979 (o 1235 yn 1978 i 1512) a chynnydd pellach yn 1980 i 1754. Mae'n cyfeirio at gyrsiau megis 'cyrsiau Cymunwyr ifanc, cyrsiau ar antur y bywyd Cristnogol ac ar genhadu'. Ond daw rhai newydd, megis Cyfeillion Iesu, gwyliau i'r rhai hŷn a chwrs ar ddull gwahanol o addoli gyda 90 yn bresennol. Ac fel yn nyddiau'r Dafydd cyntaf ceid ymateb gwerthfawrogol: 'ieuenctid yn dod i adnabod yr Arglwydd Iesu Grist am y tro cyntaf', eraill yn cryfhau eu 'ffydd a'u gwneud yn fwy brwdfrydig dros eu heglwys gartref'.[80] Tebyg oedd yr ymateb ddwy flynedd yn ddiweddarach: 'buasai llawer rhagor o bobl ifanc yn dod i'r cyfarfodydd [capeli] pe bai nhw'n cael eu cynnal yn null y Bala'.[81]

Er hynny, nid cynyddu nifer ac amrywio cyrsiau yn unig a gafwyd ond hefyd ymestyn y berthynas â mudiadau eraill wrth i rai newydd fel ysgolion ddefnyddio adnoddau'r Coleg a hynny, nid oherwydd eu gwerth economaidd wrth fanteisio ar amgylchedd naturiol yr ardal a chyfleusterau'r adeilad. Cyfarfu Cynulliad Cristnogion Ifanc Cymru yno yn Ebrill 1981 gan drafod 'Diarfogi Niwcliar' a daeth grŵp mawr o'r Almaen dan nawdd Cyngor Ieuenctid Eciwmenaidd Ewrop a thîm canwio Tsiecoslofacia, Gwlad Pwyl, a Luxembourg ar gyfer Pencampwriaethau Canŵio'r Byd ar afon Tryweryn! Parhawyd â'r pwyslais ecwmenaidd yn rhyngwladol gyda theithiau cyfnewid drwy Fudiad Cyfeillgarwch Rhyngwladol yr Unol Daleithiau a'r Iseldiroedd, ac yn rhyngenwadol drwy feithrin cyswllt â'r Eglwysi

Presbyteraidd Prydeinig a chydweithio ag Adran Ieuenctid Cynghorau Eglwysi Cymru a Phrydain i ehangu profiadau a gorwelion drwy wersylloedd gwaith yn Enlli ac Iona neu daith i Rwsia.[82]Yn 1982 roedd sôn am Manaffest (Gŵyl Ieuenctid Eglwysi Prydain), gwyliau haf ar gwch camlas, ymweliad â gŵyl roc Gristnogol Greenbelt, taith i Gorrymeela ac ystyriaeth i drafferthion Iwerddon.[83]

Bu ymdrech i fynd y tu hwnt i'r trefniadau a wnaed gyda'r Annibynwyr yng nghyfnod ei ragflaenydd i gynnwys cydweithio ag enwadau eraill Cymru. Meddai'r Caplan: 'hoffwn awgrymu ein bod yn parhau i groesawu ieuenctid o'r tu allan i'r Eglwys Bresbyteraidd ar gyrsiau yma a'n bod yn anelu at baratoi un rhaglen gyffredin o'r holl weithgareddau Cristnogol sydd ar gael i bobl ifanc yng Nghymru.'[84] Gweledigaeth gynhwysol fyddai'n chwalu ambell ffin, yn rhannu adnoddau a chyfoethogi profiad. Ond dwysach a chryfach yr apêl ymhen y flwyddyn pan ddatganodd: 'Nid yw pobl ieuanc yn deall y rhesymau pam bod cymaint o wahanol enwadau. Fe ddyblygir gwaith ac fe wastreffir adnoddau prin oherwydd nad oes digon o gydweithio rhwng yr enwadau … Da fyddai anelu at un Gwasanaeth Ieuenctid Cristnogol yng Nghymru erbyn 1985.'[85]

Buddsoddodd yr ail Ddafydd Owen a'i olynydd yntau, Mr (y Parch. yn ddiweddarach) James Clarke, gryn amser ac egni yn datblygu cysylltiadau ag eglwysi lleol. Gresynai Clarke fod llawer yn uniaethu'r Gwasanaeth Ieuenctid â Choleg y Bala, a gwelai ei waith fwyfwy allan yn y maes gyda'r eglwysi yn cynghori ac ysgogi.[86] Partneriaeth â'r eglwysi lleol oedd ei ddymuniad, gyda'r ganolfan yn cadarnhau gwaith yr eglwysi. Meddai:

> mae'n bwysig datblygu'r bartneriaeth yma rhwng yr eglwysi lleol a'r Ganolfan Ieuenctid. Mae cwrs preswyl yn y Bala yn cynnig profiad cwbl wahanol i'r un gaiff person ifanc yn ei Eglwys ei hun. Nid cystadlu â'r eglwys leol a cheisio gwneud gwaith a wneir gan weinidogion, athrawon Ysgol Sul a blaenoriaid a wnawn ond cynnig profiad cyfoethog i berson ifanc mewn sefyllfa breswyl gydag awyrgylch arbennig Gristnogol sy'n ychwanegu at y profiad a gaiff yn ei eglwys ei hun.[87]

Gwelai James Clarke holl weithgareddau'r Coleg felly yn cyfoethogi, yn ehangu ac yn dyfnhau profiad y Cristion ifanc o fewn yr eglwys leol, ac wrth bwysleisio hynny cais dorri drwy beth o'r gwrthwynebiad a brofodd ei ragflaenwyr. I hyrwyddo'r weledigaeth hon, teithiodd Dafydd Owen(2) i henaduriaethau ac eglwysi i rannu'r weledigaeth ac annog ieuenctid i ddod i'r coleg; rhoes ystyriaeth i natur a chynnwys ei gyrsiau gan geisio sicrhau cydbwysedd rhwng y dwys, y defosiynol a'r difyr ynddynt. Ac felly, gwelir am y tro cyntaf sôn am ganŵio, mynydda, hwylio a gwaith llaw yn ogystal â phwyslais adloniadol megis gwylio ffilmiau, chwaraeon a gwrando ar gerddoriaeth – arlwy ar gyfer datblygu'r person cyfan a chreu perthynas briodol ar gyfer rhannu ffydd.[88]

Ond er bod cysylltu'n digwydd ag eglwysi'n uniongyrchol drwy lythyrau, taflenni gwybodaeth, rhaglenni cyrsiau a chylchlythyrau gweddi a newyddion, aneffeithiol oedd y strwythur cefnogol, enwadol a fwriedid i hyrwyddo'r gwaith gan nad oedd Pwyllgorau Ieuenctid gweithredol mewn pump ar hugain o'r henaduriaethau, a phrin felly oedd unrhyw weithgarwch gyda'r ifanc yn lleol. Am hynny, awgryma'r Caplan sefydlu pwyllgorau Ieuenctid Cristnogol ym mhob dosbarth a sir, gan gychwyn rhwydwaith newydd y tu allan i strwythurau enwadol a fyddai maes o law yn meddu eu swyddog lleol.[89] Yn wir, sonnid yn 1981 am y cynllun 'Dyma Ni', sef sefydlu grwpiau bychain o ieuenctid rhwng 14 a 25 oed i 'edrych ar eu dyfodol yng ngoleuni eu profiad Cristnogol', ystyried eu hawydd i wasanaethu'r Eglwys a chefnogi'r rhai hynny yr oedd gwrthsefyll bwlian yn anodd iddynt.[90]

Maes arall a ehangwyd yn y blynyddoedd hynny oedd gweithio gydag ieuenctid dan anfantais a chyrsiau i droseddwyr ifanc ac ieuenctid difreintiedig. Wrth drafod diweithdra parlysol ddechrau'r wythdegau bwriadai 'helpu i orchfygu'r diflastod a'r diffyg hunan-hyder a ddaw yn sgil bod yn segur. Mor hawdd oedd hi i'r ieuenctid deimlo'n nad oeddent o werth i gymdeithas.'[91] Mae'n amlwg fod yr ail Dafydd Owen yn ymdeimlo yn ei swydd â gwewyr bod yn ifanc ar ddechrau'r wythdegau ac yn gresynu mor aneffeithiol a disymud, os nad anaddas i'w thasg, oedd yr Eglwys wrth wynebu her y blynyddoedd hynny. Meddai:

> Y drasiedi yw fod cymaint o newyn ysbrydol ymhlith yr ifanc mewn oes lle mae'r dyfodol yn ansicr iawn wrth iddynt wynebu diweithdra a'r perygl ofnadwy o ryfel niwcliar. Collodd bywyd ei ystyr i nifer fawr ac ni welant bwrpas mewn byw mwyach. Gwelir defnydd alcohol, glud a chyffuriau eraill yn cynyddu'n ofnadwy ac y mae nifer yn troi at dorcyfraith a thrais am fywyd mwy cyffrous. Y mae gwacter ysbrydol ofnadwy ym mywyd y rhan fwyaf o bobl, yn arbennig felly yr ifanc sy'n diflasu ar bopeth mor hawdd. Mae anghenion difrifol i'w diwallu gan yr eglwysi. Yn anffodus, ychydig yw'r Eglwysi sy'n cyfarfod â'r anghenion hyn bellach.[92]

Fel y gwelwyd, nid oedd prinder syniadau nac awydd eu gweithredu, a theimlai y gallai gweinidogion, er maint eu gofalaethau, fod wedi gwneud gwell defnydd o adnoddau'r Coleg ar gyfer ymateb i her yr ifanc. Rhoes yntau bwyslais ar Wythnos Weddi ar ddechrau 1982 i weddïo dros waith ieuenctid Cristnogol yng Nghymru. Ond golygai ehangu'r gwaith ystyried cwestiwn staffio.[93] Penodwyd Miss Eirlys Hughes yn swyddog cynorthwyol i drefnu'r ganolfan a hanner y cyrsiau, gan ryddhau'r swyddog i waith maes a gweddill y cyrsiau. Yn wyneb y sefyllfa ariannol anodd yn dilyn chwyddiant blynyddoedd cynnar y 1980au codwyd y dreth i 10c yr aelod y flwyddyn. Er mai byr fu arhosiad yr ail Ddafydd Owen yn ei swydd (dechreuodd gyda'r BBC yng Nghaerdydd yn Ionawr 1983), bu cryn ehangu ar y Gwasanaeth Ieuenctid yn ei dymor gyda'r bwriad o ddyfnhau ffydd a phrofiad ar gefndir cymdeithasol ac economaidd y dydd er cadarnhau a chyfoethogi'r eglwys leol. Cododd y niferoedd, amrywiwyd y cyrsiau ac ehangwyd y cwmpas i gynnwys ieuenctid oedd ar ymylon byd a bywyd. Ond ble roedd yr eglwysi a'u harweinyddion yn wyneb her ddigon proffwydol y caplan?

Ddechrau Mawrth 1983 cychwynnodd James Clarke ar ei dymor yn gaplan. Gwelai'r athro drama a cherddoriaeth ei her fel '[c]yflwyno neges Efengyl Iesu Grist mewn ffordd fyw a pherthnasol i fywyd yr Ifanc'. Ac er iddo etifeddu'r un problemau ag a adawodd Dafydd Owen, yn arbennig cysgadrwydd yr henaduriaethau, eto roedd gobaith ymysg yr ifanc a gyfarfyddai'n lleol 'yn cyd-adeiladu a chyd-dystiolaethu i rym cariad Crist yn eu bywydau' a'r rhai oedd yn 'darparu'n helaeth ar gyfer yr ifanc yn eu hardaloedd', (ffrwyth y gwasanaeth ieuenctid hyd yma tybed?). Gofynnodd ar ddiwedd 1985: 'Tybed pa gyfle a gafodd pobl ifanc a phlant Eglwys Bresbyteraidd Cymru i gyfranogi'n llawn ym mywyd eu heglwysi ... mae gan bob un o'n plant a'n pobl ifanc ran i'w chwarae a gwasanaeth i'w feithrin fel aelodau o'r teulu Cristnogol.[94] Partneriaeth oedd ei bwyslais o fewn eglwys a chyda'r gwasanaeth ieuenctid. Gwelwyd ehangu ar ystod oedran y rhai a ddeuai i'r Bala gyda phwyslais ar ganolfan i 'blant a phobl ifanc', a phenodi Miss Ionwen Roberts ar 1 Ionawr 1986 yn Drefnydd Gwaith Plant, gan ddatblygu'r gwaith a ddechreuwyd gan Gwen Rees Roberts a ymddeolodd yn 1984. Cynhyrchodd lenyddiaeth cymeradwy megis 'Hwyl Hwyr' a 'Gwyliau – Be nesa?' i olynu Trwro, ynghyd â defnyddiau ar gyfer cynnal clybiau gwyliau Cristnogol. Deuai rhai o'r clybiau i'r gwersylloedd plant, a maes o law i gefnogi'r gwaith ieuenctid. Gwelwyd parhau'r gwahanol gyrsiau a'r cysylltiadau tramor a chenedlaethol. Ceidw adolygiad 1988 yr enw Mudiad Ieuenctid Eglwys Bresbyteraidd Cymru a chynhwysir plant o fewn y nod – 'cyhoeddi neges yr Efengyl Gristnogol ymhlith plant a phobl ifanc Cymru', ac amcanwyd at gyrraedd y nod hwnnw drwy sefydlu clybiau ieuenctid/plant yn yr eglwysi lleol, a phatrwm o addysg Gristnogol a gweithgarwch cymdeithasol oedd yn adlewyrchu consýrn am fywyd yr ifanc yn gorfforol, yn feddyliol ac yn ysbrydol. At hynny, ceisiwyd sefydlu patrwm o hyfforddiant ar gyfer arweinwyr ieuenctid a phlant, meithrin cyswllt â'r canolfannau yn y Bala, Trefeca a Thre-saith, gofal dros yr anabl, y difreintiedig a'r di-waith, a darparu defnyddiau priodol ar gyfer plant a ieuenctid Cymru yn y Gymraeg.[95] Yn wir, dyna'r agenda ar gyfer y degawd dilynol, a gwmpasai gyfnod olaf James Clarke a chyfnod ei olynydd, Brian Huw Jones.

Mae'r ddau swyddog fel ei gilydd yn pwysleisio datblygu gwaith yn yr henaduriaethau a'r eglwysi lleol, er gorfod cydnabod mor galed y talcen hwn. Meddai Clarke tua diwedd ei gyfnod, wedi canmol brwdfrydedd Sasiwn y Dwyrain: 'Ond yn y Sasiwn yn y Gogledd ac yn y De mae'r Pwyllgorau Ieuenctid mewn stad truenus a deud y lleiaf, gydag ychydig ffyddlon sydd â gweledigaeth i'r dyfodol yn parhau i weithio'n galed er sicrhau peth bywyd yn y gweithgareddau.'[96] Penodwyd dau Swyddog Maes yn ddolen gyswllt rhwng yr eglwysi, y Gwasanaeth Ieuenctid a Choleg y Bala, sef Anna Jane Evans yn Ne-ddwyrain Cymru a Nan Wyn Jones (Powell-Davies yn ddiweddarach) yn y Gogledd yn 1990, gyda'r anogaeth i eglwysi lleol gymryd mantais o'r penodiadau hyn i symud tua'r dyfodol.[97] Daw angerdd James Clarke dros y gwaith i'r golwg: 'Sylfaenwch ein gwaith ieuenctid mewn gweddi a myfyrdod. Agorwch eich breichiau ar led a chofleidiwch waith yr Arglwydd – er mwyn popeth gadewch i ni sefyll dros Iesu Grist a pheidio â suddo mewn anobaith a digalondid' gyda'r her i anadlu bywyd newydd i'n heglwysi wrth i'r ganrif nesáu at ei therfyn![98] Mae'n amlwg ei fod yn gweld cyfle newydd a photensial cyffrous yn y symudiad hwn o eiddo'r Cyfundeb, gyda chymhorthdal y llywodraeth. Ond mae'n amlwg hefyd i'r lleisiau gwrthwynebus barhau gyda'r hen gân mai 'gimig' oedd yn gwacáu'r ysgol Sul a gynigid gan y gwersylloedd a'r cyrsiau yng nghanolfannau Bala, Trefeca a Thre-saith. I'r swyddog, roedd y cyrsiau Beiblaidd a phrofiad 'miloedd' o ieuenctid, ynghyd â'r ffigyrau, yn stori dra gwahanol: 1872 o ieuenctid yn manteisio ar y ddarpariaeth, 175 yn mynd ar ymweliadau diwrnod â'r Bala, a 130 ar encilion y chwiorydd yno yn 1989. Roedd ei feirniadaeth yn gignoeth:

> Beth ydych chi yn ei wneud am waith plant a ieuenctid yn eich eglwysi? Ydych chi'n gweddïo, cefnogi, gweithio? – neu dim ond yn edrych ar y sefyllfa heb boeni llawer. Nid yw'n ddigon cynnig gwasanaeth pitw i waith plant a ieuenctid. Mae'n rhaid i Henaduriaethau a Dosbarthiadau gymryd eu gwaith o ddifrif ac os ydym yn treulio ein holl amser yn ymweld â chleifion a chladdu'r meirw ni fydd gennym Eglwys ar ôl i fynegi barn mewn byr amser ac fe wyddom beth oedd barn Iesu ar y mater hwnnw.[99]

Nid argyhoeddiad na rhwystredigaeth yn unig sydd tu ôl i'r geiriau hyn; daw gwahaniaeth cenhedlaeth i'r amlwg, gydag arweinyddion hŷn yn disgwyl y deuai'r ifanc yn ôl i'r eglwysi bron yn ddigymell a'r swyddog, bellach yn ddarpar weinidog ifanc, yn sylweddoli mor bell oeddent oddi wrth grefydda traddodiadol – bwlch y gallai'r

Gwasanaeth ei gyfarfod drwy godi pontydd o fewn bywyd yr eglwysi ac at ieuenctid y tu hwnt iddynt. Yn gynharach yn yr un adroddiad cyfeiria at yr eglwys fel teulu: 'yr ifanc a'r hen – yn cael eu galw i fod yn Eglwys heddiw' a'r her: 'Beth am i ni weithio â ieuenctid, gofalu amdanynt, eu derbyn a'u deall, bod gyda hwynt a dangos bod yr Eglwys yn eu caru.'[100] Ond prin fu'r ymateb o du'r Henaduriaethau oblegid dilëwyd rhai cyrsiau dros y gaeaf 1991–2 oherwydd 'diffyg ymateb o du'r Henaduriaethau'. Yn lle penwythnosau penodedig ar gyfer henaduriaethau, trefnodd Brian Huw Jones gyrsiau thematig cyfoes i ddenu'r ifanc, megis 'Pwy yw'r Iesu?', 'Dydi hi ddim yn deg', 'Alcohol a Chyffuriau', 'Yr Amgylchfyd' a 'Gwaith a Diweithdra.' Y flwyddyn ddilynol gwelai '[b]eth cynnydd yn y rhai fu yn y gwersylloedd, 1250 o gymharu â 1130 y flwyddyn cynt. Tua diwedd ei gyfnod, rhoes anadl newydd yn y mudiad ieuenctid drwy annog ei sbarduno drwy'r henaduriaethau.[101]

Bu llwyddiant ar waith y Swyddogion Maes oblegid dywed Anna Jane Evans, er enghraifft, iddi gadw cyswllt â nifer fawr o glybiau a gwneud cysylltiadau newydd, megis y Graig-wen Pontypridd; Tŷ'r Gymuned, Casnewydd; Sudbrooke lle y ffurfiwyd ysgol Sul newydd, a Phont-y-clun, Cwm-parc a Threorci; adfywiwyd Pwyllgor Ieuenctid Henaduriaeth Saesneg Glamorgan East, gyda nifer yn mynd i benwythnos yn Nhrefeca, a rhai i'r Bala.[102] Tebyg hefyd oedd llwyddiant Nan Wyn yn y Gogledd. Ymestyn cydweithio ag enwadau eraill fu hanes Marc Morgan pan benodwyd ef yn Swyddog Maes yn y De: sonia am sefydlu clwb ieuenctid yn y Morfa, Cydweli, yn ogystal â gweithio gyda'r Annibynwyr, Cyngor yr Ysgolion Sul a'r Cyngor Alcohol.[103] Yn y man ychwanegwyd at y gweithwyr hyn pan benodwyd Alwyn Ward i Ogledd Aberteifi a bu sôn am 'dim y Gwasanaeth Ieuenctid a gynhwysai y Swyddog a'r is-swyddog a'r gweithwyr maes a chyfarfyddent yn fisol i drefnu a rhannu profiadau a phwyllgor i'w cefnogi'.

Er mai byr fu tymor Ionwen Roberts, y Swyddog Plant cyntaf, agorodd gŵys y daeth Delyth Wyn Lloyd i'w thorri trwy ddatblygu ymhellach glybiau Hwyl Hwyr mewn eglwysi a'u gwahodd i'r Bala, yn ogystal â bod yn gyfrifol am adnoddau ar eu cyfer, gan gynnwys Caleidosgop a Sbectrum,[104] menter hyfforddiant newydd ar y cyd ag enwadau eraill a'r Cyngor Ysgolion Sul, ac arwain clybiau gwyliau. Sonia am ragolygon da am arweinwyr newydd yn nwyrain Morgannwg a allai fod yn batrwm i henaduriaethau eraill, gweithgareddau teuluol gydag 'ambell gyfle i arwain sesiynau hyfforddi i arweinwyr o fewn ein capeli … y broblem yw dod o hyd i arweinwyr yn y lle cyntaf'.[105] Penodwyd panel i gefnogi Delyth a gwaith plant yn gyffredinol, a chymaint oedd y llwyddiant fel y bu trafod ar raglen waith y swyddog gyda'r argymhelliad o drefniant hirdymor er mwyn diogelu amser i wahanol agweddau'r gwaith, cydgynllunio ymysg staff y Ganolfan a defnyddio gwirfoddolwyr, gyda'r swyddog ei hunan yn gofyn am Weithwyr Maes i'r Gogledd a'r De.[106]

Ddechrau'r nawdegau bu crynhoi adnoddau, miniogi ffocws a hybu effeithiolrwydd tystiolaeth yr eglwys drwy ffurfio Byrddau newydd i gydgysylltu meysydd oedd yn gorgyffwrdd â'i gilydd.[107] Daeth Hyfforddi Lleygwyr, Gwaith Plant ac Ieuenctid a'r Pwyllgor Ysgol Sul yn Fwrdd Addysg Gristnogol.[108] Gan fod y gweithwyr maes a'r gweithwyr plant yn atebol i'r un Bwrdd, gellid cynllunio'n fwy effeithiol, ac arwyddion o hynny ydoedd newid swydd-ddisgrifiad y Gweithiwr Maes yn Ne Cymru wedi dyddiau Marc Morgan i fod yn Swyddog Plant, a bellach sonnid yn amlach am 'waith plant ac ieuenctid' gydag adolygiad ohono yn 1994. Gwelodd 1996 benodi'r Parch. Bryn Williams yn Gyfarwyddwr 'Gwasanaeth Ieuenctid a Phlant y Cyfundeb'. Erbyn 1997 datganai Gethin Rhys, ysgrifennydd y Bwrdd Addysg, y 'Dylai cyfarfodydd y bwrdd ganolbwyntio ar gynllunio gwaith ieuenctid a phlant ac addysg Gristnogol i leygwyr … ledled y Cyfundeb ac yn eciwmenaidd'.'[109]

Daeth y Cyfarwyddwr (nid Caplan neu Swyddog bellach) ag ysbryd newydd i'r gwaith. Meddai ar ddiwedd ei flwyddyn gyntaf: 'Mae prysurdeb newydd wedi gafael yn y lle [y Bala] ac yn naturiol felly mae prysurdeb wedi esgor ar hyder newydd ymhlith y staff … ac y mae'r plant a'r ieuenctid yn ymateb i hynny'.[110] Ac meddai ymhellach: 'Fe fanteisir ar bob cyfle i roi'r sialens Gristnogol ar bob cwrs a gynhelir yma.' Ai na ddigwyddodd hynny ynghynt ynte ai her wahanol ydoedd? Efallai y ceir awgrym o'r ateb yn y pwrpas newydd a osodwyd i Goleg y Bala, sef rhoi 'cyfle i'n plant a'n ieuenctid ddatblygu'n ysbrydol a dyfod yn arweinwyr yn ein plith' – geiriau sy'n cydweddu ag amcan cychwynnol y Cyfarwyddwr o 'feithrin awyrgylch ddefosiynol, addolgar o fewn y cyfan o'r gwaith'.[111] Ond ai newydd hyn? Sonnir am 'gladdu yr ysbryd negyddol sy wedi goddiweddyd ein gwlad'. Dichon mai newid gogwydd diwinyddol a geir wrth sylwi ar enwau fel R. Tudur Jones a David Ollerton yn rhoi deuddydd o hyfforddiant i'r staff a chyflwyno cyrsiau Alpha.[112]

Gyda'r Cyfarwyddwr daeth newid staff: Catrin Roberts yn swyddog adnoddau, a gynhyrchodd ddeunydd newydd ar gyfer plant, megis *Plismyn Palesteina*, *Clwb Ffitrwydd Iesu*, *Ffatri Fflach* a *Garej y Gair*, *Banc y Beibl*, *Alffa i'r Ifanc*, *Helo* (ar gyfer yr ifanc mewn ysbyty), pecyn ar gyfer y Pasg, *Balwn a Beibl*, a *Croeso i'r Cymun* wedi'r penderfyniad yn 1996 i ganiatáu i blant gymuno.[113] Penodwyd Nia Williams yn Swyddog Addysg, Alwyn Ward yn Swyddog Plant, Geraint Wyn Jones yn Swyddog Gweithgareddau gan ddatblygu gweithgarwch awyr agored a Huw Powell-Davies yn weinyddwr. Parhaodd Ffiona Edwards yn Swyddog Maes yn y De- ddwyrain. Datblygwyd y berthynas â'r gymuned leol a gychwynnwyd wrth i'r Parch. Dafydd Owen sefydlu clwb ieuenctid, drwy raglen o weithgareddau, gan gynnwys Alffa i'r Ifanc a'r Oedolion a gwersi Cymraeg.[114]

Yn 1999, yn dilyn y pwrpas a osodwyd, y blaenoriaethau oedd cefnogi a hyrwyddo teuluoedd yn y ffydd Gristnogol, trefnu ac annog cenhadaeth ymhlith plant ac ieuenctid, cyrsiau preswyl a dyddiol, a pharatoi adnoddau.[115] Bu hefyd wariant i ddiweddaru cyfleusterau Coleg y Bala a chyfarfod ailagor dan arweiniad y Parchedigion Dafydd Owen a Harri Owain Jones, Llywydd y Gymanfa Gyffredinol ar y pryd. Roedd dechrau'r mileniwm newydd yn 'gyfnod cyffrous iawn yn hanes Coleg y Bala a hefyd yn y Gwasanaeth Ieuenctid' gyda deg o ieuenctid yn eu 'cyflwyno'u hunain i'r Arglwydd ... i gael eu defnyddio fel arweinwyr i'r dyfodol'. Hefyd, cyflwynwyd cyfres o ddarlithoedd ar waith ieuenctid a hyfforddiant gan y Cyfarwyddwr yn y Coleg Diwinyddol, Aberystwyth (a Phrifysgol Bangor maes o law) ar gyfer gweinidogion, holl weithwyr y Cyfundeb ac ieuenctid hŷn.[116] Adlewyrchir y bwrlwm hwn mewn cynnydd yn y rhai a groesawyd i'r Coleg: 10,000 yn 1999 – ffigwr cyfansawdd nas dadansoddir mohono yn yr adroddiad – ond cynnydd serch hynny.[117]

Ar ddechrau ail dymor y Cyfarwyddwr yn 2001, bu ymestyn pellach ym myd hyfforddiant ieuenctid ac ar faes yr Eisteddfod Genedlaethol trwy dystio yn y Maes Carafannau a'r Maes Pebyll. Cyflwynwyd rhaglen waith ar gyfer yr ail dymor, a honno heb fod yn wahanol iawn i'r gyntaf na chwaith i weithgarwch y Coleg o'r dechrau:

> Craidd Cristnogaeth yw cyfarfod â Duw wyneb yn wyneb. Mae a wnelo â'r angen i droi oddi wrth orffennol negyddol. Y mae a wnelo â'r angen i gael ein cofleidio gan faddeuant cynnes cynhyrfus y Tad: mae a wnelo â darganfod bod modd cychwyn eto – cael ein geni o newydd; mae a wnelo fo â deall rhyw chydig bach am yr aberth a wnaeth Iesu Grist drwy farw ar y groes ac am sefydlu cyfeillgarwch parhaol gyda'r Crist atgyfodedig hwn.[118]

I sylweddoli'r rhaglen hon gwnaed ymrwymiad pum mlynedd i 'fuddsoddi mewn pobl' drwy gyflwyno plant ac ieuenctid i'r ffydd, a rhai cyfleon iddynt gael eu hyfforddi ynddi a'i hymarfer a'u meithrin yn arweinwyr yn yr eglwysi. Penodwyd gweithwyr lleol mewn mannau fel Llanelli ac Aberystwyth. Mewn gair, gwelai'r Cyfarwyddwr ei waith yn olyniaeth y rhai fu o'i flaen er, o bosib, â'r gogwydd ychydig yn wahanol. O fewn y pum mlynedd gwelwyd datblygiadau megis derbyn arian oddi wrth Gyngor y Genhadaeth Fyd-eang i feithrin doniau a hyder mewn pobl ifanc drwy weithio gyda staff Coleg y Bala, gwaith a gynyddodd dan yr enw Blwyddyn Gap Coleg y Bala gyda'r nifer yn codi o un i bump erbyn 2007.[119] Cafodd yr ymdeimlad o berthyn i'r Eglwys ei feithrin drwy ddatblygu Cynulliad yr Ifanc i gyflwyno llais yr ifanc yn y Gymanfa Gyffredinol, cynllun a sefydlwyd yn wreiddiol yn nyddiau James Clarke ac a roddodd gyfle i'r ifanc ddylanwadu ar bolisïau'r Eglwys,[120] a threfnwyd aduniad i ieuenctid fu ar hyfforddiant yn cydweithio mewn cenadaethau lleol, er enghraifft yn Llanrug, y Coed Duon a Morfa Nefyn.[121] Ond nid ymestyn at eglwysi lleol yn unig a wnaed gan fod y gwaith ysgolion yn croesi ardaloedd a chymunedau, er enghraifft darparu cymorth gyda gwersi Addysg Grefyddol, diwrnod hyfforddi athrawon mewn Addoli ar y Cyd ym Mhowys, yn ogystal â chroesawu plant o'r ysgolion i'r Bala; mynychodd 200 gwrs y Pasg yn 1999, a 600 yn 2006.[122] Menter arall a gychwynnwyd yn 2005 oedd 'Souled Out', sef cyfle i ieuenctid ystyried 'yr hyn y mae Duw wedi ei wneud yn eu bywyd' – 30 ar y cychwyn ac erbyn diwedd y cyfnod roedd cant a mwy yn bresennol. [123] Erbyn diwedd y 1990au gwelwyd lleihad yn y defnydd o Dre-saith ac fe'i trosglwyddwyd i ofal Bwrdd y Gymanfa a'i werthu yn 2006.[124]

Symudodd Bryn Williams a'i deulu o'r Bala yn 1996 wedi degawd o ddatblygu ac ehangu sylweddol ar y gwaith gan bwysleisio'r cadarnhaol yn gyson yn ei adroddiadau.[125] Ond yr oedd dau newid sylweddol ar y trothwy: y cyntaf yn dilyn ei symudiad ef, sef gwahanu'r Gwasanaeth Plant ac Ieuenctid oddi wrth reolaeth Coleg y Bala gan ryddhau'r Cyfarwyddwr i arwain a chynllunio'r gwaith ledled Cymru heb orfod cynnal a threfnu bywyd canolfan.[126] Yr ail oedd ad-drefniant arall ar fywyd yr Eglwys gyda Gwaith Plant a Ieuenctid yn dod yn rhan o integreiddio pellach dan faner y Bwrdd Bywyd a Thystiolaeth, yn gyfochrog â Gweinidogaeth, Cenhadaeth, Ysbrydoledd, a gwaith y Chwiorydd.[127] Y bwriad oedd cryfhau gweinyddiad y Corff drwy gryfhau'r henaduriaethau a cheisio ganddynt gynllunio mwy bwriadus drwy osod llunio rhaglenni datblygu yn amod rhyddhau arian o'u Cronfeydd Strategaeth a derbyn un swydd wedi ei hariannu'n ganolog. Trwy ddefnyddio'r adnoddau hyn disgwylid y byddai eglwysi yn meithrin cyswllt newydd gyda chymunedau, a gwelwyd peth hyrwyddo ar waith plant ac ieuenctid, er enghraifft Henaduriaeth Conwy-Dyfrdwy yn penodi gweithiwr teuluoedd, Cylch Meirionnydd weithiwr plant ac ieuenctid a Morgannwg-Llundain yn penodi dau weithiwr cymunedol.[128]

Meithrinwyd cyswllt drwy'r gweithgarwch hwn â Choleg y Bala. Dan arweiniad Siân ac Owain Edwards fel rheolwyr y Coleg a'i waith, a Gwyn Rhydderch yn Gyfarwyddwr Gwaith Plant ac Ieuenctid, ceir sôn yn 2008 am feithrin cysylltiad â henaduriaethau drwy gysylltu aelod staff â henaduriaeth benodol. Penodwyd Gwenno Teifi Francis [Morris, maes o law] yn weithwraig yng Nghylch Meirionnydd yn gysylltydd â Henaduriaeth Gorllewin Gwynedd, gwnaed arolwg o waith plant a ieuenctid yn yr henaduriaethau a cheisiwyd trefnu nosweithiau ymweld gan weithwyr y Gwasanaeth â henaduriaethau unigol.[129] O Seland Newydd y daeth y rhaglen 'Yr Eglwys gyfeillgar i Blant', sy'n ymwneud â meithrin agwedd groesawgar tuag at blant o fewn eglwys, a threfnwyd ymweliadau â henaduriaethau a sasiynau i'w hyrwyddo.[130] Felly hefyd, yn fwy diweddar, daeth Camu,[131] yntau â'i wreiddiau yn Seland Newydd a'i apêl at fywyd y teulu cyfan ym mywyd ac adfywiad yr eglwys leol, a phenodwyd swyddogion i'w ddatblygu yn y De a'r Gogledd.

Erys y pwyslais ar y 'grefydd bersonol', ac felly datblygodd y Cynulliad Ieuenctid i fod yn fforwm rhannu profiad gan roi mewnbwn 'ysbrydol' i fywyd y Gymanfa. Parhaodd 'Souled Out' i ddenu a 'dyfnhau ffydd', 'ymdeimlo a'u cyfrifoldeb o ran gwaith y Deyrnas' yn ogystal â'r Flwyddyn Gap.[132] Parhaodd cyrsiau i blant ac ieuenctid a'r Blwyddyn Gap. Rhoddwyd cychwyn ar weithgarwch lleol newydd gyda phwyslais ar blant ac ieuenctid a'r teulu cyfan mewn oes o bwysau a dylanwadau ar yr uned honno, a rhoddwyd cynnig llwyddiannus ar gwrs rhianta (Positive Parenting).[133] A chyda cyhoeddi cylchlythyr lliwgar – *Ffyddlawn* – gwelwyd gwerth technoleg gyfoes y byd digidol i rannu gwybodaeth ac adnoddau defnyddiol.[134]

Ond tristwch y sefyllfa yn 2013 oedd prinder defnydd o adnoddau a baratoid, a hynny'n adlewyrchu'r dirywiad parhaus yn yr eglwysi, gan gynnwys yr ysgolion Sul.[135] Yn dilyn ad-drefnu 2008, er bod yr Adran Plant a Ieuenctid yn parhau yn uned oedd yn adrodd drwy'r Bwrdd newydd, eto, erbyn 2014 gwelir, fel rhan o gydgynllunio, waith plant ac ieuenctid yn rhan o adran y gweinidogaethau.[136] Amser a ddengys ai colled ai mantais i waith plant ac ieuenctid yn gyffredinol, ac i'r Gwasanaeth yn benodol, oedd yr integreiddio oblegid collwyd y Pwyllgor 'Plant ac Ieuenctid' o agenda sasiwn a henaduriaeth. Diflannodd y cyfarfodydd plant ac ieuenctid a gysylltid gynt ag ymweliad sasiwn ag ardal – anorfod efallai wrth i'r niferoedd ostwng a datblygiad sasiwn undydd. Ac eto, camgymeriad fyddai meddwl fod y maes plant ac ieuenctid yn troi o amgylch y Gwasanaeth Plant ac Ieuenctid a Choleg y Bala. Er cryfed y gŵyn gyson am ddiffyg ymateb lleol, fe ddigwyddodd gwaith o'r fath drwy'r ganrif y tu allan i'r fframwaith Cyfundebol drwy ysgol Sul, oedfaon neu weithgarwch cymdeithasol ond, yr un pryd, bu'r gwasanaeth a'r ganolfan yn gymorth i gyfoethogi, dyfnhau ac ehangu gorwelion.

Yn y bennod hon ceisiwyd cyflwyno trosolwg ar ganrif o weithgarwch gydag Ieuenctid (a phlant ers y 1970au).[137] Ganwyd y Gwasanaeth mewn ymdrech i danio dychymyg ac ennyn ymrwymiad yr ifanc yn wyneb her y blynyddoedd yn dilyn y Rhyfel Byd Cyntaf. Codai cwestiynau dwys rhyfel a heddwch, tlodi a chyfiawnder, gwyddoniaeth a chrefydd, ynghyd â deniadau athroniaethau di-dduw byd seciwlar a materol, yn enwedig mewn cyfnod mwy sefydlog, ffyniannus a hunanhyderus o ganol y ganrif ymlaen. Yn ei degawdau olaf codwyd materion megis plwraliaeth a chwestiynau ynglŷn â hunaniaeth Gymreig yn sgil datgysylltu honno i raddau oddi wrth y ffydd Gristnogol gyda newidiadau gwleidyddol a chymdeithasol.[138] Nid heriau mewnol ac arafwch eglwysi a henaduriaethau felly oedd yr unig rai. Gydol y ganrif bu ymatebion y Gwasanaeth Ieuenctid yn pwysleisio plethiad o'r ysbrydol, y deallusol a'r ymarferol. Yn y cyfnod cychwynnol sefydlu a pharatoi adnoddau ar gyfer grwpiau dan arweiniad lleol a wnaed. Daeth cyfnod o ehangu gorwelion a phrofiad, yn enwedig ar ôl yr Ail Ryfel Byd gyda gwersylloedd a chynadleddau gartref a thramor, a hynny'n esgor ar gyfnod pellach o rwydweithio o fewn sasiwn, gyda phererindota ac ati yn creu ymwybyddiaeth o ysbrydolrwydd Cymreig. Cynnydd yn y gwaith ynghyd â heriau carlamus y chwedegau bywiog barodd benodi caplan a sefydlu coleg.

Beth am lwyddiant? O'i fesur yn ystadegol, rhaid ateb yn negyddol: tua 20,000 yw'r aelodaeth yn 2016, lle cynt, yn 1922, yr oedd yn 187,746 a rhif y plant yn 70,420; roedd 154,135 o gymunwyr a 41,577 plentyn yn 1953, ac erbyn 2014 roedd 20,208 o aelodau.[139] Diflannodd Methodistiaeth, fel Ymneilltuaeth, bron yn gyfan gwbl o'r hen ardaloedd diwydiannol ac mae wedi gwanhau'n erchyll yn yr ardaloedd gwledig. Os cyflwyno galwad a hawliau Crist yw'r ffon fesur – do, fe wnaed hynny o'r dechrau ac yn arbennig, gan y caplaniaid a benodwyd, a hynny gydag agwedd wahanol i'w gilydd o gymharu'r tri chyntaf â'r rhai a'u dilynodd.[140] Ond, fel yr awgrymwyd, newidiodd Cymru y tu hwnt i unrhyw adnabyddiaeth dros y ganrif a phrin yw *impact* unrhyw fath o Gristnogaeth erbyn

2014. Ar sail yr ymdriniaeth yn y bennod hon fe'i terfynir â thri chwestiwn a all agor drysau i'r dyfodol.

Pe bai'r Cyfundeb cyfan a'i eglwysi o'r dechrau wedi cofleidio'r Gwasanaeth Ieuenctid, a fyddai'r stori'n wahanol? Cafwyd arweiniad cryf o du'r Corff ynglŷn â heriau'r oes drwy bwyllgor a chaplan, ond 'lleiafrif' fu'n ymateb, gyda difaterwch ar y naill law a'r tlodi ysbrydol y soniodd yr ail Dafydd Owen a Jim Clarke amdano ar y llaw arall yn nodweddu'r ganrif. Ai methiant i ddirnad arwyddion yr amserau sydd yma?

Pe byddem wedi gwrando ar gri'r ifanc yng ngeiriau'r ail Ddafydd Owen ac wedi sefydlu Gwasanaeth Ieuenctid Cristnogol i Gymru, a fyddai'r stori'n wahanol? Ai diffyg undod yw arwahanrwydd – diystyr i'r ifanc, meddid – a methiant i gadw'r ffocws ar Iesu a'i Deyrnas Ef yn wyneb heriau'r oes?[141]

Petai mwy o werthfawrogi ystod eang y ffydd a llai o garfanu diwinyddol, mwy o undod yn y ffydd ac mewn pwrpas, yn wyneb heriau'r oes a fyddai'r stori'n wahanol? Diddorol yw ystyried gwrthwynebiad yr ifanc yn 1922 i'r pwyslais unigolyddol ac mai apêl Blwyddyn Gap y Bala at un ymgeisydd yn 2016 ydoedd, 'datblygu fy mherthynas â Duw'.[142] A oes iachawdwriaeth i'r 'fi' heb y 'ni'?

Ar ddiwedd y ganrif dichon mai MIC (Mudiad Ieuenctid Caerfyrddin), a sefydlwyd yn gydenwadol yn 2009, sy'n taro'r nodyn gobeithiol. Y bwriad yw, 'hyrwyddo gwaith a thystiolaeth yr efengyl ymhlith plant a ieuenctid ... mewn ffyrdd cyfoes a pherthnasol ... [drwy] weithgareddau llawn hwyl a chyffro'. Ar ba sail? 'Cyhoeddi Iesu Grist yn Arglwydd a Gwaredwr a meithrin yr ymwybyddiaeth fod Cristnogaeth yn ymwneud â phob agwedd ar fywyd.'[143] Rhaid felly tynnu'r bennod i'w therfyn yn ffyddiog gan fod Efe yn dal i adeiladu ei Deyrnas gan gofio i'r ganrif a fu fod yn ganrif o adeiladu yn ogystal â chwalu a bod niferoedd, er yn llawer iawn llai, yn dal i hau'r had ymhlith yr ifanc ac yn ehangach, a chofio ffyddlondeb yr Un a'n galwodd i'w bwrpas o gyfannu byd a bywyd yng Nghrist.[144]

1 Adroddiad Pwyllgor IV. Roedd consýrn am le'r ifanc yn yr eglwys rai degawdau cyn hyn gan y gresyna'r Parch. John Hughes, M.A., Lerpwl, fod arwyddion o ffasiynau Lloegr yn dylanwadu ar Gymru 'y duedd i gysylltu a'r eglwys glybiau a threfniadau i gyfarfod ag awch y bobl ifanc

am adloniant ac ymarferiadau corfforol. Amcenir gwneud yr eglwys a'r broffes grefyddol yn fwy hudol i'r ieuainc trwy gefnogi dawnsio a dyrnodio'. Y *Drysorfa* (1900), 97.

2 *Y Blwyddiadur*, 192.

3 *Y Blwyddiadur*, 1925, t. 87.

4 Ibid., tt. 88–91.

5 Ibid., t. 88.

6 Ibid. Manylir ar feysydd priodol i'r tri chylch o weithgarwch. Argymhellir astudio llyfrau blaengar fel *Iesu Grist a Chredoau Eraill*, Watcyn Price; *Adroddiad y Comisiwn Ad-drefnu Adran V*, sef yr adran ar Eglwys a Chymdeithas; *Dysgeidiaeth Gymdeithasol y Proffwydi*; *Jesus of History* (Glover) a *The Manhood of the Master* (Fosdick). Rhoddir rhyddid i'r dychymyg gyda'r ail gylch –'dyfeisio cyfleusterau i wasanaethu Teyrnas Crist y tu fewn i'r eglwys a'r tu allan iddi'. Cysylltir y defosiwn a'r meysydd astudio â'r gweithgarwch a drefnid.

7 *Y Blwyddiadur*, 1925, t. 90.

8 Ibid.

9 Gw. manylion Cymdeithasfa'r De yn ibid., tt. 91–3.

10 Am y manylion terfynol gw. *Y Blwyddiadur*, 1926, tt. 98–100.

11 *Y Blwyddiadur*, 1928, tt. 95–6; ibid., 1929, tt. 89–90.

12 Ibid. Gw. hefyd ibid., 1931, tt. 99–100.

13 *Y Blwyddiadur*, 1932, tt. 90–1.

14 Ibid., tt. 97–8. Yn wir, mae'r Adroddiad hwn yn ddadansoddiad pellach ar *rationale* yr Urdd.

15 *Y Blwyddiadur*, 1933, tt. 72–3.

16 *Y Blwyddiadur*, 1939, t. 107. Geiriau sy'n crynhoi profiad y ganrif.

17 Ceir y manylion ym Mlwyddiaduron 1938 ymlaen.

18 E.e. *Y Blwyddiadur*, 1942, t. 86; 1943, t. 60.

19 *Y Blwyddiadur*, 1952, t. 139. Roedd gwersyll ar wahân i'r Saeson dan y thema 'The Life and Teaching of Jesus Christ'. (J, S, Stewart). Sefydlwyd eu Youth Holiday Fellowship hwy yn 1947 cyn bod Sasiwn y Dwyrain, a cheir manylion yn *Y Blwyddiadur*, 1951, t. 182.

20 Gw. adroddiadau'r cyfnod megis *Y Blwyddiadur*, 1957. t. 193.

21 *Y Blwyddiadur*, 1941, t. 75. Rhoddwyd sylw i'r llyfryn, *Further Studies in the Christian Community in the Modern World* a'r Adroddiad *Christus Victor.* Sylwer mai 24 Gorffennaf–2 Awst 1939 oedd dyddiadau'r gynhadledd hon.

22 *Y Blwyddiadur*, 1955, t. 199.

23 *Y Blwyddiadur,* 1956, t. 209.

24 Pwyslais a barhawyd i'r dyfodol. Sonnir yn 1960 am berthynas rhwng Pwyllgor y Gogledd a'r Wales Association of Youth Clubs, a'r un modd yng nghyfnod Dafydd H. Owen yn y Bala.

25 *Y Blwyddiadur*, 1952, t. 139.

26 *Y Blwyddiadur*, 1965, tt.144–5. Teg nodi hefyd i Gymdeithasfa'r Dwyrain drefnu Encil i Weinidogion yn rhan o raglen eu pwyllgor hwy, a rhoesant sylw i amrywiol weddau ar y Weinidogaeth yn 1962. Gw. *Y Blwyddiadur*, 1963, t. 180.

27 Roeddent ar Dduw, y Tad, y Mab, yr Ysbryd Glân, yr Hen Destament, y Testament Newydd, yr Eglwys, y Sacramentau, Maddeuant Pechodau, Dyn, ac fe'u paratowyd gan gyfranwyr safonol. *Y Blwyddiadur* 1963, tt. 180–1 . Parhaodd yr YHF yn gryf a dylanwadol dros y degawdau dilynol.

28 *Y Blwyddiadur*, t. 211.

29 *Y Blwyddiadur*, 1965, t. 144.

30 *Y Blwyddiadur,* 1967, t. 193. Diddorol yw'r sôn am efengylu mewn diwydiant a thrwy radio a'r teledu, ac am gyfraniad grŵp pop Beti a'r Gwylliaid Gleision i'r bererindod hon. Am ddatblygiadau Tre-saith ymddengys mai drwy ysgogiad Henaduriaeth De Aberteifi y cefnogodd Pwyllgor Ieuenctid y De ail-lunio capel Tre-saith, yn wersyllfa. *Y Blwyddiadur*, 1965, t. 144; ibid., 1966, t. 186; ibid., 1967, t. 193.

31 *Y Blwyddiadur* 1963, t. 179; gw. ibid., 1965, t. 144; ibid., 1966, t. 186.

32 Daeth *Y Ffordd* i ben yn 1965 wedi i James Humphreys symud i'r De. Ef oedd yn gyfrifol am ei gynhyrchu a'i farchnata. *Y Blwyddiadur*, 1966, t. 187.

33 *Y Blwyddiadur*, 1966, t. 187.

34 *Y Blwyddiadur*, 1963, t. 220.

35 Ceir manylion yn Adroddiadau Pwyllgorau Urdd y Bobol Ifanc y Sasiwn, e.e. y De yng Nglan-rhyd Mai 1960, NLW CMA 18589a.

36 Cynhaliwyd y gyntaf yno yn haf 1966 dan arweiniad y Parch. John Tudno Williams, ond, erbyn hynny cwynir mai ychydig o'r eglwysi Cymraeg oedd â diddordeb.

37 Y Parch. D. H. Owen oedd y trefnydd a chynlluniai ef daith ieuenctid i wlad Groeg yn Awst 1966 gyda 'Paul y Cenhadwr' yn thema. *Y Blwyddiadur*, 1967, t. 195.

38 Ymddiriedwyd y trefniadau maes o law i Gyngor Eglwysi Cymru ond dengys ehangder gweledigaeth y pwyllgor a'i barodrwydd i fentro gyda'r gwaith.

39 *Y Blwyddiadur*, 1968, t. 197. Roedd gan y Cyfundeb 13 cynrychiolydd a thalent eu costau eu hunain gyda gobaith am gymorth gan eglwys leol, henaduriaeth a sasiwn. Gw. yr adroddiad yn *Y Blwyddiadur*, 1969, tt. 224–5.

40 Gw. adroddiadau'r Urdd ym Mlwyddiaduron y cyfnod, e.e. 1958, tt. 161–2; 1959, t. 214.

41 Yn y blynyddoedd hyn ffurfiodd y Gogledd Ffilmgell dan arweiniad Gareth Maelor Jones. Gw. *Y Blwyddiadur*, 1966, t. 187, ac ychwanegwyd ati dros y blynyddoedd dilynol a'i lleoli yn y Bala.

42 Mae'n werth nodi codiad yn statws y cyd-bwyllgor yn 1961 pryd y'i sefydlwyd, ar gyfrif cynnydd ei waith, yn bwyllgor perthynol i'r Gymanfa Gyffredinol, gyda'r Parch. Gwynfryn Lloyd Davies yn Ysgrifennydd iddo am bum mlynedd. Fe'i dilynwyd yn 1966 gan y Parch. D. H. Owen ac yna gan y Parch. D. Ben Rees.

43 Gellid enwi mwy ohonynt, fel y Parchedigion Cynwil Williams, D. J. Jones, Gareth Maelor, ond cyfyngwyd i swydd-ddeiliaid.

44 Mae'n werth nodi cyfraniad Pwyllgor Urdd y Bobl Ifanc, yn arbennig y

De a'r Dwyrain, yn natblygiad Trefeca. Gw. *Y Blwyddiadur*, 1966, t. 186.

45 Roedd y Ffilmgell yng ngofal gweinidog dylanwadol arall, sef y Parch. Gareth Maelor Jones, ac fe'i hehangwyd i gynnwys fflanelau, murluniau a phypedau Beiblaidd. *Y Blwyddiadur*, 1967, t. 195.

46 *Y Blwyddiadur,* 1959, t. 212.

47 Ceir manylion ymateb amrywiol 144 o'r 412 holiaduron a anfonwyd o Sasiwn y De yn Adroddiad Cymdeithasfa Heol y Crwys, Mai 1959 (NLW CMA 18589a) yn nodi prinder gwaith ymarferol gan yr ifanc, beirniadaeth lem ar *Y Ffordd* (rhy bregethwrol a thrwm a phell oddi wrth fywyd ieuenctid heddiw) angen pamffledi byrion ar wahanol agweddau ar waith yr eglwysi, fawr o werth yn y Bererindod gan yr apeliai at y rhai mewn oed (ymddengys bod hynny wedi newid cryn dipyn yn y 1960au). Roedd angen adran ieuenctid gyda rhybudd i beidio ag ymyrryd ym mywyd yr eglwys leol.

48 *Y Blwyddiadur* 1961, t. 198. Erbyn 1962 rhybuddiwyd bod yn rhaid cynyddu'r cylchrediad i 1500 neu byddai'n rhaid ei ddirwyn i ben: *Y Blwyddiadur* 1963, t. 181, a phenderfynwyd gwneud hynny yn 1965. Gorffwysai'n gyfan gwbl ar James Humphreys ac yntau ar symud i Lanyfferi. Rhoddwyd teyrnged uchel i'w waith ynghyd â rhodd o £10 10s iddo. *Y Blwyddiadur*, 1966, t. 187; ibid., 1967, t. 191. Ar yr un pryd cychwynnodd y De eu cylchgrawn eu hunain, sef *Clywch.*

49 Fe'i gwelir yn *Y Blwyddiadur*, 1960, tt. 198–9. Yn 1962 ymddiriedwyd i D. H. Owen, Roy Evans a J. Bennett Jones ystyried polisi'r Urdd at y dyfodol gan awgrymu anniddigrwydd y pwyllgor eto. *Y Blwyddiadur*, 1963, t. 181.

50 *Y Blwyddiadur*, 1962, t. 221.

51 *Y Blwyddiadur*, 1965, t. 146. Cymdeithasfa Treffynnon, Ebrill 1964, gw. *Y Blwyddiadur*, 1966, t. 187.

52 Gw. yr adroddiad yn *Y Blwyddiadur,* 1966, tt. 189–91. Roedd Cymdeithasfa'r Gogledd ym Medi 1963 wedi cydio yng nghonsýrn yr Urdd am ddau arweinydd amser llawn ar gyfer ieuenctid y Gogledd. *Y Blwyddiadur* 1965, t. 163.

53 *Y Blwyddiadur* 1966, tt. 190–1. Gosodwyd y swydd o ran statws yn gyfochrog ag athrawon y Coleg Diwinyddol.

54 Ceir manylion trefniadol yr apwyntiad yn *Y Blwyddiadur*, 1966, t. 64, a 1967, tt. 187–90.

55 Gw. *Y Goleuad*, 7 Gorffennaf, 6; 21 Gorffennaf 1965, 7; 18 Gorffennaf, 6; 1 Awst 1965, 2.

56 Adroddiad Pwyllgor Apwyntio Caplan Ieuenctid yn *Y Blwyddiadur*, 1968, t. 190.

57 *Y Blwyddiadur*, 1969, tt. 226–7. Pwysleisiwyd y gwahaniaeth rhyngddi a Chanolfan Trefeca, a oedd ar gyfer cyfoethogi a dathlu bywyd eglwysi lleol, cydweithio â'r awdurdodau seciwlar mewn rhaglenni i hyrwyddo'r presenoldeb Cristnogol a chynnig tystiolaeth Gristnogol drwy gynnig llety dros dro pan fyddai ei angen. Crynhoir y pwrpas yn ôl rhaglen Trefeca fel addoli a gwasanaethu Duw, cyflwyno a rhoddi hyfforddiant

yn y Ffydd Gristnogol, darparu gweithrediadau diwylliannol ac addysgiadol, a chyfleusterau adloniant i ieuenctid, ceisio cymod o fewn ein bywyd cymdeithasol, diwylliannol a chenedlaethol a rhwng cenedl a chenedl, hybu cydweithio rhwng eglwysi ac enwadau a chymdeithasau y mae a fynnont â lles ein cyd-ddynion. *Cofnodion Cymdeithasfa'r De* Gorffennaf 1969, tt. 26–39.

58 Parhad ydyw o'r bwriadau cychwynnol a ffrwyth ymgynghoriad eang o fewn y Corff – pob gweinidog, blaenor, yr ieuenctid a'u harweinwyr ynghyd â'r henaduriaethau, y sasiwn a'r gymanfa.

59 *Y Blwyddiadur*, 1969, t. 225.

60 Gw. y manylion yn *Y Blwyddiadur*, 1969. t. 329.

61 Yn ystod ei flwyddyn gyntaf bu Dafydd Owen mewn 160 o gyfarfodydd cynghori gan deithio miloedd o filltiroedd heb gymorth swyddfa ar y pryd.

62 *Y Blwyddiadur*, 1969, t. 228.

63 *Y Blwyddiadur*, 1945, t. 63.

64 *Y Blwyddiadur*, 1972, tt. 156–7. Penodwyd swyddogion ieuenctid y tair talaith a swyddogion yr Urdd i wneud y gwaith a chyflwynodd ei adroddiad cyntaf, Addoli a'r Ifanc, ymhen y flwyddyn. *Y Blwyddiadur*, 1973, t. 198.

65 Glynwyd at y trefniant hwn gydol y cyfnod.

66 Sonnir am ddau yn benodol, sef y 'North Wales County Training Committee for Youth Leadership' neu'r cwrs ym Mhrifysgol Abertawe ar gyfer athrawon a gwaith ieuenctid.

67 Gair Miso yn golygu colomen yw Trwro, a daeth yn enw ar glybiau plant drwy'r gyfres lyfrau gynhyrchwyd gan Gwen. Arwydd arall o'r gwaith yn aeddfedu ydoedd y sylw a roddwyd ar y cyfryngau. Darlledwyd oedfa Nadolig o'r Coleg yn 1974 a chafwyd sylw iddi e.e. yn y *Liverpool Daily Post*. *Blwyddiadur*, 1975. Dyma ddechrau cyfnod o gydweithio agos rhwng y bwrdd hwnnw a'r Gwasanaeth Ieuenctid gyda'r Bwrdd yn cyfrannu'n ariannol at waith y Coleg: £2,338 yn 1975, 8,550 yn 1984. Peidiwyd â thalu grant (oddieithr gan y Chwiorydd) wedi sefydlu'r Cyfraniad Cyfundebol a chollwyd y cyswllt yn dilyn cyfansoddiad newydd i'r Coleg. Cafwyd cymorth pellach o'r 'canol' i gynnal yr adeiladau gydag ymweliadau cyson ar ran y Bwrdd Ariannol ac Eiddo i ystyried y materion hynny. Dylid nodi hefyd i gymorth gael ei estyn i ieuenctid a phlant o deuluoedd tlodaidd o ddyddiau mynd i'r coleg yn ystod cyfnod o galedi ddechrau'r wythdegau, gan adolygu'r trefniant yn gyfnodol. Gw. fel enghraifft *Gweithrediadau*, 1994.

68 Roedd ymwneud â chymdeithasau seciwlar yn bolisi cynnar, gw. *Y Blwyddiadur*, 1969, t. 227.

69 *Y Blwyddiadur* 1979, t. 97. Mae'n debyg fod y trafod gyda'r Annibynwyr yn dilyn aelodaeth y Corff yn CWM yn 1978. Cytunwyd i drefnu rhai cyrsiau preswyl ar y cyd, rhannu gwybodaeth am weithgarwch a chynrychiolydd ar bwyllgorau'i gilydd. *Y Blwyddiadur*, 1980, t. 100.

70 Ceir manylion am y daith gyntaf yn *Y Blwyddiadur,* 1969, tt. 224–5.

71 Gw. *Y Blwyddiadur*, 1972, t. 154.

72 *Y Blwyddiadur*, 1975, t. 216.
73 O ran strwythur, byddai'r Caplan Ieuenctid yn adrodd i'r Gymanfa Gyffredinol drwy Bwyllgor Urdd y Bobl Ifanc, fel y gwnâi pwyllgorau ieuenctid y Cymdeithasfaoedd a chanddynt gyfrifoldeb am waith ieuenctid yn eu tiriogaeth. Ond yr oedd i'r Caplan hefyd ei bwyllgor lleol. Ynddo y trafodid materion yn ymwneud ag adeilad y Coleg, ei staff a'i holl waith.
74 *Y Blwyddiadur*, 1977, t. 192.
75 *Y Blwyddiadur*, 1976, t. 196.
76 Gw. ei adroddiadau ym Mlwyddiaduron y blynyddoedd hyn.
77 *Y Blwyddiadur*, 1977, t. 193; 1978, tt. 190–1. O'r dechrau ariennid gwaith yr Urdd yn ôl y gofyn, yn bennaf drwy barodrwydd pwyllgorau'r Gymdeithasfa i gyfrannu at gostau teithio neu gynhyrchu deunydd. Ond ar ddechrau'r pumdegau ceir cip pellach ar gyfeiriad y gwaith wrth i'r Gymanfa Gyffredinol yn 1952 gadarnhau apêl Pwyllgor yr Urdd, gyda chefnogaeth y Pwyllgor Plant, i Gronfa'r Casgliad Mawr am £3,000 er mwyn ariannu cynllun datblygu. Cynhwysai hynny gyhoeddi'r cylchgrawn ieuenctid, *Y Ffordd*, paratoi defnyddiau megis pamffledi a rhaglenni gwaith ynghyd â hyfforddiant a chyrsiau i arweinwyr gwaith plant ac ieuenctid, cynnal cynadleddau gwyliau yn y Gymraeg a'r Saesneg, anfon cynrychiolwyr i gynadleddau ecwmenaidd a Phrydeinig, paratoi Ffilmgell ynghyd â chefnogi cynlluniau henaduriaethol.
78 Ni chaniatawyd y 10c a geisiwyd ond sefydlwyd yr egwyddor o dreth ar gyfer cynnal y gwaith ieuenctid.
79 *Y Blwyddiadur*, 1979, t. 98. Dechreuodd ddatblygu'r pwyntiau hyn cyn ymddiswyddo.
80 *Y Blwyddiadur*, 1981, t. 107; 1982, t. 107.
81 *Y Blwyddiadur*, 1983, t. 119.
82 Ceir manylion y trefniadau hyn yn *Y Blwyddiadur*, 1981, tt. 108–9.
83 *Y Blwyddiadur*, 1983, t. 120.
84 Ibid., t. 109.
85 *Y Blwyddiadur*, 1982, t. 108.
86 Bu newid yn strwythurau'r gwaith yn 1982 er mwyn rhoi sylw i'r gwaith maes.
87 *Y Blwyddiadur*, 1981, t. 108.
88 Ibid.
89 Ibid., 1982, t. 108, gyda dilyniant yn ibid., 1983, t. 121.
90 Ibid.
91 *Y Blwyddiadur*, 1983, tt. 118, 120 ac ibid., 1982, t. 109.
92 *Y Blwyddiadur*, 1983, t. 121.
93 Cytunwyd ar banel i ystyried y materion hyn, sef swyddogion y Gymanfa, swyddogion Urdd y Bobl Ifanc, swyddogion Bwrdd y Genhadaeth a swyddogion y Bwrdd Ariannol. *Y Blwyddiadur*, 1981, t. 39.
94 *Y Blwyddiadur*, 1987, t. 65.
95 Ibid., t. 66.

96 *Gweithrediadau y Gymanfa Gyffredinol 1990,* t. 49.
97 Ibid., t. 47; 1989, tt. 43–4.
98 *Gweithrediadau*, 1990, t. 48.
99 Ibid., tt. 48–9.
100 Ibid.
101 *Gweithrediadau*, 1996, t. 17. 'strategaeth i gynyddu a datblygu ein hadnoddau gydag amser.'
102 *Gweithrediadau*, 1993, t. 27.
103 Ibid.
104 Paratowyd cyfres o bum llawlyfr *Hwyl Hwyr* gyda'r bwriad o'u defnyddio ar gylchdro. Lansiwyd *Caleidosgop* ym Mehefin 1993 yn Llundain. Erbyn adroddiad 1995 hyfforddwyd 20 o diwtoriaid drwy gyfrwng y Gymraeg a'r Saesneg ar gyfer pob rhan o Gymru gyda'r bwriad eu bod 'ar gael i hyfforddi grwpiau mewn sgiliau o gyflwyno addysg Feiblaidd i blant'.
105 *Gweithrediadau,* 1991, t. 27; 1993, t. 26; 1994, t. 15.
106 *Gweithrediadau*, 1992, t. 32, 1993, tt. 26–7.
107 Gw. y manylion yn *Gweithrediadau*, 1990, tt. 13, 24–8.
108 Un datblygiad o ganlyniad oedd dull gwahanol o ariannu'r gwaith erbyn y flwyddyn 2000 pryd y rhoddwyd grant bloc i'r Bwrdd i gynnal ei holl waith. Lle gynt y dibynnwyd ar dreth neu gyfran o'r Cyfraniad Cyfundebol a ddaeth i fod ar ddiwedd yr 1980au, bellach disgwylid i'r Bwrdd gynllunio a chadw o fewn ei gyllideb. Parhaodd hynny hyd ddyddiau'r Bwrdd Bywyd a Thystiolaeth. £20,000 oedd y grant yn 2000.
109 *Gweithrediadau*, 1997, t. 17.
110 Ibid., t. 18.
111 *Gweithrediadau*, 2001, t, 33. Dichon mai gwahaniaeth agwedd a phwyslais a welir, gyda'i ragflaenwyr yn dueddol o gychwyn gyda'r ieuenctid a'u cyd-destun, a Bryn Williams yn cychwyn gyda'r ffydd, ac y mae i hynny oblygiadau diwinyddol o ran dealltwriaeth a dehongliad y dasg. Nid yw'r naill safbwynt o reidrwydd yn dirymu'r llall.
112 Ibid.
113 *Gweithrediadau*, 1996, t. vii.
114 *Gweithrediadau,* 1999, t. 19.
115 Ibid.
116 *Gweithrediadau*, 2000, t. 33 a 2001, t. 33.
117 Ibid., tt. 33–34.
118 *Gweithrediadau*, 2001, t. 33–4.
119 *Gweithrediadau*, 2004, t. 8; ibid., 2007, t. 34. Gyda throad y mileniwm trosglwyddwyd y cyfrifoldeb am gysylltiadau CWM oddi wrth Fwrdd y Genhadaeth a phwyslais ar lunio Rhaglen Genhadol ar gyfer yr eglwys gyfan. Defnyddiwyd arian CWM i gynnal y Flwyddyn Gap, gyda'r pwrpas o gynnig profiad yn y Coleg i fagu arweinwyr a gweinidogion i'r dyfodol. Erbyn 2012 a 2013 neilltuwyd £15,000 yn y gyllideb ar gyfer cynnal dau berson ar y cwrs.
120 *Gweithrediadau*, 1990, tt. 15, 47. Cynllun oedd hwn a fyddai'n rhoi mwy o lais i'r ifanc ym mywyd yr Eglwys trwy gynrychiolaeth a

chyfarfyddiad fel fforwm cyn y Gymanfa'n flynyddol. Cyflwynwyd yr adroddiad cyntaf yng Nghymanfa 1991 – *Gweithrediadau*, 1991 , t. 11. Ibid., 1993, t. viii.

121 *Gweithrediadau*, 2005, t. 22. Ibid., 2006, t.19.

122 *Gweithrediadau*, 1998, t. 22; 2003, t. 37; 2006, t.18. Sonnir am feithrin cyswllt â'r ysgolion yng nghyfnod Delyth Wyn Lloyd – *Gweithrediadau*, 1991, t. 27.

123 O ran gweinyddiad yr adeilad, ffurfiwyd Canolfannau'r Bala yn elusen annibynnol dan gyfarwyddyd y Comisiynwyr Elusennau. Bu trafod cyfansoddiad Coleg y Bala rhwng 1995, *Gweithrediadau*, 1995, t. 15; 2000, tt. 35–8 a 2003, tt. 11–13, gyda'r pwrpas o ddarparu canolfan hyfforddi plant ac ieuenctid, 'i gyrraedd aeddfedrwydd llawn ... heb wahaniaethu ar sail crefydd, enwadaeth grefyddol, rhyw, cenedl na gallu'.

124 Yn 1990 rhoddwyd benthyciad o £300,000 i uwchraddio'r cyfleusterau a rhoi fflat yn yn y ganolfan ar gyfer gweithiwr, ond erbyn diwedd y degawd roedd y defnydd o'r ganolfan wedi lleihau. Rhoddwyd cynnig arall ar ailsefydlu'r gwaith yno yn 1998 a throsglwyddo'r adeilad i ofal Bwrdd y Gymanfa yn 1999. *Gweithrediadau*, 1998, t. 22; 1999, t. 20; 2000, t. 20. Fe'i gwerthwyd am £140,000 a threfnwyd i ddefnyddio'r llogau i hyrwyddo gwaith plant o fewn Cymdeithasfa'r De, a daeth hynny i gynnwys cludo plant i'r Bala. Gw. cofnodion Sasiwn Rhydaman, Gwanwyn 2016.

125 Yn wahanol i'w ragflaenwyr, prin yw'r sôn am ddiffyg diddordeb eglwysi na henaduriaethau, a chyfyd hyn y cwestiwn a fu newid sylfaenol yn y berthynas hon, ynteu ai ymbellhau a fu wrth ddatblygu'r pwyslais 'ysbrydol' a hyfforddiant. Nid yw'r adroddiadau yn torri'r ddadl hon.

126 Wrth i nifer y gweithwyr gynyddu a gofynion cyfraith ynglŷn â materion Iechyd a Diogelwch mewn cyflogaeth a gofal adeiladau wasgu tua throad y mileniwm newydd, roedd Coleg y Bala ar flaen y gad yn arwain y Cyfundeb ar y materion hyn cyn sefydlu'r Panel Diogelwch Plant.

127 Am fanylion 'Symud Ymlaen 3', gw. *Symud Ymlaen*, 3 (2007).

128 Rhaglen Genhadol yr Henaduriaeth, 2012.

129 *Gweithrediadau*, 2011, t. 76. Anfonwyd holiadur at weinidogion yn holi am adnoddau, 2012, t. 69.

130 *Gweithrediadau*, 2010, t. 64; 2012, t. 70; 2013, t. 271.

131 *Gweithrediadau*, 2011, t. 76. Fe'i lansiwyd yn y Gymanfa 2014. *Gweithrediadau*, 2014, tt. 104–5. Gw. hefyd gwefan Camu (camustep.cymru).

132 *Gweithrediadau*, 2009, t. 68. Cytunwyd yn 2010 i swyddogion y Bwrdd ac eraill gyfarfod â rhai ieuenctid i drafod eu cyfraniad i fywyd yr Eglwys.

133 *Gweithrediadau*, 2010, t. 65, 2013, t. 275.

134 Ibid. Cytunodd y Bwrdd i neilltuo £5,000 i'r pwrpas. Gw. *Gweithrediadau*, 2012, tt. 69; 2013, t. 271, 275; 2014, t. 105.

135 *Gweithrediadau*, 2013, tt. 272–3.

136 *Gweithrediadau*, 2014, t. 103.

137 Gwen Rees Roberts oedd y gyntaf i ddarparu ar gyfer plant yn gyfundebol er i rywrai weld yr angen ddegawdau ynghynt. Gw. J. Gwynfor Jones, *Her y Ffydd, Ddoe, Heddiw ac Yfory* , t. 241, a phwyslais Griffith Owen yn ei anerchiad o gadair y Gymanfa, 1978. Dros y blynyddoedd cysylltwyd y gwaith plant a phwyllgor yr ysgol Sul â'r meysydd llafur blynyddol.

138 Robert Pope, *Codi Muriau Dinas Duw*, tt. 7–10. D. Densil Morgan, *The Span of he Cross*, yn arbennig tt. 106–30. Gw. *Her y Ffydd* ..., tt. 186–321 am ddarlun mwy lleol. R. Merfyn Jones, *Cymru 2000: Hanes Cymru yn yr Ugeinfed Ganrif* (Caerdydd, 1999), tt. 80–4, 197–8 yn benodol. Gareth Elwyn Jones a Dai Smith (goln), *The People of Wales* (Llandysul, 1999), tt. 244–50.

139 *Blwyddiadur*, 1924, t. 130; 1955, t. 210.

140 Soniwyd eisoes fod y caplaniaid cyntaf yn fwy cyd-destunol a chynhwysol eu hagwedd, ac o 1996 ymlaen cafwyd apêl mwy unigolyddol a phersonol.

141 Gw. nodyn 79.

142 *Y Goleuad*, 29 Gorffennaf 2016; *Gweithrediadau*, 2014, tt. 105–6.

143 Gwefan micsirgar.org. Tebyg yw bwriad EFE yn Eryri.

144 Gw. Morgan, *The Span of the Cross*, tt. 211–79.

PENNOD 10

MAWL A CHÂN

RHIDIAN GRIFFITHS

Brwdfrydedd mawr oedd pennaf nodwedd canu cynulleidfaol Cymru yn y blynyddoedd cyn ac yn union ar ôl y Rhyfel Byd Cyntaf. Yr oedd cynulleidfaoedd yn niferus a chyfran dda o bobl yn medru darllen nodiant cerddorol, yn enwedig y Tonic Sol-ffa, diolch i ddwy genhedlaeth o addysg gerddorol a gyfrannwyd yn yr ysgol Sul a'r ysgol gân. Yr oedd yr enwadau Anghydffurfiol a'r Eglwys Anglicanaidd wedi cyhoeddi casgliadau swyddogol o emynau a thonau a ddefnyddid yn helaeth ac a fu'n fodd i gadarnhau traddodiadau enwadol ym myd emyn a thôn: ymddangosodd *Y Caniedydd Cynulleidfaol* yn 1895, *Hymnau a Thônau y Methodistiaid Calfinaidd* yn 1897, *Emyniadur yr Eglwys yn Nghymru* yn 1898, a'r *Llawlyfr Moliant* yn 1915, gan osod patrwm y byddai cenedlaethau o gasgliadau yn ei ddilyn. Cododd nifer o eglwysi organau o ansawdd uchel a phenodi organyddion medrus i'w canu. Adeiladwyd organ yn Princes Road, Lerpwl, yn 1894 ar gost o £1,763.[1] Cafodd capel Jewin, Llundain, organ newydd yn 1898 a phenodwyd Bryceson Treharne o Ferthyr Tudful yn organydd.[2] Un o gerddorion y Cyfundeb, E. T. Davies o Ddowlais, a roddodd ddatganiad agoriadol yr organ yn y Tabernacl, Aberystwyth, yn 1905, a J. Charles McLean o Borthmadog a benodwyd yn organydd cyflogedig cyntaf y capel, swydd a ddaliodd o 1906 hyd 1926.[3]

Daeth canu cynulleidfaol hefyd yn ffenomen genedlaethol mewn ffordd fyw iawn yn ystod y rhyfel. Dylanwad Lloyd George a barodd sefydlu'r Gymanfa Ganu Genedlaethol flynyddol yn gysylltiedig â'r Eisteddfod Genedlaethol, gan ddechrau yn Aberystwyth yn 1916. Amcan y Gymanfa oedd sicrhau moddion bendith drwy ganu emynau yng nghanol y gyflafan fawr, ond llwyddodd hefyd i gadarnhau pwysigrwydd canu cynulleidfaol a'r gymanfa ganu yn rhan o gymeriad y genedl, a'r ffordd y byddai hi yn ei chyflwyno ei hun gerbron y byd.[4] Trwy gydol hanner cyntaf yr ugeinfed ganrif byddai cymanfaoedd canu lleol yn dal yn eu bri ac yn wyliau poblogaidd a niferus. Yn yr 1920au yr oedd cymanfa ganu Methodistiaid Calfinaidd Pontarddulais a'r cylch, a gynhelid yng nghapel y Gopa, yn lluosog – byddai'r lle yn llawn i'r ymylon awr a hanner cyn dechrau oedfa'r nos, a phrofiad tebyg a geid mewn llawer ardal.[5] Byddai'r gymanfa yn gyfle i arholi plant mewn cerddoriaeth ac i gynnig cystadlaethau cyfansoddi emyn a thôn, ac y mae rhaglenni cymanfaoedd lleol yn y cyfnod cyn 1930 yn ddrych o weithgarwch cerddorol eu bröydd ac yn fesur o boblogrwydd emynau a thonau penodol. Yr oedd gan y Cyfundeb nifer o arweinyddion poblogaidd, megis John Thomas, Llanwrtyd, J. T. Rees, David Evans a'i gefnder T. Hopkin Evans, ac mewn cyfnod diweddarach, W. Matthews Williams a T. Haydn Thomas, ymhlith eraill.[6] Eto i gyd, serch yr holl weithgarwch, yr oedd lle i ofni mai poblogrwydd oedd prif gyweirnod y cymanfaoedd canu, yn hytrach nag awydd gwirioneddol i ddatblygu a chodi safon caniadaeth yn ôl delfrydau sylfaenwyr y mudiad. Yn 1929 aeth Tom Jones, Trealaw, ati i groniclo hanes cymanfa ganu Dosbarth Canol Rhondda ar adeg ei hanner canmlwyddiant, gan fynegi ei bryder am werth y cyfarfodydd:

> Ofnwn nad ydyw y gymanfa yn awr, yng ngoleuni y rhai a fu, namyn gwyl i ganu yn unig – i fodloni ar y llythyren ac nid adeiladu'r ysbryd. Ei pherygl yn awr yw myned yn fath o ysgol-gân fawreddog, a cholli golwg ar ddibenion uchaf cyfanfa [*sic*]. Gwaith yr ysgol-gân yw dysgu tonau newyddion ond gwaith cymanfa yw addoli'r Arglwydd mewn moliant a chân.[7]

Diffiniodd y cyfnod o 1922 ymlaen, wedi'r bwrlwm o gofio Ieuan Gwyllt adeg canmlwyddiant ei eni, yn gyfnod o 'chwilio am fynegiant amgenach a llawnach'.[8] A gafwyd hynny, neu a fodlonwyd ar lwyddiant poblogrwydd yn unig, sy'n gwestiwn anodd ei ateb.

Pa mor gyffredinol bynnag y llwyddiant ymddangosiadol, ni ellid disgwyl i bopeth sefyll yn yr unfan. Hyd yn oed cyn y Rhyfel Byd Cyntaf cafwyd beirniadu ar *Hymnau a Thônau* 1897 a galw am ei ddisodli neu o leiaf ei ddiwygio a'i ddiweddaru. Mewn llythyr at y *Goleuad* yn 1913 awgrymodd y cerddor a'r cyhoeddwr D. L. Jones, 'Cynalaw', y gellid adnewyddu'r llyfr drwy hepgor rhai tonau a gosod rhai newydd yn eu lle; barnai eraill nad tonau newydd oedd y gwir angen, ond '[c]anu gwell a mwy deallgar yn gyffredinol trwy ein gwlad'.[9] Erbyn blynyddoedd cynnar yr ugeinfed ganrif yr oedd y Gymru gerddorol yn newid yn gyflym, gyda mwy o Gymry yn astudio cerddoriaeth ac yn dewis arbenigo yn y grefft, gan godi safonau ym maes cyfansoddi a dehongli. Yr oedd addysg gerddorol yn dechrau ennill ei phlwyf. Nid yn unig yr oedd llawer o Gymry yn astudio yng ngholegau cerdd Llundain, ond sefydlwyd cadair mewn cerddoriaeth yng Ngholeg y Brifysgol yng Nghaerdydd yn 1908, a phenodwyd David Evans i'w llenwi. Cafwyd chwyldro ym mywyd cerddorol y genedl wedi'r Rhyfel Mawr pan weithredwyd argymhellion Comisiwn Haldane ar ddyfodol Prifysgol Cymru a sefydlu Cyngor Cerdd Cenedlaethol a chadair Gregynog mewn cerddoriaeth yn Aberystwyth. Os cymysg fu ymateb y Cymry i'r Sais Henry Walford Davies a lanwodd y gadair honno o 1919 hyd 1926 ac a barhaodd yn Gyfarwyddwr y Cyngor Cerdd Cenedlaethol hyd ei farw, ni ellir gwadu ei ymroddiad i godi safonau trwy addysg a thrwy hybu perfformiadau o weithiau clasurol.[10] Nid y lleiaf o gymwynasau'r Cyngor Cerdd oedd ceisio dylanwadu ar y traddodiad canu emynau yng Nghymru trwy ddiddyfnu cynulleidfaoedd o'r arlwy o emyn-donau Fictoraidd a nodweddai gasgliadau'r bedwaredd ganrif ar bymtheg, gan gynnwys casgliad 1897; gwelir ôl yr ymdrech hon yn y *Casgliad Cyntaf o Donau a Hymnau* a gyhoeddodd y Cyngor yn 1921, ac yn rhaglenni cymanfaoedd canu a drefnwyd yn rhan o wyliau cerdd dan nawdd y Cyngor.[11] Ac nid yn unig trwy ymdrechion 'cyhoeddus' fel hyn y ceisiwyd cyfoethogi mawl. Cafwyd casgliadau preifat sylweddol, mentrau personol a gynigiai arlwy ychwanegol o donau at yr hyn a geid yn y llyfrau enwadol. Yn 1916 cyhoeddodd H.

Haydn Jones, Tywyn, ei gasgliad *Cân a Moliant*: 'nid i gymeryd lle Casgliadau sydd eisoes mewn arferiad, eithr, yn hytrach, fel atodiad iddynt, gyda'r amcan arbennig o ddarparu defnyddiau ar gyfer ein Cyfarfodydd a'n Cymanfaoedd Canu.'[12]

Yr un, mae'n debyg, oedd bwriad David Evans wrth gyhoeddi yn 1920 ei *Moliant Cenedl*, sy'n cynnwys ei donau ei hun ac eiddo cyfansoddwyr eraill, ynghyd â nifer dda o alawon Cymreig.[13] Bedair blynedd yn ddiweddarach, yn 1924, cyhoeddodd Hughes a'i Fab, Wrecsam, y casgliad *Moliant y Cysegr*, eto dan olygiaeth David Evans, sy'n cynnwys emyn-donau, anthemau a chaniadau, ynghyd ag apêl y golygydd ar i gynulleidfaoedd geisio dwyn mwy o amrywiaeth i'w mawl:

> Cyfyngasom ein moliant fel rheol i un ffurf gerddorol, sef yr emyn-dôn, ac er cystal ffurf ydyw honno, yr ydym yn ddiau yn gwneuthur cam â ni ein hunain wrth fodloni arni fel unig gyfrwng ein moliant. Y mae ffurfiau cerddorol eraill a ddefnyddiwyd ar hyd yr oesau, ffurfiau sy'n fynegiad rhagorol o'r diwylliant uchaf ac o ysbryd gwir addoliad. Oni ddaeth yr amser inni dorri tir newydd trwy wneuthur arbrofion ar hen gyfryngau mawl y mynegodd saint yr oesau eu profiadau dyfnaf trwyddynt?[14]

Yr oedd dylanwadau cerddorol fel hyn yn cefnogi'r awydd cyffredinol am newid.

Nid o du'r Cymry Cymraeg y cafwyd yr ymdrech Gyfundebol gyntaf i gyhoeddi llyfr newydd wedi 1914, fodd bynnag, ond o blith y cynulleidfaoedd Saesneg eu hiaith, a hynny mewn menter gydweithredol gydag eglwysi Presbyteraidd y tu allan i Gymru. Ymddangosodd argraffiad gwreiddiol y *Church Hymnary* yn 1898 dan adain Eglwysi Presbyteraidd yr Alban ac Iwerddon, a phenderfynwyd yn 1922 y dylid cyhoeddi argraffiad diwygiedig; gofynnodd Eglwys Bresbyteraidd Lloegr ac Eglwys Bresbyteraidd Cymru am gael bod yn rhan o'r cynllun, ac felly yr oedd y *Church Hymnary: Revised Edition*, a ymddangosodd yn 1927, yn teilyngu ei alw yn llyfr 'pan-Bresbyteraidd'. Mae iddo gymeriad Cymreig pendant, yn enwedig yn netholiad y tonau, sy'n cynnwys alawon traddodiadol a chyfansoddiadau mwy diweddar gan gyfansoddwyr megis John Ambrose Lloyd, D. Emlyn Evans a David Jenkins; rhan o'r rheswm am hynny, mae'n siŵr, yw mai Prif Olygydd Cerddorol y casgliad oedd David Evans, a gyfrannodd ddeuddeg tôn wreiddiol a 159 o drefniannau o'i waith ei hun. Cyhoeddwyd cydymaith, *Handbook to the Church Hymnary*, wedi ei olygu gan James Moffatt a Millar Patrick, yn 1927, gydag argraffiad newydd wedi ei helaethu yn 1935. Gwasanaethodd y *Church Hymnary: Revised Edition* yn emyniadur i eglwysi Saesneg y Cyfundeb a'r eglwysi Presbyteraidd eraill am ddeugain mlynedd a mwy.

Wrth i'r gwaith hwn fynd yn ei flaen gafaelwyd yn un o argymhellion Comisiwn Ad-drefnu'r Cyfundeb, sef y dylid paratoi casgliad newydd Cymraeg o emynau a thonau, a gwneud hynny os oedd modd mewn cydweithrediad â'r Wesleaid, gan eu bod hwythau yn ystyried paratoi casgliad newydd i ddisodli eu llyfr emynau blaenorol, a ymddangosodd yn 1900–4.[15] Yng ngoleuni datblygiadau cerddorol y cyfnod go brin fod hwn yn argymhelliad annisgwyl, ond gellir tybio bod dylanwadau eraill hefyd ar waith. Yr oedd yn gyfnod o ymadnewyddu cyffredinol: cyhoeddasai Undeb y Bedyddwyr eu *Llawlyfr Moliant* diwygiedig yn 1915, ac yn 1921 cafwyd *Y Caniedydd Cynulleidfaol Newydd* gan yr Annibynwyr. Yr oedd poblogrwydd y ddiwinyddiaeth newydd a'i phwyslais cymdeithasol, a phrofiadau enbyd y Rhyfel Mawr, yn codi awydd am emynau i adlewyrchu heddwch a dyfodiad y Deyrnas ymhlith pobl. Yng ngeiriau'r Rhagair i'r *Llyfr Emynau* (1927), yr oedd lle i

> lawer mwy nag sydd yn ein casgliadau presennol o emynau ar agweddau i'r gwirionedd a'r bywyd Cristionogol y rhoddir mwy o amlygrwydd iddynt gan yr Eglwys yn ein dyddiau ni nag a roddid mewn dyddiau blaenorol, megis, gwahanol ffurfiau ar y gwirionedd am Deyrnas Dduw, ac agweddau ymarferol a chymdeithasol y bywyd Cristionogol.[16]

Hwyrach fod llawer yn rhannu barn Syr John Morris-Jones fod angen i emynau 'adlewyrchu profiad dyn cyffredin o'r oes hon heb ormod o liw syniadau'r ddeunawfed ganrif'.[17] Barnai'r Athro hefyd – efallai braidd yn nawddoglyd – fod 'chwaeth ein cynulleidfaoedd wedi codi cryn lawer hyd yn oed er pan gyhoeddwyd y llyfr presennol [sef casgliad 1897], ac yn wir ni ddylid goddef rhigymau anllythrennog yn y llyfr hwn, pa faint bynnag o flas a gâi saint syml yr oes o'r blaen arnynt'.[18] Mynegodd Puleston Jones yr angen am fwy o emynau mawl, emynau gweddol fyr, emynau gwasanaeth ac ymgysegriad, ac emynau i blant.[19] Gobaith ambell un oedd y byddai llyfr newydd yn creu diwygiad canu: yn 1925 soniai G. Parry Hughes, Morfa Nefyn, ei fod 'yn edrych yn mlaen at ddiwygiad yn y canu trwy y Llyfr Newydd. Ac yn hyderu y bydd y Llyfr wedi ei symleiddio mewn llawer ffordd i'r amcan hwn', cyfeiriad o bosibl at letchwithdod y rhifo deuol rhwng *Llyfr Hymnau* a *Llyfr Hymnau a Thônau* 1897.[20]

Cytunodd Pwyllgor Llyfrau'r Gymanfa Gyffredinol ar 14 Mawrth 1923 y dylid argymell i'r Gymanfa mai priodol ac amserol fyddai mynd ati i baratoi llyfr emynau newydd, a nodwyd, gyda chefnogaeth y pwyllgor cyfatebol ymhlith y Wesleaid, y dylai'r llyfr hwnnw fod yn llyfr ar y cyd rhwng y ddau gyfundeb Methodistaidd.[21] Derbyniodd y Gymanfa yr argymhelliad yn ei chyfarfod yn Lerpwl ym mis Mai y flwyddyn honno, a chafwyd yr un sêl bendith gan Gymanfa'r Wesleaid. Yng Nghymanfa Gyffredinol Caergybi yn 1924 penodwyd 14 o frodyr i wasanaethu ar Gyd-bwyllgor y Llyfr Emynau a chwech i Gyd-bwyllgor y Llyfr Emynau a Thonau (yr oedd nifer cynrychiolwyr y Wesleaid yn llai, i adlewyrchu'r gwahaniaeth ym maint y ddau enwad). Cyfarfu Cyd-bwyllgor y Llyfr Emynau am y tro cyntaf yn Amwythig ar 25 Medi 1924, a sefydlwyd patrwm o rannu llywyddiaeth ac ysgrifenyddiaeth pob is-bwyllgor rhwng y ddau enwad. Felly, dewiswyd Dr Owen Prys yn Llywydd a Thomas Hughes yn Is-lywydd, a phenodwyd dau Ysgrifennydd, sef O. Madoc Roberts ar ran y Wesleaid ac E. O. Davies ar ran y Methodistiaid Calfinaidd. Codwyd tri is-bwyllgor yn syth: un ar ran y Methodistiaid Calfinaidd i ddethol emynau o lyfr 1897, un ar ran y Wesleaid i gyflawni'r un gwaith ar sail eu llyfr hwy, a'r trydydd yn bwyllgor ar y cyd i ddethol emynau newydd.[22] Bu'r ddau is-bwyllgor cyntaf hyn yn ddyfal wrth eu gwaith cyn cydgyfarfod yng Nghaer am ddau ddiwrnod i gytuno ar restr o emynau. Noda E. O. Davies fod y trydydd is-bwyllgor, i ddewis emynau newydd, wedi cyfarfod 30 o weithiau, a'r eisteddiadau hynny'n faith, ond llwyddwyd i gyflawni'r cyfan erbyn ail gyfarfod y Cyd-bwyllgor canolog yn Aberystwyth ar 17 a 18 Medi 1925.

Y mae'n amlwg fod y ddau Gyfundeb wedi ymddiried y gwaith o ddethol yr emynau i'r is-bwyllgorau a benodwyd, ond teimlai rhai o fewn yr Hen Gorff o leiaf y dylai trwch y boblogaeth gael mwy o ran yn y drafodaeth. Erbyn misoedd cyntaf 1926 aeth y gair ar led fod yr emynau ar gyfer y llyfr newydd wedi'u dethol, ac nad oedd emyn poblogaidd a chyfarwydd Dyfed, 'I Galfaria trof fy wyneb', yn eu plith. Dechreuodd rhai amau mai ar dir diwinyddol y gwrthodwyd yr emyn, a bu'n rhaid i Owen Prys dderbyn dirprwyaeth o Henaduriaeth Gorllewin Morgannwg a oedd yn pledio poblogrwydd yr emyn; bu'n rhaid i'r ddirprwyaeth yn ei thro dderbyn dyfarniad yr is-bwyllgor, gyda'r esboniad mai ar dir ieithyddol yn unig y gwrthodwyd emyn Dyfed.[23] Wedi gorffen dethol yr emynau penodwyd dau is-bwyllgor pellach, un i fod yn gyfrifol am destun ac iaith, a'r llall i ddarparu elfennau 'mecanyddol' y llyfr, gan gynnwys penawdau, mynegeion a rhagymadrodd.[24] Cofiai Tegla Davies am gyfarfodydd yr Is-bwyllgor Testun ac Iaith nad oedd o bwys pwy oedd yr aelodau, 'canys John Morris-Jones oedd y pwyllgor, a'i air ef a oedd yn derfynol'; a chrëwyd rhai tensiynau hefyd gan agwedd ddogmatig yr Athro. Bu dadlau rhyngddo ac Eifion Wyn parthed geiriad rhai llinellau; a methwyd cael caniatâd Thomas Jones, Abertawe, i gyhoeddi dau o'i gyfieithiadau ef am na fynnai i neb eu newid na'u cywiro.[25] Ond cydnabu Tegla hefyd fod cyfraniad Syr John i'r llyfr 'yn amhrisiadwy'.[26]

Erbyn trydydd cyfarfod y Cyd-bwyllgor yn Aberystwyth ar 8 a 9 Ebrill 1926 yr oedd drafft o'r Llyfr Emynau wedi ei argraffu, a chytunwyd i'w gyflwyno, gyda rhai newidiadau, i'r Gymanfa Gyffredinol yn Lerpwl y flwyddyn honno. E. O. Davies a'i cyflwynodd, gan bwysleisio yn ei anerchiad werth y gwaith fel carreg filltir yn hanes crefydd yng Nghymru ac arwydd allanol o undeb a chydweithrediad y ddau enwad, 'yn arbennig yr ysbryd rhagorol a'r teimladau da a ffynnai yn y Cyd-bwyllgor o'r dechrau i'r diwedd'.[27] Cymeradwyodd y Gymanfa y drafft a derbyniodd E. O. Davies nifer o sylwadau cefnogol. Ym marn John Hughes, Pen-y-bont, llwyddwyd i ddwyn i mewn 'ychwanegiad dymunol o'r emynau diweddar at y pwrpas heb beryglu tymher a thon ein moliant fel Eglwys a Chyfundeb fel y meithrinwyd ef yn yr hen Lyfr';[28] hyderai John Felix, Caer, 'y teimla'r ddau enwad yn falch o'r llyfr pan ddaw iw dwylaw', a barnai J. Hughes Morris mai 'detholiad campus yw'r llyfr'.[29] Cyflwynwyd y copi terfynol i Bwyllgor Gweithiol a godwyd gan Bwyllgorau Llyfrau y ddau enwad, a hwy oedd yn gyfrifol am ei lywio drwy'r wasg. Fe'i hargraffwyd yn Aylesbury gan Hazell, Watson a Viney; derbyniodd E. O. Davies y copi cyntaf o'r *Llyfr Emynau* argraffedig ar 14 Tachwedd 1927, ac fe'i rhyddhawyd i'r eglwysi yn fuan wedyn.[30]

Codwyd Cyd-bwyllgor Llyfr Emynau a Thonau yn 1924, yr un adeg ag y sefydlwyd pwyllgorau'r Llyfr Emynau, a phenododd y Methodistiaid Calfinaidd chwech o aelodau i'r Cyd-bwyllgor a'r Wesleaid dri.[31] Ni ddechreuodd y Cyd-bwyllgor hwn ar ei waith nes gorffen dethol yr emynau, a chyfarfu'r Cyd-bwyllgor Emynau a Thonau am y tro cyntaf yn Amwythig fis Hydref 1925, pryd yr etholwyd David Evans yn Llywydd a Tom Carrington yn Ysgrifennydd. Cyfarfu'r Cyd-bwyllgor dair ar ddeg o weithiau dros gyfnod o ddwy flynedd, a chynhaliwyd eu cyfarfod olaf ar 3 Hydref 1927, rai wythnosau cyn cyhoeddi'r *Llyfr Emynau*. Ymddiriedwyd llawer o'r gwaith manwl i is-bwyllgor a gynhwysai David Evans, Tom Carrington, E. T. Davies, J. T. Rees a Wilfrid Jones. Yr oedd presenoldeb J. T. Rees yn ddolen gyswllt â llyfr 1897, gan ei fod wedi gwasanaethu ar bwyllgor hwnnw: un cyfraniad penodol a wnaeth i'r llyfr newydd oedd dethol y salmdonau i'w priodi â'r salmau a ddewiswyd. E. T. Davies a ymgymerodd â'r gwaith o olygu'r anthemau. Ysgrifennydd y Cyd-bwyllgor, Tom Carrington, a gafodd y dasg o dynnu'r holl lyfr at ei gilydd yn barod i'r wasg, a chwblhaodd ei waith erbyn 23 Tachwedd 1927, yr union fis y cyhoeddwyd y *Llyfr Emynau*.[32] Ychydig fisoedd yn ddiweddarach aeth i Lundain i egluro rhai materion i Novello, yr argraffwyr, 'a balch iawn oeddwn eu clywed yn tystio mai dyma'r copi goreu a gawsant erioed o *Llyfr Tonau Cymreig*'.[33] Serch hynny yr oedd yn addef ymhen mis fod 'pob dydd a'i ran fwyaf yn mynd i'r llyfr – rhwng copio, proofing, ac ateb ymholwyr am eu M.S.S.'[34] Ymddangosodd y llyfr ddechrau Mai 1929, ac fe'i mabwysiadwyd trwy eglwysi'r Methodistiaid Calfinaidd a

Wesleaidd yn gyffredinol o fis Mehefin 1929 ymlaen. Parhaodd yn sail i fawl y ddau enwad nes cyhoeddi'r llyfr cydenwadol *Caneuon Ffydd* yn 2001; gellir dweud felly iddo fwynhau oes hwy nag unrhyw lyfr enwadol arall yng Nghymru yn ystod y bedwaredd ganrif ar bymtheg a'r ugeinfed ganrif.

Ceir awgrym o feddylfryd y Cyd-bwyllgor Emynau a Thonau yn rhagair cerddorol David Evans i'r *Church Hymnary* yn 1927:

> A widespread reaction has set in against much of the music that was in vogue and popular at the beginning of this century [h.y. 1900]. It has been generally realized that religious feeling demands for its expression the best and noblest music, and that the number of weakly sentimental tunes retained in use should be reduced to a minimum.[35]

Byddai Llyfr Tonau 1929 yn adlewyrchu'r athroniaeth hon gyda'i phwyslais yn tueddu at yr academaidd. D. E. Parry-Williams a sylwodd ymhen blynyddoedd, gan adleisio geiriau T. S. Eliot, 'na ellir gwahanu diwylliant unigolyn oddi wrth yr hwn sy'n eiddo i'r grŵp', mai 'casgliad ar gyfer y grŵp, neu ddosbarth arbennig' oedd y *Llyfr Tonau*.[36]

Hwyrach y synhwyrai aelodau'r Cyd-bwyllgor y byddai beirniadu nid yn unig ar y detholiad o donau ond hefyd ar naws aruchel llawer o'r gerddoriaeth. Barn Tom Carrington oedd 'y bydd beirniadu, mesur a chymharu eiddo gwahanol gyfansoddwyr pan wel y llyfr olau dydd',[37] ac yr oedd aelodau'r pwyllgor am eu harfogi eu hunain yn erbyn beirniadaeth. Ar 10 Ebrill 1929 paratowyd cerdyn post, wedi'i argraffu a'i lofnodi gan Tom Carrington, i'w anfon at bob aelod o'r pwyllgor:

> Y mae ein Llyfr Emynau a Thonau bellach ar ei ffordd trwy'r wasg. Golygodd lafur enfawr, a dymunaf ddiolch i chwi am eich cydweithrediad calonnog. Diameu y bydd beirniadu arno yn y wasg. Pa un bynnag ai da ai drwg a ddywedir, cofier ein cyd-ddeall cyn ymwahanu yn yr Amwythig, na fydd i aelodau'r pwyllgor ohebu yn y wasg ar y mater.[38]

Gan fod bwlch o flwyddyn a hanner rhwng ymddangosiad y *Llyfr Emynau* ym mis Tachwedd 1927 a chyhoeddi'r *Llyfr Emynau a*

Thonau ym mis Mai 1929 barnwyd y dylid cyhoeddi detholiad o'r emynau a'r tonau o'r llyfr newydd i fodloni anghenion cymanfaoedd canu yn ystod 1928 ac 1929.[39] Mae'r *Detholiad* cyntaf[40] yn dwyn y dyddiad 1927–8 ac yn cynnwys ugain o donau cynulleidfaol, wyth o donau plant, chwech o ganiadau amrywiol, dwy salm-dôn a dwy anthem; felly hefyd yr ail, 1928–9, sy'n cynnwys wyth o donau plant ac yn codi nifer y tonau cynulleidfaol i 25, ond gan hepgor y caniadau a chynnwys un anthem yn unig. Bwriad y detholiadau hyn, a gyhoeddwyd yn y ddau nodiant o fewn yr un llyfryn, oedd cynorthwyo cynulleidfaoedd i ymgyfarwyddo â chynnwys y llyfr newydd, ac fe barhawyd y gyfres yn flynyddol wedi i'r llyfr ymddangos. Anogwyd cylchoedd lleol, a oedd wedi arfer paratoi eu rhaglenni cymanfa eu hunain, i bwrcasu'r *Detholiad* er mwyn ymgydnabod â chynnwys y llyfr newydd. Gyda'r blynyddoedd trodd y *Detholiad* blynyddol yn gasgliad amrywiol o emynau a thonau, gan gynnwys llawer o gyfansoddiadau newydd; ond cadwodd yr enw *Detholiad*, a byddai bob amser yn cynnwys emynau a thonau wedi eu dewis o gasgliad 1927–9.

Am y Llyfr Tonau cydnabuwyd yn gyffredinol ei fod o ansawdd uchel yn gerddorol, ond efallai yn rhy uchelgeisiol i'r rhan fwyaf o gynulleidfaoedd. Y mae dylanwad *Church Hymnary* 1927 ar y *Llyfr Emynau a Thonau* yn amlwg, gyda llawer iawn o donau yn gyffredin i'r ddau gasgliad. Saif yn olyniaeth *Casgliad Cyntaf* y Brifysgol yn 1921, a gellir dirnad yn ogystal ddylanwad casgliadau Saesneg, yn arbennig *The English Hymnal* (1906) a *Songs of Praise* (1925). Fel yn achos pob casgliad, ni chofleidiwyd rhai o'r emynau a'r tonau gan gynulleidfaoedd, yn enwedig efallai rai o'r tonau gan gyfansoddwyr cyfoes, ac anwastad fu'r defnydd ar y llyfr yn gyffredinol. Serch hynny, gellir yn deg awgrymu bod *Llyfr Emynau* 1927 a *Llyfr Emynau a Thonau* 1929 yn gynhyrchion clasurol a oedd yn deilwng o'r ddau Gyfundeb Methodistaidd. Y casgliad hwn oedd y llyfr enwadol Cymraeg cyntaf i fabwysiadu'r safonau orgraffyddol a sefydlwyd gan *Orgraff yr Iaith Gymraeg* yn 1928. Enillodd y *Llyfr Emynau* yn arbennig barch o'r tu allan i'r ddau enwad: pan gyhoeddodd y Bedyddwyr eu *Llawlyfr Moliant Newydd* yn 1952, cydnabu'r golygydd, E. Cefni Jones, ei ddyled iddo: 'Credwyd mai da fyddai i'r emynau hynny sy'n gyffredin i'r llyfr hwn ac i Lyfr Emynau'r Methodistiaid Calfinaidd a Wesleaidd, fod yn yr un ffurf, gydag ychydig eithriadau, a chydnabyddwn ein dyled i'r casgliad gwych hwnnw.'[41]

Mynegwyd gwerthfawrogiad arbennig yn y Gymanfa Gyffredinol yn Lerpwl yn 1929 pan gynigiodd y Parch. John Owen, Cressington, ei ddiolch i bawb a fu ynghlwm wrth y gwaith:

> Llawenhawn weled y gwaith mawr a phwysig hwn wedi ei gwblhau, a hynny mewn cydymgynghoriad a chydweithrediad â'n brodyr y Methodistiaid Wesleaidd yng Nghymru. Ein gweddi yw ar i'r Arglwydd sydd yn "trigo ym moliant Israel" osod sêl ei fendith ar y gwaith hwn sydd yn ffrwyth llafur dyfal aelodau'r ddau Gyd-Bwyllgor.
>
> Hyderwn y bydd i ymddangosiad y Llyfr Emynau a Thonau Newydd brofi yn symbyliad i ganiadaeth yr holl gynulleidfaoedd y ddau Gyfundeb, ac i beri bod "moliant" i'r Arglwydd yn fwy gogoneddus o fewn ein gwlad.[42]

A bu'r gwerthiant yn y blynyddoedd cynnar yn achos boddhad cyffredinol: erbyn diwedd Chwefror 1931 gwerthwyd 116,600 copi o'r *Llyfr Emynau* a 45,100 o'r *Llyfr Emynau a Thonau*; yr oedd 60,000 o'r trydydd Detholiad a 67,000 o'r pedwerydd wedi eu gwerthu hefyd. Ond nodwyd nad oedd rhai eglwysi wedi prynu'r llyfr newydd eto oherwydd effeithiau'r dirwasgiad a chyni economaidd.[43]

Coleddai ambell un obeithion amgenach ar ran y llyfr cydenwadol, sef y byddai ei gyhoeddi yn arwain at undeb rhwng y ddau enwad Methodistaidd, Calfinaidd a Wesleaidd, ond yn wyneb y gwahaniaethau llywodraethol rhyngddynt – y Calfiniaid yn gorff Cymreig a'r Wesleaid ynghlwm wrth yr eglwys Wesleaidd yn Lloegr – nid oedd argoel pendant y byddai hynny'n digwydd. Mae'n amheus hefyd a ellir dweud i'r llyfr symbylu diwygiad mewn canu cynulleidfaol: fe barhawyd i'w ddefnyddio gan y ddau enwad tan ddiwedd yr ugeinfed ganrif, ond cyfran lai a llai ohono fyddai'n cael ei chanu wrth i'r blynyddoedd fynd yn eu blaen. Bu'n faes ymchwil i fwy nag un dros y blynyddoedd. Cyhoeddodd John Thickens gydymaith hanesyddol a bywgraffyddol i'r llyfr, *Emynau a'u*

Hawduriaid, yn 1945, ac ymddangosodd argraffiad diwygiedig, wedi ei baratoi gan Gomer M. Roberts, yn 1961. Rhoddwyd sylw i hanes tonau'r llyfr yng nghyfrolau arloesol Huw Williams, *Tonau a'u Hawduron* (Caernarfon, 1967) a *Rhagor am Donau a'u Hawduron* (Caernarfon, 1969), a pharhaodd yr un awdur i ychwanegu gwybodaeth yn y maes drwy gyfrwng ei golofn 'Mawl a Chân' yn *Y Goleuad*.[44]

Ymddengys erbyn heddiw y gellir synied am y blynyddoedd cyn yr Ail Ryfel Byd yn rhai euraid o safbwynt canu cynulleidfaol, gyda'r cymanfaoedd canu yn dal yn eu hanterth a'r llyfr newydd yn ennill ei blwy. Yn y cyfnod hwn hefyd yr enillwyd cynulleidfa ychwanegol trwy gyfrwng darlledu. Dechreuwyd darlledu gwasanaethau crefyddol cyn diwedd yr 1920au, ac yn ystod yr 1930au byddai golygydd cylchgrawn *Y Cerddor*, J. Lloyd Williams, yn sylwi'n gyson ar ansawdd y canu cynulleidfaol a glywid ar y radio. Sefydlwyd y rhaglen boblogaidd o ganu mawl, *Caniadaeth y Cysegr*, yn 1948 ac fe'i dilynwyd yn 1961 gan y rhaglen deledu *Dechrau Canu, Dechrau Canmol*, dwy gyfres hirhoedlog a ddenodd gynulleidfa eang y tu allan i Gymru yn ogystal ag o'i mewn, ac sydd wedi parhau i gael eu darlledu mewn cyfnod pan yw'r traddodiad a roddodd fod iddynt wedi gwanhau yn ddirfawr.

Er bod rhai emynau i blant yn y *Llyfr Emynau a Thonau*, teimlwyd yn fuan fod angen darpariaeth ychwanegol ar gyfer ieuenctid yr eglwysi ac ysgolion Sul. Yn wir, bu sôn yn yr 1920au am baratoi casgliad cydenwadol i blant, ond ni wireddwyd y freuddwyd honno.[45] Yr oedd Nantlais, er enghraifft, wedi darparu deunydd i blant yn ei gasgliadau *Moliant Plentyn* (1920, 1927); yr oedd y Bedyddwyr wedi cyhoeddi argraffiad diwygiedig o *Llawlyfr Moliant yr Ysgol Sabothol* yn 1925 a'r Annibynwyr eu *Caniedydd Newydd yr Ysgol Sul* yn 1930, a chynhwyswyd emynau ychwanegol i blant o'r tu allan i'r *Llyfr Emynau a Thonau* yn y *Detholiad* o 1933 ymlaen. Adroddwyd yng Nghymanfa Gyffredinol Abergele yn 1936 fod llyfr emynau a thonau i blant i'w baratoi, i gynnwys oddeutu cant o emynau, tonau, salmdonau a gweddïau; ond yn rhyfedd iawn, er llwyddiant y *Llyfr Emynau a Thonau* fel menter gydweithredol, nid yw'n ymddangos bod sôn am gydweithio â'r Wesleaid ar y casgliad i blant. Ymddiriedwyd y gwaith i bwyllgor o saith.[46] Cyflawnwyd y rhan helaethaf cyn 1939, ond oherwydd prinder papur bu'n rhaid penderfynu yn 1940 i ohirio cyhoeddi'r llyfr tan ar ôl y rhyfel,[47] a chafwyd anawsterau pellach yn sgil prinder cysodwyr hen nodiant. Argraffiad sol-ffa *Emynau a Thonau'r Plant* a ymddangosodd gyntaf yn 1947, yn sŵn ymddiheuriad y golygyddion: 'Gofid i'r Pwyllgor a baratodd y llyfr hwn ydyw ddarfod i'r amgylchiadau y bwriwyd ni iddynt gan y rhyfel ein gorfodi i oedi ei gyhoeddi am gyhyd o amser, a pheri drwy hynny gymaint o siomedigaeth i'r gofalwyr am blant yn yr holl eglwysi.'[48] Nid ymddangosodd yr argraffiad hen nodiant tan 1949.[49]

Mynegodd y golygyddion eu gobaith y byddai'r gyfrol yn gymorth i'r ysgol Sul a chyfarfodydd plant eraill, gan roi 'cyfle i'r plant ganu mwy a chanu'n well', ond mae'n ymddangos na chafodd ddefnydd helaeth iawn. Braidd yn anwastad yw safon y casgliad, ac mae ansawdd argraffu'r hen nodiant yn anfoddhaol. Hyd yn oed yn yr 1940au yr oedd geiriau rhai o'r emynau yn y gyfrol yn taro'n henaidd ac yn hen-ffasiwn. Ond mae'n debyg taw pris y gyfrol a fu'n bennaf rhwystr iddi. Sonnir yng nghofnodion y Pwyllgor Llyfrau a Llenyddiaeth fel yr oedd prisiau argraffu a phris papur wedi codi'n sylweddol yn ystod y rhyfel, a barnwyd bod rhaid prisio *Emynau a Thonau'r Plant* i adlewyrchu'r costau hynny. Golygai hyn fod yr argraffiad sol-ffa yn 7s. 6ch. i'w brynu, a'r argraffiad hen nodiant yn 12s. 6ch., symiau sylweddol yn y cyfnod hwnnw. Bu galw o fewn dim am gyhoeddi argraffiad o'r geiriau yn unig, a fyddai'n rhatach i ysgolion Sul ei brynu mewn niferoedd, ond ni farnwyd bod hynny'n ymarferol.[50] Eto i gyd, os na fu'n llwyddiant masnachol amlwg, profodd *Emynau a Thonau'r Plant* yn gloddfa werthfawr o emynau a thonau i adran y plant yn y *Detholiad* blynyddol, a thrwy'r cyfrwng hwnnw y cyflwynwyd rhan helaeth o'i gynnwys i blant y Cyfundeb. Mor ddiweddar â'r 1970au soniwyd am gyhoeddi argraffiad newydd gydag ychwanegiadau, ond ni ddaeth dim o'r bwriad hwnnw.[51]

Yng Nghymanfa Gyffredinol Llanidloes yn 1950, derbyniwyd cynnig a wnaed yn wreiddiol gan R. D. Griffith, hanesydd canu cynulleidfaol Cymru, y dylid sefydlu Pwyllgor Mawl i'r Cyfundeb.[52] Penderfynwyd gofyn i'r tair talaith ddewis pum cynrychiolydd yr un i'r Pwyllgor, a gyfarfu am y tro cyntaf yn Ionawr 1951, dan lywyddiaeth y Parch. Gwilym Williams, gydag R. D. Griffith yn Ysgrifennydd. Penderfynodd y Pwyllgor hwn y dylid gofyn i bob Henaduriaeth benodi ei Phwyllgor Mawl ei hun, ac y dylid trosglwyddo'r cyfrifoldeb am y *Detholiad* blynyddol o'r Pwyllgor Llyfrau a Llenyddiaeth i'r Pwyllgor Mawl newydd.[53] Mae'n amlwg fod y Pwyllgor am ddylanwadu ar drefn a safon mawl drwy'r Cyfundeb. Awgrymwyd cyhoeddi atodiadau achlysurol i'r *Llyfr Emynau a Thonau*, 'er mwyn diogelu i wasanaeth y Cysegr emynau a thonau nad ydynt yn ein Llyfr presennol'. Awgrymwyd ymhellach y dylai Henaduriaethau gynnal cynadleddau achlysurol i hyfforddi arweinyddion canu. Addawodd John Morgan Nicholas, Ysgrifennydd y Cyngor Cerdd Cenedlaethol, y byddai'r Cyngor yn cynorthwyo yn y gwaith, ac er nad yw'n eglur faint o'r cynadleddau hyn a gynhaliwyd, tystiwyd yn frwd i'w llwyddiant yng Nghymanfa Gyffredinol Llanrwst yn 1953.[54] Ni cheir sôn pellach am yr arbrawf diddorol hwn ac nid yw'n ymddangos iddo barhau yn rhan ffurfiol o waith y Pwyllgor Mawl, er bod y Pwyllgor yn annog yr Henaduriaethau i barhau ag ymdrechion o'r fath.

Un o fentrau mwyaf diddorol y cyfnod hwn oedd sefydlu Pwyllgor Cyd-enwadol Caniadaeth y Cysegr, a gyfarfu am y tro cyntaf yn Amwythig ar 23 Medi 1955, gyda'r amcan o roi 'dwys ystyriaeth i stâd ddifrifol Caniadaeth y Cysegr yn gyffredinol a cheisio moddion i'w wella'.[55] Yma eto gellir canfod dylanwad yr ymroddgar R. D. Griffith, a weithredodd yn gynullydd, a pherswadiwyd y pedwar enwad Anghydffurfiol i enwebu pedwar cynrychiolydd yr un. Etholwyd Gwilym Williams yn Llywydd ar y pwyllgor a'r Annibynnwr Ffowc Williams yn Ysgrifennydd. Mae cofnodion y Pwyllgor yn dangos teimlad traddodiadol o blaid y sol-ffa yn gyfrwng addysgol, a hynny efallai yn amlygu'r gagendor oedd yn ymagor rhwng agweddau traddodiadol yr eglwys ac agweddau'r byd tu allan, lle'r oedd tuedd gynyddol i beidio â rhoi gwerth ar ddull y Tonic. Penderfynwyd hefyd yn y cyfarfod cyntaf hwn fod llyfr canu cydenwadol i'w greu: 'llyfryn o gant o emynau a thonau i'w gynllunio o hyn i'r cyfarfod nesaf o'r Pwyllgor'. Gofynnwyd i'r Parchedigion D. J. Davies a Henriw Mason, yr Athro T. Ellis Jones a D. H. Lewis ddewis yr emynau, yna eu hanfon at John Hughes i awgrymu tonau, ac iddo yntau anfon ei awgrymiadau at Tom Carrington, W. Matthews Williams a Dr Haydn Morris i'w hystyried ac ychwanegu atynt. Pwrpas y detholiad hwn o emynau oedd bod ar gael ar gyfer gwasanaethau cydenwadol, a diau y meddyliwyd y byddai'n sail i gasgliad cydenwadol maes o law. Flwyddyn yn ddiweddarach cofnodir bod y detholiad o emynau wedi ei gwblhau, ond nad oedd y dewis o donau eto yn barod; yna yng Nghymanfa Gyffredinol Wrecsam yn 1958 penderfynwyd gohirio unrhyw benderfyniad am y llyfryn nes gwybod rhagor am y dull o'i gyhoeddi a'i werthu – ac mae'n ymddangos mai dyna ddiwedd y stori.[56] Erbyn hynny yr oedd R. D. Griffith wedi ei golli ac efallai fod y sêl wedi darfod. Yr oedd y Bedyddwyr newydd gyhoeddi eu *Llawlyfr Moliant Newydd*, ac yr oedd yr Annibynwyr wrthi yn paratoi eu *Caniedydd*, a ymddangosodd yn 1960, a gellir amau a oedd gwir awydd i baratoi casgliad cyfun ar draws yr enwadau yn y cyfnod hwn.

Parhau i feddwl yn enwadol yr oedd y Cyfundeb yntau. Yng nghyfarfod y Pwyllgor Mawl fis Hydref 1957 nodwyd bod y *Llyfr Emynau a Thonau* wedi gwasanaethu am 30 mlynedd, a phenderfynwyd gofyn barn a chyfarwyddyd y Gymanfa Gyffredinol ar briodoldeb paratoi casgliad newydd. Wedi trafodaeth yng Nghymanfa Gyffredinol Croesoswallt yn 1959 penderfynwyd cyflwyno'r mater i ystyriaeth y Gymdeithasfa yn y De a'r Gogledd.[57] Y farn gyffredinol oedd nad oedd y Cyfundeb yn aeddfed i newid.[58] Ond aethpwyd ymhellach yng Nghymanfa 1965 ym Mangor pan benderfynwyd gofyn i'r Pwyllgor Mawl ystyried y priodoldeb o gyhoeddi casgliad cwbl newydd, neu ddiwygio casgliad 1927–9, neu fabwysiadu *Llawlyfr Moliant* y Bedyddwyr (nid yw'n ymddangos bod ystyriaeth i fabwysiadu *Caniedydd* yr Annibynwyr, a oedd yn llyfr mwy diweddar). Barn y Pwyllgor Mawl oedd y dylid cyhoeddi llyfr newydd am fod y llyfr presennol yn cylchredeg ers yn agos i 40 mlynedd, ac y byddai ceisio ei ddiwygio yn costio cymaint â chyhoeddi casgliad newydd sbon. Mynegwyd teimlad cryf yn erbyn mabwysiadu'r *Llawlyfr Moliant*, ond ni chofnodir y rheswm am hynny. Penderfynodd y Gymanfa yn 1966 leisio barn yr Henaduriaethau, ond ni chafwyd penderfyniad yn y diwedd.[59]

Hwyrach mai'r drefn ddemocrataidd Bresbyteraidd a fu'n rhwystr i gynnydd, a chollwyd cyfle eto. Parhaodd y Pwyllgor Mawl yn gyfrifol am y *Detholiad* blynyddol a byddai hefyd yn annog Henaduriaethau i hybu mawl trwy weithgarwch lleol, gan ddal i bwyso ar werth hyfforddiant mewn sol-ffa, mewn cyfnod pan oedd addysg gerddorol yn tueddu fwyfwy i gyfeiriadau gwahanol.

Bu un symudiad pendant o ran llyfr newydd yn yr 1960au, o du Cymdeithasfa'r Dwyrain. Rhoddwyd ystyriaeth i baratoi casgliad penodol i eglwysi Saesneg y Cyfundeb,[60] ond penderfynwyd yn hytrach ymateb i wahoddiad ymddiriedolwyr y *Church Hymnary* yn yr Alban i ymuno â'r pwyllgor a fyddai'n paratoi casgliad newydd i ddisodli'r *Church Hymnary: Revised Edition*.[61] Erbyn Cymanfa Gyffredinol Abergwaun yn 1968 gallai'r Parch. J. Price Williams adrodd bod y gwaith bron yn barod i'w argraffu, a bod y Pwyllgor Cyffredinol wedi bod yn hael yn eu dewis o donau Cymreig,[62] er na chyhoeddwyd y gyfrol, *Church Hymnary: Third Edition*, tan 1973. Cafwyd casgliad newydd eto yn 2005, sef *Church Hymnary: Fourth Edition*, ond ymddangosodd y gyfrol honno yn enw Eglwys Bresbyteraidd yr Alban yn unig, a chollwyd yr unoliaeth ban-Bresbyteraidd a gafwyd mewn cenedlaethau cynt. Nid oedd yn ymarferol erbyn hynny i geisio cyhoeddi emyniadur i eglwysi Saesneg y Cyfundeb yn unig, a bu'n rhaid gadael i'r eglwysi hynny fabwysiadu llyfrau o'u dewis eu hunain, er colled i hunaniaeth Gyfundebol y cynulleidfaoedd Saesneg eu hiaith.

Ceir cyfeiriadau yma ac acw yn ystod yr 1970au at gael llyfr Cymraeg newydd, ond nid tan 1979 y cafwyd awgrym pendant o du'r Pwyllgor Llyfrau a Llenyddiaeth, y dylid cyhoeddi atodiad i lyfr 1927–9.[63] Yna yng Nghymanfa Gyffredinol yr Wyddgrug yn 1982 penodwyd gweithgor i ystyried yr angen am gasgliad newydd.[64] Yn eu hadroddiad i Gymanfa'r flwyddyn ddilynol, datganodd y gweithgor na farnent fod angen casgliad newydd, ond y gellid ychwanegu at yr hyn oedd ar gael drwy gyhoeddi atodiad i'r hen gasgliad. Byddai hyn yn gyfle i ddarparu deunydd newydd i'r eglwysi yn ogystal â dethol eitemau adnabyddus o gasgliadau eraill, na chawsant eu cynnwys yng nghasgliad 1927–9. Cadeiriwyd Gweithgor yr Atodiad, a gynhwysai gynrychiolwyr yr Eglwysi

Presbyteraidd a Wesleaidd, gan yr Athro Brynley Roberts, a detholwyd emynau a thonau i gynulleidfaoedd, i ieuenctid ac i blant, gan ychwanegu nifer dda o garolau i wneud iawn am ddiffyg y rheini yn y *Llyfr Emynau a Thonau*.[65] Ceisiwyd adlewyrchu rhai tueddiadau cyfoes yn y detholiad o emynau i blant ac ieuenctid drwy gynnwys cytganau, llawer ohonynt yn gyfieithiadau o'r Saesneg. Cyhoeddwyd yr *Atodiad* yn 1985, sef blwyddyn dathlu dau-canmlwyddiant a hanner dechreuad y Diwygiad Methodistaidd yn 1735, ac ymddangosodd yn enw'r ddau enwad. Pwysleisiwyd taw atodiad ydoedd i'r prif lyfr, a'i rifau'n parhau o'r llyfr gwreiddiol, ac y dylid defnyddio'r ddau lyfr gyda'i gilydd; ond ymhlith rhai cynulleidfaoedd gwelwyd yr *Atodiad* yn tueddu i ryw raddau i ddisodli'r *Llyfr Emynau*. Er cwyno na chyhoeddwyd argraffiad geiriau yn unig,[66] ac er iddo gael ei feirniadu'n bur hallt gan un adolygydd o leiaf,[67] profodd yr *Atodiad* yn gasgliad hylaw a digon derbyniol dros gyfnod o bymtheng mlynedd.

Pan gyhoeddwyd *Llyfr Emynau* 1927 mynegwyd gobaith y byddai'r cydweithio rhwng dau enwad a roes fod i'r llyfr yn fodd 'i gryfhau'r awydd, a goleddir yn barod gan laweroedd, am weled holl adrannau Eglwys Crist yng Nghymru yn cytuno i ddarpar a defnyddio un casgliad'.[68] Tristwch pethau yw na wireddwyd y bwriad clodwiw hwnnw yn ystod y blynyddoedd pan oedd yr enwadau yn dal yn gymharol gryf. Daliwyd yn hytrach i gyhoeddi casgliadau enwadol a oedd yn gwahodd eu cymharu a thrwy hynny borthi elfen o gystadleuaeth afiach rhwng eglwysi a'i gilydd.[69] Yr oedd y llyfrau hyn, er eu gwahaniaethau, i gyd yn tynnu ar yr un etifeddiaeth emynyddol Gymraeg ac i raddau helaeth ar yr un dreftadaeth gerddorol. Nid tan 1993, fodd bynnag, y gwelwyd symudiad o ddifrif tuag at gasgliad cydenwadol, a hynny yn rhannol dan bwysau economaidd. Gwelai'r enwadau i gyd fod eu stoc o lyfrau yn prinhau, ac nid oeddynt yn or-awyddus i wynebu'r gost o argraffu o'r newydd, yn enwedig am fod gwerthiant yn arafu gydag edwiniad cynulleidfaoedd yn gyffredinol. Cytunwyd felly i sefydlu Pwyllgor Cyffredinol o gynrychiolwyr yr Annibynwyr, y Bedyddwyr, y Presbyteriaid, y Wesleaid a'r Eglwys yng Nghymru, a gwahodd Pwyllgor Golygyddol o unigolion o'r gwahanol enwadau (nad oeddynt yn gynrychiolwyr swyddogol fel y cyfryw) i lunio llyfr emynau a thonau ar gyfer y pum eglwys.[70]

Yr oedd y dasg a wynebai'r Pwyllgor Golygyddol, gyda'r Athro Brynley Roberts eto yn Gadeirydd, yn sylweddol.[71] Gofynnwyd iddynt ddistyllu cynnwys y llyfrau a oedd yn arferedig gan yr enwadau eisoes (tua deg ohonynt i gyd), ystyried emynau a thonau o ffynonellau eraill nad oeddynt yn y llyfrau hynny, a phwyso a mesur cyfansoddiadau newydd. At hynny yr oedd yn rhaid ystyried yr amrywiadau a geid o lyfr i lyfr yn ffurf a geiriad emynau ac yn nhrefniant a chynghanedd tonau, a chytuno ar un ffurf ar bob dim a fyddai'n ymddangos yn y llyfr newydd. Un her fawr oedd penderfynu ar ffurf y llyfr ei hun, gan fod yr Annibynwyr a'r Bedyddwyr wedi arfer â threfn yn ôl mesur y dôn, a'r Presbyteriaid, y Wesleaid a'r Eglwys yng Nghymru wedi arfer â threfn thematig. Er mai cyfaddawd anochel a gafwyd yn y diwedd, llwyddodd y Pwyllgor Golygyddol i ddod i ben â'r gwaith a ymddiriedwyd iddo, a hynny er gwaethaf methiant trafodaeth fwy cyffredinol ar uno'r enwadau yn yr un cyfnod.

Cyhoeddwyd *Caneuon Ffydd* ddechrau 2001 a chyflwynwyd y casgliad i'r genedl mewn oedfa arbennig yn Aberystwyth ar 10 Chwefror. Fel y gellid disgwyl, cymysg fu'r ymateb iddo, fel yn hanes pob llyfr emynau a thonau a gyhoeddwyd erioed, mae'n debyg. Bu beirniadu chwyrn ar drwch a phwysau'r argraffiad hen nodiant, a chwynwyd am absenoldeb rhai emynau a thonau. Teimlai rhai fod ffurf emynau a chynghanedd tonau yn ddieithr iddynt, ac anodd oedd ganddynt dderbyn bod ffurfiau heblaw y rhai yr oeddynt yn gyfarwydd â hwy yn bodoli mewn traddodiadau eraill. Serch hynny, siom o'r ochr orau a gafwyd yng ngwerthiant y llyfr, a theg dweud bod *Caneuon Ffydd* wedi hawlio ei le ymhlith yr enwadau i gyd. At ei gilydd yr oedd pobl o bob traddodiad yn barod i'w groesawu, gan gydnabod bod yr enwadau Cymraeg wedi llwyddo i gyhoeddi casgliad cydenwadol, lle'r oedd enwadau yn Lloegr, yr Alban ac Iwerddon nid yn unig yn methu â gwneud hynny, ond mewn rhai achosion yn mynd ar wahân lle y buont ynghyd yn y gorffennol (dyna brofiad y *Church Hymnary* er enghraifft).[72] Llwyddwyd hefyd yn 2006 i gyhoeddi *Cydymaith Caneuon Ffydd* o waith Delyth G. Morgans, sef cyfrol yn olrhain hanes a chefndir pob emyn a thôn, gyda manylion bywgraffyddol am yr awduron a'r cyfansoddwyr. Unodd yr Annibynwyr, y Presbyteriaid a'r Wesleaid, ynghyd ag un undeb canu lleol o blith y Bedyddwyr, i gynhyrchu rhaglen flynyddol ar gyfer cymanfaoedd canu, ac fe ddatblygodd y Pwyllgor Mawl yn bwyllgor cydenwadol: trwy hynny parhaodd ysbryd y cydweithio a roddodd fod i *Caneuon Ffydd*.

Serch hynny, rhaid cydnabod mai rhannol fu llwyddiant *Caneuon Ffydd*. Yn ôl y Rhagair i argraffiad diweddaraf y *Church Hymnary* (2005), 'it is essential that any new hymnary should take into account the realities of faith and life today',[73] a gellir cyhuddo *Caneuon Ffydd* o fod yn or-geidwadol, ac emynwyr cyfoes Cymru o fod yn rhy draddodiadol eu harddull a'u mynegiant. Ychydig o'r deunydd cyfoes sydd wedi apelio at gynulleidfaoedd yn gyffredinol. Os oedd disgwyl y byddai cyhoeddi *Caneuon Ffydd* yn fodd i greu dadeni mewn canu cynulleidfaol, go brin y mae'r disgwyl wedi ei wireddu, a gwelir bod llawer o gynulleidfaoedd wedi ymfodloni ar ganu'n unig yr emynau a'r tonau oedd yn gyfarwydd iddynt o'u llyfrau blaenorol. I'r graddau hynny gellir awgrymu mai cofadail i hen draddodiad yw *Caneuon Ffydd*, ac mai trwy ddulliau gwahanol, ac nid yn ôl y patrwm traddodiadol o ganu pedwar llais, y bydd eglwys y dyfodol yng Nghymru yn cyflwyno ei mawl i Dduw. Wrth drafod datblygiad y gymanfa ganu yn 1929 holodd Tom Jones, Trealaw, 'Tybed a wnaiff ein harweinyddion lleol a chymanfaol arwain ein hieuenctyd i feysydd cerddorol toreithiog tebyg i'r rhai a feddiannodd Ieuan Gwyllt a'i gyfoeswyr?'[74] Darfod y mae'r traddodiad canu cynulleidfaol a feithrinwyd gan Ieuan Gwyllt ac eraill yn ail hanner y bedwaredd ganrif ar bymtheg, yn sgil crebachu yn nifer a maint cynulleidfaoedd ac yn wyneb poblogrwydd dulliau newydd o ganu. Ond mynegodd Tom Jones obaith arall hefyd, sef y byddai moliant ar gân yn parhau yn rhan o fywyd cynulleidfaoedd Cymru. Y mae'r gobaith hwnnw yn dal yn fyw.

1 J. Freeman Williams, *Eglwys Princes Road Liverpool 1802–1928: ei hanes* ([Lerpwl]: [yr eglwys], [1928]), tt. 35–6.
2 Gomer M. Roberts, *Y Ddinas Gadarn: hanes eglwys Jewin Llundain* (Llundain, 1974), tt. 169–71.

3 Moelwyn I. Williams, *Y Tabernacl Aberystwyth: hanes yr achos, 1785–1985* (Aberystwyth, 1985), t. 83 ymlaen.
4 Gerwyn Wiliams, '"Ymladd brwydr fawr y gwir": emynau'r Rhyfel Mawr', *Y Traethodydd*, 169 (2014), 231–52.
5 Glyn Hopkins, *Hanes Cymanfa Ganu'r Gopa (1879–1960)* ([Pontarddulais], [1961]), t. 18.
6 Am John Thomas (1839–1921), J. T. Rees (1857–1949), David Evans (1874–1948), T. Hopkin Evans (1879–1940) a W. Matthews Williams (1885–1972), gw. *Y Bywgraffiadur Cymreig* (yba.llgc.org.uk). Cafodd T. Haydn Thomas oes faith eithriadol, gan fyw o 1899 hyd 2006.
7 Tom Jones, 'Hanes Cymanfa Ganu Dosbarth Canol Rhondda', *Y Darian*, 28 Tachwedd 1929–2 Ionawr 1930, yn rhifyn 26 Rhagfyr 1929.
8 Ibid., 2 Ionawr 1930.
9 *Y Goleuad*, 24 Medi 1913, 31 Mawrth, 5 Mai 1914.
10 Trafodir gwaith a champ Walford Davies gan David Ian Allsobrook, *Music for Wales; Walford Davies and the National Council of Music, 1918–1941* (Cardiff, 1992).
11 *Casgliad Cyntaf o Donau a Hymnau* (Aberystwyth: Prifysgol Cymru, 1921). Er gwaethaf yr enw *Casgliad Cyntaf* ni chafwyd casgliadau pellach.
12 *Cân a Moliant: Llyfr Tonau ac Emynau* / casglwyd a threfnwyd gan H. Haydn Jones (Gwrecsam, 1916), t. iii.
13 *Moliant Cenedl: sef casgliad o emynau a thonau ar gyfer cyfarfodydd crefyddol undebol ac enwadol Cymreig* / yr emynau o dan olygiaeth pwyllgor unedig a'r tonau o dan olygiaeth David Evans (Dinbych, 1920).
14 *Moliant y Cysegr* / wedi ei olygu gan David Evans (Wrecsam, 1924).
15 Ymddangosodd yr argraffiad geiriau yn 1900 a'r llyfr tonau yn 1904. Am drafodaeth lawn ar y cydweithio o safbwynt Wesleaidd, gw. Lionel Madden, 'Calfiniaid a Wesleaid yn cydganu: Llyfr Emynau'r Methodistiaid 1927', *Y Traethodydd*, 155 (2000), 148–58.
16 *Llyfr Emynau y Methodistiaid Calfinaidd a Wesleaidd* (Caernarfon; Bangor, 1927), Rhagair, tt. iii–iv; gw. hefyd drafodaeth Robert Pope, 'Emynau newid cymdeithas', *Y Traethodydd*, 164 (2009), 101–20.
17 Llyfrgell Genedlaethol Cymru, Creirfa'r Eglwys Bresbyteraidd, CMA 3766, 29 Tachwedd 1925.
18 CMA 3773, 21 Rhagfyr 1925.
19 R. W. Jones, *Y Parchedig John Puleston Jones, M.A., D.D.* (Caernarfon, 1929), t. 244n.
20 CMA 3761, 23 Hydref 1925. Am lyfr 1897, gw. Rhidian Griffiths, 'Dechrau canu, dechrau canmol: mawl y Cyfundeb', *Hanes Methodistiaeth Galfinaidd Cymru, cyf. III: Y Twf a'r Cadarnhau*, gol. J. Gwynfor Jones (Caernarfon, 2011), tt. 271–304.
21 Crynhoir yr hanes gan E. O. Davies, 'Y Llyfr Emynau Newydd: ei hanes', *Y Drysorfa*, 100 (1929), 375–8.
22 Aelodau'r cyntaf oedd John Morris-Jones (Cadeirydd), John Owen (Ysgrifennydd), Owen Prys, J. T. Rees, R. D. Rowland (Anthropos), John Thickens a Thomas Charles Williams; aelodau'r ail oedd Thomas Hughes

(Cadeirydd), W. O. Evans (Ysgrifennydd), Llewelyn Morgan, D. Tecwyn Evans a Henry Lloyd (Ap Hevin); aelodau'r is-bwyllgor cydenwadol oedd J. Puleston Jones (Llywydd), D. Gwynfryn Jones (Ysgrifennydd), Robert Beynon, E. Tegla Davies, John Felix, John Green, Evan Isaac, J. T. Job, David Williams ac W. Nantlais Williams. Wedi marw Puleston Jones yn 1925, penodwyd J. G. Moelwyn Hughes yn aelod o'r is-bwyllgor cydenwadol a David Williams yn Llywydd arno.

23 CMA 3793, 6 Mai 1926.

24 Aelodau'r rhain oedd John Morris-Jones, J. T. Job, E. Tegla Davies a D. Tecwyn Evans ar Destun ac Iaith; a Thomas Hughes, W. O. Evans, D. Gwynfryn Jones, John Felix, Moelwyn, Owen Prys, David Williams a John Owen ar y llall.

25 Cyhoeddwyd yr ohebiaeth rhwng Eifion Wyn a John Morris-Jones gan Peredur Wyn Williams, *Eifion Wyn* (Llandysul, 1980), tt. 213–21; ceir cyfeiriad at Thomas Jones mewn llythyr gan Morris-Jones, CMA 3827, 2 Medi 1926.

26 E. Tegla Davies, *Gyda'r Blynyddoedd* (Lerpwl 1952), tt. 169–70.

27 Ceir nodiadau E. O. Davies ar gyfer ei anerchiad yn CMA 103.

28 CMA 3798, 28 Mai 1926.

29 CMA 3805, 17 Mehefin 1926, CMA 3803, 8 Mehefin 1926.

30 Cafwyd cryn ymateb fel y gellid disgwyl, er enghraifft, gan R. H. Watkins, 'Y Llyfr Emynau Newydd', *Y Drysorfa*, 99 (1928), 70–2, ac ar dudalennau'r *Goleuad* yn ystod misoedd cynnar 1928. Gw. hefyd Crwys, 'Barddoniaeth y Llyfr Emynau newydd', *Y Traethodydd*, 84 (1929), 228–37, ac am ymateb personol iawn, R. T. Jenkins, 'Fy Llyfr Emynau newydd', *Y Llenor*, 21 (1942), 10–19 a 65–74.

31 Cynrychiolwyr y M.C. oedd David Evans, J. T. Rees, Philip Thomas, E. T. Davies, G. W. Hughes a'r Parch. G. Parry Williams. Cynrychiolwyr y Wesleaid oedd Wilfrid Jones, Tom Carrington a Hugh Hughes. Etholwyd David Evans yn Gadeirydd a Tom Carrington yn Ysgrifennydd. Cofnodir yr hanes gan E. O. Davies, 'Hanes y Llyfr Emynau a Thonau', *Y Drysorfa*, 104 (1934), 292–6.

32 CMA 4005, 23 Tachwedd 1927.

33 CMA 4039, 31 Mawrth 1928.

34 CMA 4044, 27 Ebrill 1928.

35 *The Church Hymnary: Revised Edition* (Edinburgh, 1927), t. vi.

36 D. E. Parry-Williams, 'E. T. Davies, Bangor', *Bwletin Cymdeithas Emynau Cymru* 1 (1970), 68–9.

37 CMA 4088, 18 Hydref 1928.

38 CMA 4160, 10 Ebrill 1929.

39 Yr oedd yr Annibynwyr wedi gwneud rhywbeth tebyg trwy gyhoeddi *Detholiad* o donau ac emynau yn 1916 yn rhagflas o'r *Caniedydd Cynulleidfaol Newydd* a ymddangosodd yn 1921.

40 Ei deitl llawn yw *Detholiad o gynnwys Llyfr Emynau a Thonau newydd Eglwysi y Methodistiaid Calfinaidd a Wesleaidd.*

41 *Y Llawlyfr Moliant Newydd* (Abertawe, 1952), 'Yr Emynau'.

42 *Y Blwyddiadur*, 1930, t. 126.

43 *Y Blwyddiadur*, 1932, tt. 92, 94. Rhifai'r Cyfundeb tua 186,000 o aelodau ar y pryd.
44 Gw. er enghraifft Huw Williams, 'Tonau a'u Hawduron: nodiadau pellach', *Y Goleuad*, 5 Medi 1973 ymlaen; idem, 'Mawl a Chân', *Y Goleuad*, Chwefror 1985 – Rhagfyr 1991 ac yn achlysurol wedi hynny.
45 R. Tudur Jones, *Yr Undeb: hanes Undeb yr Annibynwyr Cymraeg, 1872–1972* (Abertawe, 1975), t. 286.
46 Y Parchedigion John Owen (Golygydd Cyffredinol y Cyfundeb), G. Wynne Griffith, W. Nantlais Williams a Robert Beynon, gyda'r ddau gerddor John Morgan Lloyd ac Owen Williams, a Goruchwyliwr y Llyfrfa, J. W. Edwards, yn gynullydd.
47 *Y Blwyddiadur* 1941, t. 54; gw. hefyd *Y Blwyddiadur*, 1946, t. 86; 1947, t. 46.
48 *Emynau a Thonau'r Plant* (Caernarfon, 1947), Rhagair.
49 *Y Blwyddiadur*, 1947, t. 98; 1949, t. 110.
50 *Y Blwyddiadur*, 1950, t. 128.
51 *Y Blwyddiadur*, 1974, t. 235.
52 Cyflwynasai Griffith y cynnig gwreiddiol yng Nghymdeithasfa'r Gogledd yn 1949, ac oddi yno y'i cyflwynwyd i'r Gymanfa. Ymddangosodd ei *Hanes Canu Cynulleidfaol Cymru* yn 1948. Am Griffith, gw. *Y Bywgraffiadur Cymreig* (yba.llgc.org.uk).
53 *Y Blwyddiadur*, 1951, t. 41; 1952, t. 166.
54 *Y Blwyddiadur*, 1952, t. 166; 1953, t. 145; 1954, tt. 65, 145.
55 *Y Blwyddiadur*, 1957, t. 203.
56 *Y Blwyddiadur*, 1957, tt. 203–4; 1958, t. 174; 1959, t. 61.
57 *Y Blwyddiadur*, 1959, tt. 61, 210; 1960, t. 71.
58 *Y Blwyddiadur*, 1961, t. 273.
59 *Y Blwyddiadur*, 1967, tt. 62, 215.
60 *Y Blwyddiadur*, 1964, t. 164.
61 *Y Blwyddiadur*, 1965, t. 234.
62 *Y Blwyddiadur*, 1968, t. 63.
63 *Y Blwyddiadur*, 1980, t. 113.
64 *Y Blwyddiadur*, 1983, t. 44.
65 Dymuna'r awdur gydnabod ei fod yn aelod o bwyllgor yr *Atodiad*.
66 *Y Blwyddiadur*, 1987, t. 16.
67 Alun Davies, 'Trafod yr Atodiad', *Cristion* 18, Medi–Hydref 1986, 16–17; 20, Ionawr–Chwefror 1987, 17–19; 21, Mawrth–Ebrill 1987, 21–2; 23, Gorffennaf–Awst 1987, 20–1.
68 *Llyfr Emynau* (1927), t. v.
69 Gwelwyd y Bedyddwyr yn paratoi eu *Llawlyfr Moliant* (1952, 1955) a'r Annibynwyr eu *Caniedydd* hwythau yn 1960, ac ychwanegwyd atynt gasgliadau *Mawl yr Ifanc* (B) (1968), *Caniedydd yr Ifanc* (A) (1980) a *Mawl ac Addoliad* (B) (1996). Cyhoeddodd yr Eglwys yng Nghymru hithau gasgliadau *Emynau'r Eglwys* (1941, 1951), *Emynau Hen a Newydd* (1956) ac *Emynau'r Llan* (1997).
70 Crynhoir yr hanes gan Brynley F. Roberts, 'Golygu Caneuon Ffydd', *Y Traethodydd*, 156 (2001), 70–2; gweler hefyd yn yr un rhifyn Ifor ap

Gwilym, 'Caneuon Ffydd', 83–5; Arwel Jones, 'Canu o'r un llyfr hymns!', 86–93; Alan Luff, 'Caneuon Ffydd: ymateb y dieithryn', 94–101. Gw. ymhellach: Rhagair i Delyth G. Morgans, *Cydymaith Caneuon Ffydd* ([Aberystwyth], arg. diw. 2008), tt. 1–30.

71 Dymuna'r awdur gydnabod ei fod hefyd yn aelod o bwyllgor golygyddol *Caneuon Ffydd*.

72 Er na chyhoeddwyd *Church Hymnary* newydd i Gymru, fe gyhoeddodd Eglwys Bresbyteraidd Iwerddon ei chasgliad ei hun, *The Irish Presbyterian Hymnbook*, yn 2004.

73 *Church Hymnary: Fourth Edition* (Norwich, 2005), t. vii.

74 *Y Darian*, 2 Ionawr 1930.

PENNOD 11

DIWYLLIANT GWELEDOL

D. HUW OWEN

Ar ddiwedd y bennod gyfatebol yng Nghyfrol III o'r gyfres hon cyfeiriwyd at yr ysbryd gobeithiol ac optimistaidd a oedd yn elfen nodweddiadol o ddiwylliant gweledol y Cyfundeb yn ystod y cyfnod yn arwain at y Rhyfel Byd Cyntaf, a'r modd yr adlewyrchwyd hynny gan addurniadau, baneri, ffenestri lliw, cerfluniau ac adeiladau hardd.[1] Gwelwyd newid sylweddol yn y cyfnod dilynol, ac er i nifer ddarganfod eu ffydd yn ystod y rhyfel hwn, un o ganlyniadau'r rhyfel oedd i'r dinistr eang droi golygon llawer oddi wrth Dduw. Pwysleisiwyd yn aml fod diwedd y rhyfel wedi esgor ar fyd newydd. Cynyddodd yr anawsterau a wynebai eglwysi Cymru o ganlyniad i effeithiau niweidiol dirwasgiad economaidd y dauddegau a'r tridegau, cynnwrf yr Ail Ryfel Byd, a chynnydd cyson materoliaeth a seciwlareiddio yn ystod ail hanner yr ugeinfed ganrif a dechrau'r unfed ganrif ar hugain.[2]

Y Rhyfel Byd Cyntaf

Dylanwadodd y rhyfel yn uniongyrchol ar Gymru gyda llawer yn ymateb yn gadarnhaol i alwad y Cymro pybyr David Lloyd George i ymladd dros eu brenin a'u gwlad.[3] Ymysg ei gefnogwyr yng Nghymru yr oedd dau o brif arweinwyr y Methodistiaid Calfinaidd, sef y Parchedigion John Williams, Brynsiencyn, a Thomas Charles Williams, Porthaethwy, dau a fu'n llywyddion y Gymdeithasfa yn y

Gogledd a'r Gymanfa Gyffredinol. Fe'u darlunnir gyda'r gwleidydd mewn ffotograffau sydd yn ymddangos yn y *Cylchgrawn Hanes* mewn erthygl yn trafod gyrfa'r Athro David Morris Jones yn gaplan yn y fyddin.[4] Yn un ohonynt mae'r Parch. John Williams yn gwisgo coler gron a lifrai milwrol ar sail ei swydd yn gaplan mygedol y corfflu Cymreig y bu ganddo ran flaenllaw yn ei ffurfio, a bu'n eithriadol o effeithiol yn swyddog recriwtio milwyr.[5] Cymeradwywyd y Parch. David Morris Jones am anrhydedd y Groes Filwrol (*Military Cross*) ar sail ei wrhydri yn gaplan yn yr ymosodiad ar Gouzeaucourt ar 18 Medi 1918. Cyflwynir gyda'r erthygl fap o ardal y Somme, ynghyd â ffotograffau sydd yn cynnwys portread ohono; grŵp o weinidogion a ymunodd, fel y gwnaeth yntau, â'r Royal Army Medical Corps (yr RAMC); a hefyd nifer o filwyr a oedd yn aelodau dosbarth ysgol Sul yn Tourcoing, ger Lille.[6.] Wedi'r rhyfel bu'n weinidog yn Sgiwen, Blaenau Ffestiniog ac Abertawe, ac yna yn Athro Athroniaeth yn y Coleg Diwinyddol, Aberystwyth.

Gwasanaethodd nifer o weinidogion yn gaplaniaid, a chyflwynir ffotograff o'r Parch. D. Cynddelw Williams, a fagwyd yn eglwys y Tabernacl, Aberystwyth, gyda'r ysgrif sy'n cyfeirio ato fel un o gaplaniaid mwyaf dylanwadol y Rhyfel Mawr. Dywedwyd amdano: 'Ni wnaeth nemor neb fwy na Chynddelw Williams i weini cysur yr efengyl i'r milwyr yn yr amgylchfyd mwyaf enbydus posib', a dyfarnwyd iddo'r Groes Filwrol yn 1916 ar sail ei wrhydri ym mrwydr y Somme.[7] Ar y llaw arall, yr oedd y lleiafrif bach a wrthwynebai ymuno yn y lluoedd arfog yn cynnwys nifer o weinidogion ac aelodau'r Cyfundeb, a cheir ffotograff o grŵp mawr o wrthwynebwyr cydwybodol yn Knutsford, swydd Gaer, yn 1918.[8]

Yn dilyn y rhyfel cofiwyd am y rhai a laddwyd yn y gyflafan drwy gyfrwng gwahanol fathau o gofebau. Un o'r rhai mwyaf trawiadol oedd y gofeb i 14 o aelodau'r eglwys a laddwyd yn y Rhyfel Mawr a osodwyd gerllaw capel y Tabernacl, Aberystwyth, ac a ddadorchuddiwyd ar 6 Gorffennaf 1921. Fe'i cerfiwyd gan Mario Rutelli, y cerflunydd o'r Eidal a fu'n gyfrifol am nifer o weithiau pwysig yn y dref, gan gynnwys y gofeb ryfel ger y castell a cherfluniau o Syr John Williams yn y Llyfrgell Genedlaethol ac o Dywysog Cymru o flaen y Coleg ar lan y môr.[9] Yn Llundain, yr oedd eglwys Clapham Junction wedi prydlesu a dodrefnu tŷ yn Lavender Hill ar gyfer ffoaduriaid o Wlad Belg yn ystod y Rhyfel Byd Cyntaf. Lladdwyd naw o aelodau'r eglwys yn y rhyfel; dadorchuddiwyd cofeb iddynt gan Margaret Lloyd George yn 1921 a sefydlwyd y traddodiad o osod blodau ar y gofeb ar y Sul agosaf at Ddydd y Cofio.[10]

Yn dilyn casgliad a drefnwyd yn 1923, gosodwyd yng nghyntedd capel Salem, Treganna, Caerdydd, gofadail a luniwyd gan Syr William Goscombe John er cof am y pum aelod o'r eglwys a fu farw yn y rhyfel.[11] Gosodwyd tabledi marmor neu bres ar furiau allanol neu fewnol nifer fawr o gapeli, megis y tabled pres ym Methesda, Glynebwy, yn 1921 yn coffáu un gŵr ac yn cyfeirio at ugain o filwyr a fu'n gwasanaethu yn y rhyfel. Ym mis Ebrill 1924 agorwyd Neuadd Goffa Llansilin gan Margaret Lloyd George i goffáu 31 o wŷr lleol, ac roedd un aelod o gapeli'r enwad ymhlith y cynrychiolwyr enwadol a fu'n diolch iddi ar yr achlysur hwnnw. Cyflwynodd y Parch. Rees Evans rodd o £1,000 tuag at godi Institiwt Goffa Llanwrtyd, a agorwyd yn swyddogol ym mis Tachwedd 1928, yng nghapel yr enwad, ac enwyd ar dabled bres yno unigolion o'r dref a'r ardal gyfagos. Hefyd, cymerwyd rhan gan weinidogion yr enwad mewn seremonïau cyhoeddus i ddadorchuddio cofebau rhyfel, megis y rhai yn Nhrawsfynydd ym mis Medi 1921, Parc Bedwellte, ar 14 Rhagfyr 1924 pan goffawyd 300 o wŷr, ac Abergwaun ym mis Ebrill 1928.[12]

Casgliad Darluniau Gregynog

Dwy wraig a fu'n hynod weithgar adeg y Rhyfel Byd Cyntaf oedd Gwendoline a Margaret Davies, Gregynog, a wnaeth gyfraniad arbennig o bwysig yn datblygu gwerthfawrogiad o'r celfyddydau gweledol yng Nghymru. Yr oedd eu tad-cu, David Davies, Llandinam, y diwydiannwr, adeiladydd rheilffyrdd a pherchennog glofeydd a dociau'r Barri, yn aelod ffyddlon a chefnogwr brwd o'r Methodistiaid Calfinaidd. Dywedwyd amdano ei fod yn edrych 'arno'i hun fel cynrychiolydd y Methodistiaid Calfinaidd ym mywyd cyhoeddus a gwleidyddol Cymru' ac mai'r anrhydedd pennaf a dderbyniodd oedd cael ei ethol yn flaenor yn ei eglwys yn Llandinam.[13] Yr oedd yn noddwr hael i'r eglwys hon a sefydlwyd ganddo draddodiad teuluol o weithredu yn drysorydd yr eglwys. Bu ei fab, Edward Davies, yn gefnogwr hael o Symudiad Ymosodol y Cyfundeb ac yr oedd ei wraig ac yna, yn dilyn ei marwolaeth hi, ei ail wraig yn ferched i'r Parch. Evan Jones, Trewythen, gweinidog gyda'r Methodistiaid Calfinaidd.[14]

Cyflawnwyd gweithgarwch dyngarol Gwendoline a Margaret Davies adeg y Rhyfel Byd Cyntaf, ac ystyrir mai eu profiadau yn ystod y rhyfel fu'n gyfrifol am eu gweledigaeth i sefydlu canolfan gerdd, celfyddyd a diwylliant yng Ngregynog. Cyn iddynt deithio i Ffrainc llwyddasant i estyn cymorth i ffoaduriaid o Wlad Belg, a threfnwyd ganddynt i nifer o arlunwyr Gwlad Belg ymgartrefu yng nghanolbarth Cymru yn ystod y rhyfel. Yn eu plith yr oedd y cerflunydd George Minne (1866–1941), a'r arlunwyr Valerius de Saedeleer (1867–1941) a Gustave van de Woestyne (1881–1947), ynghyd â'u teuluoedd. Pan oeddynt yn gweithio i Groes Goch Ffrainc yn 1916 cawsant brofiad o fomiau a ffrwydron, a gwelsant ddioddefaint y milwyr cyffredin yn ogystal â dinistr dinasoedd megis Verdun. Dan nawdd Pwyllgor Llundain o Groes Goch Ffrainc bu iddynt gynorthwyo'r gwaith o drefnu cantinau ar gyfer milwyr Ffrainc, gwaith a anwybyddwyd yn aml gan eu harweinwyr milwrol. Yn wirfoddolwyr yr oedd yn rhaid iddynt dalu eu hunain am bopeth, nid yn unig am eu llety ond hefyd am ddarparu coffi, byrbrydau a sigarennau yn rhad ac am ddim.[15.]

Ystyrid y ddwy chwaer ymhlith casglwyr mwyaf blaengar a chyfoes Prydain, ac yn ystod y cyfnod o 1908 hyd 1924, casglwyd ganddynt, grŵp o beintiadau Argraffiadol ac ôl-argraffiadol nodedig ar adeg pan anwybyddid celfyddyd fodern Ffrengig gan unigolion a sefydliadau. Yr oedd y peintiadau yn cynnwys *The Disrobing of Christ* gan El Greco, a brynwyd am £6,000 yn 1923. Fe'i gosodwyd yn ystafell gerdd Neuadd Gregynog, lle bu'n rhan o'r cefndir i'r oedfaon anenwadol a gynhelid ar gyfer ymwelwyr ar y Sul. Disgwylid i gynrychiolwyr a gwesteion fynychu'r oedfaon hynny ar y Sul a baratowyd gan Gwendoline a Dora Herbert Jones, a fyddai'n pendroni am wythnosau dros y dewis o ddarlleniadau, gweddïau a cherddoriaeth addas. Tybir mai Boticelli oedd arlunydd y ddau ddarlun o'r Forwyn Fair a osodwyd ym mharlwr y Neuadd, ac yr oedd gweithiau eraill a iddynt gefndir Beiblaidd yn cynnwys *The*

Adoration of the Shepherds gan Gerbrandt van den Eckhout (1621–74), *The Parable of the Blind Leading the Blind* gan Benjamin Gerritsz Cuyp (1612–52), a *The Deposition* gan Abraham van Diepenbeek (1596–1676), dilynydd i Rubens.[16]

Erbyn yr 1920au yr oedd nifer o Anghydffurfwyr, gan gynnwys Methodistiaid Calfinaidd selog fel y ddwy chwaer Davies, yn ystyried bod arddangos gweithiau celf yn darlunio golygfeydd Beiblaidd mewn lleoliad cartrefol neu sefydliadol yn dderbyniol. Felly, wrth i ymwelwyr fynd i mewn i'r plasty a ymddangosai'n eithaf plaen a diaddurn, fe'u hwynebwyd gan gorff noeth Efa gan Rodin. Cynrychiolir yn eu casgliad hefyd arlunwyr pwysig eraill yn hanes celf Ewrop, gan gynnwys Daumier, Cezanne, Manet, Monet, Pissaro, Renoir a Van Gogh. Casglwyd hefyd weithiau pwysig gan arlunwyr o Brydain, a'r goreuon ohonynt yn cynnwys *Christ trampling down Satan* gan William Blake a *Penn Ponds, Richmond Park* gan Richard Wilson, ac ymhlith y darluniau gan arlunwyr Cymreig eraill yr oedd gweithiau gan Moses Griffith, Augustus John, Cedric Morris, Ceri Richards a Kyffin Williams. Ailddechreuodd Margaret Davies gasglu eto yn 1934, a pharhaodd i wneud hynny tan ei marwolaeth yn 1963. Casglwyd ganddi hi a'i chwaer Gwendoline, a fu farw yn 1951, un o gasgliadau celf mwyaf nodedig Prydain, a throsglwyddwyd 260 o ddarluniau pwysig ganddynt i Amgueddfa Genedlaethol Cymru, Caerdydd.[17] Cyflwynwyd rhoddion ariannol sylweddol i Lyfrgell Genedlaethol Cymru, Aberystwyth, ynghyd â llawysgrifau a llyfrau gwerthfawr, ac fel arwydd o werthfawrogiad am ddiogelu'r casgliad darluniau yn ystod yr Ail Ryfel Byd rhoddwyd i'r Llyfrgell gan Margaret Davies gasgliad o ysgythriadau gan Durer, Whistler, Augustus John a Forain.[18]

Llyfrgell Genedlaethol Cymru

Y mae hefyd yng nghasgliad darluniau Llyfrgell Genedlaethol Cymru, Aberystwyth, weithiau gan nifer o arlunwyr cyfoes amlwg Cymru sydd â chysylltiadau pwysig â'r Cyfundeb. Prif arlunydd portreadau Cymru heddiw yw David Griffiths, Caerdydd. Yr oedd ei dad-cu, sef Griffith Robert Griffith, dyn busnes llwyddiannus yn Lerpwl, a blaenor ac ysgrifennydd eglwys Stanley Road, Bootle, yn arlunydd medrus, a dangoswyd ei bortread o William Ewart Gladstone, y prif weinidog, mewn arddangosfa a drefnwyd yn Oriel Walker, Lerpwl, yn 1889. Ganed David Griffiths yn Lerpwl ond symudodd i Bwllheli pan oedd yn saith mlwydd oed. Dywedir amdano yn cytuno, yn blentyn, i fynd i gapel Penmount ar yr amod ei fod yn cael tynnu lluniau pobl yn y gynulleidfa wrth wrando ar y bregeth, gan ddefnyddio papur a phensel a osodwyd gan ei fam yn ei bag.[19] Arlunydd arwyddocaol cyfoes arall â chefndir teuluol yn perthyn i'r Methodistiaid Calfinaidd yw Cefyn Burgess. Dywedodd fod capeli wedi bod yn rhan o'i fywyd ers ei blentyndod, a mynegodd ei awydd i gofnodi, cyn iddi fod yn rhy hwyr, y capeli hynny sydd wedi clymu ynghyd neu rannu cymunedau, ac sydd yn araf ddiflannu. Darluniodd ef, mewn deunydd brethyn a gwlân, nifer sylweddol o gapeli'r Cyfundeb ymhlith addoldai yn perthyn i bob enwad. Trefnwyd cyfres o arddangosfeydd o'i waith yn ystod y blynyddoedd diweddar, gan gynnwys un yn 1992 yn canolbwyntio ar gapeli ei ardal enedigol ym Methesda; un yn 1998 ar gapeli ar hyd ffordd yr A470, yn ymestyn o Benmaen-mawr i Benarth; ac yna un yn 2008 ar y thema 'Mudo' yn darlunio capeli a leolir yn Lerpwl, yr Unol Daleithiau a gogledd Cymru. Paratowyd ganddo hefyd arddangosfa ar y thema 'Perthyn' a oedd yn cynnwys delweddau o gapeli'r Wladfa.[20]

Casgliad helaeth o frasluniau, ffotograffau a disgrifiadau perthnasol yn y Llyfrgell sydd yn adlewyrchu'r ymdrech i ddiogelu'r dystiolaeth am fodolaeth a phwysigrwydd pensaernïol amrywiaeth o gapeli, gan gynnwys nifer o gapeli a gaewyd, a addaswyd neu a ddymchwelwyd yn ystod y blynyddoedd diweddar, yw un y Cadlywydd A. F. Mortimer, Llanfyllin. Datblygodd ei ddiddordeb ysol mewn pensaernïaeth capeli pan symudodd ef a'i wraig, June, i fyw ar fferm ger Llanfyllin yn dilyn ei ymddeoliad o'r Llynges Brydeinig, lle bu'n beiriannydd proffesiynol am gyfnod o ddeng mlynedd ar hugain. Canolbwyntiai ei frasluniau cynnar ar yr ardal o amgylch ei gartref, ac yn 1988 cyflwynodd i'r Llyfrgell Genedlaethol arolwg manwl o gapeli yng ngogledd Sir Drefaldwyn, o fewn wyth milltir i'w gartref, ddwy filltir i'r de o Lanfyllin ym mhlwyf Meifod. Lluniwyd cyfrol o'i waith yn cynnwys 122 o dudalennau ffolio, sef llungopïau o frasluniau, mapiau a disgrifiadau a sylwadau mewn llawysgrif; ac yn 2010 trosglwyddwyd y brasluniau gwreiddiol i'r Llyfrgell Genedlaethol. Yn ystod y cyfnod 1990–4 cyflwynodd gasgliad sylweddol o frasluniau a gynhyrchwyd mewn inc a dyfrlliw. Mae'r rhan fwyaf ohonynt yn dangos blaen ac ochr yr adeilad, yn ogystal â chynllun y llawr a'r seddau. Cyn llunio'r brasluniau archwiliwyd y capeli a'u mesur yn ofalus wrth raddfa, ac adlewyrchir yn y casgliad dechnegau medrus a safon artistig ac esthetig uchel. Er bod y capeli a drafodwyd yn perthyn i nifer o enwadau, yr oedd y mwyafrif ohonynt yn perthyn i Eglwys Bresbyteraidd Cymru.[21]

Dyma ardal sydd o bwysigrwydd arbennig yn hanes y Cyfundeb, gyda nifer o'r capeli yn gysylltiedig ag Ann Griffiths a John Hughes, Pontrobert. Y mae'n cynnwys plwyf Llanfihangel-yng-Ngwynfa, lle bu Alwyn D. Rees yn ymchwilio yn y cyfnod 1939–45. Cyhoeddodd ei gasgliadau yn ei gyfrol *Life in a Welsh Countryside* (1950), a chyfeiriodd at ddifrodi'r diwylliant lleol gan ddiboblogi, gormodedd o eglwysi a chapeli ar gyfer y gymuned gyfoes a thuedd i fyw ar y dreftadaeth grefyddol.[22]

Cytunai A. F. Mortimer â sylwadau Alwyn D. Rees a thynnodd ef sylw at y ffaith mai un capel yn unig a agorwyd yn yr ugeinfed ganrif, sef y capel Presbyteraidd yng Nghwm Golau, y Byrwydd, yn 1926. Yr oedd yn ymwybodol iawn o'r newidiadau enfawr a brofwyd yn yr ardal wledig hon pan oedd ef yn paratoi ei arolwg, ac maent wedi cynyddu'n sylweddol erbyn heddiw. Yr oedd hefyd yn barod iawn i ymateb i wybodaeth a gyflwynid am gapeli mewn ardaloedd eraill yr oedd pryder am eu dyfodol neu am gapeli a oedd ar fin cau. Felly, paratôdd gynllun llawr capel Seilo, Aberystwyth, cyn iddo gael ei ddymchwel.[23] Lluniodd hefyd nifer o frasluniau yn sgil ei weithgarwch yn Drysorydd Mygedol cymdeithas Capel, Cymdeithas Treftadaeth y Capeli, ac ymweliadau a drefnwyd gan Capel fu'n gyfrifol am ei frasluniau o gapeli Tabernacle ac Ebenezer, Hwlffordd, a Bethel, Meidrim – y ddau olaf yn perthyn i Eglwys Bresbyteraidd Cymru, a'r Tabernacle ar un adeg yn ganolfan bwysig i Fethodistiaid Calfinaidd Hwlffordd. Rhoddwyd sylw manwl i gapeli sir Feirionnydd ar sail ei weithgarwch gyda chynllun peilot yn canolbwyntio ar y sir honno a drefnwyd gan Gomisiwn Brenhinol

Henebion Cymru mewn cydweithrediad â Capel. O ganlyniad, gosodwyd casgliadau sylweddol o brintiau ffotograffig y Comisiwn ar adnau yn y Llyfrgell Genedlaethol ac yn Archifdy Meirionnydd.[24]

Aelod arall gweithgar gyda chymdeithas Capel, a hefyd gyda'r Cyfundeb, oedd Graham Rosser, cyn-Lywydd Cymdeithasfa'r Dwyrain. Gwnaeth ef gyfraniad pwysig i ddiogelu'r dystiolaeth am gapeli'r Cyfundeb a thynnodd ffotograffau nifer fawr o gapeli dros y blynyddoedd, a hynny yn aml pan oedd ar ei ffordd i gyfarfodydd eglwysig. Cyflwynodd i Greirfa'r Cyfundeb yn y Llyfrgell Genedlaethol gasgliad helaeth o ffotograffau, yn cynnwys 3,572 o sleidiau wedi eu mynegeio'n ofalus ac yn cofnodi 1,316 o gapeli ledled Cymru, a hefyd rai enghreifftiau o Loegr. Yn dilyn cytundeb rhwng Cymdeithas Hanes y Cyfundeb a Chomisiwn Brenhinol Henebion Cymru, sydd wedi casglu ffotograffau nifer fawr o gapeli yng Nghymru, diogelwyd yn y Llyfrgell Genedlaethol a'r Comisiwn brintiau du a gwyn o safon archifol uchel a gynhyrchwyd o'r sleidiau.[25]

Hefyd, yn rhan o archif y Comisiwn Brenhinol ac o gasgliadau ffotograffau'r Llyfrgell Genedlaethol y mae ffotograffau gan Islwyn D. Jones, a fu yn löwr yng nglofeydd y Cambrian, Clydach Vale a'r Park and Dare, yn saer ar nifer o safleoedd adeiladu, ac yn arfogwr yn y Llu Awyr. Yr oedd ef yn un o'r rhai a ymatebodd yn gadarnhaol i'r gwahoddiad i gyfrannu i gynllun y Comisiwn Brenhinol i gynhyrchu cofnod ffotograffig o gapeli mewn ardal benodol. Cyflwynwyd i'r Llyfrgell Genedlaethol gasgliad helaeth o'i ffotograffau, yn cynnwys rhai sy'n darlunio capeli ym mhob rhan o Gymru ond gyda'r rhan fwyaf yn canolbwyntio ar fro ei febyd yng Nghwm Rhondda Fawr.[26]

Pensaernïaeth

Y mae llawer o'r capeli a bortreadwyd gan arlunwyr a ffotograffwyr yn ystod y blynyddoedd diwethaf, ac yn perthyn i amrywiol enwadau, wedi eu cau, eu haddasu ar gyfer defnydd arall, neu wedi eu dymchwel erbyn heddiw, ac y mae'r digwyddiadau hynny yn tanlinellu'r anawsterau a wynebwyd gan eglwysi Cristnogol yng Nghymru yn ystod y cyfnod hwn. Pwysleisiwyd eisoes effeithiau niweidiol y Rhyfel Byd Cyntaf, ond un o ganlyniadau mwyaf echrydus yr Ail Ryfel Byd oedd dinistrio capel Trinity, Park Street, Abertawe, gan fomiau ar 22 Chwefror 1941: yng ngeiriau'r gweinidog, y Parch. Ieuan Phillips, 'Ni adawsid ohono gymaint â charreg ar garreg'. Ei olynydd, y Parch. Wynne Griffiths fu'n arwain y trefniadau ar gyfer adeiladu capel newydd gerllaw'r festri a agorwyd yn 'Glanmor Park Road' yn 1925. Cynlluniwyd y Trinity newydd gan Syr Percy Thomas ac fe'i hagorwyd ar 15 Mawrth 1955.[27]

Y mae'r brasluniau a luniwyd gan A. F. Mortimer ac a drafodwyd eisoes, yn cynnwys rhai o ddau gapel yn Aberystwyth, sef Seilo a'r Tabernacl.[28] Gwnaed newidiadau sylweddol i gapel Seilo cyn dathlu'r canmlwyddiant yn 1963, a chynlluniwyd wyneb modern hardd gan y penseiri R. Emrys Bonsall a Dewi Prys-Thomas. Uwchben y capel gosodwyd symbol a gynlluniwyd gan R. L. Gapper, yn darlunio colomen yn hedfan uwchben Beibl agored, ac ar y tŵr yr oedd croes fechan a gynlluniwyd gan E. M. Job. Yn dilyn yr uno ag eglwys Salem, a ffurfio eglwys Capel y Morfa, dymchwelwyd capel Seilo a bellach mae'r organ, a gysylltir â'r organydd enwog Charles Clements, wedi ei symud a'i hailosod yn Eglwys Gadeiriol St George, Freetown, Sierra Leone. Trafodir isod rai o'r newidiadau a wnaed i Gapel y Morfa.[29] Cynhaliwyd oedfa olaf eglwys y Tabernacl ym mis Medi 2002 ar ôl i fwyafrif yr aelodau benderfynu uno'r eglwys gyda Capel y Morfa. Er gwaethaf y bwriad i droi'r capel yn amgueddfa ar gyfer trefnu arddangosfeydd ar y thema 'Mudo', a defnyddio'r organ ar gyfer datganiadau cyhoeddus, ni lwyddwyd i wireddu'r amcanion hynny a gwerthwyd y capel yn 2005. Llosgwyd ac yna dymchwelwyd y capel ym mis Gorffennaf 2008, ond yn ffodus cyn hynny cludwyd yr organ i stordy yn ne Lloegr gyda'r bwriad iddi gael ei hailadeiladu yn eglwys Anglicanaidd St Jude's, Southsea. Diogelwyd hefyd y gofeb ryfel yn Amgueddfa Ceredigion ac yna fe'i hail-leolwyd yn 2015 ar ei safle gwreiddiol gerllaw'r capel. [30]

Hanesion trist eraill oedd y rhai am Gapel y Ton, Tonyrefail, a losgwyd yn 2007 gan fandaliaid ar ôl iddo gau a'i osod ar werth; a chapel Aber-fan, a losgwyd ym mis Gorffennaf 2015.[31] Capel pwysig a gaewyd yn 2011 oedd Capel Cymraeg Aber-carn, a agorwyd yn

1854 ac a oedd iddo le arbennig yn hanes yr iaith Gymraeg yng Ngwent.[32] Dymchwelwyd hefyd lawer o gapeli Cwm Cynon yn ystod y cyfnod dan sylw. Yn 2004 yr oedd safleoedd capeli Tabernacl, Abercynon a Hermon, Penrhiwceibr, yn wag a chapel Bethania, Aberdâr, yn adfail. Yn dilyn y difrod a achoswyd gan dywydd garw ym mis Tachwedd 2014 penderfynwyd bod yr adeilad mewn cyflwr peryglus ac fe'i dymchwelwyd.[32] Cofnodwyd y capeli hyn yn yr astudiaeth gynhwysfawr o gapeli'r Cwm, yn cynnwys cynlluniau a ffotograffau o'r adeiladau, a wnaed gan Alan Vernon Jones.[33]

Ffynonellau eraill sydd yn eithriadol o werthfawr yn y cyswllt hwn yw'r brasluniau a luniwyd gan A. F. Mortimer o'r capeli hynny sydd bellach wedi cau. Un ohonynt oedd Hebron, yn Hirnant, sir Drefaldwyn, a ddymchwelwyd yn 1988; adroddodd Mortimer hanesyn am Robert Thomas yn ymgymryd yn rheolaidd â thaith gerdded sylweddol o'i fferm, Blaen-y-cwm yn Maengwynedd, gan fynd heibio naw capel arall cyn iddo gyrraedd Hebron.[34]

Ddiwedd 1990 darganfuwyd bod capel Jerusalem, Llannerch-y-medd, sir Fôn, mewn cyflwr peryglus, ac fe'i dymchwelwyd.[35] Yng nghylchlythyr cymdeithas Capel, a gyhoeddir ddwywaith y flwyddyn, cyfeirir yn gyson at gapeli sydd naill ai wedi cau neu lle mae cynlluniau i'w haddasu ar gyfer defnydd arall. Ymhlith y nifer sylweddol o gapeli a nodwyd eu bod wedi cau yn ystod y blynyddoedd diweddar y mae capeli Bethel, Cwmtwrch Isaf; Trinity, Defynnog a Bronllys, Powys; Babell, Cilgerran a St Andrews, Doc Penfro, sir Benfro. Ar y llaw arall, cofnodwyd y bwriad i addasu'r capeli canlynol yn gartrefi: Peniel, Carno; Bethania, Llandudno; yr Hen Gapel, Llechryd, a Dyffryn, Maenordeilo.[36]

Ym Morgannwg addaswyd capel Tabor, Maesteg, a gaewyd yn 1988 ac a leolir mewn Ardal Gadwraeth ar gyfer defnydd preswyl.[37] Yng Nghwm Cynon, codwyd tai annedd megis y rhai a adeiladwyd ar safleoedd Moriah, Penrhiwceibr, tua 1967; Bethel, Ynysybwl, yn 1978; Jerusalem, Penderyn, a enwid yn 'Jerusalem House' yn 1989; Moriah, Llwydcoed, a enwid yn 'Moriah Bungalow', yn 1992; a Soar, Cwmaman, a Bethel, Hirwaun, yn 2000, ynghyd â fflatiau ar safle Seiloh, Aberaman. Yr oedd y mathau eraill o ddefnydd a wnaed o'r safleoedd yng Nghwm Cynon yn cynnwys clwb ar gyfer cymdeithas bysgota [Ysgol Sul Tabernacl, Abercynon]; canolfan iechyd 'Hillcrest' [Bethlehem, Aberpennar]; storfa / siop Jewson [Nazareth, Aberdâr]; a thŷ cwrdd y Brodyr (Brethren) [Carmel, Trecynon].[38] Datblygiad arwyddocaol ym Mhen-tyrch oedd trawsnewid capel Horeb, a gaewyd yn 2005, yn neuadd gyngerdd a stiwdio recordio Acapela. [39]

Yn Llanelli addaswyd dau gapel yn perthyn i'r Cyfundeb gan Gyngor Tref Llanelli, a chydnabuwyd y ddau gynllun adfer gan Bwyllgor Gwobrau Tywysog Cymru ar gyfer adfer adeiladau hanesyddol. Adeiladwyd capel Siloh yn yr 1870au, ac wedi iddo gau a'i gynnig ar werth yn 1976, fe'i prynwyd, ynghyd â thŷ'r gofalwr, gan Gyngor y Dref yn 1977 ac yna ei atgyweirio a'i addasu. Agorwyd Canolfan Ieuenctid a Chymuned Lakeside yn 1980 ac y mae'r brif neuadd yn ddigon mawr i'w defnyddio yn gwrt badminton. Trefnwyd wedi hynny raglen adnewyddu ar gyfer trin yr adeiladwaith, gan gynnwys gosod to llechi newydd a gwella'r adnoddau sydd ar gael. Prynodd Cyngor y Dref gapel arall, sef capel Glenalla, a adeiladwyd yn 1909 gydag estyniad wedi ei ychwanegu yn 1914. Lleihaodd y gynulleidfa wedi'r Ail Ryfel Byd a bu'n rhaid i'r eglwys gau yn 1987. Erbyn hynny yr oedd yr adeilad wedi dirywio'n enbyd, ac yn 1991 cwblhawyd cynllun adfer llawn ac agor neuadd ddinesig yno sydd wedi cadw cymeriad hanfodol yr adeilad gwreiddiol. Addaswyd yr ysgoldy cyfagos yn ganolfan gymunedol.[40] Yn sir Fôn, ar safle capel Armenia, adeiladwyd stad fechan o dai a elwir yn 'Capel Armenia'; ceir tai annedd ar safleoedd capeli Preswylfa, Llanddaniel-fab; Pentre Berw; a Saron, Traeth Coch; a fflatiau ar safleoedd y capel Saesneg, Biwmares, a Nebo, Llanwenllwyfo.[41] Hefyd, yn yr ardal yn sir Drefaldwyn a archwiliwyd gan A. F. Mortimer, addaswyd capel Gwern-y-cil yn dŷ annedd, capel yng Nghastell Caereinion yn ystordy a Bethania, Ddol Conwy, Llanwddyn, yn ganolfan antur.[42]

Gwnaed atgyweiriadau a gwelliannau yn ystod y cyfnod 1914–2015 i nifer o'r capeli nodedig hynny a rhestrwyd gan Cadw ar Raddfa 1, sef Jerusalem, Bethesda; a Graddfa II*, gan gynnwys Moreia, Llangefni; Capel Mawr, Dinbych; Bethesda, yr Wyddgrug; a Chapel Coffa William Williams, Llanymddyfri; cwblhawyd yno yn 2015 atgyweiriadau sylweddol i'r capel hwn.[43] Trosglwyddwyd Peniel, Tremadog, capel arall Graddfa 1, i ofal Ymddiriedolaeth

Addoldai Cymru ym mis Mawrth 2010 a threfnwyd i aelodau'r eglwys barhau i addoli yn Neuadd Goffa Tremadog.[44] Ymhlith y capeli arwyddocaol a restrwyd ar Raddfa II codwyd cofgolofn i'r diwygiwr Evan Roberts yn 1951 y tu allan i gapel Moriah, Casllwchwr, ac y mae'n arwydd gweledol o'i gysylltiad â'r capel, a hefyd o gyfraniad pwysig Moreia yn hanes Diwygiad 1904–5.[45] Lansiwyd apêl genedlaethol gan bobl leol yn 1983 i ddiogelu ac adfer Hen Gapel John Hughes, Pontrobert, ac yn 1995 ailagorwyd y capel yn Ganolfan Undod ac Adnewyddiad Cristnogol.[46] Caewyd capel Burnett's Hill, Martletwy, sir Benfro, yn 1984, ond llwyddwyd i'w ailagor mewn oedfa a gynhaliwyd ar 31 Gorffennaf 2001, a Chyfeillion Capel sydd bellach yn gyfrifol am ei gynnal a'i reoli. [47] Ailagorwyd Capel y Garn, Bow Street, yn 1986 yn dilyn triniaeth i'r difrod sylweddol a achoswyd gan bydredd sych i'r adeilad; gwariwyd yn helaeth ar adeilad Capel y Drindod, Pwllheli, a ffurfiwyd yn 1997 wedi uno eglwysi Penmount, Salem a South Beach; ac yn 2004 ailadeiladwyd rhan uchaf tŵr Capel Tegid, y Bala, a newidiwyd defnydd y meindwr o garreg i ddur.[48] Un o ganlyniadau ymsefydliad nifer fawr o Gymry Cymraeg yng ngorllewin Caerdydd yw'r cynnydd sylweddol yn aelodaeth Salem, Treganna, Caerdydd, yn ystod y blynyddoedd diwethaf. Defnyddir yr oriel ar fore Sul gan ran o'r gynulleidfa, a thrwy gyfrwng yr estyniad, a gynlluniwyd gan gwmni Penseiri Alwyn Jones ac a agorwyd yn 2005, darparwyd cyfleusterau ychwanegol ar gyfer yr ysgol Sul a chyfarfodydd amrywiol.[49]

Arwydd o'r gwahaniaeth aruthrol rhwng y cyfnod dan sylw yn y gyfrol hon, o'i gymharu â chyfnod Cyfrol III yw mai ychydig iawn o gapeli newydd a godwyd yng Nghymru er 1914. Y mae hanes a datblygiad rhai o'r capeli hynny'n adlewyrchu dyheadau'r arweinwyr a'r aelodau, yn ogystal â'r anawsterau a brofwyd, ac mae hyn yn arbennig o wir am eglwys Heathfield Road, Lerpwl. Adeiladwyd y capel helaeth hwn yn 1927 yn dilyn cynnydd yn aelodaeth eglwys Webster Road, a leolid tua phedair milltir o ganol y ddinas ac a agorwyd yn 1887. Wedi'r ehangu yn 1899 sylweddolwyd yr angen am gapel mwy o faint yn 1922 pan oedd yr aelodaeth wedi codi i 606. Prynwyd darn o dir ar gongl Heathfield Road, gyda'r pen blaen yn Smithdown Place. Cynlluniwyd y capel newydd gan gwmni Richard

Owen a'i Fab, Lerpwl, a'r adeiladwyr oedd cwmni John Williams. Agorwyd y capel hardd hwn, oedd yn dal cynulleidfa o 750, ar 26 Mawrth 1927, a chaed argraff o helaethrwydd gan y nenfwd uchel a'r ffenestri enfawr. Yn gysylltiedig â'r capel darparwyd dwy festri: yr ysgoldy fawr a'r ysgoldy fach, yn cynnwys llwyfannau, cyfleusterau modern ac ystafelloedd cyfleus, un ohonynt ar gyfer llyfrgell, yn ogystal â thŷ i'r gofalwr. Ailaddaswyd y capel yn 1972, ac yn 1979 adnewyddwyd yr ysgoldai a'r ystafelloedd cefn. Canlyniad cyfuniad o aelodau yn symud i fyw yng Nghymru ac anhawster cynyddol yn ystod y blynyddoedd diweddar i ddenu Cymry a symudodd i Lerpwl oedd y dyhead am gapel newydd addas ar gyfer cynulleidfaoedd llai niferus. Ceisiwyd hefyd oresgyn effeithiau niweidiol lleithder a phydredd yn yr adeiladau. Cafwyd trafferthion enbyd gyda chwmni datblygu, ond eto, yn dilyn dymchwel y capel, yr ysgoldy fawr a'r tŷ capel, addasu'r ysgoldy fach ac adeiladu ysgoldy newydd i ddarparu ar gyfer anghenion cymdeithasol a diwylliannol Cymry Lerpwl, agorwyd capel newydd Bethel ar 23 Hydref 2011.[50]

Cymhelliad tebyg i un addolwyr Lerpwl i ddarparu ar gyfer cynnydd yn y gynulleidfa fu'n gyfrifol am agor capel presennol Bethany, Rhydaman, yn 1929. Wedi degawd o gynllunio a chasglu, mewn cyfnod o ddirwasgiad a thlodi, ac effeithiau streic 1925, tynnwyd i lawr yn 1926 y capel gwreiddiol, a godwyd yn 1881. Gweinidog yr eglwys am gyfanswm o 44 o flynyddoedd (1900–44), oedd yr emynydd a'r bardd, y Parch. W. Nantlais Williams. Dylanwadwyd yn fawr arno gan Ddiwygiad 1904–5, ac uwchben y geiriau ar y gofeb iddo yn y capel gwelir Beibl agored, sgrôl gerddorol a dau ysgrifbin, sef arwyddion gweledol o'i gyfraniadau yn bregethwr, emynydd a golygydd *Trysorfa y Plant* am dair blynedd ar ddeg. Nantlais fu'n gyfrifol am ddewis yr arysgrifen ar y cerrig sylfaen, sef 'I gofio 1904' ac 'I gofio y Maes Cenhadol'. Wrth godi'r capel newydd, diogelwyd y pulpud a oedd yn yr hen gapel ac fe'i defnyddir o hyd yn y festri helaeth, y tu ôl i'r capel. Pensaer y capel newydd oedd J. Owen Parry, aelod o'r eglwys, a'r adeiladydd oedd William Evans, eto o Rydaman. Defnyddiwyd cynllun clasurol ar gyfer y capel, ac ymddengys y tu mewn yn syml ac urddasol, gyda lle i 850 eistedd yn gyfforddus, gan ddefnyddio derw plaen a chadarn ar gyfer y gwaith coed.[51]

Yn wahanol i'r ddau gapel uchod, agorwyd Moriah, Llanystumdwy, yn 1937 i gymryd lle'r capel gwreiddiol, a godwyd ger pont y pentref ac a losgwyd drwy ddamwain. Rhoddwyd y tir ar gyfer y capel newydd gan J. E. Greaves, Bron Eifion, Cricieth, ar yr amod y byddai'r capel yn cael ei gynllunio gan ei nai, Syr Clough Williams-Ellis. Bellach, ystyrir y capel, a restrwyd gan Cadw yn Raddfa II, yn enghraifft bwysig o waith y pensaer enwog, a luniodd yr adeilad mewn arddull glasurol a chymesur, yn gain ac yn fanwl. Rhoddwyd arlliw Eidalaidd i rai agweddau, sy'n debyg i'r rhai yn y pentref a gynlluniwyd ganddo ym Mhortmeirion. Lleolir y capel ynghanol y pentref, ac fe'i hadeiladwyd o rwbel lleol gyda tho llechi a chwt clychau. Y mae'r tu mewn hirsgwar yn syml a phlaen â ffurfiau telyn ar bennau'r seddau a wnaed o bren cedrwydd. I'r cefn y mae festri a wnaed eto o rwbel.[52]

Canlyniad llosgi capel gwreiddiol Jewin, Llundain, a godwyd yn 1879, gan fomiau tân yn ystod yr Ail Ryfel Byd oedd i gyfrif am godi'r capel presennol yn 1961. Yr oedd 1,082 o aelodau yn 1940 pan losgwyd yr adeilad. Er ystyried adeiladu ar safleoedd eraill, gan gynnwys un yn Holborn Viaduct ar dir a brynwyd gan yr eglwys, penderfynwyd codi capel newydd ar yr un safle yn Fann Street. Cynlluniwyd y capel newydd gan Alban Douglas Rendall Caroe, o gwmni Caroe & Partners. Y mae'r capel o gynllun hirsgwar, wedi ei adeiladu o frics, ac mae iddo do pyramidaidd, a orchuddiwyd â chopr; y mae'r coed derw Americanaidd yn nodwedd ddeniadol a gorffeniad y tu mewn o safon uchel. Gwnaed nifer o sylwadau ffafriol am y capel hwn ac fe'i disgrifiwyd gan Philip Temple yn un o'r ychydig adeiladau eglwysig a godwyd yn Llundain wedi'r Ail Ryfel Byd a oedd o ansawdd arbennig. Yn gysylltiedig â'r eglwys y mae neuadd fawr gyda llwyfan, ystafelloedd, a thŷ i'r gofalwr.[53]

Ymateb i benderfyniad i godi ffordd newydd drwy dref Caernarfon fu'n gyfrifol am ddymchwel hen gapel Seilo, Caernarfon, ac adeiladu un o gapeli mwyaf modern Cymru. Agorwyd y capel ym mis Hydref 1976 gan un o gyn-weinidogion yr eglwys, y Parch. William Morris, y prifardd ac archdderwydd. Cynlluniwyd y capel gan Gerald Latter, o gwmni Colwyn Foulkes. Mae'n adeilad wythonglog, gyda chroes ar un o'r waliau allanol. Y tu mewn mae nenfwd uchel o goed, a rhed llwybr i lawr canol y capel. Gosodwyd y pulpud ynghanol pen blaen y capel, a thu cefn iddo mae'r organ, a'r pibau ar y mur brics. Yn gysylltiedig â'r capel mae'r theatr a ddefnyddir gan yr eglwys ar gyfer ysgol Sul y plant ac amrywiol gymdeithasau'r eglwys, a hefyd gan gymdeithasau diwylliannol lleol.[54]

Pryder am gyflwr yr adeilad, a'r angen i wario'n sylweddol i ddileu effeithiau niweidiol pydredd sych yng nghapel nodedig Seion, a gynlluniwyd gan gwmni pensaernïol W. & G. Audsley, Lerpwl, a fu'n rhannol gyfrifol am y penderfyniad i adeiladu capel newydd yn Wrecsam. Gwerthwyd safle capel Seion yn Stryd Regent, gyda'r oedfa olaf yn cael ei chynnal yno ar 29 Mai 1979. Cynlluniwyd y capel newydd, Capel y Groes, gan gwmni Bowen, Dan Davies, Bae Colwyn, a'r adeiladwyr oedd cwmni McAlpin.

Defnyddiwyd safle a fu'n eiddo i'r Eglwys yng Nghymru, ac agorwyd Capel y Groes ar 13 Chwefror 1982. Enillodd y cwmni pensaernïol nifer o wobrau am y cynllun, gan gynnwys canmoliaeth gan Sefydliad Brenhinol Penseiri Prydain (RIBA), a Medal Aur yr Eisteddfod Genedlaethol. Y mae'r adeilad yn cynnwys ffrâm ddur â gorchudd brics, ac elfen nodweddiadol yw'r to isel. Y mae'r tŵr brics ar ei draed ei hun yn cynnal croes ac mae hynny'n addas, gan ystyried yr enw a ddewiswyd ar gyfer y capel.[55]

Yr oedd dyhead am sicrhau gwell adnoddau ar gyfer digwyddiadau amrywiol yn rhannol gyfrifol hefyd am benderfyniad Eglwys Heol y Crwys, Caerdydd, yn 1987, i brynu capel a fu'n eiddo i'r Gwyddonwyr Cristnogol yn Heol Richmond, ac a adeiladwyd tua 1960. Yr oeddynt hefyd yn ymwybodol o'r costau enfawr a'u hwynebau ar sail archwiliad beirniadol iawn gan bensaer o'r adeilad gwreiddiol yn Heol y Crwys, gyda phrysurdeb y ffordd fawr y tu allan i'r capel wedi cyfrannu at wendidau yn adeiladwaith y capel. Yn 1988 gwerthwyd capel Heol y Crwys i grŵp o Foslemiaid ac erbyn heddiw y mae'n Fosg Shah Jalal, canolfan ddiwylliannol Islam. Rhoddwyd ystyriaeth yn y trafodaethau manwl i'r orfodaeth gyfreithiol i werthu eiddo am y pris uchaf, a hefyd y cyfamod arbennig a sicrhawyd i wahardd gwerthu diodydd meddwol ynddo. Gwnaed nifer o addasiadau i'r capel newydd, a gynlluniwyd gan Gerald Latter, yn cynnwys gosod to brig newydd, wyneb gwydr a galeri. Crëwyd ystafelloedd dosbarth, cegin foethus, toiledau a theatr fechan wedi ei lleoli uwchben y festri. [56]

Gwendidau saernïol yng nghapel hardd y Tabernacl, Resolfen, a gynlluniwyd gan W. Beddoe Rees ac a agorwyd yn 1904, fu'n gyfrifol am y penderfyniad yn 1983 i adael y capel. Fe'i dymchwelwyd yn 1987 a gwerthwyd rhan o'r safle i gwmni adeiladu. Yn ei le adeiladwyd capel bach newydd gan Asiantaeth Hyfforddi Cyngor Bwrdeistref Castell-nedd ac fe'i defnyddiwyd gan y gynulleidfa leol er mis Mehefin 1995.[57]

Sefydlwyd nifer o eglwysi newydd yn ystod degawd cyntaf yr unfed ganrif ar hugain. Ym mhob un ohonynt sylweddolwyd manteision darparu cyfleusterau modern ac osgoi gwariant sylweddol ar yr adeiladau a oedd eisoes yn bodoli, yn enwedig yn sgil yr angen i gydymffurfio â gofynion y deddfau anabledd, ac iechyd a diogelwch. Ffurfiwyd Capel y Porth, Porthmadog, pan unwyd dwy eglwys Bresbyteraidd yn nhref Porthmadog, sef y Tabernacl a'r Garth, ac yr oedd Nazareth, Morfa Bychan, ac eglwys Saesneg Porthmadog eisoes wedi uno yn eglwys y Garth. Gwerthwyd capel y Garth a dymchwelwyd y Tabernacl, ac ar y safle hwn adeiladwyd capel newydd yn 2001, ond cadwyd yr hen ysgoldy. Darperir lle ar gyfer cynulleidfa o tua 250–300, gyda chadeiriau esmwyth mewn adeilad modern sydd yn ysgafn ei ddiwyg. Cynlluniwyd y capel hwn gan gwmni Ap Thomas, Bangor.[58]

Yr un cwmni a fu'n gyfrifol hefyd am gynllunio capel Berea Newydd ym Mangor. Ffurfiwyd yr eglwys hon, a agorwyd ar 1 Ionawr 2003, pan unwyd pum eglwys Bresbyteraidd ym Mangor a'r cyffiniau, sef Berea, Tŵr-gwyn a'r Graig ym Mangor, a Chaerhun a Phentir yn y pentrefi cyfagos. Penderfynwyd uno'n rhannol oherwydd ymwybyddiaeth o'r gostyngiad yn aelodaeth yr amrywiol eglwysi, yn enwedig y rhai pentrefol, a chymhelliad arall oedd y cynnig ariannol a wnaed gan ddatblygwyr a oedd yn awyddus i brynu a dymchwel capel Berea, ar Ffordd Caernarfon, yn rhan o'r datblygiad arfaethedig ar safle ysbyty Dewi Sant. Trosglwyddwyd aelodaeth Tŵr-gwyn i'r eglwys newydd, a gwerthwyd i eglwys y

Bedyddwyr Saesneg gapel Tŵr-gwyn, a restrwyd gan Cadw yn adeilad Graddfa II, ac sydd yn parhau yn addoldy. Trafodwyd yn fanwl gynlluniau'r pensaer a'r datblygwyr, ac o ganlyniad adeiladwyd capel ymarferol a chwaethus ar gyfer eglwys niferus.[59]

Ymhen pum mlynedd agorwyd Capel y Rhos, Bae Colwyn, ym mis Medi 2008. Ffurfiwyd yr eglwys newydd yn dilyn uno eglwysi Bethlehem a Hermon, Bae Colwyn, ddechrau 2006 ac yna Nasareth, Mochdre, ddechrau 2008. Wedi gwerthu rhan o safle capel Hermon i gwmni adeiladu Anwyl, y Rhyl, ar gyfer codi bloc o fflatiau, defnyddiwyd yr arian a dderbyniwyd ar gyfer codi'r capel newydd. Cynlluniwyd Capel y Rhos gan Tom Griffiths, llywydd pwyllgor adeiladau'r eglwys. Ef hefyd a fu'n gyfrifol am reoli'r prosiect, a mynegir gwerthfawrogiad am ei waith ar wefan yr eglwys: 'Heb ei arbenigedd a'i frwdfrydedd, fyddai'r freuddwyd hon ddim wedi ei gwireddu'.[60]

Yn ogystal â'r capeli newydd a godwyd ar ddechrau'r unfed ganrif ar hugain sefydlwyd canolfannau gyda'r bwriad o gryfhau'r cysylltiad rhwng yr eglwys a'r gymdeithas leol. Yn y Drenewydd gwnaed addasiadau sylweddol i gapel eglwys Saesneg, y Crescent, sydd erbyn hyn yn addoldy ar gyfer cynulleidfaoedd Saesneg a Chymraeg y dref. Atgyweiriwyd y capel yn dilyn y difrod helaeth a achoswyd gan storm yn 2002, ac yn ystod y gwaith atgyweirio, cynhaliwyd yr oedfaon yng Nghapel Coffa yr Annibynwyr Cymraeg. Wedi cwblhau'r gwaith, fe'i rhannwyd gan dair eglwys, sef y Crescent, Bethel y Presbyteriaid Cymraeg a'r Capel Coffa. Mae Canolfan Gristnogol y Cilgant / y Crescent Christian Centre, yn ganolog ar gyfer y gymuned.[61] Yn Aberystwyth yn 2005 agorwyd Canolfan Ffydd a Diwylliant y Morlan ar ran o safle capel Seilo, Aberystwyth, a ddymchwelwyd. Cynhelir rhaglen lawn o ddigwyddiadau yn y Morlan, lle'r ymdrechir i bontio'r eglwys a chymdeithas, a defnyddir y cyfleusterau gan amrediad helaeth o grwpiau, a threfnir yma hefyd rai o gyfarfodydd a gweithgareddau Capel y Morfa. [62]

Elfen arall o wrthgyferbyniad â'r cyfnod a drafodwyd yn y gyfrol flaenorol oedd y nifer cymharol fychan o ddefnyddiau gweledol arbennig a osodwyd mewn capeli. Serch hynny, ychwanegwyd rhai eitemau nodedig yn ystod y cyfnod hwn. Cyfeiriwyd uchod at gofebau a thabledi a ddadorchuddiwyd er cof am filwyr a laddwyd yn y Rhyfel Byd Cyntaf.[63] Yng nghapel newydd Jewin, Llundain, a agorwyd yn 1961, gwelir yn y mur gorllewinol ddwy ffenestr liw a luniwyd gan Carl Edwards, un i goffáu'r rhai a gollwyd yn y ddau Ryfel Byd a'r llall i goffáu'r Parch. D. S. Owen, y gweinidog o 1915 hyd 1959, a lywiodd y trefniadau ar gyfer adeiladu'r capel newydd. Ynddynt dangosir lledaeniad Gair Duw a delweddau yn darlunio cyfnod y cyrchoedd rhyfel yn Llundain.[64] Yr oedd yr addasiadau a wnaed i gapel newydd Heol y Crwys, Caerdydd, yn cynnwys dwy ffenestr liw, un yn portreadu William Williams, Pantycelyn a'r llall Ann Griffiths, a gynlluniwyd gan Gareth Morgan ac a roddwyd er cof am aelodau ffyddlon o'r eglwys. [65]

Dymuniad tebyg i goffáu aelodau'r eglwys fu'n gyfrifol am y weithred o ddarparu ffenestr liw ysblennydd yng nghapel y Presbyteriaid Saesneg, Llanelli yn 1988, i gofio am bawb a roddodd wasanaeth cysegredig i hyrwyddo tystiolaeth Gristnogol eglwys 'Presby' yn y dref honno. Rhan o'r cefndir oedd y problemau adeiladwaith a wynebwyd gan yr eglwys gyda phydredd sych mewn rhan o'r capel, a'r angen i adnewyddu'n sylweddol y ffenestr flaen fawr. Talwyd am y gwaith yn dilyn ymdrechion yr aelodau i godi cyllid a'r cyfraniadau a dderbyniwyd gan fusnesau ac awdurdodau lleol. Cynlluniwyd y ffenestr gan y gweinidog, y Parch. Huw Whomsley, ynghyd â Janet Hardy, crefftwraig leol a hyfforddwyd yn arlunydd gwydr. Cwblhawyd y gwaith mewn naw mis, ac y mae'r 24 adran yn cynnwys symbolau Beiblaidd, golygfeydd o dref Llanelli a geiriau mewn pum iaith, gan gynnwys 'Goleuni y Byd' yn Gymraeg. Llwyddir i dywynnu'r neges Gristnogol i'r stryd y tu allan i'r capel.[66]

Un o nodweddion arbennig o hardd capel newydd Berea Newydd, Bangor, yw'r ffenestr liw a luniwyd gan Meri Jones, Llangollen, ac a gynlluniwyd gan Gwawr Roberts, un o'r aelodau. Portreadir gogoniant y greadigaeth, a chanolbwynt y ffenestr ganol yw'r groes garreg Geltaidd, yn cyfeirio at atgyfodiad Crist. Cynrychiolir grym yr haul gan wydr melyn y ffenestri, y ddaear gan y lliw gwyrdd, yr afon leol, afon Adda, a hefyd holl afonydd a moroedd y ddaear gan y lliw glas. [67]

Y Gymdeithas Hanes

Wrth ystyried hanes y Cyfundeb, datblygiad eithriadol yn ystod blynyddoedd y Rhyfel Mawr oedd sefydlu'r Gymdeithas Hanes yn y Gymanfa Gyffredinol a gynhaliwyd yn Bootle yn 1914.[68] Bu oedi cyn cyhoeddi rhifyn cyntaf cyfrol gyntaf y *Cylchgrawn Hanes* oherwydd y rhyfel, ond wrth gyflwyno'r rhifyn hwn yn 1916 dywedodd y Parch. John Morgan Jones, Caerdydd: 'Fel yr a rhagddo fe chwanega yn ei ddyddordeb, a pho fwyaf o danysgrifwyr geir amlaf fydd ei dudalennau a lliosocach ei ddarluniau'.[69] Gan ystyried cynnwys y *Cylchgrawn* dros y blynyddoedd y mae'n ddiddorol sylwi ar y pwyslais ar ddeunydd gweledol pan y'i sefydlwyd. Yn y rhifynnau cynnar ymddangosodd portreadau o unigolion dylanwadol, a lluniau o adeiladau a nodweddion arwyddocaol. Gosodwyd llawer ohonynt ar adnau yn y Greirfa a sefydlwyd yn y Llyfrgell Genedlaethol yn 1934 o ganlyniad i gais penodol gan y Llyfrgellydd Cenedlaethol ym mis Mawrth 1933 i drosglwyddo'r greirfa i'r Llyfrgell 'er mwyn diogelwch a hwylustod'.[70] Trefnwyd arddangosfa'r greirfa mewn ystafell benodol ger Oriel Gregynog yn y Llyfrgell ym mis Awst 1946, ac fe'i hailagorwyd, yn yr un lleoliad, wedi iddi gael ei chynllunio gan yr hanesydd celf Peter Lord, yng Ngorffennaf 1992.[71] Yn dilyn cau'r ystafell hon yn ystod y blynyddoedd diweddar, symudwyd nifer o'r eitemau i Goleg Trefeca. Trefnodd Rhidian Griffiths arddangosfa deithiol yn rhan o ddathliadau daucanmlwyddiant y Cyfundeb yn 2011 ac yna arddangosfa barhaol newydd y Cyfundeb, a agorwyd yng Ngholeg Trefeca yn 2014.[72]

Er i'r hanes a gysylltir â'r unigolion a'r lleoedd a ymddangosodd yn y lluniau a gyhoeddwyd yn y *Cylchgrawn* berthyn yn aml i gyfnod blaenorol, mae'r wybodaeth a gyflwynir, yn enwedig yn y nodiadau golygyddol, yn egluro cefndir y deunydd darluniadol a sut y llwyddwyd i'w ddiogelu. Yn nodiadau golygyddol y rhifyn cyntaf cyfeiriwyd at y bwriad i gyflwyno ym mhob rhifyn o'r *Cylchgrawn* ffotograffau a chopïau o bortreadau a phrintiau megis yr un o Howel Harris a atgynhyrchwyd yn wynebddalen. Yna dywedwyd y byddai gwaith y Gymdeithas Hanes yn cael ei gynorthwyo os byddai casglwyr preifat llawysgrifau, llyfrau a phortreadau, ynghyd ag ysgrifenyddion eglwysi, cyfarfodydd misol a sasiynau oedd yn berchen llyfrau cofnodion, hen a gwerthfawr, yn anfon rhestrau ohonynt atynt ar gyfer ymchwil. Mynegwyd gwerthfawrogiad i Syr Vincent Evans a Chymdeithas y Cymmrodorion am fenthyg y bloc o'r portread o Howel Harris, ac eglurwyd mai copi oedd hwn o brint gwreiddiol a ddarparwyd gan Mr Nathan Hughes. Nodwyd bod y copi gwreiddiol yn Efrog Newydd ym meddiant disgynnydd i Nathan Hughes, ac iddo gael ei argraffu am y tro cyntaf gyda'r 'Hanes Ferr' yn 1838. Dywedodd golygyddion y *Cylchgrawn,* sef y Mri J. H. Davies ac R Bennett, a'r Parch. M. H. Jones, i Nathan Hughes gyhoeddi ailargraffiad o'r bywgraffiad Cymraeg ym Merthyr yn 1838, ac i'r portread ymddangos am y tro cyntaf yn y cyhoeddiad hwn.[73] Dilynir yr un drefn yn ail rifyn y gyfrol gyntaf, gan gynnwys, fel wynebddalen, atgynhyrchiad y ffotograff o'r portread miniatur o'r Parch. Daniel Rowland gan Robert Bowyer, arlunydd portreadau miniatur i'r brenin George III. Tynnwyd y ffotograff gan y ffotograffydd lleol A. J. Lewis, Aberystwyth, trwy ganiatâd John Ballinger, y Llyfrgellydd Cenedlaethol, ac fe'i atgynhyrchwyd yn arbennig ar gyfer y *Cylchgrawn*. Cyflwynwyd hanes y portread yn y nodiadau golygyddol gan adrodd bod Rowland a Bowyer yn gyfeillion i deulu Bowen, Llwyn-gwair, sir Benfro, ac yn ymweld yn aml â'r plasty. Yn ystod un o'r ymweliadau ychydig cyn marwolaeth Daniel Rowland peintiwyd y miniatur ar gyfer George Bowen, sgweier Llwyn-gwair. Bu ym meddiant y teulu ers hynny, ac yna fe'i cyflwynwyd i'w gadw er diogelwch yn y Llyfrgell gan y Parch. Arthur Bowen, gorwyr i George Bowen.[74]

Ychwanegwyd yn y nodiadau golygyddol gyfeiriad at y nodyn yn *Y Tadau Methodistaidd* gan y Parch. John Morgan Jones a W. Morgan, Pant, yn sôn am ddau bortread o Daniel Rowland. Cyflwynwyd llun ohono gan Robert Bowyer i'r Arglwyddes Huntingdon, llun a ysgythrwyd gan Mr Fittler ac a gyhoeddwyd yn 1790, tua mis wedi marwolaeth Daniel Rowland yn Hydref 1790. Cyhoeddwyd y llall, a ddarganfuwyd gan Daniel Davies, Ton, Rhondda, yn y *Gospel Magazine* ym mis Gorffennaf 1778, a dangosir ynddo Daniel Rowland yn ddyn iau nag a oedd yn ymddangos ym mhortread Bowyer.[75] Atgynhyrchwyd engrafiad o'r portread gan T. Vallence (1778) mewn rhifyn arbennig o'r *Cylchgrawn* am Daniel

Rowland a gyhoeddwyd yn 1927, ynghyd â ffotograff a dynnwyd gan George Weeks, Caerfyrddin, o ewyllys Daniel Rowland dyddiedig 20 Awst 1784, a oedd yn ei lawysgrifen ef ei hunan mae'n debyg. Llwyddwyd felly i atgynhyrchu enghreifftiau o lawysgrifen triawd y prif arweinwyr gan i ffacsimili o rannau o ddyddiadur Howel Harris, yn ei lawysgrifen ef ei hun, ac enghraifft o lawysgrifen William Williams gael eu cyhoeddi yn 1917.[76]

Ymhlith y portreadau eraill o genhedlaeth gyntaf arweinwyr y Methodistiaid Calfinaidd yng Nghymru a ymddangosodd yn rhifynnau cynnar y *Cylchgrawn* yr oedd yr un o Howel Davies, 'Apostol Sir Benfro', a gyhoeddwyd yn 1922.[77] Darganfu Evan E. Morgan brint o'r portread hwn ym mis Hydref 1921 mewn tŷ yn Aberhonddu. Yr arlunydd oedd M. Jenkin a'r engrafiwr T. Kitchen, y gwneuthurwr mapiau enwog. Ymddengys Howel Davies yn y portread hwn yn ŵr iau na gwrthrych y portread arall ohono a ymddangosodd yn wynebddalen yn *Y Tadau Methodistaidd,* cyfrol 1 (1895).[78] Carrington Bowles oedd yn gyfrifol am gyhoeddi print o'r portread hwn, sef engrafiad *mezzo-tint*, yn 1773, dair blynedd wedi marwolaeth Howel Davies, ac felly mae'n debyg iddo gael ei gyhoeddi er cof amdano.[79]

Yr oedd cysylltiad agos rhwng Howel Davies a Howel Harris a'r Morafiaid, a thrafodir dylanwad y Morafiaid ar yr arweinwyr cynnar mewn nifer o erthyglau, gan gynnwys y rhai gan y Parch. M. H. Jones a gyhoeddwyd yn 1918, 1919 a 1920.[80] Ynghyd â'r erthygl gyntaf cyhoeddwyd portreadau o Benjamin La Trobe, pregethwr amlwg gyda'r Morafiaid a'r un a luniodd y rhagair i hunangofiant cyntaf Howel Harris yn 1791, ac o Peter Bohler, cenhadwr gyda'r Morafiaid a ymwelodd â Sir Benfro yn 1768 a cheisio sefydlu cynulleidfaoedd Morafaidd yno.[81] Arweinydd y Diwygiad Methodistaidd yn Lloegr yn y cyfnod hwn oedd George Whitefield ac yn 1920 cyhoeddwyd ffotograff o'r portread ohono gan Nathaniel Hone, a engrafiwyd gan John Greenwood yn 1769.[82] Mynegodd y golygyddion eu gwerthfawrogiad am y portreadau hyn: i'r Parch. J. N. Libbey, Ysgrifennydd y Moravian Provincial Board am ganiatáu i ffotograffydd o gwmni Kodak gopïo'r portread o La Trobe a ddiogelwyd yn Church House, Fetter Lane, Llundain; ac i

Gymdeithas Hanes y Wesleaid am roi benthyg bloc o bortread Peter Bohler, ac am roi caniatâd i atgynhyrchu'r portread o George Whitefield a ymddangosodd yn y *Wesley Historical Society Proceedings* ym mis Mawrth 1915.[83]

Diolchwyd hefyd i Gymdeithas y Cymmrodorion am roi benthyg y bloc o'r darlun o Drefeca fel yr oedd yn 1842 ac a ymddangosodd yn wynebddalen yng Nghyfrol II, rhifyn 2 o'r *Cylchgrawn*. Cyfeiriwyd at werth yr atgynhyrchiad yn y nodiadau golygyddol gan fod cynifer o newidiadau wedi eu gwneud i'r adeilad er 1752 pan ddymchwelwyd Trefeca Fach gan Howel Harris, a adeiladodd wedi hynny y 'castellated Monastery' ar gyfer ei gymuned.[84] Yn y rhifyn nesaf, atgynhyrchwyd ffotograff o Gwennie Jones, yr olaf o Gymuned Trefeca i oroesi, a fu farw tua 1863, yn ogystal â ffotograff, a dynnwyd gan D. Grant, Llanfair-ym-Muallt, o'r coleg fel yr ymddangosai o'r de-orllewin, rhwng 1842 a'i ailagor yn 1865.[85] Tynnodd William Morgan, Pant, Dowlais, ffotograff o David Charles, ŵyr Thomas Charles, a'i fyfyrwyr tua 1860, a llwyddwyd i adnabod rhai o'r myfyrwyr yn y ffotograff.[86] Yna, yn 1942, cyhoeddwyd llun cyfoes o Goleg Trefeca adeg dathlu canmlwyddiant y coleg.[87]

Yn achlysurol cyflwynid lluniau o gartrefi rhai o'r Methodistiaid amlwg, megis y Tyddyn a Fronheulog yn sir Drefaldwyn, a chartref Robert Davies yn y Stryd Fawr, Aberystwyth, lle cyfarfu pwyllgor y Gyffes Ffydd.[88] Yr oedd gan nifer o aelodau teulu'r Boweniaid, y Tyddyn, gysylltiad agos â theulu Trefeca, a disgrifiwyd Fronheulog fel 'palasdŷ, ger Llandderfel (un o dai cysygredig y Corff)'. Dyma gartref John Davies, gwrthrych portread ffotograffig a gyhoeddwyd yn yr un rhifyn, ac yma y cyfarfu cynrychiolwyr siroedd y gogledd yn 1822 i drafod cyfansoddiad y Cyfundeb.[89] Arwyddwyd y Gyffes Ffydd yn 1823 mewn tŷ yn y Stryd Fawr, Aberystwyth. Eglurwyd mewn rhagair golygyddol i'r ffotograffau o'r tŷ gael eu tynnu gan Mr Lewis, deiliad yr adeilad, ac i'r Athro D. Morgan Lewis, Athro Ffiseg Coleg Prifysgol Cymru, Aberystwyth, dynnu ffotograffau o'r wyth aelod o'r pwyllgor, yn seiliedig ar engrafiadau a roddwyd ar fenthyg o'r Llyfrgell Genedlaethol.[90]

Drwy gyfrwng y *Cylchgrawn*, diogelwyd gwybodaeth am gapeli cynnar y Methodistiaid Calfinaidd a rhai o'r eitemau a gedwid ynddynt. Yn 1916 atgynhyrchwyd copi o engrafiad pren Hugh Hughes o'r tu mewn i gapel Heol Dŵr, Caerfyrddin, a hefyd y darn o wydr lliw a osodwyd yn y drysau yn arwain i'r capel ac y tybiwyd ei fod yn sail i arwyddlun y Cyfundeb a fabwysiadwyd yn y Gymanfa Gyffredinol, Aberdâr, 1885.[91] Cyhoeddwyd ffotograffau o nifer o gapeli cynnar y Cyfundeb yn sir Fynwy, gan gynnwys, yn 1918, un o Gapel Ed, Goitre, a adeiladwyd yn 1807; yn 1919, y 'Tŷ Round' yn y Coed Duon, lle cynhaliwyd oedfaon eglwys y Rock cyn adeiladu'r capel cyntaf yn 1840; ac yn 1930 ffotograff o gapel Cas-bach (Castleton), a gysylltir ag Edward Coslett, yn ogystal ag un o'r llestri cymun a ddefnyddiwyd yno, ynghyd ag erthygl Abraham Morris.[92]

Yn 1926 cyfrannodd y Parch. M. H. Jones, golygydd y cylchgrawn, gyflwyniad i lestri cymun cynnar yr enwad, ynghyd â ffotograff yn darlunio casgliad o lestri cymun pren, arian, lystar a phiwter, a hefyd gwpan cymun arian a gysylltir â Thomas Charles, a mwg pridd a ddefnyddiwyd gan Daniel Rowland ar gyfer rhoi'r gwin ynddo i'r cymunwyr. Yr oedd y rhan fwyaf o eitemau'r arddangosfa hon, a drefnwyd yng nghapel Zion yn nhref Caerfyrddin adeg y Gymanfa Gyffredinol ym mis Mehefin 1925. yn gysylltiedig â Peter Williams a David Charles. Nodwyd mai'r ffotograffydd oedd G. Weeks, Caerfyrddin. Cyfeiriwyd yn yr un rhifyn at y modd yr ysgogwyd ac yr addysgwyd y rhai hynny a ddaethai i weld yr arddangosfa, ac awgrymwyd y dylid trefnu arddangosfa fechan ym mhob Cymanfa Gyffredinol a Sasiwn.[93]

Yn yr ail arddangosfa a drefnwyd adeg Cymanfa Gyffredinol 1926 yng nghapel Belvedere Road, Lerpwl, dangoswyd llestri cymun hynaf eglwysi Lerpwl, ynghyd â chasgliad prin o lythyron a phregethau, copïau argraffiad cyntaf llyfrau printiedig y Cyfundeb, ynghyd â phrintiau a ffotograffau. Cynhaliwyd y drydedd arddangosfa yn Ysgoldy'r Wesleaid, Corwen, adeg Cymanfa Gyffredinol 1927. Llwyddwyd i gasglu ynghyd nifer fawr o eitemau, yn dilyn ymdrechion dygn gweinidogion a lleygwyr lleol, ac apêl yn *Y Seren*, un o'r papurau lleol, a denwyd nifer fawr o bobl leol i'r arddangosfa, yn ogystal â chynrychiolwyr y Gymanfa Gyffredinol. Ymddangosodd ffotograff o'r llestri cymun cynnar a ddefnyddiwyd yn sir Feirionnydd yn y *Cylchgrawn*, gan gynnwys nifer o gwpanau copr gwydr, cwpan cymun Thomas Charles, a jwg gopr wydr o Dregeirion a ddefnyddid ar gyfer poethi cwrw'r pregethwr. Rhestrwyd nifer o eitemau eraill a ddangoswyd, gan gynnwys portread olew o'r Parch. John Roberts, Llangwm; plât neu flocyn haearn ar gyfer argraffu a ddefnyddid ar gyfer argraffu'r map plygedig a gynhwyswyd yn argraffiad cyntaf *Geiriadur Charles*; a darlun mewn ffrâm yn cynnwys lluniau 264 o weinidogion Methodistaidd a drefnwyd mewn ffotograffau bychain maint stamp post, wedi eu rhifo; ynghyd â thaflen mynegai i'r ffotograffau. Tynnwyd sylw hefyd at eitemau eraill lleol a fyddai wedi eu benthyg gan eu perchenogion a'u cynnwys yn yr arddangosfa petai amser a chyfleustra wedi caniatáu hynny. Yn eu plith yr oedd cloc Thomas Charles o'r Bala, cadair bulpud Maerdy Bach, Gwyddelwern, ac argraffiadau cyntaf cyfrolau a gyhoeddwyd gan Wasg Saunderson, y Bala.[94]

Dilynwyd trefn debyg adeg Cymanfa Gyffredinol 1928, a gynhaliwyd yn Aberdâr, a threfnwyd yr arddangosfa yn ysgoldy Calfaria, capel y Bedyddwyr, a oedd yn ymyl capel y Methodistiaid. Dangoswyd yma eto gwpanau cymun, sef detholiad o rai hynaf sir Forgannwg, a darluniau o'r capeli cyntaf, ynghyd â chofnodion a chyfrifon hynaf yr eglwysi. Un o'r eitemau arbennig a ddangoswyd yno oedd 'Hour glass Aberthin', a anfonwyd gan yr eglwys, ac fe'i disgrifiwyd fel 'crair prin iawn mewn capel Ymneilltuol'. Cyhoeddwyd eisoes yn 1920 ffotograff o'r tu mewn i gapel Aberthin, un o gapeli cynharaf Morgannwg, sydd yn dangos lleoliad yr awrwydr a osodwyd ger y pulpud, a ffotograff ohono a ddangosai i'r gynulleidfa a'r pregethwr hyd yr oedfa a'r bregeth mewn cyfnod cyn i'r cloc ddod yn rhan hanfodol o ddodrefn capeli. Trafododd golygydd y cylchgrawn, y Parch. M. H. Jones, yr awrwydr a'r eitemau eraill a welir y tu mewn i'r capel, gan gynnwys cwpanau cymun piwter.[95]

Ar achlysuron arbennig, cyhoeddwyd ffotograffau o aelodau blaenllaw'r Cyfundeb ac o'r Gymdeithas Hanes. Yn 1929 cyflwynwyd portread ffotograffig o'r Parch. E. O. Davies, ynghyd â'r anerchiad ar y cyfansoddiad a draddodwyd ganddo wrth adael cadair y Gymanfa Gyffredinol.[96] Yn dilyn ei farwolaeth yn 1930 cyhoeddwyd ffotograff o'r Parch. M. H. Jones i gyd-fynd â theyrnged a luniwyd gan ei olynydd fel golygydd, y Parch. D. D. Williams, awdur y *Llawlyfr ar*

Hanes y Cyfundeb (1926).[97] Cadeirydd y Gymdeithas Hanes am nifer o flynyddoedd oedd y Parch. Ddr Owen Prys, prifathro'r Coleg Diwinyddol ac yn 1935 ymddangosodd ffotograff ohono ef gyda'r deyrnged a luniwyd gan y Prifathro David Phillips.[98] Fe'i holynwyd yn Gadeirydd gan y Parch. D. D. Williams, ac yn 1938 cyhoeddwyd ffotograff ohono ef, ynghyd â theyrnged goffa gan y Parch. Griffith Rees.[99] Rhoddodd dathliad canmlwyddiant Coleg y Bala yn 1937 gyfle i'r Parch. Tom Beynon gofnodi ei atgofion am y coleg ac am y prifathro, y Parch. Ellis Edwards, a chynnwys portread o'r prifathro.[100]

Tueddwyd i gynnwys llai o ddeunydd darluniadol dros y blynyddoedd, ond bu datblygiad arwyddocaol yn 1997 pan ymddangosodd llun allanol o gapel Plasnewydd, y Rhath, Caerdydd ar glawr y gyfrol.[101] Dyma ddewis addas iawn gan fod y rhifyn hwnnw yn cynnwys crynodeb o Ddarlith Hanes y Cyfundeb, 'The Association in the East', a draddodwyd gan y Parch. J. E. Wynne Davies y flwyddyn honno yn y Gymanfa Gyffredinol. Hefyd, cafwyd lluniau swyddogion cyntaf y Sasiwn a nifer o gapeli Saesneg y Cyfundeb, gan gynnwys capel Plasnewydd, lle cynhaliwyd cyfarfod cyntaf y Sasiwn yn y Dwyrain yn 1947.[102] Ers hynny cyhoeddwyd lluniau perthnasol yn gyson, ar y clawr ac yng nghorff y *Cylchgrawn*. O ystyried y cyfeiriad at y Rhyfel Byd Cyntaf yn yr adran uchod, a'r deunydd darluniadol a ymddangosodd yn y *Cylchgrawn,* enghreifftiau nodedig yw'r golygfeydd o Ypres wedi brwydrau'r Rhyfel Mawr ynghyd â'r portreadau o Hedd Wyn a'r Athro D. Morris Jones a gyhoeddwyd yn 1998, y llun o'r hen Drefeca yn 1999 a'r portreadau o Howel Harris a Thomas Charles yn 2014.[103]

1 D. Huw Owen, 'Diwylliant gweledol' yn J. Gwynfor Jones (gol.)*, Hanes Methodistiaeth Galfinaidd Cymru: Y Twf a'r Cadarnhau (1814–1914), 3,* t. 342.

2 Cyflwynir astudiaeth dreiddgar o'r anawsterau amrywiol a wynebwyd gan eglwysi Cristnogol Cymru yn ystod y cyfnod hwn yn D. Densil Morgan, *The Span of the Cross* (Caerdydd, 2011).

3 Dewi Eirug Davies, *Byddin y Brenin, Cymru a'i Chrefydd yn y Rhyfel Mawr (*Abertawe, 1988), t. 35 am y sylw fod David Lloyd George wedi llwyddo i 'wneud rhyfel gwaedlyd yn grwsâd sanctaidd'; Robert Pope, 'Christ and Caesar? Welsh Nonconformists and the State, 1914–1918',

yn Matthew Cragoe & Chris Williams (ed.), *Wales and War: Society, Politics and Religion in the Nineteenth and Twentieth Centuries* (Caerdydd, 2007), tt. 170–3; Idem,' "Duw ar drai ar orwel pell": Capeli Cymru a'r Rhyfel Mawr', *Y Traethodydd*, 169, (Hydref 2014), 213–30; Morgan, *The Span of the Cross,* tt. 41–55; a D. Ben Rees, 'Y Rhyfel Byd Cyntaf a Chyfundeb y Methodistiaid Calfinaidd Cymreig', *Cylchgrawn*, 38 (2014), 125–56.

4. J. E. Wynne Davies, 'Professor David Morris Jones, M.C., M.A., B.D. (1887–1957): War Diaries', *Cylchgrawn,* 22 (1998), 35–54.

5 Ibid., y llun gyferbyn â t. 40; Morgan, *The Span of the Cross*, tt. 43–4.

6 Davies, *Professor David Morris Jones*, 35, 49–50, 52, casgliad o luniau rhwng t. 40 a t. 41.

7 D. Densil Morgan, 'Ffydd yn y ffosydd: D. Cynddelw Williams (1870–1942)', yn D. Densil Morgan (gol.), *Cedyrn Canrif: Crefydd a Chymdeithas yng Nghymru'r Ugeinfed Ganrif* (Caerdydd, 2001), tt. 4, 15–17.

8 Davies, *Professor David Morris Jones*, casgliad o luniau rhwng tt. 40–1.

9 Moelwyn I. Williams, *Y Tabernacl, Aberystwyth: Hanes yr Achos 1785–1985* (Aberystwyth, 1985), t. 113; Thomas Lloyd, Julian Orbach & Robert Scourfield, *The Buildings of Wales, Carmarthen and Ceredigion* (Yale, 2006), tt. 411, 418.

10 *Hanes Clapham Junction 1896–1996* (Llundain, 1996); Huw Edwards, *City Mission: The story of London's Welsh Chapels* (Talybont, 2014), tt. 265–6.

11 Richard Hall Williams & D. Haydn Thomas, *Hanes Salem Canton Caerdydd o 1856 hyd 2000* (Caerdydd, 2001), tt. 58–62.

12 Angela Gaffney, *Aftermath: Remembering the Great War in Wales* (Caerdydd, 1998), tt. 118–23; *Merthyr Express*, 5 March 1921; *Oswestry and Border Counties Advertiser*, 16 Ebrill 1924; *Western Mail*, 15 Rhagfyr 1924; *Merthyr Express*, 20 Rhagfyr 1924; *Western Mail*, 5 Ebrill 1928.

13 Prys Morgan, 'Introducing the world of the Davies sisters' yn Oliver Fairclough (ed.), *'Things of Beauty': What two sisters did for Wales* (Caerdydd, 2007), tt. 16–22; D. Ben Rees, 'Teulu Llandinam a'u cyfraniad i grefydd', *Cylchgrawn,* 8 (1984), 7, 13.

14 Ibid, 9, 14–15; E. D. Jones & Brynley F. Roberts (gol.), *Y Bywgraffiadur 1950–1970* (Llundain, 1997 [yba.llgc.org.uk]).

15 Oliver Fairclough, 'Knocked to pieces, the impact of the Great War' yn Fairclough, *'Things of Beauty',* tt. 61–79.

16 Robert Meyrick, 'Wealth wise and culture kind, Gregynog in the 1920s and 1930s', ibid., tt. 97–111; Oliver Fairclough, 'Biblical Imagery in Private and Public Spaces in Wales 1850–1930', yn Martin O'Kane & John Morgan-Guy (ed.), *Biblical Art from Wales, 1850–1930* (Sheffield, 2010), tt. 302–3.

17 Ibid.; Louisa Briggs, 'An all-consuming drive, Margaret's later collecting' yn Fairclough,*'Things of Beauty',* tt. 149–63.

18 David Jenkins, *A Refuge in Peace and War: The National Library of Wales to 1952* (Aberystwyth, 2002), tt. 171, 218, 286–7.

19 Rian Evans, 'Agwedd ar Gymru', yn David Griffiths, *Portreadau / Portraits* (Aberystwyth, 2002), t. 9; gwybodaeth a gyflwynwyd gan yr arlunydd.
20 *Cefyn Burgess* [exhibition catalogue] (Rhuthun, 1998); gwefan: http://cefynburgess.co.uk. Gwybodaeth a gyflwynwyd gan yr arlunydd.
21 D. Huw Owen, 'Casgliad Brasluniau A. F. Mortimer yn y Llyfrgell Genedlaethol', *Cylchgrawn,* 22 (1998), 55–73; idem, 'Welsh Chapels, Drawings from the Mortimer Collection', *Planet*, 130 (August–September 1998) 56–65.
22 Alwyn D. Rees, *Life in a Welsh Countryside: A Social Study of Llanfihangel yng Ngwynfa* (Caerdydd, 1950), tt. 114–21, 167–8.
23 Owen, *Casgliad Brasluniau*, t. 72.
24 Ibid, 69, 70, 73; 68 am atgynyrchiadau o gynlluniau eisteddleoedd capeli Peniel, Ffestiniog a Chroesor, a map o gapeli sir Feirionnydd.
25 J. E. Wynne Davies, 'Golygyddol', *Cylchgrawn,* 20 (1996), 3; D. Huw Owen, 'Graham Rosser', ibid., t. 28. (2004), 6–7; idem, 'The Graham Rosser Photographic Collection', *Cylchlythyr Capel*, 43 (Spring 2004), 22–4.
26 Idem, 'Islwyn Jones', ibid., 63 (Gwanwyn 2014), 10.
27 Alun Evans, *Trinity Abertawe: Braslun o Hanes yr Achos drwy Ddwy Ganrif*, 1799–2003 (Abertawe, 2003).
28 Owen, *Casgliad Brasluniau, tt.* 60–1, 72–3.
29 F. Wynn Jones, *Canmlwydd Seilo Aberystwyth* (Aberystwyth, 1963). Gw. uchod t. 424.
30 D. Huw Owen, 'Y Tabernacl ar Dân', *Cylchlythyr Capel*, 52 (Hydref 2008), 8–9.
31 Lionel Madden, 'Churches and Chapels of Tonyrefail', ibid., t. 53 (Gwanwyn 2009), t. 14; 'Closures', ibid., 66 (Hydref 2015).
32 D. Huw Owen, *The Chapels of Wales* (Pen-y-bont ar Ogwr, 2014), tt. 269–70.
33 Alan Vernon Jones, *The Chapels of the Cynon Valley, Capeli Cwm Cynon* (Cwm Cynon, 2004), tt. 22, 29, 94–5.
34 Owen, *Casgliad Brasluniau*, tt. 42, 43, 62, 65.
35 Geraint I. L. Jones, *Capeli Môn* (Llanrwst, 2007), tt. 94–5.
36 *Cylchlythyr Capel*, 57 (Gwanwyn 2011), 7; ibid., 58 (Hydref 2011), 6; ibid., 63 (Gwanwyn 2014).
37 Cyfeiriwyd at oedfa datgorffori Tabor, ar 13 Medi 1988, yn Alun Jones, 'Last Rites', ibid., 7, (Gwanwyn 1989), 12–13.
38 Jones, *Chapels of the Cynon Valley*, tt. 3, 22, 32, 45–6, 71, 84–5, 103–4, 122–4, 141, 144–6, 159.
39 Owen, *Chapels of Wales*, tt. 236–7.
40 Huw Edwards, *Capeli Llanelli, Our Rich Heritage* (Caerfyrddin, 2009), tt. 520–2, 535–7, 542–5.
41 Jones, *Capeli Môn*, tt. 47, 70, 82–3, 96–7, 103, 112.
42 Owen, *Casgliad Brasluniau*, t. 58.
43 Owen, *Diwylliant Gweledol*, tt. 334–7, 340; *Jerusalem Bethesda, Dathlu Canrif a Hanner 1842–1992* (Bethesda, 1992); Eryl Wyn Rowlands,

Mirain Foreia (Llangefni, 1997); W. H. Pritchard, *Dysg i'm Edrych* (Dinbych, 1993); Rhiain Phillips, *Y Dyfroedd Byw: Hanes Capel Bethesda, Yr Wyddgrug* (Yr Wyddgrug, 1987); *William Williams Memorial Chapel Centenary, Souvenir 1888–1988* (Llanymddyfri, 1988).

44 D. Huw Owen, 'Trosglwyddo Peniel Tremadog i'r Ymddiriedolaeth', *Newyddlen Ymddiriedolaeth Addoldai Cymru,* 4 (Gwanwyn 2011), tt. 2–3.

45 Eifion Evans, *A Short History of Moriah Chapel and the 1904 Revival* (Loughor, 1998).

46 'Apêl Hen Gapel John Hughes', *Cylchlythyr Capel*, 8 (Gwanwyn 1989), 6–7; Nia Rhosier, cyfres o erthyglau yn Ibid., 20 (Hydref 1993); 38 (Hydref 2001); *Cristion* (Medi/Hydref 1995); (Tachwedd/Rhagfyr 1997); idem, 'Hen Gapel John Hughes Pontrobert', *Cylchlythyr Capel*, 65 (Gwanwyn 2015), 9–10.

47 Robert Scourfield & Keith Johnson, *Burnett's Hill Calvinistic Methodist Chapel, Martletwy: A Brief History* (Martletwy, 2001).

48 Nerys Ann Jones, *Capel y Garn, c. 1793–1991* (Bow Street, 1993); D. G. Lloyd Hughes, *Hanes Eglwys Penmount, Pwllheli* (Pwllheli, 1981); Owen, *Chapels of Wales*, t. 56; Goronwy Prys Owen, 'Capel Tegid y Bala', *Cylchlythyr Capel*, 42 (Hydref 2003); Capel: *Taflen Wybodaeth.*

49 Williams & Thomas, *Hanes Salem Canton*; Owen, *Chapels of Wales*, t. 248.

50 D. Ben Rees, *Codi Stêm a Hwyl yn Lerpwl* (Lerpwl, 2008); idem, 'The Liverpool Welsh', *Cylchlythyr Capel*, 59 (Gwanwyn 2012), 5–6; idem, *Hunangofiant D Ben Rees: Di-Ben-Draw* (Talybont, 2015).

51 J. D. Williams, *Bethany, Rhydaman, 1881–1981* (Rhydaman, 1981); Capel: *Taflen Wybodaeth Leol*, 43, *Rhydaman* (2013).

52 Capel: *Taflen Wybodaeth Leol, 8, Llanystumdwy a Cricieth* (1994).

53 Gomer M. Roberts, *Y Ddinas Gadarn: Hanes Eglwys Jewin Llundain* (Llundain, 1974), tt. 214–43; Philip Temple, *Islington Chapels* (London, 1992), t. 16.

54 W. Gwyn Lewis, *Calon i Weithio: Hanes Eglwys Seilo, Caernarfon* (Caernarfon, 1986).

55 Gareth Vaughan Williams, *Hanes sefydlu'r Capel a'r Chwarter canrif cyntaf* (Wrecsam, 2007); Capel: *Taflen Wybodaeth Leol, 38, Wrecsam*, (2010).

56 J. Gwynfor Jones, *Cofio yw Gobeithio*; Owen, *Chapels of Wales*, t. 246.

57 Phylip Jones, *Hanes Methodistiaid Resolfen* (Castell-nedd, 2000), tt. 11, 19–20; gw. Anthony Jones, *Capeli Cymru* (Caerdydd, 1904), t. 53 am ffotograff lliw o'r tu mewn i'r capel, a adeiladwyd yn 1904.

58 D. Huw Owen, *Capeli Cymru* (Talybont, 2005), t. 155.

59 Eric Jones, 'Y pump yn un: braslun o hanes uno pum eglwys a chodi capel Berea Newydd, sef Eglwys Bresbyteraidd Unedig Bangor a'r Cyffiniau', *Cristion*, 114 (Medi / Hydref 2002), 12–13; Owen, *Capeli Cymru*, t. 39 ; *Cylchlythyr Capel*, 59, *Bangor* (Gwanwyn, 2012).

60 Gwefan Capel y Rhos, Bae Colwyn: http://capelyrhos.com.

61 David Peate, *A History of Crescent Chapel, Newtown* (Y Drenewydd,

2004); Capel: *Taflen Wybodaeth Leol,* 34, *Y Drenewydd*, (2008).

62 Owen, *Capeli Cymru*, t. 27; gwefan Capel y Morfa, Aberystwyth (www.capelymorfa.org)

63 Gw. uchod tt. 417–8.

64 Roberts, *Y Ddinas Gadarn*, tt. 236–8.

65 Owen, *Capeli Cymru*, t. 51.

66 Edwards, *Capeli Llanelli*, tt. 517–19.

67 Owen, *Capeli Cymru*, t. 39.

68 'Editorial Notes', *Cylchgrawn*, 1 (Mawrth 1916), 44–6; Gomer M. Roberts, *Cymdeithas Hanes y Methodistiaid Calfinaidd*, ibid., XLIX, 2, (Mehefin 1964), 36–9.

69 J. Morgan Jones, 'Rhagymadrodd', ibid, I, 1 (Mawrth 1916), 3.

70 Gomer M. Roberts, *Cymdeithas Hanes*, 48–9; K. Monica Davies, 'The Calvinistic Methodist Archives', *Cylchgrawn*, 49, 2 (Mehefin 1964), 59–60.

71 Gomer M Roberts, 'Agor Ystafell-Arddangos (C. M. Archives)', Y Greirfa, Aberystwyth, Awst 9, 1946', Ibid, XXXI, 4 (Rhagfyr 1946), 103–4; Llyfrgell Genedlaethol Cymru, *Adroddiad Blynyddol, 1992–93*, 46.

72 J. Gwynfor Jones, ' Golygyddol', *Cylchgrawn*, 38 (2014), 3; Cofnodion Panel y Gymdeithas Hanes, 30 Mai 2013, 5.5; Ibid., 12 Tachwedd 2013, 5.5; Ibid., 15 Mai 2014, 5.5.

73 'Rhagymadrodd', 'A Bibliography of Welsh Calvinistic Methodism'; 'Editorial Notes', *Cylchgrawn*, 1, 1 (Mawrth 1916), wynebddalen, 3.

74 Ibid., 1, 2, wynebddalen, 86,

75 Ibid.; John Morgan Jones & William Morgan, *Y Tadau Methodistiadd*, 1 (Abertawe, 1895), t. 70.

76 M. H. Jones, 'Daniel Rowland of Llangeitho: The sources and literature for the study of his life and work', *Cylchgrawn*, 12, 2 (1927), wynebddalen, 63; 'The Latin Diaries of Howell Harris', The Trevecka MSS Supplement, Rhif 1, Diaries, Ibid. (1917), atgynhyrchiad gyferbyn â tt. 10, 15; M. H. Jones, 'William Williams, Pantycelyn: Y prif ffeithiau a dyddiadau yn hanes ei fywyd', ibid., III, 2 (Rhagfyr 1917), atgynhyrchiad gyferbyn â t. 33.

77 Ibid., 7, 1 (Mawrth 1922), wynebddalen.

78 *Y Tadau Methodistaidd*, 1, gyferbyn â t. 128.

79 Trafodir y ddau bortread yn fanwl gan John Ballinger, y Llyfrgellydd Cenedlaethol, 'Portraits of Howell Davies', a hefyd yn 'Editorial Notes', *Cylchgrawn*, 7, 1 (Mawrth 1922), 2–3.

80 M. H. Jones, 'The Moravians and the Methodists (1732–1749)', ibid., 4, 1 (Rhagfyr 1918), 1–11; ibid., 4, 2 (Ionawr 1919), 46–57; ibid., 5, 1 (Mawrth 1920), 30–1.

81 Ibid., 4, 1 (Rhagfyr, 1918), atgynyrchiadau gyferbyn â t. 1; 4, 2 (Ionawr 1919), 33.

82 Ibid., 5, 1 (Mawrth 1920), wynebdalen.

83 Ibid., 4, 1 (Rhagfyr 1918), 32; ibid., 4, 2 (Ionawr 1919), 75–6; ibid., 5, 1 (Mawrth, 1920), 2.

84 Ibid., 2, 2 (Rhagfyr 1916), wynebddalen, 33.

85 Ibid., 2, 3 (Mawrth 1917), wynebddalen, 65–6.
86 D. Ward Williams, 'Trevecca and its Colleges', ibid., 15, 1 (Mawrth 1930), wynebddalen, 1–10.
87 Ibid., 27, 2 (Mehefin 1942), wynebdddalen.
88 E. O. Davies, 'Ein Cyffes Ffydd, 1823–1923', ibid., 8, 1 (Mawrth 1923), 8, casgliadau ffotograffau rhwng t. 22 a 23, a rhwng t. 60 a t. 61.
89 Ibid., 7, casgliad ffotograffau rhwng t. 60 a t. 61 [gw. hefyd y cyfeiriad at bortreadau John Davies a'i wraig, Jennet, gan Hugh Hughes yn 1841, yn Owen, *Diwylliant Gweledol,* t. 314].
90 M. H. Jones, 'Editorial Preface', *Cylchgrawn*, 1; casgliad ffotograffau rhwng t. 22 a t. 23.
91 Ibid., II, 1 (Medi 1916), wynebddalen; Brynley F. Roberts, 'Badges and Mottoes', *Cylchgrawn*, 26–7 (2002), 122–33; trafodwyd yr arwyddlun, neu'r bathodyn ac arwyddair cyfundebol swyddogol a ddefnyddiwyd yn 1891 am y tro cyntaf mewn cyhoeddiad, yn Owen, *Diwylliant Gweledol* t. 321.
92 Abraham Morris, 'Chapel Ed, Goetre', 'Editorial Notes', *Cylchgrawn*, 3, (Mehefin 1918), wynebddalen, 75–86, 109, ffotograff rhwng tt. 90 a 91; D. Ward Williams, ' Y Tŷ Round', Abraham Morris, 'A Supplementary Note', ibid, 4, 3 (Mehefin 1919), wynebddalen, 77–8, 79–80; idem, 'Castleton, the home of Edward Coslett', ibid., 15, 3 (Medi 1930), wynebddalen, 85–97, ffotograff rhwng t. 92 a t 93.
93 M. H. Jones, 'Llestri Cymun y Methodistiaid: Connexional Archives', ibid., 10, (Medi 1925), wynebddalen, 47–9, 87–8.
94 Idem, 'The Connexional Archives: The Corwen exhibition of Methodist relics', ibid., 12, 3 (Medi 1927), wynebddalen, 81–3.
95 Idem, 'Cymanfa Gyffredinol Aberdâr a'r Gymdeithas Hanes', ibid., 13, 2 (Gorffennaf 1928), 43; idem,'The hour glass at "Burthyn" Chapel, near Cowbridge', ibid., 5, 3 (Rhagfyr 1920), wynebddalen, 33–6.
96 E. O. Davies, 'Ein Cyfansoddiad: Trem yn ôl ac ymlaen', ibid., 14, 2 (Mai 1929), wynebddalen, 33–70.
97 D. D. Williams, 'In Memoriam – Rev. M. H. Jones, B.A., Ph.D.', ibid., 15, 2 (Mehefin 1930), wynebddalen, 41–6.
98 David Phillips, 'Y Prifathro Owen Prys, M.A, D.D., Trefeca ac Aberystwyth', ibid, 20, 1 (Mawrth 1935*),* 44–51.
99 Griffith Rees, 'Y Parch. D. D. Williams (1862–1938), ibid., 23, 3 (Medi 1938), wynebddalen, 51–4.
100 Tom Beynon, 'Tref y Bala, canmlwyddiant y Coleg ac Adgofion am y Prifathro, Ellis Edwards, ibid., 22, 2 (Mehefin 1937), 68–75.
101 Ibid., 21 (1997).
102 J. E. Wynne Davies, 'Golygyddol', 'The Association in the East', ibid., 3–63.
103 Ibid., 22 (1998); ibid., 23 (1999); ibid., 38 (2014).

PENNOD 12

AR WASGAR: Y METHODISTIAID CALFINAIDD Y TU ALLAN I GYMRU AR ÔL 1918

BILL JONES

Rhagarweiniad a throsolwg

> Mae yr enwad Cymreig a adnabyddir wrth yr enw Methodistiaid Calfinaidd wedi cychwyn er's 160 o flynyddoedd bellach, ac wedi tyfu mewn nerth a dylanwad, nid yn unig yn Nhalaeth fechan Cymru, ond yn America, Awstralia ... fe deimlir ei ddylanwad.[1]

Fel y mae'r Parch. Hugh Davies, Scranton, Pennsylvania, yn awgrymu yn 1898 yn ei *Hanes Cymanfa Dwyreinbarth Pennsylvania 1845–1896*, yn y bedwaredd ganrif ar bymtheg aeth Methodistiaeth Galfinaidd bron cyfled â'r byd. Yn ystod y ganrif honno ymfudodd miloedd o Gymry i wledydd y tu allan i'r famwlad. Aeth y mwyafrif ohonynt i Loegr, lle roedd dros 275,000 o bobl a anwyd yng Nghymru yn byw yn 1891.[2] Aeth nifer sylweddol – cynifer â 200,000, efallai – dros y dŵr i wledydd tramor a'r trefedigaethau Prydeinig.[3] Trwy gydol y bedwaredd ganrif ar bymtheg, Unol Daleithiau America oedd cyrchfan fwyaf poblogaidd yr ymfudwyr Cymreig tramor, ond, fel y gwelwn, dirywiodd y ffrwd honno wedi'r Rhyfel Byd Cyntaf, gyda chanlyniadau enbyd i'r eglwysi Cymraeg yno. Aeth niferoedd sylweddol hefyd i Ganada, y gyrchfan oedd yn ail o ran poblogrwydd, i Awstralia a Seland Newydd, i Dde Affrica ac, wrth gwrs, i Batagonia. Ynghyd ag aelodau enwadau anghydffurfiol eraill Cymru, ffurfiai'r Methodistiaid Calfinaidd ganran sylweddol o'r symudiad torfol hwn (er, yn niffyg cofnodion rhifiadol, nad oes modd gwybod cyfanswm eu niferoedd).

Wrth iddynt ymaddasu i'w gwledydd mabwysiedig penderfynodd canran sylweddol o Fethodistiaid Calfinaidd fynychu eglwysi Cymreig unedig neu achosion enwadau brodorol. Hepgor eu crefydd yn llwyr a wnaeth nifer fawr o'r gweddill, er mawr siom a gofid i garedigion yr enwad. Ond er i rai ymfudwyr droi eu cefnau ar Fethodistiaeth Galfinaidd wedi iddynt ymadael â'r hen wlad, aros yn ffyddlon iddi wnaeth miloedd ohonynt. O ganlyniad, trawsblannwyd y 'Corff' ar estron dir, fel ffordd o fyw yn ogystal ag yn ddefosiynol ac yn sefydliadol. Mae'n wybyddus fod capeli wedi eu sefydlu mewn amryfal fannau yn Lloegr drwy gydol y bedwaredd ganrif ar bymtheg. Cafwyd achosion balch a grymus yn Lerpwl, Llundain, Manceinion, Penbedw, Birmingham a'r gogledd-ddwyrain, ymhlith ardaloedd eraill, ac roedd y rhain ymysg pileri cryfaf Cyfundeb y famwlad.[4] Roedd 16 o gapeli Methodistaidd Calfinaidd yn Llundain yn 1909, a chryfhawyd presenoldeb yr enwad yn y ddinas yn hanner cyntaf yr ugeinfed ganrif yn sgil yr allfudo o Gymru o ganlyniad i'r dirwasgiad economaidd trychinebus rhwng y rhyfeloedd. Roedd y 'Corff' yn Llundain ar ei anterth yn y 1950au ond ers hynny mae wedi wynebu anawsterau difrifol ac wedi crebachu'n ddirfawr. Er hynny, gellir dathlu bod rhai o'r achosion yn dal i fodoli, a heddiw erys tua hanner dwsin o gapeli yng nghylch Llundain yn Henaduriaeth Morgannwg Llundain.[5]

Yn ogystal, ffurfiwyd achosion Methodistaidd Calfinaidd mewn gwledydd tramor, ac ar agweddau ar hanes y rhain yn yr ugeinfed ganrif y mae'r bennod hon yn canolbwyntio. Dyma ddatblygiad rhyngwladol a ddechreuodd yn yr Unol Daleithiau o'r 1820au ymlaen, ac a ymestynnodd i Awstralia yn y 1850au, i'r Wladfa Gymreig ym Mhatagonia yn y 1860au, ac i Ganada ar ddiwedd y bedwaredd ganrif ar bymtheg a blynyddoedd cynnar yr ugeinfed ganrif. Bu'r Methodistiaid Calfinaidd yn flaenllaw yn sefydlu eglwysi

Cymraeg anenwadol yn Cape Town a Johannesburg, ymhlith canolfannau eraill, yn Ne Affrica tua'r un cyfnod.[6] Nid eglwysi'n unig a grëwyd dramor gan yr 'Corff'. Yn America ac yn Victoria, Awstralia, crëwyd Cyfundebau ar wahân, gyda threfniadaeth gyfansoddiadol oedd yn debyg, ond nid yn llwyr gyfateb, i'r Cyfundeb yng Nghymru. Ffurfiwyd Cymanfa gan y Methodistiaid Calfinaidd yn y Wladfa yn 1881, ond ymddengys bod y corff hwn wedi darfod i bob pwrpas erbyn 1891.[7] Yn ogystal, cyhoeddwyd cylchgronau a llyfrau gan y 'Corff' tramor ac ymgymerwyd â gweithgarwch cenhadol, gartref a thramor.

A siarad yn fras, er yr ymddengys nad oedd y Methodistiaid Calfinaidd mor gryf yn rhyngwladol yn 1918 ag yr oeddynt ar ddiwedd y ganrif flaenorol, eto roeddynt yn dal i fod yn gymuned grefyddol helaeth, rymus a dylanwadol mewn sawl man y tu allan i Brydain. Ond fel achos y fam eglwys yn yr hen wlad, os mai twf a chadarnhau oedd prif nodweddion hanes yr enwad y tu allan i Gymru yn y cyfnod hyd at 1914, yna themâu canolog y blynyddoedd a ddilynodd oedd dirywiad, troi at y Saesneg ac, yn y pen draw, diflaniad. Nid oedd y patrwm cyffredinol hwn yn gwbl unffurf, wrth gwrs. Mae'n bwysig pwysleisio bod rhai o'r eglwysi wedi profi amseroedd llewyrchus yn yr ugeinfed ganrif, ac mae ambell un wedi llwyddo i oroesi a chynnal gwasanaethau yn y Gymraeg hyd heddiw. Ond, i bob pwrpas, roedd presenoldeb ar wasgar y Methodistiaid Calfinaidd wedi dod i ben erbyn diwedd y ganrif honno, wrth i bron pob eglwys naill ai gau neu gael ei llyncu gan achosion enwadau eraill. Eithriadau enwog a phwysig yw Eglwys Unedig Gymraeg Dewi Sant, Toronto (a berthynai i'r Methodistiaid ar y dechrau), Cymanfa'r Methodistiaid Calfinaidd yn nhalaith Victoria, Awstralia, sydd yn cynnwys eglwysi Cymraeg Melbourne a Charmel, Sebastopol, ac ambell gapel yn y Wladfa lle cynhelir gwasanaeth Cymraeg yn achlysurol.

Mae'n syndod, efallai, na chafwyd hyd yn hyn astudiaeth sy'n cwmpasu hanes y Methodistiaid Calfinaidd yn y gwledydd tramor y bu'r 'Corff' yn lledaenu Gair Duw ynddynt, heb sôn am un sydd yn canolbwyntio ar yr ugeinfed ganrif. Yn wir, ymddengys nad yw'r stori hon wedi denu cymaint o sylw â'r genhadaeth ym Mryniau Casia, Sylhet a mannau eraill yn India.[8] Mae'n ddiddorol cofio yn y cyswllt hwn mai un o brif gwynion arweinwyr yr enwad tramor oedd bod y Cyfundeb yn blaenoriaethu'r achos yn Asia ar draul anghenion gweinidogaethol, pregethwrol ac ariannol eglwysi eraill y 'Corff' ar draws y byd.[9] Ceir ymdriniaeth werthfawr ar yr enwad yn America yn yr hanes swyddogol a luniwyd gan Daniel Jenkins Williams, ond mae'n gorffen yn 1920.[10] Ceir hefyd sawl llyfr ac erthygl sydd wedi ehangu ein dealltwriaeth o hanes yr enwad tramor, er bod llawer ohonynt yn gyfyngedig i'r cyfnod cyn 1914.[11] Mae'r her o ysgrifennu hanes y Methodistiaid Calfinaidd ar wasgar yn anos oherwydd natur dameidiog, fylchog a gwasgaredig y ffynonellau cynradd sydd wedi goroesi. Mae'n wir fod gennym sawl adnodd amhrisiadwy, a phrin y gellid cyflawni astudiaeth fel hon hebddynt. Y pwysicaf ohonynt yw cyfnodolion yr enwad, yn enwedig *Y Cyfaill*, *Yr Australydd*, *Yr Ymwelydd* a'r *Drysorfa*, papurau newydd megis *Y Drych*, *Y Drafod* a'r *Goleuad*, yr adroddiadau a gyhoeddwyd yn y *Blwyddiadur*, 1898–1982, ac ychydig o gofnodion eglwysi unigol sydd ar gadw yng Nghasgliad y Greirfa. Er y trysorau penodol hyn, gwaith llafurus, a rhwystredig yn aml, yw dod o hyd i dystiolaeth berthnasol. Ceir ychydig o anghysondeb yn y cofnod hanesyddol ac nid oes modd gwybod rhagor am nifer o agweddau ar waith yr enwad.

Bwriad y bennod hon, felly, yw cyflwyno, am y tro cyntaf, ddarlun cyffredinol o hanes y Methodistiaid Calfinaidd y tu allan i Gymru a Lloegr yn y blynyddoedd yn dilyn 1918. Ni all cipolwg mor fras â hwn wneud cyfiawnder â chymhlethdod y testun na bod yn holl-gynhwysfawr yn ei gwmpas daearyddol, ac o'r cychwyn cyntaf, felly, mae'n hollbwysig egluro cynnwys a ffiniau'r ysgrif. Rhoddir y sylw mwyaf i hanes y Methodistiaid Calfinaidd yn yr Unol Daleithiau, am resymau ymarferol a chan mai hwy oedd y mwyaf niferus, o bell ffordd, ymhlith yr enwad ar wasgar. Yn 1910 ceid yn y Cyfundeb yn America 148 o eglwysi, a bron 14,000 o gymunwyr, cyfanswm a oedd yn cyfateb i nifer y rhai a aned yng Nghymru a oedd yn byw yn Awstralia yr amser hwnnw.[12] Dim ond rhai dwsinau o eglwysi, os hynny, oedd yn perthyn i'r enwad yn y wlad honno, Canada a'r Wladfa gyda'i gilydd. Rheswm arall dros fanylu ar brofiad yr enwad yn yr Unol Daleithiau yw cyflwyno rhai themâu canolog sydd yn amlwg hefyd yn hanes y 'Corff' mewn mannau eraill o'r byd, a bydd y bennod yn mynd ymlaen i ymhelaethu arnynt yng nghyd-destun Awstralia a Chanada.

Ni roddir llawer o sylw yma i hanes y Methodistiaid Calfinaidd yn y Wladfa, er mor ddiddorol yw'r cysylltiadau rhyngddynt â'r enwad yng Nghymru. Ond er mwyn dangos y darlun cyflawn dylid crybwyll y codwyd capeli yno gan yr enwad yn negawdau olaf y bedwaredd ganrif ar bymtheg, er enghraifft Capel Berwyn, Bryn Gwyn a Glan Alaw. Fe ymddengys bod 85 o eglwysi gan y Methodistiaid Calfinaidd yn Nyffryn Camwy yn 1874, a chyrhaeddodd gweinidog cyntaf yr enwad yno yn 1881. Arhosai pedwar capel yn Fethodistaidd mewn enw am y rhan fwyaf o'u hanes. Ond collwyd sawl un o gapeli'r enwad yn y llifogydd dychrynllyd a gafwyd ar droad yr ugeinfed ganrif, a sefydlwyd achosion unedig yn eu lle.[13] Mae Glyn Williams wedi dadlau y gwelwyd 'the disappearance of denominationalism' yn y Wladfa tua'r cyfnod hwn.[14] Nid yw'n bosibl chwaith mynd i'r afael ag elfen bwysig arall sydd yn galw am astudiaeth fanwl, ac sydd yn rhy gymhleth ac amlochrog i wneud cyfiawnder â hi o fewn terfynau'r astudiaeth hon. Cyfeirir yma at agweddau'r Methodistiaid Calfinaidd a'u Cyfundeb yn y famwlad tuag at eu cyd-aelodau dros y dŵr, a gwaith Pwyllgor y Cymry ar Wasgar, gan Gymanfa Gyffredinol y Cyfundeb yng Nghymru. Ffurfiwyd y pwyllgor hwn yn 1891, a hyd at 1982 bu'n 'casglu gwybodaeth am nifer, a sefyllfa grefyddol ein cydgenedl, a chyflwyno awgrymiadau ar y dull goreu o gyfarfod â'u hanghenion'.[15] Yn achlysurol bu hefyd yn rhoi cymorth ariannol i eglwysi ac yn ceisio trefnu gweinidogion a phregethwyr yng Nghymru i fynd i wledydd eraill i wasanaethu eu cyd-wladwyr.

Mae'n bwysig pwysleisio ar y dechrau mai amrywiaeth yw un o elfennau allweddol hanes y Methodistiaid Calfinaidd y tu allan i'r famwlad. Roedd eu profiadau'n amrywio o wlad i wlad, o fewn y gwledydd eu hunain, o eglwys i eglwys, a hyd yn oed o flwyddyn i flwyddyn yn hanes yr achosion unigol. Fel y nodwyd am un o eglwysi enwocaf y 'Corff' yn America, sef Lake Crystal, Minnesota, yn y 1880au: 'Gwelsom haf a gaeaf yn ei hanes – adegau o lwyddiant ac aflwyddiant, adfywiad a marweidd-dra.'[16] Ond wedi dweud hynny, un o brif gasgliadau'r ysgrif hon yw pa mor debyg i'w gilydd oedd rhai agweddau hollbwysig ar hanes yr enwad mewn gwledydd gwahanol. Mae'r ddeialog rhwng tebygrwydd a gwahaniaeth yn amlwg hefyd yn y berthynas rhwng yr enwad gartref a thramor. Mae stori'r Hen Gorff yn yr Unol Daleithiau yn yr ugeinfed ganrif yn taflu golau diddorol ar y cymhlethdodau a'r gwrthgyferbyniadau hyn, ac at yr hanes hwnnw y trown yn awr.

'Y chwaer fechan yng ngwlad y Gorllewin', 1918–39

Yn ystod y bedwaredd ganrif ar bymtheg gwreiddiwyd y Methodistiaid Calfinaidd yn ddwfn yn nhir America.[17] 'Tra yr oedd y Methodistiaid yng Nghymru yn teimlo eu ffordd yn mlaen,' datganodd y Parch. W. E. Evans, Mankato, Minnesota, Cyn-lywydd y Cyfundeb yn America, yn ei araith yng nghyfarfod Jiwbilî'r Gymanfa Gyffredinol yn Racine, Wisconsin, ym Medi 1919, 'yr oedd chwaer fechan iddynt, yn ngwlad y Gorllewin, yn rhyw ddysgu cerdded.'[18] Byddai'r ferch fach honno'n tyfu i fod yn Gyfundeb grymus a dylanwadol iawn ymhlith y Cymry, ac yng nghymdogaethau amryw o eglwysi'r enwad. Cyfrannodd y Methodistiaid Calfinaidd yn aruthrol i fywyd crefyddol America, a chrëwyd yn yr Unol Daleithiau chwe Chymanfa gyda sawl Cyfarfod Dosbarth yn perthyn i bob un ohonynt.[19] Ar y dechrau, perthynai eglwysi Cymraeg Canada i'r Cyfundeb yn America. Cyrhaeddwyd carreg filltir hanesyddol ym Mai 1869, pan sefydlwyd Cymanfa Gyffredinol y Cyfundeb yn America yn Columbus, Ohio, a chytunwyd ar ei chyfansoddiad. O dan nawdd y Gymanfa hon crëwyd Byrddau Cartrefol a Chenhadol, a chyhoeddwyd *Y Cyfaill o'r Hen Wlad* o 1869 i 1933, yn ogystal â chylchgronau byrhoedlog eraill.[20]

Eglwys gyntaf yr enwad yn America oedd yr un a ffurfiwyd ym Mhenycaerau, ger Remsen, Swydd Oneida, Talaith Efrog Newydd, ar 21 Mawrth 1826. Penycaerau oedd 'crud y Cyfundeb' yn America, ac yn ôl y Parch. R. R. Williams, i lawer o'r Cymry daeth Remsen 'mor adnabyddus â Hebron i'r tadau Hebreig'.[21] Cynhaliwyd y gymanfa bregethu gyntaf yn America yng nghapel Penycaerau a chrëwyd Cymanfa Efrog Newydd a Vermont.[22] O hynny ymlaen fe ymddengys y trefnwyd yn America 236 o eglwysi Methodistaidd Calfinaidd a berthynai i Gyfundeb y wlad honno. Sefydlwyd hefyd mewn cymunedau Cymreig yn nhaleithiau gorllewinol America ar arfordir y Môr Tawel ddyrnaid o eglwysi Presbyteraidd Cymraeg. Y pennaf a'r mwyaf hirhoedlog ohonynt oedd yr eglwysi yn Oakland, San Francisco, Los Angeles a Seattle.[23] Oherwydd eu lleoliad daearyddol ymunodd yr eglwysi hyn â'r Eglwys Bresbyteraidd yn yr Unol Daleithiau yn hytrach na'r Cyfundeb Americanaidd. Y Methodistiaid Calfinaidd a'r Annibynwyr oedd y mwyaf lluosog ymhlith yr Anghydffurfwyr a ymfudodd o Gymru i America yn y bedwaredd ganrif ar bymtheg. Ymddengys i'r Annibynwyr sefydlu 229 o eglwysi yno a'r Bedyddwyr 117 (heb gyfri'r rhai a sefydlwyd yn y cyfnod trefedigaethol). Mae'n debyg fod y Methodistiaid a'r Annibynwyr yn weddol gydradd o ran rhif aelodaeth.[24]

Yn ystod y bedwaredd ganrif ar bymtheg, felly, fe gynyddodd y Cyfundeb yn America ac ehangodd ei derfynau'n sefydliadol ac yn ddaearyddol. Cafwyd presenoldeb yn y rhan fwyaf o daleithiau America ond roedd yr enwad yn arbennig o luosog a chryf mewn rhai taleithiau penodol, yn eu plith Pennsylvania, Efrog Newydd ac Ohio, ac yn bennaf oll, yn Wisconsin. Yno roedd yn fwy lluosog na'r holl enwadau Cymreig eraill gyda'i gilydd. Cymanfa Wisconsin oedd y fwyaf yn America o safbwynt rhif ei chymunwyr a'i gweinidogion a chyfanswm ei chasgliadau.[25] 'Yn Wisconsin y mae nefoedd y Methodistiaid', oedd barn un sylwedydd.[26] Yn ôl ei ystadegau am 1871, ceid yn y Cyfundeb 152 o eglwysi, 365 o ddiaconiaid, 88 o weinidogion, 48 o bregethwyr, 8,042 o aelodau cyflawn, 5,348 o aelodau ar brawf a phlant, a 20,200 o wrandawyr.[27] Erbyn blynyddoedd cynnar yr ugeinfed ganrif ceid 178 o eglwysi, 463 o ddiaconiaid, 89 o weinidogion; 22 o bregethwyr, 11,939 o gymunwyr, 4,126 o blant, a'r holl wrandawyr yn 18,046.[28]

Ar ddiwedd y Rhyfel Byd Cyntaf roedd y Cyfundeb yn America yn wannach nag yr oedd ar ei benllanw ar ddiwedd y bedwaredd ganrif ar bymtheg ond roedd yn dal i fod yn nerthol a dylanwadol ar sawl gwedd. Ond amrywiol a gwrthgyferbyniol fu profiadau'r eglwysi rhwng 1918 a 1939. Parhaodd rhai ohonynt i dyfu neu aros yn sefydlog. Symudodd llawer o Gymry i Detroit yn y 1920au i fanteisio ar y cyfleoedd am waith a grëwyd wrth i'r diwydiant cynhyrchu ceir yno dyfu'n aruthrol, a bu'r mewnlifiad hwn yn fodd i achos y

Methodistiaid Calfinaidd yno adnewyddu ei hun ac ymgorffori'n eglwys, a phrynu tir er mwyn codi capel arno.[29] Datganwyd gan ambell eglwys yn y 1920au a'r 1930au, er enghraifft Dinas Efrog Newydd, ei bod mor lluosog a bywiog ag unrhyw adeg yn eu hanes.[30] Yn y 1930au cynnar roedd tair eglwys Fethodistaidd Galfinaidd yn America yn rhifo dros 600 o aelodau: Moreia (Utica), Wilkes-Barre, a Columbus, Ohio.[31] Y gryfaf ohonynt oedd Moreia, gyda 650 o aelodau ar ddiwedd 1931.[32]

Er yr enghreifftiau calonogol hyn, crebachu a dirywio oedd prif nodweddion hanes y Methodistiaid Calfinaidd yn America ar ôl 1918, ac fe ddwysawyd y sefyllfa argyfyngus yr oedd yr enwad eisoes ynddi mewn sawl cyfeiriad. Roedd nifer yr eglwysi a'r cymunwyr yn lleihau bob blwyddyn. Yn 1914, yr oedd Z. A. Mather, blaenor yn eglwys Gymraeg Milwaukee am flynyddoedd lawer, yn ymwelydd â Chymdeithasfa Caernarfon, ac fe gyhoeddwyd ei adroddiad ar gyflwr cyfoes y Cyfundeb yn America yn *Y Goleuad*. Nododd fod llawer o eglwysi wedi cau yn ystod y pum mlynedd ar hugain blaenorol, a rhagwelodd y byddai 'cyffelyb dynged yn aros llawer eto yn y dyfodol agos'.[33] A dyna'n union a ddigwyddodd. Mae'n anodd canfod ystadegau am y Methodistiaid yn America wedi iddynt ymuno â'r Presbyteriaid yn 1920 ond ymddengys bod nifer yr eglwysi wedi lleihau o oddeutu 135 yn 1920 i 60 yn 1939.[34] Collwyd bugeiliaid yn ogystal, a chafodd yr eglwysi hyd yn oed fwy o drafferth i lenwi eu pulpudau â gweinidogion sefydlog a phregethwyr, yn enwedig rhai a allai wasanaethu yn Gymraeg. Bu prinder gweinidogion yn broblem gynhenid drwy gydol hanes yr enwad yn America ond gwaethygodd yn sylweddol wrth i'r ugeinfed ganrif fynd yn ei blaen, gan wanhau gallu'r eglwysi i oroesi yn ddirfawr. Crëwyd y prinder yn rhannol oherwydd y costau byw uchel yn y dinasoedd yn enwedig, gan ei gwneud yn anodd i weinidogion fyw ar yr hyn a delid iddynt gan yr eglwysi.[35] Gellir dirnad difrifoldeb y mater o'r ffaith bod *Y Cyfaill* yn awyddus iawn i ganmol unrhyw eglwys Gymraeg a godai gyflog ei gweinidog neu oedd yn gwella ei amodau drwy ddarparu Tŷ'r Gweinidog.[36] Ffactor arall a arweiniodd at bulpudau gweigion oedd fod gweinidogion y Cyfundeb yn gadael i ofalu am eglwysi'r Presbyteriaid. Eto, nid tuedd newydd mo hon, ond cynyddodd yn y blynyddoedd rhwng y rhyfeloedd, a thaflai rhai arweinwyr y bai amdano ar yr uno â'r Presbyteriad yn 1920. Erbyn 1933 roedd y sefyllfa'n drychinebus, wrth i bulpudau o leiaf bum eglwys fynd yn wag y flwyddyn honno, heb obaith o gael eu hail-lenwi ar fyrder.[37]

Yn ychwanegol at yr elfennau mewnol hyn yr oedd ffactorau yn ymwneud â'r cyd-destun cymdeithasol, crefyddol ac economaidd. Un o'r grymoedd mwyaf a danseiliai'r eglwysi Cymreig oedd y trawsffurfiad sylfaenol a fu yng nghyfansoddiad y grŵp ethnig Cymreig yn yr Unol Daleithiau.[38] Ffactorau cymdeithasol a demograffig nerthol oedd yn gyfrifol am y trawsffurfiad hwn. Mewn sawl ardal yn America yn ystod dau ddegawd olaf y bedwaredd ganrif ar bymtheg a blynyddoedd cyntaf yr ugeinfed ganrif, profodd y Cymry gyfnewidiad Americanaidd yn eu diwylliant ac yn eu hiaith. Daeth trai yn hanes yr iaith Gymraeg a'r diwylliant a oedd yn gysylltiedig â hi, a bu dirywiad yn y bywyd crefyddol. Nid oedd y prosesau hyn drosodd erbyn 1918 o bell ffordd; i'r gwrthwyneb, byddai eu canlyniadau'n cael eu hamlygu fwyfwy weddill y ganrif. Fel y gwelwn yn fanylach yn nes ymlaen, roedd y dirywiad yn yr iaith Gymraeg yn ergyd drom i'r eglwysi, nid yn unig o safbwynt iaith yr addoliad ond hefyd o ran rhif yr aelodaeth. Yn syml, wrth i'r Cymry Cymraeg farw, nid oedd siaradwyr ar gael i gynnal yr achosion oherwydd dau ddatblygiad hollbwysig. Yn gyntaf, nid oedd y cenedlaethau iau yn medru'r Gymraeg. Amcangyfrifwyd yn 1914 fod dros hanner y bobl ifanc a fagwyd yn y dinasoedd yn gadael yr eglwysi Cymraeg gan nad oeddynt yn deall iaith yr addoliad ynddynt, a bod tri chwarter o'r rheini 'yn myned i'r byd ac nid i'r eglwysi Saesneg'.[39] Yr ail ffactor allweddol oedd i lawer llai o bobl ymfudo o Gymru yn y 1920au, ac i'r arfer ddod i ben i bob pwrpas ar ddechrau'r degawd nesaf. Fel y galarodd *Y Cyfaill* yn 1932, un o flynyddoedd gwaethaf y dirwasgiad economaidd yn y degawd hwnnw, 'treiodd ymfudiaeth o Gymru ar raddfa eang bellach, a bu gorfod i'r eglwysi yma fyw ar y deunydd oedd wrth eu penelin. Ond heddyw aiff hwnnw yn brinnach beth'.[40]

Roedd dirywiad y Methodistiaid Calfinaidd yn America rhwng y rhyfeloedd yn adlewyrchu canlyniadau negyddol rhai o brif ddigwyddiadau'r cyfnod. Yn gyntaf, cafodd yr eglwysi yn yr Unol

Daleithiau, ac yn enwedig yng Nghanada, eu niweidio gan y Rhyfel Byd Cyntaf. Heb sôn am yr effeithiau seicolegol ar y bobl, gwelwyd gostyngiad mewn aelodaeth wrth i nifer o feibion yr achosion ymuno â'r fyddin Brydeinig ac yna Byddin Unol Daleithiau America o 1917 ymlaen.[41] Er y cafwyd amodau economaidd lled ffafriol yn gyffredinol yn y 1920au, profai rhai cymunedau Cymreig amseroedd blin, er enghraifft, yn y meysydd glo, yn ardal Utica ac ym mröydd chwarelyddol taleithiau Efrog Newydd a Vermont.[42] Bu rhaid i sawl eglwys ysgwyddo dyledion trwm oherwydd costau byw uchel a'r dirywiad cyson yn eu haelodaeth.[43] Ond nid oedd trafferthion ariannol y degawd hwn yn ddim o'u cymharu â'r lluwchwynt economaidd a drawodd y wlad yn dilyn Cwymp Wall Street yn 1929. O hynny ymlaen profodd America ddirwasgiad economaidd digynsail ei lymder. Erbyn 1930 roedd nifer y di-waith wedi codi i 4.3 miliwn, ac ymhen tair blynedd roedd wedi chwyddo ymhellach i 13 miliwn, rhif anhygoel, a gynrychiolai chwarter y gweithlu.[44] Yn 1931 roedd y rhan fwyaf o'r dynion yn eglwys Hebron, Chicago, wedi bod yn ddi-waith am 15 mis, ac yn ôl y gweinidog, y Parch. E. Cynolwyn Pugh, roedd pethau mor ddrwg yn y wlad ag y buont erioed, 'and people's resources are dwindling'.[45] Gostyngodd lefel cyflogau a safonau byw yn ofnadwy gan effeithio'n ddychrynllyd ar bob agwedd o fywyd y wlad, yn eu plith gyflwr yr eglwysi Cymraeg ac amgylchiadau unigol eu haelodau.

O dan y fath bwysau, penderfynodd nifer sylweddol o Gymry ddychwelyd i'r famwlad, gan amddifadu eglwysi o swyddogion ac aelodau.[46] Aeth rhagor o eglwysi i drafferthion ariannol a dyled oherwydd anallu'r aelodau bellach i dalu cyfraniadau at gynnal yr eglwysi a'r Genhadaeth. Yn Ebrill 1931 pryderwyd bod aml i ardal 'yn teimlo'r wasgfa bresennol gymaint fel mai ofer disgwyl llaweroedd wrthynt'.[47] Dwy flynedd yn ddiweddarach roedd y Byrddau Cyfundebol mewn 'safle difrifol ... yn wyneb y lleihad trychinebus ar eu hadnoddau'.[48] Trwy gydol y 1930au ni wawriodd amseroedd gwell. Cafwyd disgrifiad effeithiol o gryno o natur pethau gan y Parch. W. Arfon Jones, brodor o Fôn, a gweinidog eglwys Hebron, Chicago, yn *Y Blwyddiadur* yn 1940: 'Peri y sefyllfa economaidd yn isel iawn; miloedd yn ddi-waith, yr arian yn brin, cyflogau yn isel, ac ansicrwydd yn peri ofn ar bawb. Lleihau wna'r cyfraniadau at waith eglwysi, a dioddefa'r eglwysi Cymraeg yn fwy os yn un, am mai gwan yw'r mwyafrif ohonynt.'[49]

Er hynny, rhaid hefyd dalu teyrnged i'r selogion hynny a fu'n benderfynol o gyfrannu'r hyn a allent er mwyn cadw eu heglwysi yn fyw ar adeg mor argyfyngus yn hanes y wlad.

Tanseiliwyd y Cyfundeb yn ogystal gan ddatblygiadau cymdeithasol pellgyrhaeddol. Wrth i heddwch ddychwelyd, roedd gan y Methodistiaid Calfinaidd, fel sawl enwad Protestannaidd arall, un fuddugoliaeth enfawr i lawenhau ynddi, sef sicrhau gwaharddiad (*prohibition*), a ddisgrifiwyd gan Gymanfa Efrog Newydd a Vermont yn 1917 fel 'yr ymwared mawr hwn y buom yn dyheu am dano gyhyd'.[50] Yn ystod y rhyfel dwysawyd yr ymdrech ddirwestol a thrwy'r Ddeunawfed Gwelliant (yr *Eighteenth Amendment*) i'r Cyfansoddiad, a phasio'r National Prohibition Act (y Volstead Act), daeth gwaharddiad yn gyfraith gwlad yn 1919. Pasiwyd penderfyniad ar ôl penderfyniad gan y Cyfarfodydd Dosbarth a'r Cymanfaoedd yn gorfoleddu y byddai'r Unol Daleithiau yn cael budd rhyfeddol yn dilyn gwaharddiad ac yn annog aelodau i fod yn wyliadwrus yn erbyn ymdrechion i ddileu'r ddeddf, yn enwedig wrth i'r ymgyrch yn erbyn gwaharddiad godi stem a llwyddo i'w ddiddymu yn 1933.[51] Ffenomen arall a oedd yn bygwth yr eglwysi oedd y twf amlwg mewn seciwlariaeth yn America yn dilyn y Rhyfel Byd Cyntaf, datblygiad a oedd yn gwbl groes i ddaliadau crefyddol y Methodistiaid Calfinaidd ac ar yr un pryd yn her i ddyfodol eu heglwysi. Tanseiliwyd Cristnogaeth ymhellach gan y ffaith nad oedd nifer cynyddol o bobl, yn enwedig ymhlith y bobl ifainc, yn proffesu crefydd o gwbl. Sefydlwyd Pwyllgorau Cadwraeth y Saboth gan sawl Cyfarfod Dosbarth er mwyn annog yr eglwysi Cymraeg i weithio yn erbyn 'y rhai sydd yn halogi y Saboth, yn enwedig y dosbarth ieuengaf'.[52]

Rhwng y rhyfeloedd byd, felly, roedd eglwysi'r Methodistiaid Calfinaidd yn America o dan fygythiad o sawl cyfeiriad, ac un ymateb i'r bygythiadau hyn oedd pryderu fwyfwy am ddyfodol yr enwad. Clywid ofnau tebyg cyn y Rhyfel Byd Cyntaf. Yn *Y Cyfaill* yn 1911 barnodd y Parch. Daniel Thomas, Wymore, Nebraska, fod y

Methodistiaid Calfinaidd 'mewn argyfwng neillduol a phwysig iawn'. Credai fod 'dau blyg' i'r argyfwng hwn, sef perthynas y Cyfundeb ag iaith ac â'i fodolaeth yn y dyfodol.[53] Y 'plyg' cyntaf oedd y ffaith na ellid gwadu mai colli tir ymhlith y Cymry yn America yr oedd yr iaith Gymraeg, ac oherwydd hynny, a dyfynnu Z. A. Mather eto, roedd 'y Saesneg yn anrheithio ein heglwysi'.[54] Ail 'blyg' y Parch. Daniel Thomas oedd y cwestiwn a ddylai'r Methodistiaid aros ar eu pennau eu hunain neu uno â'r Presbyteriaid? Gellir dadlau mai'r 'ddau blyg' hyn oedd y datblygiadau pwysicaf yn hanes y Cyfundeb yn America yn y cyfnod rhwng 1918 ac 1939. Awn ymlaen yn awr i ddadansoddi'r ddau ohonynt yn fanylach, gan ddechrau â'r uno â'r Eglwys Bresbyteraidd yn yr Unol Daleithiau, a weithredwyd yn 1920.

Yr Uno â'r Presbyteriaid a'i ganlyniadau

Wrth i flynyddoedd cynnar yr ugeinfed ganrif fynd rhagddynt, deuai mwy o bwysau o fewn y Cyfundeb iddo uno â'r Eglwys Bresbyteraidd yn yr Unol Daleithiau. Ymddengys i'r Methodistiaid Calfinaidd yn America drafod y syniad am y tro cyntaf yn y 1840au, sef tua'r un adeg ag y gwnaed hynny yng Nghymru, ac ers hynny bu'n bwnc llosg yn yr eglwysi a'r llysoedd yn yr Unol Daleithiau, ac yng ngwasg y Cymry-Americanaidd.[55] Cyflwynwyd cynlluniau pendant ond aflwyddiannus i uno yn 1892 ac eto yn 1907.[56] O 1917 ymlaen cafwyd nifer fawr o gynigion tebyg i'r un canlynol, a basiwyd gan Gyfarfod Dosbarth Pittsburgh yn 1917:

> doeth fyddai symud ymlaen mor fuan ac unol ag y bu modd i gyfeiriad undeb a'r Cyfundeb Presbyteriaid [yn wyneb] y cyfnewidiadau a ganfyddir ym mywyd ein heglwysi, a galwad amlwg yr amserau am undeb gwirioneddol rhwng yr enwadau crefyddol i hyrwyddo amcanion uchaf Teyrnas Iesu Grist.[57]

Symudwyd ymlaen yn fuan iawn y tro hwn. Yng ngeiriau hanesydd y Cyfundeb yn America, yn 1917 'a flame had been kindled ... which, like a prairie fire, soon assumed such proportions that the blaze assumed everything in its course'.[58] Yn y Gymanfa Gyffredinol yn Racine, Wisconsin, ym Medi 1919 pleidleisiodd 99 o eglwysi dros undeb a 21 yn ei erbyn. Cytunwyd ar delerau rhwng y Cyfundeb â'r

Presbyteriaid yn Rhagfyr 1919, a rhoddwyd y rhain o flaen yr eglwysi a'r Cyfarfodydd Dosbarth ddechrau 1920. Roedd y mwyafrif helaeth o'r eglwysi Cymreig o blaid uno, ac fe'i cadarnhawyd yn y Gymanfa Gyffredinol Ohiriedig a gynhaliwyd yn Columbus, 18–19 Mai 1920.[59]

Dyma felly ddiflaniad ffurfiol y Cyfundeb fel corff ar wahân yn America. Er hynny, yn ôl telerau'r cytundeb, ymddengys i'r Methodistiaid Calfinaidd gadw ychydig o annibyniaeth. Yr oedd y Cymanfaoedd Taleithiol a'r Cyfarfodydd Dosbarth i barhau fel yr oeddent, fel synodau a henaduriaethau neu bresbytrïau ar wahân o fewn Cyfundeb y Presbyteriaid. Cafwyd 'y sicrwydd mwyaf pendant' gan yr Eglwys Bresbyteraidd na fyddai uno yn effeithio ar yr iaith Gymraeg yn yr eglwysi ac na fyddai'r Presbyteriaid yn ymyrryd yn y mater hwnnw.[60] Ond fe ddiflannodd y Gymanfa Gyffredinol o dan y drefn newydd; y Gymanfa Ohiriedig yn Columbus ym Mai 1920 oedd yr olaf a gynhaliwyd yn America. Un cyfundeb oedd y ddau gorff o hyn ymlaen, gydag un 'General Assembly'. Daeth *Y Cyfaill* a'r Byrddau Cenhadol Cymreig o dan adain y General Assembly ac roedd y Cyfarfodydd Dosbarth i ddewis cynrychiolwyr (*commissioners*) i'r cyfarfodydd blynyddol hyn. Derbyniwyd tua 135 o eglwysi, 65 o weinidogion a 15,000 o gymunwyr o Gyfundeb y Methodistiaid Calfinaidd gan y Presbyteriaid,[61] ond canran fechan iawn yn y Cyfundeb anferth hwnnw oedd yr 'Adran Gymreig'; roedd 'megis diferyn', yn ôl un sylwedydd, 'mewn cyfundeb sydd yn tynnu at ddwy filiwn mewn rhif a pherthyna iddo dros ddau gant o Gymanfaoedd'.[62]

Pam felly y bu i fwyafrif helaeth o'r Methodistiaid Calfinaidd yn America ddod i'r casgliad mai uno â'r Presbyteriaid oedd y cam gorau ymlaen i'w henwad yn y wlad honno. Mae'n dra thebyg fod y telerau ffafriol a pharodrwydd yr Eglwys Bresbyteraidd i adael i'r eglwysi Cymreig gadw rhyw fath o hunaniaeth yn un rheswm cryf dros lwyddiant y mudiad.[63] Roedd dylanwad y cyd-destun ehangach hefyd yn bwysig wrth i'r Rhyfel Byd Cyntaf ddwysáu'r diddordeb mewn undeb Cristionogol a chryfhau'r tueddiad i ffafrio mwy o undeb rhwng yr eglwysi Protestannaidd. Gan gyfeirio at yr Eglwys Bresbyteraidd yn yr Unol Daleithiau dywed Bradley J. Longfield:

'Inspired by the tremendous success of the church's United War Work Campaign, a wave of ecumenical desire swept over church bureaucrats, clergy and laity after World War 1.'[64] Diddorol nodi felly nad o du'r Cymry yn unig y deuai'r momentwm tuag at uno. Mae nifer o erthyglau a phenderfyniadau'r Methodistiaid Calfinaidd o'r cyfnod hwn yn adleisio'r gred ehangach hon.[65] Gobaith rhai o arweinwyr yr enwad oedd y byddai undeb rhyngddynt a'r Presbyteriaid yn gam ymlaen tuag at greu un eglwys Brotestannaidd yn America. Dadleuwyd hefyd y byddai'n caniatáu i'r eglwysi Cymraeg wasanaethu mewn modd mwy effeithlon ac i elwa ar raglenni lles y Presbyteriaid ar gyfer y weinidogaeth.[66]

Er hynny, gellir dyfalu mai'r cymhelliad pwysicaf dros sicrhau undeb oedd amgylchiadau'r Methodistiaid Calfinaidd ar y pryd. Roedd nifer o arweinwyr yr enwad wedi hen ystyried fod uno yn anochel, ac erbyn 1920 roedd yr argoelion am y dyfodol wedi gwaethygu digon i ddarbwyllo llawer mwy ohonynt nad oedd modd osgoi'r cam tyngedfennol hwn. Pwysleisiwyd yn ogystal fod yr iaith Gymraeg yn marw, eglwysi'r Cyfundeb yn lleihau, a'r bobl ieuanc 'yn cael cam oherwydd yr iaith'. A dyfynnu'r Parch. John E. Jones, gweinidog eglwys Methodistiaid Calfinaidd South Side, Chicago: 'Cyfundeb bychan ydym ar y goreu ... a gwaeth na hynny nid oes gennym un gobaith i gynyddu. Mae ein dyddiadau goreu wedi pasio. Nid oes gennym ond un o ddau beth i'w wneyd, naill i ymuno â'r Presbyteriaid, neu farw.'[67]

Er bod gweinidogion yr enwad, bron yn ddieithriad, o blaid undeb, ceir tystiolaeth fod blaenoriaid ac aelodau mewn rhai ardaloedd yn fwy amheus, neu 'geidwadol', fel yr ystyrid hwy gan gefnogwyr y mudiad.[68] Yn wir, flynyddoedd yn ddiweddarach, mynnodd y Parch. W. Arfon Jones, gweinidog Hebron, Eglwys Bresbyteraidd Gymraeg Chicago, 'na fu'r mudiad o'r cychwyn yn boblogaidd gyda chorff y Cymry yn yr eglwysi'.[69] Honnwyd hefyd mai dim ond 'rhywbeth o eiddo y pregethwyr er mwyn gwellhau eu hamgylchiadau' oedd yr holl beth.[70] Roedd *Y Cyfaill* yn gryf iawn dros uno ond roedd ei golofnau'n rhydd i ddadleuon y gwrthwynebwyr yn ogystal â'r pleidwyr.[71] Cafwyd ychydig o anghytuno ynglŷn â pha mor agos oedd y Methodistiaid Calfinaidd a'r Presbyteriaid mewn athrawiaeth a llywodraeth eglwysig. I rai, gan ddyfynnu'r Parch. John E. Jones eto, roedd y gwahaniaeth rhwng y ddau enwad 'yn ddim ond gwahaniaeth rhwng dwy het'.[72] Er hynny, ymddengys fod llawer o amharodrwydd i uno mewn rhai o'r eglwysi oherwydd nad oeddent 'yn barod i golli y ryddid a feddant fel Methodistiaid ar faterion eglwysig, a gadael i'r Henuriaid i dderbyn i mewn i'r eglwysi ac i fwrw allan o honni'.[73] Mater dadleuol arall oedd pa mor bwysig oedd hi i gadw'r enw 'Methodistiaid Calfinaidd'. Mae'n arwyddocaol fod y drafodaeth ar y cwestiwn hwn yn digwydd yr un pryd â'r ddadl dros newid enw'r Cyfundeb yng Nghymru i Eglwys Bresbyteraidd Cymru. Roedd hyd yn oed golygydd *Y Cyfaill* yn derbyn fel ffaith fod gan lawer o aelodau'r eglwysi yn America a Chanada 'afael gynnes hyd yn nod yn yr hen enw anwyl, Methodistiaid Calfinaidd'.[74] Yn wir, dylid nodi bod rhai o'r pleidwyr mwyaf brwdfrydig dros undeb, gan gynnwys golygydd *Y Cyfaill*, yn datgan eu tristwch am golli'r enw ac am 'farwolaeth' y Cyfundeb.[75]

Gellir crynhoi felly mai i'r mwyafrif o'r Methodistiaid Calfinaidd roedd pleidleisio dros uno yn benderfyniad pragmatig ar sawl gwedd. Lluniwyd eu meddylfryd hefyd gan ddelfrydau crefyddol a'r gobaith y byddai bod yn rhan o Gyfundeb mawr y Presbyteriaid yn arwain at achub, a hyd yn oed cryfhau, eglwysi Cymreig yr enwad, ac o ganlyniad yn eu rhoi mewn gwell sefyllfa i gyflawni gwaith Duw. Gellir hefyd ddehongli'r uno fel arwydd arall fod eglwysi'r Methodistiaid yn yr Unol Daleithiau yn Americaneiddio'n gyson a bod y broses o gymathu ymhlith y grŵp ethnig Cymreig yn cynyddu ac yn cyflymu fel yr âi'r ganrif rhagddi.[76] Er hynny, ni fu undeb yn ddigon i arafu, heb sôn am atal, y dirywiad yn eglwysi'r enwad, ac yn y pen draw gwireddwyd y pryderon y byddai'n arwain nid yn unig at golli hunaniaeth ond hefyd at ddinistrio'r achosion Cymraeg yn yr Unol Daleithiau. Ar ôl 1920 ni thawelai'r galwadau am ragor o uno rhwng yr Adran Gymreig â Chyfundeb y Presbyteriaid yn gyffredinol, a cheir peth tystiolaeth y bu rhai eglwysi Presbyteraidd yn rhoi pwysau ar eglwysi Cymreig i uno â hwy.[77] Yn y 1920au dechreuwyd dileu'r drefn gyfundrefnol newydd a grëwyd gan yr uno. Y cyntaf i ddiflannu oedd Cymanfa'r Gorllewin yn 1921.[78] Yna, yn 1927, datgorfforwyd Presbetri Pittsburgh, un o Bresbetrïau Cymreig

Cymanfa Ohio ('Welsh Synod of Ohio'). Er hynny, cafwyd tipyn o amrywiaeth yn agweddau'r eglwysi tuag at ragor o uno. Roedd yn glir nad oedd Cymanfaoedd Wisconsin a Pennsylvania yn barod eto i golli eu hunaniaeth gan iddynt ddatgan eu gwrthwynebiad i unrhyw gynllun a fyddai'n arwain at undeb agosach.[79]

Gwaethygwyd y sefyllfa fwyfwy gan y pwysau ariannol oedd ar yr eglwysi Cymreig. Bu effeithiau'r dirwasgiad economaidd o 1929 ymlaen yn ergyd arall i allu'r eglwysi Cymreig i gadw presenoldeb neilltuol o fewn yr Eglwys Bresbyteraidd. Atgyfnerthwyd y galwadau ar i eglwysi Cymraeg gwan ymuno ag eglwysi Presbyteraidd yn eu hardaloedd, a phenderfynodd nifer o eglwysi Cymraeg a Chymreig yr enwad i wneud hynny er mwyn amddiffyn eu hadnoddau prin yn well. Rhoddwyd mwy o bwysau ar yr Adran Gymreig i ymdoddi'n llwyr yng nghyfundrefn y Presbyteriaid.[80] 'Uno â'r Presbyteriaid yn llwyr fydd hi cyn hir o ddiffyg nerth yn yr eglwysi Cymreig i gynnal eu hunain', oedd barn Willie T. Jones, pregethwr gyda'r Presbyteriaid yn Chicago yn 1931, er na chredai 'mewn brysio hynny yn ormodol'.[81] Ond brysio a fu; yng nghanol y 1930au, gwelwyd chwalu, i bob pwrpas, yr hyn oedd ar ôl o'r gyfundrefn drefniadaethol newydd. Yn Rhagfyr 1933, fel adlewyrchiad pwysig arall o'r tro ar fyd tyngedfennol a welwyd yn y 1930au, cyhoeddwyd *Y Cyfaill* am y tro olaf.[82] Yn yr un flwyddyn, datganodd Cymanfa Ohio ei hawydd am 'complete union with the Presbyterian Church in the USA', ac fe'i diddymwyd hi yn 1934.[83] Erbyn hyn dim ond chwe eglwys (pump ohonynt yn Ohio ei hun a Detroit, Michigan) a deg gweinidog oedd ar ôl yn y Gymanfa hon. Yn 1936 collwyd Cymanfa Efrog Newydd a Vermont. Ymunodd yr eglwysi Cymreig a oedd yn rhan o'r Cymanfaoedd hyn â'u henaduriaethau Americanaidd lleol. Ond cafwyd rhai amrywiaethau pwysig, sydd yn tystio i oroesiad rhywfaint o awydd am sefydliadau ar wahân ar ran rhai o eglwysi'r Methodistiaid Calfinaidd yng nghadarnleoedd yr enwad. Sefydlwyd henaduriaethau Cymreig newydd o fewn Cyfundeb y Presbyteriaid pan ddiddymwyd Cymanfa Wisconsin yn 1934 a Minnesota a Pennsylvania yn 1935, o dan yr enwau Welsh Synod Wisconsin, Blue Earth Synod a Welsh Synod of the Presbytery of Pennsylvania. Llwyddodd yr olaf i oroesi tan 1947 a Blue Earth tan ddechrau'r

1950au. Yna, yn 1954, cyrhaeddwyd carreg filltir bur hanesyddol ac arwyddocaol pan ddatgorfforwyd Henaduriaeth Gymreig Wisconsin (Welsh Synod Wisconsin), gan olygu diflaniad yr enwad fel corff annibynnol yn America.[84] Fel y nododd Edward Hartmann: 'Until 1954 [Welsh Synod Wisconsin] was the only distinctly Welsh organisation left of the old Calvinistic Methodist Church.'[85]

Barn ddiflewyn-ar-dafod y Parch. W. Arfon Jones, a gyhoeddwyd yn *Y Blwyddiadur* yn 1938, oedd mai cam trychinebus i'r Cyfundeb oedd yr uno gan iddo fod yn gyfrifol am gyfnewidiad aruthrol, gan gynnwys marwolaeth y Gymraeg fel iaith addoli yn yr achosion Cymreig.[86] Gwadwyd hynny gan y Parch. O. R. Williams, ddwy flynedd ar hugain yn ddiweddarach: 'os bydd tranc yr iaith, nid oes onid ni y Cymry yn gyfrifol. Fedr neb ladd y Gymraeg ond y Cymry'.[87] Ni ellir deall yn llawn fater yr uno a'i ganlyniadau heb ddirnad pa mor dynn yr oedd wedi ei gydblethu â 'phwnc yr iaith'.

Plygu o flaen y Saesneg

Yn yr erthygl olygyddol 'Pwnc yr Iaith' yng Ngorffennaf 1931, datganodd *Y Cyfaill*: 'Cyfyd y pwnc hwn ei ben yn lled aml y dyddiau hyn mewn byd ac eglwys o fewn cylch ein bywyd Cymreig yn y wlad hon'.[88] Fel y crybwyllwyd eisoes, un o hanfodion mwyaf trawiadol hanes y Methodistiaid Calfinaidd yn America erbyn 1918 oedd y ffaith mai'r Saesneg, nid y Gymraeg, oedd iaith yr addoliad cyhoeddus mewn nifer fawr o eglwysi'r enwad. Pwysig yw cofio nad oedd pob un o'r eglwysi hyn o reidrwydd yn llwyr amddifad o siaradwyr Cymraeg. Yn hydref 1912 dechreuodd y Parch. William Phillips, Rhosllannerchrugog, ofalu am eglwys y Methodistiaid Calfinaidd yn Johnstown, Pennsylvania. Pregethai yno yn Saesneg, 'oblegid fod y Gymraeg fel iaith capel a chrefydd wedi marw, er mai Cymraeg a siaradai amryw o'r aelodau'.[89] Ond roedd y ddarpariaeth yng ngweddill yr eglwysi'n parhau i fod yn Gymraeg i raddau amrywiol. Yn y blynyddoedd rhwng y rhyfeloedd bu defnyddio'r iaith yn un o'r cwestiynau mwyaf dyrys i'w hystyried gan yr eglwysi hyn, gan esgor ar ddadleuon ffyrnig. Ar yr un pryd, enciliai'r iaith o eglwysi'r enwad ymhellach fyth o flaen y 'Behemoth Seisnig', chwedl Ifan Morris Powell, Milwaukee.[90] Bwriad yr adran hon yw craffu'n fanylach ar 'bwnc yr iaith', ac yn arbennig ar gynnwys y dadleuon yn ei gylch.

Bu newid dirfawr yn y sefyllfa ieithyddol yn yr eglwysi, a hynny ar draul y Gymraeg, ar ôl 1918. Cyflwynwyd oedfaon Saesneg am y tro cyntaf mewn eglwysi a oedd hyd hynny wedi bod yn gyfan gwbl yn Gymraeg. Mewn eraill, ehangwyd y ddarpariaeth Saesneg a chrebachodd y Gymraeg neu diflannodd yn llwyr. Yn gynnar yn 1920, er enghraifft, adroddwyd bod eglwys Racine, un o'r achosion hynaf a chryfaf yng Nghymanfa Wisconsin, 'wedi gorfod plygu o flaen y Saesneg'. Roedd hon wedi parhau'n eglwys Gymraeg am flynyddoedd lawer ond nawr fe basiwyd, gyda mwyafrif mawr, i newid iaith y bregeth nos Sul i'r Saesneg.[91] Wyth mlynedd yn ddiweddarach penderfynodd eglwys Cincinnati i gynnal ei holl ddarpariaeth yn Saesneg a galw gweinidog di-Gymraeg i'w bugeilio.[92]

Dylid pwysleisio nad unffurf oedd y broses hon, a elwid yn aml yn 'Seisnigeiddio'. Mae'n anodd cyffredinoli ynglŷn â'r cydbwysedd rhwng y ddwy iaith ac i ba raddau y defnyddiwyd y Gymraeg. Fel y cyfaddefodd y Parch. O. R. Williams, Philadelphia, yn 1951, 'nid hawdd ydyw rhoddi darlun gan mor wahanol yr amgylchiadau yn yr eglwysi'.[93] Roedd y sefyllfa'n newidiol, yn gymysglyd, ac yn amrywio o eglwys i eglwys, gan ei bod yn dibynnu ar ffactorau lleol yn ogystal â chenedlaethol, ac i ba iaith y rhoddwyd blaenoriaeth ar unrhyw adeg. Mewn rhai eglwysi cafwyd oedfaon Cymraeg yn y bore a rhai Saesneg yn yr hwyr; mewn eglwysi eraill, y gwrthwyneb oedd y drefn. Ceir tystiolaeth ddadlennol am y prosesau a oedd ar waith yn atgofion y Parch. Ddr R. Lewis Jones, brodor o Borthmadog a aeth i America i orffen ei hyfforddiant ac a ordeiniwyd yn 1927. Roedd yn un o'r pregethwyr mwyaf adnabyddus, gweithgar ac uchel ei barch yn America yn yr ugeinfed ganrif, a bu'n weinidog gyda'r Presbyteriaid yno am 35 o flynyddoedd. Yn 1931 dechreuodd ofalu am eglwys Lime Springs, Iowa. Pan aeth yno, cynhelid gwasanaeth Cymraeg bob yn ail bore Sul yn unig. Ond yn fuan wedi iddo gyrraedd:

> er bod cryn nifer o Gymry a anwyd yn Lime Springs yn awyddus i gadw'r gwasanaeth Cymraeg fotiodd yr eglwys gyda mwyafrif llethol i wneud i ffwrdd â'r oedfa Gymraeg ar fore Sul.

> Er nad oedd yno yr un teimlad drwg oherwydd y penderfyniad gwelwn faint siomiant rhai o'r Cymry, ac felly gofynnais hawl y blaenoriaid i gynnal gwasanaeth Cymraeg yn y pnawn ddau Sul yn y mis, ac felly y bu am fwy na dwy flynedd hyd nes imi symud oddi yno. Deuai y bobl hynny i oedfa'r bore, a'r ysgol Sul yn dilyn, yna i'r oedfa pnawn, a thrachefn i oedfa'r hwyr yn gyson. Ni chynhaliwyd oedfa Gymraeg wedi imi adael.[94]

Yng nghanol y 1930au ordeiniwyd ef yn weinidog Salem, Eglwys Bresbyteraidd Gymraeg Slatington, Pennsylvania. Yno, Cymraeg oedd iaith oedfa'r bore a Saesneg yr hwyr, 'ond aeth yn Saesneg fore a hwyr yno yn fuan iawn wedi i mi ymadael'. Yn 1943 symudodd i fugeilio eglwys Peniel, Granville, yn ardaloedd chwarelyddol Cymreigaidd iawn Talaith Efrog Newydd. Cynhelid gwasanaeth y bore yn Saesneg yno a'r hwyr yn Gymraeg.[95] Mewn ambell eglwys byddai oedfa Saesneg yn cynnwys emyn Cymraeg, fel yn eglwys Methodistiaid Calfinaidd Seattle yn y 1930au.[96]

Fel y dangoswyd eisoes, realiti'r argyfwng y bu'n rhaid i'r eglwysi Cymraeg yn America ei wynebu oedd, ar y naill law, fod y nifer a oedd yn medru'r Gymraeg yn lleihau'n frawychus, ac ar y llaw arall fod galw cynyddol am wasanaethau Saesneg, yn enwedig ar ran y bobl ifanc. Gwelwyd eisoes gymaint o hwb i'r symudiad i uno â'r Presbyteriaid oedd yr ymwybyddiaeth gyffredin mai dirywio oedd yr achosion Cymraeg. Goblygiad arall o barhad y broses o Americaneiddio ymhlith y Cymry oedd y sefyllfa ieithyddol yn yr eglwysi yn y 1920au a'r 1930au, a gwaethygwyd effeithiau'r broses honno gan ystyriaethau demograffig allweddol. Nid yr eglwysi Cymreig, waeth i ba enwad bynnag y perthynent, oedd yr unig sefydliadau Cymreig yn America i ddioddef argyfwng ieithyddol o'r fath. Roedd eu profiad yn ficrocosm o'r newidiadau pellgyrhaeddol a oedd yn effeithio ar bob agwedd ar weithgarwch Cymraeg yn yr Unol Daleithiau, gan gynnwys yr eisteddfodau, y cymdeithasau diwylliannol yn ogystal â'r *Drych*, prif bapur newydd y Cymry yno.[97] Yn wir, fel y datganodd golygydd y newyddiadur hwnnw yn 1928: 'Yn mhob ardal Gymreig gwelir adfeilion hen gapelau Cymreig megis cofgolofnau i dranc yr iaith.'[98] Mae'n bwysig cofio hefyd nad y Cymry oedd yr unig grŵp ethnig yn America i brofi'r fath drawsffurfiadau cymdeithasol ac ieithyddol.

Er i'r *Cyfaill* ym Medi 1920 groesawu 'mor ychydig o annghydweledìad' oedd ynglŷn â phwnc yr iaith a rhoi diolch fod y cyfnewidiad hwn 'yn cymeryd lle mewn dull esmwyth a thawel', ymddengys nad oedd hynny'n wir bob amser yn y blynyddoedd a ddilynodd. Bu'r cwestiwn pa un ai i barhau â'r iaith Gymraeg neu beidio, a'r un mor bwysig, am ba hyd, yn bwnc llosg ac emosiynol yng nghyfarfodydd y Dosbarth a'r Cymanfaoedd, ac ar dudalennau'r *Cyfaill* a'r *Drych*. Hawdd yw cytuno â barn *Y Cyfaill* fod y mater yn un anodd i'w drafod 'yn bwyllog ac ystyriol heb ymwylltio o'r ddeutu gan ei fod yn ymwneud â phroblem ag y mae cryn lawer o sentiment ein cenedl wedi ymglymu amdani'.[99] Yn ddiddorol ddigon, barn rhai cyfoeswyr oedd fod y dadleuon ynglŷn â'r iaith yn America yn y 1920au a'r 1930au yn cael eu cymhlethu gan yr ymgyrchoedd newydd dros yr iaith a welwyd yng Nghymru yn yr un cyfnod. Cwynodd *Y Cyfaill* yn 1931 fod y 'deffro newydd' yng Nghymru yn peri bod 'apostolion yr iaith Gymraeg yma'n uchel eu cloch, heb gofio ohonynt fod yr amgylchiadau yn gwbl wahanol'.[100] Ceir enghreifftiau yng ngohebiaeth y cyfnod o unigolion yn mynegi eu cefnogaeth i fudiad yr iaith yng Nghymru a'u dicter at ddirywiad yr iaith yn America ac ymdrechion rhai arweinwyr y 'Corff' yno i'w disodli.[101]

Er eu gwrthwynebiad i'r 'plygu o flaen y Saesneg', nid oedd 'apostolion' yr iaith Gymraeg yn America yn anghytuno mai mater o amser oedd hi cyn i'r Gymraeg farw fel iaith crefydd yn y wlad honno. Credid yn unfrydol y byddai'n rhaid troi i'r iaith fain yn y pen draw; craidd y mater oedd pryd y dylid gwneud hynny. Barn y lleiafrif oedd y dylid cadw'r Gymraeg mor hir â phosibl, ac yna ymuno ag eglwysi Americanaidd.[102] Mewn gwrthgyferbyniad llwyr, dadleuai eraill y gallai eglwysi Cymreig gyflawni eu gwaith cenhadol cystal yn Saesneg. Mae'n dra arwyddocaol i'r *Cyfaill* yn 1920 ddisgrifio'r cyfnod pan oedd yr eglwysi 'o dan orfod i droi o'r Gymraeg i'r Saesneg' yn 'adenedigaeth'.[103] Mynnwyd bod dyletswydd ar y Cymry Cymraeg i aberthu eu hiaith frodorol er mwyn y genhedlaeth ifanc, ac yn arbennig felly mewn ardaloedd lle nad oedd achosion crefyddol eraill ar gael.[104] A dyfynnu 'E. Ll. W.' yn *Y Cyfaill* yn 1928, ni ddylai'r eglwysi Cymraeg 'orffen ... eu cenhadaeth i Deyrnas Crist pan na allant mwyach ei chyflawni yn null a thraddodiadau'r dyddiau gynt'; yn hytrach, dylent 'adnabod arwyddion yr amseroedd a chymhwyso eu hunain i ddal ymlaen tra byddo rhywrai o fewn cyrraedd mewn angen am yr efengyl'.[105]

Ymddengys felly mai'r ateb mwyaf cyffredin i gwestiwn yr iaith, o leiaf fel y'i mynegwyd yng ngholofnau'r *Cyfaill* a ffynonellau cynradd eraill, oedd fod goroesiad yr achosion crefyddol Cymreig yn bwysicach na thynged yr iaith Gymraeg. 'Rwyn dod i gredu yn fwy o hyd, er Cymreigied fy ysbryd, mai pwysicach crefydd nac iaith', ysgrifennodd Willie T. Jones, Detroit, yn 1932. Fe bwysleisiodd yr un pwynt eto ddwy flynedd yn ddiweddarach: 'Gwn am hanner dwsin o eglwysi yn barod wedi cau eu drysau oherwydd oedi yn rhy hir yw Seisnigeiddio yn fwy; a gallaf broffwydo am hanner dwsin arall yn gwneyd yr un peth o fewn llai na deng mlynedd os na wel rhai bod crefydd yn bwysicach nac iaith.'[106] Wrth wraidd y dadleuon hyn hefyd yr oedd y dymuniad i'r Cymry fod yn Americanwyr da; a dyfynnu'r erthygl olygyddol 'Pwnc yr Iaith' yn 1931, dylent 'fabwysiadu iaith y wlad yn gystal â llu o'i defion priod hi'. Dylai'r Methodistiaid Calfinaidd Cymraeg yn America, 'groeshoelio rhai pethau a anwylir gennym os y gallwn trwy hynny fod o fwy gwasanaeth i'n gwlad fabwysiedig'. Wedi'r cyfan, 'un o hepgorion yr ymfudwr *ideal* yw ei fod yn ddigon ystwyth i beidio a bod yn dramorddyn yn y wlad a ddewisir ganddo'.[107] Ni chafwyd newid yn y meddylfryd cyffredinol hwn yn ystod gweddill yr ugeinfed ganrif. I'r gwrthwyneb, parhau a wnaeth y gred mai rhywbeth anochel oedd diflaniad yr iaith, ac fel y datganodd y Parch. O. R. Williams, Philadelphia, yn *Y Blwyddiadur* yn 1955, 'mater o amser ... ydyw yn y mwyafrif, os nad y cwbl o'r eglwysi, fel eglwysi Cymraeg'.[108] Ac felly y bu; ail hanner yr ugeinfed ganrif fyddai cyfnod olaf y 'Corff' yn gymuned grefyddol ar wahân yng nghymdeithas America.

Yr Ymddatod yn America

Gwaethygwyd yr argyfwng yn eglwysi'r Methodistiaid Calfinaidd yn America gan effaith yr Ail Ryfel Byd, yn enwedig wedi i'r wlad ymuno â'r ymladd ar ddiwedd 1941. Yng ngeiriau'r Parch. R. Arfon

Jones, Chicago, 'ychwanegu at ein hanawsterau a wnaeth y rhyfel, gan fod gweithio yn y ffactories a phethau eraill yn rhwystr i bobl fynychu'r addoldai'.[109] Yn 1943 datganodd ysgrifennydd Pwyllgor Cymry ar Wasgar y Cyfundeb yng Nghymru ei bryder fod 'y gwasgaru a ddigwydd ynglŷn â rhyfel' wedi gwanhau'r elfen Gymraeg 'sydd eisoes mewn enbydrwydd yno' a'i fod wedi derbyn cwynion 'eleni eto oherwydd gorfod Seisnigo ambell Eglwys Gymraeg'.[110] Wedi i heddwch ddychwelyd, cafwyd ychydig o adfywiad tebyg i'r hyn a brofwyd ar ôl y Rhyfel Byd Cyntaf, ond roedd yr ysgrifen ar y mur, a hynny mewn llythrennau bras. Yn y blynyddoedd nesaf gwelwyd tranc, i bob pwrpas, eglwysi'r Methodistiaid Calfinaidd yn America. Nid eglwysi'r Cyfundeb oedd yr unig eglwysi Cymreig i ddioddef, wrth gwrs. Yn syml iawn, fel y dywedodd y Parch. Rees T. Williams, gweinidog gyda'r Annibynwyr yn neheubarth Ohio yn Ionawr 1949 am eglwysi ei enwad ef: 'peidiodd ... i gyd â bod yn eglwysi Cymraeg a pheidiodd llawer ohonynt â bod o gwbl'.[111] Bellach roedd hi'n anoddach fyth i eglwysi Cymraeg ddod o hyd nid yn unig i weinidogion i ofalu am yr eglwysi ond hefyd i bregethwyr a fedrai gynnal oedfaon yn Gymraeg. Roedd gweinidogion da a llwyddiannus naill ai wedi marw neu wedi mynd at yr enwadau Americanaidd, y Presbyteriaid yn enwedig.[112] Fel y gwelwyd eisoes, o fewn llai na deng mlynedd ar ôl terfyniad yr Ail Ryfel Byd, diflannodd presenoldeb corfforol olaf yr enwad pan ddatgorfforwyd Henaduriaethau Cymreig Pennsylvania, Blue Earth a Wisconsin. Nid oes ystadegau ar gael i ddangos faint yn union o eglwysi'r Methodistiaid Calfinaidd oedd ar ôl erbyn hynny, er ei bod yn hysbys fod wyth o eglwysi, tair ohonynt dan ofal gweinidog, a chyfanswm o 1,063 o aelodau yn Henaduriaeth Blue Earth ar ddechrau'r 1950au ac yn Henaduriaeth Wisconsin, 16 o eglwysi, 12 ohonynt â gweinidog a 1,674 o aelodau.[113]

Fel a oedd yn wir drwy gydol y ganrif cafodd newidiadau cymdeithasol, daearyddol a demograffig pellgyrhaeddol ddylanwad andwyol ar hynt a helynt y Methodistiaid Calfinaidd yn ail hanner yr ugeinfed ganrif. Dylid nodi'n gyntaf batrymau ymfudo o Gymru, neu ddiffyg ymfudo, a bod yn gwbl gywir. Bu cyfnod newydd o ymfudo torfol o Gymru i Awstralia a Chanada o'r 1940au ymlaen, gan godi gobeithion crefyddwyr Cymreig yno y byddai'r newydd-ddyfodiaid yn cryfhau eu hachosion, a hyd yn oed yr iaith Gymraeg yn eu heglwysi. Ond er bod Cymry'n ymfudo i America ar ôl 1945, ni chafwyd llif sylweddol, ac o ganlyniad cafodd y prosesau o newid crefyddol, cymdeithasol, diwylliannol ac ieithyddol a oedd yn trawsffurfio'r elfen Gymreig yn y wlad eu hatgyfnerthu ymhellach. Yn syml, cynyddodd a chyflymodd y broses o Americaneiddio. I wneud pethau'n waeth o safbwynt yr eglwysi Cymreig, ymddengys nad oedd gan y newydd-ddyfodiaid o'r hen wlad lawer o sêl tuag at grefydd.[114] Effeithiwyd ar gynaliadwyedd yr achosion crefyddol Cymreig hefyd gan y mudo a gafwyd o ganol y dinasoedd i'r maestrefi. 'Pobl ar Wasgar ydym,' eglurodd y Parch. O. R. Williams, Philadelphia, gan dynnu ar ei brofiadau yn ei eglwys yntau.[115] O ganlyniad roedd hyd yn oed lleoliad rhai o'r addoldai yn ychwanegu at y broblem. Nid anhawster newydd mo hwnnw, ond fe'i dwysawyd yn ddirfawr yn sgil yr ad-drefnu dramatig a welwyd ym mhatrymau ymsefydlu yn y dinasoedd yn y cyfnod hwnnw. Deuai'n amlwg fod rhai aelodau'n cadw draw oherwydd y pellteroedd yr oedd rhaid iddynt deithio i fynychu'r oedfaon. Roedd natur wasgaredig yr aelodaeth nid yn unig yn amharu ar gryfder yr eglwysi ond hefyd yn creu trafferthion i'r gweinidogion, gan eu bod yn gorfod teithio'n bell ambell waith wrth ymweld ag aelodau yn eu cartrefi neu mewn ysbytai.[116]

Yn olaf, datblygiad allweddol arall a oedd ar waith ers diwedd y bedwaredd ganrif ar bymtheg ac a gyrhaeddodd ei benllanw yn y blynyddoedd wedi'r Ail Ryfel Byd oedd dirywiad crefydd ynghyd â chryfder a chynnydd seciwlareiddio. Clywid cwyn ar ôl cwyn gan yr eglwysi Cymreig am ddifaterwch y bobl ifanc yn arbennig; yng ngeiriau'r Parch. W. Arfon Jones yn 1940: 'Ofer yw sôn am yr ysgol Sul yn y prynhawn, gan na fyn y bobl yma i ddim aflonyddu ar ei "siesta", neu fynd yn yr "Auto-mobile" i'r wlad, ac ychydig a ddaw yn ôl erbyn oedfa'r hwyr.'[117] Profodd eglwysi prif ffrwd neu 'mainline' America ddirywiad arswydus. Collodd yr Eglwys Bresbyteraidd yn yr Unol Daleithiau 1.2 miliwn o aelodau rhwng 1966 a 1987, a gostyngodd aelodaeth yr United Methodist Church o 10.6 miliwn yn 1970 i lai na 9.2 miliwn yn 1986.[118] Mae'n bwysig pwysleisio bod yn yr Unol Daleithiau yn y cyfnod yn dilyn 1945 nifer o Gymry a phobl o dras Gymreig a oedd yn dal yn ffyddlon i'r achos ac i'w heglwysi. Oni bai am eu hymdrechion, eu dycnwch a'u gofal mae'n sicr y byddai'r eglwysi Cymreig wedi diflannu yn gynharach. Ond roedd y garfan hon o selogion yn lleihau bob blwyddyn.[119]

O dan bwysau'r newidiadau hyn, yn y pum mlynedd ar hugain ar ôl 1945 gwelwyd y gwasanaeth Cymraeg yn encilio o bron pob un o eglwysi'r Methodistiaid Calfinaidd a oedd yn dal i arddel yr iaith. Erbyn diwedd y 1940au ceid darpariaeth yn Gymraeg mewn ychydig o'r eglwysi yn Minnesota a Wisconsin ac yn eglwysi Los Angeles, Oakland, Hebron (Chicago), Detroit, Philadelphia, Dinas Efrog Newydd, Moreia (Utica), Granville, Rome a Poultney.[120] Bedair blynedd yn ddiweddarach nid oedd un oedfa Gymraeg ar ôl yn holl dalaith Pennsylvania, 'lle bu gynnau gant'.[121] Erbyn 1963, allan o'r cannoedd o eglwysi yn America a oedd yn darparu gwasanaeth Cymraeg ar ddechrau'r ugeinfed ganrif dim ond pump oedd ar ôl: Dinas Efrog Newydd, Detroit, Chicago, Los Angeles a Moreia.[122] Gan amlaf, er enghraifft, unwaith y mis y cynhelid oedfaon Cymraeg, ym Moreia, lle, yn ôl y gweinidog, y Parch. R. Glynne Lloyd, ni ellid disgwyl 'mwy na hanner cant i oedfa Gymraeg, erbyn hyn, na mwy nag ugain i gyfarfod gweddi neu Seiat'.[123] Ar ddiwedd y 1960au fe ymddengys y cynhelid gwasanaethau Cymraeg yn weddol gyson yn Los Angeles, Efrog Newydd, Detroit a Chicago, ac yn achlysurol yn Utica, Youngstown a Seattle. O'r 1970au ymlaen cafwyd adfywiad mewn gweithgarwch Cymreig yn yr Unol Daleithiau a diddordeb newydd mewn dysgu Cymraeg (gan gynnwys Cwrs Cymraeg, a drefnir gan Gymdeithas Madog), ond nid arweiniodd y datblygiadau hyn at ddadeni yn yr eglwysi Cymreig.[124] Fel yr ysgrifennodd y Parch. Ddr R. Lewis Jones yn 1979: 'There is not now a single Welsh church, belonging to any denomination in America, where the Welsh language is used, except on special occasions'.[125] Yn 1982, y flwyddyn olaf y bu Pwyllgor y Cymry ar Wasgar yn gohebu â'i gysylltiadau tramor, nodwyd yn ei adroddiad fod dosbarthiadau i ddysgu'r Gymraeg ar gynnydd, ond 'does yr un eglwys gyfan gwbl Gymraeg ar ôl erbyn hyn'.[126]

Er gwaethaf y gobeithion y byddai'r 'adenedigaeth' yn sicrhau dyfodol i'r eglwysi Cymreig, yn y pen draw collwyd yr achosion yn ogystal â'r iaith.[127] Yn y tri degawd ar ôl diwedd yr Ail Ryfel Byd, cyflymodd diflaniad eglwysi'r Methodistiaid Calfinaidd, wrth iddynt gau neu uno ag achosion y Presbyteriaid neu enwadau eraill ar raddfa ehangach nag a gafwyd yn gynharach yn y ganrif.[128] Bu i nifer fach o eglwysi'r 'Corff' ymuno ag eglwysi enwadau Cymreig eraill, er enghraifft Hebron (Chicago), a oedd yn parhau i gynnal oedfa yn Gymraeg bob nos Sul ar ddiwedd 1963.[129] Yn 1958, unwyd hi â'r South Side Welsh Congregational Church. Yna, yn 1976, symudodd o'i haddoldy ar Francisco Street i Des Plaines, Illinois, y tu allan i'r ddinas, gan ffurfio'r Hebron Welsh Westminster Presbyterian Church. Bwriad yr uno oedd sicrhau oedfa Gymraeg yn achlysurol.[130] Diddymwyd yr eglwys hon yn 1986.

Ond ymuno ag eglwysi Americanaidd a wnaeth y rhan fwyaf o eglwysi'r Methodistiaid Calfinaidd yn y cyfnod wedi'r Ail Ryfel Byd, ac mae rhai ohonynt wedi parhau'n weithgar hyd heddiw. Mae hanes Eglwys Bresbyteraidd Gymraeg Philadelphia, a sefydlwyd yn 1892, yn adlewyrchu'n gryf y rhesymau dros uno a rhai o'r heriau newydd yr oedd yn rhaid i'r eglwys hon a'i thebyg eu hwynebu yn ail hanner yr ugeinfed ganrif. Datblygai'r eglwys yn gyflym yn ail a thrydydd degawd yr ugeinfed ganrif i fod yn un o achosion cryfaf, pwysicaf a mwyaf llwyddiannus y Methodistiaid Calfinaidd yn America.[131] Bu dirywiad yn addoldy'r eglwys yn achos iddi ymuno ag Eglwys Girard Avenue yn 1945. Ar ddechrau'r 1950au roedd eglwys Philadelphia ymhlith dyrnaid o eglwysi Cymraeg America lle cynhelid gwasanaethau Cymraeg, ond ymddengys iddi ddod i ben erbyn diwedd y degawd.[132] Yn 1970 cyfunodd yr eglwys ag Arch Street Presbyterian Church am fod yr aelodaeth yn dirywio a heneiddio ac oherwydd y newid sylfaenol a gafwyd o gwmpas yr eglwys yn Girard Avenue, fel y dengys y disgrifiad canlynol gan un o'r aelodau yn 1976:

> the neighbourhood of the Church had reached the point where it was impossible and unsafe to conduct affairs in the evening and almost as bad during the day. The entire neighbourhood had become black, and although we attempted to reach out to our neighbours ... our type of worship did not appeal to them nor theirs to us.[133]

Mewn erthygl yn 1980, barnodd y Parch. Galbraith Todd, gweinidog Eglwys Arch Street y pryd hynny, fod y Cymry wedi bod yn elfen weithgar iawn yn yr eglwys ac yn rhan annatod ohoni yn y cyfnod er yr uno.[134] Mae 'Welsh Guild' yr eglwys wedi parhau i hybu gweithgarwch Cymreig yn yr eglwys ei hun ac yn y ddinas.

Os diflannodd nifer o eglwysi'r Methodistiaid Calfinaidd am eu bod wedi ymdoddi i eglwysi Americanaidd, tynged eraill oedd cyrraedd y sefyllfa lle'r oedd rhaid iddynt gau eu drysau. Dyna bennod olaf rhai achosion enwog a hanesyddol iawn, gan gynnwys Eglwys Bresbyteraidd Gymreig Minneapolis yn 1947, San Francisco yn 1961 a Detroit yn y 1970au.[135] Yn 1972 caeodd eglwys West 155th Street, Dinas Efrog Newydd; fe'i ffurfiwyd yn 1828 ac roedd felly'n un o eglwysi hynaf y Cyfundeb yn America.[136] Yn 1948 roedd yr eglwys yn parhau i gynnal oedfa Gymraeg bob bore Sul, gyda chyfartaledd o oddeutu 40 yn ei mynychu, tra oedd dros gant yn bresennol yn yr oedfa Saesneg yn yr hwyr. Cynhelid gwasanaethau Cymraeg yn weddol gyson yno ddechrau'r 1970au.[137] Mewn erthygl ar gau'r eglwys, eglura John Williams Hughes, Marian-glas, mai penderfyniad y gweinidog, y Parch. John M. Owen, yn wreiddiol o Dre-garth, sir Gaernarfon, i ymddeol ar ôl 22 mlynedd o wasanaeth a arweiniodd at ddirwyn yr achos i ben: '[It] forced the members to face up to the situation and decide to close the church – a decision all knew should have been taken years ago but which everyone was reluctant to instigate. It has not been an easy [decision] for them to make.'[138]

Ymddengys mai'r eglwys olaf i gau yn America â chysylltiadau uniongyrchol ganddi â'r Methodistiaid Calfinaidd oedd Capel Presbyteraidd Cymraeg Los Angeles. Daeth yr achos i ben yn Rhagfyr 2012, a hithau, yng ngeiriau W. Arvon Roberts, '[wedi] goroesi sawl daeargryn a therfysgoedd gwaedlyd a darodd ddinas Los Angeles am ganrif a mwy'.[139] Daeth diwedd y dydd i'r eglwys oherwydd diffyg cefnogaeth; dim ond tua deg o addolwyr oedd yn mynychu'r capel yn gyson. Er hynny, roedd y ffyddloniaid yn bwriadu parhau i ddefnyddio'r adeilad yn achlysurol. Unwaith eto, mae hanes unigol eglwys benodol yn enghraifft o brofiadau a oedd yn gyffredinol i hanes yr enwad ers yr Ail Ryfel Byd. Ymddengys nad oedd yr aelodau, oherwydd henaint, mor barod i deithio pellteroedd maith i fynd i'r eglwys tra oedd teuluoedd Cymreig eraill wedi gadael yr ardal. Yn ôl Dafydd Evans, un o selogion yr achos, ac a ymfudodd o Gymru yn 1964: 'Be' sydd ar goll yw Cymry ifanc sy'n dod i fyw i'r Unol Daleithiau. Maen nhw'n dweud nad oedden nhw'n mynd i'r capel yng Nghymru ac nad oedden nhw am ddechrau nawr.'[140]

Yn y blynyddoedd ar ôl 1918, felly, bu'n rhaid i'r Methodistiaid Calfinaidd yn America ymdopi ag amgylchiadau hynod anffafriol na lwyddasant yn y pen draw i'w gorchfygu. Diflannodd yr enwad fel cymuned ffydd ar wahân, ac aeth ei heglwysi i ddifancoll, er i etifeddiaeth llawer iawn ohonynt barhau mewn eglwysi Americanaidd ar draws y wlad. Bu sawl ffactor yn gyfrifol am y dirywiad hwn: patrymau ymfudo a demograffig, cymathiad y Cymry â hunaniaeth Americanaidd eu disgynyddion, a thwf seciwlariaeth oedd y mwyaf dirdynnol ohonynt. Ond nid yn yr Unol Daleithiau yn unig y suddwyd yr enwad gan y stormydd a grëwyd gan y grymoedd hyn. Fel y gwelwn, er y perthyn rhai elfennau unigryw i hanes y Methodistiaid Calfinaidd mewn mannau tramor eraill yn yr ugeinfed ganrif, eto i gyd yr un stori, i raddau helaeth, a gafwyd yn y gwledydd hynny. Mae ystyried hanes y 'Corff' yn Awstralia a Chanada ochr yn ochr ag America yn cyfoethogi ein dealltwriaeth o'i hanfodion rhyngwladol yn y cyfnod hwn.

Awstralia

'Nac anghofier Eglwysi Cymraeg Awstralia pan yn ysgrifennu hanes cyflawn ein henwad', oedd gorchymyn yr Athro J. Oliver Stephens, athro yn y Coleg Presbyteraidd, Caerfyrddin, yn 1931.[141] Agwedd bwysig ar hanes rhyngwladol y Methodistiaid Calfinaidd yn y bedwaredd ganrif ar bymtheg yw'r blodeuo a fu yn yr hyn a oedd gynt yn drefedigaeth Victoria, Awstralia, yn sgil y rhuthr am aur ar ôl 1851, a thwf aruthrol y gymuned Gymreig yno. Fel a oedd yn wir mewn llawer gwlad arall, yr oedd darganfod aur yn ysgogiad hollbwysig i'r ymfudo o Gymru i Victoria ac i Awstralia'n gyffredinol. Cynyddodd nifer y Cymry a drigai yn Victoria o 377 yn 1851 i uchafswm o 6,614 yn 1871. Ymgartrefodd llawer ohonynt yn Melbourne, ond i'r meysydd aur eu hunain yr aeth y mwyafrif. Yno, cynullodd y boblogaeth Gymreig yn gyflym iawn mewn trefydd newydd fel Bendigo, Castlemaine ac ardal Ballarat a Sebastopol, lle yr honnwyd bod tua 2,000 o Gymry erbyn tua 1860. Y sefydliadau hyn a ddaeth yn ganolbwynt bywyd crefyddol a diwylliannol Cymraeg yn Awstralia. Roedd 15 eglwys Gymraeg yn Victoria erbyn y 1860au cynnar. Ymhen ychydig flynyddoedd ymddengys fod 21 ohonynt, ac efallai cynifer ag 11 ohonynt yn perthyn i'r Methodistiaid Calfinaidd.[142] Ym mis Gorffennaf 1863, yn Sebastopol, sefydlwyd Cymanfa i'r enwad hwnnw pan grëwyd Trefnyddion Calfinaidd Victoria, neu Gymanfa Henaduriaid Cymreig Victoria, a rhoi iddi ei henw swyddogol.[143] Bu tipyn o drafod ac anghytuno yn 1867–8 ynglŷn ag enw swyddogol y Gymanfa cyn i'r unfed Gymanfa ar ddeg yn 1868 benderfynu: 'fod i'r Cyfundeb barhau i ymgyfenwi ar yr enw Henaduriaid Cymreig (Welsh Presbyterians)'.[144] Rhan annatod o weithgarwch yr enwad yn y drefedigaeth oedd y cyfnodolion, sef *Yr Australydd*, a gyhoeddwyd rhwng 1866 ac 1872, a'r *Ymwelydd*, 1874–6, a sefydlwyd ac a noddwyd gan y Gymanfa drwy gydol eu hoes.[145] Am ychydig o flynyddoedd yn unig y ffynnodd y rhan fwyaf o achosion y Methodistiaid Calfinaidd yn Victoria, ac erbyn diwedd y ganrif gwasanaethau Saesneg yn unig a geid yn arferol.

Ar ddiwedd y Rhyfel Byd Cyntaf nid oedd ond pedair eglwys yn perthyn i Gymanfa'r Methodistiaid Calfinaidd yn Awstralia: Melbourne, Williamstown, Ballarat a Charmel, Sebastopol. Dim ond yn Melbourne y cynhelid gwasanaethau Cymraeg yn gyson. Eglwys wan iawn oedd Ballarat erbyn hynny ac fe ddaeth i ben erbyn y 1930au. Sefydlwyd Eglwys y Methodistiaid Calfinaidd yn Williamstown, porthladd bach ger Melbourne, yn 1865. Codwyd yr addoldy cyntaf yn 1869 ac fe agorwyd un newydd yn 1886. Disgrifiwyd cyflwr eglwys Williamstown yn 1960 yn 'wan iawn', ac roedd wedi cau erbyn 1973. Gwerthwyd yr adeilad gan y Gymanfa ac fe'i dymchwelwyd.[146] Mae Eglwys Carmel yn Sebastopol, sydd heddiw yn rhan o Ballarat, yn dal i fodoli, er nad yw mor gryf â'i chwaer eglwys ym Melbourne. Ffurfiwyd yr achos yn Sebastopol yn y 1850au, ac agorwyd y capel presennol yn 1866.[147]

Ers y 1880au ni fu eglwysi eraill y Gymanfa yn Victoria mor llewyrchus ag Eglwys Gymraeg Melbourne. Mae'r eglwys enwog a phwysig hon wedi bod yn ganolbwynt i fywyd crefyddol, cymdeithasol a diwylliannol y Cymry yn y ddinas am dros 160 o flynyddoedd, ac yn arbennig felly wedi iddi adeiladu Neuadd Dewi Sant yn estyniad i'r addoldy presennol yn y 1890au.[148] Mae gwreiddiau'r achos yn mynd yn ôl i Ragfyr 1852, pan gynhaliwyd gwasanaeth Cymraeg ac y traddodwyd pregeth Gymraeg am y tro cyntaf yn nhrefedigaeth Victoria. Eglwys gymysg o ran ei henwad oedd hi ar y dechrau ond ym mis Gorffennaf 1853 penderfynwyd ymrwymo i'r Methodistiaid Calfinaidd a chynnal oedfaon yn ystafell ysgol yr Eglwys Albanaidd. O 1849 ymlaen gwnaethpwyd sawl cais i'r llywodraeth drefedigaethol am rodd o dir er mwyn i'r Cymry adeiladu capel arno, a buont yn llwyddiannus ym mis Mai 1854. Mae perchen y tir hwn wedi rhoi sail ariannol gadarn i'r eglwys, ac i'r Gymanfa, dros y blynyddoedd ac yn ffactor allweddol yn ei llwyddiant i oroesi. Bu bron i'r achos chwalu yn y 1860au ond achubwyd y dydd gan y Parch. William Meirion Evans, a fagwyd yn Llanfrothen, Meirionnydd, arweinydd disgleiriaf y Methodistiaid Calfinaidd yn Awstralia ac arweinydd pwysicaf gweithgarwch diwylliannol y Cymry yno yn ail hanner y bedwaredd ganrif ar bymtheg.[149] Trwy ei ymdrechion a'i ddyfalwch diflino ef, yn anad neb, ailsefydlwyd yr achos ym Melbourne, ac ar ddiwedd y flwyddyn 1872 agorwyd yr addoldy hardd presennol.

Deuai'r ugeinfed ganrif â chyfnodau o lewyrch ac amseroedd blin i'r eglwys ond mae hi wedi parhau i ledaenu Gair Duw yng nghanol y ddinas hyd heddiw. Llwyddodd yr achos i gael bendith penodi gweinidogion sefydlog am gyfnodau helaeth. Yn eu plith yr oedd y Parch. R. Caradog Hughes, o Hen Golwyn yn wreiddiol, a fu'n weinidog ar yr eglwys o 1936 hyd 1962, a'r Parch. John D. Griffiths (1967–78, 1981–4), brodor o Edern, Pen Llŷn.[150] Mae'r eglwys yn dal i gynnal oedfaon Cymraeg yn rheolaidd, ar hyn o bryd ddwywaith y mis ar brynhawn Sul, ac i gadw at ei thraddodiad o gael o leiaf un gweinidog a fedrai'r Gymraeg. Erbyn heddiw mae ei haelodaeth wedi ei gwasgaru dros bellteroedd ar draws y ddinas. Er hynny, mae'r eglwys wedi aros yn ffyddlon i'w safle yng nghanol y ddinas ac yn chwarae rhan bwysig yng ngweithgarwch Cristnogol amlenwadol Melbourne. Yn 1988 trefnodd yr eglwys 'y Gymanfa Ganu fwyaf a gynhaliwyd yn Awstralia erioed'. Cynhelir Cymanfa ynddi bob chwarter, ac un arbennig ar ddydd gŵyl Dewi sydd yn un o uchafbwyntiau bywyd diwylliannol Cymry Awstralia.[151] Y gweinidogion presennol yw'r Parch. Siôn Gough Hughes (a sefydlwyd yn 2000) a'r Parch. Jim Barr (2010). Ymunodd Peter Whitefield a'r tîm gweinidogaethol fel 'Presence Worker' yn 2014. Mae'r Gymanfa yn Victoria wedi parhau'n ffyddlon hefyd i'r enw 'Methodistiaid Calfinaidd' ac i'w hunaniaeth a'i hannibyniaeth yn gymuned grefyddol ymreolaethol. Mewn gwrthgyferbyniad trawiadol i hanes yr eglwysi Cymreig yn yr Unol Daleithiau a Chanada mae'r Gymanfa hon wedi gwrthod ymuno ag eglwysi Protestannaidd unedig, gan gynnwys yr Uniting Church in Australia, a grëwyd yn 1979.

Ffurfiodd y Methodistiaid Calfinaidd eu hachosion eu hunain neu roeddent yn rhan o eglwysi unedig Cymreig mewn sawl man arall yn Awstralia. Mae dwy enghraifft nodedig yn yr ail gategori yn dal i fodoli heddiw, sef Eglwys Unedig Gymreig Blackstone yn Queensland (a ffurfiwyd yn 1883), ac Eglwys Rydd Gymreig Gorllewin Awstralia, yn Perth (1905).[152] Yn y bedwaredd ganrif ar bymtheg sefydlwyd eglwysi Methodistaidd Calfinaidd byrhoedlog yn Gympie, ym meysydd aur Queensland, yn 1869 ac yn ardal lofaol Newcastle tua'r un cyfnod.[153] Yr eithriad nodedig i'r patrwm cyffredinol hwn oedd Eglwys Bresbyteraidd Gymraeg Sydney. Cafwyd sawl ymdrech i sefydlu gwasanaethau Cymraeg rheolaidd yn y ddinas ac i ffurfio eglwys wedi i'r Cymry yno gydaddoli am y tro cyntaf yn 1869. Ond yn nisgrifiad lliwgar Myfi Williams, 'parhau'n ddiadell ddigorlan a wnaeth y Cymry, a diadell bur egwan a gwasgaredig'.[154] Bu'r eglwys ar grwydr hyd at 1948 pan roddwyd capel Chalmers Street iddi gan Eglwys Bresbyteraidd Awstralia, datblygiad a fu'n hwb mawr i'r eglwys.[155] Ar ddiwedd y 1950au roedd gan yr eglwys tua 110 o aelodau a llawer mwy o wrandawyr. Yn ôl Hugh Evans, asgwrn cefn yr eglwys ac un a fu'n flaenllaw ym mhob agwedd ar fywyd y Cymry yn y ddinas am ddegawdau hyd ddiwedd y 1970au, roedd yr achos 'mor Gymreigaidd ag y gellir disgwyl mewn gwlad estron'.[156] Yn y 1960au Eglwys Sydney oedd yr unig achos yn Awstralia i gynnal gwasanaeth Cymraeg bob dydd Sul.[157] Ond erbyn diwedd y 1970au roedd rhif yr aelodaeth wedi lleihau i tua 30. Terfynwyd yr achos yn Sydney yn y 1990au neu'n gynnar yn negawd cyntaf yr ugeinfed ganrif.

Canada

Roedd Methodistiaid Calfinaidd yn rhan o gynulliadau crefyddol mewn sawl man yng Nghanada yn ystod y bedwaredd ganrif ar bymtheg. Ond ffrwyth yr ymfudo sylweddol o Gymru o ddiwedd y ganrif honno ymlaen oedd tua hanner dwsin o eglwysi a sefydlwyd yno gan yr enwad. Dyma'r *Blwyddiadur* yn datgan yn 1912: 'diau mai i Ganada y mae llif ymfudiaeth ein cydgenedl yn myned y blynyddoedd hyn', gan nodi fod 1,500 o bosibl wedi mudo o Gymru yno yn 1909 a thua 3,000 yn 1910.[158] Ffurfiwyd eglwysi yn rhai o ddinasoedd mwyaf y wlad ac ar y tiroedd amaethyddol yn y gorllewin a oedd newydd gael eu hagor gan y llywodraeth yn y cyfnod hwn.[159] Cafodd eu harloeswyr eu dylanwadu gan ysbryd Diwygiad 1904–05 yng Nghymru i gynnal cyfarfodydd crefyddol Cymraeg wedi iddynt ymadael â Chymru. Fel y crybwyllwyd eisoes, roedd cysylltiadau agos rhwng eglwysi'r enwad yng Nghanada yn eu blynyddoedd cynnar a'r Cyfundeb yn America. Yn 1914 eglwysi Canada oedd rhai o achosion Cymraeg ieuengaf y 'Corff' ledled y byd, ac roeddent ymhlith yr achosion a brofai'r cynnydd mwyaf yn y Cyfundeb yn America yn nau ddegawd cyntaf yr ugeinfed ganrif. Er hynny, fel eu chwiorydd yn yr Unol Daleithiau, cafodd y Rhyfel Byd Cyntaf ac yna Ddirwasgiad Mawr y 1930au effaith difrifol arnynt.[160] Ac fel eu chwiorydd dros y ffin, ar y cyfan, troi i'r Saesneg, dirywio, ac yna cau neu gyfuno ag enwadau eraill fu eu hanes yn y blynyddoedd rhwng y rhyfeloedd byd. Erbyn 1939 roedd sawl un ohonynt wedi diflannu o fap y byd Methodistaidd Calfinaidd.

Ar ddiwedd y Rhyfel Byd Cyntaf, roedd gan y Methodistiaid Calfinaidd o leiaf chwe achos yn ninasoedd mawr dwyrain a gorllewin Canada.[161] Ffurfiwyd Eglwys Gymraeg Salem, Montreal, ar droad yr ugeinfed ganrif, o dan arweiniad eglwys Moreia, Utica.[162] Ar ddiwedd y 1930au, yn wahanol iawn i gyflwr y rhan fwyaf o'r eglwysi Cymraeg yng Nghanada ar y pryd, roedd Salem yn weddol gryf, gyda 50 o aelodau a gweinidog sefydlog. Roedd hefyd yn dal i gynnal gwasanaethau Cymraeg bob nos Sul, gydag oedfa Saesneg ar brynhawn y trydydd Sul yn y mis.[163] Ond dirywiodd yr achos yn y blynyddoedd a ddilynodd. Roedd yr Athro D. Hughes Parry yn bresennol mewn gwasanaeth yno ym Mawrth 1948; roedd y bregeth a'r unawd yn Saesneg ond Cymraeg oedd iaith y darlleniadau a'r emynau. Gan amlygu ffaith ganolog oedd yn gyffredin i'r rhan fwyaf o eglwysi'r Hen Gorff dramor ar ôl yr Ail Ryfel Byd, nododd Hughes Parry fod llawer o gymysgedd yn y cynulliad a bod rhai yno wedi teithio pellter maith i fynychu'r oedfa.[164]

Ffurfiwyd achosion Methodistaidd Calfinaidd Cymraeg yn Edmonton, Calgary a Winnipeg.[165] Yn 1913 cofnodwyd fod eglwys Winnipeg yn 'eglwys gref a bywiog o Gymry gwladgarol', ac fel oedd yn wir am nifer fawr o eglwysi Cymreig tramor, hon oedd canolfan a phrif feithrinfa gweithgarwch diwylliannol y Cymry yn y ddinas.[166] Roedd gan yr eglwys 200 o aelodau a 300 ar gyfartaledd yn mynychu oedfaon y Sul yr adeg honno.[167] Ond er ei chryfder cynnar ni lwyddodd yr eglwys i godi ei haddoldy ei hun. Erbyn diwedd y 1920au roedd y tair eglwys wedi dod i ben, i bob pwrpas, er iddynt barhau i gynnal oedfaon yn achlysurol yn rhai o'r lleoedd hyn.[168] Ond atgyfodwyd eglwys Gymreig Winnipeg yn ail hanner y ganrif. Ailagorodd yn y 1950au cynnar, a chaewyd ei drysau, ymhen hir a hwyr, yn y 1970au.[169]

Dwy o fröydd Cymreiciaf Canada yn negawdau cyntaf yr ugeinfed ganrif oedd y sefydliadau amaethyddol yn Wood River, ger Ponoka, yn nhalaith Alberta, a Bangor, Glyndŵr a Llewelyn, ger Saltcoats, Saskatchewan. Bu'r Methodistiaid Calfinaidd yn weithgar iawn yn y ddwy ardal ac mae ei hanes yno unwaith eto'n amlygu'r patrymau disgwyliedig. Tyfodd presenoldeb y Cymry yn Wood River a Ponoka, nid yn unig oherwydd mewnfudo uniongyrchol o'r Hen Wlad ond yn fwy penodol oherwydd i deuluoedd a oedd wedi ymgartrefu'n wreiddiol yn nhaleithiau Minnesota, Nebraska a Wisconsin, ymhlith eraill, symud yno rhwng 1900 a 1902.[170] Calon y cymunedau Cymreig a sefydlwyd ym Mangor, Glyndŵr a Llewelyn, oedd tua 250 o Gymry o'r Wladfa Gymreig ym Mhatagonia a ailfudodd yno yn 1902.[171] Cofrestrwyd Eglwys Fethodistaidd Galfinaidd Gymreig Magic (Wood River), yr eglwys Gymraeg gyntaf yn yr ardal, ym mis

Gorffennaf 1905.[172] Yn 1916, pan oedd gan yr eglwys 30 o aelodau, adeiladwyd addoldy newydd, ac ailenwyd yr eglwys yn Seion.[173] Ffurfiwyd ym Mangor a Llewelyn ddau achos a berthynai i'r 'Corff'.[174] Ymddengys mai Methodistiaid Calfinaidd oedd y mwyafrif o'r Cymry a ymsefydlodd yn Llewelyn. Ffurfiwyd eglwys Bethel yno yn 1904 ac ymunwyd â'r enwad y flwyddyn ganlynol. Cysegrwyd ei haddoldy yn 1910. Sefydlwyd Eglwys Fethodistaidd Galfinaidd Seion ym Mangor yn 1911, ac adeiladwyd capel yno ar ei chyfer. Rhif yr aelodaeth yn eglwysi Llewelyn a Bangor yn 1916 oedd 67 a 64.[175]

Am flynyddoedd bu eglwysi'r Methodistiaid Calfinaidd ym Mangor, Llewelyn a Wood River yn perthyn i'r Cyfundeb yn America; yn wir, roeddent yn dibynnu'n sylweddol ar y corff hwnnw. Wedi i'r Cyfundeb hwnnw ymuno â'r Eglwys Bresbyteraidd yn America yn 1920, arhosodd yr eglwysi hyn, ynghyd â'r achosion yn Calgary, Edmonton a Winnipeg, gyda'r enwad Americanaidd, gan ffurfio Cyfarfod Dosbarth (neu Henuriaeth) Gorllewin Canada yng Nghymanfa Minnesota.[176] Ymunodd Seion, Bangor a Bethel, Llewelyn a Wood River ag Eglwys Unedig Canada yng nghanol y 1930au.[177] Dilynwyd hwy gan Seion, Wood River, yn 1939.[178] Cafwyd trawsffurfiadau sylfaenol eraill yn y blynyddoedd rhwng y rhyfeloedd. Fel a oedd yn wir am yr eglwysi Cymraeg yn ardaloedd gwledig yr Unol Daleithiau yn yr un cyfnod, yn groes i'r disgwyl ni ddaeth lefelau mewnfudo o Gymru yn agos at yr hyn oeddent cyn 1914. I'r gwrthwyneb, colli poblogaeth oedd y profiad cyffredinol. Er mor Gymreigaidd oedd yr ardaloedd hyn ar y dechrau, erbyn diwedd y 1930au Saesneg oedd unig iaith yr addoliad, a dim ond yn achlysurol iawn y cynhelid gwasanaethau Cymraeg.[179] Yn 1929 dychwelodd un o hen sefydlwyr Bangor i'r ardal am y tro cyntaf ac fe'i synnwyd gan nifer y bobl oedd naill ai wedi marw neu symud i ffwrdd yn y cyfamser. Ond hwn oedd y cyfnewidiad 'mwyaf torcalonnus', yn ei farn ef: 'Pymtheg neu ugain mlynedd yn ôl yr oedd yr ardal bron yn Gymreig i gyd, ond lle gynt chwaraeai plant Cymreig ar dyddynnod ac yn parablu'r hen fam iaith mor swynol, fe geir heddiw dramorwyr a phlant yn siarad rhyw iaith ddyeithr hynod … [Ni] fydd yma un teulu Cymreig yn mhen ugain mlynedd arall ac y bydd yr hen iaith wedi marw … cyn hynny.'[180]

Yr eglwys Gymreig fwyaf llwyddiannus yng Nghanada yw Eglwys Unedig Gymraeg Dewi Sant, Toronto, a sefydlwyd yn 1909 ac sydd wedi parhau i efengylu hyd heddiw.[181] Hon yw'r unig eglwys Gymreig sydd ar ôl yng Nghanada. Mae hi wedi bod yn eglwys unedig ers blynyddoedd erbyn hyn, ond, a defnyddio geiriau *Y Cyfaill* yn 1931, 'plentyn ein Cyfundeb ni ydyw, a meithrinwyd hi gennym am flynyddoedd lawer'.[182] Ymgorfforwyd Dewi Sant fel eglwys y Methodistiaid Calfinaidd yn 1909. Bu cymorth ariannol y Cyfundeb yn yr Unol Daleithiau yn allweddol i'r twf sylweddol a gafwyd yn yr eglwys yn ail ddegawd yr ugeinfed ganrif – erbyn 1912 roedd 128 o gymunwyr – ac i alluogi'r achos i brynu eglwys fawr y Christian Workers ar Clinton Street yn 1915, oherwydd yr angen am ragor o le.[183] Wedi i'r Cyfundeb yn yr Unol Daleithiau uno â'r Eglwys Bresbyteraidd yn 1920, roedd rhai o aelodau Dewi Sant o blaid aros gyda'r Presbyteriaid Cymreig yn America, yn gydnabyddiaeth o haelioni'r corff hwnnw tuag at yr eglwys. Pleidleisiwyd i ymuno ag Eglwys Unedig Canada yn 1927, gan achosi i sawl un a oedd yn erbyn y newid ymadael.[184] Yn ystod y 1920au ac eto yn y 1950au a'r 1960au, atgyfnerthwyd yr eglwys gan ymfudo newydd o Gymru. Fel y nododd *Y Cyfaill* yn Ebrill 1928, roedd y llif a gafwyd yn y cyfnod hwnnw yn wrthgyferbyniad llwyr i brofiad y Cymry yn America: 'Ar hyn o bryd, tra peidiodd y llanw ymfudol i gyfeiriad y Taleithiau, daw llawer iawn o Gymry i Ganada, ac ymsefydla lliaws ohonynt yn Toronto'.[185] Tua diwedd y 1930au rhif yr aelodaeth yn eglwys Dewi Sant oedd 150, ac roedd tua 80 yn mynychu'r oedfaon yn achlysurol.[186]

Cyrhaeddodd eglwys Dewi Sant ei hanterth yn y degawdau ar ôl yr Ail Ryfel Byd. 'Yr eglwys Gymraeg gryfaf ar gyfandir Amerig erbyn hyn' oedd barn y Parch. J. R. Owen, Ohio, am yr eglwys yn *Y Blwyddiadur* yn 1969.[187] Rhif yr aelodaeth tua'r adeg honno oedd 307.[188] Gellir priodoli'r blodeuo a gafwyd i lwyddiant yr achos i sicrhau gweinidogion sefydlog ar ôl bod heb fugail yn ystod 1936–46, yn eu plith y Parch. J. Humphreys Jones, a aned yn Amlwch, Môn, un o'r unigolion pwysicaf yn hanes yr eglwys.[189] Yn y blynyddoedd yn dilyn 1945 cafwyd hefyd adleisiau cryf o'r prosesau oedd ar waith yn yr eglwysi Cymraeg dros y ffin yn yr Unol Daleithiau. Erbyn y

1950au roedd llawer o aelodau eglwys Dewi Sant wedi symud i'r maestrefi. Oherwydd hynny, pan ddaeth yn amlwg nad oedd yr hen addoldy yn ddigonol i gyfarfod â gofynion yr eglwys, o dan arweinyddiaeth y Parch. J Humphreys Jones, penderfynwyd adeiladu capel newydd moethus a thrawiadol ar Melrose Avenue.[190] Yn ogystal, bu newid mawr ym mhroffil ieithyddol yr eglwys. Crebachodd y nifer a fedrai'r Gymraeg a lleihawyd y ddarpariaeth yn yr iaith honno gam wrth gam yn ystod ail hanner yr ugeinfed ganrif. Barnwyd yn 1979 fod yr elfen Gymraeg yn dal i fod 'yn weddol o fyw' yn yr eglwys a bod dosbarthiadau dysgu Cymraeg yn cael eu cynnal a bod cynnydd yn y diddordeb mewn pethau Cymraeg.[191] Cofnodwyd yn adroddiad blynyddol yr eglwys am 1988 wrth gyfeirio at bresenoldeb yn y gwasanaeth Cymraeg, ei fod 'in the main, encouraging ... But we do emphasise that more support through attendance by members is much needed and would be welcomed'.[192] Ond mae ymrwymiad cryf Dewi Sant at gadw'n ffyddlon i'r Gymraeg wedi dal yn gadarn ac mae'n un o'r nifer prin iawn, iawn o eglwysi Cymreig y tu allan i Gymru sydd yn dal i gynnal gwasanaethau yn yr iaith honno.

Tynnu'r llinynnau ynghyd

Yn 1918 roedd gan y Methodistiaid Calfinaidd bresenoldeb gweladwy mewn sawl gwlad, gyda nifer sylweddol o eglwysi, a rhai ohonynt yn darparu gwasanaeth yn Gymraeg. Ond edwinodd yr enwad yn ystod yr ugeinfed ganrif a dechrau'r unfed ganrif ar hugain. Heblaw am yr eithriadau nodedig a grybwyllwyd eisoes, aeth y rhan fwyaf o eglwysi'r 'Corff' i ddifancoll. Er hynny, mae'r enw 'Methodistiaid Calfinaidd' neu 'Bresbyteraidd Gymreig' yn parhau'n fyw, er enghraifft, yn y Gymanfa yn Victoria, Awstralia, a'i dwy eglwys, ac mae'n dra chalonogol nodi parhad gwasanaethau Cymraeg mewn nifer fechan o leoedd y tu allan i Gymru.

Gellir nodi sawl pwynt cyffredin i glymu amryw linynnau hanes y Methodistiaid Calfinaidd ar draws y byd at ei gilydd. Wrth gwrs, ceir amrywiaethau arwyddocaol rhwng yr eglwysi a'r gwledydd sy'n rhan o'r hanes, ac roedd gan bob un gynulleidfa ei nodweddion penodol. Ond rhaid pwysleisio hefyd rai tueddiadau byd-eang sydd yn nodweddu twf a thranc yr enwad yn y cyfnod dan sylw. Roedd llanw a thrai ymfudo o Gymru yn hanfodol bwysig, fel yr oedd symudiadau pobl o fewn y gwledydd ac o fewn y dinasoedd. Mae'r un peth yn wir am yr heriau tanseiliol y bu'n rhaid i'r enwad eu hwynebu yn yr ugeinfed ganrif, ac a arweiniodd yn y pen draw at ei dranc fel cymuned ffydd ar wahân. Roedd hynt a helynt yr eglwysi, gan gynnwys cwestiwn hollbwysig iaith yr addoliad, yn dibynnu'n helaeth ar symudiadau poblogaeth a demograffeg y grŵp ethnig Cymreig ynghyd ag agweddau'r ymfudwyr a'u disgynyddion tuag at Gymru, y gwledydd newydd a chrefydd. Effeithiwyd yn sylweddol ar eglwysi'r enwad gan ddigwyddiadau rhyngwladol megis y rhyfeloedd byd a dirwasgiad byd-eang y 1930au. Gwelir hefyd ôl dylanwad grymus ffactorau economaidd, cymdeithasol a chrefyddol yn y gwledydd mabwysiedig, yn eu plith seciwlareiddio a'r crebachu a gafwyd yn y niferoedd a oedd yn arddel daliadau crefyddol. Dyma'r Parch. R. Caradog Hughes, gweinidog Eglwys Gymraeg Melbourne, yn ofni yn *Y Blwyddiadur* yn 1960: 'y teledu yn gwneuthur cryn wahaniaeth i'r cynulliadau yn eglwysi Victoria erbyn hyn. Y mae gan y mwyafrif o'r aelodau daith hir iawn i ddyfod i'r capel a themtir y cyfryw i aros gartref i fwynhau gwasanaeth teledu.'[193]

Trwy gydol oes yr eglwysi y mae prinder gweinidogion wedi bod yn ffactor canolog i'w ffyniant neu i'w dirywiad. Roedd graddau'r diffyg yn amrywio – ymddengys iddo fod yn waeth ar y cyfan i gynulliadau crefyddol yn Awstralia, De Affrica a'r Wladfa[194] – ond roedd yn wir hefyd am yr Unol Daleithiau a Chanada. Gellir priodoli llwyddiant parhaol eglwysi Melbourne a Dewi Sant, Toronto, yn rhannol i'r ffaith eu bod wedi sicrhau gwasanaeth gweinidog sefydlog am gyfnodau estynedig yn eu hanes. Er hynny, mae'n wir iddynt hwythau gael trafferthion yn y cyswllt hwn o bryd i'w gilydd, a bu rhaid iddynt ymdrechu'n galed i sicrhau gweinidogion a phregethwyr cymwys, gan ddefnyddio Pwyllgor Cymry ar Wasgar y Cyfundeb yng Nghymru, pwyllgorau eraill ym Mhrydain a'r wasg yn achlysurol.[195] Tanlinellir pwysigrwydd a pharhad yr agwedd hon ar fywyd yr eglwysi Cymreig dramor gan brofiad diweddar Eglwys Dewi Sant, Toronto. Cyn iddynt benodi'r gweinidog presennol yn 2014 bu'r eglwys yn chwilio am dros dair blynedd am weinidog newydd a fedrai'r Gymraeg, 'even to the extent of "blitzing" the National Eisteddfod in 2012', yng ngeiriau Hefina Phillips.[196]

Themâu cyffredinol eraill yw'r cwynion am y diffyg cefnogaeth i'w hachosion gan eu cydwladwyr ac anghrefydd y mewnfudwyr newydd o'r famwlad, yn enwedig yn ail hanner yr ugeinfed ganrif, ac am y pellteroedd yr oedd yn rhaid i aelodau deithio i addoli. Gwelir effaith y rhain yn hanes yr eglwysi Cymraeg yn Awstralia, Canada, De Affrica, Lloegr a'r Unol Daleithiau, a cheir adlais ohonynt yn y Wladfa. Ar ddiwedd y 1960au a dechrau'r 1970au bu'r Parch J. D. Griffiths, Melbourne, yn pryderu sawl tro fod y rhan fwyaf o'r newydd-ddyfodiaid o Gymru nid unig yn ddifater ynglŷn â'r eglwys ond heb fod yn ymwybodol hyd yn oed o'i bodolaeth. Dyma ei grynhoad o'r sefyllfa yn 1969:

> Ein gofid mwyaf yw fod cymaint yn dod o'r Hen Wlad sydd eisoes wedi gadael capel ac eglwys, a gwaith anodd iawn yw eu cael i ail gychwyn. Yn nyddiau ein tadau, y capel oedd y lle cyntaf a geisient, ond heddiw, gwaetha'r modd, y capel yw'r lle olaf sydd arnynt ei eisiau. Llwyddwn weithiau i gael y newydd ddyfodiaid i ddod i'r Cysegr, a methu dro arall, dyma'n hanes.[197]

Yn y pen draw, er cryfed neu er gwanned y llif ymfudo o Gymru, erbyn ail hanner yr ugeinfed ganrif yr oedd cynaliadwyedd achosion y 'Corff' ar wasgar wedi ei danseilio'n sylweddol gan ddirywiad yr enwad yng Nghymru. Fel y nododd y Parch. J. D. Griffiths yn 1971, 'siom iddynt yno ydyw gorfod sylweddoli nad yw'r "Achos Mawr" mor flodeuog ag y bu ar hyd a lled Cymru'.[198]

Nid syndod felly, er mwyn iddynt oroesi, y bu'n rhaid i'r eglwysi Methodistaidd Calfinaidd eu haddasu eu hunain ac apelio nid yn unig at Gymry o enwadau eraill ond at y cyhoedd yn gyffredinol. 'Nid oes sôn am enwad mwyach', oedd argraff J. Oliver Stephens wrth ymweld ag eglwys Sydney yn 1928; 'y mae pawb o'r Cymry yno'n un'.[199] Hanner can mlynedd yn ddiweddarach, roedd y Parch. Ifor Rowlands o'r un farn am yr eglwys y bu'n weinidog arni yn ystod 1957–60. Er bod yr achos yn perthyn yn swyddogol i Eglwys Bresbyteraidd Awstralia, 'yn arferol yr oedd, ac y mae, ymhell o fod yn eglwys un enwad'. Roedd yr aelodaeth yn 'amrywiaeth hyglod' ac 'ymhlith aelodau'r swyddogaeth, yn fy nghyfnod i, yr oedd blaenoriaid a oedd gynt yn Bresbyteriaid, yn Anglicaniaid ac yn Annibynwyr (yn y mwyafrif) ... [nid] oedd ffiniau enwadaeth yn golygu dim oll iddynt'.[200] Ceir datganiadau tebyg gan yr eglwysi Cymreig ym Melbourne a Thoronto. Disgrifiwyd Eglwys Gymraeg Melbourne yn 1997 yn 'eglwys a sefydlwyd gan y Methodistiaid Calfinaidd ... ond sydd erbyn hyn yn cynnwys aelodau o bob math o gefndiroedd enwadol'.[201]

Yn olaf, rhaid tynnu sylw at un agwedd bwysig arall a oedd yn gyffredin i holl eglwysi'r enwad. 'It is certain that no history of our Church would be complete that did not mention the tremendous work done by women', ysgrifennodd y Parch. J. Humphreys Jones, gweinidog Eglwys Dewi Sant, yn 1957. Ceir datganiadau tebyg mewn rhychwant eang o ddogfennau eraill, gan gynnwys hanesion eglwysi unigol a ffynonellau gwreiddiol.[202] I'r Parch. J. Humphreys Jones, Cymdeithas y Chwiorydd ei eglwys oedd 'the workshop of the church'.[203] Un o nodweddion canolog hanes y 'Corff' yn yr ugeinfed ganrif yw ffyddlondeb a gweithgarwch chwiorydd y Methodistiaid Calfinaidd mewn amrywiol ffyrdd, a maint a phwysigrwydd amryfal gyfraniadau'r cymdeithasau a ffurfiwyd ganddynt. Nid y lleiaf o'u hymdrechion oedd casglu arian tuag at godi addoldai, clirio dyled a chefnogi elusennau neu ysbytai (fel yn achos y Queen Victoria Ladies' Auxiliary yn Eglwys Gymraeg Melbourne).[204] Disgrifiwyd eglwys Bethel, Llewelyn, Canada, fel 'a tree with the United Church Women at its roots'. Ffurfiwyd y gymdeithas honno (o dan yr enw Dorcas yn wreiddiol) yn 1910, y flwyddyn yr adeiladwyd Bethel, a bu'n gweithio'n ddiflino hyd at ei diddymiad yn 2000.[205] Er bod angen mwy o ymchwil ar yr elfen ddiddorol hon gellir dadlau bod Methodistiaeth Galfinaidd wedi cael ei benyweiddio yn ystod yr ugeinfed ganrif. Deuai'r trywydd hwn yn fwyfwy amlwg yn y diwylliant crefyddol yn America, yn Awstralia ac mewn mannau eraill fel yr âi'r ganrif rhagddi.[206]

Ond fel yng Nghymru, ni olygai hyn fod y drefn draddodiadol ynglŷn â safle a statws merched yn eglwysi'r enwad, ac yn y gwledydd yn gyffredinol, yn prysur ddiflannu, a bod y rhwystrau a oedd yn atal merched rhag bod yn weinidogion, yn swyddogion a blaenoriaid yn cael eu dymchwel yn hawdd. Fe fu newid, ond yn araf y digwyddodd. Gellir felly ystyried campau'r gwragedd yn yr enghreifftiau canlynol yn gerrig milltir pwysig yn hanes y Methodistiaid Calfinaidd dramor yn yr ugeinfed ganrif: Sybil Llewelyn yn 1932, y tro cyntaf i ferch fod yn Llywydd y Gymanfa yn Victoria; Christine Boomsma yn 1992, blaenor benywaidd cyntaf Eglwys Gymraeg Melbourne; a'r Parch. Anne Hepburn yn 2014, gweinidog newydd Dewi Sant, Toronto.[207] Tua 1918 roedd gan Eglwys Bresbyteraidd Gymreig San Francisco ddau flaenor benywaidd; yn y 1950au merched oedd y blaenoriaid i gyd ond un.[208]

I gloi, bu eglwysi'r Methodistiaid Calfinaidd dramor yn ddylanwadau pwerus ar fywyd crefyddol a chymdeithasol sawl ardal ledled y byd y tu allan i'r famwlad. Mae etifeddiaeth y 'Corff' yn amlwg hyd heddiw mewn cymanfaoedd canu ac mewn eglwysi unedig Cymreig neu achosion enwadau eraill, a ddechreuodd yn gynulliadau Methodistaidd Calfinaidd. Prif fwriad y bennod hon yw cyflwyno rhai agweddau ar y testun. Y gwir yw fod angen mwy o waith ymchwil ac astudiaethau penodol cyn y gellir llunio darlun llawn o gyfoeth ac arwyddocâd y dimensiwn rhyngwladol i hanes Methodistiaeth Galfinaidd.

1 Hugh Davies, *Hanes Cymanfa Dwyreinbarth Pennsylvania 1845–1896* (Utica, 1898), t. 1.
2 Emrys Jones, 'Yr Iaith Gymraeg yn Lloegr *c.*1800–1914', yn Geraint H. Jenkins (gol.), *Iaith Carreg fy Aelwyd* (Caerdydd, 1998), t. 238.
3 Am gyflwyniad i'r ymfudo, gw. Bill Jones, *'Raising the Wind': Emigrating from Wales to the USA in the Late Nineteenth and Early Twentieth Centuries* (Caerdydd, 2004); idem, 'Cymru, Patagonia ac Ymfudo', yn E. Wyn James a Bill Jones (goln), *Michael D. Jones a'i Wladfa Gymreig* (Llanrwst, 2009).
4 Am Lerpwl, gw. y bennod gan D. Ben Rees yn y gyfrol hon. Am Lundain, gw. Huw Edwards, *City Mission: The Story of London's Welsh Chapels* (Talybont, 2014); Rhidian Griffiths, 'The Lord's Song in a Strange Land', yn Emrys Jones (gol.), *The Welsh in London, 1500–2000* (Caerdydd, 2001), tt. 161–83; Gomer Morgan Roberts, *Y Ddinas Gadarn: Hanes Eglwys Jewin, Llundain* (Dinbych, 1974). Gw. hefyd David Jones, 'Ystadegaeth Cyfundeb y Methodistiaid Calfinaidd 1814–1914', yn *Hanes*, 3, tt. 494–633.

5 *Y Blwyddiadur*, 2015, t. 32; Edwards, *City Mission*, tt. 20, 345; Griffiths, 'The Lord's Song in a Strange Land', tt. 181–3.

6 Gw. LlGC, Casgliad y Greirfa [CMA] PZ3/1/1 Eglwys Gymreig Cape Town. Apel Cyffredinol; a'r adroddiadau perthnasol yn *Y Blwyddiadur*, e.e. 1905, t. 85; 1948, t. 76; 1977, t. 66.

7 LlGC, MS.18202 Cofnodlyfr Cyfarfod Misol M.C. y Wladfa, 1881–1925; Glyn Williams, *The Welsh in Patagonia: the State and the Ethnic Community* (Caerdydd, 1993), t. 100.

8 Am y genhadaeth, gw. Dafydd Andrew Jones, '"O Dywyllwch i Oleuni": Y Genhadaeth Gartref a Thramor', yn *Hanes*, 3, tt. 422–93.

9 Gw. LlGC, CMA 15645, 15736 James Evans, Melbourne, at Ellis Edwards, 24 Gorffennaf 1893; *Y Goleuad*, 1 Ebrill 1871, 5; 3 Mehefin 1871, 5; 2 Rhagfyr 1871, 5; 7 Tachwedd 1874, 8–9; 20 Rhagfyr 1884, 12–13; Bill Jones, *The Welsh Church: Religion, Society and the Welsh in Melbourne, 1840–1944* (Melbourne, 2017), i'w gyhoeddi. Ceir blas ar farn ddiflewyn-ar-dafod y Parch. William Meirion Evans, Melbourne, ar y mater hwn yn ei ddyddiadur am 1865, yn Eiflyn Peris Owen (gol.), 'Tair Wythnos yn Liverpool a Chymru', *Cylchgrawn*, 7 (1983), 43–52. Ceir llawysgrif trawsgrifiad Owen o'r cofnodion hyn yn LLGC, CMA H67/1.

10 Daniel Jenkins Williams, *One Hundred Years of Welsh Calvinistic Methodism in America* (Philadelphia, 1937).

11 Bill Jones, 'Cymry "Gwlad yr Aur": Ymfudwyr Cymreig yn Ballarat, Awstralia, yn ail hanner y bedwaredd ganrif ar bymtheg', *Llafur*, 8:2 (2001), 41–61; idem, 'Y Parchedig William Meirion Evans ac Achos y Methodistiaid Calfinaidd yn Victoria, Awstralia, yn Ail Hanner y Bedwaredd Ganrif ar Bymtheg', *Cylchgrawn*, 31 (2006, cyh. 2007), 122–52; idem, *The Welsh Church*; Robert Owen Jones, *Yr Efengyl yn y Wladfa* (Pen-y-bont ar Ogwr, 1987); Anne Kelly Knowles, *Calvinists Incorporated: Welsh Immigrants on Ohio's Industrial Frontier* (Chicago, 1997); Jay G. Williams III, *Songs of Praises: Welsh-rooted Churches Beyond Britain* (Clinton, Efrog Newydd, 1996); Myfi Williams, *Cymry Awstralia* (Llandybïe, 1983).

12 *Y Blwyddiadur*, 1912, t. 286.

13 Archifau Prifysgol Bangor, Bangor MS 10222 Hanes Dechreuad y Methodistiaid yn y Wladfa; Jones, *Yr Efengyl yn y Wladfa*, t. 12; Williams, *The Welsh in Patagonia*, tt. 97–100; CMA 27, 194. Correspondence from Patagonia 1871–1900, including accounts of the Calvinistic Methodists.

14 Williams, *The Welsh in Patagonia*, t. 99. Sefydlwyd Undeb Eglwysi Rhyddion y Wladfa yn 1903.

15 LlGC, CMA AZ2/2 Cylchlythyrau ac Adroddiadau Cymanfaol y Trefnyddion Calfinaidd 1893, t. 17. Gw. hefyd, Cylchlythyr ac Adroddiad 1891; *Y Blwyddiadur*, 1899, t. 11, 1982, t. 60.

16 Thomas E. Hughes et al, *Hanes Cymry Minnesota, Foreston a Lime Springs Iowa* (Mankato, Minnesota, 1895), t. 46.

17 Am yr hanes tan 1920, gw. Williams, *One Hundred Years of Welsh Calvinistic Methodism*.

18 *Y Cyfaill*, 82 (Tachwedd 1919), 417.
19 Y chwe chymanfa oedd Efrog Newydd a Vermont (sefydlwyd 1828), Ohio a Gorllewin Pennsylvania (1838), Wisconsin (1844), Pennsylvania (1845), Minnesota (1858) a'r Gorllewin (1882).
20 *Y Cyfaill*, 32 (Tachwedd 1869), 345–6; R. D. Thomas, *Hanes Cymry America* (Utica, 1872), Dosran C, t. 31. Am waith y byrddau hyn, y cylchgronau a chyhoeddiadau eraill, gw. Rhidian Griffiths, '"Dechrau Canu, Dechrau Canmol": Mawl y Cyfundeb', *Hanes*, 3, 271–304, a 297–9; Williams, *One Hundred Years of Welsh Calvinistic Methodism*, tt. 331–94.
21 *Y Drysorfa*, 136 (Ionawr 1966), 7. Codwyd Capel Penycaerau yn 1824.
22 Gw. T. Solomon Griffiths, *Hanes Methodistiaid Calfinaidd Utica, NY* (Utica, 1896). Tyfodd Swydd Oneida i fod yn un o ardaloedd mwyaf Cymraeg America, gydag Utica, gerllaw Remsen, yn ganolbwynt bywyd diwylliannol y Cymry ac yn ganolfan cyhoeddi cylchgronau a llyfrau Cymraeg.
23 Gw. LlGC, CMA PZ1/3 Cofnodion Eglwys Bresbyteraidd Oakland; PZ1/4 Church Register of the Welsh, later St David's, Presbyterian Church, San Francisco; *Y Goleuad*, 11 Medi 1914, 6.
24 Edward G. Hartmann, *Americans from Wales* (Boston, 1967), tt. 101, 118. Am y Bedyddwyr a'r Annibynwyr yn America, gw. ibid., tt. 113–18.
25 Thomas, *Hanes Cymry America*, Dosran C, t. 30.
26 *Y Goleuad*, 11 Medi 1914, 6. Aeth ymlaen i ddatgan mai 'yn Ohio y mae nefoedd yr Annibynwyr; ac yn Pennsylvania y mae nefoedd y Bedyddwyr, ond nad oes gan y Wesleyaid yr un nefoedd Gymreig yn America'.
27 Thomas, *Hanes Cymry America*, Dosran C, t. 20.
28 *Y Blwyddiadur*, 1905, t. 169.
29 *Y Cyfaill*, 87 (Mai 1924), 181.
30 *Y Cyfaill*, 91 (Ebrill 1928), 124; 94 (Mai 1931), 162.
31 *Y Cyfaill*, 96 (Tachwedd 1933), 375.
32 *Y Cyfaill*, 95 (Ebrill 1932), 130. Er hynny, dim ond wyth aelod a ymunodd â'r eglwys trwy docyn y flwyddyn honno, ffaith a ystyriwyd yn 'arwydd amlwg bod y dylifiad mawr a fu gynt i Utica wedi peidio'.
33 *Y Goleuad*, 11 Medi 1914, 6.
34 Williams, *One Hundred Years of Welsh Calvinistic Methodism*, tt. 410–11; *Y Blwyddiadur*, 1939, t. 80.
35 *Y Cyfaill*, 83 (Medi 1920), 354. Rhoddodd Cymanfa Gyffredinol y Cyfundeb yn Racine yn 1919 gymhelliad cryf i'r eglwysi i godi cyflogau gweinidogion, a nodwyd hefyd fod y Cyfundeb yng Nghymru 'o dan orfod i wneyd yr un peth.' *Y Cyfaill*, 82 (Rhagfyr 1919), 466.
36 Gw., e.e., *Y Cyfaill*, 83 (Mai 1920), 198; 84 (Ebrill 1921), 82; 88 (Medi 1925), 309; 91 (Ionawr 1928), 20.
37 *Y Cyfaill*, 96 (Gorffennaf 1933), 233.
38 Gw. y drafodaeth yn Aled Jones a Bill Jones, *Welsh Reflections: Y Drych and America, 1851–2001* (Llandysul, 2001), tt. 77–8, 103–16.
39 *Y Cyfaill*, 74 (Tachwedd 1911), 405–7.

40 *Y Cyfaill*, 95 (Ionawr 1932), 22.
41 *Y Cyfaill*, 81 (Mai 1918), 198; 82 (Chwefror 1919), 74; (Tachwedd 1919), 416; *Y Drych*, 22 Gorffennaf 1915, 2; 7 Gorffennaf 1921, 4.
42 *Y Cyfaill*, 91 (Ebrill 1928), 124.
43 *Y Cyfaill*, 82 (Awst 1919), 309.
44 Anthony J. Badger, *The New Deal: The Depression Years, 1933–1940* (Llundain, 1989), t. 18.
45 LlGC, Papurau J. Herbert Lewis A/539 E. Cynolwyn Pugh at Lewis, 15 Mai 1931.
46 LlGC, Papurau Bodfan Anwyl 1/786 Willie T. Jones at Bodfan Anwyl, 29 Ebrill 1931; *Y Cyfaill*, 95 (Ionawr 1932), 22.
47 *Y Cyfaill*, 94 (Ebrill 1931), 130.
48 *Y Cyfaill*, 96 (Mawrth 1933), 43–4, 88–9.
49 *Y Blwyddiadur*, 1940, t. 73.
50 *Y Cyfaill*, 80 (Rhagfyr 1917), 471.
51 *Y Cyfaill*, 83 (Mehefin 1920), 224, 230; 88 (Ionawr 1925), 25; 89 (Rhagfyr 1926), 431–2; 91 (Rhagfyr 1928), 422; 94 (Tachwedd 1931), 384; Sydney E. Ahlstrom, *A Religious History of the American People* (New Haven, 1972), tt. 870–2, 902–4, 925.
52 *Y Cyfaill*, 81 (Ionawr 1921), 36.
53 *Y Cyfaill*, 74 (Tachwedd 1911), 405–6, (Rhagfyr 1911), 447–51.
54 *Y Goleuad*, 11 Medi 1914, 6.
55 Gw. e.e. *Y Drych*, 2, 9, 16 Rhagfyr 1909.
56 Gw. Williams, *One Hundred Years of Welsh Calvinistic Methodism*, tt. 395–412; Davies, *Hanes Cymanfa Dwyreinbarth Pennsylvania*, tt. 56, 58–9, 112; Hartmann, *Americans from Wales*, tt. 122–3.
57 *Y Cyfaill*, 80 (Rhagfyr 1917), 474. Gw. hefyd *Y Cyfaill*, 81 (Ionawr 1918), 27; (Awst 1918), 319; 82 (Mawrth 1919), 96–8.
58 Williams, *One Hundred Years of Welsh Calvinistic Methodism*, tt. 405–6.
59 *Y Cyfaill*, 82 (Ebrill 1919), 159; (Hydref 1919), 388–90, 392; (Rhagfyr 1919), 466; 83 (Mai 1920), 197; 83 (Gorffennaf 1920), 257–9.
60 *Y Cyfaill*, 83 (Chwefror 1920), 48, 49. Gw. hefyd, *Y Cyfaill*, 84 (Mehefin 1921), 201, (Gorffennaf 1921), 243–4.
61 Williams, *One Hundred Years of Welsh Calvinistic Methodism*, tt. 410–11.
62 *Y Cyfaill*, 83 (Gorffennaf 1920), 265.
63 *Y Blwyddiadur*, 1960, t. 120.
64 Bradley J. Longfield, *The Presbyterian Controversy: Fundamentalists, Modernists and Moderates* (Efrog Newydd, 1993), t. 49.
65 Yng ngeiriau golygydd *Y Cyfaill*, 'dysgodd y rhyfel un wers bwysig iawn i'r enwadau crefyddol, sef yr angen am gydweithrediad ac undeb mewn ysbryd ac ymgais'. 84 (Mehefin 1921), 203–4.
66 *Y Cyfaill*, 82 (Mawrth 1919), 81–2; *Y Blwyddiadur*, 1960, t. 120.
67 *Y Cyfaill*, 82 (Mawrth 1919), 95–6.
68 *Y Cyfaill*, 81 (Awst 1918), 320; LlGC, Papurau Bodfan Anwyl, 1/791 Willie T. Jones, Slatington, at Bodfan Anwyl, 12 Mehefin 1934.
69 *Y Blwyddiadur*, 1938, t. 70.

70 *Y Cyfaill*, 82 (Ionawr 1919), 37; (Mawrth 1919), 85; LlGC, Papurau Bodfan Anwyl 1/791 Willie T. Jones, Slatington, at Bodfan Anwyl, 10 Awst 1931; *Y Blwyddiadur*, 1938, t. 70, (1940), tt. 73–4.
71 Gw. *Y Cyfaill*, 82 (Ionawr 1919), 37; (Tachwedd 1919), 406–11, 412–16.
72 *Y Cyfaill*, 82 (Mawrth 1919), 95.
73 *Y Cyfaill*, 82 (Ionawr 1919), 37.
74 Ibid.
75 Gw., e.e., erthygl gol. *Y Cyfaill*, 83 (Mai 1920), 197.
76 Dyma ddadl Edward Hartmann yn *Americans from Wales*, tt. 122–3.
77 *Y Cyfaill*, 88 (Tachwedd 1925), 363–7 (Rhagfyr 1925), 449; 89 (Ionawr 1926), 24; (Mai 1926), 179; (Gorffennaf 1926), 263; (Awst 1926), 297, 299.
78 *Y Cyfaill*, 85 (Mawrth 1922), 98.
79 *Y Cyfaill*, 88 (Tachwedd 1925), 363–7; (Rhagfyr 1925), 449; 89 (Ionawr 1926), 24; (Mai 1926), 179; (Gorffennaf 1926), 263; (Awst 1926), 297, 299.
80 *Y Cyfaill*, 95 (Gorffennaf 1932), 222.
81 LlGC, Papurau Bodfan Anwyl 1/791 Willie T. Jones, Slatington, at Bodfan Anwyl, 10 Awst 1931.
82 *Y Cyfaill*, 96 (Tachwedd 1933), 372.
83 *Y Cyfaill*, 96 (Ebrill 1933), 90–2.
84 *Y Blwyddiadur*, 1955, t. 163, (1958), t. 120; Hartmann, *Americans from Wales*, tt. 122–3.
85 Hartmann, *Americans from Wales*, tt. 122–3.
86 *Y Blwyddiadur*, 1938, t. 70.
87 *Y Blwyddiadur*, 1960, t. 232.
88 *Y Cyfaill*, 94 (Gorffennaf 1931), 231.
89 Y Parch. William Phillips MA, 'Detholion o Hunangofiant', *Y Drysorfa*, 129 (Rhagfyr 1959), 275–9, ar 278. Bu William Phillips yn America tan 1915. Ceir rhagor o'i atgofion am ei brofiadau yn America rhwng 1912 a 1915 yn *Y Drysorfa*, 130 (Ionawr 1960), 9–11; (Mawrth 1960), 63–7.
90 LlGC, Papurau Carneddog G1331, Ifan Morris Powell at Carneddog, 11 Rhagfyr 1934.
91 *Y Cyfaill*, 83 (Mawrth 1920), 115.
92 *Y Cyfaill*, 91 (Chwefror 1928), 51.
93 *Y Blwyddiadur*, 1951, t. 109.
94 R. Lewis Jones, *Cerdded y Lein* (Porthmadog, 1970), t. 105; *Y Drych*, Mawrth 1980, 2, 8; *Y Goleuad*, 10 Ebrill 1963, 2.
95 Jones, *Cerdded y Lein*, tt. 108–9.
96 LlGC, Papurau Carneddog G1964, T. C. Williams at Carneddog, 5 Rhagfyr 1937.
97 Gw. Jones a Jones, *Welsh Reflections*, yn arbennig tt. 103–16. Gw. hefyd Emrys Jones, 'Some aspects of cultural change in a Welsh-American community', *Traf. Cymmr.* (1952), 15–41.
98 *Y Drych*, 14 Mehefin 1928, 4.
99 *Y Cyfaill*, 94 (Gorffennaf 1931), 231.
100 Ibid.

101 Gw. e.e. LlGC, Papurau John W. Jones 2547 (1) Ellis Hughes at Glyn Myfyr, 1 Rhagfyr 1930; 2546, 2 Chwefror 1930; Papurau Carneddog, G1964, T. C. Williams at Carneddog, 5 Rhagfyr 1937.
102 Gw. barn y Parch. W. Arfon Jones yn *Y Blwyddiadur*, 1939, t. 80 a 1944, t. 9.
103 *Y Cyfaill*, 83 (Medi 1920), 354.
104 *Y Cyfaill*, 94 (Gorffennaf 1931), 231.
105 *Y Cyfaill*, 91 (Tachwedd 1928), 381.
106 LlGC, Papurau Bodfan Anwyl 1/788 Willie T. Jones at Bodfan Anwyl, 27 Mehefin 1932, 1/791, 12 Mehefin 1934.
107 *Y Cyfaill*, 91 (Gorffennaf 1931), 231.
108 *Y Blwyddiadur*, 1951, t. 109.
109 *Y Blwyddiadur*, 1946, t. 59. Gw. hefyd 1944, t. 49.
110 *Y Blwyddiadur*, 1943, t. 51. Er enghraifft, troes eglwys y Methodistiaid Calfinaidd yn Columbus, Wisconsin, yn llwyr i'r Saesneg yn ystod y rhyfel. *Y Blwyddiadur*, 1942, t. 34.
111 Dyfynnir geiriau'r Parch. Rees Williams yn E. Cynolwyn Puw, 'O'r Amerig', *Yr Enfys*, 1:2 (Ionawr 1949), 8. Erbyn y flwyddyn honno dim ond pum eglwys yn perthyn i'r Annibynwyr Cymreig oedd yn goroesi yn y rhan honno o'r wlad, a Saesneg oedd iaith pob un ohonynt.
112 *Y Blwyddiadur*, 1942, t. 34; 1946, t. 59.
113 *Y Blwyddiadur*, 1961, t. 109.
114 Gw. e.e. eiriau'r Parch. John R. Owen, Detroit, yn y *Blwyddiadur*, 1963, tt. 217–18.
115 *Y Blwyddiadur*, 1951, t. 109.
116 Gw. e.e. *Y Blwyddiadur*, 1942, t. 34; 1951, t. 109. Am enghraifft benodol, gw. LlGC Ex 481 William R. Jones, 'The History of the Church as presented on the 125th Anniversary', *The Welsh Presbyterian Church, New York, 1828–1953, 125th Anniversary* (Efrog Newydd, 1953), tt. 16–17.
117 *Y Blwyddiadur*, 1940, t. 74.
118 Longfield, *The Presbyterian Controversy*, t. 3.
119 *Y Blwyddiadur*, 1942, t. 34, 1951, t. 109. Gw. hefyd e.e. eiriau'r Parch. J. W. Jones, Conwy, yn datgan ei edmygedd at sêl a ffyddlondeb aelodau Eglwys Gymraeg Detroit, y bu'n dyst iddynt yn ystod ei ymweliad â'r eglwys yn 1959. Nododd fod llawer ohonynt 'yn dyfod milltiroedd o ffordd ar bob tywydd'. *Y Goleuad*, 3 Mehefin 1970, 4.
120 *Y Blwyddiadur*, 1951, t. 109; *Y Goleuad*, 11 Gorffennaf 1951, 3.
121 *Y Blwyddiadur*, 1955, t. 163.
122 *Y Blwyddiadur*, 1963, t. 218; *Y Drych*, 16 Medi 1959, t. 16; Rhagfyr 1963, t. 8.
123 *Y Blwyddiadur*, 1961, t. 236.
124 Gw. David Greenslade, *Welsh Fever: Welsh Activities in the United States and Canada Today* (Y Bont-faen, 1986); Jones a Jones, *Welsh Reflections*, tt. 102–3.
125 R. Lewis Jones, 'Incidents in a Fifty Year Ministry', *Yr Enfys*, 6 (Awst 1979), tt. 4, 7.

126 *Y Blwyddiadur*, 1982, t. 60.
127 *Y Cyfaill*, 83 (Medi 1920), 354.
128 *Y Blwyddiadur*, 1951, t. 109.
129 *Y Drych*, 16 Medi 1959, 16, Rhagfyr 1963, 8.
130 *Y Blwyddiadur*, 1976, t. 66; *Y Drych*, Chwefror 1978, 8.
131 Am hanes yr eglwys hon, gw. *Y Drych*, Tachwedd 1980, 1, 8; *Yr Enfys*, 110 (Mawrth–Ebrill 1976), 33–4. Cynyddodd yr aelodaeth o 116 yn 1911 i 307 yn 1920.
132 *Y Blwyddiadur*, 1942, t. 34; 1951, t. 109; *Y Drych*, 15 Medi 1959, 16, Rhagfyr 1963, t. 8; Tachwedd 1980, t. 8.
133 *Yr Enfys*, 110 (Mawrth–Ebrill 1976), 33–4.
134 *Y Drych*, Tachwedd 1980, 1, 8.
135 *Y Blwyddiadur*, 1975, t. 70; Williams, *Songs of Praises*, t. 273.
136 Am hanes yr eglwys, gw. *Y Cyfaill*, 80 (Chwefror 1917), t. 77; Jones, 'The History of the Church as presented on the 125th Anniversary', t. 22.
137 *Y Blwyddiadur*, 1971, t. 250; *Y Drych*, Rhagfyr 1963, 8; *Yr Enfys*, 1:2 (Ionawr 1949), 4–5.
138 John Williams Hughes, Marian-glas, 'Doors close on a little piece of Wales', *Yr Enfys*, 97 (Hydref–Tachwedd 1972), 11, 16. Mae'r erthygl werthfawr hon yn dweud cyfrolau am y newidiadau a'r datblygiadau a rwystrai goroesiad achosion y Methodistiaid Calfinaidd wedi'r Ail Ryfel Byd.
139 W. Arvon Roberts, 'Diffodd y Fflam yn Los Angeles', *Y Goleuad*, 20 Tachwedd 2012, 7.
140 Dafydd Evans, 'Capel Cymraeg Los Angeles Closing after 124 years', *Ninnau*, Ionawr–Chwefror 2013, 12–13. Gw. hefyd 'Capel Cymraeg yn cau yn Los Angeles', BBC Cymru Fyw, 29 Rhagfyr 2012, a Williams, *Songs of Praises*, tt. 272–3.
141 J. Oliver Stephens, 'Blwyddyn yn Awstralia (Y Bedwaredd Ysgrif)', *Y Dysgedydd*, 110 (1931), 186–90, ar 189.
142 Gw. Jones, 'Cymry Gwlad yr Aur'; idem, 'Y Parchedig William Meirion Evans ac Achos y Methodistiaid Calfinaidd yn Victoria'; Robert Llewellyn Tyler, *The Welsh in an Australian Gold Town, Ballarat, Victoria, 1850–1900* (Caerdydd, 2010); W. M. Evans, 'Trem ar agwedd crefydd ym mysg Cymry Victoria Awstralia', *Y Cyfaill,* 27 (Medi 1864), 276–8; J. Oliver Stephens, 'Henaduriaid Cymreig Awstralia', *Y Drysorfa*, 109 (Rhagfyr 1939), 447–52.
143 Archif Eglwys Gymraeg Melbourne, 'Gweithrediadau Cymanfäol Trefnyddion Calfinaidd, Neu Henaduriaid Cymreig Australia 1863–1901', Y Gymanfa Gyntaf, 24–26 Gorffennaf 1863, 'Memoir of the Rev. William Meirion Evans', 73, 84. Ceir llungopi o'r olaf yn LlGC, Ffacs 680.
144 Gweithrediadau'r 11fed Gymanfa, Sebastopol, 30, 31 Hydref a 1, 2 Tachwedd 1868.
145 Gw. Jones a Jones, 'Welsh World and the British Empire', tt. 68–70; Robert Llewellyn Tyler, 'The Welsh-language Press in Colonial Victoria', *Victorian Historical Journal*, 80:1 (Mehefin 2009), 45–60; Williams, *Cymry Awstralia*, tt. 82–90.

146 *Y Blwyddiadur*, 1960, t. 130; LlGC, Ffacs 603 'A Short History of the Welsh Calvinistic Methodist Church, Williamstown'; *Y Wawr / The Dawn* (cylchgrawn Eglwys Gymraeg Melbourne), Ebrill 1973, t. 3; Mai 1979, 8; Ebrill 1984, 4–5.
147 Am hanes Carmel, gw. Arthur J. Jenkins, *A History of Carmel Welsh Presbyterian Church, Sebastopol from its Beginning until the Present Time* (Sebastopol, 1991); Tyler, *Welsh in an Australian Gold Town*, passim.
148 Am hanes eglwys Melbourne yn y cyfnod hyd at 1914, gw. Jones, *The Welsh Church*, a'r cyfeiriadau ynddo.
149 Jones, 'Y Parchedig William Meirion Evans'. Evans hefyd oedd y cyntaf i draddodi pregeth Gymraeg yn Awstralia, yn 1849 neu 1850, ac ef oedd gweinidog ordeiniedig cyntaf y Methodistiaid Calfinaidd ar y cyfandir hwnnw.
150 *Y Wawr / The Dawn*, Awst 1986, 7.
151 *Y Goleuad*, 3 Ionawr 1997, 6; 31 Ionawr 1997, t. 5. Ceir gwybodaeth am fywyd yr eglwys yn ei chylchgrawn misol *Y Wawr / The Dawn*, a gyhoeddwyd er 1964.
152 Gw. Susan Hart, *Hiraeth: A History of the Welsh and the Welsh Free Church in Western Australia* (Crawley, WA, 2009); Williams, *Cymry Awstralia*, tt. 145–8.
153 Williams, *Cymry Awstralia*, tt. 111–15.
154 Williams, *Cymry Awstralia*, t. 93.
155 Ceir manylion difyr am hanes yr eglwys yn llythyrau Hugh Evans, blaenor yn yr eglwys, a ddyfynnwyd yn helaeth yn y *Blwyddiadur* o'r 1940au hyd at ddiwedd y 1970au.
156 *Y Blwyddiadur*, 1957, t. 148. Am gyfraniad Evans, a oedd o Dalsarnau yn wreiddiol, gw. ibid. 1979, t. 51; 1980, t. 53; *Yr Enfys*, 92 (Hydref–Tachwedd 1970), 27–8.
157 *Yr Enfys*, 68 (Awst 1965). Gw. hefyd atgofion y Parch. Ifor Rowlands yn *Yr Enfys*, 114 (Gorffennaf–Awst 1977), 11–13; *Y Goleuad*, 10 Awst 1990, 5. Ef oedd yr unig weinidog amser-llawn a alwyd o Gymru i fugeilio'r eglwys hon, ac ni chafwyd neb o Gymru i'w olynu ar ddiwedd ei weinidogaeth.
158 *Y Blwyddiadur*, 1912, t. 110.
159 Am yr ymfudo o Gymru i Ganada, gw. Carol Bennett, *In Search of the Welsh Dragon: the Welsh in Canada* (Renfrew, Ontario, *c*. 1985); Wayne K. D. Davies, 'The Welsh in Canada: a Geographical Overview', yn M. E. Chamberlain (gol.), *The Welsh in Canada* (Abertawe, 1986), tt. 1–45; idem, 'Falling on Deaf Ears? Canadian Promotion and Welsh Emigration to the Prairies', *Cylchgrawn Hanes Cymru*, 19.4 (Rhagfyr 1999), 679–712.
160 *Y Cyfaill*, 81 (Medi 1918), 352; 82 (Tachwedd 1919), 413; *Y Drych*, 22 Gorffennaf 1915, 2; 7 Gorffennaf 1921, 4; Bennett, *In Search of the Welsh Dragon*, t. 140; J. Humphreys Jones, *The Welsh Church in Toronto: 75 years 1907–1982* (Toronto, 1982), Llyfr 1, tt. 10, 15–16.
161 Er hynny, cwynwyd nad oedd eglwysi Cymreig yn ninasoedd mwyaf eraill Canada. *Y Cyfaill*, 83 (Medi 1920), 351.

162 *Y Blwyddiadur,* 1912, t. 111; *Y Cymro*, 1 Hydref 1930, 3; Williams, *Songs of Praises*, t. 311.
163 *Y Blwyddiadur*, 1940, t. 76.
164 *Yr Enfys*, 1:2 (January 1949), 4–5.
165 *Y Drych*, 22 Gorffennaf 1915, 2.
166 Tudur Haf, 'Tua'r Mynyddoedd Creigiog', *Cymru*, 45 (Tachwedd 1913), 208.
167 *Y Drych*, 21 Mai 1914, 6.
168 Bu'r Parch. B. Ceitho-Davies ar ymweliad hir â'r Cymry yn UDA a Chanada ar ddiwedd y 1920au, a thra oedd yn Calgary, arweiniodd yr hyn a alwodd yn 'special "Welsh-English language" services' yno i gynulleidfaoedd mawr. *Y Drych*, 28 Mawrth 1929, 6.
169 *Yr Enfys*, 14 (Gaeaf 1952), 16; 22 (Gaeaf 1954), 16; cyf. newydd 16, (Hydref 2002), 24.
170 Am y Cymry yn Wood River, a'u heglwysi, gw. Kelt Hughes and Griff Jones, *From Wales to Wood River and Surrounding Districts: A Short History of the Welsh who settled in this area* (Ponoka, Alberta, 1981), tt. 4–5, 39, 67, 69–70; Williams, *Songs of Praises*, tt. 308–10; *Y Drych*, 27 Hydref 1910, 1.
171 Am hanes y mudo hwn, gw. Robert Owen Jones, 'O Gymru i Saskatchewan drwy Batagonia', yn James a Jones, *Michael D. Jones a'i Wladfa Gymreig*, tt. 189–216.
172 *Y Drych*, 22 Gorffennaf 1915, t. 2. Sefydlwyd eglwys unedig Gymraeg yn Wood River yn 1914. Caewyd hi yn 1953.
173 *Y Cyfaill*, 80 (Tachwedd 1917), 428–9.
174 Sefydlwyd yn ogystal eglwysi gan yr Annibynwyr, yn Glyndŵr, a chan yr Anglicaniaid Cymreig, ym Mangor a Llewelyn.
175 *Y Blwyddiadur*, 1905, t. 86; 1907, t. 99; 1912, t. 111; *Y Cyfaill*, 80 (Tachwedd 1917), 428–9; *Y Drych*, 4 Awst 1910, 6; Tudur Haf, 'Cymry Saskatchewan, Canada', *Cymru*, 46 (Hydref 1914), 158–60. Am hanes eglwysi Bangor a Llewelyn, gw. *Bangor and District History Book* (Bangor, Sask., 2002), tt. 212–14; Williams, *Songs of Praises,* tt. 304–6.
176 *Y Cyfaill*, 80 (Medi 1917), 352–3; 83 (Medi 1920), 351–2; 86; (Medi 1923), 346–8; *Y Drych*, 22 Gorffennaf 1915, 2.
177 Peidiwyd â chynnal gwasanaethau rheolaidd yn Seion yn 1966, ond roedd y capel yn dal i gael ei ailagor yn achlysurol ar gyfer digwyddiadau penodol yn 1990. Roedd Llewelyn Bethel United Church yn parhau i fod yn weithgar yn 2002, ac yn un o'r ychydig eglwysi yn ardaloedd gwledig Saskatchewan a oedd yn parhau i fod ar agor. Gw. Williams, *Songs of Praises,* tt. 305–6; *Bangor and District History Book*, tt. 83–4, 213–14.
178 *Y Drych*, 10 Awst 1939, 4. Yn 1965 daeth Seion yn rhan o'r Ponoka Rural Pastorate Charge, a chaewyd ei drysau yn 1995. Williams, *Songs of Praises*, tt. 309–10.
179 *Y Cyfaill*, 82 (Tachwedd 1919), 428–9; Hughes a Jones, *From Wales to Wood River*, t. 67.
180 *Y Drych*, 3 Hydref 1929, 2.

181 Am hanes yr eglwys, gw. *Y Drych*, 6 Ionawr 1927, 2; *Y Drysorfa*, 138 (Tachwedd 1968), 236; ac, yn arbennig, Jones, *Welsh Church in Toronto*. Seilir y paragraffau nesaf gan mwyaf ar y ffynhonnell hon.
182 *Y Cyfaill*, 94 (Gorffennaf 1931), 233.
183 *Y Cyfaill*, 80 (Rhagfyr 1917), 470.
184 *Y Cyfaill*, 91 (Ebrill 1928), 124; Bennett, *In Search of the Welsh Dragon*, t. 135.
185 *Y Cyfaill*, 91 (Ebrill 1928), 124. Gw. hefyd 94 (Ebrill 1931), 129; (Gorffennaf 1931), 233.
186 *Y Blwyddiadur*, 1940, t. 76.
187 *Y Blwyddiadur*, 1969, t. 275.
188 Gw. hanes W. P. Williams, Llandre, am ei ymweliad â Chanada tua 1968, yn y *Drysorfa*, 138 (Tachwedd 1968), 236; LlGC, Dewi Sant Welsh United Church Annual Report 1968, t. 3.
189 *Y Goleuad*, 7 Mawrth 1951, 5; 18 Gorffennaf 1951, 3; *Y Blwyddiadur*, 1947, t. 77. Am J. Humphreys Jones, gw. *Yr Enfys*, cyf. newydd, 11 (Ebrill 1981), 8; Jones, *Welsh Church in Toronto*, Llyfr 2, t. 38.
190 *Y Blwyddiadur*, 1955, t. 163; 1962, t. 160; *Y Drych*, Tachwedd 1960, 1, 5; Jones, *Welsh Church in Toronto*, Llyfr 2, tt. 6–12.
191 *Y Blwyddiadur*, 1979, t. 51. Cynhaliwyd Cwrs Cymraeg Cymdeithas Madog sawl gwaith yn Toronto. Gw. *Y Drych*, Medi 1998, 13; Greenslade, *Welsh Fever*, t. 183. Gw. hefyd gylchgrawn Eglwys Dewi Sant, *Y Gadwyn*, 17 (Tachwedd 1985), 5.
192 LlGC, Dewi Sant Welsh United Church Annual Report 1988, t. 9.
193 *Y Blwyddiadur*, 1960, tt. 230–1.
194 Am y prinder cyson yn Ne Affrica, gw. e.e. *Y Blwyddiadur*, 1931, tt. 84–6; *Yr Enfys*, 1:4 (Haf 1949), 6. Cofnodwyd yn 1923 fod yr eglwysi Cymreig yn Awstralia yn amddifad iawn o weinidogaeth: 'nid ydynt yn magu pregethwyr eu hunain, ac nid yw pregethwyr ieuanc Cymru yn cael eu tueddu i ymfudo'. *Y Cyfaill*, 86 (Rhagfyr 1923), 445–6.
195 Gw. e.e. yr hysbysebion yn *Y Goleuad*, 7 Mawrth 1951, t. 5 (Toronto); 20 Chwefror 1963, t. 2 (Melbourne).
196 Hefina Phillips, 'Dewi Sant Welsh Church, Toronto Announces New Minister', *Ninnau*, Mawrth–Ebrill 2014, 1, 25.
197 *Y Blwyddiadur*, 1969, t. 273. Gw. hefyd 1970, t. 247, 1971, t. 248. Am gwynion tebyg gan eglwys Dewi Sant, Toronto, gw. *Y Blwyddiadur*, 1955, t. 163; 1962, t. 160.
198 *Y Blwyddiadur*, 1971, t. 248.
199 Stephens, 'Henaduriaid Cymreig Awstralia', 452.
200 *Y Goleuad*, 10 Awst 1990, 5.
201 *Y Goleuad*, 21 Tachwedd 1997, 7.
202 Ceir manylion diddorol yn LlGC, CMA PZ1/3/8 Account Book, Ladies' Aid Society, Oakland Welsh Presbyterian Church, 1950–67.
203 Jones, *The Welsh Church in Toronto*, Llyfr 1, tt. 12, 19.
204 Am weithgareddau'r gymdeithas hon, a ffurfiwyd yn 1897 dan yr enw Welsh Church Ladies' Guild, ac sydd yn parhau i fod yn weithgar iawn heddiw, gw., e.e., *Y Wawr / The Dawn*, Tachwedd 1967, 1; Rhagfyr 1968,

5; Hydref 1985, 7, November 1989, heb rif tudalen.

205 *Bangor and District History*, tt. 209–10.

206 Gw. Hilary M. Carey, *Believing in Australia: A Cultural History of Religions* (St Leonards, De Cymru Newydd, 1996), tt. 111–39.

207 LlGC, Ffacs 603, List of Moderators, Welsh Calvinistic Methodist Connexion of Victoria 1863–1983; Jones, *The Welsh Church*; *Ninnau*, Mawrth–Ebrill 2014, 1, 25.

208 LlGC, CMA PZ1/4/1 Church Register of the Welsh / St David's Presbyterian Church of San Francisco.

Diweddglo

Y PRESENNOL A'R DYFODOL

Glyn Tudwal Jones

Yn ystod stormydd garw gaeaf 2015–16 roedd rhannau helaeth o ynysoedd Prydain o dan ddŵr. Hwnnw oedd y gaeaf gwlypaf ers dechrau cadw cofnodion am y tywydd, ac wrth i'r glaw ddisgyn yn ddi-baid ac i'r gwynt chwipio'r llanw uchel, gwelwyd sawl afon yn gorlifo. Yn eu plith roedd afon Dyfrdwy yn yr Alban, ac ar graig ymhell uwchlaw'r afon, ar gyrion ystad frenhinol Balmoral, roedd castell Abergeldie. Safasai yno ers pum cant o flynyddoedd, ond wrth i'r afon ruo oddi tano digwyddodd tirlithriad, ac am wythnosau roedd yr hen gastell yn eistedd yn bur simsan uwchben y dyfroedd. Y cwestiwn ar feddyliau pobl, ymhell ac agos, oedd a fyddai'n dal y storm ynteu'n llithro i ddifancoll yn y dŵr islaw, gan ddiflannu am byth?

Wrth ymateb i gais y Golygydd i gloi'r gyfrol hon trwy fentro cynnig cip ar ddyfodol y Cyfundeb, daeth y darlun hwnnw o hen gastell Abergeldie i'r cof. Cafodd llawer o'r rhai a gyfrannodd i'r gyfrol hon y fraint o sefyll ar graig gadarn wrth olrhain hanes yr enwad drwy'r ugeinfed ganrif a dechrau'r ganrif bresennol. Gallai Brynley Roberts, er enghraifft, ddechrau ei bennod yntau ar Lenyddiaeth a Chyhoeddi trwy dynnu sylw at y cynnydd cyson yn aelodaeth y Cyfundeb o 1914 hyd at 1926, er ei fod yn dadlau'r un pryd mai'r union lewyrch allanol hwnnw a ddallodd yr arweinwyr a'u rhwystro rhag sylweddoli bod yr hinsawdd yn graddol newid. Ar y llaw arall, wrth ysgrifennu'r bennod hon fe'm caf fy hun yn sefyll ar dir sy'n symud yn gyflym iawn, a'r holl adeilad o'n hamgylch mewn perygl o gwympo.

Y Cefndir Meddwl Cyfoes

Y peth cyntaf i sylwi arno yw mai eglwysi bychain iawn sydd gennym bellach, ar wahân i ambell eithriad. Mae rhan helaeth ein heglwysi yn cynnwys llai nag ugain o aelodau, ac oddeutu ugain mil yw cyfanswm ein holl aelodaeth.[1] O ystyried ystadegau moel fel yna'n unig cawn syniad eithaf clir o'r ffordd yr ydym yn ei cherdded, ac o ddyfnder ein hargyfwng ysbrydol fel cenedl: 'Pwy fydd yma ymhen *deng* mlynedd?' yw hi'n wir! Wrth gwrs mae'r clwyf yn ymestyn yn ehangach nag Eglwys Bresbyteraidd Cymru'n unig, ac amhosibl fyddai ystyried sefyllfa'r Cyfundeb heddiw ac yfory heb edrych ar y cyd-destun cymdeithasol cyfoes. Cydiodd seciwlariaeth yn dynn ym mhob un o'r enwadau traddodiadol yng Nghymru a thu hwnt, ac mae dyfodol Eglwys Bresbyteraidd Cymru ynghlwm wrth ddyfodol Cristnogaeth gyfundrefnol yn yr ynysoedd hyn yn gyffredinol. Ar ben hynny, mae yna ffactor arall sy'n berthnasol o fewn y Gymru Gymraeg, sef y dirywiad sylweddol a fu yn nifer siaradwyr yr iaith dros y ganrif ddiwethaf: dirywiad y mae'r Cynulliad Cenedlaethol bellach yn gobeithio'i atal gyda'i nod o gyrraedd miliwn o siaradwyr Cymraeg erbyn y flwyddyn 2050.

Mewn erthygl dreiddgar ar ddiwinyddiaeth gyfoes cadarnhaodd David Fergusson o Brifysgol Caeredin y dybiaeth fod y tir oddi tanom yn fwy ansefydlog heddiw:

> More contextual approaches will abound, and the encounters with world religions will appear more complex ... The maintenance of confessionalism today is conducted in a less partisan spirit; it is a means of realising resources and insights for the wider church.[2]

Cafodd canlyniadau sawl arolwg o fywyd crefyddol Cymru a Phrydain eu cyhoeddi dros yr ychydig flynyddoedd diwethaf hyn, a chafodd y trywydd cyffredinol ei grynhoi'n bur drawiadol mewn pennawd yn y cylchgrawn *Cristion* yn 2015: 'Dim un Cristion ar ôl ym Mhrydain erbyn 2067'[3] – hynny yw, ymhen hanner canrif! Dyfynnu ffrwyth ymchwil cylchgrawn Saesneg *The Spectator* yr oedd yr erthygl yn *Cristion*, a hynny'n dangos y bydd Cristnogaeth wedi marw'n llwyr yn yr ynysoedd hyn erbyn 2067 os bydd y dirywiad yn parhau ar y raddfa bresennol.[4] Yn fwyaf brawychus, dengys yr arolwg am y tro cyntaf mai llai na hanner poblogaeth y Deyrnas Unedig sy'n eu cyfrif eu hunain yn grefyddol o gwbl. Y ffigur ar gyfer Cymru yw 59% heb fod yn arddel unrhyw fath o gred grefyddol (cymharer hynny â'r 72% oedd yn eu cyfrif eu hunain yn 'Gristnogion' yng Nghymru yn ôl Cyfrifiad 2001, a daw cyflymdra'r dirywiad yn amlwg). Er hynny, mae Cynog Dafis yn gosod ei fys ar ddeuoliaeth ddiddorol:

> Yng Nghymru heddiw mae'n arferol gan lawer synnu, os nad gresynu, at goláps crefydd mewn cenedl y moldiwyd ei hanes i gymaint graddau ganddi. Efallai mai rhyfeddach na chyflymdra'r dirywiad fodd bynnag yw pa mor gyndyn, pa mor amharod i farw, y bu ymlyniad at grefydd a'r syniad o Dduw gydol yr ugeinfed ganrif ac i mewn i'r un bresennol.[5]

I ba raddau mae hynny'n dal yn wir? Ar un adeg gallem ein cysuro'n hunain drwy feddwl bod pobl yn dal at ryw fath o ysbrydoledd, ddigon annelwig efallai, a bod yna waddol o ffydd yn parhau o dan yr wyneb. Er enghraifft, ar droad y mileniwm roedd deoniaid rhai o eglwysi cadeiriol mwyaf hynafol Lloegr yn ymhyfrydu yn y ffaith fod cymaint o bererinion cyfoes yn dymuno ymweld â'r hen ganolfannau ysbrydol hynny, a mannau eraill yng ngwledydd Prydain. Roeddent yn dehongli poblogrwydd newydd y mannau sanctaidd hynny yn apêl i'r *dychymyg* ysbrydol, fel petai adfeilion crefyddol a'u cysylltiad uniongyrchol â hen, hen hanes yn apelio'n fwy at y dychymyg hwnnw na geiriau llafar.[6] Disgrifiodd yr Esgob John S. Spong hyn fel y dŵr sy'n bod o dan wyneb y tir: 'groundwater' yw ei derm:

> In a recent book my friend and fellow priest Matthew Fox suggested groundwater as an analogy by which we might think of God in this post-theistic world. I find that image quite compelling. Groundwater flows beneath the surface of the earth, ultimately sustaining all living things. Periodically it

> erupts in different ways and in different places. Sometimes that eruption occurs naturally, in the form of a spring or a lake. That spring or lake may become the source of a river; or, if it appears in an isolated desert spot, may remain an oasis. Sometimes people dig wells deep enough into the earth to tap this liquid treasure. Some of these wells are simple mudholes; others are tiled and as complex as modern technology can produce. Out of these wells whole communites are sometimes served.
>
> The springs, rivers, lakes, oases and wells are viewed in a wide array of explanatory descriptions, each arising out of the faith, the scientific knowledge, the cultures, the values, and the needs of the people who are sustained by that particular source of water. Yet no matter how differently it tastes from one location to another, and no matter how the water is used, it still comes from the same source, and it is ultimately connected in a radical one-ness. Perhaps that is not different from the relationship of God to the various religious traditions that seek to interpret the God-presence they have experienced in a particular group of people living in a particular time and place on this planet.[7]

Enghraifft arall o'r gwaddol tybiedig hwn oedd cyfeiriad yr Archesgob John Habgood rai blynyddoedd yn ôl at 'ffydd gyhoeddus', hynny yw, tuedd pobl i droi at yr eglwys mewn cyfnodau o argyfwng dwys yn eu hanes – yn bersonol neu'n genedlaethol. Ond mewn ysgrif bryfoclyd yn ddiweddar mynnodd Yuval Harari o'r Brifysgol Hebreig yn Jerwsalem fod rhaid tynnu ffin glir rhwng crefydd ac ysbrydoledd:

> Religion is a deal, whereas spirituality is a journey. Religion gives a complete description of the world and offers us a well-defined contract with predetermined goals. "God exists. He told us to behave in certain ways" ... The very clarity of this deal allows society to define common norms and values that regulate human behaviour. Spiritual journeys are nothing like that. They usually take people in mysterious ways towards unknown destinations.[8]

Â rhagddo i ddadlau mai cynnig angor mewn byd tymhestlog a wna ysbrydoledd, ond nid yw angor yn ddigonol ar gyfer taith bywyd; mae angen map yn ogystal, a dyna mae crefydd gyfundrefnol yn ei gynnig. Â'i dafod yn ei foch, mae'n awgrymu y geill cyfeiriad a hapusrwydd ddod i ddyn yn y dyfodol nid trwy ddilyn unrhyw grefydd ond o dechnoleg. Os caiff dyn hyd i'r bywyd dedwydd yn Silicon Valley ryw ddydd, ac addewid o baradwys heddiw yn y byd hwn, pa le fydd yn ei fywyd wedyn ar gyfer ffydd?

Ond mae pob ymchwil ac arolwg barn mwy diweddar yn awgrymu bod hyd yn oed y gwaddol ysbrydol hwn hefyd yn prysur gilio, oherwydd y casgliad y deuir iddo yw nad yw pobl yn troi eu cefnau ar yr eglwys a'r ffydd Gristnogol (mae hynny wedi bod yn digwydd ers tro), ond eu bod bellach yn dewis eu disgrifio'u hunain fel rhai 'heb unrhyw gred grefyddol'. Os yw hynny'n wir, yna ymddengys mai dim ond dyfroedd anghrediniaeth a materoliaeth sy'n chwyrlïo oddi tanom. Gosododd Aled Jones Williams y dilema sy'n ein hwynebu yn ei ffordd ddihafal ei hun:

> A dyna erbyn heddiw sy'n anodd: anadlu 'Duw' mewn aer nad yw bellach yn medru cynnal 'Duw' – mae'r awyrgylch i'r gair ffynnu ynddo yn ein gwlad yn denau ac yn teneuo.[9]

Un rheswm posibl am hyn yw bod crefydd o bob math wedi cael ei phortreadu mewn ffordd negyddol dros y blynyddoedd diwethaf. Dywedwch y gair 'crefyddol' wrth lawer o bobl heddiw, a'r gair nesaf a ddaw i'w meddwl fydd 'rhagfarnllyd' neu 'eithafol'. Gyda thwf a lledaeniad Islam eithafol, cydiodd y syniad mai crefydd sy'n gyfrifol am ryfeloedd cyfoes ar draws y byd. Mae'r math yna o bortread yn sicr yn glynu ym meddyliau pobl wrth iddynt ystyried eu daliadau, neu ddiffyg daliadau, eu hunain. Rheswm arall yw amharodrwydd llawer o Gristnogion i fynd i'r afael o ddifrif â'r cwestiynau y mae gwyddoniaeth ac ymchwil meddygol yn eu codi bron yn ddyddiol. I rai Cristnogion, a gwyddonwyr proffesiynol yn eu plith, mae'r man cyfarfod rhwng ffydd feiblaidd a darganfyddiadau gwyddonol yn cynnig llwyfan ar gyfer trafodaeth greadigol ac adeiladol, ond y mae eraill, o'r naill ddisgyblaeth a'r llall, na allant weld gwerth mewn cyd-gyfarfyddiad o'r fath.

I ategu'r darlun hwn o ddirywiad cyson mae'n rhaid nodi canlyniadau gwaith ymchwil a wnaed gan Gymdeithas y Beibl, sy'n dangos nad yw'r rhan fwyaf o blant yng ngwledydd Prydain yn gyfarwydd mwyach â rhan helaeth o straeon y Beibl, ac o'r rhai y maent *yn* gyfarwydd â hwy, megis Arch Noa, côt amryliw Joseff, neu hyd yn oed enedigaeth Iesu, nid ydynt yn sylweddoli mai o'r Beibl y dônt.[10] Un ymgais i fynd i'r afael â hyn yw'r arfer o berfformio Stori'r Nadolig mewn sawl dinas a thref, ac mae Cymdeithas y Beibl wedi lawnsio ymgyrch Agor y Llyfr, y mae Adran Plant ac Ieuenctid ein Cyfundeb yn ei hyrwyddo mewn ysgolion Sul, ysgolion dyddiol a mannau eraill.

Problem arall, a grybwyllwyd uchod, sy'n wynebu llawer o'r enwadau traddodiadol yw'r agendor gynyddol rhwng y rhai sy'n arddel ffydd geidwadol, ffwndamentalaidd ar brydiau, a rhai mwy eangfrydig ac agored eu cred. (Cyfeiria Elwyn Richards at hyn mewn cyd-destun hanesyddol yn ei bennod ar Gredo a Diwinyddiaeth). A gosod y peth yn orsyml, y Mudiad Efengylaidd ar y naill law a Christnogaeth 21 ar y llall. Byddai'n wir dweud mai dyma yw'r rhaniad heddiw ymysg Cristnogion, nid y rhaniadau traddodiadol rhwng yr enwadau a'i gilydd: dyw rheiny'n cyfrif fawr ddim ym meddyliau'r aelodau. Yn hytrach, y gwahaniaethau diwinyddol dwfn sy'n peri rhaniad, a hynny ar draws y ffiniau enwadol. Mae'n destun diolch bod deiliaid y ddau begwn hynny'n gallu cyd-fyw o fewn y Cyfundeb, fel sydd wedi digwydd ar hyd y blynyddoedd, ac wedi bodloni ar ryw *via media*, ond weithiau gall tensiwn godi rhwng y naill garfan a'r llall, yn arbennig wrth ystyried cwestiynau cymdeithasol megis rôl merched yn yr eglwys, yr agwedd tuag at bobl gyfunrywiol, ac yn y blaen. Y canlyniad yw na all yr eglwys bob amser ymateb ag un llais i rai o'r pynciau sydd wir yn peri penbleth, ac weithiau loes, i bobl – boed y rheiny oddi mewn neu oddi allan i'r eglwys.

Yn wyneb hyn oll, sut yr ydym i ymateb? Beth *yw'r* dyfodol ar gyfer enwad sy'n agos iawn at ein calonnau; enwad sydd, fel y dengys y gyfrol hon a'r tair cyfrol flaenorol, â hanes mor glodwiw'n perthyn iddo? Rwy'n cofio mynychu cynhadledd ryng-eglwysig yn Llundain unwaith, ac ar y bore Sul roeddem yn rhydd i fynychu unrhyw gapel yn y gymdogaeth. At eglwys Bentecostaidd yr oedd ei haelodau'n bobl groenddu y dewisais innau fynd, ac wrth y drws rhoddodd y sawl oedd yn croesawu'r gynulleidfa daflen yn fy llaw. Yr hyn oedd arni oedd trefn y gwasanaeth ar gyfer y bore Sul hwnnw, a'r cyfan wedi ei osod yn bur fanwl. Ond ar waelod y daflen roedd y geiriau hyn: 'The above is the Order of Service for today – unless the Holy Spirit directs otherwise!' Yn y llythyrau at yr eglwysi yn Llyfr Datguddiad dywed yr Arglwydd Iesu: 'Y sawl sydd â chlustiau ganddo, gwrandawed beth y mae'r Ysbryd yn ei ddweud wrth yr eglwysi.'[11] I ba gyfeiriad mae'r Ysbryd yn ein harwain heddiw? O bosibl cawn hyd i'r arweiniad hwnnw yn neges y proffwyd Jeremeia.

Wrth adrodd yr hanes am ei alwad i fod yn broffwyd dywed Jeremeia i Dduw ddweud wrtho:

> Edrych, fe'th osodais di heddiw dros y cenhedloedd
> a thros y teyrnasoedd,
> i ddiwreiddio ac i dynnu i lawr,
> i ddifetha ac i ddymchwelyd,
> i adeiladu ac i blannu.[12]

Galw gŵr ifanc, dihyder, mab i offeiriad, i fod yn broffwyd iddo mewn cyfnod o newid aruthrol yn hanes y genedl y mae'r Arglwydd. Mae'r eirfa'n ddiddorol: yn yr adnod uchod mae chwe berf, pedair ohonynt yn sôn am dynnu i lawr, a dim ond dwy am godi. Gwaith anodd, diflas yw dymchwel rhywbeth: hen adeilad, er enghraifft, neu ran o'r tŷ cyn codi estyniad. Caiff y llwch a'r llanast eu cario i bobman, ac mae'n anodd gweld siâp yr hyn sydd i ddod. Ond gwaith pleserus a chyffrous yw codi rhywbeth newydd yn ei le. Wrth fwrw golwg dros benodau blaenorol y gyfrol hon, ac yn fwy felly'r cyfrolau a gyhoeddwyd o'i blaen, byddaf yn meddwl mor braf oedd hi ar y rhai a fu'n codi capeli yn anterth bywyd ysbrydol Cymru. Dyna hyfryd yw sylwi ar ambell gapel a'r geiriau 'Adeiladwyd yn y flwyddyn ...' ar ei dalcen, ac oddi tanynt y gair 'Ehangwyd ...'! Mawr oedd braint y gweithwyr hynny. Yn nyddiau'r dymchwel mae'n anodd gweld sut y bydd y peth newydd yn edrych.

Ar yr olwg gyntaf mae galwad Duw ar Jeremeia'n ymddangos yn negyddol a digalon. Fel mab i offeiriad byddai'n hen gyfarwydd â defodau crefyddol ei genedl, ac â geirfa a thechneg addoliad y Deml. Ac eto daw i ddeall bod yna dasg o'i flaen sy'n bwysicach na chynnal y pethau hynny, sef cynorthwyo'i bobl i ganfod presenoldeb yr Arglwydd yng nghanol eu sefyllfa newydd, anodd yn y Gaethglud ym Mabilon. Dyw'r her sy'n wynebu'r eglwys yn ddim llai heddiw, sef canfod presenoldeb Duw yn ein mysg, a bod yn barod i ymuno ag ef yn y gwaith y mae ef eisoes yn ei gyflawni. Ein tasg, fel erioed, yw tystio i Iesu Grist o fewn ein cyd-destun ein hunain.

Yn hynny o beth gellid dadlau bod y Cyfundeb wedi colli dau gyfle dros yr hanner canrif diwethaf. Yn gyntaf, collwyd gweledigaeth a sêl y mudiadau cenhadol y sonnir amdanynt ym mhennod Dafydd Andrew Jones ar Y Genhadaeth Gartref a Thramor, megis y Symudiad Ymosodol a'r ymgyrchoedd eraill a'i dilynodd, fel Cymru i Grist a Phobol Drws Nesa o'r 1970au ymlaen. Yn ail, collodd yr enwadau Anghydffurfiol gyfle euraid i addoli, gweithio, cenhadu a thystio gyda'i gilydd pan fethodd Cynllun y Pedwar Enwad ar droad y ganrif bresennol. Nid gormodiaith fyddai dweud bod y penderfyniad i roi heibio'r fenter honno wedi bod yn ergyd drom i'r Mudiad Ecwmenaidd yng Nghymru, a hefyd i hygrededd a hunanhyder yr eglwysi. Dengys D. Ben Rees yn ei gyfraniad cyntaf i'r gyfrol hon fod y weledigaeth ecwmenaidd wedi bod yn greiddiol i weithgarwch y Cyfundeb ers y 1920au, ac yn wir cawn ein hatgoffa gan Elwyn Richards yn ei gyfraniad yntau ar Gredo a Diwinyddiaeth fod yr egwyddor o gydweithio ag enwadau eraill wedi ei gosod i mewn ym Mesur Seneddol 1933. Wrth ymdrin â'r colegau mae John Tudno Williams yn dangos sut y collwyd sawl cyfle o 1919 ymlaen i ddarparu addysg ddiwinyddol ar y cyd yng Nghymru. (Un llecyn golau ym myd addysg yr eglwysi a'r ysgolion Sul yw Cyngor Ysgolion Sul Cymru a sefydlwyd rhwng yr enwadau Cymraeg eu hiaith yn 1966, ac sy'n dal i gynnig gwasanaeth gwerthfawr drwy gyhoeddi adnoddau cyfoes a threfnu meysydd llafur). Cwyn debyg sydd gan Dafydd Andrew Jones wrth ymdrin â'r Genhadaeth, oherwydd mae'n gresynu nad oes sôn am ddimensiwn cyd-eglwysig i waith y Symudiad Ymosodol ym mlynyddoedd cynnar yr ugeinfed ganrif. Er gwaethaf hyn oll, mae un llwybr ecwmenaidd arall yn agored o hyd, a phe byddai'r Cyfundeb yn ymateb yn fwy cadarnhaol i botensial y

Cyfamod a wnaed yn ôl yn 1975 rhyngddo a'r Eglwys Fethodistaidd, yr Eglwys yng Nghymru, yr Eglwys Ddiwygiedig Unedig a rhai eglwysi Bedyddiedig, byddai'r posibiliadau o rannu gweinidogaeth a chenhadaeth mewn ardaloedd penodol yn sylweddol.

Daw pob argyfwng â chyfle newydd, ac mae'r argyfwng ysbrydol presennol yn cynnig cyfle i'r eglwys fynd yn ôl at ei gwreiddiau. Dim ond iddi wneud hynny, fe wêl nad yw Iesu byth yn sôn am safle na grym (dim ond i'w condemnio). Sôn a wna ef yn hytrach am ffydd a dylanwad: halen y ddaear, goleuni'r byd. Os yw Cristnogaeth sefydledig yn dirywio'n derfynol, fel y mae llawer yn darogan, dyma'r cyfle i Gristnogaeth organig, fyw gydio a lledu eto. Mewn gair, y cwestiwn yw, nid a oes gan Gristnogaeth ddyfodol, ond beth fydd dyfodol Cristnogaeth? A benthyg teitl llyfr gan David L. Edwards, y tebyg yw y bydd ganddi fwy nag un dyfodol.[13] Os bu'r Cyfundeb yn araf weithiau i ddeffro i heriau'r oes, mewn rhai meysydd mae wedi dangos parodrwydd i fod yn hyblyg ac yn barod i addasu. Un o'r meysydd hynny yw ei ddealltwriaeth o weinidogaeth o fewn yr eglwys.

Y Weinidogaeth

Am rai blynyddoedd bu'r Cyfundeb yn gyndyn o sefydlu gweinidogaeth ran amser, ond fe ddaeth hynny i fod yn 1982. Ers hynny mae wedi bod yn flaengar wrth ailystyried natur y weinidogaeth a rôl blaenoriaid a lleygwyr yn y gwaith o arwain addoliad a chenhadaeth yr eglwys, ac yn fwy diweddar ei sacramentau. Mewn erthygl yn y cylchgrawn *Diwinyddiaeth* yn 2012 mae Elwyn Richards yn trafod oblygiadau hyn i strwythurau a gwerthoedd Presbyteriaeth:

> Ond beth am y dyfodol? Yn ystod y blynyddoedd diwethaf gwelwyd y pwyslais yn symud fwyfwy o fewn y Cyfundeb oddi wrth addysgu ymgeiswyr am y weinidogaeth at hyfforddiant lleygwyr ... Ond bellach, daeth yn fwyfwy amlwg fod y pwyslais ar hyfforddi lleygwyr yn cael ei danio gan y sylweddoliad na fydd gennym yn fuan iawn ddigon o weinidogion i hybu bywyd yr eglwysi ... ac y mae lle i gredu hefyd nad yw ein blaenoriaid

> ar y cyfan eisiau ymgymryd â gweithgaredd y maent yn ei weld fel eiddo'r weinidogaeth ordeiniedig.[14]

Mae'n cloi gyda rhybudd:

> [M]ewn cyfnod o ddirywiad efallai fod idiom y Corff mewn mwy o berygl na'r gwerthoedd y mae'n ei rannu â mwyafrif mawr y teulu Cristnogol. Y perygl wrth i unrhyw enwad grebachu yw iddo ddatblygu'n fewnblyg, amddiffynnol ac unllygeidiog a chyfnewid ymlyniad wrth safbwyntiau am fynegiant o'r hyn a ystyrir yn wirionedd.[15]

Pum mlynedd ynghynt roedd Dafydd Andrew Jones wedi tanlinellu oblygiadau'r newid hwn mewn adroddiad i'r Gymanfa Gyffredinol:

> Mae'r eglwys leol yn allweddol i ddyfodol y ffydd Gristnogol yn ein gwlad am ei bod yn gynulleidfa o gredinwyr – boed fawr neu fach, a rhaid manteisio ar botensial y bach heddiw – yn dathlu a byw y ffydd mewn cyd-destun penodol, ac felly'n gorgyffwrdd â bywyd cyfoes ... Mae gan y Cyfundeb brofiad o wahanol 'weinidogaethau' ar gyfer datblygu gweinidogaeth yr holl saint. Mae'r rhain yn cynnwys Gweithwyr Cymunedol Cristnogol, Galluogwyr Cenhadol, Gweithwyr Plant a Ieuenctid, Caplaniaethau amrywiol, ac, wrth gwrs, y Weinidogaeth Ordeiniedig.[16]

Does dim rhaid inni boeni'n ormodol, felly, mai cynulleidfaoedd bychain sydd gennym yn bennaf, dim ond eu bod yn derbyn arweiniad fydd yn eu herio i fod yn fwy hyblyg yn eu dulliau o addoli ac yn eu tywys at berthynas agosach â'r gymuned oddi amgylch iddynt. Mewn erthygl gynhwysfawr a diddorol ar werthoedd Ymneilltuaeth yn *Diwinyddiaeth* yn 2011 mae pwyslais Robert Pope yn debyg:

> [M]ae'n rhaid cydnabod fod y ffydd Gristnogol ei hun yn gorfod newid i raddau wrth iddi ddod wyneb yn wyneb â chyd-destunau gwahanol. Nid yw'n newid o ran sylwedd neu hanfod, ond o ran mynegiant ... [M]ae'r neges yn cael ei dirnad trwy'r lleol, trwy'r hyn sy'n cael ei ffurfio yn ôl y cyd-destun ac yn ôl

y cyfnod ... Yr hyn sydd angen heddiw yw darganfod ffordd i gymhwyso'r gwerthoedd mewn cyd-destun gwahanol iawn.[17]

Addoli a Thystiolaethu

At ei gilydd, araf fu'n heglwysi i ddiwygio eu ffurf o addoli ac i arbrofi gyda dulliau cyfoes, ac fel y dengys Elfed ap Nefydd Roberts yn ei bennod ar Addoli a'r Bywyd Ysbrydol nid yw hon yn gwyn newydd o bell ffordd. Mae'n cloi ei gyfraniad trwy ddadlau bod yn rhaid inni dderbyn bod newid yn anorfod, ac y gall y sylweddoliad hwnnw ein gyrru i un o ddau gyfeiriad, sef i anobaith llwyr am ddyfodol ein henwad, neu i ddarganfod o'r newydd werth y gymdeithas fechan, elfennau gwir addoliad ac ystyr bod yn eglwys mewn gwirionedd.

Arwydd o obaith heddiw yw bod llawer o eglwysi lleol, gan bwyso'n aml ar gefnogaeth Gweithwyr a Swyddogion yr enwad, yn barod i fentro ar rai o'r cynlluniau diweddaraf i rannu'r ffydd mewn ffordd fyw, ffres, megis Addoliad Pob Oed, Llanllanast (*Messy Church*) a Beibl Byw. Hynny sy'n galluogi Dafydd Andrew Jones i gloi ei bennod ar Waith Plant ac Ieuenctid ar nodyn hyderus. Trwy gynllun Beibl Byw a Byw y Beibl yn ystod 2016–17 darparwyd myfyrdodau wythnosol a fideos addas ar gyfer pob oedran; Cyngor yr Ysgolion Sul sydd wedi hyrwyddo cynllun Agor y Llyfr yng Nghymru, ac mae'n cynnig ffordd o weithio mewn ysgolion cynradd lleol trwy gyflwyno rhyw 80 o storïau o'r Beibl i blant dros gyfnod o dair blynedd; ac yn olaf mae Cymdeithas y Beibl wedi cyhoeddi Beibl Canllaw, sy'n cynnwys esboniad syml ar neges y Beibl. Yn sylfaen i lawer o'r cynlluniau hyn mae'r cyfieithiad diweddaraf o'r Beibl, sef *Beibl.net* a gyhoeddwyd yn 2015. A yw hyn oll yn argoeli bod cyfnod newydd o gydweithio o'n blaenau i rannu'r Efengyl mewn ffordd fyw, flaengar ymysg pobl a phlant Cymru? Ai dyma a olygir wrth sôn am enwad o eglwysi bach, effro ac anturus yn y dyfodol yn ailddarganfod eu gwir natur a'u pwrpas? Amser a ddengys, oherwydd y cwestiwn yw i ba raddau y bydd cyfran helaeth o'n heglwysi, ynghyd â'r gwahanol garfanau diwinyddol yn ein plith, yn barod i goleddu'r adnoddau hyn a gwneud yn fawr ohonynt?

Yn ei bennod ar Y Genhadaeth Gartref a Thramor 1914–2014 yn y gyfrol hon mae Dafydd Andrew Jones yn talu teyrnged i'r cenhadon hynny yn y ddau faes a geisiodd ymateb yn ddewr i amgylchiadau anodd iawn, a hynny mewn cyfnod o wasgfa ariannol ddwys yn y gymdeithas yn gyffredinol ac o fewn yr enwad. Ar droad yr ugeinfed ganrif daeth y Symudiad Ymosodol i fod, gyda'i dasg deublyg o rannu'r Efengyl ac uniaethu â phobl yn eu hanawsterau materol. Tra mae Dafydd Andrew Jones yn cydnabod y weledigaeth, mae'n ymwybodol o amharodrwydd y mudiad i addasu ei batrwm a'i neges ar gyfer cyfnod newydd wrth i'r ganrif newydd fynd rhagddi. Dyna hefyd, meddai, oedd diffyg Ymgyrch y Deffro, gyda'i galwad i ddychwelyd at ysbryd Diwygiad 1904-05. Yn 1971 daeth ymgyrch Cymru i Grist i fod, yn dilyn anerchiad y Parch. T. Glyn Thomas, Wrecsam, o Gadair Undeb yr Annibynwyr. Ymgyrch gydenwadol oedd hon, ac un peth ymarferol a ddeilliodd ohoni oedd annog aelodau eglwysig i rannu copïau o Efengyl Marc o fewn eu cymdogaeth. Dilyniant naturiol i hyn oedd ymgyrch Pobol Drws Nesa. Roedd pob un o'r ymgyrchoedd hyn, ac eraill, yn ymgais ddiffuant gan yr enwad ac eglwysi eraill Cymru i ymateb i seciwlariaeth gynyddol yr ugeinfed ganrif, ac yn dangos i raddau helaeth ei fod yn effro i feddylfryd ac anghenion gwahanol yr oes. O gofio'r hyn a ddywedwyd uchod am natur a phwrpas yr eglwys leol wrth edrych tua'r dyfodol, mae'n ddiddorol sylwi mai digon tebyg oedd nod cyson ymgyrchoedd cenhadol yr ugeinfed ganrif, sef adnewyddu cynulleidfaoedd ar gyfer addoliad, cenhadaeth a gwasanaeth. Ond mae un cwestiwn yn dal i bwyso arnom, sef a yw'r eglwys yn bodoli er ei mwyn ei hun ynteu a yw wedi ei galw i fod yn ymgnawdoliad o gyfiawnder a chariad Duw yn y byd ehangach?

Yn ei astudiaeth drylwyr o genhadaeth ymhlith eglwysi Cymru – gwahanol agweddau tuag ati a gwahanol ddulliau o'i chyflawni – mae David Ollerton yn nodi chwe agwedd tuag at genhadu sy'n bodoli'n gyffredinol o fewn yr eglwysi yng Nghymru, ac wrth wneud hynny mae'n codi'r un cwestiynau ag a godir gan Dafydd Andrew Jones yn ei ymdriniaeth yntau o'r pwnc yn y gyfrol hon.[18] Ai mater o gyhoeddi yn unig yw cenhadu, neu a yw'n anorfod ei fod yn cynnwys elfen o weithgarwch cymdeithasol hefyd? Os ydyw, i ba raddau ddylai hynny ddigwydd? A all geiriau fyth fod yn ddigonol heb weithredoedd, ac os yw'r eglwys yn gweithredu o fewn y gymdeithas, beth yw ei chymhellion wrth wneud hynny? Yng ngolwg rhai, pont yw gweithredu er mwyn cyrraedd pobl â neges yr Efengyl. I eraill, ar y pegwn arall, y weithred *yw'r* dystiolaeth: wedi'r cwbl, gweithredu a wnaeth y Samariad Trugarog yn nameg Iesu, heb ofyn dim yn ôl. Lesslie Newbigin wnaeth grynhoi'r agwedd hon i'r dim: cyfrifoldeb efengylu, meddai, yw 'codi ymwybyddiaeth am deyrnasiad Duw' yn hytrach na cheisio 'ennill pobl i grefydd'.[19] Argyhoeddiad Newbigin ei hun oedd bod ein neges a'n hiaith grefyddol yn gwbl ddiystyr bellach i bawb sydd y tu allan i'r traddodiad Cristnogol. Cwyd hyn gwestiynau go sylfaenol am y ffordd yr ydym yn mynegi'n ffydd a'n cred, a byddai llawer yn barod i ddadlau ei bod yn hen bryd inni ailedrych ar y mynegiannau hynny sydd gennym yn ein cyffesion a'n credoau, gan ymdrechu i fynegi'n ffydd mewn iaith gyfoes sy'n ddealladwy y tu allan i'r eglwys.

Ni fyddai Ollerton am ddilyn y trywydd hwnnw; yn hytrach ei ateb yw bod yn rhaid i'n heglwysi ailfeddwl eu hagweddau at genhadu a diwygio'u strwythurau eu hunain o'r brig i'r bôn. 'Strategaeth o aileni, yn hytrach na goroesi' yw'n hangen pennaf, meddai.[20] Yn ei farn ef, nid unrhyw ddiwinyddiaeth sy'n cyfrif am fethiant yr eglwysi i gyfathrebu'n effeithiol, ond eu methiant i addasu. A dyna ddod â ni at graidd y broblem, problem sydd wedi bod yn waelodol yn hanes y Cyfundeb ers dyddiau cyntaf y dirywiad y gellir ei olrhain drwy dudalennau'r gyfrol hon, sef sut mae newid *meddwl* pobl?

Gwasanaethu

Mewn erthygl yn *The Expository Times* yn 2011 dadleuodd Paul Chambers o Brifysgol Morgannwg (Prifysgol De Cymru erbyn hyn) nad yw'r darlun o seciwlariaeth a dderbynnir yn gyffredinol wrth drafod bywyd crefyddol Cymru'n cymryd digon o sylw o'r hyn a eilw ef yn 'praxis crefyddol', hynny yw, dylanwad gweithgarwch ymarferol yr eglwysi ar eu cymunedau (yr 'halen' a 'goleuni' y soniodd Iesu amdanynt):

> The rise and consolidation of a communitarian religious culture in industrial Wales poses problems for any reading of religion

> and modernisation that would wish to take account of the general secularization paradigm.[21]

Os yw'r pwynt uchod yn un hanesyddol yn bennaf, mae Chambers yn mynd rhagddo gan gyfeirio at ymchwil a gomisiynwyd gan y Cyfundeb yn 2009, ac a gafodd ei wneud gan fyfyrwyr o'i brifysgol ei hun yn 2009:

> A recent survey of 1009 adults commissioned by the Presbyterian Church of Wales (Blunt & Bowyer, 2009) indicated that 70 per cent thought it was possible for Christianity to play a part in their community and 48 per cent still saw some relevancy for Christianity in their lives.[22]

Caiff ein cymdeithas gyfoes ei disgrifio'n aml fel un 'doredig', ond ym mhob cymuned leol mae yna eglwysi sy'n gweithredu yn ffocws ar gyfer undod trwy weithredu fel hybiau o weithgaredd. Ym mhob ardal mae Cristnogion yn flaenllaw ymysg y rhai sy'n cynnal y Banciau Bwyd, yn cefnogi elusennau ac yn hybu Cymorth Cristnogol. Cydiodd Lynda Barley yn y pwynt hwn yn ei rhagair i'r adroddiad *Churchgoing in the UK* (2007):

> Yet amidst all this social change churches continue to have a unique and valued role in community life. More than 6 in 10 people (63%) would be concerned if their local church or chapel was not there and 86% have been inside for some reason. Churches often continue to have important roles in our neighbourhoods and to enjoy links with local communities that are the envy of many.[23]

Mewn adroddiad yn 2008 cyflwynodd Gweini (Cyngor y Sector Gwirfoddol Cristnogol yng Nghymru) adroddiad oedd yn dadansoddi gwerth ariannol yr eglwysi i Gymru trwy holl weithgarwch gwirfoddol yr eglwysi a'u haelodau. Wrth ymateb i gasgliadau'r adroddiad hwnnw dywed Chambers:

> Despite the many problems they face with diminishing resources and numbers, mainstream churches and denominations are also increasingly seeking to regain their place at the

> heart of communities and do not seem prepared to 'go gently into that good night'.[24]

Wrth gloi, daw Chambers yn ôl at ei ddadl ganolog:

> This poses a series of question marks against orthodox models of secularization that tend to focus on belief and religious capital rather than praxis and social capital.[25]

Yr her sy'n aros i'r Cyfundeb, wrth gwrs, yw troi'r dystiolaeth gyhoeddus, ymarferol a goleuedig hon yn llwybr tuag at ffydd unwaith eto.

Ochr yn ochr â'r dystiolaeth ar lefel leol mae'n bwysig parhau â'r gwaith blaengar y mae Eglwys Bresbyteraidd Cymru wedi ei gyflawni dros y blynyddoedd ac y mae'n dal i'w gyflawni ar lwyfan ehangach ym maes materion cyhoeddus, a thrwy ei safiad dros gyfiawnder cymdeithasol. Yn ei gyfraniad cyntaf i'r gyfrol hon ar Fethodistiaeth Galfinaidd Cymru a'r Gymdeithas *c.*1914–39 mae D. Ben Rees yn llygad ei le wrth gyfeirio at y pynciau moesol a chymdeithasol oedd ar raglen waith pob Cyfarfod Dosbarth a Henaduriaeth, ac mae'n werth ychwanegu hefyd bod y wasg seciwlar ar y pryd yn tynnu sylw at eu datganiadau. Does ddim dwywaith amdani fod y Cyfundeb yn ystod y cyfnod hwnnw yng nghanol bywyd moesol a chymdeithasol Cymru a thu hwnt, ac mae pori trwy rifynnau'r *Goleuad* o'r cyfnod yn agoriad llygad, oherwydd ceir ynddynt ystod eang o bynciau trafod, a hyd yn oed ddyfyniadau maith o weithrediadau'r Senedd yn San Steffan o wythnos i wythnos! O ddarllen ail bennod D. Ben Rees, sy'n ymdrin â'r cyfnod o 1939 hyd at y presennol, mae rhywun yn ofni bod y dystiolaeth hyglyw a gafwyd gynt wedi pylu i raddau helaeth. Ond mae'r Athro George Newlands o Brifysgol Glasgow yn cymell yr eglwysi i barhau â'u tystiolaeth ar faterion cyhoeddus, gan ddadlau bod yr eglwys Gristnogol, fel sefydliad sydd ei hun bellach ar gyrion cymdeithas, mewn sefyllfa ddelfrydol i ochri gyda'r difreintiedig a'r alltud heddiw:

> True discipleship comes through the new marginal people of God. Creative transformation involves overcoming marginality through marginality.[26]

I Paul Ballard o Brifysgol Caerdydd dyma'r alwad fawr heddiw, sef sefyll ochr yn ochr nid yn unig ag enwadau eraill ond â phob cymuned ffydd sy'n gweithio i wella'r byd trwy wasanaethu cyd-ddyn:

> If the last century was the ecumenical century, breaking down the walls of partition ... then perhaps the issue for this century will be that of catholicity – of finding out how to be one Church of Christ in a divided, multi-cultural, shifting global village, that takes variety seriously while at the same time recognises the essential reality of the common life that has to be expressed.[27]

Mewn adroddiad o gynhadledd Cyngor y Genhadaeth Fyd-eang (CWM) a gyfarfu yn Wittenberg yn yr Almaen, talodd Golygydd *Y Goleuad*, Watcyn James, sylw i neges Dr Michael Moynagh o Rydychen. Yr ymadrodd allweddol yn yr adroddiad yw 'mynegiannau newydd' o'r eglwys, ac mae'n mynd rhagddo i'w egluro: '[Mae] gan y mudiad sy'n hybu Mynegiannau Newydd o'r Eglwys apêl i bob ffurf, pob pwyslais diwinyddol a phob math o eglwysyddiaeth.'

Y man cychwyn, yn ôl Moynagh, yw 'sylweddoli ehangder a maint y newidiadau sydd wedi lledu dros Ewrop yn y genhedlaeth ddiwethaf. Mae'r newidiadau, sy'n cynnwys seciwlareiddio, amlddiwylliant, amlffydd, a symudiad i ddinasoedd, yn golygu bod yr eglwys wedi cael ei gorfodi i symud o'r canol i'r cyrion ... Yn lle ofni'r cyrion, dylem feddiannu'r cyrion a'u coleddu.'[28] Dyna yw'r unig ateb posibl yn wyneb her ôl-Foderniaeth, sy'n arwain yn anochel at chwalu a rhannu pob profiad a syniadaeth grefyddol, nes eu troi'n faterion goddrychol, unigolyddol yn unig.

Ar hyd y canrifoedd mae'r eglwys wedi bod fwyaf byw a chenhadol ei natur pan yw'n ategu ei thystiolaeth lafar trwy weithredu a gwasanaethu. Fel y nodwyd eisoes, y perygl wrth i enwad grebachu yw iddo droi'n fewnblyg ac amddiffynnol. Ond fel y gwelwyd wrth nodi enghreifftiau o'r gyfrol hon, nid felly y bu'r Cyfundeb pan oedd yn gryf a chadarn, ac mae'n bwysig ei fod yn parhau i fod yn eangfrydig ac agored ei natur, gan arddangos cariad Iesu Grist. Nid arwydd o lastwreiddio'r Efengyl yw bod yn barod i dderbyn a gwasanaethu eraill yn ddiamod. Y Santes Teresa o Avila o Sbaen, yn yr unfed ganrif ar bymtheg, a ddywedodd: 'Os byddi'n gadael i dy hun gael dy gario gan gariad, fe adnewyddir dy nerth. Bydd dy gyfoeth yn tyfu wrth iti ei rannu. Lle bynnag y byddi'n gadael i gariad dy ddwyn, bydd llawnder bywyd yn eiddot.

Yng nghyfnod y Testament Newydd doedd neb wedi deall hynny'n well na Luc. Yn ei Efengyl mae'n mynd allan o'i ffordd i bwysleisio drosodd a thro nad oedd ffiniau'n perthyn i weinidogaeth Iesu Grist; byddai ef wastad yn ymestyn at y tlawd, yr esgymun, y ferch a'r Samariad. Yna, yn Llyfr yr Actau, wrth ddilyn hynt y genhadaeth Gristnogol ar ôl Cyngor Jerwsalem, mae'n dangos sut y cafodd y ffordd ei hagor i Gristnogaeth gael ei gweddnewid o fod yn sect Iddewig i fod yn fudiad cenhadol, byd-eang heb ffiniau'n perthyn iddo. Gall yr eglwys barhau i fod yn rym er daioni heddiw, dim ond iddi fod yn barod i estyn allan at bob un sydd am gerdded ffordd cariad a gwasanaeth – o bob crefydd neu ddim crefydd. Adroddir hanes am y disgyblion yn dod at Iesu i fynegi pryder oherwydd eu bod wedi gweld 'un yn bwrw allan gythreuliaid yn dy enw di, a buom yn ei wahardd am nad yw'n dy ddilyn gyda ni'. Ateb Iesu yw, 'Peidiwch â gwahardd, oherwydd y sawl nad yw yn eich erbyn, drosoch chwi y mae.' (Luc 9:49–50).

Tua'r Dyfodol

Y cwestiwn y bu'n rhaid dychwelyd ato o hyd yn y bennod hon yw: pa ddyfodol sydd i'r Cyfundeb? Nid yw hwnnw'n gwestiwn hawdd ei ateb, oherwydd yn un peth mae'n anodd credu y gall ei strwythurau oroesi'r dirywiad presennol. Bydd yn gynyddol anodd yn y dyfodol dod o hyd i gynrychiolwyr a swyddogion i lenwi'r gwahanol fyrddau, adrannau, grwpiau a phwyllgorau sy'n bodoli ar hyn o bryd ar lefel y Gymanfa Gyffredinol, y Gymdeithasfa a'r Henaduriaethau, a hynny er gwaethaf yr ad-drefnu a ddigwyddodd dros nifer o flynyddoedd o dan gynllun Symud Ymlaen. Bydd yn rhaid wynebu'r cwestiwn: beth yw ystyr bod yn eglwys yn yr unfed ganrif ar hugain? Yn un peth, golyga adeiladu ar orffennol gwych trwy gydnabod daioni a gwir ymchwil ysbrydol lle bynnag y bônt. Onid dyna yw ystyr 'ymuno yn y gwaith y mae Duw eisoes yn ei wneud yn ein plith'? Mewn ysgrif yn *Y Goleuad* ar ddechrau 2016 pwysleisiodd Eifion Roberts fod yna wedd gadarnhaol i'r ymchwil hwn:

> Ond mae yna alwad hefyd ar i ni o'r newydd ddeall ystyr ymddiriedaeth a'r hyn sy'n galon unrhyw ymddiriedaeth, sef amgyffrediad o ewyllys Duw, a'r ddealltwriaeth o ymgysegriad. Mae heddiw'n ddyddiau anodd i'r eglwys Gristnogol yn ein gwlad, ond maen nhw hefyd yn ddyddiau o fendith ac o dystio i argyhoeddiad a ffyddlondeb a ffyrdd newydd o fyw a rhannu'r Efengyl, ac felly maent yn ddyddiau arbennig.[29]

Pa fath o ddyfodol, felly, sy'n wynebu'r Cyfundeb? Dichon mai'r ffordd orau o ateb y cwestiwn yw trwy dynnu sylw at rai pethau sy'n pwyntio'r ffordd ymlaen. Corff o eglwysi bychain eu nifer fydd Eglwys Bresbyteraidd Cymru, yn gynyddol felly wrth i'r ganrif fynd rhagddi, ond byddai'n braf meddwl na fyddant yn ceisio wynebu'r dyfodol ar eu pennau eu hunain, ac y byddant yn barod i 'amneidio ar eu partneriaid yn y cychod eraill' (Luc 5:7). Ni ellir disgwyl i'r tensiynau rhwng y gwahanol garfanau diwinyddol ddiflannu, ond gall tensiwn fod yn beth cadarnhaol a chreadigol pan fo pobl yn barod i barchu rhai sy'n dal safbwyntiau gwahanol. Does dim dwywaith, rhaid bod yn barod i addasu ym mhob ffordd, oherwydd nid yn unig y mae meddylfryd yr oes yn newid yn gyflym, ond mae dulliau cyfathrebu'n newid ar garlam. Os nad yw eglwysi'n magu hyder i ddefnyddio'r gwahanol gyfryngau cymdeithasol sy'n bodoli heddiw er mwyn cysylltu â phobl (a phwy a ŵyr beth a ddaw ymhen degawd arall) yna 'mynd yn fud at y mud' y byddant, a benthyg ymadrodd Saunders Lewis. Ond yn bwysicaf oll, ac yn ganolog i alwad ac esiampl Iesu ei hun, rhaid iddynt edrych allan yn eu tystiolaeth a'u gwasanaeth: maent i fod yn halen y ddaear ac yn oleuni'r byd.

Diolch i waith llawer o beirianwyr medrus dros gyfnod hir, dal i sefyll y mae castell Abergeldie er gwaethaf pob bygythiad. Ond maes o law fe ostegodd y stormydd hefyd, ac yn raddol fe giliodd y llifogydd. Barn y trigolion lleol hyd y dydd heddiw yw mai trwy lafur pobl ymroddedig ond yn bennaf oll trwy ras Duw yr achubwyd yr hen gaer.

1 Ystadegau a gyflwynwyd i'r Gymanfa Gyffredinol 2016.
2 *The Expository Times*, 123/3 (Rhagfyr 2011), 106.
3 *Cristion*, Medi–Hydref 2015.
4 *The Spectator*, 13 Mehefin 2015, ac *Arolwg o Agweddau Cymdeithasol 1983–2014*. Dangosir hefyd mai'r unig draddodiad Cristnogol sy'n dal ei dir ac yn dangos cynnydd yw'r eglwysi Pentecostaidd i bobl groenddu.
5 Aled Jones Williams a Cynog Dafis, *Duw yw'r Broblem* (Gwasg Carreg Gwalch, 2016), t. 141.
6 Ceir eglurhad personol diddorol o'r duedd hon yng nghyfrol Peter Stanford, *The Extra Mile: A 21st Century Pilgrimage* (Continuum,2010). Dywed iddo gael profiad ysbrydol arbennig o ddwys wrth ymweld â Ffynnon Gwenfrewi yn Nhreffynnon, sir y Fflint, ac meddai: 'Whether you come for a few minutes ... or a few hours ... you are joining a human chain that stretches back through the centuries... and which offers no other connection than a simple faith ... There is I realize a great deal of comfort to be derived from being a link in that chain.'
7 John Shelby Spong, *A New Christianity for a New World*, (Harper Collins, 2001), tt. 183-4.
8 *New Statesman*, 9–15 Medi 2016, 29.
9 Aled Jones Williams a Cynog Dafis, *Duw yw'r Broblem*, t. 14.
10 Gwaith ymchwil a wnaed ar ran Cymdeithas y Beibl gan YouGove Plc, 2014.
11 Datguddiad 2: 7, 11, 29; 3: 6, 13, 22.
12 Jeremeia 1:10.
13 David L. Edwards, *The Futures of Christianity* (Hodder & Stoughton, 1988).
14 *Diwinyddiaeth*, 63 (2012), 59.
15 Ibid., t. 72.
16 Adroddiad y Bwrdd Bywyd a Thystiolaeth i'r Gymanfa Gyffredinol, 2007.
17 *Diwinyddiaeth*, 62, 2011, 59–60.
18 D. Ollerton, *Cenhadaeth Newydd i Gymru* (Cyhoeddiadau'r Gair ar ran mudiad Cymrugyfan, 2016).
19 Dyfynnir yn Ollerton, ibid., t. 147.
20 Ibid., t. 264.
21 *The Expository Times*, 122, 6, Mawrth 2011, 274.
22 Ibid., 276.
23 L. Barley, *Churchgoing in the UK*, Ashworth, Research Matters (Farthing, 2007: 2).
24 Ibid., t. 277.
25 Ibid.
26 G. Newlands, *Christ and Human Rights* (Ashgate, 2006), t. 154.
27 *The Expository Times*, 120/5, (Chwefror 2009), 228.
28 *Y Goleuad*, 13 Mai 2016, 2.
29 *Y Goleuad*, 1 Ionawr 2016.

LLYFRYDDIAETH

A. FFYNONELLAU GWREIDDIOL A PHRINTIEDIG

Adroddiadau Blynyddol Cenhadaeth Dramor y M.C. 1915, 1925
Bangor University MS 10222
Calendar 1929–30 (Dolgellau: E. W. Evans)
Calendar 1940–41. *Records* 1932–40 (Caernarfon: CM Printing Works)
Calendar of the Theological Colleges at Aberystwyth and Bala, 1928–29
Calendar of the United Theological College (1928–1929) (Aberystwyth: Cambrian News)
Calendar of the United Theological Colleges at Aberystwyth and Bala (Session 1924–1925) (Dolgellau: E. W. Evans)
Calvinistic Methodist or Presbyterian Church of Wales Act, 1933 (Llundain)
CMA 27, 19 *Correspondence from Patagonia 1871–1900, including accounts of the Calvinistic Methodists*
Comisiwn Ad-drefnu y Methodistiaid Calfinaidd: *Adroddiadau'r Pwyllgorau* (Liverpool: Hugh Evans a'i Feibion,1925)
Cyffes Ffydd y Methodistiaid Calfinaidd (Caernarfon, 1910)
Cylchlythyrau Cymdeithasfa Chwarterol y Methodistiaid Calfinaidd yn Ne Cymru, 1936–1938 (LlGC, CMA 32)
Cymdeithasfa'r Gogledd 1932–1935 (LlGC, CMA 33)
Gweithrediadau'r Gymanfa Gyffredinol
Gwyddoniadur Cymru yr Academi Cymreig (Caerdydd, 2008)
Jones, Hugh, *Gweithred Gyfreithiol Hysbysol o Amcanion a Threfniadau y Methodistiaid Calfinaidd Cymreig* (Llangollen, 1843)
LlGC, CMA AZ 2/2 *Cylchlythyrau ac Adroddiadau Cymanfaol y Trefnyddion Calfinaidd 1893*
LlGC, CMA PZ 1/4/1 *Church Register of Welsh St David's Presbyterian Church of San Francisco*
LlGC, Facs 603. *List of Moderators: Welsh Calvinistic Methodist Connection of Victoria (1863–1983)*
LlGC, Papurau Carneddog G1964
LlGC, Papurau Bodfan Anwyl 1/788; 1/791
LlGC, Papurau John W. Jones 2547
Llyfr Cofnodion Ebenezer Richard, 1813–35
Memorandwm ar Lyfrgell Coleg y Bala, CMA 28712
Report of the Committee on Welsh Language Publishing (Llundain, 1959)

Report of the Departmental Committee on the Organization of Secondary Education in Wales, 1920, Cmd. 9670.
Royal Commission on University Education in Wales, Final Report (London: HMSO, 1918), Cd.8991
Y Cymun Sanctaidd: Comisiwn yr Eglwysi Cyfamodol (Abertawe, 1981)
Y Gymraeg mewn Addysg a Bywyd: Adroddiad y Pwyllgor Adranol a benodwyd gan Lywydd y Bwrdd Addysg i chwilio i safle yr Iaith Gymraeg yng nghyfundrefn Addysg Cymru ac i gynghori sut oreu i'w hyrwyddo (Llundain: His Majesty's Stationery Office, 1927)
Ystadegau Methodistiaid Calfinaidd Lerpwl (Lerpwl, 1923)

B. CYFROLAU

Adams, David, *Datblygiad yn ei Ddylanwad ar Foeseg a Diwinyddiaeth* (Wrecsam, d.d.)
Ahlstrom, Sydney E., *A Religious History of the American People* (New Haven, 1972)
Allsobrook, David Ian, *Music for Wales: Walford Davies and the National Council of Music, 1918–1941* (Caerdydd, 1992)
Arthur, Marion, *Y Parchedig Thomas Arthur Jones : Y Diwyd Fugail a Helynt y Faciwîs* (Caernarfon, 2015)
Badger, Anthony J., *The New Deal: The Depression Years, 1933–1940* (Llundain, 1989)
Baker, John, *Ffeithiau Cred* (Y Bala, 1947)
Barclay, William, *The Lord's Supper* (SCM Press, 1967)
Bassett, Thomas, *Braslun o Hanes Hughes a'i Fab, Cyhoeddwyr Wrecsam* (Cymdeithas Lyfryddol Cymru, 1946)
Bebb, W. Ambrose, *Canrif o Hanes y Tŵr Gwyn, Bangor, 1854–1954* (Caernarfon, 1954)
Bebb, W. Ambrose, *Yr Argyfwng* (Llandybïe, 1956)
Bebb, W. Ambrose, *Yr Ysgol Sul* (Llandybïe,1944)
Bennett, Carol, *In Search of the Welsh Dragon: The Welsh in Canada* (Renfrew, Ontario, c. 1985)
Billington, R. J., *The Liturgical Movement and Methodism* (Epworth Press, 1969)
Bowyer, Gwilym, *Yr Eglwys wedi'r Rhyfel* (Pamffledi Heddychwyr Cymru, 1944)
Brencher, John, *Martyn Lloyd-Jones (1899–1981) and Twentieth-century Evangelicalism* (Carlisle, 2002)
Brittain, Vera, *The Rebel Passion* (Llundain, 1964)
Buchanan, Colin, *Children in Communion* (Nottingham, 1990)
Bullock, Alan, *Life and Times of Ernest Bevin* (Llundain, 1960)
Burdon, Adrian, *The Preaching Service: The Glory of the Methodists* (Nottingham, 1991)
Campbell, John, *Nye Bevan and the Mirage of British Socialism* (Llundain, 1987)

Carey, Hilary M., *Believing in Australia: A Cultural History of Religions* (St Leonards, De Cymru Newydd, 1996)
Chapman, T. Robin, *Ambrose Bebb* (Caerdydd, 1997)
Clark, T&T, *Companion to Nonconformity*, gol. Robert Pope (Bloomsbury, 2013)
Cragoe, Matthew a Chris Williams (gol.), *Wales and War: Society, Politics and Religion in the Nineteenth and Twentieth Centuries* (Caerdydd, 2007)
Dafis, Cynog, *Cymdeithaseg Iaith a'r Gymraeg*, Cymdeithas yr Iaith Gymraeg (Aberystwyth,1979)
Davies, Dewi Eirug, *Byddin y Brenin: Cymru a'i Chrefydd yn y Rhyfel Mawr* (Abertawe, 1988)
Davies, Dewi Eirug, *Diwinyddiaeth yng Nghymru, 1927–1977* (Llandysul, 1984)
Davies, Dewi Eirug (gol.), *Y Prifathro Thomas Rees: Ei Fywyd a'i Waith* (Llandysul, 1939)
Davies, E. O., *Ffydd, Trefn a Bywyd* (Caernarfon, 1930)
Davies, E. Tegla, *Gyda'r Blynyddoedd* (Lerpwl, 1952)
Davies, Gwilym Prys, *Cynhaeaf Hanner Canrif: Gwleidyddiaeth Gymreig* (Llandysul, 2006)
Davies, Hugh, *Hanes Cymanfa Dwyreinbarth Pennsylvania, 1845–89* (Utica, 1898)
Davies, Ieuan, *Gwerthfawrogiad o Fywyd a Gwaith Dr. Isaac Thomas* (Abertawe, 2010)
Davies, John, *Hanes Cymru* (Harmondsworth.1990); (Allen Lane, 1990).
Davies, Pennar, *Diwinyddiaeth J. R. Jones* (Abertawe, 1978)
Davies, T. J., *Namyn Bugail* (Llandysul, 1978)
Edwards, Alun R., *Yr Hedyn Mwstard: Atgofion* (Llandysul, 1980)
Edwards, D. Miall, *Bannau'r Ffydd: dehongliad beirniadol o brif athrawiaethau'r grefydd Gristnogol* (Wrecsam, 1929)
Edwards, D. Miall, *Crefydd a Bywyd* (Dolgellau, 1915)
Edwards, David L., *The Futures of Christianity* (Hodder & Stoughton, 1988)
Edwards, G. A. a John Morgan Jones, *Diwinyddiaeth yng Nghymru: Traethodau'r Deyrnas* (Wrecsam, 1924)
Edwards, G. A., *Athrofa'r Bala:1837–1937* (Y Bala: Pwyllgor Lleol Athrofa'r Bala, 1937)
Edwards , G. A. a John Morgan Jones, *Diwinyddiaeth yng Nghymru: Traethodau'r Deyrnas*, 4 (Wrecsam, 1924)
Edwards, G. A., *Yr Athrawiaeth Gristnogol* (Caernarfon, 1953)
Edwards, Huw T. *It was my Privilege* (Dinbych, d.d.)
Edwards, Huw T., *Tros y Tresi* (Dinbych, 1956)
Edwards, Huw, *Capeli Llanelli: Our Rich Heritage* (Caerfyrddin, 2009)
Edwards, Huw, *City Mission: The Story of London's Welsh Chapels* (Tal-y-bont, 2014)

Edwards, Hywel Teifi, *Bryn Seion 1877–2007: Eglwys Bresbyteraidd Cymru Llangennech* (Llangennech, 2008)
Edwards, T. J., *Canmlwyddiant yr Achos, Bethlehem, Treorci, 1866–1966* (Treorci, 1966)
Elis, Islwyn Ffowc, *Naddion, Erthyglau, Ysgrifau a Sgyrsiau* (Dinbych, 1998)
Ellis, E. L., *T. J.: A Life of Dr Thomas Jones* (Caerdydd, 1992)
Ellis, Hugh, *Hanes Methodistiaeth Gorllewin Meirionydd,* 3, *1885–1925* (Dolgellau, 1928)
Emanuel, J. a D. Ben Rees, *Bywyd a Gwaith Syr Rhys Hopkin Morris* (Llandysul, 1980)
Emyr, John, *Dyddiau Gras* (Bryntirion, 1993)
Emyr, John, *Enaid Clwyfus: Golwg ar Waith Kate Roberts* (Dinbych, 1976)
Evans, Alun, T*rinity Abertawe: Braslun o Hanes yr Achos drwy Ddwy Ganrif, 1799–2003* (Abertawe, 2003)
Evans, D. Emrys, *The University of Wales: A Historical Sketch* (Cardiff: University of Wales Press,1953).
Evans, Eifion, *A Presbyterian Album* (Llandysul, 2000)
Evans, Eifion, *A Short History of Moriah Chapel and the 1904 Revival* (Loughor, 1998)
Evans, E. Meirion, *Camau'r Cysegr: Yr Ail Lyfr, sef Hanes Eglwys y MC Stanley Road, Bootle 1826 hyd 1961* (Lerpwl, 1961)
Evans, Emlyn, *O'r Niwl a'r Anialwch: Cynnyrch Chwarter Canrif* (Dinbych, 1991)
Evans, Gerallt Lloyd, *Mewn Llestri Pridd* (yr awdur, 2008)
Evans, H. Meurig, *Canmlwyddiant Eglwys Bresbyteraidd Libanus, Hendy, Pontarddulais 1868–1969* (Rhydaman, 1968)
Evans-Jones, Albert (Cynan), *Cerddi Cynan: Y Casgliad Cyflawn* (Lerpwl, 1959)
Evans, Mari D., *Ar ei Adenydd Iacháu* (Caernarfon, 1979)
Evans, Mari D., *Y Weinidogaeth Iacháu / The Ministry of Healing* (Pwyllgor Gweinidogaeth Iacháu Eglwys Bresbyteraidd Cymru, 1993)
Evans, R. H., *David Williams (1877–1927)* (Llyfrfa'r Methodistiaid Calfinaidd, Caernarfon, 1970).
Evans, R. H., *Datganiad Byr ar Ffydd a Buchedd* (Caernarfon, 1971)
Evans, Rhys, *Gwynfor: Rhag Pob Brad* (Tal-y-Bont, 2005)
Fairclough, Oliver (gol.), *'Things of Beauty': What two sisters did for Wales* (Caerdydd, 2007)
Fenwick, John a Brian Spinks, *Worship in Transition: The Liturgical Movement in the Twentieth Century* (T & T Clark, 1995)
Gaffney, Angela, *Aftermath: Remembering the Great War in Wales* (Caerdydd, 1998)
Goleudy Dysg a Dawn: 75 mlynedd ers sefydlu Ysgol Gymraeg Aberystwyth

Graves, Robert, *Goodbye to all that* (Llundain, 1929)

Greenslade, David, *Welsh Fever: Welsh Activities in the United States and Canada Today* (Y Bont-faen, 1986)

Gregory, Diana, *A Social Survey of the Presbyterian Church of Wales* (Caerdydd, 1997)

Griffith, G. Wynne, *Datblygiad a Datguddiad*, Y Ddarlith Davies am 1942 (Lerpwl, 1946)

Griffith, G. Wynne, *Yr Ysgol Sul: Penodau ar Hanes yr Ysgol Sul, yn bennaf ymhlith y Methodistiaid Calfinaidd* (Caernarfon: Y Gymanfa Gyffredinol, 1936).

Griffith, J. Gwynn (gol.), *Cyfrol Deyrnged D. J. Williams, Abergwaun* (Llandysul, 1965)

Griffith, R. E., *Urdd Gobaith Cymru*, 3 cyfrol: 1922–1945, 1946–60, 1960–72 (Aberystwyth, 1971–3)

Griffiths, David, *Portreadau / Portraits* (Aberystwyth, 2002)

Griffiths, E. H., *Bywyd a Gwaith D. R. Hughes* (Caernarfon, 1965)

Griffiths, E. H., *Heddychwyr Mawr Cymru*, 1 (Caernarfon, 1967)

Griffiths, James, *Pages from Memory* (Llundain, 1969)

Griffiths, J. H., *Crefydd yng Nghymru* (Lerpwl, 1946)

Griffiths, T. Solomon, *Hanes Methodistiaid Calfinaidd Utica NY* (Utica, 1896)

Gwynn ap Gwilym, (gol.), *Meistri a'u Crefft* (Caerdydd, 1981)

Hague, Ffion, *The Pain and the Privilege: The Women in Lloyd George's Life* (Llundain, 2008)

Hamilton, H. A., *The Family Church: In Principle and Practice* (London, 1941)

Hart, Susan, *Hiraeth: A History of the Welsh and the Welsh Free Church in Western Australia* (Crawley, WA, 2009)

Hartmann, Edward G., *Americans from Wales* (Boston, 1967)

Hirsch, A., *The Forgotten Ways* (Grands Rapids, Brazos, 2006)

Hopkin, D. R. a G. Kealey (goln.), *Class, Community and the Labour Movement: Wales and Canada 1850–1930* (Aberystwyth, 1989)

Hopkins, Glyn, *Hanes Cymanfa Ganu'r Gopa (1879–1960)* (Pontarddulais, 1961)

Hopkins, K. S. (gol.), *Rhondda Past and Future* (Ferndale, 1975)

Hughes, D. G. Lloyd, *Hanes Eglwys Penmount, Pwllheli* (Pwllheli, 1981)

Hughes, D. Lloyd, *Y Gŵr o Wyneb y Graig: H. D. Hughes a'i Gefndir* (Dinbych, 1993)

Hughes, Emrys, *British Bulldog* (Efrog Newydd, 1955)

Hughes, Herbert, *Mae'n ddiwedd byd yma ... Mynydd Epynt a'r Troad Allan yn 1940* (Llandysul, 1997)

Hughes, J. G. Moelwyn, *Addoli*, Y Ddarlith Davies 1935 (Lerpwl, 1937)

Hughes, Kelt a Griff Jones, *From Wales to Wood River and Surrounding District: A Short History of the Welsh who settled in this area* (Ponoka, Alberta, 1981)

Hughes, MatÚa Dai Smith (goln), *The People of Wales* (Llandysul, 1999)
Jones, Geraint I. L., *Capeli Môn* (Llanrwst, 2007)
Jones, Goronwy J., *Wales and the Quest for Peace* (Caerdydd, 1969)
Jones, Gwilym Arthur, *Bywyd a Gwaith Owen Morgan Edwards (1858–1920)* (Aberystwyth, 1958)
Jones, J. E., *Tros Gymru* (Abertawe, 1970)
Jones. J. Gwynfor (gol.), *Cofio yw Gobeithio: Cyfrol Dathlu Canmlwyddiant Achos Heol-y-Crwys, Caerdydd* (Caerdydd, 1984)
Jones, J. Gwynfor, *Her y Ffydd, Ddoe, Heddiw ac Yfory: Hanes Henaduriaeth Dwyrain Morgannwg 1876–2005* (Caernarfon, 2006)
Jones, J. Humphreys, *The Welsh Church in Toronto: 75 years 1907–1982* (Toronto, 1982)
Jones, J. Morgan, a W. Morgan, *Y Tadau Methodistaidd*, dwy gyfrol (Abertawe, 1895–7)
Jones, J. R., *Ac Onide* (Llandybïe), 1976)
Jones, Nerys Ann, *Capel y Garn, c.1793–1991* (Bow Street, 1993)
Jones, Nerys Ann, *Dewi Morgan* (Tal-y-bont, 1987)
Jones, Philip Henry ac Eiluned Rees (goln), *A Nation and its Books: A History of the Book in Wales* (Aberystwyth, 1995)
Jones, R. Merfyn, *Cymru 2000: Hanes Cymru yn yr Ugeinfed Ganrif* (Caerdydd, 1999)
Jones, R. Owen, *Yr Efengyl yn y Wladfa* (Pen-y-bont ar Ogwr, 1987)
Jones, R. Tudur, *Diwinyddiaeth ym Mangor,1922–1972* (Caerdydd: Gwasg Prifysgol Cymru, 1972)
Jones, R. Tudur, *Ffydd ac Argyfwng Cenedl: Cristnogaeth a Diwylliant yng Nghymru 1890–1914*, dwy gyfrol (Abertawe, 1978, 1982)
Jones, R. Tudur, *Yr Undeb: Hanes Undeb yr Annibynwyr Cymraeg 1872–1972* (Abertawe: Gwasg John Penry,1975)
Jones, R. W., *Cofiant John Puleston Jones, M.A., D.D.* (Caernarfon, 1929)
Jones, R. W., *Y Ddwy Ganrif Hyn: Trem ar Hanes y Methodistiaid Calfinaidd o 1735 i 1935* (Caernarfon, 1935)
Jones, T. Madoc, *Ar Gerdded* (Lerpwl, 1969)
Jones, Thomas (gol.), *Astudiaethau Amrywiol a gyflwynir i Syr Thomas Parry-Williams* (Caerdydd, 1968)
Jones, Thomas, *Lloyd George* (Llundain, 1951)
Jones, Vivian, *Symud Ymlaen* (Cyhoeddiadau'r Gair, 2015)
Jones, Vivian (gol.), *The Church in a Mobile Society* (Llandybïe, 1970)
Jones, W. P., *Coleg Trefeca, 1842–1942* (Pwyllgor Trefeca, d.d.)
Jones, William R., *'The History of the Church as presented in the 125 Anniversary': The Welsh Presbyterian Church, New York 182, 1953* (Efrog Newydd, 1953)
Jones, R. Lewis, *Cerdded y Lein* (Porthmadog, 1970)
Jones. Bill, *The Melbourne Welsh Church: a History. The Formative Years 1852–1914* (Kew, Vic., 2017 (i'w gyhoeddi)
Jones. R. Gerallt, *Owen M. Edwards* (Llandybïe, 1962)

Jyrwa. J. F., *Reports of the Foreign Mission of the Presbyterian Church of Wales on the Khasi Jaintia Hills* (Shillong, 1998)
Kinear, Michael, *The Fall of Lloyd George: The Political Crisis of 1922* (Llundain, 1973)
Knowles, Anne Kelly, *Calvinists Incorporated: Welsh Immigrants on Ohio's Industrial Frontier* (Chicago, 1997)
Knox, R. Buick, *From Katesbridge to Cambridge* (Belfast: Presbyterian Historical
Knox, R. Buick, *Voices from the Past: History of the English Conference of the Presbyterian Church of Wales 1889–1938* (Llandysul, 1969)
Knox, R. Buick, *Wales and Y Goleuad 1869–79* (Caernarfon, 1969)
Lewis, Hywel D., *Dilyn Crist* (Bangor, 1951)
Lewis, Hywel D., *Gwybod am Dduw* (Caerdydd, 1952)
Lewis, Hywel D., *Morals and the New Theology* (London, 1947)
Lewis, Hywel D., *Teach Yourself Philosophy of Religion* (London, 1965)
Lewis, L. Haydn, *Jerusalem, Ton Pentre 1867–1967: Llawlyfr Canmlwyddiant* (Pentre, 1967)
Lewis, Saunders, *Paham y Llosgasom yr Ysgol Fomio* (Caernarfon, 1937)
Lewis, Saunders, *Williams Pantycelyn* (Llundain, 1927)
Lewis, W. Gwyn, *Calon i Weithio: Hanes Eglwys Seilo, Caernarfon* (Caernarfon, 1986)
Lloyd, J. Meirion, *History of the Church in Mizoram* (Aizawl Mizoram Synod Publication Board, 1991)
Lloyd, J. Meirion, *Nine Missionary Pioneers: The Story of Nine Pioneering Missionaries in North-east India* (Caernarfon, 1989)
Lloyd, J. Meirion, *Y Bannau Pell: Cenhadaeth Mizoram* (Caernarfon, 1989)
Lloyd, Thomas, Julian Orbach a Robert Scourfield, *The Buildings of Wales: Carmarthen and Ceredigion* (Yale, 2006)
Lloyd-Jones, Martyn, *Evangelistic Sermons at Aberavon* (Ceredigion, 1983)
Lloyd-Jones, Martyn, *Preaching and Preachers* (London, 1961)
Llwyd Alan (gol.), *Cerddi R.Williams Parry: Y Casgliad Llawn* (Dinbych, 1998)
Llwyd, Alan, *'Gwae fy myw': Coffâd Hedd Wyn* (Llandybïe, 1991)
Llwyd, Rheinallt (gol.), *Gwarchod y Gwreiddiau: Cyfrol Goffa Alun R. Edwards* (Llandysul, 1996)
Longfield, Bradley J., *The Presbyterian Controversy: Fundamentalists, Modernists and Moderates* (Efrog Newydd, 1993)
Maelor, Gareth, *Drws Agored: Canmlwyddiant Cartref Bontnewydd* (Y Bontnewydd, 2002)
Manchester William, *The Last Lion, Winston Churchill, Visions of Glory 1874–1932* (Boston, 1083)
Matthews, D, Hugh (gol.), *Rhwydwaith Duw: Casgliad o Homilïau a Phregethau Walter P. John* (ail arg. Llandysul, 1970)

May, Andrew J., *Welsh Missionaries and British Imperialism* (Manchester, 2012)
Meredith, J. E. (gol.), *Credaf* (Dinbych, 1943)
Meredith, J. E., *Gwenallt: Bardd Crefyddol* (Llandysul, 1974)
Meyer, G. J., *A World Undone: The Story of the Great War 1914–1918* (Efrog Newydd, 2006)
Morgan Dyfnallt, *D. Gwenallt Jones* (Caerdydd, 1972)
Morgan, D. Densil, *Cedyrn Canrif: Crefydd a Chymdeithas yng Nghymru'r Ugeinfed Ganrif* (Caerdydd, 2001)
Morgan, D. Densil, *Pennar Davies* (Caerdydd, 2003).
Morgan, D. Densil, *The Span of the Cross: Christian Religion and Society in Wales 1914–2000* (2nd ed., Cardiff, 2011).
Morgan, D. Densil, *Wales and the Word: Historical Perspectives on Religion and Welsh Identity* (Cardiff, 2001)
Morgan, D. Densil, *Y Deugain Mlynedd Hyn* (Cyhoeddiadau'r Gair, 2015)
Morgan, Derec Llwyd (gol.), *Bro a Bywyd Kate Roberts* (Caerdydd, 1981)
Morgan, Derec Llwyd, *John Roberts, Llanfwrog: Pregethwr, Bardd, Emynydd* (Llanbedrgoch, 1999)
Morgan, Derec Llwyd, *'Tyred i'n Gwaredu': Bywyd John Roberts, Llanfwrog* (Caernarfon, 2010)
Morgan, K. O., *Freedom or Sacrilege? A History of the Campaign for Welsh Disestablishment* (Penarth, 1966)
Morgan, K. O., *Rebirth of a Nation: Wales 1880–1980* (Rhydychen, 1981)
Morgan, Kenneth O., *Wales in British Politics 1868–1922*, (Cardiff, 1963).
Morgan, Prys, *The University of Wales 1939–1993: A History of the University of Wales*, 3 (Cardiff, 1997)
Morgans, Delyth G., *Cydymaith Caneuon Ffydd* (Aberystwyth, 2006/2008)
Morris, J. Hughes, *Hanes Cenhadaeth Dramor y Methodistiaid Calfinaidd Cymreig hyd ddiwedd y flwyddyn 1904* (Caernarfon, 1907)
Morris, John G. (gol.), *Eglwys Ceunant: Llawlyfr Dathlu Canmlwyddiant Agor y Capel Presennol 1887–1981* (Llundain, 2008)
Morris, William (gol.), *Deg o Enwogion (Ail Gyfres)*, Caernarfon: Llyfrfa'r Cyfundeb, 1965.
Morris, William (gol.), *Deg o Enwogion* (Caernarfon; Llyfrfa'r Cyfundeb, 1959)
Morris, William (gol.) *Tom Nefyn* (Caernarfon, 1962)
Morris, William (gol.), *Ysgolion a Cholegau y Methodistiaid Calfinaidd (Y rhai a gaewyd)* (Caernarfon, Llyfrfa'r M.C., Caernarfon, 1973).
Nongbri, D. L., *Theological Education in North-East India: Problems and Prospects* (Shillong, 2008)
Owen, D. Huw, *The Chapels of Wales* (Pen-y-bont ar Ogwr, 2014)
Owen, Hugh (gol.), *Braslun o Hanes MC Môn (1880–1935)* (Lerpwl, 1937)
Parri, Harri, *Achub Lyfli Pegi* (Dinbych, 1974)
Parri, Harri, *Elen Roger: Portread* (Caernarfon, 2009)

Parri, Harri, *Gwn glân a Beibl budr: John Williams, Brynsiencyn a'r Rhyfel Mawr* (Caernarfon, 2014)
Parri. Harri, *Tom Nefyn: Portread* (Caernarfon, 1999)
Parry, R. Ifor, *Ymneilltuaeth* (Llandysul, 1962)
Peate, David, *A History of Crescent Chapel, Newtown* (Y Drenewydd, 2004)
Phillips, D. M., *Evan Roberts a'i Waith* (Dolgellau, 1912)
Phillips, Dewi Z. (gol.), *Saith Ysgrif ar Grefydd* (Dinbych, 1967)
Phillips, Rhiain, *Y Dyfroedd Byw: Hanes Capel Bethesda, Yr Wyddgrug* (Yr Wyddgrug, 1987)
Pope, Robert, *Codi Muriau Dinas Duw: Anghydffurfiaeth ac Anghydffurfwyr Cymru'r Ugeinfed Ganrif* (Caerdydd, 2005)
Pope, Robert, *Seeking God's Kingdom: The Nonconformist Social Gospel in Wales, 1906–1939* (Caerdydd, 1999)
Pope, Robert, *The Flight from the Chapels* (2000)
Powell, W. Eifion, *Bywyd a Gwaith Gwilym Bowyer* (Abertawe,1968)
Powler, H. H. (cyf.), *Freidrick von Bernhardi* (Llundain, d.d.)
Pretty, David A., *Rhyfelwyr Môn: Y Brigadydd-Gadfridog Syr Owen Thomas, AS, 1858–1923* (Dinbych, 1989)
Pretty, David A., *The Rural Revolt that Failed: 'Farm Workers' Trade Unions of Wales 1889–1950* (Caerdydd, 1989)
Price, D. T. W., *A History of Saint David's College Lampeter, 2, 1898–1971* (Cardiff, 1990).
Price, Emyr, *Yr Arglwydd Cledwyn o Benrhos* (Bangor a Phen-y-groes, 1996)
Rees, Alwyn D., *Life in a Welsh Countryside: A Social Study of Llanfihangel yng Ngwynfa* (Caerdydd, 1950)
Rees, D. Ben, *Chapels in the Valley: The Sociology of Welsh Nonconformity* (Upton Ffynnon Press, 1975)
Rees, D. Ben, *Codi Stêm a Hwyl yn Lerpwl: Hanes y Cymry yng Nghapeli Southdown Lane, Webster Road, Ramilies Road, Heathfield Road a Bethel Lerpwl 1864–2007* (Lerpwl, 2008)
Rees, D. Ben, *Cymry Adnabyddus 1952–72* (Lerpwl a Phontypridd, 1978)
Rees, D. Ben, *Dr John Williams, Brynsiencyn, a'i Ddoniau (1853–1920)* (Llangoed, 2009)
Rees, D. Ben, *Herio'r Byd* (Lerpwl a Llanddewi Brefi, 1980)
Rees, D. Ben, *John Calfin a'i Ddisgyblion Calfinaidd Cymraeg* (Llangoed, 2009)
Rees, D. Ben, *Preparation for Crisis: Adult Education, 1945–80* (Ormskirk, 1981)
Rees, D. Ben, *Pymtheg o Wŷr Llên yr Ugeinfed Ganrif* (Pontypridd/Lerpwl, 1972)
Rees. D. Ben, *The Cultural Heritage* (Ormskirk, 1981)
Rees, D. Ben, *The Healer of Shillong: Reverend Dr Hugh Gordon Roberts and the Welsh Mission Hospital* (Lerpwl, 2016)
Rees, Goronwy, *A Bundle of Sensations: Sketches in Autobiography* (Llundain, 1960)

Rees, Thomas, *Cenadwri'r Eglwys a Phroblemau'r Dydd* (Wrecsam, 1924)
Richard, E.W. a H. Richard, *Bywyd y Parch. Ebenezer Richard* (Llundain, 1839)
Richards, Emlyn, *Hen Ysgol Eben Fardd – Ysgol yr Ail Gynnig* (Caernarfon, 2004).
Richards, Emlyn, *Pregethwyr Môn* (Caernarfon, 2003)
Richards, Glyn, *Datblygiad Rhyddfrydiaeth Ddiwinyddol ymhlith yr Annibynwyr* (Abertawe, 1957)
Roberts, Brynley F. (gol.), *Moelwyn: Bardd y Ddinas Gadarn* (Caernarfon, 1996)
Roberts, D. Francis, *Dysgeidiaeth y Pumllyfr* (Caernarfon; 1920)
Roberts, Eleazer, *Bywyd a Gwaith y Diweddar Henry Richard AS* (Wrecsam, 1902)
Roberts, Gomer M., *Y Can Mlynedd Hyn (1864–1964): Hanes Dechreuad a Datblygiad Cymanfa Gyffredinol Eglwys Methodistiaid Calfinaidd Cymru* (Caernarfon: Llyfrfa'r M.C., 1964)
Roberts, Gomer M., *Y Ddinas Gadarn: Hanes Eglwys Jewin, Llundain* (Llundain, 1974)
Roberts, Gwen Rees, *Memories of Mizoram* (Presbyterian Church of Wales, 2003)
Roberts, Kate, *Hyn o Fyd* (Dinbych, 1964)
Roberts, Richard, *Bywyd a Gwaith Robert Owen o'r Drenewydd* (Llanuwchllyn, 1907)
Rowland, Peter, *David Lloyd George: A Biography* (Efrog Newydd, 1975)
Scourfield, R. a K. Johnson, *Burnett's Hill Calvinistic Methodist Chapel, Martletwy: A Brief History* (Martletwy, 2001)
Sell, A. P. F., *Convinced, Concise, and Christian: The Thought of Huw Parri Owen* (Eugene, Oregon, 2012)
Sell, A. P. F., *Nonconformist Theology in the Twentieth Century* (Milton Keynes, 2016)
Sell, A, P, F., *The Theological Contribution of Protestant Nonconformists in the Twentieth Century: Some Soundings* (Pickwick Publications, Oregon, 2013)
Shands, H. R., *The Liturgical Movement and the Local Church* (SCM Press, 1959)
Society of Ireland, 2006)
Spong, John Shelby, *A New Christianity For a New World* (Harper Collins, 2001)
Stanford, Peter *The Extra Mile: a 21st Century Pilgrimage* (Continuum, 2010)
Thomas, David, *Diolch am Gael Byw* (Lerpwl, 1968)
Thomas, Ednyfed, *Bryniau'r Glaw: Cenhadaeth Casia* (Caernarfon, 1988)
Thomas, R. D., *Hanes Cymry America* (Utica, 1872)
Thomas, Rheinallt (gol.), *O'r Dechrau hyd Heddiw: Cyngor Ysgolion Sul Cymru yn 50 Oed* (Cyhoeddiadau'r Gair, 2016). *Braslun o Hanes*

Cyngor Ysgolion Sul ac Addysg Gristnogol Cymru 1966-2016 (Cyhoeddiadau'r Gair, Chwilog, 2016); *Braslun o Hanes Cyngor Ysgolion Sul ac Addysg Gristnogol Cymru 1966–2016* (Cyhoeddiadau'r Gair, Chwilog, 2016)
Tudor, Stephen O., *A Wyddoch Chi? Beth yw Calfiniaeth* (Caernarfon, 1957)
Tudur, Geraint, *Howell Harris: From Conversion to Separation 1735–1750* (Caerdydd, 2000)
Tudur, Gwilym, *Wyt ti'n Cofio?* (Tal-y-bont, 1989)
Tyerman, L., *The Life of the Rev. George Whitfield, B.A. of Pembroke College, Oxford*, I (Llundain, 1890)
Tyler, R. Llewellyn, *The Welsh in an Australian Gold Town, Ballarat, Victoria, 1850-1900* (Caerdydd, 2010)
Underhill, E., *Worship* (Nisbet, London, 1936)
Vanlalchhuanawma, *Christianity and Subaltern Culture* (ISBCK, 2006)
Wallis, Jill, *Valiant for Peace: A History of the Fellowship of Reconciliation 1914 to 1959* (Llundain, 1991)
Weston, P. (gol.), *Lesslie Newbigin, Missionary, Theologian: A Reader* (Grand Rapids, Eerdmans, 2006)
White, Eryn, *'Praidd bach y Bugail Mawr': Seiadau Methodistaidd De-Orllewin Cymru 1737-1750* (Llandysul, 1995)
Wiliams, Gerwyn, *Tir Neb* (Caerdydd, 1996)
Williams, A. Ffowc (gol.), *Ffyrdd a Ffydd* (Dinbych, 1945)
Williams, Aled Jones Williams a Cynog Dafis, *Duw yw'r Broblem* (Gwasg Carreg Gwalch, 2016)
Williams, Annie Pugh, *Atgofion am John Pugh: Sylfaenydd Symudiad Ymosodol y Methodistiaid Calfinaidd* (Llandysul, 1908?)
Williams, D. D., *Llawlyfr Hanes y Cyfundeb* (Caernarfon: Argraffdy'r Cyfundeb, d.d.).
Williams, D. Jenkins, *One Hundred Years of Welsh Calvinistic Methodism in America* (Philadelphia, 1937)
Williams, Ellis Wyn, *Hanes Eglwys Mynydd Seion, Abergele* (Abergele, 1968)
Williams, G. J., *Y Wasg Gymraeg, Ddoe a Heddiw* (Y Bala, 1970)
Williams, Glanmor (gol.), *Merthyr Politics: The Making of a Working Class Tradition* (Caerdydd, 1966)
Williams, Glyn, *The Welsh in Patagonia: The State and the Ethnic Community* (Caerdydd, 1993)
Williams, Hugh, *Grym y Groes* (Caernarfon, 1948)
Williams, Huw Llewelyn, *Braslun o Hanes Methodistiaeth Galfinaidd Môn, 1935–1970* (Dinbych, 1977)
Williams, Huw Llewelyn, *Thomas Charles Williams* (Caernarfon, 1965)
Williams, Iolo Wyn (gol.), *Gorau Arf: Hanes Sefydlu Ysgolion Cymraeg 1939–2000* (Tal-y-bont, 2002)
Williams, J. D., *Bethany, Rhydaman, 1881–1981* (Rhydaman, 1981)

Williams, J. E. Caerwyn (gol.), *Cerddi Waldo Williams* (Gregynog, 1992)
Williams, J. E. Caerwyn (gol.), *Ysgrifau Beirniadol* (Dinbych, 1971)
Williams, J. Freeman, *Eglwys Princes Road Liverpool 1802–1928: ei Hanes* (Lerpwl, 1928)
Williams, J. Gwynn, *The University of Wales 1893–1939: A History of the University of Wales*, dwy gyfrol (Caerdydd, 1997)
Williams, Jay G., III, *Songs of Praises: Welsh-rooted Churches beyond Britain* (Clinton, Efrog Newydd, 1996)
Williams, M. Watcyn, *From Khaki to Cloth: the Autobiography of Morgan Watcyn-Williams MC, Merthyr Tydfil, 1891–1938* (Caernarfon, 1949)
Williams, Moelwyn I., *Y Tabernacl, Aberystwyth: Hanes yr Achos 1785–1985* (Aberystwyth, 1985)
Williams, Myfi, *Cymry Awstralia* (Llandybïe, 1953)
Williams, R. Hall a D. Haydn Thomas, *Hanes Salem Canton Caerdydd o 1856 hyd 2000* (Caerdydd, 2001)
Williams, R. O. G. (gol.), *J. W. Jones: Crefft Cledd Cennad* (Llandysul, 1971)
Williams, R. R., *Breuddwyd Cymro mewn dillad benthyg: Cwmni Cymreig RAMC* (Lerpwl, 1966)
Williams, Robin, *Y Tri Bob* (Llandysul, 1976)
Williams, Tom Nefyn, *Yr Ymchwil* (Dinbych, 1949)
Williams, W. Nantlais, *O Gopa Bryn Nebo (Atgofion)* (Llandysul, 1967)
Williams, W. Nantlais (gol.), *Philip Jones: Pregethau ac Emynau* (Llandybïe, 1948)
Ysgol Gymraeg Aberystwyth, 1945–2005 (Llandysul, 2008)

C. ERTHYGLAU A PHENODAU MEWN CYFROLAU

Aaron, R. I., 'John Robert Jones', *Efrydiau Athronyddol*, 34 (1971), 3-11
Barker, John, 'Moderniaeth Ryddfrydol', *Y Traethodydd*, 97 (1942), 57–9
Bowen, D. J., 'Cofio D. J. – y gwarcheidwad diflino', *Y Faner*, 18 Hydref 1985, 14–15
Daniel, J. E., 'Gair Duw a gair dyn', *Yr Efrydydd*, 5 (1929), 251–5
Daniel, J. E., 'Karl Barth', *Y Dysgedydd*, 92 (1926), 125(i), 7–10
Daniel, J. E., 'Pwyslais diwinyddiaeth heddiw', yn John Wyn Roberts (gol.), *Sylfeini'r Ffydd Ddoe a Heddiw* (Llundain, 1942), 81–92
Davies, Aneirin Talfan, 'Ar Ymyl y Ddalen', *Barn*, 151 (Awst 1975), 749–51
Davies, Aneirin Talfan, 'Y Diwygiad Methodistaidd a'r Llyfr Gweddi', yn *Sylwadau* (Aberystwyth, 1951), 24–48
Davies, D. Edmunt, 'Y Ddeddf a Masnachu ar y Sul', *Seren Gomer*, (1943), 54–5
Davies, D. Eirug, 'Yr ymagwedd cynnar yng Nghymru i ddiwinyddiaeth Karl Barth, I a II', *Diwinyddiaeth*, 34 (1983), 52–76

Davies, D. Eirug, 'Yr ymagwedd cynnar yng Nghymru i ddiwinyddiaeth Karl Barth, II', *Diwinyddiaeth*, 37 (1986), 53–85
Davies, Dan, 'Gwyddoniaeth a Chrefydd', *Efrydiau Athronyddol*, 6 (1943), 3–22
Davies, E. O., 'Ein Cyfansoddiad: Trem yn ôl ac ymlaen', *Cylchgrawn*, 14 (2) (1929). 33–70
Davies, E. O., 'I Gyfeiriad Undeb Eglwysig', *Yr Efrydydd*, 3 (rhif 7), 1927, 180– 3
Davies, E. O., 'Yr Eglwys – Corff Crist, vii: Y Methodistiaid Calfinaidd', *Yr Efrydydd*, I (rhif 7), 1927, 173–9
Davies, J. E. Wynne, 'Annus Horribilis: The Theological College, 1933', *The Treasury*, 38 (2012), 6.
Davies, J. E. Wynne, 'Murmurs of the Brook: Nantlais 1874–1959', *The Treasury*, 34 (2009)
Davies, J. E. Wynne, 'Professor David Morus Jones, M.C, M.A., B.D. (1887–1957): War Diaries', *Cylchgrawn*, 22 (1998), 35–54
Davies, J. E. Wynne, 'The Association in the East', *Cylchgrawn*, 21 (1997), 5–63
Davies, J. Monica, 'The Calvinistic Methodist Archives', *Cylchgrawn*, 49 (2) (1964), 59–60
Davies, Saunders, 'Gweddi'r Cristion Heddiw', *Diwinyddiaeth*, 29 (1978), 32–46
Davies, W. D., 'Gwerth yr Hen Ddiwinyddiaeth Heddiw', *Y Traethodydd*, 9 (1936), 171–9
Davies, Wayne K. D., 'Falling on Deaf Years? Canadian Promotion and Welsh Emigration to the Prairies' *Cylchgrawn Hanes Cymru*, 19(4) (Rhagfyr 1999), 679–712
Davies, Wayne K. D., 'The Welsh in Canada: A Geographical Overview', yn M. E. Chamberlain (gol.), *The Welsh in Canada* (Abertawe, 1986), 1–45
Edwards, D. Miall, 'Y rhyfel a Hollalluogrwydd Duw', *Y Beirniad*, 6 (1916), 1–15
Edwards, G. A., 'Addysg a Chrefydd', *Yr Efrydydd*, 7(II (1941), 16)
Edwards, Gwyn, 'Mudiad y Diwaith: Dyffryn Nantlle, 1956–1960, *Llafur*, 5 (1) (1988), 29–36
Edwards, T. J., *Yr Eglwys*, 118 (rhif 507), Ebrill 1963, 66–71
Evans, Dafydd, 'Capel Cymraeg yn cau yn Los Angeles', *BBC Cymru Fyw* (29 Rhagfyr 2012)
Evans, E. Keri, 'Karl Barth, y Proffwyd', *Y Tyst* (16 Awst 1928), 8–9
Evans, Eifion, 'The Pursuit of an Ideal: The Ordination of 1811', *Cylchgrawn*, 35 (2011), 7–46
Evans, Gwynfor, 'Richard Roberts (1874-1945)', yn D. Ben Rees (gol.), *Oriel o Heddychwyr Mawr y Byd* (Lerpwl a Llanddewi Brefi, 1983), 76–8
Evans, M., 'Trem ar agwedd crefydd ym mysg Cymry Victoria Awstralia', *Y Cyfaill*, 27 (Medi 1864)

Evans, W. Gareth, 'Y Wladwriaeth Brydeinig ac Addysg Gymraeg 1850–1914', yn *'Gwnewch Bopeth yn Gymraeg'; y Gymraeg a'i Pheuoedd 1801–1911*, gol. Geraint H. Jenkins (Caerdydd, 1999), tt.427–49.
Evans, W. Gareth, 'Y Wladwriaeth Brydeinig ac Addysg Gymraeg', yn *'Eu Hiaith a Gadwant':Y Gymraeg yn yr Ugeinfed Ganrif*, goln. Geraint H. Jenkins a Mari A.Williams, (Caerdydd, 2000), tt.331–56.
Gealy, Walford, 'Ann Griffiths a'r Athro J. R. Jones', yn Gwynn Matthews (gol.), *Cred, Llên a Diwylliant – Cyfrol deyrnged Dewi Z. Phillips* (Tal-y-bont, 2012), 116–41
Griffiths, Peter Hughes, 'Y Cyfundeb a meddwl yr oes', *Y Goleuad*, 47 (19 Chwefror 1915)
Griffiths, Rhidian, 'The Lord's Song in a Strange Land', yn Emrys Jones (gol.), *The Welsh in London, 1510–2000* (Caerdydd, 2001)
Gruffydd, R, Geraint, 'Moriae Encomium: Pwt o Bregeth', yn Dewi Z. Phillips (gol.), *Saith Ysgrif ar Grefydd* (Dinbych, 1967), 17–23
Hughes, R. Arthur, 'Howell Harris Hughes (1874–1950), yn D. Ben Rees (gol.), *Dal i Herio'r Byd* (Lerpwl a Llanddewi Brefi), 111–27
Humphreys. E. Morgan, 'George Davies, (1880–1949)', yn *Gwŷr Enwog Gynt*, ail gyfrol (Aberystwyth, 1953), 21–9
Jenkins, Dafydd, 'Adolygiadau: Bywyd a Chredo', *Yr Efrydydd*, 9 (1) (1943)
Jenkins, R. T., 'Owen Edwards', *Y Llenor*, 9 (1930), 6–21
Jones, Aled Gruffydd, 'Y Wasg Gymreig yn y Bedwaredd Ganrif ar Bymtheg', yn *Cof Cenedl: Ysgrifau ar Hanes Cymru,* 3 (1988), 41–62
Jones, Arfon, 'Y Saith Degau ym Mangor – Cyfnod o Gyffro a Newid', *Y Goleuad*, 140, 20 (2012), 4
Jones, Bill, 'Cymry "Gwlad yr Aur": Ymfudwyr Cymreig yn Ballarat, Awstralia, yn ail hanner y bedwaredd ganrif ar bymtheg', *Llafur*, 8(2) (2001), 41–61
Jones, Bill, 'Y Parchedig William Meirion Evans ac Achos y Methodistiaid Calfinaidd yn Victoria, Awstralia, yn Ail Hanner y Bedwaredd Ganrif a'r Bymtheg', *Cylchgrawn*, 31 (2006), 122–52
Jones, Dafydd Andrew, 'O Dywyllwch i Oleuni: Y Genhadaeth Gartref a Thramor', yn *Hanes Methodistiaeth Galfinaidd Cymru, 1814–1914: Y Twf a'r Cadarnhau* , J. Gwynfor Jones (gol.), (Caernarfon, 2011), 422–93
Jones, David, 'Ystadegaeth Cyfundeb y Methodistiaid Calfinaidd 1814–1914', yn J. Gwynfor Jones (gol.), *Hanes Methodistiaeth Galfinaidd Cymru, 1814-1914: Y Twf a'r Cadarnhau*, 3 Caernarfon, 2011), 494–633
Jones, David Ceri, 'Lloyd-Jones, D. Martyn', yn Robert Pope (gol.), *T.&T.Clark Companion to Nonconformity* (Llundain, 2013), 626-7
Jones, Emrys, 'Some aspects of cultural change in a Welsh-American community', *Traf. Cymmr*. (1952), 15–41
Jones, Emrys, 'Yr Iaith Gymraeg yn Lloegr c. 1800–1914', yn Geraint H. Jenkins (gol.), *Iaith Carreg fy Aelwyd* (Caerdydd, 1998), 225–54

Jones. E. P., 'Atgofion am Gwenallt', yn *Taliesin*, 25 (Rhagfyr 1972), 137–40

Jones, Euros Wyn, 'John Calfin (1509–1564): Agweddau ar ei ddylanwad ar Gymru', *Cylchgrawn*, 33 (2009), 140–86

Jones, Iorwerth, 'Dyddlyfr y Dysgedydd', *Y Dysgedydd*, 135 (1955), 239–41

Jones, J. Graham, Cardiganshire Politics, 1885–1974', yn G. H. Jenkins ac I. G. Jones (goln), *Cardiganshire County History, III Cardiganshire in Modern Times* (Caerdydd, 1997), 407–29

Jones, J. Gwynfor, 'From "Monastic Family" to Calvinistic Methodist Academy': Trefeca College (1842–1906)', yn *The Bible in Church, Academy and Culture: Essays in Honour of the Reverend Dr.John Tudno Williams*, ed. Alan P. F. Sell (Eugene, Oregon: Pickwick Publications, 2011), 191–226.

Jones, J. Gwynfor, 'The Revd John Morgan Jones, Pembroke Terrace, Cardiff (1838–1921): aspects of his contribution to the Christian Ministry', *Cylchgrawn*, 26–27 (2002–3), 26–37

Jones, J. Gwynfor, 'Y Parchedig Ddr John Roberts, Caerdydd', *Cylchgrawn*, 39 (2015), 5–7

Jones, J. Ithel, 'Diwinyddiaeth Karl Barth, III', *Seren Gomer*, 43 (1951), 5–14

Jones, J. R., 'Eglwys Crist a'r gwareiddiad newydd', *Y Drysorfa*, 112 (1942), 267–76

Jones, J. R., 'Sefwch gan hynny yn y rhyddid', yn D. James Jones a J. R. Jones, *Anerchiadau Cymdeithasfaol yr Wyddgrug, Pwllheli a Machynlleth 1942* (1943)

Jones, Philip J., 'The new orthodoxy – a criticism', *The Welsh Outlook*, 18 (1931),
180–2

Jones, R. Owen, 'O Gymru i Saskatchewan drwy Batagonia', yn E. Wyn James a Bill Jones, *Michael Jones a'i Wladfa Gymreig* (Llanrwst, 2009), 189–216

Jones, R. Tudur, 'Diffeithwch heddiw', *Yr Efrydydd*, 1 (1950), 20-26

Jones, R. Tudur, 'Origins of the Nonconformist Disestablishment Campaign', *Journal of the Historical Society of the Church in Wales*, 20 (1970), 39–76

Jones, Richard Wyn, 'Gwleidyddiaeth Ryddfreiniol Wleidyddol Theodor Weisengrund Adorno', *Efrydiau Athronyddol*, 59 (1996), 84–96

Jones, T. Ivon, 'Pregethu'r Gair yn ôl Karl Barth', *Y Traethodydd*, 5 (1936), 18–27

Knox, R. Buick, 'The Theological College, Aberystwyth: Letters from Lord Clwyd and Mr E. Humphreys Jones', Cylchgrawn, 51 (1966). 45-8.

Lake, M. Islwyn, 'D. J. Williams', *Y Traethodydd*, 536 (1970), 143–8

Lewis, Hywel D., 'Oes y newid a'r chwalu', *Barn*, XXII (1964), 277–8

Lewis, J. D. Vernon, 'Diwinyddiaeth Karl Barth', *Yr Efrydydd*, 3 (1927), 281–7

Lewis, J. Saunders, 'Owen M, Edwards', yn G. O. Pierce (gol.), *Triwyr Penllyn* (Caerdydd, 1956), 28–37
Lloyd, J. Trefor, 'Oni wyddoch arwyddion yr amserau?', *Y Drysorfa*, 136 (1966), 51- 4
Llywelyn-Williams, Alun, 'Owen M. Edwards: hanesydd a llenor', *Y Traethodydd*, 27 (1959), 1–16
Löffler, Marion, '"Foundations of a Nation": The Welsh League of Youth and Wales before the Second World War', *Cylchgrawn Hanes Cymru*, 23 (2006), 74–105.
Löffler, Marion, 'Mudiad yr Iaith Gymraeg yn hanner cyntaf yr ugeinfed ganrif: Cyfraniad y Chwyldroadau Tawel', yn Geraint H. Jenkins a Mari A. Williams (goln), *'Eu Hiaith a Gadwant'? Y Gymraeg yn yr Ugeinfed Ganrif* (Caerdydd, 2000), 173–206
Mainwaring, M. R., 'John Morgan Jones (1861–1935)', yn D. Ben Rees (gol.), *Herio'r Byd* (Lerpwl a Llanddewibrefi,1980), 61–9
Morgan, D. Densil, 'Calfiniaeth yng Nghymru c.1590–1909', *Cylchgrawn*, 33 (2010), 37–59
Morgan, D. Densil, 'Ffydd yn y Ffosydd: Cynddelw Williams (1870–1942)', yn *Cedyrn Canrif: Crefydd a Chymdeithas yng Nghymru'r Ugeinfed Ganrif* (Caerdydd, 2001), 1–27
Morgan, D. Densil, 'Yr Iaith Gymraeg a Chrefydd', yn Geraint H. Jenkins a Mari A. Williams (goln), *'Eu Hiaith a Gadwant'?:Y Gymraeg yn yr Ugeinfed Ganrif* (Caerdydd, 2000), 357–80
Morgan, D, Densil, 'Y Tyst ymhlith y tystion: Ivor Oswy Davies (1906–64)', yn *Cedyrn Canrif: Crefydd a Chymdeithas yng Nghymru'r Ugeinfed Ganrif* (Caerdydd, 2001), 132–57
Morgan, K. O., 'Peace Movements in Wales 1899–1945', yn *Cylchgrawn Hanes Cymru*, 10 (1980–1), 398–430
Morris-Jones, J. Adolygiad: *Germany and the Next War*, General Friedrich von Bernhardi, *Y Beirniad*, 4 (1914), 217–24
Nicholas, T. E., 'Y Gweithiwr Gwlad', *Y Deyrnas*, 3(5), Chwefror 1919, 37–8
Nonconformity, ed. Robert Pope (Bloomsbury, 2013), 626–7.
Owen, D. Huw, 'Casgliad Brasluniau A. F. Mortimer yn y Llyfrgell Genedlaethol', *Cylchgrawn*, 22 (1998), 55–73
Owen, D. Huw, 'The Graham Rosser Photographic Collection', *Cylchlythyr Capel*, 43 (2004), 22–4
Owen, D. Huw, 'Welsh Chapels: Drawings from the Mortimer Collection', *Planet*, 130 (August–September 1998), 56–65
Owen, Eiflyn Peris (gol.), 'Tair Wythnos yn Liverpool a Chymru', *Cylchgrawn*, 7 (1983), 43–82
Owen, John, 'Albert Kyffin Morris', Y Goleuad, 24 Mehefin 2005, 7.
Parry, R. Gwynedd, 'A Master of Practical Law', yn *Cyfraniad Cymreig, Cymdeithas Hanes Cyfraith Cymru / The Welsh Legal History Society*, 3 (2002), 102–59
Parry, R. Ifor, 'Diwinyddiaeth yng Nghymru heddiw', *Yr Ymofynnydd*, 54 (1954), 74–86

Parry, Syr David Hughes, 'Status Cyfreithiol yr Iaith 1963–1971', *Barn*, 102 (Ebrill, 1971), 172–3
Parry, T. Trefor, 'Tueddiadau Diwinyddol Ewrop ar ôl y Rhyfel Mawr, I a II', *Yr Eurgrawn*, 154 (1962), 128–34, 162–6
Phillips, Hefina, 'Dewi Sant Church, Toronto Announces New Minister', *Ninnau*, Mawrth-Ebrill, (2014)
Pope, Robert, 'Annibynwyr Cymru a'r Broblem Gymdeithasol, 1916–1939' yn *Codi Muriau Dinas Duw: Anghydffurfiaeth ac Anghydffurfwyr Cymru'r Ugeinfed Ganrif* (Caerdydd, 2005), 65–89
Pope, Robert, 'Cysondeb y Ffydd: Arolwg ar Ddiwinyddiaeth y Cyfundeb Methodistaidd 1905–1950 ', *Cylchgrawn*, 33 (2009), 85–114
Pope, Robert, 'Duw ar drai ar orwel pell': Capeli Cymru a'r Rhyfel Mawr', *Y Traethodydd*, 169, (2014), 213–30
Pope, Robert, 'Emynau newid cymdeithas', *Y Traethodydd*, 164 (2009), 101–20
Pope, Robert, '"Pilgrims through a barren land": Nonconformists and Socialists in Wales 1906–1914', *Traf. Cymmr*, (2001), 149–63
Pope, Robert, 'Sosialaeth Silyn', yn *Codi Muriau Dinas Duw: Anghydffurfiaeth ac Anghydffurfwyr Cymru'r Ugeinfed Ganrif* (Caerdydd, 2005), 12–25
Pretty, David A. 'Gwrthryfel y gweithwyr gwledig yng Ngheredigion 1889–1950', *Ceredigion*, 10 (i) (1988–9). 41–57
Prew, Christopher Prew 'Albert Kyffin Morris', Y Goleuad, 18 Tachwedd 2005, 2.
Rees, D. Ben, 'Bywyd a Gwaith D. O. Evans, AS', *Ceredigion*, 14 (3) (2003), 61–70
Rees, D. Ben, ' "Ci bach Lloyd George": Dr John Williams, Brynsiencyn', *Barn*, 556 (Mai 2009), 19–20
Rees, D. Ben, 'Cloriannu'r Parchedig Ddr John Williams, Brynsiencyn', *Cylchgrawn*, 35 (2011), 108–27.
Rees, D. Ben, 'Diwinyddiaeth Cymru (1960-1975) yng Ngoleuni Cymdeithaseg Crefydd', *Diwinyddiaeth*, 29 (1978), 47–52
Rees, D. Ben, 'Robert Arthur Hughes (1910–1996)', yn *Llestri Gras a Gobaith: Cymry a'r Cenhadon yn India* (Lerpwl, 2001), 85–7
Rees, D. Ben, 'Teulu Llandinam a'u cyfraniad i grefydd', *Cylchgrawn*, 8 (1984), 3–23
Rees, D. Ben, 'Y Rhyfel Byd Cyntaf a Chyfundeb y Methodistiaid Calfinaidd Cymreig', *Cylchgrawn*, 38 (2014), 125–56
Rees, Evan, 'Y Dr John Morgan Jones, Caerdydd', *Y Drysorfa*, 24 (Gorffennaf 1921), 241–6
Rees, Ivor Thomas, 'Aristocrat, Pauper and Preacher', yn *Welsh Journal of Religious History*, 4 (2004), 65–79
Richards, Gwynfryn, 'Dydd yr Arglwydd mewn egwyddor ac ymarfer', *Yr Haul*, (1944), 195–8, 200–3, 234–6
Richardson, Alan, 'Book Reviews', *Theology*, 51 (1948), 30

Roberts, Alwyn, 'Cenhadaeth, Cynhaeaf ac Adladd', *Y Traethodydd*, 134 (1979), 128–38
Roberts, Arthur Meirion, 'R. J. Derfel, 1824–1905', *Y Traethodydd*, 164 (2009), 34–54
Roberts, D. J., 'Y Parchedig C. Currie Hughes, Aberteifi', yn T. J. Davies (gol.), *Namyn Bugail* (Llandysul), 1975), 87–98
Roberts, Dafydd, 'Dros Ryddid a Thros Ymerodraeth. Ymatebion yn Nyffryn Ogwen, 1914-1918', *Trafodion Cymdeithas Hanes Sir Gaernarfon*, 45 (1984), 107–26
Roberts, Dafydd, 'Undeb y Chwarelwyr a'r Streic Gyffredinol, 1926', *Llafur*, 3(4) (1982–3), 48–58
Roberts, Gomer M., 'Atgofion am Drefeca (III)', yn William Morris (gol.), *Ysgolion a Cholegau y Methodistiaid Calfinaidd (Y rhai a gaewyd)* (Caernarfon, 1973), 38–46
Roberts, Huw, 'Y Prifathro Howel Harris Hughes, B.A., B.D. (1873–1956)', yn *Deg o Enwogion (Ail Gyfres)*, tt. 47–50.
Roberts, John, 'Yr Athro David Williams, M.A., Aberystwyth (1877–1927)', yn *Deg o Enwogion*, tt. 88–93.
Roberts, R. Meirion, 'Y Prifathro David Phillips, M.A., D.D., Y Bala (1875–1951)', yn *Deg o Enwogion*, tt. 79–87.
Rosser, Siwan M., 'Thomas Levi a Dychymyg y Cymry', *Cylchgrawn*, 40 (2016), 87–102
Smith, J. Beverley, 'Dechrau'r Ganrif: y Cyfundeb o dan archwiliad 1900–1925', *Cylchgrawn*, 20 (1996), 41–67
Stephens, J. Oliver, 'Blwyddyn yn Awstralia', *Y Dysgedydd*, 110 (1931), 51–4
Taf, Tudur, 'Cymry Saskatchewan', *Cymru*, 46 (Hydref 1914), 158–60
Taf, Tudur, 'Tua'r Mynyddoedd Creigiog', *Cymru*, 45 (Tachwedd, 1913), 208–12
Thomas, Dafydd Ellis, 'Yr Argyfwng', *Y Drysorfa*, 134, 151–2
Tudor, Stephen O., 'Crefydd Crisis', *Y Drysorfa*, 92 (926), 215–16
Tyler, Robert Llewellyn, 'The Welsh-Language Press in Colonial Victoria', *Victorian Historical Journal*, 80:1 (Mehefin, 2009), 45–60
Walker, David, 'Disestablishment and Independence', yn David Walker (gol.), *A History of the Church in Wales* (Penarth, 1976), 165–87
Walker, David, 'The Welsh Church and Disestablishment': The Modern Churchman', *The Modern Churchman*, 4 (1971), 134–54
White, Eryn M., 'Addysg a'r Iaith Gymraeg', yn *Hanes Methodistiaeth Galfinaidd Cymru: cyfrol III: Y Twf a'r Cadarnhau (c.1814–1914)*, gol. J. Gwynfor Jones, (Caernarfon, 2011), 225–70.
Wiliams, Gerwyn, '"Ymladd brwydr fawr y gwir": emynau'r Rhyfel Mawr', *Y Traethodydd*, 169 (2014), 231–52
Williams, Harri, 'Geiriau', *Y Traethodydd*, 121 (1966), 22–3
Williams, Harri, 'Y dyn modern yn chwilio am enaid', *Y Drysorfa*, 131 (1961), 155–8
Williams, Hugh, 'Cristion a Chymro', *Y Goleuad*, 12 Mai 1976), 3

Williams, Hugh Llewelyn, 'Ysgol Clynnog (II)', yn William Morris (gol.), *Ysgolion a Cholegau y Methodistiaid Calfinaidd (y rhai a gaewyd)* (Caernarfon, 1973), 55–69
Williams, J. E. Caerwyn, 'Fy nyled i D. J., cyfarwydd Sir Gaerfyrddin', *Taliesin*, 20 (1970), 17–31
Williams, J. E. Caerwyn, 'Gweledigaeth Owen Morgan Edwards', *Taliesin*, 4 (1937)
Williams, J. Price, 'Y Parch.Gwilym Arthur Edwards, M.A., B.D. (1881–1963)', yn William Morris (gol.), *Deg o Enwogion (Ail Gyfres)*, tt.77–84.
Williams, J. Tudno, 'Biblical scholarship in the twentieth century', yn A. P. F. Sell a A. R. Cross, *Protestant Nonconformity in the Twentieth Century* (Carlisle, 2003)
Williams, J. Tudno, 'D. Cynddelw Williams', *Y Blwyddiadur*, 1949, 139
Williams, J. Tudno, 'D. J. Evans, Capel Seion, a'r Gwerslyfr a Wrthodwyd', *Cylchgrawn*, 39 (2015), 26–68
Williams, Stephen J., 'Cymru'r Cylchgronau', *Yr Efrydydd*, 7(3) (1942)
Williams, W. I. Cynwil, 'Ar ddechrau blwyddyn: pregeth', *Y Drysorfa*, 135 (1965), 3 –5
Williams, W. I. Cynwil, 'Kate Roberts (1891–1985), *Y Traethodydd*, 140 (1985), 174–84
Williams, W. Nantlais, 'Llinellau'r Efengylydd', *Yr Efengylydd*, 15 Ionawr 1531, 1–2
Williams, W. R., 'Y Prifathro Owen Prys, M.A., D.D., Aberystwyth (1857–1934)', yn *Deg o Enwogion*, 45–52.

CH. TRAETHAWD YMCHWIL

Davies, Menna, 'Traddodiad Llenyddol y Rhondda', Traethawd Ph.D. anghyhoeddedig Prifysgol Cymru, 1981

D. FFYNONELLAU EILAIDD; NEWYDDIADURON, CYLCHGRONAU A CHYFEIRLYFRAU

Arolwg
Barn
Beirniad, Y
Blwyddiadur, Y
Bywgraffiadur Cymreig Hyd 1940, Y (goln) J. E. Lloyd a R.. T. Jenkins. (Llundain,1953)
Bywgraffiadur, 1951–1970, Y (goln) E. D. Jones a Brynley F. Roberts (Llundain,1997)
Bywgraffiadur, Y (ar lein): yba.llgc.org.uk
Cenhadwr, Y
Cristion
Cyfaill, Y
Cyfarwyddwr, Y

Cylchgrawn Hanes Cymru
Deyrnas, Y
Diwinyddiaeth
Drych, Y
Drysorfa, Y
Dysgedydd, Y
Efrydiau Athronyddol
Efrydydd, Yr
Enfys, Yr
Expository Times, The
Faner, Y
Ffordd, Y
Genedl, Y
Glannau, Y
Goleuad, Y
Haul, Yr
Llafur
Llais Rhyddid
Llenor, Y
Lloyd Bank Review
Merthyr Express, The
New Statesman, The
Ninnau
Oswestry and Border Counties Advertiser, The
Planet
Porfeydd
Seren Gomer
Spectator, The
Taliesin
Theology
Traethodydd, Y
Trafodion Anrhydeddus Gymdeithas y Cymmrodorion
Treasury, The
Tyst, Y
Wawr, Y
Welsh Journal of Religious History, The
Welsh Outlook, The
Western Mail, The
Ymofynnydd, Yr

MYNEGAI

A

Aberfan, trychineb 65
Abergildie, castell 495, 512
Aberthin 100, 439
Abraham, William (Mabon) 15, 16
Adams, Edwin 304
Addysg a'r Iaith Gymraeg 249-57
Addysg Gyhoeddus 243-9
Adran Plant ac Ieuenctid 500
Adroddiad Comisiwn Ad-drefnu'r Weinidogaeth 236-7
Adroddiad Cyd-Bwyllgor y Colegau (1922) 217
Adroddiad Gittins (1967) 248
Aizawl 308
Alexander, J. S. I. 221
Alffa 379
Almaen, Yr 2, 3
Altcourse, Carchar 333
Amgueddfa Ceredigion 424
Anthony, David Brynmor 58
Asquith, H. H. 1, 277
Athrawon y Colegau 270-2
Australydd, Yr 65, 449

B

Baillie, John 223
Baker, John 186
Baldwin, Stanley 30
Ballarat 473
Ballard, Paul 510
Banciau Bwyd 508
'Band of Hope' 170
Bangor 478
Barclay, William 157
Barley, Lynda 508
Barn 68
Barr, Jim 475
Barrow-in-Furness 6
Barth, Karl 151-2, 193, 194, 195, 196
Bebb, W. Ambrose 10, 21, 55, 65
Beibl.net 505
Beirniad, Y 2
Bendigo 473
Bermo, Y 8
Bernhardi, Freidrick von 2
Bethesda 3
Bevan, Aneurin 58
Beynon, Robert 22, 283, 284
Beynon, Tom 440
Bickerstaff, Mabel 230
Blackstone 475
Bonhoeffer, Dietrich 201
Bonsall, R. Emrys 424
Bontnewydd, Y 13
Boomsma, Christine 484
Bowyer, Gwilym 64
Breslau Trench 4
Brooke, Henry 63
Brunner, Emil 196
Bryniau Casia 303, 304, 308
Bryniau Casia-Jaintia 308
Bryniau Lwshai 303
Buckley, Margaret 304, 305
Bultmann, Rudolph 196, 201
Burdon, Adrian 152
Burgess, Cefyn 421
Butetown (Caerdydd) 53
Bwrdd Addysg, Y 336
Bwrdd Eglwys a Chymdeithas 71, 72
Bwrdd y Cenadaethau 328
Bwrdd y Genhadaeth 336
Bwrdd Ymgeiswyr 215
Bwrdd y Weinidogaeth 327, 329, 336

C

Cadoux, C. J. 205
Caethglud Babilon 502
Calgary 477
Calvin, John 146

Campbell, R. J. 205
Canada 476-80
Caneuon Ffydd (2001) 401, 410, 411
'Caniadaeth y Cysegr' 404
Capel Berea Newydd, Bangor 431, 433
Capel Bethany, Rhydaman 428
Capel Clapham Junction 18, 417
Capel Charing Cross, Llundain 4
Capel Ebeneser, Tymbl 24, 25
Capel Heathfield Road, Lerpwl 427
Capel Heol Dŵr, Caerfyrddin 438
Capel Heol y Crwys, Caerdydd 53
Capel Jewin, Llundain 51, 429, 433
Capel John Hughes, Pontrobert 427
Capel Laird Street, Penbedw 150
Capel Mawr, Dinbych 363
Capel Mawr, Rhos 53
Capel Salem, Treganna 68, 418, 427
Capel Salem, Y Rhyl 339
Capel Seilo, Caernarfon 429
Capel Soar, Pontardawe 12
Capel Stanley Road, Lerpwl 52
Capel Tabernacl, Abercynon 20
Capel Tŵr-gwyn, Bangor 55, 431
Capel y Babell (Epynt) 51
Capel y Groes, Wrecsam 430
Capel y Morfa, Aberystwyth 424
Capel y Porth, Porthmadog 431
Capel y Rhos, Bae Colwyn 432
Capeli Cwm Cynon 425
Carrington, Tom 400, 401, 407
Cartref Bontnewydd 61, 62
Cartref Penarth, Llanfairfechan 61, 62
Casgliad Mawr (1944) 325
Casia 305, 313
Castlemaine 473
Cenhadwr, Y 279, 306, 309, 335
Cerddor, Y 404
Clarke, James 372, 373, 380, 384
Clynnog, Ysgol Ragbaratoawl 6
Cofgolofn Evan Roberts 427
Coleg Clwyd 231, 233-5
Coleg Coffa, Y 225
Coleg Dewi Sant, Llanbedr Pont Steffan 223
Coleg Diwinyddol Unedig 225
Coleg Gwyn, Y 226
Coleg Trefeca 229-30
Coleg y Bala 60, 208, 215, 218, 223, 231-2, 254, 330
Colney, John 338
Columbus, Ohio 451, 453, 458
Comisiwn Ad-drefnu'r Cyfundeb 28, 147-9, 171, 185-6, 192, 215, 246, 281, 323, 328
Comisiwn ar Addysg y Weinidogaeth (1955) 236-7
Comisiwn Brenhinol Henebion Cymru 423
Comisiwn Haldane 222, 223, 395
Cook, A. J. 22
Credaf 198
Crescent Christian Centre, Y Drenewydd 432
Cristion 496
Cristnogaeth21 340, 500
Cronicl Cenhadol 309
Crucifix Trench 5
CWM 326, 327, 331, 332, 334, 337, 338, 510
Cydymaith Caneuon Ffydd (2006) 410
Cyfadran Ddiwinyddol Prifysgol Cymru 223
Cyfaill, Y 449, 453, 454, 458, 460, 461, 462, 479
Cyfarwyddwr, Y 28, 29
Cylchgrawn, Y 243
Cylchgrawn Hanes 280, 434, 435, 440
Cymanfa Casia-Jaintia 312
Cymanfa Efrog Newydd a Vermont 457
Cymanfa Ohio 461
Cymdeithas Heddychwyr Cymru 50
Cymdeithas y Cymod 7
Cymdeithas y Groes Goch 5
Cymro, Y 279
Cymru'r Plant 20
Cynghrair Efengylaidd 209
Cynghrair y Cenhedloedd 13
Cyngor Eglwysi Cymru 249
Cyngor Eglwysi'r Byd 332
Cyngor Heddwch Cenedlaethol 31
Cyngor y Sector Gwirfoddol Cristnogol yng Nghymru (Gweini) 508
Cysondeb y Ffydd 203
Cytûn 249, 331, 340

CH
Chamberlain, Neville 49
Chambers, Paul 507, 508
Charles, David 437, 438
Charles, Thomas 102, 104, 105, 438, 362, 440
Chicago 455, 469
Christian Instructor, The 276
Church Hymnary 396, 397, 402, 410
Chwiorydd y Bobl 322, 326, 327

D
Dafis, Cynog 497
Daniel, J. E. 182
Dartmoor 12
Darwin, Charles 182, 185
Datganiad Byr ar Ffydd a Buchedd, Y 130, 186, 187, 189, 190, 206
Datgysylltu'r Eglwys 18
Davidson, Jane 73
Davies, Alun Creunant 364
Davies, Aneirin Talfan 18
Davies, Arthur 325
Davies, D. Teifi (Hirwaun) 56
Davies, David, AS 11, 13
Davies, David, Llandinam 215-6, 418
Davies, Dewi Eurig 193, 204
Davies, Dr W. Wynn 319, 321
Davies, E. O. 27, 108, 113, 126, 128, 132, 188, 247, 359, 398, 399, 400, 439
Davies, E. T. 393, 400
Davies, Elgan 288
Davies, Ellis W. AS 12
Davies, Evan Cynffig 183
Davies, George M. Ll. 7, 8, 12, 20, 29, 50, 55, 239
Davies, Gwendoline a Margaret (Gregynog) 418, 419
Davies, Gwynfryn Lloyd 60, 364
Davies, H. R. 151
Davies, Henry Walford 395
Davies, Howe1[l] 98, 99, 436
Davies, Ivor Oswy 151, 196
Davies, J. E. Wynne ix-x, 440
Davies, J. H. 246
Davies, J. P. 152
Davies, John 19
Davies, John (Fronheulog) 97
Davies, Mansel 59
Davies, Pennar 200
Davies, S. O. AS 59
Davies, T. Alban 30
Davies, T. H. Creunant 56
Davies, T. J. 60, 361, 363
Davies, T. O. 230, 362
Davies, Tegla 399
Davies, William David 22, 191, 220, 227-8
'Dechrau Canu, Dechrau Canmol' 404
Deddf Adloniant ar y Sul (1932) 26
Deddf Cynrychiolaeth y Bobl 14
Deddf Eglwys Bresbyteraidd Cymru (1933) 113-14, 189, 190, 206
Deddf Goddefiad (1689) 103
Deddf Gorfforaeth Lerpwl 63
Deddf Priodas (cyplau o'r un rhyw) 207
Derfel, R. J. 14
Detroit 452, 461, 469
Deyrnas, Y 8, 9, 10
Diarfogi Niwclear 64
Dilyn Cenhadaeth 331
Diwinyddiaeth 503
Dodd, C. H. 196
Drafod, Y 449
Drws y Society Profiad 100
Drych, Y 449, 464
Drysorfa, Y 146, 197, 199, 226, 251, 253, 275, 278, 286
Dyffryn Camwy 450
Dyffryn Nantlle 4
Ddraig Goch, Y 21

E
East Moors 319, 326
Edmonton 477
Edwards, Alun R. 50
Edwards, D. Miall 29, 195, 196
Edwards, David L. 503
Edwards, Dr Ellis 233, 440
Edwards, Dr Lewis 112, 114, 120, 203, 233, 238
Edwards, Eleri 337
Edwards, Ffiona 379
Edwards, G. A. 172, 185, 216, 217, 218, 220, 231, 248
Edwards, J. W. 279, 284
Edwards, John 239
Edwards, Sian ac Owain 381

Edwards, Syr Ifan ab Owen 20, 242, 255, 361
Edwards, Syr O. M. 2, 20, 250
Edwards, Thomas Charles 186, 238
Efengylydd, Yr 204
Efrog Newydd 452, 469
Efrydydd, Yr 27
Eglwys Anglicanaidd, Yr 2
Eglwys Crouch Hill 7
Einstein, Albert 54
El Greco 419
Elias, John 103, 104, 106, 110, 111
Elis, Islwyn Ffowc 290
Ellis, Robert Bevan 61
Ellis, T. I. 18, 50
Ellis-Thomas, Dafydd 198
Emynau a'i Hawduriaid (1945) 402-3
Enoch, S. I. 220, 221, 237
Erthyglau Datganiadol 132-7, 190, 207
Etholiad 'Khaki' (1900) 14
Evans, Anna Jane 376
Evans, Benson 366
Evans, Ceredig 313
Evans, D. Arthen 29
Evans, D. Emlyn 297
Evans, D. O. 18
Evans, D. Owen AS 51
Evans, D. Simon 75
Evans, Dan 13, 49
Evans, David 394, 395, 396, 400
Evans, Derry 238
Evans, Dr Eifion 100
Evans, Dr Griffith 175
Evans, Ellis Humphrey (Hedd Wyn) 4, 440
Evans, Ernest 17, 18
Evans, Gerallt Lloyd 150-1
Evans, Gwilym Ceiriog 202
Evans, Herbert 150
Evans, Herber Alun 364
Evans, J. Daniel 57
Evans, J. J. 5
Evans, J. R. 366
Evans, J. Young 218
Evans, Laura 304
Evans, Non 361
Evans, R. H. 121, 122, 185, 189, 232, 237
Evans, Rees 418
Evans, Sydney 304
Evans, T. Hopkin 394
Evans, W. E. 451
Evans, W. Ffowc 230
Evans, W. Gareth 250
Evans, William Meirion 474
Evans-Jones, Albert (Cynan) 6, 13
Ewch 336
Expository Times, The 507

F

Fellowship of Reconciliation (Cymdeithas y Cymod) 7
Fergusson, David 496
Fox, Matthew 497
Francis (Morris), Gwenno Teifi 381

FF

Ffederasiwn Glowyr De Cymru 16
Ffiwsilwyr Cymreig 4, 5
Ffordd, Y 361, 363, 365
Ffwrneisiau (1970) 12

G

Gapper, R. L. 424
Garrard, Jenny 321
Garston, Lerpwl 57
Gealy, Walford 200
Geiriadur Beiblaidd, Y 121
George, David Lloyd 1, 3, 8, 9, 11, 12, 14, 17, 22, 277, 394
George, Margaret Lloyd 418
Ghandi, Mahatma 314
Glad Tidings 310
Glannau Mersi 13
God and the Universe in the light of Modern Science (1932) 283
Gogledd Cachar 303
Goleuad, Y 5, 55, 57, 60, 61, 114, 115, 130, 131, 155, 188, 189, 193, 209, 277, 287, 361, 366, 449, 509, 512
Granville 464, 469
Green, John 17, 56, 228
Green, Menna 332
Gregory, Diane 68
Gregory, Richard Thomas 27
Greirfa, Y 423, 434
Grieve, A. J. 199
Griffith, G. Wynne 162, 182, 189, 190, 191, 242, 243

Griffith, Griffith Robert 420
Griffith, Morgan W. 153
Griffith, R. D. 405, 406, 407
Griffith, R. E. 67
Griffiths, Ann 422
Griffiths, David 420, 421
Griffiths, Dr Griffith 304
Griffiths, James AS 58
Griffiths, John D. 474, 482
Griffiths, John L. (Bontnewydd) 55
Griffiths, Peter Hughes 4, 7
Griffiths, Rhidian 434
Groes-wen, Y 100
Gruffydd, R. Geraint 204, 206
Gruffydd, W. J. 51
Gwasg Pantycelyn 289, 292, 294, 297
Gwasg y Brython 52
Gwasg y Bwthyn 294, 295
Gwastadeddau, Y 303, 305, 308
Gwilym, Gwynn ap 221
Gwlad Belg 4
Gyffes Ffydd, Y 112, 113, 116, 186, 187, 188

H

Habiganj 309, 313
Hall, Basil 221
Hamilton, H. A. 162
Hanes Assam (1816) 276
Hanes yr Apocryffa (1942) 284
Hapgood, John 498
Harari, Yuval 498
Hardie, Keir AS 7, 15
Hardy, Janet 433
Harris, Howel 98, 99, 434, 435, 436, 437, 440
Harris, Nancy 305
Hedley, S. H. 221
Henaduriaeth Blue Earth 467
Hepburn, Anne 484
Higham, W. Vernon 65
Hindŵaeth 308
Hindŵiaid 303, 308, 315
Honest to God (1963) 201, 202
Howard, J. H. (Bae Colwyn) 8, 15
Howatt, T. 229
Howell, Lyn 364
Howells, Eliseus 56, 228
Hughes a'i Fab, Wrecsam 396
Hughes, Cledwyn AS 59
Hughes, Currie 6
Hughes, Cwyfan 150
Hughes, D. R. 50
Hughes, Dr R. Arthur 55, 305, 318
Hughes, G. Parry 398
Hughes, Glenys Gough 334
Hughes, H. D. 59
Hughes, Howell Harris 8, 57, 186, 219, 220, 310, 359
Hughes, J. E. 149
Hughes, J. G. Moelwyn 58, 146
Hughes, John (Pen-y-bont) 399
Hughes, John (Pontrobert) 422
Hughes, John Williams 471
Hughes, Katie 304, 312
Hughes, R. Caradog 474, 481
Hughes, R. Gwilym 290
Hughes, R. R. 186
Hughes, R. S. 231
Hughes, Ronw Moelwyn AS 58
Hughes, Siôn Gough 475
Hughes, Thomas 398
Hughes, Thomas (Rhiw, Blaenau Ffestiniog) 10
Humphreys, Carys 203, 337
Humphreys, E. Morgan 277, 278
Humphreys, James 53, 361, 364
Humphreys, W. J. 289
Huntingdon, 100
Hyfforddwr, Yr 276

I

Iona 371

J

James, Dr Watcyn 510
Jenkins, David 397
Jenkins, Dr Kathryn 295
Jenkins, R. T. 24, 291
Job, E. M. 424
Job, J. T. 3
John, E. T. AS 12
John, Syr William Goscombe 418
Johnstown, Pennsylvania 462
Jones, Alan Vernon 425
Jones, Arthur 68
Jones, Bennett 364
Jones, Brenda 63
Jones, Brian Huw 375
Jones, D. E. 302, 312

Jones, D. Glanaman 13
Jones, D. Glanant 12
Jones, D. J. Eurfyl 57
Jones, D. Morris 5, 216, 220, 231, 417, 440
Jones, D. Ormond 57
Jones, D. Tudor 229
Jones, Dafydd Andrew 502, 504, 505, 506
Jones, Daniel 102
Jones, David James (Gwenallt) 12
Jones, Dilys 316
Jones, Dora Herbert 419
Jones, Dr Gwenan 58
Jones, Dr J. Cynddylan 5, 131, 193, 188, 203
Jones, E. Norman 218, 220
Jones, E. T. 20
Jones, Eifion G. 68
Jones, Elizabeth Mary 277
Jones, Enyd Arfon 334
Jones, Evan (Trewythen) 419
Jones, Frank Price 103
Jones, Gareth Maelor 63, 202
Jones, Geraint Wyn 379
Jones, Glyn Penrhyn 291
Jones, Gwilym Angell 304
Jones, Gwilym H. 221, 290, 364
Jones, Gwilym R. 50
Jones, H. Haydn 12, 396
Jones, Harri Owain 364, 379
Jones, Islwyn D. 423
Jones, J. D. (Llangaffo) 55
Jones, J. Ellis (Y Rhyl) 54
Jones, J. Humphreys 479, 480, 483
Jones, J. J. 230
Jones, J. O. 55
Jones, J. Puleston 6, 8, 398
Jones, J. R. 67, 68, 74, 197, 198, 200, 201, 284
Jones, J. T. Alun 220
Jones, J. W. (Cricieth) 54
Jones, John (Talsarn) 8
Jones, John Morgan 8, 15, 24, 27, 319, 434
Jones, John Owain 221
Jones, M. H. 229, 241, 243, 310, 436, 438, 439
Jones, Menna 305
Jones, D. G. Merfyn 316
Jones, Nan Wyn 376, 377
Jones, Percy Ogwen 12
Jones, Philip 22, 56
Jones, Phillip J. 194
Jones, Pryderi Llwyd 209
Jones, R. Arfon 466
Jones, R. Lewis 463, 469
Jones, R. T. 3, 21
Jones, R. Tudur 200, 224, 362, 379
Jones, Richard Llewelyn 19
Jones, Robert Thomas 17
Jones, T. Arthur 25
Jones, T. Gwynn 8
Jones, T. R. (Caerwys) 56
Jones, T. R. (Clwydydd) 9
Jones, Thomas 101, 102, 103, 105
Jones, Thomas AS 11
Jones, Thomas Jerman 310
Jones, Tom, Trealaw 394, 411
Jones, W. Arfon 455, 462, 468
Jones, W. Jenkyn 303
Jones, W. P. 230
Jones, Wilfrid 400
Jones, Willie T. 461, 466
Joshua, Seth a Frank 319
Jowai 305, 308, 314

K
Kant, Immanuel 203
Karimganj 305, 308
Kerygma 196
Kingswood-Treborth 322
Kitchener, Arglwydd 2
Knox, Buick 65, 196, 221, 231, 232, 291

L
Lake Crystal, Minnesota 450
Latter, Gerald 429, 431
Levi, T. A. 2
Lewis, D. J. (Waunfawr) 10, 198
Lewis, D. Wyre 9
Lewis, David 51
Lewis, H. J. 246
Lewis, Hywel D. 67, 198, 200, 201
Lewis, Kitty 312
Lewis, L. Haydn 31
Lewis, Saunders 21, 51, 205, 512
Lewis, Syr Henry 2
Lewis, Syr John Herbert 14

Lewis, T. J. 26
Lewis, William 310
Life in a Welsh Countryside (1950) 422
Lime Springs, Iowa 463
Longfield, Bradley J. 458
Lord, Peter 434
Los Angeles 469, 471
Lushai 308, 314

LL

Llanberis 3
Llandinam 4
Llandrindod 9
Llanfairfechan 13
Llan-gan 362
Llangefni 3
Llanllanast 505
Llawlyfr Gwasanaeth Priodas … (1930) 165
Llawlyfr Uwchfeirniadaeth Ysgrythyrol (1897) 183
Llawlyfrau Trefn a Rheolau 295
Llenor, Y 205
Llên y Llenor 294
Llewelyn 477, 478, 483
Llewelyn, Sybil 484
Lloyd, D. Myrddin 50
Lloyd, Delyth Wyn 377
Lloyd, J. Trefor 199
Lloyd, John Ambrose 397
Lloyd, R. Glyn 469
Lloyd, W. Llewelyn 5
Lloyd-Jones, D. Martyn 205, 206, 229
Lloyd-Jones, Henry 205
Llydaw 302, 303
Llyfr Gwasanaethau (1958/2009) 156-7
Llyfrfa, Y 280, 281, 288-9, 296
Llyfrgell Genedlaethol Cymru 420-3

M

MacDonald, Ramsay 30
Mackenzie, Millicent 14
Madagascar 337
Mainwaring, Morgan 328, 329, 331
Manners, Wellburn 315, 318
Mather, Z. A. 453, 457
Matthews, Edward 191-2
McLean, Charles 393
Melbourne 448, 472, 473, 481, 483, 484
Mendus, E. Lewis 312
Meredith, J. E. 49, 256, 284
Mesur Gwasanaeth Cenedlaethol 53
Mewn Llestri Pridd 151
Mineapolis 471
Minnesota 450, 451, 461, 477
Misoram 312, 313, 336
Mohametaniaeth 303
Mohametaniaid 315
Montauban Trench 5
Montreal 476
Morgan, D. Densil 4, 196, 207, 208
Morgan, D. Elystan AS 67
Morgan, Dewi 9
Morgan, Edward 238
Morgan, K. O. 12, 244, 246
Morgan, M. P. 23
Morgan, Marc 377, 378
Morgan, T. Evan 68
Morgan, W. Deri 51
Morgans, Delyth G. 410
Morgans, Monica 334
Morlan, Y 432, 338
Morris, Albert Kyffin 221
Morris, Dr Haydn 407
Morris, J. Hughes 309, 310, 400
Morris, Llinos 334
Morris, Meirion 334
Morris, Peter M. K. 221
Morris, Rhys Hopkin 18, 58
Morris, Richard 220
Morris, William 290
Morris-Jones, Syr John 2, 397, 399
Mortimer, A. F. 421, 422, 424, 425, 426
Moslemiaeth 308
Moynagh, Dr Michael 510
Mudiad Efengylaidd, Y 207, 500
Mudiad Ieuenctid Caerfyrddin 384
Mudiad y Cristnogion Ieuainc, 6
Murray, J. A. C. 175

N

Nebraska 477
New Theology, The 205
Newbigin, Lesslie 507
Newlands, George 509
Nicholas, John Morgan 406
Nicholas, Thomas Evan 14

Noddfa, Caernarfon 333
Nyirongo, Jane 334

O
Ohio 492
Ollerton, David 379, 506, 507
Owen, D. O'Brien 279
Owen, D. S. 51, 52, 433
Owen, Dafydd (yr ail) 372, 373
Owen, Dafydd G. L. 371
Owen, Dafydd H. 330, 331, 364, 367, 368, 370, 371, 372, 379, 384
Owen, Griffith 363
Owen, Gwilym 283
Owen, Huw Parri 221
Owen, J. M. 471
Owen, J. R. 479
Owen, John (Caer) 115, 184
Owen, John (Cressington) 403
Owen, John (Llanbedr) 61
Owen, John (Llanberis) 367
Owen, John (Morfa Nefyn) 193
Owen, Margaret 317
Owen, Muriel 304
Owen, O. Robyns 116
Owen, Robert (Llansannan) 56
Owen, Robert (Y Drenewydd) 10
Owen, Syr Hugh 238
Owens, John 238

P
Palas Buckingham 5
Panel Athrawiaeth 207
Papwa 337
Parkhurst, Ysbyty Milwrol 11
Parri, Harri 202, 203, 363
Parry, Griffith 285
Parry, John Alwyn 231
Parry, R. Ifor 75
Parry, Syr David Hughes 51, 65, 330, 477
Parry, Thomas 25
Parry, Thomas Jones 230
Parry-Williams, D. E. 401
Parry-Williams, Syr T. H. 8
Partneriaethau Sifil 207
Patagonia 447
Payne, P. F. 328
Penbedw 12
Penmorfa 18
Pennsylvania 452
Pen-rhys 333, 339
Pensaernïaeth 423-33
Penycaerau, Swydd Oneida 451
Pen-y-groes 4
Philadelphia 469, 470
Phillips, David 54, 186, 219, 231, 303, 312, 359, 360, 440
Phillips, Dr D. M. 57
Phillips, Dr Glyn O. 64
Phillips, Hefina 482
Phillips, Ieuan I. 319, 325, 424
Phillips, John 238
Phillips, T. B. 304, 305, 318
Phillips, William 462
Plaid Genedlaethol Cymru 21
Plasau'r Brenin (1934) 12
Politechneg Cymru 333
Ponoka 477
Pope, Robert 121, 184, 203, 504
Porfeydd, 173, 286
Porter, William 218, 221
Powell, Ifan Morus 462
Powell, Thomas (Aberdâr) 54
Powell-Davies, Huw 379
Presbetri, Pittsburgh 460
Pretty, David A. 3
Price, Watcyn M. 310
Price, Watkin 307
Priday, Marilyn 334
Pritchard, John (Llanberis) 53
Proffwyd Jeremeia, Y 501
Prys, Dr Owen 186, 216, 218, 223, 283, 303, 319, 398, 399, 440
Prys-Thomas, Dewi 424
Pugh, Dr John 319
Pugh, E. Cynolwyn 455
Pugh, H. M. (Cyffylliog) 56
Pwyllgor Caplaniaeth 330
Pwyllgor Undeb Cristnogol 324

Q
Queensland 475

R
Racine, Wisconsin 451, 457
Rees, Alwyn D. 422
Rees, Caradog, AS 12
Rees, D. Ben 201, 364, 502, 509
Rees, Griffith 231, 440

Rees, J. T. 394, 400
Rees, R. J. 64, 239, 319, 320
Rees, Thomas 8
Richard, Ebenezer 2, 106, 110
Richard, Henry 2
Richards, Dr Elwyn 226, 237, 500, 502, 503
Roberts, Angharad 337
Roberts, Arthur Meirion 61, 363
Roberts, Bleddyn Jones 221, 362
Roberts, Bryn 174
Roberts, D. Francis 8, 121, 125, 205
Roberts, Dr Brynley F. 410, 495
Roberts, Dr Gwyneth Parul 304
Roberts, Dr Huw Gordon 305
Roberts, Dr John (Caerdydd) 30, 51
Roberts, Dr John 313
Roberts, Dr Kate 21, 25, 52
Roberts, Eirian 52
Roberts, Elfed ap Nefydd 220, 222, 364, 505
Roberts, Emyr 203, 205, 206
Roberts, Gomer M. 404
Roberts, Goronwy 59
Roberts, Gwen Rees 316, 318, 330, 369
Roberts, Gwilym O. 67
Roberts, J. R. (Pen-y-cae) 151
Roberts, John (Carneddi) 53
Roberts, John (Ieuan Gwyllt) 411
Roberts, John (Llanfwrog) 151
Roberts, John Wynn 361
Roberts, Lona 332
Roberts, M. Meirion 174
Roberts, Mary 30
Roberts, O. E. 290
Roberts, R. Silyn 15, 16, 19
Roberts, Richard 7, 8
Roberts, Roland Wyn 331
Roberts, Samuel 114
Roberts, W. Arvon 471
Roberts, W. O. 11
Robinson, John A. T. 201, 202
Rosser, Graham 423
Rowland, Daniel 98, 99, 100, 435, 436, 438
Rowlands, Dr Helen 304, 309, 316
Rowlands, Elwyn 54
Rowlands, Ifor 482
Rowlands, John 25
Royal Army Medical Corps 6
Rutelli, Mario 417

RH

Rheolau a Dybenion … (1801) 101
Rheolau Disgyblaethol 104
Rhodd Mam 170, 276
Rhos y Gad (Llanfairpwllgwyngyll) 2
Rhydderch, Gwyn 381
Rhyfel Byd Cyntaf 1, 2, 6
Rhys, Gethin 378
Rhys, J. E. 30, 252
Rhys, J. E. 30

S

Sail, Dibenion a Rheolau'r Societies… 104
Salonica 6
San Francisco 471, 484
Sangkhuma, Hmar 338
Santes Teresa 511
Sasiwn Genhadol y Chwiorydd 307
Schlenther, D. B. 222
Seattle 469
Sebastopol 448, 473
Seiat, Y 173-4
Sell, Alan P. F. 205, 220
Selwyn, O. G. 222
Seren Cymru 293
Seren y Dwyrain 55
Seren, Y 438
Sgubor Goch 339
Shave, Dr Peter 317
Sheppard, Dic 50
Shillong 304, 305, 308
Silchar 308
Silicon Valley 499
Sinclair, Syr Archibald 54
Somme, Brwydr y 5, 417
'Souled Out' 208, 209, 381
Spectator, The 497
Spong, John S. 497
Stanton, C. B. 14
Stephens, J, Oliver 472, 482
Stott, John 206
Sydney 475, 476
Sylfeini'r Ffydd 182
Symudiad Ymosodol 319, 322-3, 324, 325

T
Tadau Methodistaidd, Y 435, 436
Taiwan 203, 337
Tillich, Paul 201, 202
Tilsley, Gwilym 199
Times, The 52
Todd, Galbraith 471
Tonic Sol-ffa 393
Toronto 448, 479, 481, 483, 484
Traethodau'r Deyrnas 172
Traethodydd, Y 203, 287
Treasury, The 26, 287
Trefeca 229-30, 330
Trefn a Chynhaliaeth y Weinidogaeth (1918) 115
Treganna 319
Treharne, Bryceson 393
Tre-saith 330, 363, 375
Trwro 375
Trysorfa y Plant 28, 282, 286, 287, 428
Tryweryn, Cwm 63
Tudor, Dr Nerys 337
Tudor, John 337, 363
Tudor, John H. 330, 364
Tudor, S. O. 193, 194, 284
Tunnell, Dr Norman 317
Tyddyn, Y 437
'Tynged yr Iaith' 65
Tŷ'r Cyffredin 1
Tŷ'r Gymuned, Casnewydd 334, 339
Tyst, Y 293

TH
Thickens, John 403
Thomas, Athro J. O. 117, 216
Thomas, D. R. 59, 362
Thomas, Daniel 456
Thomas, David 15
Thomas, Ebenezer (Eben Fardd) 230
Thomas, Ednyfed 316
Thomas, Emrys 62
Thomas, Eric 288, 289
Thomas, Glyn 331
Thomas, Gwladys 316
Thomas, Isaac 227
Thomas, John 320, 394
Thomas, John Owen 218
Thomas, Menna 62
Thomas, Nansi 315
Thomas, Oliver 306, 310
Thomas, Owen 3, 17
Thomas, Syr Percy 424
Thomas, T. Glyn 154, 506
Thomas, T. Haydn 394
Thomas, Trebor Mai 315, 328

U
Undeb y Glowyr 16
Unol Daleithiau America 447
Urdd y Bobl Ieuainc 359, 360
Utica 469, 476

V
Venturer, The 7
Victoria 448, 472

W
Ward, Alwyn 377, 379
Watcyn-Williams, Morgan 284
W.E.A. 16
Weinidogaeth Iacháu, Y 174-7
Welsh Students Company 6
Wheldon, W. P. 13
Whitefield, George 436
Whomsley, Huw 433
Wilkes-Barre 453
Wilks, John 110, 112
Williams, Aled Jones 294, 499
Williams, Annie Pugh 326
Williams, Athro David 5, 29, 117, 149, 216, 218, 220, 231
Williams, D. D. 251, 439
Williams, D. J. 21
Williams, David Cynddelw 4, 417
Williams, Dr Edward 304
Williams, Dr John 304
Williams, Dr John Tudno 196, 221, 502
Williams, Dr Llewelyn 312
Williams, Dr O. O. 305
Williams, E. H. 305
Williams, Eirlys 304
Williams, Eliseus (Eifion Wyn) 399
Williams, Ellis 7
Williams, Ffowc 406
Williams, Glyn 450
Williams, Gwilym 172, 406
Williams, Harri 202, 220, 237, 290, 366
Williams, Hugh 193

Williams, Huw 404
Williams, Huw Llewelyn 227
Williams, Ifan O. 227
Williams, J. E. Caerwyn 76, 294
Williams, J. Gerlan 303
Williams, J. Glyn 175
Williams, J. H. Lloyd 230
Williams, J. Lloyd 404
Williams, J. Price 409
Williams, John (Brynsiencyn) 2, 3, 4, 6, 9, 13, 26, 149, 150, 217, 416
Williams, John (Pantycelyn) 104
Williams, John Ellis 17
Williams, Ll. B. 229
Williams, Llew G. 9
Williams, M. Watcyn 5
Williams, Myfi 475
Williams, Nia 379
Williams, Norman Pritchard 337
Williams, O. R. 462, 463, 466, 468
Williams, Peter 98, 438, 369
Williams, R. Dewi 231
Williams, R. J. 309, 310
Williams, R. R. 451
Williams, R. T. 467
Williams, Rheinallt Nantlais 220, 231
Williams, Stephen Nantlais 220
Williams, Syr Ifor 25, 61
Williams, Syr John 417
Williams, T. Hevin 230, 232
Williams, Thomas Charles (Porthaethwy) 2, 4, 13, 22, 149, 173, 416
Williams, Tom Nefyn 15, 23-4, 132, 149, 209
Williams, W. Bryn 378
Williams, W. Dewi 230
Williams, W. I. Cynwil 202, 295
Williams, W. Llewelyn AS 12, 17
Williams, W. Matthews 394, 407
Williams, W. Nantlais 24, 130, 188, 189, 204, 206, 310, 404, 428
Williams, W. R. 60, 219, 220, 221
Williams, W. Samlet 277
Williams, Waldo 52
Williams, William (Pantycelyn) 99, 436
Wilson, John 334
Winnipeg 477
Wisconsin 452, 461, 467, 477
Wood River 477, 478
Wood, William 175
Wormwood Scrubs 12

Y

Y Cyfaill o'r Hen Wlad 451
Y Ffordd yr edrychaf ar Bethau 24
Y Gymraeg Mewn Addysg a Bywyd (1927) 226, 251, 253, 275, 278
Ymchwil, Yr 24
Ymgyrch y Deffro 506
Ymlaen 286
Ymreolaeth i Gymru 19
Ymwelydd, Yr 473
Ynys Enlli 363, 371
Ysbyty Jowai 307, 305
Ysbyty Sant Dunstan 5
Ysgol Ragbaratoawl Clynnog 230
Ysgol Sul, Yr 237-8
Ysgol Sul, Yr (1944) 237-42
Ystrad Mynach 338
Y Werin a'i Theyrnas 15